변호사시험 대비

[제4판]

LAW SCHOOL
로스쿨

행정법 WORK BOOK

류준세 편저

法 文 社

제 4 판 머리말

3판 개정후 2년만에 4판을 출간합니다. 그 동안 끊임 없는 개정판 출간 요구가 있었음에도 신속하게 대응하지 못한 점에 대해 우선 송구하다는 말씀을 드립니다.

4판의 개정작업에서는 2016 · 2017년 변호사시험, 2015년 · 2016년 사법시험 · 5급공채 기출문제를 수록하고, 일부 서술을 보완하고, 판례를 보강했습니다. 그리고 암기에 편의를 도모하고자 중간 중간 두문자도 소개하였습니다.

새로운 쟁점으로 간접손실보상, 재판관할, 관련청구소송의 이송 · 병합, 공동소송 및 소송참가가 추가되었습니다. 이 밖에도 변상금 부과 · 징수권과 부당이득반환청구권, 사무관리, 공법상 부당이득, 신고, 지위승계신고, 법규명령의 근거와 한계, 행정규칙, 행정행위의 성립 및 효력요건, 확약, 공법상계약, 사실행위, 행정조사, 이행강제금, 즉시강제, 명단공표, 사전통지 및 의견제출, 인 · 허가 의제, 정보공개, 국가배상책임의 성질과 공무원의 책임, 국가배상법 제2조의 요건, 손실보상의 요건, 생활보상, 손실보상에 대한 불복, 고지제도, 무명항고소송 인정여부, 취소소송의 대상, 집행정지, 처분사유의 추가 · 변경, 취소판결의 형성력, 부작위위법확인소송, 당사자소송, 지방자치단체의 주민의 법적 지위, 직무이행명령, 공무원관계의 발생 · 변경 · 소멸, 직위해제, 공무원관계의 내용, 행정재산의 목적 외 사용, 공익사업의 변환, 공용환권, 경찰권 발동의 근거, 환경영향평가 등에서 개정작업이 이루어졌습니다.

로스쿨 워크북이 행정법의 모든 것을 커버할 수는 없지만 행정법의 기본이 되는 논점은 망라하고 있어 사례형으로 출제될 수 있는 논점에 대한 대비는 전혀 부족함이 없다고 자부합니다. 선택형 문제에 출제되는 지문 역시 충분히 대비할 수 있습니다. 다만 가끔 출제되는 특이한 판례는 저자의 행정법캡슐을 통해 보완하거나 선택형 문제집을 풀면서 습득하면 됩니다. 사례풀이의 완전한 서술은 레인보우 기출문제집이나 곧 출간될 예정인 변시 · 사시 진도별 행정법 사례연습을 통해 학습하면 됩니다.

변호사시험의 경쟁률이 2대1을 넘어서고 있습니다. 단순히 기본만 하면 되겠지 하는 생각으로는 합격이 어려운 상황입니다. 더 치열한 학습을 통한 실력향상만이 합격을 담보할 것입니다. 로스쿨 워크북이 독자들의 합격에 디딤돌이 되기를 기원합니다.

끝으로 4판의 출간에 정성을 다해 주신 법문사의 예상현 과장님, 유진걸 대리님께도 깊은 감사의 말씀을 전합니다.

2017년 2월 27일
류 준 세

초판 머리말

법학전문대학원생들을 위한 로스쿨행정법워크북을 선보이게 되었습니다. 이미 발간된 행정법 워크북이 법학전문대학원생들이 학습하기에는 양적으로 부담이 되므로 로스쿨생만을 위한 별도의 교재를 발간해 달라는 요청에서 로스쿨행정법워크북은 시작되었습니다. 강의 안내를 통해 곧 발간할 예정이라고까지 밝혔음에도 몇 번의 허언 끝에 이제야 출간하게 되었습니다. 확약의 불이행에 낙심한 분들께 죄송하단 말씀부터 드립니다.

로스쿨행정법워크북은 기존 워크북의 분량을 대폭 줄이고, 관련판례와 기출사례를 제외한 본문은 가독성을 높이기 위해 완성된 문장으로 서술했습니다.

행정법을 제대로 이해하기 위해서는 더 많은 이론과 판례에 대한 학습이 필요하다는 생각에는 변함이 없으며, 행정법을 강의하는 입장에서 하나라도 더 소개하고 싶은 마음이야 굴뚝같지만, 법학전문대학원 3년의 과정 속에서 로스쿨생들이 현실적으로 행정법에 투자할 수 있는 시간을 고민할 수 밖에 없었습니다. 이에 과감히 분량을 줄였습니다.

한편, 1,2회 변호사시험과는 달리 앞으로 경쟁률이 높아져가는 현실 또한 고려할 수 밖에 없었습니다. 4회 시험부터는 실경쟁률이 2대1이 될 것이며, 1학년 재학생이 응시하는 5회부터는 더한 경쟁이 기다리고 있을 것입니다. 이러한 환경에서 최소한의 내용만으로 학습하는 것이 과연 적절한가 하는 걱정도 있어 무조건적인 축약은 삼가하였습니다.

로스쿨행정법워크북은 기본적으로 요약서로서 시험용으로 기획된 교재이지만 학교수업에 맞추어서 관련부분들을 같이 학습해도 무방합니다. 다만 학교에서 처음 행정법 수업을 시작할 때에는 교수님들의 교과서를 접하고 전체적인 행정법의 맥락과 흐름을 이해하도록 노력할 것을 권고합니다. 교수님들의 교과서가 가지고 있는 장점 또한 활용하기 바랍니다.

이제 로스쿨용 교재의 출간에 대한 약속을 이행하게 되어 마음이 한결 가볍습니다. 아직 부족한 점들이 있겠지만 앞으로 개정작업을 통해서 보완하도록 하겠습니다. 로스쿨행정법워크북이 변호사시험을 대비하는 법학전문대학원생들의 행정법 사랑에 조금이라도 도움이 되었으면 좋겠습니다.

끝으로 이 책을 출간하는 데에 정성을 다해 주신 법문사의 김영훈 부장님과 예상현 과장님께 깊은 감사의 말씀을 드립니다.

2013년 3월

류 준 세

워크북 활용방법

워크북의 기본체계는 쟁점을 약술형으로 정리한 것입니다. 아울러 쟁점별로 관련 리딩판례와 기출사례를 배치하여 사안의 응용능력을 기를 수 있도록 했습니다.

쟁점별로 정리되어 있어 전체적인 흐름을 이해하는 데에는 한계가 있으므로 행정법의 맥락을 이해하기 위해서는 교수님들의 교과서를 보는 것이 좋습니다.

약술형 문제가 변호사시험에 출제되지 않는 경향이지만 테마별로 쟁점이 무엇인지 일별할 필요가 있으므로 약술형의 편제를 유지합니다. 교수님 교과서로 공부한 후에 워크북으로 쟁점을 체크해보는 것도 괜찮고, 시간적 여유가 없어 교과서를 못 볼 경우에도 시험대비용으로 활용할 수 있습니다.

중요내용은 볼드체로 표시했으니 막판 정리할 때에는 볼드체 위주로 보면 효율적일 것입니다.

[관련판례]는 테마별로 리딩판례를 소개한 것입니다. 사실관계가 필요한 경우는 사실관계를 소개했고 경우에 따라서는 간단한 판례 해설까지 곁들였습니다. 판례를 통한 사례 대비도 할 수 있습니다.

그리고 [기출사례]를 최대한 소개했습니다. 사례가 출제되기 시작한 후의 사시, 행시 기출사례는 물론 변호사시험과 일부 변호사시험대비 모의시험 문제까지 소개했습니다. 기출사례만큼 사례의 기본이 되는 것이 없습니다. 기출사례의 해설은 정식 사례집이 아니다 보니 간략하게 되어 있으며 워크북 본문에 나와 있는 내용은 제목만 소개하며 간략한 문제의 제기와 사안포섭 정도에 중점을 두어 소개합니다. 기출사례를 통해서 사례의 논점 도출 연습을 하기 바랍니다. 철저히 교과서로 정리하려는 분들은 워크북 본문은 안 읽더라도 관련판례나 사례들은 교과서 진도에 맞추어서 같이 읽어보길 권합니다.

워크북에는 이론, 판례, 사례 모두가 담겨 있습니다. 워크북의 성격은 약술형 단문집, 약식판례집, 약식 기출사례집의 복합체라고 할 수 있습니다. 세 가지를 모두 다루다 보니 양이 다소 많게도 느껴질 수 있지만, 상황에 따라서는 약술, 판례, 사례를 선별적으로 활용할 수도 있습니다. 그렇게 하면 분량의 부담은 없을 것입니다.

수험기간 막판에 정리서로 활용할 분들은 키워드 위주로 단권화(단권화라는 것이 내용을 보완하는 것이 아니라 최종적으로 쓸 말을 추리는 의미로 전제)를 하고 판례를 중심으로 빠른 시간 내에 볼 수 있도록 해 두는 것도 좋습니다. 시험 막판에 키워드만 있는 암기노트로 암기하다가는 이해가 안 되는 경우 불안감만 생기고 낭패를 볼 수도 있는데 워크북으로 활용하면 텍스트 안에서 이해할 수 있는 장점이 있습니다.

쟁점별로 본문의 내용은 답안에 쓸 수 있는 양을 고려하여 최대한 줄여서 서술했습니다. 판례 소개는 주로 판례의 입장을 간단히 서술한 후 학습을 위해서 판례원문을 소개하였습니다. 답안에서는 교수님들의 교과서처럼 판례의 문장을 본문 속에 용해하여 서술하는 것이 좋습니다. 판례문언을 답안에 써보는 연습을 많이 하십시오.

기존 워크북의 각주에는 참고할 만한 사항, 심화학습용 사항, 본문의 쟁점에 마땅히 위치하기 어려운 내용을 수록하여 선별적으로 학습하도록 했는데, 로스쿨용은 수험부담을 감안하여 참고사항과 심화학습용 사항은 최대한 삭제했습니다.

워크북은 정하중, 박균성, 홍정선 교수님의 교과서의 내용들을 중심으로 서술되어 있습니다. 세 분의 교과서 외에도 김동희, 장태주, 홍준형, 류지태 · 박종수, 김남진 · 김연태, 김철용, 김성수, 최정일 교수님 등의 교과서 등을 참고하여 거의 모든 쟁점을 수록하도록 했습니다. 사례집은 김동희, 박균성, 홍정선, 박정훈, 김향기 교수님의 사례집을 참고했습니다. 교과서나 사례집의 인용은 『김동희 38면』과 같이 인용합니다. 한 권짜리 교재를 출간한 분들은 한권짜리 수험서를 기준 했으며, 두 권짜리 교재를 출간한 분들의 경우는 총론의 내용은 행정법Ⅰ, 각론의 내용은 행정법Ⅱ의 페이지를 기준으로 표시했습니다. 박균성, 홍정선 교수님 교과서 페이지 인용은 2014년판을, 정하중 교수님 교과서는 2015년판을 반영하였으며, 세 분 교과서 외에는 2011년 이전의 교과서의 페이지를 기준으로 하고 있습니다.

내용 중 #123과 같은 것은 워크북 123번을 의미합니다. 서술내용에 대한 관련되는 쟁점을 찾아보라는 의미입니다.

차 례

[행정법 통론]

[행정작용법]

[행정법 각론]

1 법률에 의한 행정의 원리(행정의 법률적합성의 원칙)

Ⅰ. 의 의

행정은 법률에 근거하고 법률에 따라 행하여야 한다는 원칙으로서, 행정에도 법치주의가 적용된다는 것이다. 그 취지는 근대 입헌국가의 권력분립원리를 토대로 개인의 기본권을 보장하기 위하여 법률로 행정을 규제함으로써 자의를 막으려는 것이며, 법률의 법규창조력, 법률의 우위의 원칙, 법률의 유보의 원칙을 내용으로 한다.

Ⅱ. 법률의 법규창조력

법규를 창조하는 것은 국민의 대표기관인 의회의 전권에 속하고, 의회에서 제정한 법률만이 법규로서의 구속력이 있다는 원칙이다. 다만 오늘날 ① 예외적으로 대통령이 법률의 효력을 가지는 긴급명령 또는 긴급재정경제명령을 발할 수도 있으며 ② 행정법의 일반원칙이나 관습법의 법원성이 인정되고 있는 점을 고려할 때, 법률의 법규창조력의 적용영역도 상대적으로 줄어드는 추세이다.

Ⅲ. 합헌적 법률우위의 원칙(소극적 의미의 법률적합성의 원칙)

행정주체의 행정작용은 그를 규율하는 법률에 위배되어서는 안 된다는 원칙으로서, 법률유보원칙과 달리 행정의 전 영역에서 적용된다. 법률우위에 반하는 행정작용은 위법하며, 구체적인 법률효과는 행정의 행위형식에 따라 다르다. 위법한 법규명령이나 조례는 무효이며, 위법한 행정행위는 위법의 정도에 따라 취소할 수 있는 행위이거나 무효이며, 위법한 공법상 계약은 무효이다.[1)]

Ⅳ. 법률유보의 원칙(적극적 의미의 법률적합성의 원리)[2)3)]

1. 의 의

일정한 행정권의 발동은 법률에 근거하여 이루어져야 한다는 원칙으로서, 법률유보의 원칙이 적용되는 경우 법적 근거가 있어야 행정권의 행사가 가능하다. 법률우위의 원칙과 달리 적용범위에 관한 논의가 있으며, 법률유보의 원칙에서 요구되는 법적 근거는 작용법상 근거를 말한다(조직법적 근거는 모든 행정권 행사에 당연히 요구됨).

2. 법률유보의 적용범위

법률유보의 적용범위에 대해 ① 국민의 자유와 권리를 침해·제한하거나 의무를 부과하는 침해행정의 경우에만 법률의 근거를 요한다는 **침해유보설,** ② 급부행정에도 법률의 근거를 요한다는 **급부행정유보설,** ③ 모든 행정에 법률의 근거를 요한다는 **전부유보설,** ④ **국가와 국민에게 중요하고 본질적인 사항들은 법률의 수권이 필요**하다는 **본질성설**(중요사항유보설)등이 대립한다.

생각건대, 법률유보의 범위는 **국민의 기본권 보장 및 민주주의의 요청과 행정의 필요**(공익의 실현) **및 행정의 탄력성을 조화**시키는 것이어야 하며, 법률유보의 범위와 밀도는 **행위형식과 행정유형별로 개별적으로 결정**되어야 한다. 침익적 행정작용에는 어느 견해에 의하더라도 법률유보의 원칙이 적용되어야 하며, 급부행정이나 기타 행정영역에 대한 적용여부는 구체적 행정활동 내지는 구체적 관련 상황을 고려하여 당사자 내지 국민일반에 대해 본질적인 것으로 판단되는 사항은 원칙적으로 법적 규율을 요한다고 보는 것이 타당하다(본질성설).

---

1) 법률유보의 원칙에 반하는 행정작용의 효과도 마찬가지이다.
2) **원칙적으로 개별적 근거**를 의미하나 **포괄적 근거에 의한 경찰권발동이 가능한지**에 대해서 논의가 있다(#156).
3) 사례에서는 보조금지급결정에 법적 근거가 필요한지가 주로 나온다(#158).

3. 의회유보원칙

본질성론에서 본질적인 것 중의 본질적인 것은 입법자가 직접 형식적 법률에 의하여 직접 규율하여야 하며, 행정부에 위임되어서는 안 된다는 위임금지론을 말한다. **위임금지를 통해 강화된 법률유보, 의회의 배타적 입법의 범위문제**라고 할 수 있다. 의회유보의 문제는 법률유보의 적용범위뿐만 아니라 법률에 의해 규율해야 하는 사항과 명령에 위임할 수 있는 사항을 구분하는 것에 관한 것인데 법률사항과 명령에 위임할 수 있는 사항의 구분이 어렵다는 문제가 있다.

관련 판례 **시청료 징수와 법률유보**(헌재결 2008.2.28, 2006헌바70)

1. 수신료의 법적 성격

1) **수신료는 공영방송사업이라는 특정한 공익사업의 소요경비를 충당**하기 위한 것으로서(방송법 제56조) 일반 재정수입을 목적으로 하는 조세와 다르다. 또, 텔레비전방송을 수신하기 위하여 수상기를 소지한 자에게만 부과되어 공영방송의 **시청가능성이 있는 이해관계인에게만 부과**된다는 점에서도 일반 국민·주민을 대상으로 하는 **조세와 차이**가 있다. 그리고 '한국방송공사의 텔레비전방송을 수신하는 자'가 아니라 '텔레비전방송을 수신하기 위하여 수상기를 소지하는 자'가 부과대상이므로 실제 방송시청 여부와 관계없이 부과된다는 점, 그 금액이 공사의 텔레비전**방송의 수신정도와 관계없이 정액**으로 정해져 있는 점 등을 감안할 때 이를 공사의 **서비스에 대한 대가나 수익자부담금으로 보기도 어렵다.**

따라서 수신료는 공영방송사업이라는 **특정한 공익사업의 경비조달에 충당하기 위하여 수상기를 소지한 특정집단에 대하여 부과되는 특별부담금**에 해당한다고 할 것이다.

2. 법률유보원칙 위반 여부

2) 헌법은 법치주의를 그 기본원리의 하나로 하고 있으며, 법치주의는 행정작용에 국회가 제정한 형식적 법률의 근거가 요청된다는 법률유보를 그 핵심적 내용으로 하고 있다. 그런데 **오늘날 법률유보원칙은 단순히 행정작용이 법률에 근거를 두기만 하면 충분한 것이 아니라, 국가공동체와 그 구성원에게 기본적이고도 중요한 의미를 갖는 영역, 특히 국민의 기본권실현에 관련된 영역에 있어서는 행정에 맡길 것이 아니라 국민의 대표자인 입법자 스스로 그 본질적 사항에 대하여 결정하여야 한다는 요구까지 내포**하는 것으로 이해하여야 한다(이른바 **의회유보원칙**). 그런데 입법자가 형식적 법률로 스스로 규율하여야 하는 사항이 어떤 것인가는 일률적으로 획정할 수 없고 **구체적 사례에서 관련된 이익 내지 가치의 중요성, 규제 내지 침해의 정도와 방법 등을 고려하여 개별적으로 결정**할 수 있을 뿐이나, 적어도 **헌법상 보장된 국민의 자유나 권리를 제한할 때에는 그 제한의 본질적인 사항에 관한 한 입법자가 법률로써 스스로 규율하여야** 할 것이다.

3) 이와 관련하여 **헌법재판소는 98헌바70 사건에서** 수신료의 금액에 대하여 국회의 결정 내지 관여를 배제한 채 한국방송공사로 하여금 결정하도록 한 구 한국방송공사법 제36조 제1항이 법률유보원칙에 위반하여 헌법에 합치 되지 아니한다는 결정을 하면서 수신료와 관련하여 법률유보의 원칙상 반드시 법률로 규율하여야 할 사항에 대하여 판시한 바 있다. 즉, **수신료는 국민의 재산권보장의 측면에서나 한국방송공사에게 보장된 방송자유의 측면에서나 국민의 기본권 실현에 관련된 영역**에 속하고, **그 중 수신료의 금액, 수신료 납부의무자의 범위, 수신료의 징수절차는 수신료 부과·징수의 본질적인 요소이며 따라서 입법자가 스스로 결정하여야 할 사항이라고 판시**하였다(헌재결 1999.5.27, 98헌바70). **현행 방송법**이 위 98헌바70 결정에서 판시한 수신료 부과·징수의 본질적인 요소들을 모두 규율하고 있는지 살펴보면 첫째, 위 헌법불합치 결정의 취지에 따라 **수신료의 금액은 한국방송공사의 이사회에서 심의·의결한 후 방송위원회를 거쳐 국회의 승인**을 얻도록 규정하고 있으며(제65조), 둘째, **수신료 납부의무자의 범위를 '텔레비전방송을 수신하기 위하여 수상기를 소지한 자'로 규정**하고(제64조 제1항), 셋째, 징수절차와 관련하여 **가산금 상한 및 추징금의 금액, 수신료의 체납 시 국세체납처분의 예에 의하여 징수할 수 있음을 규정**하고 있다(제66조). 따라서 **수신료의 부과 · 징수에 관한 본질적인 요소들은 방송법에 모두 규정**되어 있다고 할 것이다.

다만 방송법은 한국방송공사가 지정하는 자 등에게 징수업무를 위탁할 수 있도록 규정하고 있고(방송법 제67조 제1항, 제2항), **방송법 시행령에서는 징수업무를 위탁받은 자는 자신의 고유 업무와 관련된 고지행위와 결합하여 징수업무를 할 수 있는 것으로 규정**하고 있는바(방송법 시행령 제43조 제2항), 앞서 본 바와 같이 **수신료의 금액, 납부의무자의 범위, 징수절차에 관하여 방송법에 기본적인 내용이 규정되어 있는 이상 징수업무를 한국방송공사가 직접 수행할 것인지 제3자에게 위탁할 것인지, 위탁한다면 누구에게 위탁하도록 할 것인지, 위탁받은 자가 자신의 고유업무와 결합하여 징수업무를 할 수 있는지는 징수업무 처리의 효율성 등을 감안하여 결정할 수 있는 사항으로서 국민의 기본권제한에 관한 본질적인 사항이 아니라 할 것**이다.

2 행정상 법률관계의 종류

Ⅰ. 행정조직법적 관계

1. 행정주체 내부간

상급행정청과 하급행정청간(권한의 위임, 지휘, 감독), 대등행정청간(행정청간 협의, 사무의 위탁), 행정청과 보조기관 등의 관계로서 권리의무 관계가 아니고 직무권한에 관한 관계

2. 행정주체 상호간

국가와 공공단체 특히 지방자치단체와의 관계, 또는 공공단체 상호간의 관계

Ⅱ. 행정작용법적 관계

1. 공법관계(행정법관계)

⑴ 권력관계

- **공권력주체**로서의 행정주체가 **우월적인 지위**에서 국민에 대하여 **일방적으로 명령 · 강제**하는 관계

ex) 과세처분, 행정강제

⑵ 관리관계(단순고권행정관계, 비권력관계)

- 행정주체가 **공물이나 영조물을 설치 · 관리하고 공기업을 경영**하는 등 **명령 · 강제적 성격이 약하고 공법상 계약과 같이 비권력행정수단을 사용**하는 법률관계

ex) 급부행정, 목욕요금인하 행정지도, 공법상계약

2. 사법관계(국고관계)

⑴ 협의의 국고관계

행정주체의 국고지원활동이나 수익경제활동을 규율하는 관계

1) 조달행정 : 행정활동에 소요되는 재화나 역무를 조달하며 국 · 공유의 재산을 관리하고 매각하는 활동

ex) 청사건축도급

2) 영리작용 : 행정주체가 영리를 목적으로 활동기업으로서 국가

ex) 국가 · 지방자치단체의 광산경영

⑵ 행정사법관계

행정주체가 사법형식으로 공행정을 수행하는 경우에 일정한 공법적 규율을 받는 관계

ex) 신축아파트 수돗물공급

3 공법관계와 사법관계의 구별

Ⅰ. 구별실익 - 적. 소. 강. 손

① **적용법규 및 적용법원리**에 차이가 있다. 사법관계는 사법이 적용되고 사적자치의 원칙에 의해 사인간의 법률행위가 규율되지만, 공법관계는 **공법이 적용되고 법치행정의 원리**에 적용된다.

② **소송형태**에 있어 사법관계에서는 민사소송에 의하지만, 공법관계에서는 **행정소송**에 의하게 된다.

③ 강제집행에 있어 사인의 자력구제는 금지되지만, **공법관계**에서는 행정청은 **자력강제가 가능**한 경우가 있다.

④ **손해전보**에 있어 사법관계는 민사상 책임을, 공법관계에서는 행정주체는 **국가배상법에 의한 배상책임**을 진다.

Ⅱ. 구별기준 - 주. 신. 이. 성

1. 학 설

① **이익설**은 법이 규율하는 목적을 기준으로 하여 사익에 봉사하는 법률관계를 사법관계로, **공익에 봉사**하는 법률관계를 공법관계라고 한다. ② **성질설**(복종설,권력설)은 대등한 당사자들 간에 적용되는 법률관계를 사법관계로, **상하관계**에 있는 당사자들 간에 적용되는 법률관계를 공법관계라고 한다. ③ **구주체설**은 법률관계의 양당사자가 모두 사인인 경우를 사법관계로, **적어도 한 당사자가 국가 등의 행정주체**인 경우를 공법관계라고 한다. ④ **귀속설**(신주체설)은 누구에게나 권리의무를 귀속시키는 법률관계가 사법관계이고, 권리의무가 귀속되는 **한 쪽 당사자가 공권력의 주체로서의 지위**를 가지는 경우 공법관계라고 본다.

2. 판 례

(1) 사법관계로 본 판례

국·공유재산 중 일반(잡종)재산의 대부행위, 국가를 당사자로 하는 계약에 관한 법률에 의한 입찰계약 및 입찰보증금(판례는 사법상 손해배상 예정으로 봄)의 국고귀속조치, 부당이득반환청구, 국가배상청구 등이 있다.

판 례 [1] 국유재산법 제31조, 제32조3항, 산림법 제75조1항의 규정 등에 의하여 국유잡종재산에 관한 관리 처분의 권한을 위임받은 기관이 **국유잡종재산을 대부하는 행위는 국가가 사경제 주체로서 상대방과 대등한 위치에서 행하는 사법상의 계약**이고, **행정청이 공권력의 주체로서 상대방의 의사 여하에 불구하고 일방적으로 행하는 행정처분이라고 볼 수 없으며**, 국유잡종재산에 관한 **대부료의 납부고지 역시 사법상의 이행청구**에 해당하고, 이를 행정처분이라고 할 수 없다.
[2] 국유잡종재산 대부계약에서 정하고 있는 연체료 약정은 일종의 지연배상에 대한 예정으로 볼 것이므로 그 연체료는 이행지체의 책임이 발생할 때 비로소 그 지급의무가 발생한다.
[5] 국유잡종재산 **대부계약에서 대부료를 지정 기간 내에 납부하지 아니할 때에는 국세징수법 제21조, 제22조의 규정을 준용하여 가산금 및 중가산금을 납부하기로 약정하였다 하여도, 조세부과처분은 행정처분이고 대부계약은 사법상의 계약**이며, **가산금이라고 하여도 조세부과처분의 경우에는 징벌적 성격의 제재이고 대부계약의 경우에는 지연손해금의 약정**으로 보아야 할 것이므로, 자연 그 **성질상 준용에는 한계**가 있을 수밖에 없어 대부계약의 경우에는 정당한 이행청구(과다청구의 경우라도 정당한 청구로 볼 수 있는 경우는 포함된다.)의 경우에 그 지연 시기 및 이에 따른 가산금의 비율 등만이 준용된다고 할 것이고, 또 **국유재산법 제38조, 제25조의 규정에 의하여 국세징수법의 체납처분에 관한 규정을 준용하여 대부료를 징수할 수 있다고 하더라도 이로 인하여 대부계약의 성질이 달라지는 것은 아니라 할 것**이므로 대부계약에 있어서는 어느 경우에나 과세처분의 경우처럼 가산금이 부과된다고 할 수는 없다(대판 2000.2.11, 99다61675).

판 례 **예산회계법에 따라 체결되는 계약은 사법상의 계약**이라고 할 것이고 동법 제70조의 5의 **입찰보증금**은 낙찰자의 계약체결의무이행의 확보를 목적으로 하여 그 불이행시에 이를 국고에 귀속시켜 국가의 손해를 전보하는 **사법상의 손해배상 예정으로서의 성질**을 갖는 것이라고 할 것이므로 **입찰보증금의 국고귀속조치는 국가가 사법상의 재산권의 주체로서 행위하는 것이지**

공권력을 행사하는 것이거나 공권력작용과 일체성을 가진 것이 아니라 할 것이므로 이에 관한 분쟁은 행정소송이 아닌 민사소송의 대상이 될 수밖에 없다고 할 것이다(대판 1983.12.27, 81누366).

(2) 공법관계로 본 판례

국·공유재산인 행정재산의 사용허가, 국·공유재산에 대한 변상금부과처분, 조달청장이 행한 입찰참가자격제한 조치, 공무원연금관리공단의 급여결정, 시립무용단원의 위촉계약(공법상 계약) 등이 있다.

판례 1 국유재산법 제51조1항은 국유재산의 무단점유자에 대하여는 대부 또는 사용, 수익허가 등을 받은 경우에 납부하여야 할 대부료 또는 사용료 상당액 외에도 그 징벌적 의미에서 국가측이 일방적으로 그 2할 상당액을 추가하여 변상금을 징수토록 하고 있으며 동조 2항은 변상금의 체납시 국세징수법에 의하여 강제징수토록 하고 있는 점 등에 비추어 보면 국유재산의 관리청이 그 무단점유자에 대하여 하는 변상금부과처분은 순전히 사경제 주체로서 행하는 사법상의 법률행위라 할 수 없고 이는 관리청이 공권력을 가진 우월적 지위에서 행한 것으로서 행정소송의 대상이 되는 행정처분이라고 보아야 한다(대판 1988.2.23, 87누1046·1047).

판례 2 국유재산의 무단점유자에 대한 변상금 부과는 공권력을 가진 우월적 지위에서 행하는 행정처분이고, 그 부과처분에 의한 변상금 징수권은 공법상의 권리인 반면, 민사상 부당이득반환청구권은 국유재산의 소유자로서 가지는 사법상의 채권이다. …(중략)…변상금 부과·징수권은 민사상 부당이득반환청구권과 법적 성질을 달리하므로, 국가는 무단점유자를 상대로 변상금 부과·징수권의 행사와 별도로 국유재산의 소유자로서 민사상 부당이득반환청구의 소를 제기할 수 있다(대판(전) 2014.7.16, 2011다76402).

3. 검 토

이익설은 공익과 사익의 구별이 상대적이고, 성질설은 사법관계에도 지배복종관계가 있을 수 있으며 공법관계에도 대등관계가 있을 수 있으며, 구주체설은 행정주체도 사인의 지위에서 활동한다는 점을 간과하고 있으며, 신주체설은 행정주체가 공권력주체로서의 지위를 갖는지 여부가 불분명한 경우가 있다는 점에서 어느 학설도 완벽하지는 않다. 결국 위의 이론들을 종합적으로 고려하는 복수기준설이 타당하다.

쟁점 입찰참가자격제한조치의 처분성

판례는 조달청장이 행한 입찰참가자격제한조치를 처분이라고 본다(대판 1983.12.27, 81누366).

그러나 정부투자기관인 공사의 입찰참가자격제한조치에 대해서는 과거의 대법원은 "공사는 정부투자법인일 뿐 행정소송법 소정의 행정청 또는 그 소속기관이거나 이로부터 일정기간 입찰참가자격을 제한하는 내용의 부정당업자 제재처분의 권한을 위임받았다고 볼 만한 아무런 법적 근거가 없으므로, 공사가 한 그 제재처분은 행정소송의 대상이 되는 행정처분이 아니라 단지 상대방을 그 공사가 시행하는 입찰에 참가시키지 않겠다는 뜻의 사법상의 효력을 가지는 통지행위에 불과하다"고 하여 처분성을 부정하였다(대판 1995.2.28, 94두36).

이후 공공기관의 운영에 관한 법률[1])에서 부정당업자의 입찰참가자격제한에 대한 근거규정이 마련되어 이제는 항고소송의 대상이 되어야 한다는 견해(처분긍정설)가 유력한데 본래적 의미의 행정청의 지위에 있진 않지만, 법령에 의해 입찰참가자격제한조치라는 공권력 행사를 할 수 있는 권한을 위임받았다는 것을 논거로 한다.

하급심판례도 정부투자기관의 입찰참가자격제한조치에 대해서 행정처분으로 판시해 오고 있었는데(서울고법 2005.9.7, 2003누9734등), 2010년 대법원은 종전과 마찬가지의 논리로 수도권매립지관리공사가 행한 입찰참가자격제한조치는 처분이 아니라고 판시하였다(대판 2010.11.26, 2010무137). 동 판례는 공공기관의 운영에 관한 법률이 공공기관을 공기업, 준공공기관, 기타 공공기관으로 분류하면서 공기업과 준공공기관에만 입찰참가자격제한조치를 취할 수 있다고 규정하고 있는데 수도권매립지관광공사는 기타 공공기관에 해당하여 입찰참가자격제한조치의 법적근거가 없기 때문에 그러한 결론이 나온 것이다.

2013년에는 대법원도 공공기관의 운영에 관한 법률상 공기업에 해당하는 LH공사가 한진중공업을 상대로 행한 입찰참가자격제한조치에 대해 처분성을 긍정하였다(대판 2013.9.12, 2011두10584).

1) 공공기관의 운영에 관한 법률 제39조(회계원칙 등) ②공기업·준정부기관은 공정한 경쟁이나 계약의 적정한 이행을 해칠 것이 명백하다고 판단되는 사람·법인 또는 단체 등에 대하여 2년의 범위 내에서 일정기간 입찰참가자격을 제한할 수 있다.

관련 판례 **변상금 부과·징수권과 부당이득반환청구권**
(대판 2014.7.18, 2011다76402).

[다수의견]

국유재산의 무단점유자에 대한 변상금 부과는 공권력을 가진 우월적 지위에서 행하는 행정처분이고, 그 부과처분에 의한 변상금 징수권은 공법상의 권리인 반면, 민사상 부당이득반환청구권은 국유재산의 소유자로서 가지는 사법상의 채권이다(대판 1992.4.14. 91다42197). 또한 변상금은 부당이득 산정의 기초가 되는 대부료나 사용료의 120%에 상당하는 금액으로서 부당이득금과 액수가 다르고, 이와 같이 할증된 금액의 변상금을 부과·징수하는 목적은 국유재산의 사용·수익으로 인한 이익의 환수를 넘어 국유재산의 효율적인 보존·관리라는 공익을 실현하는 데 있다(대판 2008. 5. 15. 2005두11463). 그리고 대부 또는 사용·수익허가 없이 국유재산을 점유하거나 사용·수익하였지만 변상금 부과처분은 할 수 없는 때에도 민사상 부당이득반환청구권은 성립하는 경우가 있으므로, 변상금 부과·징수의 요건과 민사상 부당이득반환청구권의 성립 요건이 일치하는 것도 아니다(대판 2000. 3. 24. 98두7732). 이처럼 구 국유재산법 제51조 제1항, 제4항, 제5항에 의한 변상금 부과·징수권은 민사상 부당이득반환청구권과 법적 성질을 달리하므로, 국가는 무단점유자를 상대로 변상금 부과·징수권의 행사와 별도로 국유재산의 소유자로서 민사상 부당이득반환청구의 소를 제기할 수 있다.

[반대의견]

(가) 행정주체가 효율적으로 권리를 행사·확보할 수 있도록 관련 법령에서 간이하고 경제적인 권리구제절차를 특별히 마련해 놓고 있는 경우에는, 행정주체로서는 그러한 절차에 의해서만 권리를 실현할 수 있고 그와 별도로 민사소송의 방법으로 권리를 행사하거나 권리의 만족을 구하는 것은 허용될 수 없다고 보아야 한다.

특히 국유재산 중 잡종재산에 관한 법률관계는 사경제주체로서 국가를 거래 당사자로 하는 것이어서 사법의 적용을 받음이 원칙임에도, 구 국유재산법 제51조는 잡종재산의 무단점유자에 대해서까지 대부료의 120%에 상당하는 중한 변상금을 부과하고, 국세징수법의 체납처분에 관한 규정을 준용하여 이를 강제징수할 수 있도록 함으로써 특별한 공법적 규율을 하고 있다. 나아가 구 국유재산법 제51조 제1항에 의하여 국유재산의 무단점유자에게 변상금을 부과하는 것은 행정주체의 재량이 허용되지 않는 기속행위로서, 행정주체의 선택에 의하여 부과 여부가 결정될 수 있는 성질의 것도 아니다.

따라서 국유재산의 무단점유와 관련하여 구 국유재산법 제51조에 의한 변상금 부과·징수가 가능한 경우에는 변상금 부과·징수의 방법에 의해서만 국유재산의 무단점유·사용으로 인한 이익을 환수할 수 있으며, 그와 별도로 민사소송의 방법으로 부당이득반환청구를 하는 것을 허용하여서는 아니 된다.

(나) 구 국유재산법 제51조에 의한 변상금 부과·징수권은 공법상의 권리이고 민사상 부당이득반환청구권은 사법상의 채권이기는 하지만, 양자 모두 국유재산의 무단점유자로부터 법률상 원인 없는 이익을 환수하는 것을 본질로 하므로, 변상금 부과·징수는 국유재산의 무단점유자에 대한 부당이득반환청구를 공법적인 형태로 규율하는 것으로 볼 수 있다. 결국 구 국유재산법 제51조에 의한 변상금 부과·징수권과 민사상 부당이득반환청구권은 본질이 다르지 아니하다.

4 행정사법

Ⅰ. 의 의

행정사법관계는 행정주체가 행정의 행위형식에 대한 선택의 자유를 전제로 하여 **사법형식에 의해 공행정을 수행할 때 일정한 공법규정 내지는 공법원리에 의하여 수정 · 제한되고 있는 사법관계**를 말한다. 행정주체가 **공행정을 효율적으로 수행**하기 위해 일정한 경우 **공행정을 사법형식에 의해 수행**하는데, 이 경우 **행정의 사법으로의 도피**(국가가 기본권에 의한 기속을 회피하기 위하여 또는 엄격한 공법적 규율을 피해 행정의 탄력적 운영 위하여 사법형식을 채택)**현상을 통제**하기 위하여 **그를 규율하는 사법은 일정한 공법규정 내지는 공법원리에 의하여 제한 · 수정**을 받게 된다.

Ⅱ. 사법원리의 제한, 수정의 내용 - 공. 기. 사(수)

1. 공법규정에 의한 수권

행정주체는 일정한 행정작용을 사법적 형식에 의해 수행할 수 있으나 그것은 당해 작용에 대하여 행정주체에게 공법적 규정에 기한 권한이 부여되어 있는 경우에만 인정된다.

2. 기본권 등에 의한 제한

기본권규정 내지는 그에서 도출되는 헌법원리에 의한 제한된다(자유권, 평등원칙, 비례원칙 등).

3. 사법상 계약원리의 수정

의사표시에 관한 법리, 계약일반에 관한 법리가 수정되어 적용된다.

Ⅲ. 적용영역

행정주체에게 당해 작용수행의 **법적 형식에 대한 선택가능성이 인정되는 경우**에 한하여 인정되는 바, 경찰, 조세분야에서는 적용여지가 없으며, **급부행정**, 경제지도 행정 등의 영역에 적용된다.

Ⅳ. 권리구제

공법원칙이 적용되는 한도 내에서 행정사법은 사행정이 아니라 공행정에 관한 특수한 규율인 공법으로 파악하여야 하며 **행정소송(당사자소송)으로 다투는 것이 타당하다는 견해도 있으나, 사법이라는 형식**을 취하고 있으므로 특별한 규정이 없는 한 **민사소송**에 의하여야 할 것이다(**공법에 의한 영향을 받더라도 행정사법의 본질은 사법**).

5 자기구속의 원칙

Ⅰ. 의 의

재량권의 행사에 관한 일정한 관행이 형성되어 있는 경우, 행정청은 동종 사안에 대하여 제3자에게 한 것과 동일한 결정을 당해 처분의 상대방에게도 하도록 스스로 구속을 당한다는 원칙으로서, 평등의 원칙에서 파생된 행정법의 일반원칙[1])이다. 행정청의 자의를 방지하여 재량행위의 통제원리로 작용하지만, 행정규칙에 법적 구속력과 유사한 사실상 구속력을 인정한다는 점에서 행정활동의 경직성을 초래하여 탄력적인 행정운영을 저해하는 문제점이 있다.

Ⅱ. 근 거

신의칙설, 신뢰보호원칙설 등이 있으나 헌법상 평등원칙에서 파생된 행정법의 일반원리로 보는 것이 일반적이다. 헌법재판소는 평등의 원칙 및 신뢰보호의 원칙에 근거하여 인정한다. 대법원은 과거 명시적으로 자기구속원칙을 인정한 바는 없었으나 재량준칙이 객관적으로 합리적이 아니라거나 타당하지 않다고 볼 만한 특별한 사정이 없음에도 재량준칙을 따르지 않은 처분을 재량권을 남용한 위법한 처분으로 본 판결이 다수 있었으며(판례 1, 2), 최근 헌법재판소와 마찬가지로 평등의 원칙 및 신뢰보호원칙에 근거하여 명시적으로 인정하고 있다(판례 3).

판례 1 식품위생법시행규칙 제53조에 따른 별표 15의 행정처분기준은 행정기관 내부의 사무처리준칙을 규정한 것에 불과하기는 하지만 규칙 제53조 단서의 식품 등의 수급정책 및 국민보건에 중대한 영향을 미치는 특별한 사유가 없는 한 행정청은 당해 위반사항에 대하여 위 처분기준에 따라 행정처분을 함이 보통이라 할 것이므로, 행정청이 이러한 처분기준을 따르지 아니하고 특정한 개인에 대하여만 위 처분기준을 과도하게 초과하는 처분을 한 경우에는 재량권의 한계를 일탈하였다고 볼 만한 여지가 충분하다(대판 1993.6.29, 93누5635).

판례 2 제재적 행정처분의 기준이 부령의 형식으로 규정되어 있더라도 그것은 행정청 내부의 사무처리준칙을 정한 것에 지나지 아니하여 대외적으로 국민이나 법원을 기속하는 효력이 없고, 당해 처분의 적법 여부는 위 처분기준만이 아니라 관계 법령의 규정 내용과 취지에 따라 판단되어야 하므로, 위 처분기준에 적합하다 하여 곧바로 당해 처분이 적법한 것이라고 할 수는 없지만, 위 처분기준이 그 자체로 헌법 또는 법률에 합치되지 아니하거나 위 처분기준에 따른 제재적 행정처분이 그 처분사유가 된 위반행위의 내용 및 관계 법령의 규정 내용과 취지에 비추어 현저히 부당하다고 인정할 만한 합리적인 이유가 없는 한 섣불리 그 처분이 재량권의 범위를 일탈하였거나 재량권을 남용한 것이라고 판단해서는 안 된다(대판 2007.9.20, 2007두6946).

판례 3 상급행정기관이 하급행정기관에 대하여 업무처리지침이나 법령의 해석적용에 관한 기준을 정하여 발하는 이른바 '행정규칙이나 내부지침'은 일반적으로 행정조직 내부에서만 효력을 가질 뿐 대외적인 구속력을 갖는 것은 아니므로 행정처분이 그에 위반하였다고 하여 그러한 사정만으로 곧바로 위법하게 되는 것은 아니다. 다만, 재량권 행사의 준칙인 행정규칙이 그 정한 바에 따라 되풀이 시행되어 행정관행이 이루어지게 되면 평등의 원칙이나 신뢰보호의 원칙에 따라 행정기관은 그 상대방에 대한 관계에서 그 규칙에 따라야 할 자기구속을 받게 되므로, 이러한 경우에는 특별한 사정이 없는 한 그를 위반하는 처분은 평등의 원칙이나 신뢰보호의 원칙에 위배되어 재량권을 일탈·남용한 위법한 처분이 된다(대판 2009.12.24, 2009두7967).

Ⅲ. 적용요건 - 재. 동. 관

1) 재량영역이어야 한다.

기속행위의 경우는 관행이 위법한 경우 적법성 원칙에 이미 반하므로, 자기구속을 논할 필요는 없다

1) 자기구속의 원칙을 비롯한 행정법의 일반원칙은 행정법의 법원(法源)중 하나이다. 행정법의 법원은 성문법으로 헌법, 법률, 국제조약·국제법규, 법규명령, 자치법규인 조례와 규칙이 있다. 불문법으로서 관습법, 행정법의 일반원칙, 조리가 있다. 판례가 불문법으로서 법원이 될 수 있는지는 논쟁의 대상이 되고 있다. 총칙적 규정이 법전화되지 않은 행정법에서 행정법의 일반원칙은 법원으로서 중요한 기능을 수행하고 있다.

2) 동일한 상황 하에서 동일한 법적용이 문제되는 **동종사안**이어야 한다.

3) **행정관행이 존재**해야 한다.

재량준칙이 존재하는 경우와 관련하여 선례가 필요한가에 대해서 견해대립이 있다. 행정규칙은 그 자체로서 자기구속을 예정하고 있으므로 행정규칙 자체를 예기관행 또는 선취된 행정관행으로 볼 수 있어 **행정규칙만으로도 자기구속을 인정**할 수 있다는 **예기관행설**(선례불요설), 재량준칙에 의해 일회만이라도 행정실무가 행해졌으면 이미 비교의 기준이 정립된 것으로 볼 수 있다는 **1회 선례 충분설**, 행정이 새로운 행정실무를 행정상의 프로그램에 따라 적용하고 집행하는데 필요한 시간과 기회를 줄 필요가 있으므로 **계속적인 행정선례가 필요하다는** 행정관행설(다수설)이 대립한다.[2] **판례는 재량권 행사의 준칙인 행정규칙이 그 정한 바에 따라 되풀이 시행되어 행정관행**이 필요하다고 하여 **행정관행설**의 입장이다.

생각건대, **예기관행설**을 취하면 **재량준칙의 법규성을 인정하는 결과**가 되므로 부당하며, **1회 선례 충분설은** 1회만의 행정결정으로부터 비교기준을 명확히 안다는 것은 쉽지 않고, 행정에게 시행착오의 기회를 박탈함으로써 **행정을 경직화**할 수 있다는 점에서 문제가 있으므로 **행정관행설이 타당**하다.

Ⅳ. 한 계 - 사. 위

1. 위법행위에는 적용배제(위법의 평등주장의 가부 문제)

위법의 평등을 인정하게 되면 위법한 선례가 법률적합성원칙보다 우월한 것이 되어 **법치행정**에 반하게 되기 때문에 선례(행정관행)가 위법하면 자기구속원칙은 인정될 수 없다.

판 례 **평등의 원칙은 본질적으로 같은 것을 자의적으로 다르게 취급함을 금지**하는 것이고, **위법한 행정처분이 수차례에 걸쳐 반복적으로 행하여졌다 하더라도 그러한 처분이 위법한 것인 때에는 행정청에 대하여 자기구속력을 갖게 된다고 할 수 없다**(대판 2009.6.25, 2008두13132).

2. 사정변경이 있는 경우

종래의 행정관행의 유지에 결합된 법적 안정을 능가하는 사실상 명백한 이유가 있고, 사인의 신뢰보호가 이에 미치지 아니하며, 새로운 행정결정이 모든 새로운 경우에 동등하게 적용될 것이 예정되고, 종래의 행정관행의 변경을 가져오는 사유가 새로운 행정결정에서 제시되는 경우에는 종전의 행정관행으로부터의 이탈은 적법하다. 즉 자기구속의 법리는 **법률에의 구속과 달리 사안의 사정에 따라 변경될 수 있는 탄력적인 구속**인 것이다. 이를 부정한다면 자기구속원칙의 획일적 관철로 인하여 행정의 경직화가 발생하기 때문이다.

Ⅴ. 행정규칙과의 관계(#20)

자기구속원칙의 구체적인 논의의 실익은 행정규칙과의 관련성에 있다. 자기구속의 원칙은 **법규성이 없는 재량준칙을 법규로 전환시키는 전환규범**으로서의 역할을 수행하기 때문이다. 즉 **재량준칙에 의거한 구체적 결정이 반복되어 당해 행정규칙의 적용에 관한 행정관행이 생성되는 경우**, 자기구속원칙에 따라 **상대방인 국민은 종전의 결정과 동일한 내용의 수익을 주장**할 수 있게 된다. 불평등한 처우를 받은 국민은 **행정규칙 위반 자체를 이유로 위법을 주장할 수는 없지만 자기구속원칙 내지는 평등원칙 위반을 이유로 위법을 주장**할 수 있게 되기 때문이다.

Ⅵ. 위반의 효과 및 권리구제

자기구속의 원칙에 반하는 행정작용은 **위헌·위법**한 작용이 되며, **행정쟁송 및 국가배상**을 통해 구제받을 수 있다.

---

2) **입증책임**과 관련하여 독일의 학설과 실무의 일반적인 견해는 **행정규칙이 존재하면 행정관례의 존재가 추정**되며, **행정청의 당해 결정이 최초의 그리고 유일한 결정이라는 반증이 성립되지 않는 한 행정의 자기구속의 법리가 성립**하게 된다고 한다(정하중).

관련 판례 **신규건조저장시설사업자인정신청반려처분취소**
(대판 2009.12.24, 2009두7967)

1. 사실관계

원고는 아산시장에게 신규건조저장시설(DSC)사업자인정신청을 하였는데, 시장은 농림수산식품부에 의하여 공표된 '2008년도 농림사업시행지침서'에 명시되지 않은 '시·군별 건조저장시설 개소당 논 면적 1,000ha 이상' 기준을 충족하지 못하였다는 이유로 신규 건조저장시설 사업자 인정신청을 반려함. 신규 DSC 사업자로 인정 되면 벼 매입 실적에 따라 매입자금을 지원 받거나 공공비축 산물 벼 매입량이 배정되는 등의 혜택이 있음.

2. 판결이유

상급행정기관이 하급행정기관에 대하여 업무처리지침이나 법령의 해석적용에 관한 기준을 정하여 발하는 이른바 행정규칙이나 내부지침은 일반적으로 행정조직 내부에서만 효력을 가질 뿐 대외적인 구속력을 갖는 것은 아니므로 행정처분이 그에 위반하였다고 하여 그러한 사정만으로 곧바로 위법하게 되는 것은 아니고, 다만 재량권 행사의 준칙인 행정규칙이 그 정한 바에 따라 되풀이 시행되어 행정관행이 이루어지게 되면 평등의 원칙이나 신뢰보호의 원칙에 따라 행정기관은 그 상대방에 대한 관계에서 그 규칙에 따라야 할 자기구속을 받게 되므로, 이러한 경우에는 특별한 사정이 없는 한 그에 위반하는 처분은 평등의 원칙이나 신뢰보호의 원칙에 위배되어 재량권을 일탈·남용한 위법한 처분이 된다.

원심은, 그 채용증거를 종합하여 그 판시와 같은 사실을 인정한 다음, 이 사건에서 2008년도 농림사업시행지침서(이하 '이 사건 지침'이라 한다)가 농림부에 의하여 공표됨으로써 신규 미곡종합처리장(Rice Processing Complex, 이하 'RPC'라 한다) 또는 신규 건조저장시설(Drying Storage Center, 이하 'DSC'라 한다) 사업자로 선정되기를 희망하는 자는 이 사건 지침에 명시된 요건을 충족할 경우 사업자로 선정되어 벼 매입자금 지원 등의 혜택을 받을 수 있다는 보호가치 있는 신뢰를 가지게 되었으므로 이 사건 지침에 명시되어 있지 아니한 시·군별 신규 DSC 개소당 논 면적 기준을 충족하지 못하였다는 이유를 들어 원고의 DSC 사업자 인정신청을 반려한 이 사건 처분은 이 사건 지침이 예기하고 있는 자기구속을 위반한 것이거나 자의적인 조치로서 평등의 원칙에 부합하지 아니하고, 따라서 이 사건 처분 당시 이 사건 지침과 달리 DSC 개소당 논 면적 기준을 적용할 특별한 사정이 보이지 않는 이 사건에서 피고의 이 사건 처분은 재량권을 일탈·남용한 것으로서 위법하다고 판단하였다.

그러나 위 법리 및 기록에 의하면, 행정청 내부의 사무처리준칙에 해당하는 이 사건 지침이 그 정한 바에 따라 되풀이 시행되어 행정관행이 이루어졌다고 인정할 만한 자료를 찾아볼 수 없을 뿐만 아니라, 이 사건 지침의 공표만으로는 원고가 이 사건 지침에 명시된 요건을 충족할 경우 사업자로 선정되어 벼 매입자금 지원 등의 혜택을 받을 수 있다는 보호가치 있는 신뢰를 가지게 되었다고 보기도 어렵다.

또한 기록에 의하면, 농림수산식품부는 1991년부터 2001년까지 미곡의 유통구조 개선 및 품질 향상, 가격 안정을 위하여 생산자로부터 미곡의 매입·건조·저장·가공·판매를 일괄적으로 처리할 수 있는 RPC 343개소를 지원하여 설치한 바 있으나, 그 후 벼 재배면적이 급격하게 줄어드는 반면 쌀 수입량은 증가하는 등 상황이 급변함에 따라 2005년부터 RPC 통합 등 구조조정을 추진하여 현재 276개소의 RPC만을 운영하고 있으며, 앞으로도 2013년까지 200개 정도의 RPC로 통합함으로써 쌀 시장의 개방화에 대비하여 경쟁력을 강화하려고 시도하고 있는 점, 이에 따라 신규 RPC 또는 DSC 사업자의 인정 여부를 판단하는 경우에도 시설, 운영능력 및 지역기준 등을 고려하여 엄격한 심사를 하고 있는 점, 비록 원고의 2007년 기준 원료 벼 확보가능 논면적이 2,347ha로서 이 사건 지침상의 '원료 벼 확보가능 논 면적 2,000ha 이상' 요건을 충족하고 있으나, 이러한 원료 벼 확보가능 논 면적은 RPC 또는 DSC 사업자가 1개의 시 또는 군에 있는 총 논 면적 중 현실적으로 확보가능한 논 면적을 의미하므로 이는 매해 변동될 여지가 있는 점, 원고의 이 사건 신청이 반려되었다고 하여 원고가 DSC 영업 자체를 할 수 없는 것이 아니고, 다만 피고로부터 벼 매입자금 지원 등의 혜택만을 받지 못할 뿐인 점 등을 알 수 있는바, 이러한 사정을 종합해 보면 피고가 이 사건 처분을 하면서 보다 우월한 공익상의 요청에 따라 이 사건 지침상의 요건 외에 '시·군별 DSC 개소당 논 면적 1,000ha 이상' 요건을 추가할 만한 특별한 사정이 없었다고 보기도 어렵다 할 것이다.

그럼에도 불구하고 원심은 그 판시와 같은 사유만으로 이 사건 처분에 피고가 재량권을 일탈·남용한 위법이 있다고 판단하였으니, 이러한 원심판결에는 행정의 자기구속의 원칙 및 행정규칙에 관련된 신뢰보호의 원칙에 관한 법리를 오해하고 재량권의 일탈·남용에 관한 채증법칙을 위배한 잘못이 있으며, 이는 판결에 영향을 미쳤음이 명백하다.

3. 원심판결

행정의 자기구속이라 함은 앞서 본 바와 같이 행정청이 동종 사안에 대하여 동일한 처분을 하여야 하는 구속을 받는 것을 의미하므로, 일반적으로는 동종 사안에 있어 비교의 대상이 되는 행정선례가 존재함을 전제로 할 것이나, 다만 행정규칙이 대외적으로 공표되어 국민에게 법적으로 보호가치 있는 신뢰가 생긴 경우에는 법적 안정성의 견지에서 행정규칙 자체만으로 행정의 자기구속의 근거로 삼을 수 있고, 재량영역에서 평등원칙을 실현하기 위해 마련된 행정규칙을 위반할 경우 다른 특별한 사정이 없는 이상 당해 행정처분은 자의적인 조치로서 재량권을 일탈·남용하여 위법한 것으로 평가되어야 한다.

이 사건의 경우, 이 사건 지침서가 농림사업실시규정(2007. 12. 28. 훈령 제1291호, 이하'이 사건 훈령'이라 한다) 제4조에 근거한 것으로서 농림수산식품부장관에 의해 '2008년도 농림사업시행지침서'로 고시되었음은 피고가 스스로 인정하는 바와 같고, 을 제2호증의 기재 및 변론 전체의 취지에 의하면, 이 사건 지침서가 발간등록번호가 부여되어 대외적으로 발간되었을 뿐 아니라, 신규 RPC 및 DSC 사업자 선정 권한을 가지고 있는 각 지방자치단체(희망업체의 신청에 따라 시장·군수가 심사기준 적격여부를 1차 검토한 후 시·군 농정심의회 심의를 거쳐 이를 시·도지사에게 제출하고, 시·도지사는 2차로 심사기준 등을 검토한 후 시·도 농정심의회 심의를 거쳐 선정 여부를 결정하도록 되어 있다)에 배포됨으로써 2008년도 신규사업자 선정을 위한 준칙으로 기능하고 있음을 알 수 있는바, 이를 종합하여 보면 이 사건 지침서가 행정청에 의해 공표됨으로써, 신규 RPC 내지 DSC 사업자로 선정되기를 희망하는 상대방은 이 사건 지침서에 명시된 요건을 충족할 경우 사업자로 선정되어 벼 매입자금 지원 등의 혜택을 받을 수 있다는 보호가치 있는 신뢰를 가지게 되었다고 봄이 상당하고, 결국 앞서 본 바와 같이 이 사건 지침서에 명시되어 있지 아니한 개소 당 논 면적 기준을 충족하지 못하였음을 이유로 한 이 사건 처분은 이 사건 지침서가 예기하고 있는 자기구속을 위반한 것이거나 자의적인 조치로서 평등원칙에 부합하지 아니한다. 따라서 피고의 이 사건 처분은 특별한 사정이 없는 한 재량권을 일탈·남용한 것으로서 위법하다.

다만, 행정의 자기구속이란 원칙적으로 기속행위의 경우와는 달리 재량영역에서 종래의 행정관행을 행정상황의 변화에 따른 합리적 판단에 의해 새로운 행정실무로 변경할 수 있는 탄력적인 구속을 의미하는 것이어서, 이 사건 지침서 역시 농업환경의 변화 등 사정변경이 있을 경우 이에 부응하여 합목적적으로 해석·운용될 수 있다 할 것이나, 을 제4호증 및 제1심 법원의 농림수산식품부에 대한 사실조회결과만으로는 객관적으로 위와 같은 사정변경이 있음을 인정하기에 부족할 뿐 아니라, 가사 농정의 변화를 가져올 사정변경이 있었다 하더라도, 농림수산식품부 장관에 의해 2008년도 이전부터 연차적으로 발간되어 온 이 사건 지침서 작성 시점 이후에 위와 같은 사정변경이 있었다고 보기 어려움에도 이 사건 지침서에 반영되어 있지 아니하므로, 2008년도 DSC 사업자 인정에 이 사건 지침서와 달리 개소 당 논 면적 기준을 적용할 특별한 사정이 있다고 볼 수도 없다(대전고등법원 2009.4.30, 2008누3096).

4. 해 설

1) 원심은, 반려처분은 지침이 예기하고 있는 자기구속을 위반한 것이거나 자의적인 조치로서 평등의 원칙에 부합하지 아니하고, 처분 당시의 지침과 달리 DSC 개소당 논 면적 기준을 적용할 특별한 사정이 보이지 않는다고 하여 반려처분은 재량권을 일탈·남용한 것으로서 위법하다고 판단하였으나

   대법원은 행정관행이 없을 뿐만 아니라, 지침의 공표만으로는 원고의 보호가치 있는 신뢰를 가지게 되었다고 보기도 어려우며 보다 우월한 공익상의 요청에 따라 지침상의 요건 외에 '시·군별 DSC 개소당 논 면적 1,000ha 이상' 요건을 추가할 만한 특별한 사정이 있다고 하여 반려처분을 적법하다고 본 것인데, 이는 우월한 공익상 요청을 지침으로부터 이탈할 수 있는 합리적인 사유로 본 것이다.

2) 한편, 원심판결은 지침서가 행정청에 의해 공표됨으로써 보호가치 있는 신뢰를 가지게 된다고 하면서 "지침서가 예기하고 있는 자기구속을 위반"이라는 표현을 사용하고 있는 바, 이는 자기구속원칙의 요건 중 선례의 존재와 관련하여 예기관행설을 취한 것이라고 할 수 있는데, 대법원은 "지침이 정한 바에 따라 되풀이 시행되어 관행이 이루어져야"한다고 하여 이를 배척하였다.

6 비례의 원칙

Ⅰ. 의 의

행정주체가 구체적인 행정목적을 실현함에 있어서 그 목적실현과 수단 사이에 합리적인 비례관계가 유지되어야 한다는 원칙이다. 독일의 경찰행정 영역에서 발전하여 오늘날에는 행정의 전영역에서 인정되고 있다. 일반·추상적인 법률의 적용을 구체적인 경우에 완화하여 **개별적인 정의를 실현**하는 필터로서의 기능을 수행한다(박정훈, 장태주).

Ⅱ. 법적 근거

헌법에 명시적으로 규정되어 있지는 않으나 **헌법 제37조2항에서 도출**되는 헌법의 기본원리이며, **경찰관직무집행법** 제1조2항, **행정대집행법** 제2조 등의 법률이 비례의 원칙을 명문화하고 있다.

Ⅲ. 내용(요건) - 세 원칙은 단계적 심사구조 - 적. 필. 상.

1. 적합성의 원칙

행정기관이 취한 조치 또는 수단은 정당한 행정목적을 달성하는데 있어 적합(유용)해야 한다.

2. 필요성의 원칙(최소침해)

적합한 여러 수단 중에서도 국민의 권리를 최소한으로 침해하는 수단을 선택하여야 한다.

3. 상당성의 원칙(협의의 비례의 원칙)

행정목적에 의하여 추구되는 이익이 행정의 상대방이 받는 손해가 전체적으로 상당한 균형을 유지해야 한다는 원칙으로 행정권의 행사로 달성되는 공익과 그로 인하여 침해되는 사익의 **이익형량**이 필요하다.

판례 1 비례의 원칙(과잉금지의 원칙)이란 어떤 **행정목적을 달성하기 위한 수단은 그 목적달성에 유효·적절**하고 또한 **가능한 한 최소침해를 가져오는 것이어야** 하며 아울러 그 **수단의 도입으로 인한 침해가 의도하는 공익을 능가하여서는 아니된다는 헌법상의 원칙**을 말하는 것(대판 1997.9.26, 96누10096).

판례 2 제재적 행정처분인 청소년보호법상의 과징금부과처분이 사회통념상 재량권의 범위를 일탈하거나 남용한 경우에는 위법하고, 재량권의 일탈·남용 여부는 처분사유로 된 **위반행위의 내용과 당해 처분행위에 의하여 달성하려는 공익목적 및 이에 따르는 모든 사정을 객관적으로 심리하여 공익침해의 정도와 그 처분으로 인하여 개인이 입게 될 불이익을 비교 교량**하여 판단하여야 한다(대판 2001.7.27, 99두9490).

Ⅳ. 적용영역

행정청의 재량권의 한계를 설정하여 주는 일반원리로서 **모든 행정작용**에 적용된다. 즉 침익적 행정 뿐만 아니라 급부행정에서도 과잉급부금지원칙을 통하여 적용되며, 행정계획의 영역에서는 형량명령의 원리로 적용된다.

Ⅴ. 위반의 효과 및 권리구제

비례의 원칙에 반하는 행정작용은 위헌·위법한 작용이 되며, 행정쟁송 및 국가배상을 통해 구제받을 수 있다.

7 신뢰보호의 원칙

Ⅰ. 의 의

행정기관의 어떠한 언동의 적법성과 존속성에 대한 개인의 보호가치 있는 신뢰를 보호해주는 원칙으로서, 신의칙 내지 금반언의 법리로부터 도출되는 법치국가의 요청이다. 정의의 이념이 법치국가원칙을 통하여 실질화 · 구체화 된 것으로서 행정의 적법성의 요청을 배제할 만한 우월한 사정이 있는 경우에 인정되며, 이 점에서 행정의 법률적 합성과 긴장관계에 있다.

Ⅱ. 근 거

1) 이론적 근거를 ① 신의성실의 원칙에서 찾는 견해(신의칙설)가 있으나 ② 다수설은 법적 안정성의 원리에서 찾는다(법적안정성설). 생각건대 신의성실의 원칙은 당사자 사이의 구체적인 법률관계의 존재를 전제로 하는 것이어서, 법규명령과 같이 이러한 법률관계를 전제로 하지 않는 공법관계에 적용하기에는 한계가 있다. 따라서 신뢰보호원칙은 행정의 법률적합성의 원칙과 함께 법치국가원리에서 도출되는 원리로 보는 법적 안전성설이 타당하다.

2) 실정법적 근거로는 국세기본법 제18조3항, 행정절차법 제4조2항 등을 들 수 있다.

Ⅲ. 신뢰보호의 요건 – 선. 보. 처. 인. 반

1. 행정기관의 선행조치

관계인의 신뢰의 대상이 되는 행정기관의 선행조치가 있어야 한다. 선행조치란 법령 · 처분 · 확약 · 행정지도 등의 행정작용들이 해당되며, 명시적 · 적극적 언동을 가리지 않는다. 판례는 "공적 견해표명"이라고 표현하는 것이 일반적인데 이를 인정하는 데에 인색한 경향이 있다. 공적 견해표명은 일정한 책임 있는 지위에 있는 관련분야의 공무원에 의해서 이루어져야 하나, 경우에 따라서는 보조기관인 담당공무원의 공적인 견해표명도 신뢰의 대상이 될 수 있다.

판례 1 공적 견해표명이 있었는지의 여부를 판단함에 있어서는 행정조직상 형식적 권한분배에 구애될 것은 아니고 담당자의 조직상의 지위와 임무, 당해 언동의 구체적 경위, 상대방의 신뢰가능성에 비추어 실질에 의해 판단한다. 종교법인이 도시계획구역 내 생산녹지로 답인 토지에 대하여 종교회관 건립을 이용목적으로 하는 토지거래계약의 허가를 받으면서 담당공무원이 관련 법규상 허용된다 하여 이를 신뢰하고 건축준비를 하였으나 그 후 당해 지방자치단체장이 다른 사유를 들어 토지형질변경허가신청을 불허가 한 것이 신뢰보호원칙에 반한다(대판 1997.9.12, 96누18380).

판례 2 국세기본법 제18조제3항에 규정된 비과세관행이 성립하려면, 상당한 기간에 걸쳐 과세를 하지 아니한 객관적 사실이 존재할 뿐만 아니라, 과세관청 자신이 그 사항에 관하여 과세할 수 있음을 알면서도 어떤 특별한 사정 때문에 과세하지 않는다는 의사가 있어야 하며, 위와 같은 공적 견해나 의사는 명시적 또는 묵시적으로 표시되어야 하지만 묵시적 표시가 있다고 하기 위하여는 단순한 과세누락과는 달리 과세관청이 상당기간의 불과세 상태에 대하여 과세하지 않겠다는 의사표시를 한 것으로 볼 수 있는 사정이 있어야 한다(대판 2003.9.5, 2001두7855).

2. 보호가치 있는 신뢰형성

관계인이 선행조치의 적법성과 존속성을 신뢰하고 그 신뢰가 보호가치가 있어야 한다. 행정행위 등의 하자가 수익자의 부정한 방법에 의하거나 수익자가 행정작용의 위법을 안 경우 등에는 신뢰의 보호가치가 부정된다.

판 례 귀책사유라 함은 행정청의 견해표명의 하자가 상대방 등 관계자의 사실은폐나 기타 사위의 방법에 의한 신청행위 등 부정행위에 기인한 것이거나 그러한 부정행위가 없다고 하더라도 하자가 있음을 알았거나 중대한 과실로 알지 못한 경우 등을 의미한다고 해석함이 상당하고, 귀책사유의 유무는 상대방과 그로부터 신청행위를 위임받은 수임인 등 관계자 모두를 기준으로 판단하여야 한다(대판 2002.11.8, 2001두1512).

3. 신뢰에 기초한 상대방의 처리의 존재

4. 선행조치와 처리 사이에 인과관계의 존재

5. 선행조치에 반하는 행정작용

Ⅳ. 한 계

1. 법률적합성원칙과의 충돌

신뢰보호원칙과 법률적합성 원칙이 충돌할 경우 ① 법률적합성의 원칙이 신뢰보호의 원칙보다 우월하다는 **법률적합성원칙우위설**이 있으나 ② **양자는 다같이 법치국가원리의 내용**을 이루므로 처분을 통해 달성하려는 공익과 행정작용의 존속에 대한 상대방의 신뢰가 침해됨으로써 발생되는 불이익을 **이익형량**하여 결정한다는 **동위설이 타당**하다.

2. 타 법익과의 충돌

판례는 신뢰보호의 이익과 공익 또는 제3자의 이익이 상호충돌하는 경우 이익형량을 통해 해결한다.

판 례 행정처분이 이러한 요건을 충족하는 경우라고 하더라도 행정청이 앞서 표명한 **공적인 견해에 반하는 행정처분을 함으로써 달성하려는 공익이 행정청의 공적 견해표명을 신뢰한 개인이 그 행정처분으로 인하여 입게 되는 이익의 침해를 정당화**할 수 있을 정도로 강한 경우에는 신뢰보호의 원칙을 들어 그 행정처분이 위법하다고는 할 수 없다(대판 1998.11.13, 98두7343).

3. 사정변경

신뢰형성의 기초가 된 사실관계가 사후에 변경이 되고 관계당사자가 이를 예견하거나 예견할 수 있는 상황인 경우에는 신뢰보호를 주장할 수는 없다. 판례도 행정청이 공적인 견해표명을 하였다고 하더라도 **공적 견해 표명 후에 그 전제로 된 사실적, 법률적 상태가 변경되었다면 그러한 견해표명은 효력을 잃게 된다**고 판시한 바 있다.

Ⅴ. 적용영역 - 확. 실, 수. 계. 소

1. 확 약(#54)

행정청이 확약을 한 후 확약에 반하는 처분을 한 경우 사인은 신뢰보호원칙 위반을 주장할 수 있다.

2. 실권의 법리

(1) 의의 및 근거

행정청이 위법상태를 장기간에 걸쳐 방치함으로써 사인이 그 상태를 신뢰한 경우, 행정청이 사후에 위법성을 주장할 수 없는 법리이다. 독일행정절차법은 행정청의 직권취소를 안 날로부터 1년 내에만 취소를 허용하여 명문으로 인정하고 있으나 **우리는 명문의 근거 없다. 다만 판례는 신의성실의 원칙의 파생법리로 인정**하고 있다.

판 례 실권 또는 실효의 법리는 법의 일반원리인 **신의성실의 원칙에 바탕을 둔 파생원칙**인 것이므로 공법관계 가운데 **관리관계는 물론이고 권력관계에도 적용**되어야 함을 배제할 수는 없다(대판 1988.4.27, 87누915).

(2) 요 건 - 가. 방. 신

① 행정청이 **권한행사의 가능성이 있었음에도** ② 비교적 **장기간 위법한 상태를 방치하여,** ③ **상대방**이 위법상태에 반하는 행정청의 **권한 불행사를 신뢰할만한 특별한 사정**이 인정되어야 한다.

판 례 택시운전사가 1983.4.5 운전면허정지기간 중의 운전행위를 하다가 적발되어 형사처벌을 받았으나 **행정청으로부터 아무런 행정조치가 없어 안심하고 계속 운전업무에 종사하고 있던 중** 행정청이 위 위반행위가 있은 이후에 **장기간에 걸쳐 아무런 행정조치를 취하지 않은채 방치**하고 있다가 **3년여가 지난** 1986.7.7에 와서 이를 이유로 **행정제재를 하면서 가장 무거운 운전면허**

를 취소하는 행정처분을 하였다면 이는 행정청이 그간 별다른 행정조치가 없을 것이라고 믿은 신뢰의 이익과 그 법적 안정성을 빼앗는 것이 되어 매우 가혹할 뿐만 아니라 비록 그 위반행위가 운전면허취소 사유에 해당한다 할지라도 그와 같은 공익상의 목적만으로는 위 운전사가 입게 될 불이익에 견줄바 못된다 할 것이다(대판 1987.9.8, 87누373).

(3) 효 과

권한 자체가 소멸되는 것이 아니라 취소권 행사가 제한되는 것이다.

3. 수익적 행정행위의 취소 · 철회(#52.53)

수익적 행정행위의 취소 · 철회 사유가 있더라도 신뢰보호원칙에 의하여 취소 · 철회권의 행사가 제한될 수 있다.

4. 행정계획의 변경(계획보장청구권 - #26)

개인이 행정계획을 믿고 일정한 조치를 했는데 행정청이 계획을 변경 · 폐지할 경우 개인의 신뢰가 보호될 수 있는지 문제되는데, **판례는 도시관리계획결정만으로는 기존의 계획을 유지하겠다는 공적 견해표명을 한 것으로 볼 수 없고 사인의 신뢰가 형성되었다고 보기 어렵다**고 한다. 학설 중에는 행정계획도 선행조치에 해당되며 이에 대한 사인의 신뢰가 형성되었다고 볼 수 있는 경우 신뢰보호원칙을 적용하여야 하되, 계획변경 내지 폐지로 인한 공익상의 요청이 보다 큰 경우에는 신뢰보호원칙의 한계가 문제된다는 견해가 있다.

판 례 행정청이 용도지역을 자연녹지지역으로 지정결정하였다가 그보다 규제가 엄한 보전녹지지역으로 지정결정하는 내용으로 도시계획을 변경한 경우, 행정청이 용도지역을 자연녹지지역으로 결정한 것만으로는 그 결정 후 그 토지의 소유권을 취득한 자에게 용도지역을 종래와 같이 자연녹지지역으로 유지하거나 보전녹지지역으로 변경하지 않겠다는 취지의 공적인 견해표명을 한 것이라고 볼 수 없고, 토지소유자가 당해 토지 지상에 물류창고를 건축하기 위한 준비행위를 하였더라도 그와 같은 사정만으로는 용도지역을 자연녹지지역에서 보전녹지지역으로 변경하는 내용의 도시계획변경결정이 행정청의 공적인 견해표명에 반하는 처분을 함으로써 그 견해표명을 신뢰한 개인의 이익이 침해되는 결과가 초래된 것이라고도 볼 수 없다는 등의 이유로, 신뢰보호의 원칙이 적용되지 않는다(대판 2005.3.10, 2002두5474).

5. 행정법규의 소급입법금지

판례 1 행정처분은 그 근거 법령이 개정된 경우에도 경과 규정에서 달리 정함이 없는 한 처분 당시 시행되는 개정 법령과 그에서 정한 기준에 의하는 것이 원칙이고, 그 개정 법령이 기존의 사실 또는 법률관계를 적용대상으로 하면서 국민의 재산권과 관련하여 종전보다 불리한 법률효과를 규정하고 있는 경우에도 그러한 사실 또는 법률관계가 개정 법률이 시행되기 이전에 이미 완성 또는 종결된 것이 아니라면 이를 헌법상 금지되는 소급입법에 의한 재산권 침해라고 할 수는 없으며, 그러한 개정 법률의 적용과 관련하여서는 개정 전 법령의 존속에 대한 국민의 신뢰가 개정 법령의 적용에 관한 공익상의 요구보다 더 보호가치가 있다고 인정되는 경우에 그러한 국민의 신뢰보호를 보호하기 위하여 그 적용이 제한될 수 있는 여지가 있을 따름이다(대판 2003.3.10, 97누13818).

판례 2 법률의 개정에 있어서 구 법률의 존속에 대한 당사자의 신뢰가 합리적이고도 정당하며, 법률의 개정으로 야기되는 당사자의 손해 내지 이익 침해가 극심하여 새로운 법률로 달성하고자 하는 공익적 목적이 그러한 신뢰의 파괴를 정당화할 수 없다면, 입법자는 경과규정을 두는 등 당사자의 신뢰를 보호할 적절한 조치를 하여야 하며, 이와 같은 적절한 조치 없이 새 법률을 그대로 시행하거나 적용하는 것은 허용될 수 없다 할 것인바, 이는 헌법의 기본원리인 법치주의 원리에서 도출되는 신뢰보호의 원칙에 위배되기 때문이다. 이러한 신뢰보호 원칙의 위배 여부를 판단하기 위하여는 한편으로는 침해받은 이익의 보호가치, 침해의 중한 정도, 신뢰가 손상된 정도, 신뢰침해의 방법 등과 다른 한편으로는 새 법률을 통해 실현하고자 하는 공익적 목적을 종합적으로 비교 · 형량하여야 한다(대판 2007.10.12, 2006두14476).

Ⅵ. 위반의 효과 및 권리구제

신뢰보호의 원칙에 반하는 행정작용은 위헌 · 위법한 작용이 되며 행정쟁송 및 국가배상을 청구할 수 있다.

8 부당결부금지의 원칙

Ⅰ. 의 의

행정기관이 행정권을 행사함에 있어 이와 실질적인 관련이 없는 상대방의 반대급부를 조건으로 하여서는 안 된다는 원칙이다. 오늘날 행정권한의 양적 증대와 행정수단의 다양화 등으로 인하여 행정권한 행사를 반대급부와 결부시키는 것은 어느 정도 불가피하나, 행정권한의 결부를 무한정 인정하면 법적 안정성 · 행정의 예측 가능성 · 기본권보장 등 법치주의의 관점에서 문제가 있어 행정권의 자의적인 권한행사를 통제하기 위한 한계설정이 필요하다.

Ⅱ. 법적 근거

① 다수설은 헌법상 법치국가원리와 자의금지의 원칙에서 도출하여 헌법적 효력을 가지는 원칙으로 보나, ② 소수설은 권한법정주의와 권한남용금지의 원칙에서 근거한 법률적 효력을 갖는 원칙으로 본다.

* 논의실익 : 법률에서 행정권의 행사에 있어서 반대급부와 결부시킬 수 있는 것으로 명문으로 규정한 경우, 헌법적 효력을 갖는다고 하면 근거법률의 위헌을 주장하여 위법을 주장할 수 있으나, 법률적 효력을 갖는 원칙이라고 보면 부당결부금지원칙에 반해서 위법이라는 문제는 제기되지 않는다.

Ⅲ. 적용요건 - 행. 반. 실(원, 목)

① 행정기관의 권한행사가 있고 ② 행정권의 행사가 상대방의 반대급부와 결부되거나 이에 의존할 때 ③ 양자 사이에 실질적 관련성이 없을 때(부당한 내적 관련이 있는 경우) 부당결부금지원칙 위반이 된다. 실질적 관련성이 있으려면 주된 행정행위와 반대급부 사이의 직접적 인과관계가 있어야 하며(원인적 관련성), 주된 행정행위의 근거법률 및 당해 행정분야가 추구하는 목적을 위해서만 부과되어야 한다(목적적 관련성).

Ⅳ. 적용영역 - 새. 공. 부

행정행위의 부관(특히 부담)을 부가한 경우, 공법상 계약을 체결하는 경우, 새로운 의무이행확보수단으로서 공급거부 또는 관허사업제한[1] 등에서 문제된다.

구 건축법은 위법건축물의 위법을 시정하기 위해 수도, 전기 등의 공급을 거부하거나 중단할 수 있도록 했는데 부당결부금지원칙에 반한다는 비판이 있었고 2005년 건축법 개정시 삭제되었다. 관허사업 제한과 관련하여 건축법 79조 2,3항은 위법한 당해 건축물을 사용하여 행할 다른 법령에 의한 영업 기타 행위의 허가를 대상으로 하고 있다는 점에서 의무 위반사항과 관련이 있는 사업에 대한 것으로 부당결부금지원칙에 반하지 않는다고 보는 것이 일반적이다. 국세징수법 7조는 체납자에 대한 허가 등의 거부, 또는 사업의 정지 · 허가 등의 취소에 대해 규정하고 있는데 세금체납이 인허가의 거부, 정지, 철회의 필연적인 원인이 된다고 보기 어렵고 세금납부의 목적과 인허가의 목적이 상호 관련적이라고 보기도 어렵기 때문에 부당결부금지원칙에 반한다는 견해와 인허가는 세금이 체납된 사업을 용인하는 결과를 가져온다는 점 및 행정기관은 행정목적 달성을 위하여 상호 협력하여야 한다는 점에 근거하여 부당결부금지원칙에 반하지 않는다는 견해가 있으나, 체납된 사업과 관련이 있는 사업에 대한 관허사업제한은 부당결부금지원칙에 반하지 않지만 체납된 사업과 관련이 없는 사업에 대한 것은 부당결부금지원칙에 반한다는 견해가 타당하다.

판 례 65세대의 공동주택을 건설하려는 사업주체(지역주택조합)에게 주택건설촉진법 제33조에 의한 주택건설사업계획의 승인처분을 함에 있어 그 주택단지의 진입도로 부지의 소유권을 확보하여 진입도로 등 간선시설을 설치하고 그 부지 소유권 등을

1) 건축법 제79조2항, 국세징수법 제7조, 질서위반행위규제법 제52조

기부채납하며 그 주택건설사업 시행에 따라 폐쇄되는 인근 주민들의 기존 통행로를 대체하는 통행로를 설치하고 그 부지 일부를 기부채납하도록 조건을 붙인 경우, 주택건설촉진법과 같은법시행령 및 주택건설기준등에관한규정 등 관련 법령의 관계 규정에 의하면 그와 같은 조건을 붙였다 하여도 다른 특별한 사정이 없는 한 필요한 범위를 넘어 과중한 부담을 지우는 것으로서 형평의 원칙 등에 위배되는 위법한 부관이라 할 수 없다(대판 1997.3.14, 96누16698).

V. 위반의 효과 및 권리구제

부당결부금지 원칙에 반하는 행정작용은 위헌·위법한 작용이 되며 행정쟁송 및 국가배상을 청구할 수 있다.

관련 판례 주택사업계획승인처분과 기부채납
(대판 1997.3.11, 96다49650)

1. 사실관계

甲의 주택사업계획승인신청에 대해 인천시장은 승인을 하면서 주택사업과는 아무런 관련이 없는 토지를 기부채납하도록 하는 부관을 부가함. 기부채납한 토지 가치는 사업비의 100분의 1 정도였고, 甲은 부관에 대해 아무런 이의를 제기하지 아니하였는데 인천시장이 업무착오로 위 토지에 대하여 손실보상을 하겠다는 취지의 보상협조요청서를 보내자 그때서야 위 부관의 무효를 주장하면서 인천시를 상대로 소유권이전등기말소청구를 제기(사업계획승인을 함에 있어서 부관을 부가할 수 있다는 명문규정도 없었음).

2. 판결 요지

[1] 수익적 행정행위에 부관으로서 적법하게 부담을 붙일 수 있는 한계

수익적 행정행위에 있어서는 법령에 특별한 근거규정이 없다고 하더라도 그 부관으로서 부담을 붙일 수 있으나, 그러한 부담은 비례의 원칙, 부당결부금지의 원칙에 위반되지 않아야만 적법하다.

[2] 부관이 부당결부금지의 원칙에 위반하여 위법하지만 그 하자가 중대하고 명백하여 당연무효라고 볼 수는 없다고 한 사례

지방자치단체장이 사업자에게 주택사업계획승인을 하면서 그 주택사업과는 아무런 관련이 없는 토지를 기부채납하도록 하는 부관을 주택사업계획승인에 붙인 경우, 그 부관은 부당결부금지의 원칙에 위반되어 위법하지만, 지방자치단체장이 승인한 사업자의 주택사업계획은 상당히 큰 규모의 사업임에 반하여, 사업자가 기부채납한 토지 가액은 그 100분의 1 상당의 금액에 불과한 데다가, 사업자가 그 동안 그 부관에 대하여 아무런 이의를 제기하지 아니하다가 지방자치단체장이 업무착오로 기부채납한 토지에 대하여 보상협조요청서를 보내자 그 때서야 비로소 부관의 하자를 들고 나온 사정에 비추어 볼 때 부관의 하자가 중대하고 명백하여 당연무효라고는 볼 수 없다.

3. 해 설

1) 사안의 기부채납이 조건인지, 부담인지(#38)

- 수익적 행정행위에 작위의무를 부과하므로 부담에 해당.

2) 부담의 부과 가능성(#39)

- 명문 규정이 없는 경우에도 재량행위는 부관을 붙일 수 있으나 기속행위는 명문의 규정이 있거나 요건충족적 부관인 경우만 붙일 수 있다는 것이 통설과 판례. 사안의 주택사업승인계획승인은 재량행위에 해당되므로 부담을 부가할 수 있음.

3) 부담의 부과가 부당결부금지의 원칙에 위반되는지.

- 사안에서는 주택사업계획승인을 하기 때문에 토지를 기부해야할 필요성이 인정되지도 않고, 기부채납이 주택사업계획승인의 목적에 부합하는 것도 아님. 원인적, 목적적 관련성이 인정되지 않아 부당결부금지의 원칙에 위배됨.

4) 위법성의 정도(#47)

- 무효와 취소의 구별기준에 관해 통설,판례는 중대명백설인데 판례는 사안에서 부관의 하자가 취소사유라고 함.
- 이에 대해서 실체적 관련성이 있는지 여부에 대하여 다툼의 여지가 있는 경우에는 위법 여부가 명백하지 않으므로 취소할 수 있는 행위에 불과한 것이나, 행정권 행사와 아무런 관련이 없는 급부를 명하는 경우에는 무효라고 보아야 한다는 견지에서 동 판례가 취소사유로 본 것은 타당하지 않다는 비판적 견해도 있음(박균성).

5) 소유권이전등기말소청구의 선결문제

- 부담이 무효에 해당해야 甲은 인천시의 소유권취득이 법률상 원인 없음을 이유로 하는 부당이득반환청구에서 승소할 것인데 취소사유에 해당하므로 甲은 패소할 것. 민사소송에서의 선결문제에서 처분이 취소사유에 해당할 경우에는 민사법원이 처분의 효력을 부인하는 것은 공정력 또는 구성요건적 효력에 반한다는 것이 학설·판례이기 때문.
- 사안에서는 제소기간이 도과했으므로 처분의 효력을 부인할 수 있는 길이 막혀 있음.

9 행정주체와 공무수탁사인

Ⅰ. 행정주체

행정법관계의 당사자는 행정법관계의 권리의무의 귀속주체를 말하는데 행정권을 행사하는 행정주체와 행정의 상대방인 행정객체가 있다. 행정주체에는 시원적인 행정주체인 **국가**와 국가로부터 전래된 행정주체인 **공공단체**, 그리고 일정한 경우 행정권한을 위탁받은 **공무수탁사인**이 있다. 공공단체는 ① **지방자치단체**, ② 특정목적을 위해 일정한 자격을 가진 사람에 의해 구성된 **공법상 사단(공공조합)**, ③ 국가나 지방자치단체가 출연한 재산을 관리하기 위하여 설립한 **공법상 재단**, ④ 일정한 행정목적을 위해 설립된 인적·물적 수단의 결합체인 영조물에 법인격이 부여된 **영조물 법인**이 있다.

Ⅱ. 공무수탁사인

1. 의 의

특정의 개별적인 고권적 권한을 자신의 이름으로 행사할 권능이 부여된 사법상의 자연인 또는 법인을 말한다(예: 경찰사무를 처리하는 선장, 학위수여를 하는 사립학교, 사인이 사업시행자로서 토지를 수용하는 경우 등). 행정의 부담을 경감하고 사적 부문의 효율성을 활용하기 위하여 사인에게 행정주체의 지위를 부여하고 책임 있는 행정수행을 위해 국가 등의 감독이행해진다. 공무수탁사인을 일정한 권한을 수탁받은 **행정기관으로 보는 견해**도 있으나, 위탁받은 사무를 수행하는 한도에서는 **전래적 행정주체로 보는 것이 타당하다.**

2. 구별개념

1) **공의무부담사인** - 조세원천징수의무, 석유비축의무 등 공적 의무를 부담하는 사인을 말한다. 이를 공무수탁사인으로 보는 견해도 있으나, **고권적 권한이 없고 사인의 신분이 유지**된다는 점에서 공무수탁사인과 구별하는 것이 타당하다. **판례**도 소득세법상의 **조세원천징수의무자**에 대해 **"원천징수행위는 법령에서 규정된 징수 및 납부의무를 이행하기 위한 것에 불과"**하다고 하여 **처분성을 부정**하여 행정주체성을 부정(대판 1990.3.23. 89누4789)한 바 있다.

2) **행정보조인** - 차량견인업자, 생활폐기물의 수집·운반·처리의 대행업자와 같이 행정임무를 자기책임 하에 수행함이 없이 순수한 기술적인 집행만을 떠맡는 사인을 말하는데, **비독립적으로 활동**하고 **법률관계의 직접적인 당사자가 되지 않는다**는 점에서 공무수탁사인과는 구별된다.

3. 근거 및 공무의 위탁방법

행정**권한**이 사인에게 **이전**되므로 **법적 근거가 필요하다. 일반법**으로 **정부조직법 제6조3항, 지방자치법 제104조3항**을 근거로 들지만, 동법은 소관사무 중 **"국민의 권리·의무와 직접 관계되지 않은" 사무**를 개인에게 위탁할 수 있도록 한 것이다. 따라서 **국민의 권리와 의무에 직접 관계되는 권한은 개별적인 근거**가 필요하다**(예: 공익사업을 위한 토지등의 취득 및 보상에 관한 법률 제19조, 민영교도소등의 설치·운영에 관한 법률 제3조등)**. 위탁의 형식은 **법률이 직접 또는 법률에 기한 공법상 계약(공무위탁계약)**에 의하거나, **행정행위를 통해서** 이루어진다.

4. 법률관계

(1) 국가(위탁자)와의 관계

행정주체와 공무수탁사인은 **공법상의 위임관계**에 있으며, 그 내용은 위임의 근거법률이나 위탁행위에 의하여 정해진다. 공무수탁사인은 위탁의 범위에서 공무수행권 및 비용청구권 등을 가지고, 경영의무(공무계속의무)를 진다. 한편 국가는 위탁사무에 대해 합법성과 합목적성을 감독하게 된다.

판 례 자율심의기구는 행정주체인 방송위원회로부터 위탁을 받아 방송광고의 사전심의라는 공무를 수행하고 있으므로 행정법상 공무수탁사인에 해당한다. 공무수탁사인은 자신의 책임 하에 자신의 명의로 권한을 행사하고, 그 법적 효과의 귀속 주체가 되지만, 국가는 공무수탁사인에 대하여 위임사무 처리에 대하여 지휘·감독권을 가지고 있다. 방송위원회와 자율심의기구 사이에 체결된 업무위탁계약서 제7조에 따르더라도 방송위원회는 위탁업무에 대해 심의기구를 지휘·감독하고, 필요한 경우 위탁업무와 관련된 지시 및 조치를 할 수 있으며, 위탁업무 처리가 위법 또는 부당한 경우 그 처분을 취소하거나 정지시킬 수 있다(헌재결 2008.6.26, 2005헌마506).

(2) 국민과의 관계

공무수탁사인은 행정주체로서 그 권한범위 내에서 행정행위를 발령할 수도 있고, 수수료를 징수할 수도 있으며, 기타 공법상 행위를 할 수 있다.

5. 국민의 권리구제

(1) 항고쟁송 및 당사자소송

공무수탁사인은 행정청의 개념에 포함되어(행정심판법 제2조4호, 행정소송법 제2조2항), 그의 처분에 의하여 권리를 침해당한 자는 공무수탁사인을 피고로 하여 행정쟁송을 제기할 수 있으며, 공무수탁사인과의 공법상 계약에 대한 다툼은 당사자소송을 제기할 수 있다.

(2) 손해배상

1) 문제점

공무수탁사인의 행위로 손해가 발생한 경우 배상책임자가 공무수탁사인인지 공무를 위탁한 국가 또는 지방자치단체인지 문제되고, 이 경우의 손해배상책임이 국가배상책임인지 민법상 손해배상책임인지 문제된다.

2) 학 설

① 국가배상법 적용설

국가배상법 2조의 공무원에는 국가공무원법과 지방공무원법상의 공무원뿐 아니라 널리 공무를 위탁받아 실질적으로 공무에 종사하는 자도 포함되기 때문에 공무수탁사인도 국가배상법상 공무원에 해당되며 국가나 지방자치단체가 국가배상책임을 져야 한다. 2009년 국가배상법 개정으로 공무를 수탁받은 사인의 불법행위에 대해서도 국가나 자치단체가 국가배상책임을 지는 것을 명확히 하고 있다.[1]

② 민법상 손해배상청구설

국가배상청구설은 공무수탁사인을 행정기관으로 보는 경우에는 타당하나 행정주체로 보는 경우에는 타당하지 않으며 공무수탁자가 독립된 행정주체로서 공행정을 수행하는 경우에는 수탁자가 손해배상책임을 져야 한다. 이론상 국가배상책임을 지는 것이 타당하나 국가배상법은 국가와 지자체의 배상책임만 규율하고 있으므로 민법에 근거하여 배상책임을 지고, 이 경우 국가배상법을 유추적용하여 사용자 및 공작물점유자의 면책규정을 적용하지 않는 것이 타당하다.[2]

③ 국가배상법 유추적용설

공무수탁사인이 행정주체로서 배상책임을 져야 하나 국가배상법이 배상책임자로 규정하지 않는 것은 입법의 불비라고 하면서 공행정작용으로 인한 손해는 성질상 국가배상책임을 인정하는 것이 타당하므로 국가배상법을 유추적용하여 공무수탁사인이 국가배상책임을 져야 한다.[3]

---

1) 박균성 교수님은 민간위탁의 유형에 대해서 위탁기관과 수탁사인 사이의 관계를 기준으로 ① 권한이 사인에게 법적으로 이전하는 협의의 위탁(공무수탁사인), ② 사인에게 행정권 행사를 사실상 독립적으로 행하는 권한이 주어지지만 권한이 법적으로 이전되지 않는 경우인 대행, ③ 사인은 위탁기관의 행정보조자로서 활동하는 보조위탁으로 구분하는데, 박교수님은 광의의 공무위탁 중 보조위탁의 경우는 개정법의 적용이 타당하다고 한다.

2) 박균성 교수님의 2010년까지의 견해.

3) 박균성 교수님의 2011년판부터의 입장.

3) 판 례

판례는 **국가배상법상의 공무원에는 널리 공무를 위탁받은 사인이 포함**된다는 판시를 하면서 **교통할아버지, 통장** 등의 행위에 대해 국가배상책임을 **긍정**한 바 있으나, **행정주체로서의 공무수탁사인인 경우에 대하여는 명시적으로 판시한 바는 없다. 최근 공무를 수탁받은 공공단체(토지공사)의 직원이 대집행과 관련하여 불법행위**를 한 경우의 손해배상책임에 있어서 토지공사를 행정주체로 보면서 **행정주체인 토지공사가 배상책임**이 있다고 한 판례[4]가 있는데 동 판례의 법리가 사인에게 위탁한 경우에도 적용될 것인지 주목할 필요가 있다.

4) 검 토

공무수탁사인의 **행정주체성이 인정되는 한** 공무수탁사인의 손해배상책임을 긍정하는 것이 타당하다. **공행정작용을 원인으로 한 손해**이므로 국가배상법이 적용되는 것이 논리적이다. **국가배상법 유추적용설이 타당하다.**

관련 판례 **토지공사의 행정주체성**(대판 2010.1.28, 2007다82950)

구 국가배상법(2009. 10. 21. 법률 제9803호로 개정되기 전의 것, 이하 '국가배상법'이라 한다) 제2조 소정의 **공무원이라 함은 널리 공무를 위탁받아 실질적으로 공무에 종사하고 있는 일체의 자**를 말하고(대판 2001.1.5, 98다39060 참조), 이러한 **공무원이 공무를 수행하는 과정에서 위법행위로 타인에게 손해**를 가한 경우에 국가 등이 손해배상책임을 지는 외에 그 개인은 **고의 또는 중과실**이 있는 경우에는 **손해배상책임을 지지만 경과실**만 있는 경우에는 그 **책임을 면하게 된다**(대판 1996.2.15, 95다38677 전원합의체 참조).

원심판결 이유에 의하면 **원심은, 한국토지공사는 이 사건 대집행을 위탁받은 자로서 그 위탁범위 내에서는 공무원**으로 볼 수 있으므로 이 사건 대집행을 실시함에 있어서 불법행위로 타인에게 손해를 입힌 경우에도 위 법리에 따라 **고의 또는 중과실이 있는 경우에만 손해배상책임**을 지고, **피고 2, 피고 3 주식회사, 피고 4**는 한국토지공사의 업무 담당자이거나 그와 용역계약을 체결한 법인 또는 그 대표자로서 한국토지공사의 지휘·감독하에 대집행 작업을 실시한 것이므로 **형평의 원칙상** 한국토지공사와 마찬가지로 **고의 또는 중과실이 있는 경우에 한하여** 불법행위로 인한 손해배상책임을 진다고 판단하고 있다.

먼저 피고 2, 피고 3 주식회사, 피고 4에 관한 부분에 관하여 보건대, 위 피고들은 이 사건 대집행을 실제 수행한 자들로서 **공무인 이 사건 대집행에 실질적으로 종사**한 자라고 할 것이므로 **국가배상법 제2조 소정의 공무원**에 해당한다고 볼 것이고, 따라서 위 법리에 따라 고의 또는 중과실이 있는 경우에 한하여 불법행위로 인한 손해배상책임을 진다고 할 것이며, 이에 관한 판단은 법적 평가 또는 법령의 해석적용에 관한 사항으로서 법원이 직권으로 판단할 수 있다고 할 것이다.

그러나 한국토지공사는 구 한국토지공사법(2007. 4. 6. 법률 제8340호로 개정되기 전의 것, 이하 '토지공사법'이라 한다) 제2조, 제4조에 의하여 정부가 자본금의 전액을 출자하여 설립한 법인이고, 이 사건 택지개발사업은 같은 법 제9조4호에 규정된 한국토지공사의 사업으로서, 이러한 사업에 관하여는 공익사업을 위한 토지 등의 취득 및 보상에 관한 법률(이하 '공익사업법'이라 한다) 제89조1항, 토지공사법 제22조6호 및 같은 법 시행령 제40조의3 제1항의 규정에 의하여, 본래 시·도지사나 시장·군수 또는 구청장의 업무에 속하는 대집행권한을 한국토지공사에게 위탁하도록 되어 있는바, 한국토지공사는 이러한 **법령의 위탁에 의하여 이 사건 대집행을 수권받은 자로서 공무인 대집행을 실시함에 따르는 권리·의무 및 책임이 귀속되는 행정주체의 지위**에 있다고 볼 것이지 **지방자치단체 등의 기관으로서 국가배상법 제2조 소정의 공무원에 해당한다고 볼 것은 아니다.** 원심이 이 부분 판단에 관하여 원용하고 있는 판례는 이 사건과 사안을 달리 하는 것이므로 원용하기에 적절한 판례가 될 수 없다

4) 대판 2010.1.28, 2007다82950.

10 행정법관계의 내용 - 공권, 공의무

Ⅰ. 개 설

행정법관계의 내용은 **행정주체와 행정의 상대방이 갖는 권리와 의무**로 구성된다. 행정주체는 행정의 상대방에게 국가적 공권을 가지며 이에 대응하여 개인은 일정한 작위, 부작위, 수인, 급부의무라는 공의무를 부담한다. 다른 한편 개인은 행정주체에게 개인적 공권을 가지며 이에 대응하여 행정주체는 의무를 지게 된다.

Ⅱ. 개인적 공권

1. 개 념

개인이 자기의 이익을 위해 국가 등 행정주체에게 일정한 행위를 요구할 수 있는 법적인 힘을 의미한다.

2. 성립요건

① 행정주체에게 일정한 행위를 하여야 할 의무가 부과되어 있어야 하고(**강행법규-행위의무 존재**) ② 강행법규가 공익실현 뿐만 아니라 **개인의 이익실현**을 아울러 목적으로 하여야 한다(**사익보호성**).

3. 반사적 이익과 구별

반사적 이익은 **공법이 공익을 위하여 행정주체에게 어떠한 작위 또는 부작위의 의무를 부과함으로써, 결과적으로 개인이 반사적으로 받게 되는 이익**이다. 반사적 이익은 법에 의해 직접 보호된 이익이 아니므로 침해되어도 재판을 통해 구제되지 않는다(원고적격이 인정되지 않음). **공권의 확대화[1] 경향**에 따라 점차 공권화되어 가는 경향이 있다.

Ⅲ. 공권과 법률상 이익

행정소송법은 12조는 원고적격으로 법률상 이익을 요구하고 있다. 종래와 같은 의미의 권리는 아니지만 단순한 반사적 이익이라고만 할 수도 없는 이익, 즉 행정쟁송을 통해 구제되어야 할 이익을 '법률상 보호이익'이라고 하여 양자를 구별하는 견해가 있으나, 오늘날 공권을 넓게 이해하는 것을 고려한다면 전통적 의미의 권리와 확대된 법적 보호이익의 관념을 합하여 확대된 권리개념으로 파악할 수 있으므로 양자는 같은 개념이라고 보는 것이 타당하다.

Ⅳ. 공권과 기본권과의 관계[2]

독일에 있어서 **본기본법 이전의 전통적인 학설**은 개인적 공권의 성립여부에 대한 검토에 있어서 전적으로 **개별법규에 초점**을 맞추어 **관련 법률이 개인의 이익보호를 의도하고 있는지 여부에 의존**시켰다(**보호규범론**). 그러나 이러한 견해는 헌법에서 보장되고 있는 **기본권으로서 자유권이 직접적으로 효력을 갖게 됨에 따라 비판**을 받기 시작하였다. 즉 **부담적 행정행위의 상대방이 취소소송을 제기할 경우에 독일의 학설과 판례는 더 이상 관련 법률의 사익보호성여부에 대하여 묻지 않고, 자유권침해의 관점에서 곧바로 원고적격을 인정하고 있다**(이른바 수범자이론). 헌법상의 자유권이 위법한 국가권력으로부터의 자유를 보장하고 있다면, 침해적 행정행위의 수범자는 행정주체에게 법률적합성의 원칙에 따라 자신의 자유를 제한할 것을 요구할 수 있는 권리를 갖고 있기 때문이다. 이와 같은 입장은 **우리 판례에 있어서도 반영**되고 있는 것으로 보인다.

판 례 행정처분에 있어서 **불이익처분의 상대방은 직접 개인적 이익의 침해를 받은 자로서 원고적격이 인정**되지만 수익처분의 상대방은 그의 권리나 법률상 보호되는 이익이 침해되었다고 볼 수 없으므로 달리 특별한 사정이 없는 한 취소를 구할 이익이 없다(대판 1995.8.22, 94누8129).

---

1) 공권의 확대는 (1)반사적 이익의 공권화(인인소송, 경원자소송, 경업자소송), (2)재량행위에서 무하자재량행사청구권, 행정개입청구권 등의 공권을 인정(행위의무의 확대), (3)헌법상 기본권의 공권으로서의 인정, (4)절차적 권리의 확대 등의 형태로 나타남.

2) 정하중 교수님 행정법 총론 97면 인용.

그러나 제3자효 행정행위에 있어서 부담을 받는 제3자가 취소소송을 제기하는 경우에는 상황은 다르다. 제3자효 행정행위에서 전형적으로 나타나는 바와 같이, 오늘날의 현대사회는 이해관계가 복잡하게 뒤얽혀져 있으며, 여기서 법률은 이익의 조정과 배분을 위한 불가피한 수단이다. 입법자는 이익이 다양하게 대립되고 중첩된 오늘날의 국가사회에서 분쟁의 조정 및 결정의 특권을 갖고 있기 때문에, **공권은 개별법률에서 나오게 된다.** 비록 **기본권으로서 자유권은 개별법률보다 효력에 있어서 우위권을 갖고 있으나, 개별법률은 적용의 우선권**을 갖고 있다. 이에 따라 **제3자효 행정행위에 있어서 제3자가 취소소송을 제기하는 경우에는 학설과 판례는 종전과 같이 개별법률의 사익보호성 여부에 초점**을 맞추고 있다. 우리 **판례 역시 제3자효 행정행위에 대한 취소소송의 원고적격에 있어서 일관되게 관련법률의 사익보호성 여부를 검토**하고 있다.

판 례 **행정처분의 상대방이 아닌 제3자라도 당해 행정처분의 취소를 구할 법률상의 이익이 있는 경우에는 그 처분의 취소를 구할 수 있으나, 이 경우 법률상의 이익이란 당해 처분의 근거 법률에 의하여 직접 보호되는 구체적인 이익을 말하므로 제3자가 단지 간접적인 사실상 경제적인 이해관계를 가지는 경우에는 그 처분의 취소를 구할 원고적격이 없다**(대판 2000.4.25, 98두7923 등).

그러나 제3자효 행정행위에 대한 취소소송의 경우에도 자유권은 일정한 범위 내에서 개인적 공권의 명확화 및 공권 부여의 기능을 수행하고 있다. 우선 개별 행정법규, 즉 도로·건축·영업관련법률 등이 사익보호성 여부가 불분명할 때에는 해당법률을 직업의 자유 또는 재산권에 관련시켜 **합헌적 해석**을 통하여 법으로 보호하는 이익, 즉 개인적 공권을 인정한다(공권의 명확화로써의 자유권기능). 예를 들어 도로법이 인접주민의 도로사용권을 인정하고 있는지 해석상 어려운 때에는 헌법상 재산권 보장에 관련시켜 관계법규가 도로사용권을 인정하는 것으로 합헌적 해석을 한다. 또한 법원은 개별법률의 해석의 결과 개인의 이익이 보호되지 않는다는 명백한 결론에 달한 경우에는 재산권과 직업의 자유 등을 적용하여 행정청의 개별법규에 근거한 처분이 이들 기본권의 보호영역을 침해한다고 판단하는 경우에는 해당법률을 위헌으로 취급하여 적용을 거부하고 **위헌심사제청**을 한다. 예를 들어 도로사용권이 인접주민의 재산권에 속함에도 불구하고 도로법이 이를 명시적으로 배제시킨 경우는 당해 규정에 대한 위헌신청을 한다. 마지막으로 **관련법률이 결여된 경우에는 자유권을 직접 적용하여 그의 보호 영역의 침해가 인정되면 자유권에서 직접 공권이 인정된다**(공권부여로써의 자유권기능). 이 경우 물론 자유권의 보호영역과 그의 침해여부의 불명확성 때문에 **독일의 판례는 침해의 직접성과 중대성, 즉 수인이 기대가능하지 않은 침해가 있을 것을 요구**하고 있다. 예를 들어 **건축법규에 인인보호(隣人保護)에 관한 규정이 없고 건축허가로 인하여 제3자로서 인인(隣人)의 재산권이 중대하고 수인이 불가능할 정도로 침해를 받는 경우에는 제3자의 공권으로서 재산권이 직접 적용**된다.

판 례 행정처분의 직접 상대방이 아닌 제3자라도 당해 처분의 취소를 구할 법률상 이익이 있는 경우에는 행정소송을 제기할 수 있다. 이 사건에서 보건대, 설사 **국세청장의 지정행위의 근거규범인 이 사건 조항들이 단지 공익만을 추구할 뿐 청구인 개인의 이익을 보호하려는 것이 아니라는 이유로 청구인에게 취소소송을 제기할 법률상 이익을 부정한다고 하더라도,** 국세청장의 지정행위는 행정청이 병마개 제조업자들 사이에 특혜에 따른 차별을 통하여 **사경제 주체간의 경쟁조건에 영향을 미치고 이로써 기업의 경쟁의 자유를 제한하는 것임이 명백**한 경우에는 국세청장의 지정행위로 말미암아 기업의 경쟁의 자유를 제한받게 된 자들은 적어도 **보충적으로 기본권에 의한 보호가 필요**하다. 따라서 일반법규에서 **경쟁자를 보호하는 규정을 별도로 두고 있지 않은 경우에도 기본권인 경쟁의 자유가 바로 행정청의 지정행위의 취소를 구할 법률상의 이익**이 된다 할 것이다.

- 그러므로 청구인은 국세청장의 지정처분의 취소를 구하는 행정소송을 제기할 수 있고, 이러한 행정소송절차는 청구인이 침해되었다고 주장하는 기본권을 효율적으로 구제할 수 있는 권리구제절차라 할 것이다. 따라서 그러한 구제절차를 거치지 아니하고 제기된 이 사건 국세청고시에 대한 헌법소원 심판청구는 보충성요건이 결여되어 부적법하다(헌재결 1998.4.30, 97헌마141).

V. 공의무의 승계

1. 공의무

공의무는 **공권에 대응하는 개념으로 공법상의 구속**을 말한다. 주체에 따라 **국가적 공의무와 개인적 공의무**로 나눌 수 있다. 공권의 특수성에 대응하는 공의무는 특색이 인정되는데 특히 **개인적 공의무는 행정주체의 일방적인 행위에 의하여 과해지는 경우가 많고, 의무불이행시 행정주체의 자력집행이 인정되거나 제재의 대상이 되는 특성**이 있다.

2. 공의무의 승계

종래에는 공의무는 원칙적으로 일신전속적인 것이어서 승계를 부정했으나 오늘날 다수설은 **공의무의 승계가능성 여부에 따라 판단**하고 있다. 의무의 수행에 당사자의 인적 성격 내지 능력이 본질적이어서 **타인에의 이전이 배제되는 경우 일신전속적 의무로서 승계가 부정**되나, **원래의 의무자 개인과 독립하여 이행될 수 있는 의무는 승계가능성을 긍정**한다. 대체로 비재산적인 것은 이전성이 없을 것이고, 물적인 것은 이전성을 가진다고 볼 수 있다.

판례 1 구 산림법(2001. 5. 24. 법률 제6477호로 개정되기 전의 것) 제90조 제11항, 제12항이 산림의 형질변경허가를 받지 아니하거나 신고를 하지 아니하고 산림을 형질변경한 자에 대하여 원상회복에 필요한 조치를 명할 수 있고, 원상회복명령을 받은 자가 이를 이행하지 아니한 때에는 행정대집행법을 준용하여 원상회복을 할 수 있도록 규정하고 있는 점에 비추어, **원상회복명령에 따른 복구의무는 타인이 대신하여 행할 수 있는 의무로서 일신전속적인 성질을 가진 것으로 보기 어려운 점**, 같은 법 제4조가 법에 의하여 행한 처분·신청·신고 기타의 행위는 토지소유자 및 점유자의 승계인 등에 대하여도 그 효력이 있다고 규정하고 있는 것은 산림의 보호·육성을 통하여 국토의 보전 등을 도모하려는 법의 목적을 감안하여 법에 의한 처분 등으로 인한 권리와 아울러 그 의무까지 승계시키려는 취지인 점 등에 비추어 보면, **산림을 무단형질변경한 자가 사망한 경우 당해 토지의 소유권 또는 점유권을 승계한 상속인은 그 복구의무를 부담**한다고 봄이 상당하고, 따라서 **관할 행정청은 그 상속인에 대하여 복구명령을 할 수 있다**고 보아야 한다(대판 2005.8.19, 2003두9817).

판례 2 구 건축법(2005. 11. 8. 법률 제7696호로 개정되기 전의 것)상의 **이행강제금**은 구 건축법의 위반행위에 대하여 시정명령을 받은 후 시정기간 내에 당해 시정명령을 이행하지 아니한 건축주 등에 대하여 부과되는 **간접강제의 일종**으로서 그 **이행강제금 납부의무는 상속인 기타의 사람에게 승계될 수 없는 일신전속적**인 성질의 것이므로 이미 **사망한 사람에게 이행강제금을 부과하는 내용의 처분이나 결정은 당연무효**이고, 이행강제금을 부과받은 사람의 이의에 의하여 비송사건절차법에 의한 재판절차가 개시된 후에 그 **이의한 사람이 사망한 때에는 사건 자체가 목적을 잃고 절차가 종료**한다(대결 2006.12.08, 2006마470).

---

11 무하자재량행사청구권

Ⅰ. 의 의

개인이 행정청에 대하여 하자 없는 적법한 재량처분을 요구하는 공권이다. 과거 재량영역에서는 개인적 공권이 인정되지 않는다고 보았지만, 행정청의 재량권 행사도 일정한 제한이 필요하다는 요청에 따라 인정된 개념이다. 행정청은 재량영역에서도 하자 없는 재량행사를 해야 하는 의무를 지며, 이러한 의무에 대응하여 인정되는 권리가 무하자재량행사청구권이며 이는 결국 **재량행위에서 주관적 공권의 확대**를 의미한다.

Ⅱ. 성 질 - 실체적 · 형식적 권리

재량행위에서 적정한 결정절차에 대한 절차적 청구권을 의미하는 절차적 권리라고 보는 견해가 있으나, 재량결정의 내용적 한계를 지킬 것을 요구하는 실체적 권리라고 보는 것이 타당하다. 다만, 특정한 내용의 처분을 하여 줄 것을 청구하는 권리가 아니라 재량권을 흠 없이 행사를 해 줄 것을 청구하는 권리인 점에서 **형식적 권리**에 해당한다.

Ⅲ. 인정여부(독자성 인정여부)[1]

1. 학 설

① **부정설**은 **재량권의 위법행사로 실체면의 권리침해 인정**하면 족하고 무하자재량행사청구권을 인정하면 **민중소송화 우려**가 있다는 점을 근거로 한다. ② 무하자재량행사청구권의 **개념은 인정하되 독자성은 부정하는 견해**가 있는데, 이는 무하자재량행사청구권은 재량행위에 인정되는 개인적 공권의 특징을 표현하는 개념일 뿐 그 자체가 원고적격을 가져다주는 법률상 이익은 아니라고 본다. ③ 그러나 **다수의 견해**는 **실체적인 권리하자를 주장하기 어려운 경우에 인정실익**이 있고, 관련법규에서 **사익보호성을 요구한다면 민중소송화도 방지** 된다는 점을 근거로 무하자재량행사청구권의 **독자성을 긍정**하고 있다. 독자성을 긍정하는 견해 중에서도 **행정청이 결정재량은 갖지 못하고 선택재량권만 가지고 있는 경우에 있어서만 무하자재량행사청구권을 인정하는 견해**도 있다.

2. 판 례

판례는 **검사임용 신청자에게 재량권의 한계일탈이나 남용이 없는 적법한 응답을 요구할 권리**가 있으며 이러한 권리에 기하여 재량권남용의 위법한 거부처분에 대하여는 항고소송으로서 그 취소를 구할 수 있다고 판시한 바 있는데 동 판례에 대해서 **무하자재량행사청구권을 인정하고 있다고 평가하는 것이 다수**의 평가이다(독자성 긍정설).

Ⅳ. 성립요건

1. 강행법규성(하자 없는 재량행위를 해야 할 의무)

2. 사익보호성

Ⅴ. 행정개입청구권과의 관계 - 재량이 영으로 수축시 실체적인 공권으로 전화

Ⅵ. 행사방법(권리구제수단)

1. 행정청의 거부처분에 대하여

수익적 재량처분(사업의 특허나 인가 등)의 거부에 대해서 우리 행정소송법은 독일과 달리 의무이행소송을 인정하지

---

1) 홍정선 교수님은 개념의 인정여부, 독자성 인정여부의 2단계로 서술하고 있는데, **무하자재량행사청구권 인정여부는 보통 독자성인정여부를 염두**에 두고 하는 논의이다. 홍교수님은 개념은 인정하나 독자성은 부정하는 입장이다.

않으므로 ① 행정심판으로서 의무이행심판을 제기하거나 ② 행정소송법상 거부처분취소소송을 제기하여 재처분 의무(행정소송법 제30조 2항)를 통해 간접적인 권리구제를 도모할 수 있다.[2)]

2. 부작위에 대하여

거부처분에서와 마찬가지로 ① 의무이행심판 또는 ② 부작위위법확인소송을 제기할 수 있다.

3. 부담적 처분

부담적 재량처분에 재량의 하자가 있는 경우, 상대방은 취소심판이나 취소소송을 제기할 수 있다.

관련 판례 **검사임용거부처분취소**(대판 1991.2.12, 90누5825)

1. 사실관계

甲은 사법연수원을 수료하고 검사임용신청을 하였으나 법무부장관은 甲에게 아무런 의사표시를 하지 않음. 甲은 면접점수가 기준점수에 미달하여 불합격처리된 것임. 甲은 검사로 임용된 자의 최하성적보다 상위성적을 취득하였음에도 불구하고 불합격처분한 것은 재량권 일탈·남용에 해당한다고 주장하며 임용거부처분취소소송을 제기.

2. 판시사항 및 판결요지

[1] 검사 지원자 중 한정된 수의 임용대상자에 대한 임용결정만을 하는 경우 임용대상에서 제외된 자에 대하여 임용거부의 소극적 의사표시를 한 것으로 볼 것인지 여부(적극)

- 검사지원자 중 한정된 수의 임용대상자에 대한 임용결정은 한편으로는 그 임용대상에서 제외한 자에 대한 임용거부 결정이라는 양면성을 지니는 것이므로 임용대상자에 대한 임용의 의사표시는 동시에 임용대상에서 제외한 자에 대한 임용거부의 의사표시를 포함[3)]한 것으로 볼 수 있고, 이러한 임용거부의 의사표시는 본인에게 직접 고지되지 않았다고 하여도 본인이 이를 알았거나 알 수 있었을 때에 그 효력이 발생한 것으로 보아야 한다.

[2] 다수의 검사 임용신청자 중 일부만을 검사로 임용하는 결정을 함에 있어 그 임용여부의 응답을 해 줄 의무가 있는지 여부(적극)

-검사의 임용여부는 임용권자의 자유재량에 속하는 사항이나, 임용권자가 동일한 검사신규임용의 기회에 원고를 비롯한 다수의 검사 지원자들로부터 임용신청을 받아 전형을 거쳐 자체에서 정한 임용기준에 따라 이들 중 일부만을 선정하여 검사로 임용하는 경우에 있어서 법령상 검사임용신청 및 그 처리의 제도에 관한 명문규정이 없다고 하여도 조리상 임용권자는 임용신청자들에게 전형의 결과인 임용여부의 응답을 해 줄 의무가 있다고 보아야 하고, 원고로서는 그 임용신청에 대하여 임용여부의 응답을 받을 권리가 있다고 할 것이며, 응답할 것인지 여부조차도 임용권자의 편의재량사항이라고는 할 수 없다.

[3] 검사임용거부처분의 항고소송대상 여부

- 검사의 임용에 있어서 임용권자가 임용여부에 관하여 어떠한 내용의 응답을 할 것인지는 임용권자의 자유재량에 속하므로 일단 임용거부라는 응답을 한 이상 설사 그 응답내용이 부당하다고 하여도 사법심사의 대상으로 삼을 수 없는 것이 원칙이나, 적어도 재량권의 한계일탈이나 남용이 없는 위법하지 않은 응답을 할 의무가 임용권자에게 있고 이에 대응하여 임용 신청자로서도 재량권의 한계일탈이나 남용이 없는 적법한 응답을 요구할 권리가 있다고 할 것이며, 이러한 응답신청권에 기하여 재량권남용의 위법한 거부처분에 대하여는 항고소송으로서 그 취소를 구할 수 있다고 보아야 하므로 임용신청자가 임용거부처분이 재량권을 남용한 위법한 처분이라고 주장하면서 그 취소를 구하는 경우에는 법원은 재량권남용 여부를 심리하여 본안에 관한 판단으로서 청구의 인용여부를 가려야 한다.

3. 해 설

판례에 대해 무하자재량행사청구권을 인정하였다거나(김동희,정하중), 무하자재량행사청구권의 법리를 인정한 판례는 아니나 무하자재량행사청구권의 법리를 추론할 수 있다거나(한견우), 검사임용청구와 관련된 응답청구인 것이고 공무담임권의 한 부분이므로 실체와 무관하게 독립적인 권리로 인정하였다는 주장은 정당하지 않다거나(홍정선), 거부처분의 처분성을 인정하기 위함일 뿐 독자적인 소송상 청구권을 인정하는 것은 아니라는(김연태) 등 다양한 평가가 있다. 동 청구권의 독자성 인정 여부에 따른 평가이다.

---

2) 다만 행정소송법 개정안은 의무이행소송을 인정하고 있다.
3) 원심은 부작위로 보고 거부처분취소소송을 각하하였다.

12 행정개입청구권

Ⅰ. 의의 및 종류

행정청에 행정권 발동의무가 부과되어 있는 경우, 그에 대응하여 사인이 행정청에 그 발동을 요구할 수 있는 권리이다. 협의로는 타인에 대한 일정한 행정권의 발동을 청구하는 권리를 의미하며, 광의로는 협의의 행정개입청구권에 더하여 개인이 자기의 권익을 위하여 자기에 대하여 일정한 내용의 행정권을 발동하여 줄 것을 청구할 수 있는 권리인 행정행위발급청구권을 포함하는 개념이다. 본래 경찰행정영역에서 발전된 개념이지만, 오늘날에는 행정의 전 영역에서 논의되고 있다.

Ⅱ. 법적 성질

실체적 권리의 성격을 갖는다. 재량행위에 대하여 당사자는 처음에는 개입여부에 관한 재량권발동을 하자 없이 행사해줄 것을 청구할 수 있음에 그치지만(무하자재량행사청구권), 행정기관의 재량이 구체적인 사정에 비추어 영으로 수축되는 경우 당사자의 청구권은 특정한 행정작용의 발령을 구할 수 있는 행정개입청구권으로 변하게 된다.

Ⅲ. 성립요건

1. 강행법규성(개입의무의 발생)

법에서 행정권의 발동여부에 관하여 재량을 인정하지 않거나, 재량을 부여하고 있는 경우에도 일정한 경우에는 재량이 영으로 수축되는 경우 개입의무가 발생한다. 개입의무가 있는지(재량권이 영으로 수축되는 경우)는 위협받는 법익의 가치, 위해의 정도, 행정권의 개입으로 초래되는 다른 위험을 고려하여 개별・구체적으로 판단하여야 하는바, 일반적으로 ① 사인의 생명・신체・재산 등에 중대하고 급박한 위험이 존재하고 ② 그러한 위험이 행정권의 발동에 의해 제거될 수 있는 것이며 ③ 피해자의 개인적인 노력으로는 권익침해의 방지가 충분하게 이루어질 수 없다고 인정되는 경우에 인정된다.

2. 사익보호성

당해 법규가 공익뿐만 아니라 사익보호를 의도하고 있어야 한다.

Ⅳ. 행정개입청구권에 관한 판례

판례는 인근주민이 건축허가권자에게 건축허가취소, 철거요구 등을 요구할 수 있는 권리가 없다고 하여 협의의 행정개입청구권에 대하여 부정적인 입장을 취하기도 하나, 최근 대법원은 새만금간척종합개발사업에 대한 판결(관련판례 -2006두330)에서 비록 명시적인 표현은 하지 않았지만 행정개입청구권의 존재를 전제로 하여 조리상 신청권[1])을 인정하고, 다만 본안에서 공유수면매립면허 및 사업시행인가처분에 대한 원고의 취소청구를 기각한 바 있다(정하중).

판 례 구 건축법(1999.2.8. 법률 제5895호로 개정되기 전의 것) 및 기타 관계 법령에 국민이 행정청에 대하여 제3자에 대한 건축허가의 취소나 준공검사의 취소 또는 제3자 소유의 건축물에 대한 철거 등의 조치를 요구할 수 있다는 취지의 규정이 없고, 같은 법 제69조(현행 제79조)1항 및 제70조1항은 각 조항 소정의 사유가 있는 경우에 시장・군수・구청장에게 건축허가 등을 취소하거나 건축물의 철거 등 필요한 조치를 명할 수 있는 권한 내지 권능을 부여한 것에 불과할 뿐, 시장・군수・구청장에게 그러한 의무가 있음을 규정한 것은 아니므로 위 조항들도 그 근거 규정이 될 수 없으며, 그 밖에 조리상 이러한 권리가 인정된다고 볼 수도 없다(대판 1999.12.7, 97누17568).

1) 판례는 신청권을 긍정하여 거부처분성을 긍정한 것인데, 정하중 교수님은 신청권은 원고적격의 문제라고 하는 입장이므로 판례를 원고적격을 긍정한 것이라고 평가하는 것이다. 판례는 신청권을 인정하여 거부처분성을 긍정하는 경우 원고적격 역시 긍정한다(#108).

반면 취소소송과 달리 국가배상과 관련해서는 개입의무를 인정하여 국가배상책임을 인정한 사례들이 있다.

판례 1 공무원의 부작위로 인한 국가배상책임을 인정하기 위하여는 공무원의 작위로 인한 국가배상책임을 인정하는 경우와 마찬가지로 '공무원이 그 직무를 집행함에 당하여 고의 또는 과실로 법령에 위반하여 타인에게 손해를 가한 때'라고 하는 국가배상법 제2조1항의 요건이 충족되어야 할 것인바, 여기서 **'법령에 위반하여'라고 하는 것이 엄격하게 형식적 의미의 법령에 명시적으로 공무원의 작위의무가 규정되어 있는데도 이를 위반하는 경우만을 의미하는 것은 아니고, 국민의 생명, 신체, 재산 등에 대하여 절박하고 중대한 위험상태가 발생하였거나 발생할 우려가 있어서 국민의 생명, 신체, 재산 등을 보호하는 것을 본래적 사명으로 하는 국가가 초법규적, 일차적으로 그 위험 배제에 나서지 아니하면 국민의 생명, 신체, 재산 등을 보호할 수 없는 경우에는 형식적 의미의 법령에 근거가 없더라도 국가나 관련 공무원에 대하여 그러한 위험을 배제할 작위의무를 인정**할 수 있을 것이지만, 그와 같은 절박하고 중대한 위험상태가 발생하였거나 발생할 우려가 있는 경우가 아니라면 원칙적으로 공무원이 관련 법령을 준수하여 직무를 수행하였다면 그와 같은 공무원의 부작위를 가지고 '고의 또는 과실로 법령에 위반'하였다고 할 수는 없을 것이므로, **공무원의 부작위로 인한 국가배상책임을 인정할 것인지 여부가 문제되는 경우에 관련 공무원에 대하여 작위의무를 명하는 법령의 규정이 없다면 공무원의 부작위로 인하여 침해된 국민의 법익 또는 국민에게 발생한 손해가 어느 정도 심각하고 절박한 것인지, 관련 공무원이 그와 같은 결과를 예견하여 그 결과를 회피하기 위한 조치를 취할 수 있는 가능성이 있는지 등을 종합적으로 고려하여 판단**하여야 할 것이다(대판 1998.10.13, 98다18520).

판례 2 [1] **경찰관직무집행법 제5조**는 경찰관은 인명 또는 신체에 위해를 미치거나 재산에 중대한 손해를 끼칠 우려가 있는 위험한 사태가 있을 때에는 그 각 호의 조치를 취할 수 있다고 규정하여 **형식상 경찰관에게 재량에 의한 직무수행권한을 부여한 것처럼 되어 있으나,** 경찰관에게 그러한 권한을 부여한 취지와 목적에 비추어 볼 때 **구체적인 사정에 따라 경찰관이 그 권한을 행사하여 필요한 조치를 취하지 아니하는 것이 현저하게 불합리하다고 인정되는 경우에는 그러한 권한의 불행사는 직무상의 의무를 위반**한 것이 되어 **위법**하게 된다.
[2] 경찰관이 농민들의 시위를 진압하고 시위과정에 도로 상에 방치된 트랙터 1대에 대하여 이를 도로 밖으로 옮기거나 후방에 안전표지판을 설치하는 것과 같은 위험발생방지조치를 취하지 아니한 채 그대로 방치하고 철수하여 버린 결과, 야간에 그 도로를 진행하던 운전자가 위 방치된 트랙터를 피하려다가 다른 트랙터에 부딪혀 상해를 입은 사안에서 국가배상책임을 인정한 사례(대판 1998.8.25, 98다16890).

V. 행사방법

개입청구에 대한 거부나 부작위의 경우는 무하자재량행사청구권의 구제수단과 동일하다. 국가배상청구권을 행사할 수도 있다.

관련 판례 항고소송에서 개입의무(대판(전) 2006.3.16, 2006두330)

1. 사실관계

새만금간척종합개발사업에 대한 농림부장관의 공유수면매립면허처분에 대해 취소청구를 하고 농림부장관이 거부하자 거부처분에 대하여 취소소송을 제기함.

2. 1심판례(서울행법 2005.2.4, 2001구합33563)

[2] 공유수면매립기본계획 및 그 범위 안에서 행하여져야 하는 매립면허처분은 장기성·종합성이 요구되는 영역이기는 하나, 공유수면매립은 일단 완료된 후에는 그 원상회복이 불가능하여 그 매립기본계획 및 매립면허처분에 대한 외부의 참여 또는 통제필요성이 절실하다는 점, 특히 환경 및 생태계변화는 그 성격상 위 매립기본계획을 수립할 때나 면허처분을 할 당시 도저히 예측하지 못한 상황으로 진행될 가능성이 높아 당초의 예측을 고정시켜 놓고 계속하여 사업을 진행하게 될 경우, 자칫 환경 및 생태계변화에 더 큰 위험을 초래할 가능성을 배제할 수 없는 점, 또한 대규모의 간척사업에서 발생할 수 있는 막대한 환경피해에 관하여 전문성 등을 갖춘 개인이 행정절차에 참여할 필요성이 더욱 절실해지고 있는 현실상황에 있어서, 개인의 환경이익 보호요청을 행정청에 대한 직권발동촉구의 의미로 한정하여 볼 수는 없는 점, 환경 및 생태계의 변화, 기타 사정변경으로 인하여 당초에 예측하지 못한 환경피해를 입을 위험이 있는 개인으로서는 매립면허처분의 취소 등 행

정권의 발동으로 위와 같은 환경상의 불이익이 해소될 수 있는데 이를 거부하는 행위는 실질적으로 그 개인의 환경상이익을 침해하는 결과에 이를 수 있다는 점 등의 여러 사정에 비추어 보면, 적어도 **환경영향평가대상지역 내의 주민들에게 환경상 이익을 보호하기 위하여 행정청에 공유수면매립법 제32조에서 정한 취소 등의 처분과 관련한 조리상의 신청권이 있다.**

[3] 새만금간척종합개발사업이 시행되는 환경영향평가대상지역 내에 거주하는 주민으로부터 공유수면매립면허 및 시행인가처분의 취소 등 행정권 발동요구를 받은 농림부장관이 그 취소권 행사를 거부한 경우, 새만금간척종합개발사업의 **사업목적, 수질관리, 경제성 평가 등의 사정이 실제와 달리 정하여졌거나 처분 이후 실질적으로 변경**됨으로 인하여 당초 **사업목적 달성이 어려워지는** 것은 물론, **갯벌과 주변 해양환경이 파괴**될 뿐만 아니라, **환경영향평가대상지역 안의 주민을 포함한 국민에게 회복 불가능할 정도로 중대하고 급박한 환경적·생태적·경제적 위험성을 초래할 것으로 예상되는 예외적인 경우**에 있어서는 **공유수면매립면허 등의 취소·변경 등 행정권발동이 반드시 필요**하다는 이유로, 위 **거부처분이 재량권을 일탈·남용**한 것으로서 위법하다고 본 사례.

3. **고등법원판례**(서울고법 2005.12.21, 2005누4412)

판례 공유수면매립법 등 관계 법령에 **국민이 행정청에 대하여 제3자에 대한 공유수면매립면허 등의 취소를 요구할 수 있다는 취지의 규정이 없고,** 면허의 취소·변경 등을 규정한 공유수면매립법 제32조도 그 소정의 사유가 있는 경우에 피고 등 **처분청이 공유수면매립면허처분 등을 취소·변경하거나 공사의 중지·물건의 개축 등 필요한 조치를 명할 수 있다고 규정하고 있을 뿐 그와 관련한 처분청의 의무를 규정하고 있지는 않다.**

그러나 ① 앞서 본 바와 같이 **농림부장관은 공유수면매립면허와 관련**하여 사전에는 환경 및 생태계 변화와 그 대책, 매립 전·후의 경제성 비교 등을 정하여 환경과 조화되도록 10년마다 매립기본계획을 수립하고, 이를 14일 이상 인근 주민을 포함한 일반인이 열람할 수 있도록 관보에 고시하여야 하며, 이에 대한 타당성을 5년마다 검토하여 폐지·변경 등 필요한 조치를 하여야 하고, 구체적인 개별 매립면허는 매립기본계획에 적합한 범위 안에서 하여야 하며, 사후적으로는 일정한 사유가 있는 경우 매립면허를 취소·변경할 수 있도록 규정하고 있는바, 이와 같이 공유수면매립법은 매 **5년마다 매립기본계획의 타당성을 검토하여 기본계획의 변경·폐지 등 조치를 취할 의무를 부과**하고 있으며, 공유수면 매립면허는 그와 같은 매립기본계획에 적합한 범위에서만 부여하여야 하므로, 어떤 구체적인 매립면허에 의하여 **매립사업이 진행되는 과정에서 환경 및 생태계 또는 경제성에 있어 예상하지 못한 변화가 발생하였다면, 처분청은 '공유수면을 환경 친화적으로 매립하여 합리적으로 이용하게 함으로써 공공의 이익을 증진'하기 위하여 그 매립면허 자체를 취소·변경하는 등의 조치까지 검토하는 등의 방법으로 매립기본계획의 타당성을 검토하여야**(새만금사업은 우리나라에서 여태껏 가장 거대한 간척사업인 만큼 그 사업의 타당성 여부는 매립기본계획의 타당성 여부와 직결된다고 할 것이다)**함이 공유수면매립법의 취지에 부합**하는 점, ② 헌법과 환경정책기본법은 인간의 삶의 요소인 건강·안전·행복을 달성하는 방편으로 환경권을 규정하고 있으면서 국가와 지방자치단체에게 환경 보전을 위한 노력 의무를 부여하고 있는바, 이와 같은 환경권은 인간으로서의 존엄과 가치로부터 도출되는 인격권적 기본권으로 볼 것이며, 한편 공유수면은 그 매립이 일단 완료된 후에는 그 원상회복이 불가능하고, 특히 환경 및 생태계 변화는 그 성격상 국가가 매립기본계획을 수립할 때나 면허처분을 할 당시에는 예측하지 못한 상황으로 진행될 가능성이 높은 반면에 당초의 예측을 고정된 좌표로 삼아 사업을 진행하게 될 경우 자칫 환경 및 생태계 변화에 회복할 수 없는 위험을 초래할 수 있고, 그와 같은 위험은 광범위한 점(환경침해의 회복 불가능성 및 광역성)에 비추어, **공유수면매립면허에 의하여 환경영향평가 대상지역 안에 거주하는 주민이 수인할 수 없는 환경침해를 받거나 받을 우려가 있어 개별적·구체적 환경이익을 침해당하였다면, 그 매립면허의 처분청에 대하여 그 이익 침해의 배제를 위하여 면허의 취소·변경 등을 요구할 위치에 있다**고 봄이 법치행정 원리에 비추어 상당한 점, ③ 환경영향평가 대상지역 안에 있어 **환경상의 이익을 침해당한 개인이 공유수면매립면허가 취소되거나 변경됨으로써 그 이익을 회복하거나 침해를 줄일 수 있다고 주장하면서 그 주장의 당부를 판단하여 주도록 요구하는 재판 청구에 대하여 소송요건심리에서 이를 배척할 것이 아니라 그 본안에 나아가 판단함이 개인의 권리구제를 본질로 하는 사법국가 원리에도 부합**하는 점 등을 종합하면, 적어도 원고 신○○과 같이 새만금사업의 **환경영향평가 대상지역 안에 거주하는 주민**에게는 환경영향평가 관련법령에 의하여 수인한도를 넘는 환경침해를 받지 아니하고 쾌적한 환경에서 생활할 수 있는, 개별적·구체적·직접적 이익이 있다고 할 것이어서, 그 이익 침해의 배제를 위하여서도 이 사건 공유수면매립면허의 처분청인 피고에게 공유수면매립법 제32조 소정의 취소·변경 등의 사유가 있음을 내세워 면허의 취소·변경을 요구할 조리상의 신청권이 있다고 보아야 함이 상당하다. 다만, 새만금사업의 환경영향평가 대상지역 밖에 거주하는 원고 3537. 내지 3539.의 환경상 이익은 앞서 본 바와 같이 환경영향평가 관련법령에 의하여 보호되는 개별적·직접적·구체적 이익이 아니라 할 것이므로, 위 원고들에게는 피고에 대하여 공유수면매립법 제32조 소정의 취소 등 처분을 신청할 조리상의 신청권을 인정하기 어렵다.

4. **대법원**(대판(전) 2006.3.16, 2006두330)[2]

새만금간척종합개발사업을 위한 공유수면매립면허 및 사업시행인가처분의 취소신청에 대하여 처분청이 구 공유수면매립법 제32조제3호에 의한 취소권의 행사를 거부한 경우, 그 사업목적상의 사정변경, 농지의 필요성에 대한 사정변경, 경제적 타당성에 대한 사정변경, 수질관리상의 사정변경, 해양환경상의 사정변경이 위 개발사업을 중단하여야 할 정도로 중대한 사정변경이나 공익상 필요가 있다고 인정하기에 부족하다고 본 원심의 판단을 수긍.

기출 사례 행정개입청구권(97년 사시)[3]

대기환경보전법 제16조는 「환경부장관은 제14조의 규정에 의한 신고를 한 후 조업중인 배출시설에서 배출되는 오염물질의 정도가 제8조 또는 제13조4항의 규정에 의한 배출허용기준을 초과한다고 인정하는 때에는 대통령령이 정하는 바에 의하여 기간을 정하여 사업자에게 그 오염물질의 정도가 배출허용기준 이하로 내려가도록 필요한 조치를 취할 것을 명할 수 있다」라고 규정하고 있다. 그런데 공해배출업체 乙은 배출허용기준을 초과하여 오염물질을 배출하였음에도 환경부장관 丙은 아무런 개선명령을 발하지 않았다.

(1) 이에 의하여 피해를 입은 인근주민 甲은 환경부장관 丙에 대하여 어떠한 조치를 청구할 수 있는가?

(2) 만약 그 청구권이 인정된다면 소송법상 어떠한 권리구제를 받을 수 있는가?

Ⅰ. 甲의 개선명령발동청구권의 인정 여부-설문(1)

1. 행정개입청구권의 의의 및 성립요건

(1) 행정개입청구권의 의의

(2) 환경부장관의 개선명령의 법적 성질

- 견해 대립 있으나 재량행위

(3) 행정개입청구권의 성립요건

1) 개입의무(재량행위에서 재량이 0으로 수축여부)

- 사안의 경우 을이 배출허용기준을 초과하여 오염물질을 배출함으로써 인근주민인 갑의 생명 또는 건강상 위험을 발생시키는 경우이므로 재량권이 0으로 수축되어 병에게 개선명령발동의무를 인정

2) 사익보호성

-대기환경보전법16조가 명시적으로 규정하고 있지는 않으나 동법1조와 헌법35조에 비추어 사익보호성을 인정

Ⅱ. 소송법상 권리구제-설문(2)

1. 부작위에 대한 소송법상 구제수단

(1) 의무이행소송 - 인정 여부에 대해 견해 대립(#107)

(2) 부작위위법확인소송(#128)

(3) 손해배상청구소송[4]

1) 국가배상

- 부작위인 경우 법적보호이익설의 적용문제(국가배상에 반사적이익론의 도입여부)(#83)

2) 가해공무원의 배상책임(#82)

- 국가배상책임의 법적 성질과 논리필연적인 것은 아님
- 판례는 고의,중과실인 경우에 책임

2. 행정청의 거부행위에 대한 소송법상 구제수단

(1) 의무이행소송 인정 여부

(2) 거부처분 취소소송, 무효확인소송

(3) 손해배상청구소송 - 부작위에서의 논의와 동일

2) 대법원 판례의 다수의견임. 반대의견은 #110 [관련판례 3]의 판시사항 10번에 상세히 소개되어 있음.
3) 행정개입청구권에 관한 기본패턴 문제. 김연태 교수님 사례의 목차를 중심으로 구성.
4) 김연태 교수님은 소송법상 권리구제 수단에 대해서 검토할 경우 국가배상까지 검토함. 소송법상 또는 쟁송법상 권리구제 수단을 물을 때에는 국가배상을 검토하지 않는 분들도 있음. 단순히 권리구제수단을 물었다면 국가배상은 반드시 검토할 것.

13 특별행정법관계

Ⅰ. 전통적 특별권력관계론

특별한 법적원인에 의해 성립되어 특별한 목적의 한도에서 일방이 타방을 포괄적으로 지배하는 법률관계를 말한다. 독일의 입헌군주제하에서 국가내부영역에서는 국가와 사인간에 통용되는 법규개념이 성립되지 않음을 전제로 법률로부터 자유로운 행정영역을 합리화하기 위해 성립된 개념이다.

특별권력관계는 직접 법률의 규정에 근거하거나 당사자의 동의에 의해 성립되는데 그 종류로는 **공법상 근무관계**(공무원근무), **공법상 영조물이용관계**(국·공립학교이용관계), **공법상 특별감독관계**(공무수탁사인과 같이 국가의 특별한 감독을 받는 관계), **공법상 사단관계**(공공조합과 조합원간의 관계) 등이 있다. - 근. 영. 특. 사

특별권력관계에서 특별권력주체에게 포괄적인 지배권이 인정되며, 법에 의해 규율되지 않으므로 **법률유보가 배제**되며, **기본권이 적용되지 않고, 사법심사가 배제**되는 영역으로 간주되었다. - 유. 기. 사

Ⅱ. 특별권력관계론의 극복(특별행정법관계)

특별권력관계의 인정여부에 대해 ① 특별권력관계란 전근대적인 시대의 산물로서 이 역시 일반권력관계일 뿐이라는 전면적 부정설, ② 종래 특별권력관계의 내용을 개별적으로 검토하여 권력적 색채가 강한 경우는 일반권력관계로, 약한 경우는 관리관계로 구분하는 개별적 부정설, ③ **특별권력관계의 성립, 변경, 종료**를 의미하는 기본관계와 **특별권력관계내부의 경영수행질서를 규율**하는 경영수행관계로 구별하여 **기본관계**를 규율하는 행위는 외부적 효력을 갖기 때문에 **행정소송의 대상**이 되나 **경영수행관계**를 규율하는 행위는 단지 내부적 효력만을 갖기 때문에 **행정소송의 대상이 되지 않으며, 단 군복무관계와 폐쇄적 영조물관계**(재소자관계, 전염병환자강제입원관계)에 있어서는 특히 구성원의 권리침해의 가능성이 매우 크다는 이유에서 **경영수행관계일지라도 사법심사의 대상**이 된다는 수정이론 등의 견해대립이 있다.

생각건대, 오늘날의 **민주적 법치국가에서 전통적인 특별권력관계이론은 더 이상 타당하지 않으며 일반적인 법률관계에서와 같이 법치주의가 지배**되어야 한다. 그러나 **공무원관계나 군복무관계 등 오늘날에도 국가의 존립과 원활한 기능수행을 위해 일반법률관계와는 다른 특성**을 가진 영역이 있음을 완전히 부인하기는 어렵다. 즉 이들 관계는 **국가와 개인의 관계와는 달리 어느 정도의 고유성과 특수성**을 갖고 있으므로, 그에 상응하여 구성원은 일반국민보다 더 큰 의무를 부담하거나 더 많은 권리를 인정받을 수도 있는 등의 특수한 법적규율이 필요하다. 전통적인 특별권력관계와 구별하여 특별행정법관계(특별신분관계)라고 하는 것이 타당하다(특별행정법관계설).

판례 1 동장과 구청장과의 관계는 이른바 행정상의 특별권력관계에 해당되며 이러한 **특별권력관계에 있어서도 위법 부당한 특별권력의 발동으로 말미암아 권력을 침해당한 자는 행정소송법 제1조의 규정에 따라 그 위법 또는 부당한 처분의 취소를 구할 수 있다**(대판(전) 1980.6.10, 80누6) - 공무원근무관계

판례 2 국립 교육대학 학생에 대한 **퇴학처분은**, 국가가 설립·경영하는 교육기관인 동 대학의 교무를 통할하고 학생을 지도하는 지위에 있는 학장이 교육목적실현과 학교의 내부질서유지를 위해 학칙 위반자인 재학생에 대한 구체적 법집행으로서 국가공권력의 하나인 징계권을 발동하여 **학생으로서의 신분을 일방적으로 박탈하는 국가의 교육행정에 관한 의사를 외부에 표시한 것이므로, 행정처분**임이 명백하다(대판 1991.11.22, 91누2144) - 영조물이용관계

판례 3 **농지개량조합과 그 직원과의 관계는 사법상의 근로계약관계가 아닌 공법상의 특별권력관계이고, 그 조합의 직원에 대한 징계처분의 취소를 구하는 소송은 행정소송사항**에 속한다(대판 1995.6.9, 94누10870). - 공법상 근무관계

판례 4 전보발령[1]은 피고가 그 행정조직법상의 공법상의 권한에 기하여 원고에 대하여 **지방공무원법상의 직무집행의무의 내용을 변경시킴으로써 그 법률상 지위에 변동을 가져오는 행위로서 형평에 반하거나 특정인에게 특별히 불리한 결과를 가져오게 하는 등 재량권을 벗어난 전보발령에 대하여는 소송을 통하여 이를 시정할 수 있는 길을 열어 줄 실제적 필요**가 있다고 할 것이므로 행정소송의 대상이 되는 **행정처분**으로 보아야 할 것이다(서울고법 1994.9.6, 94구1496). ➡ 전보발령의 처분성에 대해 논란이 있다. **하급심판례**뿐 아니라 **헌법재판소도 처분성을 인정**(방희선판사사건-헌재결 1995.7.21, 93헌마257)하였으나 **학설 중에는** 전보발령은 **행정조직내부의 행위이며 외부적 효력이 없다는 점에서 그 행정처분성을 인정하는 데는 무리**가 있으며, 단순한 직무명령에 지나지 아니하나 공무원에게 의무를 부과하고 권리를 침해할 수 있는 법적 효과가 있기 때문에 **당사자소송에 의하여 구제**받을 수 있는 것으로 이론 구성하는 것이 타당하다는 **비판**도 있다.

기출 사례 미결수 이송조치와 취소소송(02년 행시)

甲은 미결수로서 안양교도소에 수감중인데, 대법원에 상고제기 후 진주교도소로 이송되었다. 갑은 즉시 그러한 이송조치로 인해 서울에서 거주하는 변호인 및 가족 등과의 접견이 어려워져 방어권의 행사에 지장을 받는 등 회복하기 어려운 손해를 입게 된다고 주장하면서 이송조치를 취소하라는 행정소송을 제기함과 동시에 이송조치의 효력정지 신청을 하였다. 甲의 권리구제가능성을 설명하시오.

1. 미결수의 교도소 수감관계의 성질

- 특별행정법관계
- 법치주의 적용논의

2. 이송조치에 대한 취소소송

(1) 소송요건

1) 이송조치의 처분성이 문제 - **권력적 사실행위**로서 **처분**.

2) 원고적격 - **접견권과 방어권** 가지므로 **법률상 이익 有**.

3) 소의 이익 - **계속적 조치**이므로 소의 이익 **있음**.

(2) 본안(위법성)

- 이송행위는 재량행위로 재량하자가 없는 한 적법. 재량하자가 있다면 위법하며 甲은 승소.

3. 효력정지신청(#115 참조)

- 효력정지 신청이 받아들여지려면 집행정지의 요건 충족 要
- 사안에서는 회복하기 어려운 손해에 해당되는지가 문제됨. 회복되기 어려운 손해는 통상 금전으로 보상할 수 없는 손해를 의미
- **이송되는 경우 변호인과 접견이 어려워지고 가족 친지등과의 접견권의 행사에도 장애를 초래할 것이 명백하고 이로 인한 손해는 금전으로 보상할 수 없는 손해**(92두30)에 해당.

---

1) 동일직급 내의 직위변경.

14 행정법관계의 발생과 소멸

Ⅰ. 개 설

행정법관계의 발생·변경·소멸의 법률효과를 발생시키는 사실을 행정법상의 법률요건이라 하고, 법률요건을 이루는 개개의 사실을 행정법상의 법률사실이라고 한다. 행정법상의 법률사실은 행정법상의 사건(사람의 출생과 사망,시간의 경과 등)과 행정법상의 용태(내부적인 의식과 외부적인 행위)가 있다. 행정법관계의 변동원인으로 행정주체의 공법행위가 가장 중요하지만 행정작용법에서 주로 다루고, 여기서는 사건과 사인의 공법행위 대해 살펴본다.

Ⅱ. 행정법상의 사건

1. 시간의 경과

기간의 충족, 시효의 완성, 제척기간의 경과로 일정한 법률효과가 발생한다. 기간계산과 시효의 법리는 법령에 특별한 규정이 없는 한 민법의 규정을 유추적용한다.

판례 1 민법 제155조는 "기간의 계산은 법령, 재판상의 처분 또는 법률행위에 다른 정한 바가 없으면 본장의 규정에 의한다"고 규정하고 있으므로, **기간의 계산에 있어서는 당해 법령 등에 특별한 정함이 없는 한 민법의 규정에 따라야** 하는 것이고, 한편 광업법 제16조는 "제12조에 따른 광업권의 존속기간이 끝나서 광업권이 소멸하였거나 제35조에 따라 광업권이 취소된 구역의 경우 그 광업권이 소멸한 후 6개월 이내에는 소멸한 광구의 등록광물과 같은 광상에 묻혀 있는 다른 광물을 목적으로 하는 광업권설정의 출원을 할 수 없다"고 규정하고 있으나, **광업법에는 기간의 계산에 관하여 특별한 규정을 두고 있지 아니하므로, 광업법 제16조 소정의 출원제한기간을 계산함에 있어서도 기간계산에 관한 민법의 규정은 그대로 적용**된다(대판 2009.11.26, 2009두12907).

➡ 행정법관계에 법원의 흠결이 있는 경우 **사법규정을 유추적용**하는 대표적인 예

판례 2 소멸시효는 권리자가 그 권리를 행사할 수 있음에도 일정한 기간 동안 행사하지 않는 권리불행사의 상태가 계속된 경우에 그 권리를 소멸시키는 제도로서, **상당한 기간 동안 권리불행사가 지속되어 있는 이상 그 권리가 사법상의 손실보상청구인지 아니면 공법상 손실보상청구인지에 따라 달리 볼 것은 아니다.** 따라서 **공유수면매립법상 간척사업의 시행으로 인하여 관행어업권이 상실되었음을 이유로 한 손실보상청구권에도 그 소멸시효에 관하여 달리 정함이 없으면 민법에서 정하는 소멸시효규정이 유추적용**될 수 있다(대판 2010.12.9, 2007두6571).

국가재정법 제96조는 금전급부를 목적으로 하는 국가의 권리 또는 국가에 대한 권리에 대해 다른 법률에 규정이 없는 한 시효를 5년으로 규정하고 있다. **판례는 "다른 법률의 규정"이란 5년의 소멸시효보다 짧은 기간의 소멸시효의 규정이 있는 경우**를 가리키는 것으로 해석하고 있다. 따라서 **국가배상청구권의 소멸시효는 피해자나 법정대리인이 손해 및 가해자를 안 날로부터 3년간, 불법행위가 있은 날로부터 5년**이 된다.[1)]

2. 주소·거소

3. 공법상의 사무관리

행정주체가 긴급재해시에 행하는 보호와 같이 법률상 의무 없이 타인을 위하여 사무를 처리하는 행위.

판 례 [1] 사무관리가 성립하기 위하여는 우선 **사무가 타인의 사무이고 타인을 위하여 사무를 처리하는 의사, 즉 관리의 사실상 이익을 타인에게 귀속시키려는 의사가 있어야** 하며, 나아가 **사무의 처리가 본인에게 불리하거나 본인의 의사에 반한다는 것이 명백하지 아니할 것을 요한다.** 다만 타인의 사무가 국가의 사무인 경우, 원칙적으로 사인이 법령상 근거 없이 국가의 사무를 수행할 수 없다는 점을 고려하면, **사인이 처리한 국가의 사무가 사인이 국가를 대신하여 처리할 수 있는 성질의 것으로서,**

---

1) 국가배상법은 소멸시효에 대해 규정이 없고, 국가배상법 제8조에서는 국가배상법에 규정되어 있지 않은 것은 민법에 따른다고 하고 있는데 민법 제766조1항은 국가재정법 제96조의 "다른 법률의 규정"에 해당하지만 제766조2항은 "다른 법률의 규정"에 해당되지 않으므로 국가재정법 제96조의 5년이 적용되는 것이다.

사무 처리의 긴급성 등 국가의 사무에 대한 사인의 개입이 정당화되는 경우에 한하여 사무관리가 성립하고, 사인은 그 범위 내에서 국가에 대하여 국가의 사무를 처리하면서 지출된 필요비 내지 유익비의 상환을 청구할 수 있다.

[2] 갑 주식회사 소유의 유조선에서 원유가 유출되는 사고가 발생하자 해상 방제업 등을 영위하는 을 주식회사가 피해 방지를 위해 해양경찰의 직접적인 지휘를 받아 방제작업을 보조한 사안에서, 갑 회사의 조치만으로는 원유 유출사고에 따른 해양오염을 방지하기 곤란할 정도로 긴급방제조치가 필요한 상황이었고, 위 방제작업은 을 회사가 국가를 위해 처리할 수 있는 국가의 의무 영역과 이익 영역에 속하는 사무이며, 을 회사가 방제작업을 하면서 해양경찰의 지시·통제를 받았던 점 등에 비추어 을 회사는 국가의 사무를 처리한다는 의사로 방제작업을 한 것으로 볼 수 있으므로, 을 회사는 사무관리에 근거하여 국가에 방제비용을 청구할 수 있다(대판 2009.9.10, 2009다11808).

4. 부당이득

(1) 의 의

법률상 원인 없이 타인의 재산 또는 노무로 인하여 이익을 얻고 이로 인하여 타인에게 손해를 가하는 것으로서, **사법상 부당이득반환청구권에 상응**하는 일반행정법상의 법제도이다. 예컨대 세금의 과다징수는 **행정주체가 부당이득**을 취한 경우이고, 공무원이 봉급을 과다수령한 것은 **사인이 부당이득**을 취한 경우이다.

(2) 적용법규

법령에 특별한 규정(국세기본법 제51조 내지 제54조)을 두기도 하지만 일반적 규정은 없으며, **규정이 없는 경우는 민법의 규정(제741조 이하)을 유추적용**한다. 부당이득의 반환범위에 대하여 법령상 특별한 규정 있으면 그에 따르지만, 규정이 없을지라도 공권력에 의해 발생한 행정주체의 부당이득은 전부 반환되어야 한다. **특별한 규정이 없는 한 5년의 소멸시효**가 적용된다(국가재정법 제96조, 지방재정법 제82조).

(3) 공법상 부당이득반환청구권의 성질

1) 학 설

① 부당이득은 **오로지 경제적인 관점에서 이해관계의 조정**을 위해서 인정되는 것으로 사법상 부당이득과 구별할 이유가 없으며 **민사소송**으로 구제해야 한다는 **사권설**, ② 공법상 부당이득은 행정법관계에서의 **공법적 원인에 의해 발생하므로** 민법상의 부당이득반환청구권과는 달리 **행정주체와 사인간에 재산적 이익을 조정하는 독자적인 성격을 갖는 제도**로 이해하여 공법상 **당사자소송**의 활용을 주장하는 **공권설**의 대립이 있다.

2) 판 례

판례는 **부당이득으로서의 과오납금 반환에 관한 법률관계는 단순한 민사 관계에 불과**한 것이고 행정소송 절차에 따라야 하는 관계로 볼 수 없다(대판 1995.12.22, 94다51253)고 하여 **사권설**의 입장이다. 대법원은 **종래 개별 세법에서 정한 환급세액의 반환을 부당이득반환이라고 함으로써 부가가치세 환급세액의 반환청구소송은 민사소송**의 대상이라고 보았으나 **최근** 전원합의체 판결을 통하여 **납세의무자에 대한 국가의 부가가치세 환급세액 지급의무는 부가가치세 법령의 규정에 의하여 직접 발생**하는 것으로서, 그 **법적 성질**은 정의와 공평의 관념에서 수익자와 손실자 사이의 재산상태 조정을 위해 인정되는 **부당이득반환의무가 아니라 부가가치세법령에 의하여 그 존부나 범위가 구체적으로 확정되고 조세 정책적 관점에서 특별히 인정되는 공법상 의무**이며, 납세의무자에 대한 국가의 부가가치세 환급세액 지급의무에 대응하는 국가에 대한 납세의무자의 **부가가치세 환급세액 지급청구는 민사소송이 아니라 행정소송법 제3조 제2호에 규정된 당사자소송**의 절차에 따라야 한다고 변경한 바 있다(대판(전) 2013.3.21, 2011다95564).[2]

2) 전합판례의 반대의견은 종전의 실무관행을 유지해야 한다고 하면서 민사소송의 대상이 되어야 한다는 입장이었다. 이 판례는 **공법상 부당이득반환청구소송을 민사소송에서 당사자소송으로 일반적으로 판례변경한 것이 아니라 부가가치세법에 의한 환급의무를 종래 부당이득반환의무로 보았던 것을 부가가치세법에 의해서 인정되는 공법상 의무로 판례변경**한 것임을 주의.

3) 검 토

실정법상 공사법 이원적 체계를 유지하고 있으므로 공권설이 타당하다. 행정소송법 개정안은 부당이득반환청구소송을 당사자소송으로 규정하고 있다. 다만 공권설에 의할 때에도 보조금의 예산 및 관리에 관한 법률 제33조(보조금 교부결정취소, 반환명령, 강제징수) 등은 행정주체의 부당이득반환청구권 의사표시에 대하여 행정행위로서의 효력을 인정하고 그 불이행에 대해서는 행정상 강제징수를 규정하고 있으므로, 이 경우 상대방은 처분에 대한 항고소송으로 다투어야할 것이다.

판 례 보조금의 예산 및 관리에 관한 법률(이하'보조금법'이라 한다)은 제30조1항에서 중앙관서의 장은 보조사업자가 허위의 신청이나 기타 부정한 방법으로 보조금의 교부를 받은 때 등의 경우 보조금 교부결정의 전부 또는 일부를 취소할 수 있도록 규정하고, 제31조1항에서 중앙관서의 장은 보조금의 교부결정을 취소한 경우에 그 취소된 부분의 보조사업에 대하여 이미 교부된 보조금의 반환을 명하여야 한다고 규정하고 있으며, 제33조1항에서 위와 같이 반환하여야 할 보조금에 대하여는 국세징수에 예에 따라 이를 징수할 수 있도록 규정하고 있으므로, 중앙관서의 장으로서는 반환하여야 할 보조금을 국세체납처분의 예에 의하여 강제징수할 수 있고, 위와 같은 중앙관서의 장이 가지는 반환하여야 할 보조금에 대한 징수권은 공법상의 권리로서 사법상의 채권과는 그 성질을 달리하므로, 중앙관서의 장으로서는 보조금을 반환하여야 할 자에 대하여 민사소송의 방법으로 그 반환청구를 할 수 없다고 보아야 한다(대판 2012.3.15, 2011다17328).

Ⅲ. 사인의 공법행위

1. 의 의

공법행위는 행정법관계에서 공법적 법률효과를 발생·변경·소멸시키는 행위를 말하는데, 행위주체에 따라 행정주체의 공법행위와 사인의 공법행위가 있다. 사인의 공법행위는 행정법관계에서 사인의 행위로서 공법적 효과를 발생시키는 일체의 행위로서 행정기능이 확대되고 행정이 민주화됨에 따라 중요한 의미를 가지게 된다.

2. 종류

행위의 효과를 기준으로 하여 사인의 행위 자체만으로 일정한 법적 효과를 가져오는 자기완결적(자체완성적, 자족적) 공법행위와 사인의 행위가 행정청의 특정한 행정행위의 전제요건을 구성하는데 그치고 그 자체로서 완결된 법률효과를 발생시키지 못하는 행정요건적(행위요건적) 공법행위로 구분된다. 전자의 예로 식품위생법상 영업신고[3], 투표행위 등이 있다. 행정절차법 제40조는 이러한 신고에 대해 규율하고 있다. 후자의 예로 각종 허가·특허 등의 신청[4]을 들 수 있으며 행정절차법 제17조는 처분의 신청에 대해 규율하고 있다.

3. 사인의 공법행위에 대한 적용법규

통칙적 규정이 없어 개별법상 규정을 적용하고, 이 또한 없으면 민법상의 법원칙 및 의사표시나 법률행위에 관한 규정을 적용한다. 다만, 신고 등은 공법적 효과의 발생을 목적으로 한다는 점에서 사법행위와 다르고 법적 안정성과 행위의 정형화가 요구되므로, 사법규정은 사인의 공법행위의 특수한 성질에 어긋나지 않는 범위 안에서만 적용된다. 사인의 의사표시에 하자가 있는 경우 민법상 법률행위에 관한 규정을 유추적용하나, 민법상 비진의의사표시의 무효에 관한 규정은 성질상 사직의 의사표시와 같은 사인의 공법행위에 적용되지 않으며, 투표와 같은 합성행위는 단체적 성질로 인하여 민법상 착오를 주장할 수 없다.

판 례 [1] 이른바 1980년의 공직자숙정계획의 일환으로 일괄사표의 제출과 선별수리의 형식으로 공무원에 대한 의원면직처분이 이루어진 경우, 사직원 제출행위가 강압에 의하여 의사결정의 자유를 박탈당한 상태에서 이루어진 것이라고 할 수 없고 민법상 비진의 의사표시의 무효에 관한 규정은 사인의 공법행위에 적용되지 않는다는 등의 이유로 그 의원면직처분을 당연무효라고

3) 후술하는 바와 같이 신고에는 수리를 요하지 않는 신고와 수리를 요하는 신고로 구분되는데 자기완결적 공법행위로서의 신고는 수리를 요하지 않는 신고를 의미하는 것임. 수리를 요하는 신고는 행정요건적 공법행위에 해당.

4) 사인이 공법적 효과의 발생을 목적으로 행정청에 대하여 일정한 행위를 요구하기 위한 의사표시를 말함. 절차법은 반드시 점검 要.

할 수 없다고 한 사례.

[2] 공무원이 한 사직 의사표시의 철회나 취소는 그에 터잡은 의원면직처분이 있을 때까지 할 수 있는 것이고, 일단 면직처분이 있고 난 이후에는 철회나 취소할 여지가 없다(대판 2001.8.24, 99두9971).

4. 사인의 공법행위의 하자가 행정행위에 미치는 영향

(1) 문제점

사인의 공법행위에 하자가 있는 경우에 그에 관한 행정행위에 어떠한 영향을 미치는지의 문제이다. 자기완결적 공법행위는 이러한 문제가 발생하지 않고 행정요건적 공법행위에서 문제된다.

(2) 학 설

① 사인의 공법행위가 행정행위의 전제요건(신청, 동의)인 경우에는 하자의 정도에 따라 사인의 공법행위에 무효사유가 존재하는 경우에는 행정행위도 전제요건을 결여하게 되어 무효이며, 그 밖의 경우에는 행정행위는 원칙적으로 유효하다는 견해(무효 · 취소 구별설) ② 사인의 공법행위가 행정행위의 효력을 좌우하는 것은 행정행위의 속성과 합치되지 않으므로 법적 안정성의 관점에서 취소사유가 원칙이며, 다만 동의나 신청이 명백히 결여된 경우에는 행정행위도 무효가 된다는 견해가 대립한다(원칙상 취소설).

(3) 판 례

일반적인 입장을 판시한 바는 없으며 개별적으로 판단하고 있다. 허가신청이 없음에도 불구하고 내린 허가는 무효이며, 강박에 의한 사직원 제출에 따른 면직처분은 위법하다고 판시한 바 있다.

판례 1 행정관청에 대하여 특정사항에 관한 허가신청을 하도록 위임받은 자가 위임자명의의 서류를 위조하여 위임받지 아니한 하자있는 허가신청에 기하여 이루어진 허가처분은 무효다. … 허가신청행위가 없음에도 불구하고 피고가 내린 허가처분은 과시논지가 주장하는 것처럼 무효라고 보는 것이 옳을 것이나 원심이 취소를 명한 것은 무효인 행정처분의 무효를 확인하는 취지라 할 것이다(대판 1974.8.30, 74누168).

판례 2 조사기관에 소환당하여 구타당하리라는 공포심에서 조사관의 요구를 거절치 못하고 작성교부한 사직서이라면 이를 본인의 진정한 의사에 의하여 작성한 것이라 할 수 없으므로 그 사직원에 따른 면직처분은 위법이다(대판 1968.3.19, 67누164).

판례 3 감사담당 직원이 당해 공무원에 대한 비리를 조사하는 과정에서 사직하지 아니하면 징계파면이 될 것이고 또한 그렇게 되면 퇴직금 지급상의 불이익을 당하게 될 것이라는 등의 강경한 태도를 취하였다고 할지라도 그 취지가 단지 비리에 따른 객관적 상황을 고지하면서 사직을 권고, 종용한 것에 지나지 않고 위 공무원이 그 비리로 인하여 징계파면이 될 경우 퇴직금 지급상의 불이익을 당하게 될 것 등 여러 사정을 고려하여 사직서를 제출한 경우라면 그 의사결정이 의원면직처분의 효력에 영향을 미칠 하자가 있었다고는 볼 수 없다(대판 1997.12.12, 97누13962). ➡ 사직원 제출에 의사표시상의 하자가 없다는 사안임을 주의.

(4) 검 토

사인의 권리보호와 행정법관계의 안정의 보장이라는 요청을 조화를 위해 무효 · 취소구별설이 타당하다.

기출 사례 사인의 공법행위의 하자와 행정행위의 효력 (12년 행시 - 일반행정)

甲은 단기복무부사관으로서 복무기간만료시점이 다가옴에 따라 복무기간연장을 신청하고자 한다. 그러나 복무기간연장을 위한 지원자심사에서 탈락하는 경우에 대비하여 전역지원서를 아울러 제출하도록 한 육군참모총장 乙의 방침에 따라 甲도 복무연장지원서와 전역지원서를 함께 제출하였다. 그런데 乙은 군인사법시행령 제4조에 근거하여, 甲의 전역지원서를 수리하여 전역처분을 하였다. 이에 대하여, 甲은 자신이 제출한 전역신청서는 乙이 복무연장신청과 동시에 제출하게 한 서류로서 복무연장의 의사를 명백히 한 의사와 모순되어 전역신청으로서의 효력이 없는 것이므로 전역처분은 위법하다고 주장한다. 甲의 주장의 당부를 검토하시오. (단, 강박에 의한 의사표시의 쟁점은 논외로 한다) (20점)[5]

[참조조문]

***군인사법**

제6조 (복무의 구분) ⑧ 단기복무부사관으로서 장기복무를 원하거나 복무기간을 연장하려는 사람은 대통령령으로 정하는 바에 따라 전형을 거쳐야 한다.

제44조 (신분보장) ② 군인은 이 법에 따른 경우 외에는 그 의사에 반하여 휴직되거나 현역에서 전역되거나 제적되지 아니한다.

***군인사법시행령**

제3조 (장기복무장교등의 전형) ① 법 제6조4항·6항 및 8항에 따라 단기복무장교 또는 단기복무부사관으로서 장기복무 또는 복무기간연장을 원하는 사람은 장기복무지원서 또는 복무기간연장지원서를 제출하고 정해진 전형을 거쳐야 한다. 이 경우 단기복무자의 복무연장기간은 의무복무기간의 만료일을 기준으로 하여 1년 단위로 정할 수 있다.

제4조 (단기복무장교의 복무등) 제3조에 따른 전형에 합격하지 못한 단기복무장교 및 단기복무부사관은 의무복무기간을 초과하여 복무할 수 없다.

***군인사법시행규칙**

제2조 (장기복무 및 복무기간연장지원) ① 단기복무장교 또는 단기복무부사관으로서 장기복무를 지원하는 자(이하 "장기복무지원자"라 한다) 및 복무기간연장을 지원하는 자(이하 "복무기간연장지원자"라 한다)는 별지 제1호서식의 장기복무·복무기간연장지원서를 소속 부대장을 거쳐 각군 참모총장(이하 "참모총장"이라 한다)에게 제출하여야 한다.

***민법**

제107조 (진의 아닌 의사표시) ① 의사표시는 표의자가 진의아님을 알고한 것이라도 그 효력이 있다. 그러나 상대방이 표의자의 진의아님을 알았거나 이를 알 수 있었을 경우에는 무효로 한다.

Ⅰ. 문제의 소재

- 갑의 전역신청은 사인의 공법행위에 해당. 사인의 공법행위에 하자가 있는 경우 행정행위의 효력에 대한 논의가 있음. 갑의 전역신청이 하자가 있는 것인지 우선 검토되어야 함.

Ⅱ. 사인의 공법행위

1. 의 의

2. 종 류

- 사안의 전역신청은 사인의 공법행위로서 행정요건적 공법행위에 해당.

3. 민법의 의사표시에 관한 규정의 적용

- 적용할 법규정이 없는 경우 사인의 공법행위의 특수한 성질에 어긋나지 않는 범위 안에서만 적용 가능.

- 민법 제107조 비진의의사표시의 무효에 관한 법리는 적용되지 않는다는 것이 판례.

Ⅲ. 사인의 공법행위 하자와 행정행위의 효력

- 학설·판례 등 논의 소개

Ⅳ. 사안의 해결

- 전역신청은 비진의의사표시에 해당될 수 있음. 민법의 비진의의사표시에 관한 규정을 적용한다면 사안은 민법 제107조 단서에 따라 무효로 볼 수 있고 따라서 전역처분도 위법하며 다수설에 의하면 무효에 해당할 것(원칙상 취소설을 취하는 소수설에 의하면 취소사유에 해당).

- 그러나 비진의의사표시의 무효에 관한 규정은 사인의 공법행위에 적용될 수 없다는 것이 판례이므로 판례에 의하면 전역신청이 무효라고 볼 수는 없음. 강박에 의한 의사표시의 쟁점은 논외로 하면 갑의 전역신청에 달리 하자가 있다고 볼 수 없음. 따라서 전역처분은 적법하다는 결론.

- 그러나 이러한 결론은 사안의 사실관계를 고려할 때 부당. 따라서 이러한 경우에는 비진의의사표시의 무효에 관한 규정을 적용하는 것으로 해석하는 것이 타당.[6]

---

5) 행시와 사법시험은 배점이 1시간에 50점 만점으로 변호사시험과는 다름을 주의할 것.

6) 사인의 공법행위에 대한 교과서상의 서술에 기초한다면 제107조의 무효에 관한 규정이 적용되지 않으므로 유효하다고 해야 하고, 다만 강박이 있는지는 별개로 검토하여 취소사유가 있는지를 검토할 수 있을 것임. 그러나 설문에서는 강박에 대한 쟁점은 논외로 한다고 했으므로 전역신청의 의사표시의 하자를 찾을 수 없고 그렇다면 전역처분 역시 적법하다고 결론을 내릴 수밖에 없으나, 사실관계를 고려할 때 정의에 부합하는 해석은 아니므로 이러한 경우는 제107조를 적용하자는 해석론을 전개한 것. 판례의 입장에 따라 결론을 내려도 무방하고 출제교수님의 의도가 꼭 제107조가 적용될 수 없다는 대법원 판례에 입각해서 풀이하라는 것을 요구하는 것은 아닐 것이므로 자신의 입장을 논리적으로 서술하면 족할 것. **기출사례와 같은 사안에서 하급심 판례**는 사안의 경우 **전역신청의 의사가 있었다고 볼 수 없다고 하여 전역처분도 위법**하다고 한 반면, **대법원은 비진의의사표시의 무효에 관한 법리는 적용되지 않는다고 하였음.**

15 사인의 공법행위로서의 신고

Ⅰ. 의 의

사인이 행정청에 대하여 일정한 사실이나 관념을 통지함으로서 공법상 법률효과가 발생하는 행위를 말하며, 경찰목적을 위한 자료획득수단의 성질을 가지고 있다. 허가(상대적 금지의 해제)보다 자유 제한의 정도가 약한 규제수단이다.

Ⅱ. 종 류

1. 사실파악형 신고와 규제적 신고

사실파악형 신고(정보제공적 신고)는 효과적인 행정수행을 위해 행정청에게 정보를 제공하는 신고이다. 신고 자체로서 법적 효과가 발생하지는 않고, 항상 자기완결적 신고에 해당한다. 반면 규제적 신고(금지해제적 신고)는 영업활동이나 건축활동 등 사적활동을 규제하는 기능을 갖는 신고이며 신고유보하의 금지라고도 한다. 규제적 신고는 자기완결적적 신고(예: 식품위생법상 영업신고)인 경우도 있고 행정요건적 신고(예: 어업신고)인 경우도 있다.

2. 자기완결적 공법행위로서 신고와 행정요건적 공법행위로서 신고

⑴ 자기완결적 공법행위로서 신고(수리를 요하지 않는 신고)

법령등에서 행정청에 대하여 일정한 사항을 통지하고 도달함으로써 효과가 발생되는 신고로서, 요건을 갖춘 신고만 하면 신고의무를 이행한 것이 되며 신고 그 자체로서 법적 효과가 발생한다. 행정절차법 제40조는 자체완성적 선고에 관해 규정하고 있다.

⑵ 행정요건적 공법행위로서 신고(수리를 요하는 신고)

사인이 행정청에 대하여 일정한 사항을 통지하고 행정청이 이를 수리함으로써 법적 효과가 발생하는 신고를 말한다. 실정법상 등록으로 표현되기도 하며, 수리가 있어야 신고의 대상이 되는 행위에 대한 금지가 해제된다. 수리를 요하는 신고와 허가의 구별과 관련하여 수리를 요하는 신고를 실질적으로 허가라고 보는 견해, 실질적으로 등록으로 보면서 허가와 구별하는 견해(홍정선)도 있으나 신고요건이 허가요건보다 완화되어 있으므로 수리를 요하는 신고는 신고의 한 유형으로서 수리를 요하지 않는 신고와 허가의 중간적인 규제수단으로 보는 견해가 타당하다. 수리를 요하는 신고는 원칙상 기속행위로 보는 것이 타당하나, 사설납골시설의 설치신고에 대하여 법령상의 설치기준에 부합하더라도 중대한 공익상 필요가 있는 경우는 수리를 거부할 수 있다는 판례가 있다(판례4).

판례 1 구 체육시설의 설치・이용에 관한 법률(2005.3.31. 법률 제7428호로 개정 전의 것) 제19조1항, 구 체육시설의 설치・이용에 관한 법률 시행령(2006.9.22. 대통령령 제19686호로 개정 전의 것) 제18조2항1호(가)목, 제18조의2 1항 등의 규정에 의하면, 위 법 제19조의 규정에 의하여 체육시설의 회원을 모집하고자 하는 자는 시・도지사 등으로부터 회원모집계획서에 대한 검토결과 통보를 받은 후에 회원을 모집할 수 있다고 보아야 하고, 따라서 체육시설의 회원을 모집하고자 하는 자의 시・도지사 등에 대한 회원모집계획서 제출은 수리를 요하는 신고에서의 신고에 해당하며, 시・도지사 등의 검토결과 통보는 수리행위로서 행정처분에 해당한다(대판 2009.2.26, 2006두16243).

판례 2 [1] 시장・군수 또는 구청장의 주민등록전입신고 수리 여부에 관한 심사의 범위와 대상
- 주민들의 거주지 이동에 따른 주민등록전입신고에 대하여 행정청이 이를 심사하여 그 수리를 거부할 수는 있다고 하더라도, 그러한 행위는 자칫 헌법상 보장된 국민의 거주・이전의 자유를 침해하는 결과를 가져올 수도 있으므로, 시장・군수 또는 구청장의 주민등록전입신고 수리 여부에 대한 심사는 주민등록법의 입법 목적의 범위 내에서 제한적으로 이루어져야 한다. 한편, 주민등록법의 입법 목적에 관한 제1조 및 주민등록 대상자에 관한 제6조의 규정을 고려해 보면, 전입신고를 받은 시장・군수

또는 구청장의 심사 대상은 전입신고자가 30일 이상 생활의 근거로 거주할 목적으로 거주지를 옮기는지 여부만으로 제한된다고 보아야 한다. 따라서 전입신고자가 거주의 목적 이외에 다른 이해관계에 관한 의도를 가지고 있는지 여부, 무허가 건축물의 관리, 전입신고를 수리함으로써 당해 지방자치단체에 미치는 영향 등과 같은 사유는 주민등록법이 아닌 다른 법률에 의하여 규율되어야 하고, 주민등록전입신고의 수리 여부를 심사하는 단계에서는 고려 대상이 될 수 없다.

[2] 무허가 건축물을 실제 생활의 근거지로 삼아 10년 이상 거주해 온 사람의 주민등록전입신고를 거부한 사안에서, 투기나 이주대책 요구 등을 방지할 목적으로 주민등록전입신고를 거부하는 것은 주민등록법의 입법 목적과 취지 등에 비추어 허용될 수 없다고 한 사례(대판(전) 2009.6.18, 2008두10997)

판례 3 구 '장사 등에 관한 법률'(2007. 5. 25. 법률 제8489호로 전부 개정되기 전의 것)의 관계 규정들에 비추어 보면, 같은 법 제14조1항에 의한 사설납골시설의 설치신고는, 같은 법 제15조 각 호에 정한 사설납골시설설치 금지지역에 해당하지 않고 같은 법 제14조3항 및 같은 법 시행령(2008. 5. 26. 대통령령 제20791호로 전부 개정되기 전의 것) 제13조1항의 [별표 3]에 정한 설치기준에 부합하는 한, 수리하여야 하나, 보건위생상의 위해를 방지하거나 국토의 효율적 이용 및 공공복리의 증진 등 중대한 공익상 필요가 있는 경우에는 그 수리를 거부할 수 있다고 보는 것이 타당하다. 종교단체의 사설납골당 설치신고에 대하여 파주시장이 신고수리불가 처분을 한 사안에서, 납골당의 규모와 진입로 및 주위 교통여건 등을 비교하여 교통량 증가로 교통체증이 심화되어 마을 주민들의 통행에 현저한 지장을 가져오는지 여부, 납골당 설치로 인해 보건위생상 또는 환경상의 문제가 발생할 우려가 있는지 여부, 파주시 장사시설의 현황과 장사시설에 관한 중장기계획의 내용 등에 비추어 위 사설납골당이 국토의 효율적 이용 및 공공복리 증진을 해칠 우려가 있는지 여부 등을 살펴 납골당 설치신고의 수리를 거부할 중대한 공익상 필요가 있는지를 판단하였어야 함에도, 파주시가 장사시설 중장기계획을 수립하여 놓았다는 사정만으로 납골당 설치신고의 수리를 거부할 중대한 공익상 필요가 있다고 보기 어렵다고 보아 위 처분을 취소한 원심판결에, 중대한 공익상의 필요에 관한 법리를 오해하고 심리를 다하지 않은 위법이 있다고 한 사례(대판 2010.9.9, 2008두22631). ➡ 박균성 교수님은 기속재량행위로 본 판례라고 평석

판례 4 노동조합 및 노동관계조정법(이하 '노동조합법'이라 한다)이 행정관청으로 하여금 설립신고를 한 단체에 대하여 같은 법 제2조 제4호 각 목에 해당하는지를 심사하도록 한 취지가 노동조합으로서의 실질적 요건을 갖추지 못한 노동조합의 난립을 방지함으로써 근로자의 자주적이고 민주적인 단결권 행사를 보장하려는 데 있는 점을 고려하면, 행정관청은 해당 단체가 노동조합법 제2조 제4호 각 목에 해당하는지 여부를 실질적으로 심사할 수 있다.

다만 행정관청에 광범위한 심사권한을 인정할 경우 행정관청의 심사가 자의적으로 이루어져 신고제가 사실상 허가제로 변질될 우려가 있는 점, 노동조합법은 설립신고 당시 제출하여야 할 서류로 설립신고서와 규약만을 정하고 있고(제10조 제1항), 행정관청으로 하여금 보완사유나 반려사유가 있는 경우를 제외하고는 설립신고서를 접수받은 때로부터 3일 이내에 신고증을 교부하도록 정한 점(제12조 제1항) 등을 고려하면, 행정관청은 일단 제출된 설립신고서와 규약의 내용을 기준으로 노동조합법 제2조 제4호 각 목의 해당 여부를 심사하되, 설립신고서를 접수할 당시 그 해당 여부가 문제된다고 볼 만한 객관적인 사정이 있는 경우에 한하여 설립신고서와 규약 내용 외의 사항에 대하여 실질적인 심사를 거쳐 반려 여부를 결정할 수 있다(대판 2014.4.10, 2011두6998).

(3) 양자의 구별기준

관계법령에서 명문으로 수리규정을 둔 경우에는 특별한 사정이 없는 한 행정요건적 신고로 보고, 신고와 등록을 구분하여 규정하고 있는 경우의 신고는 자기완결적 신고에 해당한다. 구별에 관한 명문의 규정이 없는 경우 일반적으로 행정편의적 목적에서 신고요건으로 형식적 요건만을 요구하는 경우 자기완결적 신고로, 실질적 요건도 함께 요구하는 경우는 행정요건적 신고로 본다. 구별이 불분명할 경우 자기완결적 신고로 보는 것이 국민의 권익구제에 유리하다. 한편, 건축신고로 인·허가 의제의 효과가 수반되는 경우와 같이 본래 수리를 요하지 않더라도 인허가의제의 효과를 갖는 경우에는 행정요건적 신고에 해당한다(관련판례 3).

Ⅲ. 신고 요건 및 심사

자기완결적 신고의 요건은 원칙상 형식적 요건으로 행정절차법 제40조2항의 신고요건을 갖추어야 하며, 행정요건적 신고의 요건은 형식적 요건 외에 실질적 요건도 신고의 요건으로 한다. 일부 견해는 자기완결적 신고는 형식적 심사도 필요 없고, 행정요건적 신고는 형식적 심사만 족하다고 하나(홍정선)[1] 행정절차법 제40조가 형식적 요건을

신고요건으로 규정하고 있고, 신고요건을 구비하지 못한 경우 보완요구를 할 수 있도록 하고 보완하지 아니한 때에는 반려할 수 있도록 규정한 점을 고려하면 **자기완결적 신고는 형식적 심사**가 필요한 것이며, 또한 **행정요건적 신고**의 경우에도 요건으로 실질적 요건이 포함되므로 **실질적 심사**를 해야 하는 것으로 보는 것이 타당. 행정요건적 신고는 실무상 허가와 유사하게 다루어지기 때문이다.

Ⅳ. 신고에 대한 수리

사인이 알린 일정한 사실을 행정청이 유효한 행위로서 받아들이는 것을 말한다. **행정요건적 신고에서의 수리는 처분**에 해당하는 반면, **자기완결적 신고**에서는 본래 수리를 요하지 않으므로 수리가 있다 하더라도 그 **수리가 법적인 행위로서 처분은 아니다**. 신고를 필한 경우 신고필증이 교부되는데, 이는 자기완성적 신고에서는 그 신고가 있었음을 확인하는 의미만을 가지며, 행정요건적 신고에서는 법적 효과 있는 수리가 있었음을 증명하는 의미를 갖는다.

Ⅴ. 효 과

① **자기완결적 신고**에서 적법한 신고는 도달주의에 따라 행정청에 **도달함으로써 효력이 발생**한다(행정절차법 제40조 2항). **행정요건적 신고**의 경우는 도달에 더하여 **수리가 있어야 효과가 발생**한다. ② 신고가 부적법한 경우, 자체완성적 신고는 신고가 있어도 그 효과가 발생하지 않아 신고 후의 행위는 무신고행위가 된다. 행정요건적 신고에서 그 부적법함을 간과하고 수리한 경우, 수리는 하자 있는 처분이 되어 행정청의 직권취소나 무효선언의 대상이 된다.

Ⅵ. 수리거부행위의 처분성

1. 자기완결적 신고에 대한 거부

종래 다수설과 판례는 자기완결적 신고의 경우 신고 자체로 절차가 완료되기 때문에 행정청의 수리거부는 처분이 아니라고 보았는데, 이에 대하여 **신고접수거부에 의하여 당사자의 법적 지위를 불안정하게 하고 당사자의 권익침해가 발생하는 경우**가 있을 수 있기 때문에 자기완결적 신고 중 **건축신고와 같이 금지해제적 신고에 있어서는 신고인의 보호**를 위하여 수리거부를 처분으로 보아야 한다는 주장이 유력하게 제기되었다. 최근 판례도 자기완결적 신고의 성격을 갖는 **건축신고의 수리거부**에 대해 **처분성을 긍정**하는 것으로 판례를 **변경**(관련판례 2)하였고, **건축물 착공신고의 반려행위**와 원격평생교육신고의 반려행위에 대해 처분성을 긍정하였다. 이는 자기완결적 신고와 행정요건적 신고의 구별의 상대화를 의미한다. 나아가 판례는 **건축신고를** 다시 **통상적인 건축신고와 인허가의제효를 수반하는 건축신고로 구분**하여, **전자는 수리를 요하지 않는 자기완결적 신고**로 보지만, **후자는 수리를 요하는 신고**로 보았다(관련판례 3). 따라서 인허가의제효가 수반되는 건축신고에서의 수리거부는 자기완결적 신고의 수리거부가 아니라, 수리를 요하는 신고의 수리거부이므로 처분성이 긍정되는 것이다.

2. 행정요건적 신고에 대한 거부 – 처분

판 례 **건축주명의변경신고수리거부행위**는 행정청이 허가대상건축물 양수인의 건축주명의변경신고라는 구체적인 사실에 관한 법집행으로서 그 신고를 수리하여야 할 법령상의 의무를 지고 있음에도 불구하고 그 신고의 수리를 거부함으로써, **양수인이 건축공사를 계속하기 위하여 또는 건축공사를 완료한 후 자신의 명의로 소유권보존등기를 하기 위하여 가지는 구체적인 법적 이익을 침해하는 결과**가 되었다고 할 것이므로, 비록 건축허가가 대물적 허가로서 그 허가의 효과가 허가대상건축물에 대한 권리변동에 수반하여 이전된다고 하더라도, **양수인의 권리의무에 직접 영향**을 미치는 것으로서 **취소소송의 대상이 되는 처분**이라고 하지 않을 수 없다(대판 1992.3.31, 91누4911).

---

1) 동 견해는 수리를 요하는 신고는 실질적 심사가 필요 없다는 점에서 실질적 심사가 필요한 허가와 구별된다고 함. 다수견해는 수리를 요하지 않는 신고는 형식적 요건에 대해 형식적 심사를, 수리를 요하는 신고는 실질적 요건까지 욕구하므로 실질적 심사를 해야 한다는 입장으로 이해하면 됨.

Ⅶ. 신고의무 위반의 효과

신고하지 아니하거나 요건을 충족하지 않은 부적법한 신고는 신고의무를 이행하지 않은 것이 된다. ① **사실파악형 신고**의 경우 신고 없이 행위를 하여도 신고의 대상이 되는 **행위 자체가 위법한 것은 아니고** 통상 **과태료의 부과대상**이 될 뿐이지만, ② **신고유보부 금지와 수리를 요하는 신고에서는** 신고 없는 행위는 **위법한 행위**가 되어 통상 **행정형벌의 부과 및 시정조치의 대상**이 된다.

관련 판례 1 **수리를 요하지 않는 신고가 타법상의 요건도 충족하여야 하는 경우**(대판 2009.4.23, 2008도6829)

1. 판결요지

- 식품위생법과 건축법은 그 입법 목적, 규정사항, 적용범위 등을 서로 달리하고 있어 식품접객업에 관하여 식품위생법이 건축법에 우선하여 배타적으로 적용되는 관계에 있다고는 해석되지 않는다. 그러므로 식품위생법에 따른 식품접객업(일반음식점영업)의 영업신고의 요건을 갖춘 자라고 하더라도, 그 영업신고를 한 당해 건축물이 건축법 소정의 허가를 받지 아니한 무허가 건물이라면 적법한 신고를 할 수 없다.

2. 판결이유 중

- 원심이 거시증거에 의하여 이 사건 건물 중 6층 부분이 무허가 건물이고, 피고인이 제출한 일반음식점 영업신고서의 영업장소가 불법 건축물이라는 이유로 접수가 거부된 사실을 인정한 다음, 피고인은 위 영업장소가 건축법 소정의 허가를 받지 아니한 불법 건축물인 이상 관할 서초구청에 이 사건 일반음식점 영업에 대한 적법한 신고를 한 것으로 볼 수 없고, 그러한 상태에서 일반음식점 영업행위를 계속하는 것은 무신고 영업행위에 해당한다고 판단한 것은 정당하여 수긍이 가고, 거기에 상고이유에서 주장하는 바와 같은 식품위생법상 무신고 영업행위에 관한 법리오해, 채증법칙 위반 등의 위법이 없다.

관련 판례 2 **건축신고 반려의 처분성**
(대판(전) 2010.11.18, 2008두167)

[1] 행정청의 행위가 항고소송의 대상이 되는지 여부의 판단 기준

- 행정청의 어떤 행위가 항고소송의 대상이 될 수 있는지의 문제는 추상적·일반적으로 결정할 수 없고, 구체적인 경우 행정처분은 행정청이 공권력의 주체로서 행하는 구체적 사실에 관한 법집행으로서 국민의 권리의무에 직접적으로 영향을 미치는 행위라는 점을 염두에 두고, 관련 법령의 내용과 취지, 그 행위의 주체·내용·형식·절차, 그 행위와 상대방 등 이해관계인이 입는 불이익과의 실질적 견련성, 그리고 법치행정의 원리와 당해 행위에 관련한 행정청 및 이해관계인의 태도 등을 참작하여 개별적으로 결정하여야 한다.[2)]

[2] 행정청의 건축신고 반려행위 또는 수리거부행위가 항고소송의 대상이 되는지 여부(적극)

- 구 건축법(2008. 3. 21. 법률 제8974호로 전부 개정되기 전의 것) 관련 규정의 내용 및 취지에 의하면, **행정청은** 건축신고로써 건축허가가 의제되는 건축물의 경우에도 그 **신고 없이 건축이 개시될 경우 건축주 등에 대하여 공사 중지·철거·사용금지 등의 시정명령**을 할 수 있고(제69조1항), 그 **시정명령을 받고 이행하지 않은 건축물에 대하여는 당해 건축물을 사용하여 행할 다른 법령에 의한 영업 기타 행위의 허가를 하지 않도록 요청**할 수 있으며(제69조2항), 그 요청을 받은 자는 특별한 이유가 없는 한 이에 응하여야 하고(제69조3항), 나아가 행정청은 그 **시정명령의 이행을 하지 아니한 건축주 등에 대하여는 이행강제금을 부과**할 수 있으며(제69조의2 1항 1호), 또한 건축신고를 하지 않은 자는 200만 원 이하의 **벌금**에 처해질 수 있다(제80조1호, 제9조). 이와 같이 **건축주 등은 신고제하에서도 건축신고가 반려될 경우 당해 건축물의 건축을 개시하면 시정명령, 이행강제금, 벌금의 대상이 되거나 당해 건축물을 사용하여 행할 행위의 허가가 거부될 우려가 있어 불안정한 지위**에 놓이게 된다. 따라서 건축신고 반려행위가 이루어진 단계에서 **당사자로 하여금 반려행위의 적법성을 다투어 그 법적 불안을 해소한 다음 건축행위에 나아가도록 함으로써 장차 있을지도 모르는 위험에서 미리 벗어날 수 있도록** 길을 열어 주고, **위법한 건축물의 양산과 그 철거를 둘러싼 분쟁을 조기에 근본적으로 해결할 수 있게 하는 것이 법치행정의 원리에 부합**한다. 그러므로 **건축신고 반려행위는 항고소송의 대상**이 된다고 보는 것이 옳다.

관련 판례 3 **건축신고의 법적 성질**
(대판(전) 2011.1.20, 2010두14954)

1. 사실관계

A 토지의 소유자이었던 을은 1991. 7.경 인접한 토지상에 건축되는 다세대주택의 건축허가를 위하여 A토지를 진입도로로 사용할 것을 승낙하였고, 그 후 A토지는 원고인 갑의 건축신고 수리거부처분이 있은 2009. 3. 6.까지 약 17년 7개월 동안 아스팔트 및 콘크리트 포장이 된 상태로 다세대주택의

거주자들이 공로에 이르는 유일한 통행로로 사용되어 왔음. 원고인 갑은 2006. 3. 7. A 토지를 경매절차에서 취득하여 용인시 기흥구청장에게 건축물의 건축을 위한 건축신고를 하였는데, 원고가 건축신고 내용대로 건물을 신축하면 다세대 주택의 거주자 등 인근주민들이 공로에 이르는 유일한 통행로가 막히게 되는 사정이 존재함.

건축법 제11조5항에 의하면 건축허가가 있는 경우 국토의 계획 및 이용에 관한 법률 제56조에 의한 개발행위허가가 의제되는데, 건축법 제14조2항은 건축신고의 경우에도 제11조5항을 준용하고 있고, 국토법 제58조는 개발행위허가의 기준으로 주변환경이나 경관과 조화를 이룰 것을 요구하고 있음. 이에 구청장은 인근주민들의 보호를 위해 갑의 건축신고에 대해 수리거부를 함.

2. [다수의견]의 판결요지

1. 건축법 제14조2항에 의한 인·허가의제 효과를 수반하는 건축신고가, 행정청이 그 실체적 요건에 관한 심사를 한 후 수리하여야 하는 이른바 '수리를 요하는 신고'인지 여부
   - 건축법은 제11조1항에서 건축물을 건축하거나 대수선하려는 자는 특별자치도지사 또는 시장. 군수. 구청장의 허가를 받아야 한다고 규정하고, 제14조1항에서 제11조에 해당하는 허가대상 건축물이라 하더라도 일정 규모 이내의 건축물에 대하여는 미리 특별자치도지사 또는 시장. 군수. 구청장에게 신고하면 건축허가를 받은 것으로 본다고 규정하고 있다. 이와 같이 건축법이 건축물의 건축 또는 대수선에 관하여 원칙적으로 허가제로 규율하면서도 일정 규모 이내의 건축물에 관하여는 신고제를 채택한 것은, 건축행위에 대한 규제를 완화하여 국민의 자유의 영역을 넓히는 한편, 행정목적상 필요한 정보를 파악. 관리하기 위하여 국민으로 하여금 행정청에 미리 일정한 사항을 알리도록 하는 최소한의 규제를 가하고자 하는데 그 취지가 있다. 따라서 건축법 제14조1항의 건축신고 대상 건축물에 관하여는 원칙적으로 건축 또는 대수선을 하고자 하는 자가 적법한 요건을 갖춘 신고를 하면 행정청의 수리 등 별도의 조처를 기다릴 필요 없이 건축행위를 할 수 있다고 보아야 한다.

   그러나 한편, 건축법 제11조5항(이하 '인·허가 의제조항'이라고 한다)에서는 제1항에 따른 건축허가를 받으면 각 호(이하 인·허가 의제사항'이라고 한다)에서 정한 허가 등을 받거나 신고를 한 것으로 본다[국토의 계획 및 이용에 관한 법률(이하'국토계획법'이라고 한다) 제56조의 규정에 의한 개발행위 허가가 그 대표적인 예이다]고 규정하면서, 제14조2항에서는 인·허가 의제조항을 건축 신고에 준용하고 있고, 나아가 건축법 시행령 제11조3항, 제9조1항, 건축법 시행규칙 제12조1항 제2호에서는 건축 신고를 하려는 자는 인·허가 의제조항에 따른 허가 등을 받거나 신고를 하기 위하여 해당 법령에서 제출하도록 의무화하고 있는 신청서와 구비 서류를 제출하여야 한다고 규정하고 있다.

   건축법에서 이러한 인·허가의제 제도를 둔 취지는, 인·허가 의제사항과 관련하여 건축허가 또는 건축 신고의 관할 행정청으로 그 창구를 단일화하고 절차를 간소화하며 비용과 시간을 절감함으로써 국민의 권익을 보호하려는 것이지, 인·허가 의제사항 관련 법률에 따른 각각의 인·허가요건에 관한 일체의 심사를 배제하려는 것으로 보기는 어렵다. 왜냐하면, 건축법과 인·허가 의제사항 관련 법률은 각기 고유한 목적이 있고, 건축 신고와 인·허가 의제사항도 각각 별개의 제도적 취지가 있으며 그 요건 또한 달리하기 때문이다. 나아가 인·허가 의제사항 관련 법률에 규정된 요건 중 상당수는 공익에 관한 것으로서 행정청의 전문적이고 종합적인 심사가 요구되는데, 만약 건축 신고만으로 인·허가 의제사항에 관한 일체의 요건심사가 배제된다고 한다면, 중대한 공익상의 침해나 이해관계인의 피해를 야기하고 관련 법률에서 인·허가제도를 통하여 사인의 행위를 사전에 감독하고자 하는 규율체계 전반을 무너뜨릴 우려가 있다. 또한 무엇보다도 건축 신고를 하려는 자는 인·허가의제사항 관련 법령에서 제출하도록 의무화하고 있는 신청서와 구비 서류를 제출하여야 하는데, 이는 건축신고를 수리하는 행정청으로 하여금 인·허가 의제사항 관련 법률에 규정된 요건에 관하여도 심사를 하도록 하기 위한 것으로 볼 수밖에 없다.

   따라서, 인·허가의제 효과를 수반하는 건축 신고는 일반적인 건축 신고와는 달리, 특별한 사정이 없는 한 행정청이 그 실체적 요건에 관한 심사를 한 후 수리하여야 하는 이른바 '수리를 요하는 신고'로 보는 것이 옳다.

2. 국토의 계획 및 이용에 관한 법률상의 개발행위허가로 의제되는 건축신고가 개발행위허가의 기준을 갖추지 못한 경우, 행정청이 수리를 거부할 수 있는지 여부
   - 앞서 본 바와 같이 일정한 건축물에 관한 건축 신고는 건축법 제14조2항, 제11조5항3호에 의하여 국토계획법 제56조에 따른 개발행위 허가를 받은 것으로 의제되는데, 국토계획법 제58조1항 제4호에서는 개발행위 허가의 기준으로 주변지역의 토지이용 실태 또는 토지이용 계획, 건축물의 높이, 토지의 경사도, 수목의 상태, 물의 배수, 하천·호소·습지의 배수 등 주변환경이나 경관과 조화를 이룰 것을 규정하고 있으므로, 국토계획법상의 개발행위 허가로 의제되는 건축 신고가 위와 같은

기준을 갖추지 못한 경우 행정청으로서는 이를 이유로 그 수리를 거부할 수 있다고 보아야 한다.
....(중략)....이와 같이 이 사건 토지는 원래의 소유자의 의사에 기하여 인근 주민들의 통행에 제공되었고, 그에 따라 현재에 이르기까지 장기간 인근 주민들의 통행로로 사용되어 왔는데, 이곳에 이 사건 건축신고 내용대로 건물이 신축되면 인근 주민들이 공로에 이르는 유일한 통행로가 막히게 될 것이다. 그리고 일반적으로 경매에 의하여 토지의 소유권을 취득하려는 자는 매각기 일의 공고내용이나 매각 물건명세서 또는 집행 기록의 열람 등의 방법에 의하여 해당 토지의 위치, 현황과 부근 토지의 상황 등을 미리 점검해 볼 것이 경험칙상 당연히 예상되기 때문에, 원고도 이 사건 토지가 인근 주민들의 통행로로 제공되고 있다는 사정을 용인하거나 적어도 그러한 사정이 있음을 알고서 소유권을 취득하였다고 볼 수 있어 원래의 소유자와 마찬가지로 이 사건 토지에 대한 인근 주민들의 통행을 수인하여야 한다고 볼 여지도 있다. 이처럼 인근 주민들이 이 사건 토지를 통행로로 사용하는 현재의 토지이용 실태가 위법하다고 판명되지 아니한 이상, 이 사건건축 신고 대상 건축물의 건축은 이 사건 토지를 통행로로 사용하는 주변지역의 토지이용 실태 등과 조화를 이룬다고 보기 어려워 국토계획법 제58조1항4호에서 정한 개발행위 허가의 기준을 갖추었다고 할 수 없다. 따라서 이를 이유로 한 이 사건건축 신고 수리 거부 처분은 적법하다.

기출 사례 출생신고에 대한 수리거부(11년 행시 - 재경)

갑은 자신의 5번째 자녀(女)의 이름을 첫째에서 넷째 자녀의 돌림자인 '자(子)'자를 넣어, '말자(末子)'라고 지어 출생신고를 하였다. 가족관계의 등록 등에 관한 규칙 [별표1]에 의하면 '末'자와 '子'는 이름으로 사용할 수 있는 한자이다. 그러나 갑의 출생신고서를 접수한 공무원 을은 '末子'라는 이름이 개명(改名)신청이 잦은 이름이라는 이유로 출생신고서의 수리를 거부하였다. (총30점)

1) 을의 수리거부행위가 항고소송의 대상이 되는지 검토하시오.(15점)
2) 을의 수리거부행위에 대해 행정소송법상 집행정지가 가능한지 검토하시오.(15점)

[참조조문]

***가족관계의 등록 등에 관한 법률**

제44조 (출생신고의 기재사항)
① 출생의 신고는 출생 후 1개월 이내에 하여야 한다.
② 신고서에는 다음 사항을 기재하여야 한다.
1. 자녀의 성명・본・성별 및 등록기준지
2. 자녀의 혼인 중 또는 혼인 외의 출생자의 구별
3. 출생의 연월일시 및 장소
4. 부모의 성명・본・등록기준지 및 주민등록번호(부 또는 모가 외국인인 때에는 그 성명・출생연월일・국적 및 외국인등록번호)
5. 민법 제781조1항 단서에 따른 협의가 있는 경우 그 사실
6. 자녀가 복수국적자인 경우 그 사실 및 취득한 외국 국적
③ 자녀의 이름에는 한글 또는 통상 사용되는 한자를 사용하여야 한다. 통상 사용되는 한자의 범위는 대법원규칙으로 정한다.
④ 출생신고서에는 의사・조산사 그 밖에 분만에 관여한 사람이 작성한 출생증명서를 첨부하여야 한다. 다만, 부득이한 사유가 있는 경우에는 그러하지 아니하다.

***가족관계의 등록 등에 관한 규칙**

제37조 (인명용 한자의 범위)
① 법 제44조3항에 따른 한자의 범위는 다음과 같이 한다.
1. 교육과학기술부가 정한 한문교육용 기초한자
2. 별표 1에 기재된 한자. 다만, 제1호의 기초한자가 변경된 경우에, 그 기초한자에서 제외된 한자는 별표 1에 추가된 것으로 보고, 그 기초한자에 새로 편입된 한자 중 별표 1의 한자와 중복되는 한자는 별표 1에서 삭제된 것으로 본다.
② 제1항의 한자에 대한 동자・속자・약자는 별표 2에 기재된 것만 사용할 수 있다.
③ 출생자의 이름에 사용된 한자 중 제1항과 제2항의 범위에 속하지 않는 한자가 포함된 경우에는 등록부에 출생자의 이름을 한글로 기록한다.

Ⅰ. 출생신고의 수리거부의 대상적격 - 설문1)

1. 신고제 일반론

- 신고의 종류 - 자기완결적 / 행정요건적

2. 출생신고의 법적 성격

- 수리를 요하지 않는 자기완결적 신고라는 견해와 수리를 요하는 신고라는 견해가 대립.
- 가족관계의 등록등에 관한 법률 제44조1항은 실질적 심사에 대한 규정이 없으며, 수리여부에 따라 출생여부가 좌

2) 통상적으로 판례가 처분성을 확대하고자 할 때 이렇게 설시하는 경향이 있음.

우되는 것은 타당하지 않으므로 수리를 요하지 않는 자기완결적 신고로 보는 것이 타당.

3. 수리거부의 처분성 인정 여부

- 출생신고가 자기완결적 신고이므로 수리거부도 처분성이 부정되는 것이 종래의 일반적 입장.
- 최근 판례는 자기완결적 신고인 건축신고의 수리거부에 대해서 처분성을 긍정하고 있는 바, 이러한 시각에 의하면 출생신고의 수리거부에 대해서도 수리거부에 의해 성명권 행사에 제한을 받게 되는 점을 고려하면 처분성을 긍정할 수 있을 것(조문에는 제시되어 있지 않지만 1개월 내에 신고하지 않으면 과태료 부과 대상).

Ⅱ. 거부처분에 대한 집행정지의 문제 – 설문 2)(#115)

1. 문제의 소재

- 집행정지의 의의 및 요건을 간단히 언급한 후

2. 출생신고의 수리거부를 처분으로 보지 않는 견해

- 처분 등의 존재가 있어야 한다는 요건을 충족하지 못하므로 집행정지 불가.

3. 수리거부를 처분으로 보는 견해

- 거부처분에 대한 집행정지를 부정하는 판례의 입장을 전제로 하여 출생신고 수리거부에 대한 집행정지를 인정하더라도 수리거부가 있기 전의 상태로 돌아가는 것에 불과하여 집행정지는 불가하다는 견해도 있을 수 있으나 출생신고를 수리를 요하지 않는 신고로 보면서도 수리거부를 처분으로 보는 것이므로 수리거부의 집행정지가 받아들여지면 출생신고의 효과를 인정할 수 있어 집행정지의 실익이 있다고도 할 수 있음(강사의 사견).

기출 사례 신고의 종류, 건축허가와의 비교, 인허가 의제효 (12년 사시)

A는 甲시에 소재하는 「국토의 계획 및 이용에 관한 법률」에 따른 관리지역 내 110㎡ 토지(이하 '이 사건 토지'라 한다) 위에 연면적 29.15㎡인 2층 건축물을 건축하기 위한 신고를 관할 X행정청에 하였다. 그런데 이 건물을 신축하면 이 사건 토지에 위치하고 있는 관정(管井)이 폐쇄됨으로써 인근주민의 유일한 식수원 사용관계에 중대한 위해가 있게 된다. 따라서 관할 X행정청은 A가 신청한 건축물이 건축될 경우 보건상 위해의 염려가 있음을 이유로 당해 건축신고의 수리를 거부하였다.

(1) A가 행한 건축신고의 법적 성질은 무엇이며 건축허가와는 어떻게 다른가? (15점)

(2) X행정청이 건축법상 명문의 규정이 없음에도 불구하고 인근주민의 식수사용관계 등 보건상 위해를 이유로 한 건축신고 수리거부는 적법한가? (15점)

[참조조문]

***건축법**

제11조 (건축허가) ① 건축물을 건축하거나 대수선하려는 자는 특별자치도지사 또는 시장·군수·구청장의 허가를 받아야 한다. 다만, 21층 이상의 건축물 등 대통령령으로 정하는 용도 및 규모의 건축물을 특별시나 광역시에 건축하려면 특별시장이나 광역시장의 허가를 받아야 한다.

⑤ 제1항에 따른 건축허가를 받으면 다음 각 호의 허가 등을 받거나 신고를 한 것으로 보며, 공장건축물의 경우에는 「산업집적활성화 및 공장설립에 관한 법률」 제13조의2와 제14조에 따라 관련 법률의 인·허가등이나 허가등을 받은 것으로 본다.

3. 「국토의 계획 및 이용에 관한 법률」 제56조에 따른 개발행위허가

제14조 (건축신고) ① 제11조에 해당하는 허가 대상 건축물이라 하더라도 다음 각 호의 어느 하나에 해당하는 경우에는 미리 특별자치도지사 또는 시장·군수·구청장에게 국토해양부령으로 정하는 바에 따라 신고를 하면 건축허가를 받은 것으로 본다.

2. 「국토의 계획 및 이용에 관한 법률」에 따른 관리지역, 농림지역 또는 자연환경보전지역에서 연면적이 200제곱미터 미만이고 3층 미만인 건축물의 건축. 다만, 「국토의 계획 및 이용에 관한 법률」 제51조3항에 따른 지구단위계획구역에서의 건축은 제외한다.

② 제1항에 따른 건축신고에 관하여는 제11조5항을 준용한다.

Ⅰ. 건축신고의 법적 성질 및 건축신고와 건축허가와의 차이점 – 설문(1).

1. 문제의 소재

2. 건축신고의 법적 성질

(1) 신고제 일반론

(2) 건축신고의 대한 판례의 태도

- 종래 수리를 요하지 않는 신고로 보고 수리거부의 처분성을 부정.

- 최근 수리를 요하지 않는 신고라고 하더라도 수리거부의 처분성을 긍정함.

- 더 나아가 통상의 건축신고는 수리를 요하지 않는 자기완결적 신고이지만 인·허가 의제되는 경우는 수리를 요하는 신고로 이원화함.

(3) 사안의 경우

- 사안은 국토법상 개발행위허가가 수반되는 건축신고로서 인·허가 의제가 되는 경우이므로 수리를 요하는 신고에 해당. 수리나 수리거부는 처분에 해당.

3. 건축신고와 건축허가와 차이점

- 전통적으로 건축신고는 수리를 요하지 않는 신고로서 형식적 요건만 구비되면 되고 행정청의 수리가 없더라도 신고요건만 구비하면 건축행위를 할 수 있는 반면 건축허가는 실질적 요건까지 심사해야 하며 건축허가가 있어야 건축행위가 가능하다는 점에서 구별되었음.

- 그러나 최근 판례의 다수의견이 건축신고라도 인·허가 의제효가 수반되는 경우는 수리를 요하는 신고로 보므로 사안의 건축신고와 건축허가의 차이는 결국 수리를 요하는 건축신고와 건축허가의 차이로 귀결됨.

- 양자는 건축규제와 관련하여 예방적 금지를 해제하기 위한 조치인 점은 동일.

- 통상 수리를 요하는 신고는 허가와 비교하여 요건이 완화되어 완화된 허가제라고도 하는데, 수리를 요하는 신고를 등록으로 보면서 허가는 실질적 심사를 하지만 수리를 요하는 신고는 형식적 심사만 하기 때문에 구별된다는 견해, 실질적으로 허가제로 보는 견해, 수리를 요하지 않는 신고와 허가의 중간적인 규제수단으로 보는 견해의 대립이 있음.

- 사안은 허가의 요건을 완화하여 신고제로 규정한 경우는 아니고 개발행위허가가 의제되어 인·허가 의제효가 수반되어 수리를 요하는 신고로 보는 특수성이 있음. 대법원의 다수의견의 해석에 의하면 허가와 수리를 요하지 않는 신고의 중간적인 규제수단이라기보다는 의제되는 개발행위허가의 실질적 요건도 심사하게 되어 실질적으로 허가의 실질을 가지게 됨.

Ⅱ. 인근주민의 보건상 위해를 이유로 한 수리거부의 적법성 - 설문(2)

1. 문제의 소재

- 건축법상 신고요건에 대한 심사 외에 인근주민의 보건상 위해를 끼치는지 여부도 심사하여 이를 이유로 수리거부를 할 수 있는지 문제됨. 인근주민의 보건상 위해가 의제되는 행위인 개발행위허가의 요건인지와 관련됨.

2. 인·허가 의제와 집중효의 정도

(1) 인·허가 의제제도의 의의

(2) 집중효의 정도

- 실체적 요건은 집중되지 않으므로 의제되는 행위의 요건에 구속되고 주된 인·허가 기관은 심리하여야 함.

3. 개발행위허가의 법적 성질

- 재량행위설/기속재량설/기속행위설(요건에 판단여지는 인정) 등이 대립.

- 판례는 토지형질변경허가의 금지요건이 불확정개념으로 규정되어 있어 금지요건에 해당하는지 여부를 판단함에 있어 행정청에 재량이 인정된다고 하여 재량행위설의 입장(판례는 판단여지와 재량을 구분하지 않음).

4. 건축신고 수리시 심사범위

- 보건상 위해가 개발행위허가의 요건이라면 (설문상 개발행위허가의 요건은 제시되어 있지 않으므로 가정적으로 판단) 실체적 요건은 심사범위에 포함되므로 수리거부 가능.

- 보건상 위해가 개발행위허가의 요건이 아니라 하더라도 개발행위허가를 재량행위로 본다면 보건상 위해를 이유로 개발행위허가를 거부할 수 있고 이를 이유로 역시 건축신고 수리를 거부할 수 있으며, 개발행위허가를 기속재량행위로 보더라도 원칙적으로는 수리를 거부할 수 없지만 보건상 위해라는 중대한 공익을 이유로 수리를 거부할 수 있음.

기출 사례 신고의 종류와 기속력의 범위(11년 변시 모의)

A(종교단체로서 재단법인임)는 그 소유의 토지 위에 종교집회장 건물을 신축하였고, 그 건물 지하에 납골당 설치를 위한 납골시설 설치신고를 관할구청에 하였다. 위 납골시설로부터 200m 이내의 거리에는 중학교, 초등학교, 유치원이 각 1개씩 있다.

관할구청장인 B는 행정절차법령에 따른 학교, 교육청 및 인근 주민으로부터의 의견수렴결과를 토대로 공익적 차원에서 종합적으로 검토한 결과 성당 내 납골시설 설치는 불가하다는 이유로 A에 대하여 위 납골시설 설치신고를 반려하였다.

A는 이에 불복하여 관할법원에 위 반려행위의 취소를 구하는 소를 제기하였고, 관할법원은 A의 청구를 받아들여 이를 취소하였다. B의 항소 및 상고는 모두 기각되었다.

위 소송 계속중이던 2005. 12. 7. 법률 제7700호로 「학교보건법」이 개정되었다.

위 상고가 기각된 후 B는 A에게 개정된 「학교보건법」에 따라 학교 부근에 납골시설의 설치가 금지되었다는 이유로 위 납골시설 설치신고를 다시 반려하였다.

1. A는 관할법원에 위 납골시설 설치신고를 다시 반려한 행위에 대한 취소의 소를 제기하였고, A는 그 소송에서 다음과 같이 주장하였다.

(1) 납골시설 설치신고는 수리를 요하지 아니하는 신고이고, 선행 반려행위의 취소소송에서 위 납골시설 설치신고가 적법요건을 갖추었음이 확인되었다. 따라서 위 설치신고가 적법한데도 다시 반려한 것은 위법하다.

(2) 위 다시 반려한 행위는 위 선행 반려행위에 대한 취소판결의 효력에 반하여 위법하다.

B는 이러한 A의 주장에 대하여 어떻게 대응할 수 있는지 A의 주장별로 그 논거를 제시하시오. (50점)

[참조조문]

***구 장사 등에 관한 법률(2007. 5. 25. 법률 제8489호로 개정되기 전의 것)**

제1조 (목적) 이 법은 매장·화장 및 개장에 관한 사항과 묘지·화장장·납골시설 및 장례식장의 설치·관리 등에 관한 사항을 규정함으로써 보건위생상의 위해를 방지하고, 국토의 효율적 이용 및 공공복리의 증진에 이바지함을 목적으로 한다.

제2조 (정의) 이 법에서 사용하는 용어의 정의는 다음과 같다.

8. "납골시설"이라 함은 납골묘·납골당·납골탑 등 유골을 안치(매장을 제외한다)하기 위한 시설을 말한다.

제14조 (사설화장장 등의 설치) ① 시·도지사 또는 시장·군수·구청장이 아닌 자가 화장장(이하 "사설화장장"이라 한다) 또는 납골시설(이하 "사설납골시설"이라 한다)을 설치·관리하고자 하는 때에는 보건복지부령이 정하는 바에 따라 당해 사설화장장 또는 사설납골시설을 관리하는 시장·군수·구청장에게 신고하여야 한다. 신고한 사항 중 대통령령이 정하는 사항을 변경하고자 하는 경우에도 또한 같다.

제15조 (묘지의 등의 설치제한) 다음 각호의 1에 해당하는 지역에는 묘지·화장장 또는 납골시설을 설치할 수 없다.

1. 도시계획법 제32조1항 제4조의 규정에 의한 녹지지역 중 대통령령이 정하는 지역
2. 수도법 제5조1항의 규정에 의한 상수원보호지역. 다만, 기존의 사원 경내에 설치하는 납골시설 또는 개인, 가족 및 종중·문중의 납골시설의 경우에는 그러하지 아니한다.
3. 문화재보호법 제8조 및 제55조의 규정에 의한 문화재보호구역
4. 기타 대통령령이 정하는 지역

제26조 (사설묘지 설치자 등에 대한 처분) 시장·군수·구청장은 사설묘지·사설화장장 및 사설납골시설의 연고자 또는 설치자가 다음 각호의 1에 해당하는 때에는 보건복지부령이 정하는 바에 따라 당해 연고자 또는 설치자에 대하여 묘지의 이전·개수, 허가의 취소, 시설의 폐쇄, 시설의 전부·일부의 사용금지 또는 6월의 범위 내의 업무의 정지를 명할 수 있다.

2. 제14조 또는 제15조의 규정에 위반하여 사설화장장 또는 사설납골시설을 설치한 때

***구 학교보건법(2007. 12. 14. 법률 제8678호로 개정되기 전의 것)**

제1조 (목적) 이 법은 학교의 보건관리와 환경위생정화에 필요한 사항을 규정하여 학생 및 교직원의 건강을 보호·증진하게 함을 목적으로 한다.

제2조 (정의) 2. '학교'라 함은 '유아교육법' 제2조제2호, '초·중등교육법' 제2조 및 '고등교육법' 제2조에 따른 각 학교를 말한다.

제5조 (학교환경위생정화구역의 설정) ① 학교의 보건·위생 및 학습 환경을 보호하기 위하여 교육감은 대통령령이 정하는 바에 따라 학교환경위생정화구역을 설정·고시하여야 한다. 이 경우 학교환경위생정화구역은 학교경계선이나 학교설립예정지경계선으로부터 200미터를 초과할 수 없다.

제6조 (정화구역 안에서의 금지행위 등) ① 누구든지 학교환경위생정화구역 안에서는 다음 각호의 1에 해당하는 행위 및 시설을 하여서는 아니된다. 다만, 대통령령이 정하는 구역 안에서는 제2호, 제2호의2, 제4호, 제8호, 제10호 내지 제13호 및 제15호에 규정한 행위 및 시설 중 교육감 또는 교육감이 위임한 자가 학교환경위생정화위원회의 심의를 거쳐 학습과 학교보건위생에 나쁜 영향을 주지 않는다고 인정하는 행위 및 시설은 제외한다.

제1호로부터 2호의2 생략

3. 도축장, 화장장 또는 납골시설

제4호 이하 생략

***고등교육법**

제2조 (학교의 종류)

1. 대학
2. 산업대학
3. 교육대학
4. 전문대학

이하 각호 생략

***구 학교보건법 시행령(2008. 8. 4. 대통령령 제20949호로 개정되기 전의 것)**

제3조 (학교환경위생정화구역) ① 법 제5조1항에 따라 교육감이 학교

환경위생정화구역(이하 "정화구역"이라 한다)을 설정할 때에는 절대정화구역과 상대정화구역으로 구분하여 설정하되, 절대정화구역은 학교출입문(학교설립예정지의 경우에는 설립될 학교의 출입문 설치 예정 위치를 말한다)으로부터 직선거리로 50미터까지의 지역으로 하고, 상대정화구역은 학교경계선 또는 학교설립예정지경계선으로부터 직선거리로 200미터까지의 지역 중 절대정화구역을 제외한 지역으로 한다.

Ⅰ. 주장(1)에 대한 논거

1. 문제의 소재

- 주장(1)에 대해서는 납골시설 설치신고가 수리를 요하지 않는 신고가 아니라 수리를 요하는 신고이며, 재차 수리거부시 처분 당시의 법령인 학교보건법의 개정내용을 고려하여 수리여부를 결정하여야 한다고 대응해야 함.

2. 납골당 설치신고의 법적 성질(#15)

(1) 신고제 일반론

(2) 사안의 경우

- 납골당 설치에 관한 구 장사 등에 관한 법률에는 납골시설설치신고에 대한 수리 규정은 없음. 그러나 동법 제15조는 납골시설 설치제한지역을 규정하고 있으며, 제26조는 그 경우 시설 설치자에 대하여 허가의 취소나 시설 폐쇄 등을 명할 수 있다고 규정. 따라서 납골시설 설치는 그 실질적 요건에 대한 행정청의 심사를 요하는 것으로 보아 수리를 요하는 신고로 보아야 함.

판 례 구 장사 등에 관한 법률(2007.5.25. 법률 제8489호로 전부 개정되기 전의 것, 이하 '구 장사법'이라 한다) 제14조1항, 구 장사 등에 관한 법률 시행규칙(2008.5.26. 보건복지가족부령 제15호로 전부 개정되기 전의 것) 제7조1항 [별지 제7호 서식] 을 종합하면, **납골당설치 신고는 이른바 '수리를 요하는 신고'**라 할 것이므로, 납골당설치 신고가 **구 장사법 관련 규정의 모든 요건에 맞는 신고라 하더라도 신고인은 곧바로 납골당을 설치할 수는 없고, 이에 대한 행정청의 수리처분이 있어야만 신고한 대로 납골당을 설치할 수 있다**. 한편 수리란 신고를 유효한 것으로 판단하고 법령에 의하여 처리할 의사로 이를 수령하는 수동적 행위이므로 **수리행위에 신고필증 교부 등 행위가 꼭 필요한 것은 아니다**(대판 2011.9.8, 2009두6766).

3. 행정처분시 적용법령

- 법치행정의 원칙 및 공익보호의 원칙에 비추어 처분시의 법령을 적용하여야 함.

- A가 신청시에는 학교보건법상 학교 부근에 납골시설의 설치가 금지되어 있지 않더라도 취소판결 후 재차 수리반려처분을 할 당시에는 학교보건법상 학교 부근에 납골시설의 설치가 금지되어 있으므로 이를 이유로 반려 가능.

Ⅱ. 주장 (2)에 대한 논거

1. 문제의 소재

2. 기속력 일반론 (#123)

3. 기속력의 내용 – 재처분의무

4. 사안의 경우

- 취소소송에서 위법판단의 기준시점은 처분시이며, 기속력의 시간적 범위 역시 처분시.

- 개정된 「학교보건법」에 따라 학교 부근에 납골시설의 설치가 금지되었다는 이유로 수리거부를 한 것은 처분시 이후에 발생한 사유이므로 기속력이 미치지 않는 것이어서 적법한 처분.

16 지위승계신고와 관련한 논점

1. 지위승계신고의 법적 성질

법률에 따라서는 **영업 양도**의 경우 양수인이 **신고**하도록 하는 규정을 두는 경우(**변경등록**을 하도록 하는 경우도 마찬가지)가 있는데, 이 경우 지위승계신고의 법적 성질에 대해 종래 대부분의 교과서는 지위승계신고에 대해서 수리를 요하는 신고라고 본 판례들을 인용하면서 **행정요건적 공법행위로서 수리를 요하는 신고**라고 서술해 왔다. 그러나 지위승계신고는 **양도대상이 되는 영업의 종류에 따라서 달리 판단**되어야 한다는 견해가 최근 유력하다.

유력설은 양도대상이 되는 영업의 종류에 따라서 **허가영업**의 양도에 있어서 요구되는 신고는 **허가신청**으로, **행정요건적 공법행위로서 신고를 요하는 영업**의 양도에 있어서 요구되는 신고는 **행정요건적 공법행위로서 신고**로, **자기완결적(자체완성적) 공법행위로서 신고를 요하는 영업**의 양도에 있어서 요구되는 신고는 **자기완결적 공법행위로서의 신고**에 해당한다고 하는데 이러한 견해가 논리적인 것으로 생각된다.

판례 액화석유가스의안전및사업관리법 제7조2항에 의한 사업양수에 의한 **지위승계신고를 수리**하는 허가관청의 행위는 단순히 양도, 양수자 사이에 발생한 사법상의 사업양도의 법률효과에 의하여 **양수자가 사업을 승계하였다는 사실의 신고를 접수하는 행위에 그치는 것이 아니라 실질에 있어서 양도자의 사업허가를 취소함과 아울러 양수자에게 적법히 사업을 할 수 있는 법규상 권리를 설정**하여 주는 행위로서 **사업허가자의 변경이라는 법률효과를 발생**시키는 행위이므로 허가관청이 법 제7조2항에 의한 사업양수에 의한 **지위승계신고를 수리하는 행위는 행정처분**에 해당한다(대판 1993.6.8, 91누11544). ➡ 대상사업이 허가인 사안

2. 지위승계신고 후(수리를 요하는 신고인 경우 수리가 있는 후)에 양도인의 양도행위 이전의 제재사유를 이유로 양수인에게 제재처분을 할 수 있는가?

제재처분사유의 승계의 문제로 논의되고 있다. 승계를 긍정한다면 양도인에 대한 제재사유를 근거로 양수인에게 제재처분을 발할 수 있게 된다.

(1) 학 설

1) 승계 긍정설

영업양도의 경우, ① 허가의 성질이 일신전속적인 것이 아닌 한 양도인의 법적지위는 **지위승계규정**의 해석상 양수인에게 승계된다고 보아야 하며, ② 만약 제재처분사유가 승계되지 아니한다고 해석하면 **공익을 달성**하기 위한 행정법규 위반자에 대한 제재수단이 무력화되는 결과가 발생하고 ③ **양도인**의 의도적인 책임회피수단으로 **악용가능성**이 있으며, ④ **양수인의 피해는 양도인과의 관계에서 조절**될 수 있음을 근거로 든다.

2) 승계 부정설

① **지위승계에 관한 규정**이 있다고 하더라도, 그것이 **제재처분사유의 승계까지 포함한다고 해석할 수 없으며**, ② **법령위반 등 귀책사유는 일신전속적**인 성질을 가지는 것이므로 승계될 수 없고, ③ **선의의 양수인의 신뢰보호** 관점에서도 승계를 인정할 수 없다는 점을 근거로 든다.

(2) 판 례

판례는 **긍정설**의 입장이다. 판례에 의하면 선의의 양수인 보호가 문제되는데, 판례 중에는 **"선의"의 양수인에게는 귀책사유가 승계되지 않는다고 본 경우도** 있다(판례 2). 최근 판례는 양도 당시에 양도인에 대한 **제재처분사유가 현실적으로 발생하지 않은 경우라도, 그 원인되는 사실이 이미 존재한 경우에는 양도 후에 제재처분사유가 발생한 경우라도** 양수인을 상대로 제재처분을 할 수 있다고 하였다(판례3). 반면 영업양도와 달리 **회사분할**의 경우에는 승계를 **부정**하고 있다(판례 4).

판례 1 석유사업법 제9조 제3항 및 그 시행령이 규정하는 석유판매업의 적극적 등록요건과 제9조 제4항, 제5조가 규정하는 소극적 결격사유 및 제9조 제4항, 제7조가 석유판매업자의 영업양도, 사망, 합병의 경우뿐만 아니라 경매 등의 절차에 따라 단순히 석유판매시설만의 인수가 이루어진 경우에도 석유판매업자의 지위승계를 인정하고 있는 점을 종합하여 보면, 석유판매업 등록은 원칙적으로 대물적 허가의 성격을 갖고, 또 석유판매업자가 같은 법 제26조의 유사석유제품 판매금지를 위반함으로써 같은 법 제13조 제3항 제6호, 제1항 제11호에 따라 받게 되는 사업정지 등의 제재처분은 사업자 개인의 자격에 대한 제재가 아니라 사업의 전부나 일부에 대한 것으로서 대물적 처분의 성격을 갖고 있으므로, 위와 같은 지위승계에는 종전 석유판매업자가 유사석유제품을 판매함으로써 받게 되는 사업정지 등 제재처분의 승계가 포함되어 그 지위를 승계한 자에 대하여 사업정지 등의 제재처분을 취할 수 있다고 보아야 하고(대법원 1986. 7. 22. 선고 86누203 판결, 자동차운수사업에 관한 대법원 1986. 1. 21. 선고 85누685 판결 및 1998. 6. 26. 선고 96누18960 판결, 건설업에 관한 대법원 1994. 10. 25. 선고 93누21231 판결, 공중위생영업에 관한 대법원 2001. 6. 29. 선고 2001두1611 판결 등 참조), 석유사업법 제14조 제1항 소정의 과징금은 해당 사업자에게 경제적 부담을 주어 행정상의 제재 및 감독의 효과를 달성함과 동시에 그 사업자와 거래관계에 있는 일반 국민의 불편을 해소시켜 준다는 취지에서 사업정지처분에 갈음하여 부과되는 것일 뿐이므로 지위승계의 효과에 있어서 과징금부과처분을 사업정지처분과 달리 볼 이유가 없다.
그리고 석유사업법 제26조는 사회적 · 경제적으로 해악을 끼치는 유사석유제품의 유통을 엄중하게 방지한다는 취지에서 규정된 것으로서 그 위반에 따른 제재의 실효성을 확보할 필요가 있는 점, 지위승계 사유의 하나인 경매는 석유판매시설에 대하여만 이루어질 뿐이고, 경매로 말미암아 석유판매사업자의 지위승계가 강제되는 것은 아닌 점, 석유판매업자의 지위를 승계한 자는 종전의 석유판매업자의 위반행위에 대하여 책임을 추궁할 수도 있는 점, 위 과징금은 사업정지처분에 갈음하여 부과될 뿐인 점 등을 종합하여 보면, 석유판매사업자의 지위승계 및 과징금부과처분에 관한 위와 같은 해석은 원고가 내세우는 바와 같이 특히 경매에 의한 지위승계에 있어서 영업의 자유나 재산권의 보장 또는 평등의 원칙 등에 위배되는 것이라고 볼 수 없다.
위와 같은 취지에서, 종전의 석유판매업자인 소외 하광자 소유의 석유판매시설을 경매에 의하여 취득한 후 지위승계보고 및 등록변경신청의 수리를 거쳐 석유판매업자로서의 지위를 승계한 원고에 대하여 위 하광자의 유사석유제품 판매를 들어 사업정지처분에 갈음하는 과징금을 부과한 이 사건 처분이 적법하다고 판단한 원심의 조치는 정당하다(대판 2003.10.23, 2003두8005).

판례 2 식육판매영업허가시에 과하여진 밀도살육 판매금지와 같은 허가조건의 위배는 이를 위배한 당초 허가를 받은 자만이 영업허가취소의 행정제제를 받는다 할 것이고 선의의 허가명의의 승계인에게는 전 허가명의자의 허가조건 위배사실을 알았다는 등 특단의 사정이 없는 한 전 허가명의자의 허가조건위배를 이유로 허가취소를 행할 수 없다(대판 1977.6.7, 76누303).

판례 3 구 여객자동차 운수사업법(2007. 7. 13. 법률 제8511호로 개정되기 전의 것, 이하 '법'이라고 한다) 제15조4항에 의하면 개인택시 운송사업을 양수한 사람은 양도인의 운송사업자로서의 지위를 승계하는 것이므로, 관할관청은 개인택시 운송사업의 양도 · 양수에 대한 인가를 한 후에도 그 양도 · 양수 이전에 있었던 양도인에 대한 운송사업면허 취소사유를 들어 양수인의 사업면허를 취소할 수 있는 것이고(대판 1998.6.26, 96누18960 참조), 가사 양도 · 양수 당시에는 양도인에 대한 운송사업면허 취소사유가 현실적으로 발생하지 않은 경우라도 그 원인되는 사실이 이미 존재하였다면, 관할관청으로서는 그 후 발생한 운송사업면허 취소사유에 기하여 양수인의 사업면허를 취소할 수 있는 것이다(대판 2010.4.8, 2009두17018).

판례 4 회사분할에 있어서 신설회사 또는 존속회사가 승계하는 것은 분할하는 회사의 권리와 의무라 할 것인바, 분할하는 회사의 분할 전 법 위반행위를 이유로 과징금이 부과되기 전까지는 단순한 사실행위만 존재할 뿐 그 과징금과 관련하여 분할하는 회사에게 승계의 대상이 되는 어떠한 의무가 있다고 할 수 없고, 특별한 규정이 없는 한 신설회사에 대하여 분할하는 회사의 분할 전 법 위반행위를 이유로 과징금을 부과하는 것은 허용되지 않는다(대판 2007.11.29, 2006두18928).

(3) 검 토

판례 및 긍정설은 행정목적의 달성에 치우친 입장으로 대물적 허가라는 점과 지위승계규정의 존재를 고려하여 승계된다는 입장이지만, **허가영업이 대물적 성격을 가짐으로써 양도가 가능하다고 하더라도 양도인의 법위반행위와 같은 귀책사유가 허가의 이전과 함께 당연히 이전되는 것은 아니**다. 제재처분은 **침익적 행위로서 법률유보의 원칙에 충실해야** 하므로, 제재처분사유의 승계에 관한 **명문의 규정이 존재하는 경우가 아닌 한 지위승계규정이 제재처분사유의 승계까지 포함하고 있는 것으로 해석해서는 곤란**하므로 승계 **부정설이 타당**하다. 승계를 인정하는 명문의 규정이 존재하더라도 선의의 양수인은 보호하는 면책규정을 두는 것이 바람직하다.

3. 양도인의 위법행위로 양도인에게 제재처분(허가취소, 영업정지, 과징금부과처분 등)이 내려진 경우에 제재처분의 효과가 양수인에게 승계되는가?

(1) 문제점

제재처분사유가 아니라 처분 그 자체의 효과가 승계되느냐의 문제인데, 제재사유의 승계와 같은 맥락에서 견해대립이 있다.

(2) 학 설

① **긍정설**은 제재처분이 내려진 경우 제재처분의 효과는 이미 양도의 대상이 된 영업의 물적 상태가 되어 영업자의 지위에 포함된 것이므로 당연히 이전되며, 선의의 양수인은 양도인에게 민사책임을 물을 수 있을 뿐이라고 한다. ② **부정설**은 제재처분에 의하여 부과되는 개인적 공의무는 전형적인 일신전속적인 의무로서 원칙적으로 승계의 대상이 되지 않으며, 제재처분의 효과를 그와 무관한 양수인에게 승계시키는 것은 헌법상의 비례의 원칙에 위배된다고 본다.

(3) 현행법

2004년 석유사업법을 대체하여 제정된 **석유 및 석유대체 연료사업법**[1]에는 제재처분의 승계에 관한 규정이 신설되었고 **식품위생법**[2]등 다른 개별법에도 이와 같은 **규정이 마련**되었는데, 이들 규정에 의하면 양도인에게 행한 제재처분이 양수인에게 승계됨에 있어서 법률유보의 문제는 없게 된다.

(4) 검 토

제재처분 효과의 승계를 규정하는 **법령규정이 선의의 양수인을 보호하는 규정을 두고 있다면,** 제재처분의 효과가 승계된다는 것만으로 이들 규정이 **위헌이라고 보기는 어렵다.** 승계에 관한 **명문의 규정이 없는 경우**에는 **법률유보** 측면에서 승계를 **부정하는 것이 타당**하다.

4. 영업양도후 지위승계신고 전 또는 신고 후 수리 전에 양수인의 위반행위를 이유로 양도인에게 제재처분을 할 수 있는가? – 긍정(판례)

판 례 [1] 식품위생법 제25조3항에 의한 영업양도에 따른 지위승계신고를 수리하는 허가관청의 행위는 단순히 양도·양수인 사이에 이미 발생한 **사법상의 사업양도의 법률효과에 의하여 양수인이 그 영업을 승계하였다는 사실의 신고를 접수하는 행위에 그치는 것이 아니라, 영업허가자의 변경이라는 법률효과를 발생**시키는 행위라고 할 것이다.

[2] **사실상 영업이 양도·양수**되었지만 **아직 승계신고 및 그 수리처분이 있기 이전**에는 여전히 **종전의 영업자인 양도인이 영업**

---

1) **석유 및 석유대체연료사업법 제8조 (처분효과의 승계)** ① 제7조에 따라 석유정제업자의 지위가 승계되면 종전의 석유정제업자에 대한 제13조1항에 따른 **사업정지처분**(제14조에 따라 사업정지를 **갈음하여 부과하는 과징금부과처분을 포함**한다)의 효과는 **처분기간이 끝난 날부터 1년간 새로운 석유정제업자에게 승계**되며, **처분의 절차가 진행 중일 때에는 새로운 석유정제업자에 대하여 그 절차를 계속 진행할 수 있다. 다만, 새로운 석유정제업자**(상속으로 승계받은 자는 제외한다)가 석유정제업을 승계할 때에 그 **처분이나 위반의 사실을 알지 못하였음을 증명하는 경우에는 그러하지 아니하다.**
제10조 (석유판매업의 등록 등) ⑤ 제6조 내지 제8조의 규정은 **석유판매업자의** 결격사유, **지위승계 및 처분효과의 승계에 관하여** 이를 **준용**한다.

2) **식품위생법 제78조 (행정제재처분효과의 승계)** 영업자가 그 영업을 양도하거나 법인의 합병이 있는 때에는 **종전의 영업자에 대하여** 제75조1항 각호·동조 제2항 또는 제76조1항 각호의 위반을 사유로 **행한 행정제재처분의 효과는** 그 처분기간이 만료된 날로부터 1년간 **양수인 또는 합병후 존속하는 법인에 승계**되며, **행정제재처분의 절차가 진행중인 때에는 양수인 또는 합병후 존속하는 법인에 대하여 행정제재처분의 절차를 속행할 수 있다. 다만, 양수인 또는 합병후 존속하는 법인이 양수 또는 합병시에 그 처분 또는 위반사실을 알지 못하였음을 증명하는 때에는 그러하지 아니하다.**

허가자이고, 양수인은 영업허가자가 되지 못한다 할 것이어서 행정제재처분의 사유가 있는지 여부 및 그 사유가 있다고 하여 행하는 행정제재처분은 영업허가자인 양도인을 기준으로 판단하여 그 양도인에 대하여 행하여야 할 것이고, 한편 양도인이 그의 의사에 따라 양수인에게 영업을 양도하면서 양수인으로 하여금 영업을 하도록 허락하였다면 그 양수인의 영업 중 발생한 위반행위에 대한 행정적인 책임은 영업허가자인 양도인에게 귀속된다고 보아야 할 것이다(대판 1995.2.24, 94누9146).

5. 양도후 신고 이전에 양도인의 법위반사유를 이유로 양도인에게 허가취소처분 등의 불이익처분을 한 경우 양수인이 양도인에 대한 처분의 취소소송에서 원고적격이 인정되는가?

아직 지위승계신고 전이므로 제재처분은 양도인에게 부과할 수밖에 없으며, 양수인은 허가취소처분의 상대방이 아니지만 양도인에 대한 허가취소 등으로 인하여 불이익한 효과를 받게 되는 자여서 원고적격이 인정된다.

판 례 산림법 제90조의2 제1항, 제118조1항, 같은법시행규칙 제95조의2등 산림법령이 수허가자의 명의변경제도를 두고 있는 취지는, 채석허가가 일반적·상대적 금지를 해제하여 줌으로써 채석행위를 자유롭게 할 수 있는 자유를 회복시켜 주는 것일 뿐 권리를 설정하는 것이 아니어서 관할 행정청과의 관계에서 수허가자의 지위의 승계를 직접 주장할 수는 없다 하더라도, 채석허가가 대물적 허가의 성질을 아울러 가지고 있고 수허가자의 지위가 사실상 양도·양수되는 점을 고려하여 수허가자의 지위를 사실상 양수한 양수인의 이익을 보호하고자 하는 데 있는 것으로 해석되므로, 수허가자의 지위를 양수받아 명의변경신고를 할 수 있는 양수인의 지위는 단순한 반사적 이익이나 사실상의 이익이 아니라 산림법령에 의하여 보호되는 직접적이고 구체적인 이익으로서 법률상 이익이라고 할 것이고, 채석허가가 유효하게 존속하고 있다는 것이 양수인의 명의변경신고의 전제가 된다는 의미에서 관할 행정청이 양도인에 대하여 채석허가를 취소하는 처분을 하였다면 이는 양수인의 지위에 대한 직접적 침해가 된다고 할 것이므로 양수인은 채석허가를 취소하는 처분의 취소를 구할 법률상 이익을 가진다(대판 2003.7.11, 2001두6289).

6. 영업양도계약이 무효인 경우에 행정청이 한 신고수리처분에 대해 양도인이 무효확인청구를 할 수 있는가? (긍정)

판 례 사업양도·양수에 따른 허가관청의 지위승계신고의 수리는 적법한 사업의 양도·양수가 있었음을 전제로 하는 것이므로 그 수리대상인 사업양도·양수가 존재하지 아니하거나 무효인 때에는 수리를 하였다 하더라도 그 수리는 유효한 대상이 없는 것으로서 당연히 무효라 할 것이고, 사업의 양도행위가 무효라고 주장하는 양도자는 민사쟁송으로 양도·양수행위의 무효를 구함이 없이 막바로 허가관청을 상대로 하여 행정소송으로 위 신고수리처분의 무효확인을 구할 법률상 이익이 있다(대판 2005.12.23, 2005두3554).

7. 행정청이 영업자지위승계신고 수리처분을 하는 경우 종전의 영업자에게 행정절차법상의 사전통지·의견제출기회부여 절차를 실시해야 하는가? – 판례는 긍정

판 례 행정절차법 제21조1항, 제22조3항 및 제2조4호의 각 규정에 의하면, 행정청이 당사자에게 의무를 과하거나 권익을 제한하는 처분을 함에 있어서는 당사자 등에게 처분의 사전통지를 하고 의견제출의 기회를 주어야 하며, 여기서 당사자라 함은 행정청의 처분에 대하여 직접 그 상대가 되는 자를 의미한다 할 것이고, 한편 구 식품위생법(2002.1.26. 법률 제6627호로 개정되기 전의 것) 제25조2항, 제3항의 각 규정에 의하면, 지방세법에 의한 압류재산 매각절차에 따라 영업시설의 전부를 인수함으로써 그 영업자의 지위를 승계한 자가 관계 행정청에 이를 신고하여 행정청이 이를 수리하는 경우에는 종전의 영업자에 대한 영업허가 등은 그 효력을 잃는다 할 것인데, 위 규정들을 종합하면 위 행정청이 구 식품위생법 규정에 의하여 영업자지위승계신고를 수리하는 처분은 종전의 영업자의 권익을 제한하는 처분이라 할 것이고 따라서 종전의 영업자는 그 처분에 대하여 직접 그 상대가 되는 자에 해당한다고 봄이 상당하므로, 행정청으로서는 위 신고를 수리하는 처분을 함에 있어서 행정절차법 규정 소정의 당사자에 해당하는 종전의 영업자에 대하여 위 규정 소정의 행정절차를 실시하고 처분을 하여야 한다(대판 2003.2.14, 2001두7015).[3]

3) 정식청문에 관한 판례는 아니며 사전통지 및 의견제출과 관련된 판례.

기출 사례 영업자지위승계신고 수리의 처분성 및 제재처분 사유의 승계여부(09년 행시 - 일반행정)

甲은 식품위생법상의 식품접객업영업허가를 받아 유흥주점을 영위하여 오다가 17세의 가출 여학생을 고용하던 중, 식품위생법 제44조2항 제1호의 "청소년을 유흥접객원으로 고용하여 유흥행위를 하게 하는 행위"를 한 것으로 적발되었다. 관할행정청이 제재처분을 하기에 앞서 甲은 乙에게 영업관리권만을 위임하였는데 乙은 甲의 인장과 관계서류를 위조하여 관할 행정청에 영업자지위승계 신고를 하였고, 그 신고가 수리되었다. (총 40점)

1) 영업자지위승계신고 및 수리의 법적 성질을 검토하시오. (10점)

2) 甲은 관할 행정청의 영업자지위승계신고의 수리에 대하여 무효확인소송을 제기할 수 있는지 검토하시오. (15점)

3) 만약 甲과 乙간의 영업양도가 유효하고 영업자지위승계신고의 수리가 적법하게 이루어졌다고 가정할 경우, 관할 행정청이 甲의 위반행위를 이유로 乙에게 3개월의 영업정지 처분을 하였다면, 그 처분은 적법한지 검토하시오. (15점)

Ⅰ. 영업자지위승계신고 및 수리의 법적 성질 - 설문(1)

1. 사인의 공법행위로서의 신고

- 신고 일반론 간단히 소개.
- 신고의 종류(유형)로서 자기완결적 공법행위로서의 신고(수리를 요하지 않는 신고)와 행정요건적 공법행위로서의 신고(수리를 요하는 신고)

2. 지위승계신고의 법적 성질

- 영업양도시 지위승계신고의 성격은 양도대상이 되는 영업의 종류에 따라서 달리 판단. 허가영업의 양도에 있어서는 허가신청의 실질이 있으며, 등록 영업의 양도에 있어서는 등록신청의 일종으로, 자기완결적 신고를 요하는 영업의 양도에 있어서 요구되는 신고는 자기완결적 신고로 판단
- 사안의 경우 식품접객업영업허가의 영업자지위승계신고는 허가신청의 실질이 있으며 행정요건적 공법행위로서 수리를 요하는 신고에 해당.

3. 수리의 법적 성질

- 수리를 요하는 신고의 경우에는 신고의 수리로서 신고의 대상이 되는 행위에 대한 금지가 해제되는 구체적인 법적 효과가 발생하며 따라서 처분에 해당. 행정행위 중 준법률행위적 행정행위에 해당.
- 사안의 경우 乙의 영업자지위승계신고가 따른 수리가 있으면 甲에서 乙로 영업허가자의 변경(양도인의 사업허가 철회와 양수인에 대한 강학상허가)이라는 법적 효과가 발생하므로 처분에 해당.

Ⅱ. 甲의 무효소송제기 가능성 - 설문(2)

1. 문제의 소재

乙은 甲의 인장과 관계서류를 위조하여 영업자지위승계신고를 한 것으로 영업양도 자체가 존재하지 아니하여 수리는 유효한 대상이 없는 것으로 무효임(#14, 74누168판례). 甲은 乙의 영업자지위승계신고의 수리에 대해서 무효확인소송을 제기하려고 하는 바, 관할행정청의 수리는 처분에 해당하며 나머지 소송요건은 별 문제가 없으며, 甲이 수리처분의 무효확인을 구할 법률상 이익이 있는지 문제됨.

2. 사인의 공법행위의 하자가 행정행위에 미치는 영향(#14. 4.)

- 지위승계신고가 甲의 인장과 관계서류를 위조한 것으로서 무효이며, 이에 따른 수리는 유효한 대상이 없는 것으로서 무효.

3. 甲이 무효확인을 구할 법률상 이익이 있는지 여부

판례 사업양도·양수에 따른 허가관청의 지위승계신고의 수리는 적법한 사업의 양도·양수가 있었음을 전제로 하는 것이므로 그 수리대상인 사업양도·양수가 존재하지 아니하거나 무효인 때에는 수리를 하였다 하더라도 그 수리는 유효한 대상이 없는 것으로서 당연히 무효라 할 것이고, 사업의 양도행위가 무효라고 주장하는 양도자는 민사쟁송으로 양도·양수행위의 무효를 구함이 없이 막바로 허가관청을 상대로 하여 행정소송으로 위 신고수리처분의 무효확인을 구할 법률상 이익이 있다(대판 2005.12.23, 2005두3554).

4. 소 결

甲은 관할 행정청의 영업자지위승계신고에 대하여 무효확인소송제기 가능함.

Ⅲ. 乙에 대한 3개월영업정지처분의 적법성 - 설문(3)의 해결

1. 문제의 소재

- 식품위생법 제39조1항에 의하면 영업허가를 받은 자가

영업을 양도할 경우 양수인이 양도인의 지위를 승계하도록 되어있는데 양도인에 대한 제재처분사유도 승계의 범위에 포함되는지가 문제됨. 그리고 만약 승계가 가능하다고 한다면 3개월의 영업정지처분이 적법한지 여부를 검토.

- 식품위생법 제78조는 명문으로 양도인에 대한 절차가 진행 중인 경우에는 제재적처분사유의 승계를 규정하고 있지만 설문상 양도인에게 절차가 진행 중인 사정은 보이지 않으므로 제78조의 적용은 없는 것으로 전제하고 논의.

2. 양도인 甲에 대한 제재사유의 乙로의 승계여부

(1) 학 설

(2) 판 례

(3) 검토 및 사안의 적용

- 승계부정설이 타당.
- 사안에서 甲이 청소년을 고용하여 유흥행위를 하게 한 것은 일신전속적 행위책임이고 식품위생법 제39조1항의 지위승계규정을 乙에 대한 3개월의 영업정지처분의 근거로 삼을 수 없음. 따라서 乙에 대한 영업정지처분은 위법.

3. 승계가 가능하다면 3개월 영업정지처분의 위법성 여부

- 만약 승계긍정설에 따라 승계가능하다면 비례의 원칙 위반여부가 문제되는데 설문에 주어진 사정으로는 명백히 비례원칙에 반한다고 보기 어려움.

4. 소 결

기출 사례 제재처분사유의 승계, 신뢰보호원칙, 부관의 가능성(16년 행시)

甲은 2001. 1. A광역시장으로부터 여객자동차 운수사업법상 개인택시운송사업면허를 취득하여 영업을 하던 중 2010. 5. 음주운전을 한 사실이 적발되어 관할 지방경찰청장으로부터 2010. 6. 도로교통법 상 운전면허의 취소처분을 받았다. 그러나 위 운전면허취소의 사실이 A광역시장에게는 통지되지 않아 개인택시운송사업면허의 취소나 정지는 별도로 없었다. 甲은 2011. 7. 운전면허를 다시 취득하여 영업을 하다가 2014. 8. 乙에게 개인택시운송사업을 양도하는 계약을 체결하였고, 이에 대해 2014. 9. A광역시장의 인가처분이 있었다.

A광역시장은 인가 심사 당시에는 위 운전면허취소의 사실을 모르고 있다가 2016. 5. 관할 지방경찰청장으로부터 통지를 받아 알게 되었고, 2016. 6. 乙에게 위 운전면허취소의 사실을 이유로 개인택시운송사업면허의 취소처분을 하였다(이하 '이 사건 처분'이라 한다). 乙은 이 사건 처분에 대해서 취소소송을 제기하였다. 다음 물음에 답하시오. (총 50점)

1) 乙은 양도·양수 계약 당시에 甲의 운전면허취소 사실을 전혀 알지 못하였으므로 이 사건 처분은 위법이라고 주장한다. 그 주장의 당부에 관하여 설명하시오. (10점)

2) 乙은 개인택시운송사업면허 취소사유가 발생한 날로부터 6년이나 경과한 시점에서 그 취소를 처분하는 것은 신뢰에 반하는 점, A광역시장으로서는 인가심사 당시에 음주운전으로 운전면허가 취소된 사실이 있는지 여부를 조사해서 그 사실이 확인되었을 때에는 인가처분을 해서는 안 되는 것인데 이를 게을리 한 잘못이 있는 점, 甲이 개인택시운송사업면허를 취득하여 그 사업을 양도하기까지 약 15년 동안 당해 음주운전을 제외하고는 교통 법규를 위반한 적 없는 점까지 종합적으로 고려한다면 이 사건 처분은 위법하다고 주장한다. 그 주장의 당부에 관하여 설명하시오. (20점)

3) 만약 A광역시장이 "양도자 및 양수자가 운전면허가 취소되었거나 취소사유가 있는 것으로 확인되었을 때에는 본 인가처분을 취소한다."는 부관을 붙여서 양도·양수 인가처분을 하였다면, 그 부관의 적법성 여부를 부관의 가능성 측면에서 설명하시오. (20점)

[참고조문](현행 법령을 사례해결에 적합하도록 수정하였음)

*** 여객자동차 운수사업법**

제4조(면허 등) ① 개인택시운송사업을 경영하려는 자는 사업계획을 작성하여 국토교통부령으로 정하는 바에 따라 특별시장·광역시장·특별자치시장·도지사·특별자치도지사(이하 "시·도지사"라 한다)의 면허를 받아야 한다.

② 시·도지사는 제1항에 따라 면허하는 경우에 필요하다고 인정하면 국토교통부령으로 정하는 바에 따라 운송할 여객 등에 관한 업무의 범위나 기간을 한정하여 면허를 하거나 여객자동차운송사업의 질서를 확립하기 위하여 필요한 조건을 붙일 수 있다.

제14조(사업의 양도·양수 등) ① 개인택시운송사업은 사업구

역별로 사업면허의수요·공급 등을 고려하여 관할 지방자치단체의 조례에서 정하는 바에 따라 시·도지사의 인가를 받아 양도할 수 있다.

② 제1항에 따른 인가를 받은 경우 개인택시운송사업을 양수한 자는 양도한 자의 운송사업자로서의 지위를 승계한다.

제85조(면허취소 등) ① 시·도지사는 개인택시운송사업자가 다음 각 호의 어느 하나에 해당하면 면허를 취소하거나 6개월 이내의 기간을 정하여 사업의 전부 또는 일부를 정지하도록 명할 수 있다.

1.~36. (생략)

37. 개인택시운송사업자의 운전면허가 취소된 경우

*** 여객자동차 운수사업법 시행령**

제43조(사업면허·등록취소 및 사업정지의 처분기준 및 그 적용) ① 처분관할관청은 법 제85조에 따른 개인택시운송사업자에 대한 면허취소 등의 처분을 다음 각 호의 구분에 따라 별표 3의 기준에 의하여 하여야 한다.

1. 사업면허취소: 사업면허의 취소

[별표 3] 사업면허취소·사업등록취소 및 사업정지 등의 처분기준(제43조제1항 관련)

1. 일반기준

가. 처분관할관청은 다음의 어느 하나에 해당하는 경우에는 제2호의 개별기준에 따른처분을 가중하거나 감경할 수 있다.

1) 감경 사유

가) 위반 행위자가 처음 해당 위반행위를 한 경우로서, 5년 이상 여객자동차운수사업을 모범적으로 해 온 사실이 인정되는 경우

나. 처분관할관청은 가목에 따라 처분을 가중 또는 감경하는 경우에는 다음의 구분에 따른다.

1) 개인택시운송사업자의 사업면허취소를 감경하는 경우에는 90일 이상의 사업정지로 한다.

2. 개별기준

가. 여객자동차운송사업 및 자동차대여사업

위반내용	근거법조문	처분내용		
		1차 위반	2차 위반	3차 이상 위반
35.개인택시운송사업자의 운전면허가 취소된 경우	법 제85조 제1항 제37호	사업면허 취소		

*** 여객자동차 운수사업법 시행규칙**

제35조(사업의 양도·양수신고 등) ① 관할관청은 개인택시운송사업의 양도·양수인가신청을 받으면 관계기관에 양도자 및 양수자의 운전면허의 효력 유무를 조회·확인하여야 한다.

② 관할관청은 제1항에 따른 조회·확인 결과 양도자 및 양수자가 음주운전 등 도로교통법 위반으로 운전면허가 취소되었거나 취소사유가 있는 것으로 확인되었을 때에는 양도·양수인가를 하여서는 아니 된다.

Ⅰ. 제재처분사유의 승계 - 설문 (1)

1. 문제의 소재

- 갑이 음주운전으로 운전면허취소처분을 받았다면 개인택시운송사업면허를 취소할 수 있는 사유가 있는 것인데, 갑에 대해 운송사업면허를 취소하지 않고, 갑에 대한 제재사유를 근거로 운송사업면허 양수인인 을에게 운송사업면허를 취소할 수 있는지가 문제됨.

2. 제재처분사유의 승계(#16.2)

⑴ 학설

- 부정설과 긍정설이 대립

⑵ 판례

- 지위승계규정을 매개로 긍정.

⑶ 검토

- 지위승계규정이 제재처분사유의 승계까지 포함하고 있는 것으로 해석해서는 곤란. 제재사유의 승계에 관한 명문의 규정이 없는 한 부정설이 타당. 설령 긍정한다고 하더라도 선의의 양수인에게는 승계를 부정하는 것이 타당.

3. 사안의 해결

- 부정설에 의하면 여객자동차 운수사업법 제14조 2항의 지위승계 규정에 의하여 승계를 인정할 수는 없으므로 을의 주장은 타당. 긍정설에 의하더라도 선의의 양수인인 을에게는 승계되지 않음.

- 그러나 판례에 의하면 승계는 긍정됨. 판례 중에서도 선의의 양수인에게는 승계를 부정하는 판례(76누303)도 있는 데 이러한 판례를 고려하건대 승계를 부정해야 할 것.

Ⅱ. 乙에 대한 개인택시운송사업면허 처분의 위법성 - 설문(2)

1. 문제의 소재

2. 개인택시운송사업면허취소의 법적 성격

- 수익적 행정행위의 철회.

- 재량행위
- 여객자동차 운수사업법 제85조는 재량행위로 규정하고 있고, 시행령 제43조 [별표3]의 법적 성격은 법규명령 형식의 행정규칙인데 대통령령 형식이지만 법률의 수권규정이 없으므로 행정규칙에 해당함. 별표의 처분기준에도 불구하고 재량이 존재.[4)]
- 개인택시운송사업면허취소처분의 재량의 일탈·남용 여부를 검토.

3. 6년이 경과한 시점의 면허취소는 신뢰에 반한다는 주장

⑴ 신뢰보호원칙 위반 여부(#7)

- 신뢰보호원칙의 의의 · 요건 · 한계
- 양도양수인가처분이 선행조치에 해당하고, 을에게 귀책사유가 없으므로 보호가치 있는 신뢰가 있고, 을은 개인택시면허를 양도받아 운송사업을 영위하고 있으므로 처리도 존재하고, 인과관계도 인정되나 신뢰에 반하는 운송사업면허취소처분이 있으므로 신뢰보호원칙 요건은 충족.[5)]
- 개인택시면허를 취소해야 할 공익과 양도인가처분 후 택시영업을 해 온 을의 신뢰이익을 형량하건대, 인가 후 이미 2년여가 지났다는 점과 양도인 갑이 양도 전에 다시 면허를 취득하여 영업을 하고 있다는 점 등을 고려할 때 침해되는 을의 이익이 크므로 신뢰보호원칙 위반에 해당.

⑵ 실권의 법리 위반 여부(#7. Ⅴ)

- 의의, 요건
- 운전면허취소권자는 지방경찰청장이고 개인택시면허취소권자는 A광역시장으로 일치하지 아니하고 A광역시장이 지방경찰청장으로부터 운전면허취소에 대한 통지를 못 받은 사정이 있으나, A광역시장이 개인택시면허를 취소할 가능성이 전혀 없다고 할 수는 없음. 그럼에도 불구하고 2010.6 이후 개인택시면허취소가 방치되어 있었고 또한 갑은 운전면허를 다시 취득하여 영업을 하였다는 점에서 운송사업면허가 취소되지 않을 것을 신뢰할만한 특별한 사정이 있다고 할 수 있음. 그런데 6년이 경과한 후에 양수인 을에게 개인택시면허를 취소한 것이므로 제재처분사유의 승계를 긍정한다고 하더라도 실권의 법리에 반한다고 할 수 있음.

4. 음주운전 여부 조사를 게을리한 잘못이 있다는 주장

- 신의성실원칙 위반 여부가 문제
- 신의성실의 원칙은 법률관계의 당사자는 상대방의 이익을 배려하여 형평에 어긋나거나 신뢰를 저버리는 내용 또는 방법으로 권리를 행사하거나 의무를 이행하여서는 아니된다는 추상적 규범
- 신의성실의 원칙에 위배된다는 이유로 그 권리의 행사를 부정하기 위하여는 상대방에게 신의를 공여하였다거나, 객관적으로 보아 상대방이 신의를 가짐이 정당한 상태에 있어야 하고, 이러한 상대방의 신의에 반하여 권리를 행사하는 것이 정의관념에 비추어 용인될 수 없는 정도의 상태에 이르러야 함.
- 여객자동차 운수사업법 시행규칙 제35조에 의해서 운전면허의 조회 · 확인 의무가 있는 A광역시장이 조회의무를 충실히 이행했다면 운전면허를 재취득한 갑이라 하더라도 개인택시면허를 취소할 수 있었을 텐데, 조회의무를 게을리하여 오히려 개인택시운송사업 양도양수인가처분을 한 것은 갑에게 개인택시면허가 취소되지 않을 것이라는 신의를 공여한 것이라거나, 객관적으로 보아 갑이 신의를 가짐이 정당한 상태를 만든 것이라고 할 수 있음. 이러한 신뢰에 기초하여 양도받은 양수인 을에게 개인택시면허를 취소한 것은 신의성실의 원칙에 반하는 행위라고 할 수 있음.[6)]

5. 15년 동안 교통법규를 위반한 적이 없다는 주장

- 비례의 원칙 위반 여부가 문제(#6)
- 의의 및 요건(적합성/필요성/상당성의 원칙)
- 개인택시운송사업면허취소처분은 여객자동차 운수사업법 제85조 1항 37호에 따른 처분으로 적합성의 원칙에 반하지 않음. 시행령 [별표3]에 의하면 일반기준에 의해 90일 이상 사업정지로 감경할 수도 있으므로 사업정지로 목적이 달성되는 경우라면 필요성의 원칙에 반한다고 할 수 있음(반하지 않는다는 견해도 있음). 또한 15년 동안 교통법규 위반이 없었고, 음주운전으로 특별히 사고를 야기한 사정도 없고, 갑이 그동안 개인택시를 생계의 수단으로 삼고 있었다는 점 등을 고려할 때 갑에게 과도한 조치로서 갑에게 면허취소사유가 있다고 하더라도 면허취소는 상당성의 원칙에도 반하므로 비례의 원칙 위반임.

6. 사안의 해결

Ⅲ. 양도 · 양수 인가처분에 부가된 부관의 위법성-설문(3)

1. 문제의 소재

- 양도 · 양수 인가처분에 부가된 부관은 철회권의 유보에 해당하는데. 이러한 부관을 개인택시면허운송사업면허처분에 부가할 수 있는지가 문제. 부관의 한계 중 부관의 가

능성으로 논의되고 있음.

2. 개인택시면허 양도 · 양수 인가처분의 법적 성질

- 강학상 인가
- 재량행위(법 제14조1항의 문언상 불분명하나, 인가가 수익적인 행위이며, 사업구역별로 사업면허의 수요 · 공급 등을 고려하여 인가를 하는 것으로 보아 재량행위에 해당.

3. 부관의 가능성(#39)

⑴ 전통적 견해

- 기속행위와 준법률행위적 행정행위는 부가할 수 없고, 재량행위와 법률행위적 행정행위에만 부가 가능.

⑵ 새로운 견해

- 기속행위도 명문의 규정이 있거나 요건충족적 부관은 가능하고, 준법률행위적 행정행위도 가능한 경우(예: 여권)가 있음. 또한 재량행위라고 하더라도 귀화허가와 같이 성질상 불가한 경우도 있음.

4. 사안의 해결

- 개인택시면허운송사업면허처분은 재량행위인데 성질상 불가한 경우가 아니므로 부관을 부가할 수 있음. 부관의 가능성 측면에서 부관은 적법.

---

4) 실제로는 수권규정이 존재하나, 주어진 참조조문상으로는 수권규정이 존재하지 않아 없는 것으로 전제하고 풀이. 법규명령설에 의하여 법규명령으로 보더라도 사안은 일반기준에서 감경규정이 있어 그 범위에서 재량이 존재함.

5) 갑에 대한 운전면허재발급을 선행조치를 보아서 갑의 신뢰이익이 침해되었다는 것으로 포섭하는 것도 생각해 볼 수 있음.

6) 첫 번째 주장인 6년이 경과한 시점의 면허취소는 신뢰에 반한다는 주장과 두 번째 주장인 음주운전 여부 조사를 게을리한 잘못이 있다는 주장이 전자는 신뢰보호원칙, 후자는 신의성실의 원칙으로 명확하게 구별되는 것은 아닐 것임. 실제로 실무에서도 신뢰보호원칙과 신의성실의 원칙이 뚜렷이 구별되는 것은 아님. 또한 포섭에 따라서는 신뢰보호원칙과 신의성실의 원칙에 반하지 않는다고 포섭할 수도 있음. 인가처분을 하였다는 것이 개인택시면허를 취소하지 않겠다는 공적견해표명이 있는 것으로 볼 수 없다고 포섭할 수도 있고, 음주운전 여부 조사를 게을리했다는 사정만으로 추후 개인택시면허를 취소하는 것이 신의성실의 원칙에 반하는 것이라고 볼 수 없다는 포섭도 가능.

17 법규명령[1]의 근거와 한계

Ⅰ. 법규명령의 근거

1. 위임명령의 근거

위임명령은 헌법 제75조, 95조에 의하여 법률이나 상위명령에 수권이 있는 경우에만 가능하다. 판례는 법령의 위임이 없음에도 법령에 규정된 처분 요건에 해당하는 사항을 부령에서 규정한 경우 행정명령에 불과하다고 한다.

판 례 법령에서 행정처분의 요건 중 일부 사항을 부령으로 정할 것을 위임한 데 따라 시행규칙 등 부령에서 이를 정한 경우에 그 부령의 규정은 국민에 대해서도 구속력이 있는 법규명령에 해당한다고 할 것이지만, 법령의 위임이 없음에도 법령에 규정된 처분 요건에 해당하는 사항을 부령에서 변경하여 규정한 경우에는 그 부령의 규정은 행정청 내부의 사무처리 기준 등을 정한 것으로서 행정조직 내에서 적용되는 행정명령의 성격을 지닐 뿐 국민에 대한 대외적 구속력은 없다고 보아야 한다. 따라서 어떤 행정처분이 그와 같이 법규성이 없는 시행규칙 등의 규정에 위배된다고 하더라도 그 이유만으로 처분이 위법하게 되는 것은 아니라 할 것이고, 또 그 규칙 등에서 정한 요건에 부합한다고 하여 반드시 그 처분이 적법한 것이라고 할 수도 없다. 이 경우 처분의 적법 여부는 그러한 규칙 등에서 정한 요건에 합치하는지 여부가 아니라 일반 국민에 대하여 구속력을 가지는 법률 등 법규성이 있는 관계 법령의 규정을 기준으로 판단하여야 한다(대판 2015.6.23, 2012두2986).

2. 집행명령의 근거

집행명령은 위임명령과 달리 상위법령의 수권이 없어도 헌법 제75조와 제95조에 근거하여 발할 수 있다.

Ⅱ. 위임명령의 한계

1. 수권상의 한계 - 전, 포, 재, 벌, 조

법규명령에 위임할 것을 정하는 법률 또는 그에 의한 법규명령이 준수해야 할 한계를 말한다.

(1) 포괄위임금지

법률의 수권은 구체적이어야 하며, 일반적이고 포괄적인 수권은 안 된다는 원칙이다. 헌법은 대통령령에 관하여서만 '법률에서 구체적으로 범위를 정하여 위임받은 사항'에 관하여 명령을 발할 수 있음을 규정하고 있으나(헌법 제75조), 그 취지는 기타의 위임명령에도 적용된다.

헌재결정 우리 헌법 제75조의 규정 취지는 사실상 입법권을 백지위임하는 것과 같은 일반적이고 포괄적인 위임은 의회입법과 법치주의를 부인하는 것이 되어 행정권의 부당한 자의와 기본권행사에 대한 무제한적 침해를 초래할 위험이 있기 때문에, 위와 같은 결과를 사전에 방지하고자 함에 있다. 따라서 법률의 위임은 반드시 구체적·개별적으로 한정된 사항에 대하여 행하여져야 한다. 다만 구체적인 범위는 각종 법령이 규제하고자 하는 대상의 종류와 성격에 따라 달라진다 할 것이므로 일률적 기준을 정할 수는 없지만, 적어도 법률의 규정에 의하여 이미 위임된 법규명령 등으로 규제될 내용 및 범위의 기본사항이 구체적으로 규정되어 있어 누구라도 당해 법률로부터 법규명령 등에 규정될 내용의 대강을 예측할 수 있어야 하고, 이 경우에 있어 예측가능성의 유무는 당해 특정조항 하나만을 가지고 판단할 것은 아니고 관련 법조항 전체를 유기적·체계적으로 종합 판단하여야 하며, 각 대상법률의 성질에 따라 구체적·개별적으로 검토하여야 한다(헌재결 2004.10.28, 99헌바91).

1) 행정입법은 행정권이 일반적·추상적 규율을 제정하는 작용 또는 그에 의하여 제정된 법규범을 의미하는데 이에는 법규명령과 행정규칙이 있다. 법규명령은 법률의 위임에 의하여 또는 법률을 집행하기 위하여 행정권에 의하여 제정된 법규범을, 행정규칙은 상급행정청이 하급행정기관을 수범자로 하여 행정조직 내부의 사무처리기준 및 조직에 관하여 발령한 일반적, 추상적 규범을 의미한다. 행정규칙은 법적 근거 없이 제정될 수 있고 법규가 아니라는 점에서 법규명령과 구별된다.
- 법규명령은 법률 또는 상위명령에 의하여 위임된 사항에 관하여 발하는 명령으로서 위임의 범위에서 국민의 권리·의무에 관한 사항(입법사항)에 관하여도 규율할 수 있는 위임명령과 법률 또는 상위명령의 규정 범위 내에서 상위법령의 시행에 관하여 필요한 절차 및 형식을 규정하는 법규명령인 집행명령으로 구별할 수 있다.

판 례 국민의 기본권을 제한하거나 침해할 소지가 있는 사항에 관한 위임에 있어서는 위와 같은 구체성 내지 명확성이 보다 엄격하게 요구된다(대판(전) 2000.10.19, 98두6265).

판 례 법률이 공법적 단체 등의 정관에 자치법적 사항을 위임한 경우에는 헌법 제75조가 정하는 포괄적인 위임입법의 금지는 원칙적으로 적용되지 않는다고 봄이 상당하고, 그렇다 하더라도 그 사항이 국민의 권리·의무에 관련되는 것일 경우에는 적어도 국민의 권리·의무에 관한 기본적이고 본질적인 사항은 국회가 정하여야 한다(대판 2007.10.12, 2006두14476). ➡ 의회유보원칙은 적용.

(2) 국회 전속 입법사항의 위임금지

국회입법의 전속사항이나 국회의 심의를 거쳐야 하는 사항은 법규명령으로 정할 수 없다. 헌법은 국적취득요건(헌법 제2조1항), 재산권의 수용·사용·제한 및 그에 대한 보상(헌법 제23조3항) 등을 법률로써 규정하도록 하고 있다.

(3) 재위임의 제한

헌재결정 법률에서 위임받은 사항을 전혀 규정하지 않고 모두 재위임하는 것은 '위임받은 권한을 그대로 다시 위임할 수 없다'는 복위임금지의 법리에 반할 뿐 아니라 수권법의 내용변경을 초래하는 것이 되고, 대통령령 이외의 법규명령의 제정·개정절차가 대통령령에 비하여 보다 용이한 점을 고려할 때 하위의 법규명령에 대한 재위임의 경우에도 대통령령에의 위임에 가하여지는 헌법상의 제한이 마땅히 적용되어야 할 것이다. 따라서 법률에서 위임받은 사항을 전혀 규정하지 아니하고 그대로 하위의 법규명령에 재위임하는 것은 허용되지 않으며 위임받은 사항에 관하여 대강(大綱)을 정하고 그 중의 특정사항을 범위를 정하여 하위의 법규명령에 다시 위임하는 경우에만 재위임이 허용된다(헌재결 2002.10.31, 2001헌라1).[2)]

(4) 벌칙규정 위임의 제한

헌재결정 사회현상의 복잡다기화와 국회의 전문적·기술적 능력의 한계 및 시간적 적응능력의 한계로 인하여 형사처벌에 관련된 모든 법규를 예외 없이 형식적 의미의 법률에 의하여 규정한다는 것은 사실상 불가능할 뿐만 아니라 실제에 적합하지도 아니하기 때문에, 특히 긴급한 필요가 있거나 미리 법률로써 자세히 정할 수 없는 부득이한 사정이 있는 경우에 한하여 수권법률(위임법률)이 구성요건의 점에서는 처벌대상인 행위가 어떠한 것인지 이를 예측할 수 있을 정도로 구체적으로 정하고, 형벌의 점에서는 형벌의 종류 및 그 상한과 폭을 명확히 규정하는 것을 전제로 위임입법이 허용되며, 이러한 위임입법은 죄형법정주의에 반하지 않는다(대판 2002.11.26, 2002도2998).

(5) 조례에 대한 위임의 문제

지방자치법 제22조에 의한 조례 제정시, 대통령령·총리령·부령에 대한 위임의 한계를 정하고 있는 헌법 제75조, 제95조가 조례에는 적용되지 않기 때문에 문제된다. 판례는 법률에 의한 조례에의 위임에도 일정한 한계가 있음을 인정하면서도, 조례는 지방의회의 의결로 제정되는 지방자치단체의 자주법이라는 점에서 위임명령에 대한 포괄적 위임금지의 원칙은 완화된다고 한다. 그러나 벌칙규정을 두는 경우는 구체적이어야 한다.

2. 내용상의 한계

위임명령은 상위 수권법령의 범위 내에서 제정되어야 한다. 즉 수권되지 않은 입법사항에 대해서 스스로 규정할 수 없고, 규정의 내용도 상위법령의 내용에 반하지 말아야 한다.

판 례 특정 사안과 관련하여 법률에서 하위 법령에 위임을 한 경우 하위 법령이 위임의 한계를 준수하고 있는지 여부를 판단할 때는 당해 법률 규정의 입법 목적과 규정 내용, 규정의 체계, 다른 규정과의 관계 등을 종합적으로 살펴야 하는바, 위임 규정 자체에서 그 의미 내용을 정확하게 알 수 있는 용어를 사용하여 위임의 한계를 분명히 하고 있는데도 그 문언적 의미의 한계를 벗어났는지 여부나, 수권 규정에서 사용하고 있는 용어의 의미를 넘어 그 범위를 확장하거나 축소하여서 위임 내용을 구체화하는 단계를 벗어나 새로운 입법을 하였는지 여부 등도 고려되어야 한다(대판 2010.4.29, 2009두17797).

2) 이러한 법리는 조례가 지방자치법 제22조 단서에 따라 주민의 권리제한 또는 의무부과에 관한 사항을 법률로부터 위임받은 후, 이를 다시 지방자치단체장이 정하는 '규칙'이나 '고시' 등에 재위임하는 경우에도 마찬가지이다(대판 2015.1.15, 2013두14238).

Ⅲ. 집행명령의 한계

집행명령은 위임명령과 달리 상위법령을 "집행하기 위하여 필요한 사항(헌법 제75조)"만을 규정할 수 있다. 따라서 이는 상위법령의 범위 내에서 그 시행에 필요한 구체적인 절차 형식 등을 규정할 수 있을 뿐이다.

관련 판례 **금융산업의구조개선에관한법률 제2조3호 가목 등 위헌소원**(헌재결 2004.10.28, 99헌바91)(합헌)

[결정내용](다수의견)

이 사건 법률 제2조3호 가목과 제10조1항2호 및 2항의 위헌여부(합헌)

1. 법률이 입법사항을 고시와 같은 행정규칙의 형식으로 위임하는 것이 헌법 제40조, 제75조와 제95조 등에 위반되는지 여부

⑴ 관련 헌법규정과 문제의 소재

1) 우리 헌법 제40조는 "입법권은 국회에 속한다"라고 규정하고 있으면서 아울러 헌법 제75조는 "대통령은 법률에서 구체적으로 범위를 정하여 위임받은 사항과 법률을 집행하기 위하여 필요한 사항에 관하여 대통령령을 발할 수 있다"라고 규정하고 있고, 헌법 제95조는 "국무총리 또는 행정각부의 장은 소관사무에 관하여 법률이나 대통령령의 위임 또는 직권으로 총리령 또는 부령을 발할 수 있다"라고 각 규정하여 행정기관으로의 위임입법을 인정하고 있다.

2) 그런데, 이 사건 법률 제2조3호 가목에서 부실금융기관을 정의하고 그 기준이 되는 '부채와 자산의 평가 및 산정'은 금융감독위원회가 정하도록 하고 있고, 아울러 이 사건 법률 제10조1항은 금융감독위원회는 금융기관의 자기자본비율이 일정수준에 미달하는 등 재무상태가 제2항의 규정에 의한 기준에 미달하거나 거액의 금융사고 또는 부실채권의 발생으로 인하여 금융기관의 재무상태가 제2항의 규정에 의한 기준에 미달하게 될 것이 명백하다고 판단되는 때에는 금융기관의 부실화를 예방하고 건전한 경영을 유도하기 위하여 당해 금융기관 또는 그 임원에 대하여 소정의 적기시정조치를 취할 수 있고 제2항에서 '적기시정조치'의 기준과 내용을 금융감독위원회의 고시에 위임하고 있다.

3) 한편, 우리 재판소는, 고시는 그 성질이 일률적으로 판단될 것이 아니라 고시에 담겨진 내용에 따라 구체적인 경우마다 달리 결정되는 것으로, 그 내용 속에 일반적·추상적 규율을 갖는 것과 구체적인 규율의 성격을 갖는 것이 있을 수 있다고 판시한 바 있다. 또한, 원칙적으로 행정규칙은 그 성격상 대외적 효력을 갖는 것은 아니나, 특별히 예외적인 경우에 대외적으로 효력을 가질 수 있는데, 그 예외적인 경우는 우리 재판소가 이미 선례에서 밝힌 바와 같이 재량권 행사의 준칙인 규칙이 그 정한 바에 따라 되풀이 시행되어 행정관행이 이룩되게 되면 평등의 원칙이나 신뢰보호의 원칙에 따라 행정기관은 그 상대방에 대한 관계에서 그 규칙에 따라야 할 자기구속을 당하게 되는 경우, 또는 법령의 직접적 위임에 따라 수임행정기관이 그 법령을 시행하는데 필요한 구체적 사항을 정하였을 때, 그 제정형식은 비록 법규명령이 아닌 고시·훈령·예규 등과 같은 행정규칙이더라도 그것이 상위법령의 위임한계를 벗어나지 않는 경우이다. 그러나, 위와 같은 행정규칙, 특히 후자와 같은 이른바 법령보충적 행정규칙이라도 그 자체로서 직접적으로 대외적인 구속력을 갖는 것은 아니다. 즉, 상위법령과 결합하여 일체가 되는 한도 내에서 상위법령의 일부가 됨으로써 대외적 구속력이 발생되는 것일 뿐 그 행정규칙 자체는 대외적 구속력을 갖는 것은 아니라 할 것이다.

4) 여기에서 법령이 입법사항에 관하여 위 헌법조항에서 규정한 대통령령, 총리령, 부령이 아닌 형식 즉 고시·훈령 등으로 위임이 가능한가 의문이 들 수 있다.

⑵ 법령이 입법사항을 고시·훈령 등에 위임할 수 있는지 여부

1) 논의의 배경

첫째, 법치국가의 원리는 입헌민주주의라는 제한적 민주주의에서 기원하고 있고, 입헌민주주의 하에서의 그 구체적인 내용인 행정의 법률적합성의 요청 즉, 법률우위의 원칙과 법률유보의 원칙은 주로 민주적으로 구성된 의회가 정당성이 결여된 행정부에 대한 통제수단의 성격을 가졌다. 그러나, 오늘날 헌법적인 상황에서는 국회 뿐만 아니라 행정부 역시 민주적인 정당성을 가지고 있으므로, 행정의 기능유지를 위하여 필요한 범위 내에서는 행정이 입법적인 활동을 하는 것이 금지되어 있지 않을 뿐만 아니라 오히려 요청된다고 보아야 한다. 그렇다고 하더라도, 원칙적인 입법권은 헌법 제40조에 나타나 있는 바와 같이 국회가 보유

하고 있는 것이고 행정입법은 그것이 외부적인 효력을 가지는 한 의회입법에서 파생하여 이를 보충하거나 구체화 또는 대위하는 입법권의 성격만을 가질 뿐이다.

둘째, 오늘날 국가가 소극적인 질서유지기능에 그치지 않고 적극적인 질서형성의 기능을 수행하게 되었다는 것은 공지의 사실이다. 그 결과 규율의 대상이 복잡화되고 전문화되었다. 위와 같은 국가기능의 변화 속에서 개인의 권리 의무와 관련된 모든 생활관계에 대하여 국회입법을 요청하는 것은 현실적이지 못할 뿐만 아니라 국회의 과중한 부담이 된다. 또한 국회는 민주적 정당성이 있기는 하지만 적어도 제도적으로 보면 전문성을 가지고 있는 집단이 아니라는 점, 국회입법은 여전히 법적 대응을 요청하는 주변환경의 변화에 탄력적이지 못하며 경직되어 있다는 점 등에서 기능적합적이지도 못하다. 따라서 기술 및 학문적 발전을 입법에 반영하는데 국회입법이 아닌 보다 탄력적인 규율형식을 통하여 보충될 필요가 있다.

셋째, 행정기능을 담당하는 국가기관이 동시에 입법권을 행사하는 것은 권력분립의 원칙에 반한다고 보여질 수 있으나, 외부적인 효력을 갖는 법률관계에 대한 형성은 원칙적으로 국회의 기능범위에 속하지만 행정기관이 국회의 입법에 의하여 내려진 근본적인 결정을 행정적으로 구체화하기 위하여 필요한 범위 내에서 행정입법권을 갖는다고 보는 것이 기능분립으로 이해되는 권력분립의 원칙에 오히려 충실할 수 있다.

2) 법률이 입법사항을 고시 등의 형식으로 위임할 수 있는지에 관하여

위와 같은 배경 하에서 **의회의 입법독점주의에서 입법중심주의로 전환하여 일정한 범위 내에서 행정입법을 허용하게 된 동기가 사회적 변화에 대응한 입법수요의 급증과 종래의 형식적 권력분립주의로는 현대사회에 대응할 수 없다는 기능적 권력분립론에 있다는 점 등을 감안하여 헌법 제40조와 헌법 제75조, 제95조의 의미를 살펴보면, 국회입법에 의한 수권이 입법기관이 아닌 제2의 국가기관인 행정기관에게 법률 등으로 구체적인 범위를 정하여 위임한 사항에 관하여 법정립의 권한을 갖게 되고, 입법자가 규율의 형식을 선택할 수도 있다 할 것이다. 따라서, 헌법이 인정하고 있는 위임입법의 형식은 예시적인 것으로 보아야 할 것이고, 그것은 법률이 행정규칙에 위임하더라도 그 행정규칙은 위임된 사항만을 규율할 수 있으므로, 국회입법의 원칙과 상치되지도 않는다. 다만, 형식의 선택에 있어서 규율의 밀도와 규율영역의 특성이 개별적으로 고찰되어야 할 것이다. 그에 따라 입법자에게 상세한 규율이 불가능한 것으로 보이는 영역이라면 행정부에게 필요한 보충을 할 책임이 인정되고 극히 전문적인 식견에 좌우되는 영역에서는 행정기관에 의한 구체화의 우위가 불가피하게 있을 수 있다. 그러한 영역에서 행정규칙에 대한 위임입법이 제한적으로 인정될 수 있는 것**이다.

(3) 이른바 법령보충적 행정규칙의 통제

위와 같이 **법률이 입법사항을 고시 등에 위임하는 것이 가능하다고 하더라도 그에 관한 통제는 다음과 같은 이유로 더욱 엄격**하게 행하여져야 한다. 과거 우리나라는 행정부 주도로 경제개발·사회발전을 이룩하는 과정에서 국회는 국민의 다양한 의견을 수렴하여 입법에 반영하는 민주·법치국가적인 의회로서의 역할수행이 상대적으로 미흡하여 행정부에서 마련하여 온 법률안을 신중하고 면밀한 검토과정을 소홀히 한 채 통과시키는 사례가 적지 않았고, 그로 말미암아 위임입법이 양산된 것이 헌정의 현실이다.

한편 **행정절차법은** 국민의 권리·의무 또는 일상생활과 밀접한 관련이 있는 법령 등을 제정·개정 또는 폐지하고자 할 때에는 당해 입법안을 마련한 행정청은 이를 예고하여야 하고(제41조), 누구든지 예고된 입법안에 대하여는 의견을 제출할 수 있으며(제44조), 행정청은 입법안에 관하여 공청회를 개최할 수 있도록(제45조) 규정하고 있으나, **고시나 훈령 등 행정규칙을 제정·개정·폐지함에 관하여는 아무런 규정을 두고 있지 아니한다**. 법규명령과 행정규칙의 이러한 행정절차상의 차이점 외에도 **법규명령은 법제처의 심사를 거치고(대통령령은 국무회의에 상정되어 심의된다) 반드시 공포하여야 효력이 발생되는데 반하여, 행정규칙은 법제처의 심사를 거칠 필요도 없고 공포 없이도 효력을 발생하게 된다는 점에서 차이**가 있다. 또한 우리나라에서는 **위임입법에 대한 국회의 사전적 통제수단이 전혀 마련되어 있지 아니하다**.

이상과 같은 여러 가지 사정을 종합하면 **이 사건에서와 같이 재산권 등과 같은 기본권을 제한하는 작용을 하는 법률이 입법위임을 할 때에는 '대통령령', '총리령', '부령' 등 법규명령에 위임함이 바람직하고, 금융감독위원회의 고시와 같은 형식으로 입법위임을 할 때에는 적어도 행정규제기본법 제4조2항 단서에서 정한 바와 같이 법령이 전문적·기술적 사항이나 경미한 사항으로서 업무의 성질상 위임이 불가피한 사항에 한정된다 할 것이고, 그러한 사항이라 하더라도 포괄위임금지의 원칙상 법률의 위임은 반드시 구체적·개별적으로 한정된 사항에 대하여 행하여져야 할**

것이다.

[반대의견]

1) 우리 헌법은 제40조에서 국회입법의 원칙을 천명하면서 예외적으로 법규명령으로 대통령령, 총리령과 부령, 대법원규칙, 헌법재판소규칙, 중앙선거관리위원회규칙을 한정적으로 열거하고 있다. 한편 우리 헌법은 그것에 저촉되는 법률을 포함한 일체의 국가의사가 유효하게 존립될 수 없는 경성헌법이므로 헌법에서 규정된 원칙에 대하여는 헌법자신이 인정하는 경우에 한하여 예외가 있을 수 있는 것이지 법률 또는 그 이하의 입법형식으로써 헌법상 원칙에 대한 예외를 인정할 수는 없다고 보아야 할 것이다. 즉 입법권은 국회에 속한다고 하는 국회입법의 원칙을 선언하고 있는 이상 헌법이 직접 그것에 대한 예외를 인정한 형식에 의해서만 행정부에 의한 위임입법이 허용된다고 할 것이다.

2) 또한 고시나 훈령·통첩과 같은 행정규칙들은 법규명령과는 달리 중앙 또는 지방의 행정기관들이 아무런 상위법의 수권도 받음이 없이, 제정과정에 있어서의 최소한의 심사절차도 거침이 없이, 경우에 따라서는 일반이 요지할 수 있는 정도의 공포절차도 없이, 손쉽게 제정될 수 있는 것이 사실이다. 바꾸어 말하면 행정규칙들은 그 성립과정에 있어서 타기관의 심사·수정·통제·감시를 받지 않고 또 국민에 의한 토론·수정·견제·반대 등에 봉착함이 없이 누구도 모르는 사이에 은연중 성립되는 것이 보통이다. 그리하여 행정기관들이 '통제 없는 행정규칙에의 도피'의 유혹을 받는 것은 당연한 현상이고, 이는 국민의 권리·자유를 부당하게 침해하고, 행정권의 비대화를 촉진하며, 나아가서 입헌주의와 법치주의를 훼손하는 결과를 초래하게 됨은 부인할 수 없는 일이다.

3) 따라서 우리 헌법의 경우에는 법규명령의 형식이 헌법상으로 확정되어 있고 구체적으로 법규명령의 종류·위임범위·요건·절차 등에 관한 명시적 규정이 있으므로 그 이외의 법규명령의 종류를 법률로써 인정할 수 없으며 그러한 의미에서 법률은 행정규칙에 법규사항을 위임하여서는 아니된다 할 것이다. 우리 헌법을 이렇게 해석한다면 위임에 따른 행정규칙은 법률의 위임 없이도 제정될 수 있는 집행명령(헌법 제75조 후단)에 의하여 규정할 수 있는 사항 또는 법률의 의미를 구체화하는 내용만을 규정할 수 있다고 보아야 하는 것이고 새로운 입법사항을 규정하거나 국민의 새로운 권리·의무를 규정할 수는 없다.

18 법규명령에 대한 통제[1)]

Ⅰ. 의 의

행정기능의 확대에 따라 오늘날 법규명령은 그 양이 크게 증가하고 있으며 직접적으로 국민생활에 큰 영향을 끼치고 있다. 국회의 의결을 거쳐 제정되는 법률과 달리 행정부에서 비교적 간소한 절차를 통해 제정되는 이러한 행정입법을 통제하지 못할 경우 법치행정의 관점에서 문제가 발생하므로 법규명령에 대한 통제의 필요성도 커지고 있다.

Ⅱ. 입법부에 의한 통제

직접적 통제로는 ① 법규명령을 제・개정하는 경우 국회에 송부해야 하는 절차(국회법 제98조의2), ② 법규명령과 내용상 저촉되는 법률의 제정 등이 있다. 간접적 통제로는 국정감사・조사 및 국무총리・국무위원에 대한 질문과, 책임자에 대한 해임건의 혹은 탄핵소추를 통해 행정부를 통제할 수 있다.

Ⅲ. 행정부에 의한 통제

① 상급행정관청의 감독권 행사 ② 중앙행정심판위원회의 시정조치 요청(행정심판법 제59조) ③ 절차적 통제로서 **국무회의의 심의**(**대통령령만** 해당), **법제처의 법령안심사**(정부조직법 제23조①), 행정상 **입법예고**(행정절차법 제41조 내지 44조) 등이 있다.

Ⅳ. 법원에 의한 통제

1. 위헌・위법 명령・규칙심사

(1) 의 의

행정입법의 위헌 또는 위법 여부가 구체적 법적 분쟁에 관한 소송에서 **선결문제로 다루어지는 경우** 이를 심사하도록 하는 행정입법통제로서, **헌법 제107조2항이 근거다.** 구체적 규범통제[2)]로서 간접적(부수적) 규범통제에 해당한다.

(2) 대상 - 명령・규칙

명령은 **법규명령**을 의미한다. **규칙**이란 중앙선거관리위원회규칙, 대법원규칙과 같이 **법규명령인 규칙**을 의미하며, **자치법규인 조례와 규칙도** 대상에 포함된다는 것이 판례의 태도이다. 나아가 **행정규칙 중 법규적 성질을 갖는 것도** 통제의 대상이 된다.

---

1) **행정규칙에 대한 통제도 비교**해서 숙지 要.
 (1) 행정내부적 통제
 ① 감독청의 감독권 행사 ② 법제처의 사전심사(**대통령 및 국무총리 훈령은 '법제에 관한 사무'**의 하나로 보아 관례적으로 실시) ③ **중앙행정기관의 장의 훈령・예규** 등은 **법제처의 사후평가제**의 대상 (대통령령인 법제업무운영규정에 근거) ④ 중앙행정심판위원회의 시정조치 요청(행정심판법 제59조)
 (2) 국회에 의한 통제 - 국회법 제98조의2
 (3) 법원에 의한 통제
 원칙상 항고소송의 대상이 되지 않으나, 대외적 구속력이 있는 행정규칙(법령보충적규칙)이 직접 구체적으로 국민의 권익을 침해한 경우에는 처분적 명령으로 처분에 해당한다. 행정규칙은 **재판규범이 아니므로 법원은 행정규칙에 구속되지 않는다. 행정규칙에 위배되었다는 이유로 행정처분을 위법하다고 판단할 수 없다. 다만, 자기구속의 법리에 의해 처분의 사법심사가 가능**하다.
 (5) 헌법재판소에 의한 통제 - 행정규칙이 대외적 구속력을 갖는 경우 헌법소원의 대상.
 (6) 국민에 의한 통제 - 여론, 청원, 압력단체의 통제

2) **구체적 규범통제**는 행정입법의 위헌 또는 위법 여부가 **구체적 법적 분쟁에 관한 소송에서** 다투어지는 경우에 이를 심사하도록 하는 행정입법통제를 말하고, **추상적 규범통제**는 '행정입법의 위헌 또는 위법을 **구체적 법적 분쟁을 전제로 하지 않고 공익적 견지에서 직접 다투도록** 하는 행정입법통제'를 말한다. 추상적 규범통제의 경우 제소권자는 통상 일정한 행정기관에 한정되는 것이 일반적인데 우리나라는 **지방자치법 제107조 및 제172조에서 조례(안)에 대한 사전적・추상적 통제가 예외적**으로 인정되고 있을 뿐이다.

(3) 주체 - 각급 법원이 통제하고 대법원이 최종적인 심사권을 가짐.

(4) 효력

1) 명령이 위법하다는 **대법원의 판결**이 있는 경우 ① 당해 **명령의 효력이 일반적으로 상실된다고 보는 견해도 있으나, ②** 위법한 **명령이 직접 다투어진 것이 아니고** "법률"의 위헌판결에 대하여는 일반적으로 효력을 상실한다는 명문의 규정(헌법재판소법 제47조)이 있는 것과 달리 **"명령"에 대해서는 명문의 규정이 없다**는 점을 고려할 때, 일반적으로 효력을 상실하는 것은 아니고 당해 명령이 폐지되기 전까지는 여전히 유효하며 **당해 사건에 한하여 적용되지 않는 것으로 보는 견해가 타당**하다. **다만 행정소송법 제6조**는 대법원 판결에 의하여 명령·규칙이 헌법 또는 법률에 위반된다는 것이 확정된 경우에는 대법원은 지체없이 행정자치부장관에게 통보하고, 행정자치부장관은 지체 없이 관보에 게재하도록 하는 **위헌·위법 명령 판결 공고제**를 규정하고 있어 **사실상 대세효를 확보**하고 있다.

2) **위헌·위법한 명령에 근거한 처분의 위법성의 정도**에 대해서는 중대명백설에 의할 때 **처분 당시 하자가 명백한 것은 아니므로 취소사유**로 보아야 할 것이나, 행정소송법 제6조에 의하여 **공고한 이후에도 위헌·위법한 명령을 적용**한 처분의 경우는 **무효사유**로 보아야 할 것이다.

3) 또한 법규명령을 적용한 처분이 있은 뒤에 그 처분의 근거가 된 법규명령이 위헌·위법이라는 법원의 판결이 있다 하더라도, **통상적으로 법규명령을 적용한 담당 공무원의 과실을 인정하기는 어렵다. 다만 행정소송법 제6조에 의한 공고 이후에도** 위헌·위법한 명령을 **적용하여 손해가 발생**한 경우에는 담당 공무원의 **과실을 인정**할 수 있을 것이다.

2. 항고소송

(1) 구체적 사건성(처분성)

행정입법은 일반적, 추상적 규범이므로 원칙적으로 항고소송의 대상이 될 수 없다. 그러나 **예외적**으로, **별도의 집행행위 없이도 국민에 대하여 직접적이고 구체적인 법적 효과를 미치는 처분적 명령**[3]은 항고소송의 대상이 될 수 있다. 판례는 조례가 집행행위의 개입 없이도 그 자체로서 직접 국민의 구체적인 권리의무나 법적 이익에 영향을 미치는 등의 법률상 효과를 발생하는 경우 행정처분에 해당한다고 하면서 **두밀분교폐지조례**의 처분성을 긍정하였고(대판 1996.9.20. 95누8003), **항정신병치료제의 요양급여 인정기준에 관한 보건복지부 고시**가 다른 집행행위의 매개 없이 그 자체로서 직접 국민의 구체적인 권리의무나 법률관계를 규율한다고 보면서 항고소송의 대상이 되는 처분이라고 한 바 있다(대결 2003.10.9. 2003무23).

(2) 헌법적 근거

헌법 제107조2항의 '재판의 전제로 된 경우'라는 것은 명령의 위법여부가 재판에서 선결문제로서 다투어지는 경우뿐만 아니라 "직접" 다투어지는 경우도 의미하는 것이라고 해석하여 헌법 제107조2항이 법규명령에 대한 직접적 통제의 근거로 보거나, **사법권은 법원에 속한다고 규정하고 있는 헌법 제101조**에서 근거를 구하는 견해가 있다.

(3) 소송형식

① 명령의 위법이 무효인지 취소할 수 있는지에 따라 **취소소송 또는 무효확인소송**을 제기하여야 한다는 견해와

---

3) **처분적 명령의 인정범위**에 대해서 견해대립이 있다. 처분적 법규명령과 집행적 법규명령을 구분하여 **형식은 법규명령이나 실질적으로는 개별적·구체적 규율로서 행정행위**에 해당되는 **처분적 법규명령은 항고소송의 대상**이 되나, **일반적·추상적 규율이기는 하나 다만 집행행위가 없이 직접 국민의 권리나 의무를 규율**하는 법규명령을 의미하는 **집행적 법규명령은 항고소송의 대상이 아니라 규범통제의 대상**이 된다는 견해(정하중)가 있다. 집행적 법규명령의 예로 당구장업소에 18세 미만자의 출입을 금지시키는 의무를 부과하는 문화체육관광부장관의 부령을 들 수 있는데, 집행행위의 매개 없이 당구장 경영자들에게 직접 의무를 부과하는 불특정한 다수의 수범자와 불특정한 다수의 사안을 규율하므로 형식뿐만 아니라 내용상으로도 법규명령에 해당하며, 따라서 항고소송의 대상이 아니라 규범통제의 대상(**현재로서는 헌법소원의 대상**)이 되어야 한다고 한다. 이에 대하여 **집행적 법규명령도 항고소송의 대상이 된다는 견해**도 있다.

② 법규명령은 위법하더라도 법질서의 공백을 막기 위하여 효력을 유지하므로 **항상 취소소송**을 제기해야 한다는 견해가 있으나 ③ 다수설은 법규명령은 행정행위와 달리 **공정력이 인정되지 않으므로 법규범 일반의 하자론**에 따라 하자 있는 법규명령은 무효이므로 **무효확인소송**을 제기하여야 한다고 한다. 실무상 법규의 형식을 취하는 부령과 조례는 무효확인소송으로, 법규명령의 성질을 갖는 행정규칙(고시)는 취소소송의 형식으로 제기되고 있다.

V. 헌법재판소에 의한 통제(헌법소원)

1. 문제의 소재

헌법재판소는 법률이 정하는 바에 따라 헌법소원심판권을 갖고 있는데, **법규명령의 심판권도 가지는지에 논란**이 있다. **헌법 제107조2항**은 **명령·규칙의 위헌·위법성여부에 대한 최종심사권을 대법원에 부여**하고 있고, 현행법상 **행정입법에 대한 헌법소원을 인정하는 명문의 규정이 없어 문제**이다.

2. 학 설

(1) **헌법소원의 보충성 및 헌법 제107조2항이** 법률에 대한 위헌심사권과 **명령·규칙의 위헌·위법심사권**을 구분하여 후자는 **법원에 부여**하고 있음을 근거로 하는 **부정설**, (2) 헌법 **제107조2항은 '재판의 전제'가 된 경우에 적용될 뿐이고**, 재판의 전제여부에 상관없이 법규명령이 국민의 기본권을 침해한 경우에는 헌법소원이 가능하며, 명령·규칙 그 자체에 의하여 기본권이 직접 침해되었을 때에는 **명령·규칙의 효력을 직접 다투는 구제제도가 없음**을 근거로 하는 **긍정설**이 대립한다.

3. 판 례

헌법재판소는 법무사법시행규칙 헌법소원 사건 등에서 법규명령이 **직접 국민의 기본권을 침해**하는 경우 헌법소원의 대상성을 **긍정**하였다.

헌재결정 **헌법 제107조2항**이 규정한 명령·규칙에 대한 대법원의 최종심사권이란 **구체적인 소송사건에서 명령·규칙의 위헌 여부가 재판의 전제가 되었을 경우** 법률의 경우와는 달리 헌법재판소에 제청할 것 없이 대법원이 최종적으로 심사할 수 있다는 의미이며, 명령·규칙 그 자체에 의하여 **직접 기본권이 침해되었음을 이유로 하여 헌법소원심판을 청구하는 것은 위 헌법규정과는 아무런 상관이 없는 문제**이다. 따라서 **입법부·행정부·사법부에서 제정한 규칙**이 **별도의 집행행위를 기다리지 않고 직접 기본권을 침해**하는 것일 때에는 모두 **헌법소원심판의 대상**이 될 수 있는 것이다(헌재결 1990.10.15, 89헌마178).

4. 검 토

헌법소원제도의 기본권보호 기능을 보장하기 위하여, 법규명령에 대한 헌법소원심판 역시 일정한 경우 인정하는 긍정설이 타당하다. 헌법소원의 **근거는 헌법 제107조가 아니라 헌법 제111조5호와 헌법재판소법규정**이 될 것이다. 그러나 처분적 명령은 항고소송의 대상이므로 헌법소원의 보충성에 의해 원칙상 헌법소원은 인정될 수 없다.

기출 사례 부령에 대한 사법적 통제 및 민사법원의 선결문제 판단(06년 행시 - 일반행정)

식품위생법 제58조는 유해식품을 판매한 자에 대해서는 영업허가를 취소하거나 6월이내의 기간을 정하여 그 영업의 전부 또는 일부를 정지하거나 영업소의 폐쇄를 명할 수 있다고 규정하고 있다. 그런데 각 지역간 제재처분의 불균형이 문제되자 보건복지부는 보건복지부령으로 제재처분의 기준을 정하였다. 보건복지부령이 정하고 있는 제재처분기준에는 유해식품 판매금지 1회 위반에 대해서는 1월의 영업정지로 규정되어 있다. 그런데 A시의 시장 甲은 유해식품을 판매하다 처음 적발된 乙에 대하여 3월의 영업정지처분을 내렸다.

(1) 위 보건복지부령에 대한 사법적 통제에 대하여 설명하시오. (20점)

(2) 그런데 乙에 대한 영업정지처분에 대한 제소기간이 종료되고 영업정지기간도 지난 후 乙이 판매한 식품

이 유해하지 않다고 판명되었다. 이에 乙은 영업정지처분의 취소소송과 위법한 영업정지처분으로 인한 손해배상청구소송을 제기하고자 한다. 양자의 인용가능성을 논하시오. (20점)

Ⅰ. 보건복지부령에 대한 사법적 통제 - 설문(1)

1. 문제의 소재

보건복지부령으로 정한 제재처분기준이 법규명령인지 행정규칙인지 여부에 따라 사법적 통제방식이 달라지므로 제재처분기준의 법적 성질을 살펴보고 각각의 통제방식을 검토

2. 보건복지부령으로 정한 제재처분기준의 법적 성질

- 법규명령 형식의 행정규칙의 법적 성질 논의(#21)

3. 보건복지부령의 사법적 통제수단[4)]

⑴ 행정규칙으로 보는 경우

1) 헌법재판소에 의한 통제

- 행정규칙이 외부효를 갖는 경우 헌법소원이 가능하나 사안의 경우는 해당 X

⑵ 법규명령으로 보는 경우

1) 법원에 의한 통제

- 법규명령에 대해서는 일반적으로 구체적 규범통제로 통제
- 3월 영업정지처분에 대한 항고소송을 제기하고 재판의 전제로서 보건복지부령의 위헌, 위법 여부를 판단하고, 명령이 위법하여 효력이 부인되면 보건복지부령에 근거한 乙에 대한 3월 영업정지처분은 위법한 처분이 되며 위법성의 정도는 취소사유가 됨.
- 그러나 사안의 경우는 명령에 근거하여 처분을 한 것이 아니라 명령에 위반되는 처분을 한 것이므로 법령위반으로 3개월 정지처분이 위법한 경우임.

2) 헌법재판소에 의한 통제

- 법규명령이 별도의 집행행위 없이 국민의 기본권을 침해하는 경우 학설 대립하며 대법원은 부정하나 헌법재판소는 긍정. 그러나 사안의 경우는 보건복지부령이 직접 국민의 기본권을 침해하고 있는 경우에 해당하지 않음. 보건복지부령에 의한 乙에 대한 영업정지처분에 대한 항고소송을 제기하고 구체적 규범통제로서 보건복지부령에 대한 통제가 이루어져야 함.

Ⅱ. 을의 취소소송과 국가배상청구소송의 인용가능성

1. 乙의 영업정지처분 취소소송의 인용가능성

- 행정소송법 제12조 2문의 해석과 관련 영업정지기간의 경과로 처분의 효력이 소멸한 경우에도 소의 이익이 있는지 문제될 수 있으나(가중적 제재처분의 요건이 된 경우에는 소의 이익 有)
- 사안은 **제소기간이 종료**하였으며 **가중적 제재처분의 요건으로 규정되어 있지 않는 경우**에는 乙의 취소소송제기는 **부적법 각하**될 것(소의 이익은 #111 상세히).

2. 乙의 국가배상청구소송의 인용여부

⑴ 국가배상청구소송의 소송형태

- 국가배상청구권이 공권인지 사권인지에 따라서 당사자소송 내지는 민사소송의 형태가 될 것. 판례는 민사소송.

⑵ 국가배상청구소송의 인용가능성(#83)

- 국가배상법 제2조1항 요건 충족하면 인용.
- 설문의 경우 다른 요건은 구비되었으며 시장의 3월 영업정지처분의 위법성을 민사법원이 심리할 수 있는지가 법령위반 요건과 관련하여 문제. 영업정지처분의 위법성의 정도는 취소사유에 해당하여 공정력 내지 구성요건적 효력과 선결문제의 논의가 문제.
- 학설대립을 소개 후 **국가배상소송에서는 민사법원도 선결문제로서 처분의 위법성을 심리할 수 있다는 통설, 판례**로 검토.
- 법원은 손해배상청구시 청구인용판결을 내릴 것임.
- 취소소송의 제소기간 도과시 처분의 목적을 방해한다는 이유로 민사법원이 선결문제로 심리할 수 없다는 견해도 있으나 **국가배상과 취소소송은 목적이 다르며** 국가배상법도 취소소송의 제소기간에 따른 제한을 두고 있지 않으므로 취소소송의 제소기간이 경과해도 국가배상청구소송에서 선결문제로 심리할 수 있다는 것이 타당.

---

4) 보건복지부령으로 정한 제재처분기준의 법적성질을 법규명령으로 보면 법규명령에 대한 통제를, 행정규칙으로 보면 행정규칙에 대한 통제에 대해서 설명하면 된다. 강사는 절충설을 취하는데 설문은 절충설을 취할 경우 식품위생법 제58조에 수권이 없으므로 행정규칙으로 볼 수밖에 없는데, 설문(1)은 법규명령에 대한 통제방법을 묻는 것이 출제의도가 아닌가 추측되므로 이런 경우에는 법규명령설을 취하고 법규명령에 대한 통제를 서술하든지, 절충설을 취하더라도 법규명령설에 의할 경우를 가정적으로 전제하고 법규명령에 대한 통제를 검토하면 될 것.

19 행정입법부작위에 대한 권리구제

Ⅰ. 행정입법부작위

법령의 위임에 따라 명령을 제정·개정해야 할 법적 의무가 있음에도 불구하고 정당한 이유 없이 명령의 제정·개정을 하지 않는 것을 말한다.

Ⅱ. 부작위위법확인소송의 가능성

판례는 행정소송은 구체적 사건에 대한 법률상 분쟁을 법에 의하여 해결함으로써 법적 안정을 기하자는 것이므로 **부작위위법확인소송의 대상이 될 수 있는 것은 구체적 권리의무에 관한 분쟁**이어야 하고 **추상적인 법령에 관하여 제정의 여부 등은 그 자체로서 국민의 구체적인 권리의무에 직접적 변동을 초래하는 것이 아니어서 소송의 대상이 될 수 없다**(대판 1992.5.8. 91누11261)는 **부정설**이다. 이에 대해 법치국가에서의 권리보호는 포괄적인 권리보호여야 함을 고려하여, **수익적 행정입법의 부작위가 사인의 구체적인 권리에 대한 침해와 동일한 것으로 판단되는 경우**에는 행정입법의 부작위를 다투는 행정소송형식이 마련되어야 할 필요가 있으며, **처분적 법규명령에 대하여 무효확인소송이 인정되는 논거와 동일한 논리로 처분적 법규명령의 입법부작위**의 경우는 가능하다는 **제한적 긍정설**이 있다.

Ⅲ. 헌법소원

헌법재판소는 ① 행정청에게 **헌법에서 유래하는 행정입법의 작위의무**가 있어야 하고 ② **상당한 기간이 경과**하였음에도 불구하고 ③ **행정입법이 제정되지 않은 경우**에 헌법소원을 인정한다. 이에 따라 **치과의사 전문의 자격시험 불실시 위헌확인사건, 군법무관 보수 입법부작위사건**에서 행정입법의 부작위가 위헌이라고 결정한 바 있다.

헌재결정 우리 헌법은 국가권력의 남용으로부터 국민의 자유와 권리를 보호하려는 법치국가의 실현을 기본이념으로 하고 있고, 자유민주주의 헌법의 원리에 따라 국가의 기능을 입법·행정·사법으로 분립하여 견제와 균형을 이루게 하는 권력분립제도를 채택하고 있어, 행정과 사법은 법률에 기속되므로, **국회가 특정한 사항에 대하여 행정부에 위임하였음에도 불구하고 행정부가 정당한 이유 없이 이를 이행하지 않는다면 권력분립의 원칙과 법치국가의 원칙에 위배**되는 것이다. ~(중략)~ **법률이 군법무관의 보수를 판사, 검사의 예에 의하도록 규정하면서 그 구체적 내용을 시행령에 위임**하고 있다면, 이는 **군법무관의 보수의 내용을 법률로써 일차적으로 형성**한 것이고, 따라서 **상당한 수준의 보수청구권이 인정**되는 것이라 해석함이 상당하다. 그러므로 이 사건에서 **대통령이 법률의 명시적 위임에도 불구하고 지금까지 해당 시행령을 제정하지 않아 그러한 보수청구권이 보장되지 않고 있다면 그러한 입법부작위**는 정당한 이유 없이 청구인들의 **재산권을 침해**하는 것으로써 **헌법에 위반**된다(헌재결 2004.2.26, 2001헌마718).

Ⅳ. 국가배상 청구

판례는 **군법무관 보수의 구체적 내용을 시행령에 위임했음에도 불구하고 행정부가 정당한 이유 없이 시행령을 제정하지 않은 것이 불법행위**에 해당한다고 하여 국가배상청구를 인정한 바 있다.

판 례 **입법부가 법률로써 행정부에게 특정한 사항을 위임했음에도 불구하고 행정부가 정당한 이유 없이 이를 이행하지 않는다면 권력분립의 원칙과 법치국가 내지 법치행정의 원칙에 위배**되는 것으로서 위법함과 동시에 위헌적인 것이 되는바, 구 군법무관임용법(1967.3.3. 법률 제1904호로 개정되어 2000.12.26. 법률 제6291호로 전문 개정되기 전의 것) 제5조3항과 군법무관임용 등에 관한 법률(2000.12.26. 법률 제6291호로 개정된 것) 제6조가 군법무관의 보수를 법관 및 검사의 예에 준하도록 규정하면서 그 구체적 내용을 시행령에 위임하고 있는 이상, 위 **법률의 규정들은 군법무관의 보수의 내용을 법률로써 일차적으로 형성**한 것이고, 위 법률들에 의해 상당한 수준의 보수청구권이 인정되는 것이므로, 위 **보수청구권은 단순한 기대이익을 넘어서는 것으로서 법률의 규정에 의해 인정된 재산권의 한 내용**이 되는 것으로 봄이 상당하고, 따라서 **행정부가 정당한 이유 없이 시행령을 제정하지 않은 것은 위 보수청구권을 침해하는 불법행위**에 해당한다(대판 2007.11.29, 2006다3561).

20 행정규칙(재량준칙)의 법적 성질 및 구속력

Ⅰ. 의 의

행정규칙이 **법규성**을 가지는지, 즉 **대외적 구속력(외부적 효력 또는 재판규범성)**을 가지는지에 대해 논란이 있다. 행정규칙에는 성격이 상이한 여러 유형이 내포되어 있어 법규성을 획일적으로 논할 수는 없으며, 여기서는 **재량준칙에 한해서 논의**한다.[1][2][3]

Ⅱ. 대내적 효력

행정규칙에는 **하급행정기관을 구속**하는 대내적 구속력이 있으며, 하급행정기관은 복종의무에 따라 행정규칙을 준수해야 하고 이에 **따르지 않을 경우 징계사유**가 된다. 그러나 행정규칙은 일반국민의 권리와 의무를 규율할 수 없고 재판규범이 되지 않으므로, **행정규칙을 따르지 않고 처분을 하였다고 하여 그것만으로 위법하다고 할 수는 없다.**

Ⅲ. 대외적 효력

1. 문제점

상당수의 행정규칙은 일반국민과의 관계에서 행정작용의 집행기준을 정하고 있어 일반국민에 대하여 **사실상의 외부적 영향력**이 있는데, **행정규칙에 위반한 처분에 대하여 국민이 위법을 주장할 수 있는지와 법원이 그 위법을 판단할 수 있는**지의 문제이다.

2. 학 설

(1) 부정설(비법규설)

행정규칙은 행정내부적인 규율로서 **법개념으로부터 배제**되어, 내부적 구속력만 가진다.

(2) 직접적 효력 긍정설(법규설)

재량준칙 등 일부 행정규칙에 대해서 **행정권의 고유한 기능영역을 인정**하고 **행정부의 시원적 입법권을 인정**하여, 대외적 구속력을 갖는 행정규칙 제정도 가능하다.

(3) 간접적 효력 긍정설(준법규설)

재량준칙 자체가 대외적 구속력을 갖는 것은 아니지만, **자기구속의 원칙 또는 평등원칙을 매개로 간접적**으로 대외적 효력을 가진다. 즉 **행정규칙 위반으로서가 아니라 자기구속원칙 또는 평등원칙 위반을 이유로 위법**을 주장할

---

1) **재량준칙의 기능**

- 재량준칙은 ① 공무원의 **자의적인 재량권행사를 방지**, ② 전형적인 사례의 처리방법을 밝힘으로써 공무원의 사무처리의 부담을 경감, ③ **국민의 행정에 대한 예측가능성을 확보하고 동시에 법적 안정성**을 유지하는 기능을 한다. 반면, 지나치게 엄격하고 획일적인 내용을 담고 있는 경우에는 구체적 타당성을 결하여 정의에 반하는 처분을 하게 된다는 역기능이 발생할 수 있다. 법률이 재량권을 인정하는 이유는 제반사정을 참작하여 구체적타당성과 개별적 정의를 실현하기 위한 것이다. 그러므로, 재량준칙의 규율가능성은 평등성의 확보, 통일적인 행정운영이라는 면과 구체적 타당성이라는 면의 양 측면을 조화시키는 가운데서 찾아야 할 것이다(김향기, 행정법연습, 초판, 140면).

2) 재량준칙의 종류는 전형적인 형태인 **① 행정규칙형식의 재량준칙 외에 ② 법규명령 형식의 재량준칙**이 있음. **본문에서는 ①에 한해서 논의**하는 것임. 만약 시험에서 재량준칙의 법적성질이라고 나오면, ②의 논의까지 쓰는 것이 필요함.

3) **행정규칙은 통상 고시 또는 훈령의 형식으로 발령**되는데, **사례에서 '고시'를 접할 경우 법적 성격을 일률적으로 행정규칙이라고 판단하면 안되며 고시의 내용에 따라 개별적으로 판단**해야 한다. **고시는 경우에 따라서 담고 있는 내용에 따라서 법규명령**일 수도 있고(후술하는 **법령보충적 규칙**에 해당하는 경우), **구체적 규율인 경우에는 처분**일 수도 있고(개별처분일 수도 있고, 불특정 다수인을 대상으로 하는 경우에는 일반처분일 수도 있음), **행정행위의 효력발생요건**(사업인정 고시, 공익사업법 제22조 3항)이나 **사실행위**(대한민국 국적의 취득과 상실에 관한 사항이 발생하면 그 뜻을 법무부장관이 관보에 고시하는 경우, 국적법 제17조)일 수도 있다.

수 있다.

3. 판 례[4)]

원칙적으로 대외적 구속력을 부정하지만(판례 1), 객관적으로 합리적이 아니라거나 타당하지 않다고 볼 만한 특별한 사정이 없는 한 재량준칙을 따른 처분을 적법한 처분으로 보고, 따르지 않은 처분을 재량권을 남용한 위법한 처분으로 보는 판례도 다수 존재한다(판례 2).

판례 1 보건사회부장관 훈령 제241호는 법규의 성질을 가지는 것으로는 볼 수 없고 상급행정기관인 보건사회부장관이 관계 하급기관 및 직원에 대하여 직무권한의 행사를 지휘하고 직무에 관하여 명령하기 위하여 발한 것으로서 행정조직내부에 있어서의 명령에 지나지 아니하며 그 규정이 의료법 제51조의 규정에 의하여 보장된 행정청의 재량권을 기속하는 것이라고 할 수 없고 법원도 그 훈령의 기속을 받은 것이 아니라 할 것인바 원심은 이 사건에 있어서 거시증거에 의하여 확정한 사실을 전제로 하여 위 훈령에도 불구하고 이건 의료업 업무정지처분을 하여야 할 공익상의 필요와 위 처분으로 인하여 원고가 입을 불이익 등을 비교 교량하여 피고의 이건 처분은 그 재량권을 일탈 내지 남용한 위법이 있다고 판단하고 있음은 정당하다(대판 1983.9.13, 82누285).

판례 2 식품위생법시행규칙 제53조에 따른 별표 15의 행정처분기준은 행정기관 내부의 사무처리준칙을 규정한 것에 불과하기는 하지만 규칙 제53조 단서의 식품 등의 수급정책 및 국민보건에 중대한 영향을 미치는 특별한 사유가 없는 한 행정청은 당해 위반사항에 대하여 위 처분기준에 따라 행정처분을 함이 보통이라 할 것이므로, 행정청이 이러한 처분기준을 따르지 아니하고 특정한 개인에 대하여만 위 처분기준을 과도하게 초과하는 처분을 한 경우에는 재량권의 한계를 일탈하였다고 볼 만한 여지가 충분하다(대판 1993.6.29, 93누5635).

---

4) 대법원 판례는 법령보충적 규칙이라고 논의되는 행정규칙이 아닌, 주로 재량준칙을 중심으로 한 판례를 소개한 것. 행정규칙의 법적 성질에 대해 법규설, 비법규설, 준법규설이 논의되는 국면은 형식과 실질이 모두 행정규칙인 경우임.

21 법규명령 형식의 행정규칙(재량준칙)

Ⅰ. 법적 성질에 관한 논의

1. 문제의 소재

행정규칙으로 정해질 내용은 보통 고시, 훈령, 예규 등의 형식을 취하지만, 때때로 법규명령의 형식을 취하는 경우가 있다. 즉 **내용은 행정기관 내부의 일반적 기준에 불과한 처분기준인 것을 시행령 또는 시행규칙 등 법규명령의 형식**으로 정한 경우인데, 이러한 규정의 법적 성질을 행정규칙으로 볼 것인지 법규명령으로 볼 것인지 논란이 있다.

2. 학 설

1) **행정규칙설**(실질설) - 대외적 효력 부정

① 비법규가 법규형식으로 규정되었다고 하여 성질이 변하지 않으며, ② 법규명령으로 본다면 **구체적 타당성을 도모**하기 어렵고 ③ 형식설을 취하면 법률에서 재량행위로 정한 것을 **명령으로 기속행위로 바꾸게 되어 법률의 취지에 반**하게 된다고 한다.

2) **법규명령설**(형식설) - 대외적 효력 인정

① 입법의 형식은 입법정책의 문제일 뿐이고, ② 입법자가 **법규명령의 형식을 택한 의사를 존중해야 하며** ③ 법규명령으로 보더라도 **구체적 타당성 확보는 구체적 규범통제로 해결**할 수 있다고 한다. 다만 법규명령설 중에서도 구체적 타당성의 확보를 위해 엄격한 절대적 구속력을 인정하는 대신 신축적 구속력을 인정하는 견해도 있다.

3) **수권여부에 따라 구별하는 견해**(절충설)

위임의 근거가 없는 경우에는 행정규칙으로, **위임의 근거가 있는 경우**에는 **법규명령**으로 본다.

4) **독자적 법형식설**[1)]

재량준칙은 법규명령이나 행정규칙과는 전혀 다른 제3의 법형식으로서 법규명령 형식으로 규정되었더라도 법규명령과는 다른 독자적인 법형식으로 본다. 재량준칙은 행정청에 명령하는 것이 아니고 유도하는 것이므로 행정청은 처분에 대한 재량권을 보유하고, 정당한 이유가 있으면 준칙을 적용하지 않을 수도 있으며, 준칙의 적용을 배제하는 특수성이 인정되면 준칙을 적용하지 말아야 하며. 재량준칙에 대한 통제는 법원은 재량준칙을 적용한 처분에 대한 심사를 함에 있어서 선결문제로서 심사한다고 한다. 법원은 재량준칙의 일반적 타당성을 심사한 후 구체적 사안에서 재량준칙을 벗어나는 것을 정당화하는 사유는 없는지 심사하여 최종적으로 행정처분에 대한 재량권 일탈·남용을 심사한다.

3. 판 례

부령 형식의 경우는 일관되게 행정청 내의 사무처리기준을 규정한 것에 불과하다고 하여 **행정규칙**으로 본다(판례 1). **대통령령**의 경우 규정형식의 차이를 이유로 **법규명령**으로 보면서도(판례 2), **청소년보호법 시행령상의 과징금부과기준은 법규명령이지만 그 과징금수액은 정액이 아니라 최고한도**액으로 보아 재량권 행사의 여지를 인정하였다(관련판례 1).

판례 1 자동차운수사업법 제3조 등의 규정에 의한 사업면허의 취소 등의 처분에 관한 규칙(1982.7.31 교통부령 제724호)은 자동차운수사업면허 취소처분 등에 관한 **사무처리기준과 처분절차 등 행정청내의 사무처리준칙을 규정한 것에 불과하므로 행정조직 내부에 있어서의 행정명령의 성격을 지닐 뿐 대외적으로 국민이나 법원을 구속하는 힘이 없고 자동차운수면허취소 등의 처분이 위 규칙에 위배되는 것이라 하더라도 위법의 문제는 생기지 않고 또 그 규칙에 정한 기준에 적합하다 하여 바로 그 처분에 적합**

1) 대개의 교과서에 소개되어 있지 않아 상세히 소개하나 답안에는 간략히 서술 要.

한 것이라 할 수 없고 그 처분의 적법여부는 자동차운수사업법의 규정에의 적합여부에 따라 판단할 것이다(대판 1984.2.28, 83누551).

판례 2 당해 처분의 기준이 된 주택건설촉진법시행령 제10조의3 제1항 [별표 1]은 주택건설촉진법 제7조2항의 위임규정에 터잡은 규정형식상 대통령령이므로 그 성질이 부령인 시행규칙이나 또는 지방자치단체의 규칙과 같이 통상적으로 행정조직 내부에 있어서의 행정명령에 지나지 않는 것이 아니라 대외적으로 국민이나 법원을 구속하는 힘이 있는 법규명령에 해당한다(대판 1997.12.26, 97누15418).

4. 검 토

판례는 대통령령이 국무회의 심의를 요한다는 제정절차상의 차이가 대통령령과 부령을 구별하여 대외적 효력을 달리야 할 논거는 되지 못한다는 점에서 타당하지 않다. 한편 행정규칙설은 법규명령의 입법형식을 무시한다는 점에서 문제가 있다. 법규명령은 절차적 정당성 부여되고, 국민에게 예측가능성 부여된다는 점에서 일응 법규명령설이 타당하다. 그러나 법령의 수권규정에 근거하여 제정되는 것을 법규명령으로 이해하는 한 수권여부에 불문하고 대통령령, 부령형식이라고 하여 법규명령으로 이해하는 것은 문제가 있으므로 수권여부에 따라 구분하는 절충설이 타당하다.

Ⅱ. 논의의 실익

1. 위법성 판단구조의 차이

(1) 법규성을 부인하는 경우(행정규칙설)

모법이 행정청에 재량권행사를 수권한 것이므로 모법에 따른 처분은 재량행위에 해당하여 재량의 하자를 검토한다.

판례 1 [1] 제재적 행정처분이 사회통념상 재량권의 범위를 일탈하였거나 남용하였는지 여부는 처분사유인 위반행위의 내용과 당해 처분행위에 의하여 달성하려는 공익목적 및 이에 따르는 제반 사정 등을 객관적으로 심리하여 공익 침해의 정도와 그 처분으로 인하여 개인이 입게 될 불이익을 비교·형량하여 판단하여야 한다.

[2] 제재적 행정처분의 기준이 부령의 형식으로 규정되어 있더라도 그것은 행정청 내부의 사무처리준칙을 정한 것에 지나지 아니하여 대외적으로 국민이나 법원을 기속하는 효력이 없고, 당해 처분의 적법 여부는 위 처분기준만이 아니라 관계 법령의 규정 내용과 취지에 따라 판단되어야 하므로, 위 처분기준에 적합하다 하여 곧바로 당해 처분이 적법한 것이라고 할 수는 없지만, 위 처분기준이 그 자체로 헌법 또는 법률에 합치되지 아니하거나 위 처분기준에 따른 제재적 행정처분이 그 처분사유가 된 위반행위의 내용 및 관계 법령의 규정 내용과 취지에 비추어 현저히 부당하다고 인정할 만한 합리적인 이유가 없는 한 섣불리 그 처분이 재량권의 범위를 일탈하였거나 재량권을 남용한 것이라고 판단해서는 안 된다(대판 2007.3.15, 2006두15783).

판례 2 식품위생법 제58조1항에 의한 영업정지 등 행정처분의 적법 여부는 법 시행규칙(2008. 6. 20. 보건복지가족부령 제22호로 개정되기 전의 것) 제53조 [별표 15]의 행정처분기준에 적합한 것인가의 여부에 따라 판단할 것이 아니라 법의 규정 및 그 취지에 적합한 것인가의 여부에 따라 판단하여야 하는 것이고, 행정처분으로 인하여 달성하려는 공익상의 필요와 이로 인하여 상대방이 받는 불이익을 비교·형량하여 그 처분으로 인하여 공익상 필요보다 상대방이 받게 되는 불이익 등이 막대한 경우에는 재량권의 한계를 일탈한 것으로서 위법하다(대판 2010.4.8, 2009두22997).

(2) 법규성을 긍정하는 경우

법규명령으로 볼 때 입법자가 모법에서 재량을 부여하였음에도 처분기준을 일의적으로 규정한 경우, 처분기준에 근거한 처분은 일응 기속행위화되어 재량수권의 취지에 반한다는 문제가 발생하여 구체적 타당성의 확보가 필요하다.

1) 이 경우 위임의 한도를 넘어 모법에 부여된 재량권을 사실상 무의미하게 만들 정도로 과도한 제한이 이루어진 것이라면, 상위법령에 반하는 위법한 법규명령으로 보아 구체적 규범통제를 통해 국민의 권리구제를 하게 된다.

2) 법규명령설으로 보면서도 신축적 구속력을 인정하여 구체적 타당성을 해결하려는 견해에 의하면, 결론에 있어서 행정규칙설과 실질적인 차이는 없게 된다.

3) 입법론으로는 법규성을 긍정하되 법규명령에 가중 · 감경규정을 두어, 위임입법의 한계를 지키면서도 그러한 재량준칙에 근거한 처분을 재량의 하자 유무로 위법성 심사를 할 수 있도록 하는 것이 바람직하다. 현행 법령은 이러한 구조를 취하고 있는 경우가 많다.

2. 가중적 제재처분기준이 법규명령형식의 재량준칙에 규정된 경우 소의 이익 유무(#111.[관련판례 1])

종래 판례에 의할 경우 그 재량준칙이 대통령령이면 소의 이익을 긍정하고, 부령인 경우에는 부정하게 된다. 그러나 변경판례는 법적 성질에 관계 없이 소의 이익을 긍정한 바 있다.

3. 이유제시 요부

법규명령으로 보면 처분의 근거로 이를 제시하여야 하지만(행정절차법 제23조), 행정규칙으로 보면 제시할 필요가 없다.

관련 판례 1) 대통령령형식의 행정규칙(대판 2001.3.9, 99두5207)

1. 사실관계

甲은 '안개하우스'라는 상호로 유흥주점업을 하면서 1997.12.17경부터 1997.12.22 경까지 청소년인 乙(17세)과 丙(17세)을 고용하여 영업에 종사하게 하였고 이에 청소년보호위원회는 (구)청소년보호법 제49조1항, 제2항, 제50조2호, 제24조1항, 법시행령 제40조 별표6 중 8.의 규정에 의하여, 甲에게 위와 같이 청소년 2인을 유해업소에 고용한데 대하여 금 1,600만 원(800만 원 × 2)의 과징금을 부과하는 처분을 함. 한편 甲은 같은 행위로, 법원으로부터 법 제50조2호에 따라 징역 8월에 집행유예 2년의 형을 선고받은 바 있고, 군산시장으로부터 식품위생법 제58조에 따라 15일간의 영업정지처분을 받은 바 있음. 이에 甲은 청소년 2인을 고용한 것은 하나의 행위임에도 불구하고 이를 2개의 행위로 보아 법 제49조1항이 정하는 상한액 1천만 원을 초과하는 과징금을 부과한 이 사건 처분은 위법하며, 원고가 위 주점을 운영하면서 얻은 실제이익이 적고 이 사건 이후 위 주점을 처분한 점 등에 비추어 고액의 과징금을 부과한 이 사건 처분은 재량권의 한계를 벗어난 것으로서 부당하다고 주장하며 과징금부과처분 취소소송을 제기함.

[참조조문]

***(구)청소년보호법**

제24조 (청소년유해업소에의 고용금지 및 출입제한) ① 청소년유해업소의 업주는 청소년을 고용하여서는 아니된다.

제50조 (벌칙) 다음 각호의 1에 해당하는 자는 3년이하의 징역 또는 2천만원 이하의 벌금에 처한다.

2. 제24조1항의 규정에 위반하여 청소년을 유해업소에 고용한 자

제49조 (과징금) ① 청소년보호위원회는 제50조 또는 제51조 각호의 1에 해당하는 행위로 인하여 이익을 취득한 자에 대하여 대통령령이 정하는 바에 의하여 1천만원이하의 과징금을 부과 · 징수할 수 있다. 다만, 다른 법률의 규정에 의한 영업취소, 영업정지 또는 과징금부과등 행정처분의 대상인 경우에는 그러하지 아니하다.

② 제1항의 규정에 의한 과징금의 금액 기타 필요한 사항은 대통령령으로 정한다.

***청소년보호법시행령**

제40조 (과징금의 산정기준)[2] 법 제49조2항의 규정에 의한 과징금을 부과하는 위반행위의 종별에 따른 과징금의 금액은 [별표 6]과 같다.

[별표6] 위반행위의 종별에 따른 과징금 처분기준(제40조 관련)

8. 법 제24조제1항의 규정에 의한 청소년고용금지의무를 위반한 때 - 800만원

2. 판결요지

구 청소년보호법(1999.2.5. 법률 제5817호로 개정되기 전의 것) 제49조1항, 제2항에 따른 같은법시행령(1999.6.30. 대통령령 제16461호로 개정되기 전의 것) 제40조 [별표 6]의 위반행위의 종별에 따른 과징금처분기준은 법규명령이기는 하나 모법의 위임규정의 내용과 취지 및 헌법상의 과잉금지의 원칙과 평등의 원칙 등에 비추어 같은 유형의 위반행위라 하더라도 그 규모나 기간 · 사회적 비난 정도 · 위반행위로 인하여 다른 법률에 의하여 처벌받은 다른 사정 · 행위자의 개인적 사정 및 위반행위로 얻은 불법이익의 규모 등 여러요소를 종합적으로 고려하여 사안에 따라 적정한 과징금의 액수를 정하여야 할 것이므로 그 수액은 정액이 아니라 최고한도액이다.

2) 1999.6.30. 부분개정된 청소년보호법시행령에 따르면 위반행위의 내용 · 정도 · 기간, 위반행위로 인하여 얻은 이익 등을 참작하여 제1항의 규정에 의한 과징금의 금액의 2분의 1의 범위 안에서 이를 감경할 수 있도록 하였으며 청소년보호법 제24조1항의 규정에 의한 청소년출입금지의무를 위반한 때에도 (1명 1회 고용마다 1,000만 원)이라고 명확히 규정하여 논란의 소지를 없앰.

관련 판례 2) 재량행위인 특허의 인가기준을 정한 부령의 법적 성질(대판 2006.6.27, 2003두4355)

1. 판 례

이 사건에 적용되는 구 여객자동차 운수사업법(2000.1.28. 법률 제6240호로 개정되기 전의 것, 이하 '법'이라 한다) 제11조1항은 여객자동차운송사업의 면허를 받은 자가 사업계획을 변경하고자 하는 때에는 건설교통부장관의 인가를 받아야 한다고 규정하고, 같은 조 4항은 사업계획변경의 절차·기준 기타 필요한 사항은 건설교통부령으로 정한다고 규정하며, 법 시행규칙(1999.12.16. 건설교통부령 제223호로 개정되기 전의 것, 이하 같다) 제31조2항은 "시외버스운송사업의 사업계획변경은 다음 각 호의 기준에 의한다. 1. 노선 및 운행계통을 신설하고자 하는 때에는 운행횟수를 4회 이상으로 할 것 2. 노선 및 운행계통을 연장하고자 하는 때에 그 연장거리는 기존 운행계통의 50퍼센트 이하로 할 것 (중략) 6. 제32조1항 제3호 (가)목의 규정에 의한 운행횟수의 증감을 초과하는 경우로서 2 이상의 시·도에 걸치는 운행횟수의 증감은 관련 시외버스운송사업자 또는 관할 관청이 참여하여 당해 운행계통에 대한 수송수요 등을 조사한 후에 변경할 것"이라고 규정하고 있는바, 법 시행규칙 제31조2항 제1호, 제2호, 제6호(이하 '이 사건 각 규정'이라 한다)는 법 제11조4항의 위임에 따라 시외버스운송사업의 사업계획변경에 관한 절차, 인가기준 등을 구체적으로 규정한 것으로서, 대외적인 구속력이 있는 법규명령이라고 할 것이고 (대판 1996.6.14, 95누17823; 대판 1997.5.16, 97누2313 참조), 그것을 행정청 내부의 사무처리준칙을 규정한 행정규칙에 불과하다고 할 수는 없는 것이다. 따라서 원심이 인정하는 바와 같이 피고가 이 사건 시외버스운송사업계획변경인가처분(이하 '이 사건 처분'이라 한다)을 함에 있어서 이 사건 각 규정에서 정한 절차나 인가기준 등을 위배하였다면, 이 사건 처분은 위법함을 면하지 못한다고 할 것이다(원심이 들고 있는 대판(전) 1995.10.17, 94누14148[3]은 제재적 행정처분의 기준에 관한 것으로서 이 사건과는 사안을 달리하여 원용하기에 적절하지 아니함을 지적해 둔다).

2. 해 설

- 원심은 법규명령형식의 행정규칙의 문제로 보고 부령형식이므로 행정명령에 불과한 것이라고 판시했으나, 대법원은 법규명령형식의 행정규칙에 관한 판례(대부분 제재처분의 기준에 관한 사안)와는 사안을 달리하는 것(특허의 인가기준을 정한 것)이라고 하면서 법규명령성을 인정.
- 판례는 법규명령형식의 행정규칙 논의는 제재적 처분기준에 국한해서 설시하고 있는 것으로 보임.
- 동판례에 대해서 김남진 교수님은 실질적으로 판례변경을 한 것이라고 평가함. 사업계획변경에 대한 인가는 재량행위이므로 사업계획변경기준은 재량권 행사의 기준으로 보는 시각에서는 이러한 평가도 가능.
- 그러나 사안은 법률의 위임에 의해서 법규사항을 정한 것으로 보아야 함. 이러한 입장에서는 법규명령형식의 행정규칙의 논의와는 다른 국면이므로 법규명령으로 본 판례의 태도는 당연한 것이라고 평가함.

기출 사례 제재적 부과처분 기준의 성질(05년 행시 - 일반행정)

A행정청은 법위반행위에 대한 제재처분기준과 관련하여 '제재금 산정방법 및 부과기준'을 부령으로 작성하여 이를 관보 및 인터넷 상에 공표하였다. 그 후에 당해 행정청은 위 기준에 의거하여 甲에게 500만원의 제재금을 부과하였다. 그런데 당해 행정청은 동일하게 법위반을 한 乙에 대해서는 위 제재금 산정기준에도 불구하고 근거법률에서 정한 범위에서 800만원의 제재금을 부과하였다. 이런 사정을 알게 된 乙이 자신에 대한 제재금 부과처분의 위법성을 주장하고자 한다.

(1) 乙의 주장에 대해서 법원이 어떤 판단을 내릴 것이라 예상하는가? (30점)

(2) 만약 위의 '제재금 산정방법 및 부과기준'을 대통령령으로 정하였다면 어떻게 되겠는가? (20점)

Ⅰ. 乙의 주장에 대한 법원의 판단 - 설문(1)

1. 문제의 소재

- 제재처분의 기준이 부령 형식으로 설정공표된 경우로서(행정절차법 20조) 제재금 산정 기준에 위반하여 이루어진 부과처분의 위법성은 부령형식의 재량준칙의 대외적 구속력인정여부와 관련됨.
- 제재처분에 대해 법률에 근거가 없다면 제재금산정기준 역시 법률에 근거가 없는 것으로서 이에 근거한 800만원의

3) 가중적 제재처분기준이 부령에 규정된 경우 행정명령으로 보면서 소의 이익을 부정했던 종전의 전합판례.

제재금은 위법한 것이나 제재처분을 할 수 있는 근거는 법률에 있는 것으로 전제하고 재량행위로 규정되어 있고 따라서 제재처분의 기준을 설정·공표한 것임을 전제로 하고 논의.

- 법률에서는 재량행위로 규정된 것을 부령형식의 제재금 산정 방법 및 기준에서 500만원이라고 일의적으로 규정하고 있는데 이러한 기준의 대외적 구속력이 문제되는 것.

2. 부령으로 정한 '제재금산정방법 및 부과기준'의 법적 성질

- 법규명령설, 행정규칙설, 절충설, 재량준칙설 견해대립
- 판례는 행정규칙설
- 절충설이 타당.

3. 乙에 대한 800만원 제재금 부과처분의 위법여부

(1) 행정규칙설(실질설)에 따를 경우

- 판례 역시 행정규칙으로 보고 있는데 법령위반을 이유로 제재금 부과처분을 다툴 수 없고 상위법령에의 위반 여부 및 재량권 일탈·남용 여부에 따라 판단. 평등원칙 및 행정의 자기구속의 원칙과 비례의 원칙위반여부 검토.

- 부령형식의 재량준칙위반은 자기구속 법리 등을 매개로 하여 간접적으로 대외적 구속력이 인정되고 甲과 乙을 합리적 사유 없이 차등하여 제재금을 부과한 것은 자기구속원칙을 위반한 것으로서 위법.

- 비례원칙 위반여부에 대한 사정은 설문에 나타나 있지 않으나 乙에 대한 800만원의 제재금 부과처분이 달성하려는 목적과 이로 인해 침해되는 乙의 재산적 침해에 합리적 비례관계가 유지되지 않는다고 볼 수 없으므로 비례원칙을 이유로 재량권의 일탈·남용을 인정하기 어려움.

(2) 법규명령설(형식설)에 따를 경우[4]

1) 500만원으로 정해진 기준액에 반하여 800만원의 제재금을 부과한 A행정청의 부과처분은 법령위반으로 일응 위법한 것으로 볼 수 있으나 이는 엄격한 절대적 구속력을 인정할 경우에만 타당.

2) 법규명령으로 보면서도 신축적 구속력을 인정하는 입장(김남진, 김향기)은 재량권 일탈·남용 여부에 따라 판단하므로 행정규칙설과 동일한 결론을 내릴 것.

(3) 절충설에 의할 경우

- 법률의 수권이 있는지 여부에 따라 법규명령설 내지는 행정규칙설과 결론을 같이 할 것. 설문은 수권 여부에 대해서는 나타나지 않음.

4. 법원의 판결

- 법규명령설 중 엄격한 절대적 구속력을 인정하는 견해에 따르면 乙에 대한 800만원의 부과처분은 위법한 처분이므로 법원은 을의 주장을 받아들여 인용판결을 내릴 것.

- 판례 및 행정규칙설에 따르면 부령으로 정한 제재처분기준에 반한다는 이유로 당해 제재금부과처분을 다툴 수는 없지만 평등원칙 및 자기구속의 원칙에 반하는 것으로 재량의 일탈·남용에 해당하여 위법한 처분이므로 역시 법원은 인용판결을 내릴 것.

Ⅱ. 제재금부과기준이 대통령령인 경우 - 설문(2)

1. 대통령령으로 정한 제재금산정방법 및 부과기준의 법적 성질

- 부령과 학설은 동일하나 대법원은 부령과 달리 파악하고 있다는 점을 언급하고 학설의 비판 내용을 소개.

2. 乙에 대한 800만원제재금부과처분의 위법여부 및 법원의 판결

- 학설은 부령으로 정한 경우와 마찬가지의 결론을 내릴 것이나

- 판례는 청소년보호법시행령상 과징금부과기준에 대해서 법규명령으로 보면서도 수액은 정액이 아니라 최고한도액이라고 판시하고 있는데 이러한 판례에 입각할 때에는 사안의 경우도 제재금산정기준이 500만원이라고 하고 있으므로 500만원을 최고한도액으로 하여 구체적 타당성 있는 해결을 도모해야 하므로 최고한도액을 초과하여 800원을 부과한 것은 역시 위법한 처분.

---

4) 연습 차원에서 다양한 견해에 따라 결론을 내렸지만 실전에서는 법규명령설 안에서도 다양한 입장이 있음을 소개해준 후 하나의 입장에 따라 결론을 내리는 것이 무난함.

22 법령보충적 규칙

1. 문제의 소재

법령보충적 규칙 또는 행정규칙 형식의 법규명령은 **법률의 내용이 일반적이어서 구체화가 필요하여 법령의 위임을 받아 구체적인 내용을 훈령·고시 등의 행정규칙의 형식으로 정하는 경우**를 말한다. 상위법령에서 "대통령령, 부령으로 정한다"고 규정하는 대신 "OO장관이 정한다"는 식의 수권방식을 채택하고 있는 경우가 늘고 있는데, 이에 의해 형식은 행정규칙이나 실질에 있어 법규적 성질을 갖는 경우 법규와 같은 효력을 인정할 것인지 문제된다.

2. 학 설

1) 법규명령설(실질설)

상위법령의 수권을 받아 상위규범을 보충하는 행정규칙은 근거법령과 결합하여 외부적 효력을 가진다. **헌법이 인정하는 법규명령의 형식은 예시적**이며, **행정규제기본법 제4조2항 단서**도 이를 실정법상 승인한 것이다.

2) 행정규칙설(형식설)

행정입법은 **국회입법원칙에 대한 예외**로서, 예외적 입법형식은 헌법에 근거를 요한다(**헌법 제75·95조를 열거적으로 해석**). 헌법이 규정하지 않은 형태의 행정규칙을 법규명령으로 인정하는 것은 권력분립원칙에 위배된다.

3) 규범구체화행정규칙설

통상적인 행정규칙과 달리 그 자체로서 국민에 대한 구속력 인정이 인정되는 규범구체화행정규칙에 해당한다.

4) 위헌·무효설

새로운 입법형식으로 국회입법 원칙에 대한 예외인데 헌법에 규정에 없으므로 위헌무효이다.

3. 판례 - 법규명령설

재산제세사무처리규정(국세청훈령), 노인복지사업지침 등의 행정규칙에 대하여 법령이 행정기관에 대하여 법령의 내용을 구체적으로 보충할 권한을 부여하고 있다면 위임법령의 **위임의 한계를 벗어나지 아니하는 한 상위법령과 결합하여 대외적인 구속력이 있는 법규명령으로서의 효력**을 갖는다고 보았다(관련판례 1, 2). **헌법재판소도** 헌법의 위임입법의 형식은 예시적인 것으로 보면서 법령보충적 규칙의 법규명령으로서의 성질을 인정하고 있다.

판 례 **법령의 규정이 특정 행정기관에게 법령 내용의 구체적 사항을 정할 수 있는 권한을 부여하면서 권한행사의 절차나 방법을 특정하지 아니한 경우에는 수임 행정기관은 행정규칙이나 규정 형식으로 법령 내용이 될 사항을 구체적으로 정할 수 있다. 이 경우 행정규칙 등은 당해 법령의 위임한계를 벗어나지 않는 한 대외적 구속력이 있는 법규명령으로서 효력**을 가지게 되지만, 이는 **행정규칙이 갖는 일반적 효력이 아니라 행정기관에 법령의 구체적 내용을 보충할 권한을 부여한 법령 규정의 효력에 근거하여 예외적으로 인정**되는 것이다. 따라서 그 행정규칙이나 규정이 **상위법령의 위임범위를 벗어난 경우에는 법규명령으로서 대외적 구속력을 인정할 여지는 없다**. 이는 **행정규칙이나 규정 '내용'이 위임범위를 벗어난 경우뿐 아니라 상위법령의 위임규정에서 특정하여 정한 권한행사의 '절차'나 '방식'에 위배되는 경우도 마찬가지**이므로, **상위법령에서 세부사항 등을 시행규칙으로 정하도록 위임하였음에도 이를 고시 등 행정규칙으로 정하였다면 그 역시 대외적 구속력을 가지는 법규명령으로서 효력이 인정될 수 없다**(대판 2012.7.5, 2010다72076).

헌재결정 법령보충적 행정규칙이라도 **그 자체로서 직접적으로 대외적인 구속력을 갖는 것은 아니다. 즉, 상위법령과 결합하여 일체가 되는 한도 내에서 상위법령의 일부가 됨으로써 대외적 구속력이 발생되는 것일 뿐 그 행정규칙 자체는 대외적 구속력을 갖는 것은 아니라 할 것**이다. …(중략)…의회의 입법독점주의에서 입법중심주의로 전환하여 일정한 범위 내에서 행정입법을 허용하게 된 동기가 사회적 변화에 대응한 입법수요의 급증과 종래의 형식적 권력분립주의로는 현대사회에 대응할 수 없다는 **기능적 권력분립론**에 있다는 점 등을 감안하여 헌법 제40조와 헌법 제75조, 제95조의 의미를 살펴보면, 국회입법에 의한 수권이 입법기관이 아닌 제2의 국가기관인 행정기관에게 법률 등으로 구체적인 범위를 정하여 위임한 사항에 관하여 법정립의 권한을 갖게 되고, 입법자가 규율의 형식을 선택할 수도 있다 할 것이다. 따라서, **헌법이 인정하고 있는 위임입법의 형식은 예시적**인 것으로 보아야 할 것이고, 그것은 **법률이 행정규칙에 위임하더라도 그 행정규칙은 위임된 사항만을 규율할 수 있으므로, 국회입법의 원칙과 상치되지도 않는다.** 다만, **형식의 선택에 있어서 규율의 밀도와 규율영역의 특성이 개별적으로 고찰**되어야 할 것이다. 그에 따라 **입법자에게 상세한 규율이 불가능한 것으로 보이는 영역이라면 행정부에게 필요한 보충을 할 책임이 인정되고 극히 전문적인 식견에 좌우되는 영역에서는 행정기관에 의한 구체화의 우위가 불가피**하게 있을 수 있다. 그러한 영역에서 **행정규칙에 대한 위임입법이 제한적으로 인정**될 수 있는 것이다(헌재결 2004.10.28, 99헌바91).

4. 검 토

위임을 받아 법규사항을 정하는 행정규칙이 **위임을 한 명령을 보충하는 구체적인 사항을 정하는 경우 국회입법원칙에 반하는 것은 아니며,** 전문적·기술적인 사항 또는 빈번히 개정되어야 할 구체적 사항에 대하여 법규명령보다 **탄력성 있는 행정규칙의 형식으로 제정할 필요**도 있으므로 **법규명령설이 타당**하다.

관련 판례 1 **양도소득세부과처분취소**(대판 1987.9.29, 86누484)

1. 사실관계

원고는 A 부동산을 양도한 후 1983.3.31자 기준시가에 의한 양도차익예정 신고를 하였으나, 마포세무서장은 이를 인정하지 않고 위 양도행위가 투기거래의 유형에 해당한다며 소득세법 제23조1항 단서, 제45조1항 1호 단서, 같은 법 시행령 제170조4항 제2호 및 **국세청 훈령인 재산제세사무처리규정 제72조3항 제5호를 적용**하여, 이 사건 부동산의 취득 및 양도당시의 **실지거래 가액에 의한 양도차익을 계산한 다음, 이를 바탕으로 양도소득세 및 방위세를 부과**함. 이에 원고는 위 재산제세사무처리규정 조항은 행정규칙에 불과하므로 법규성이 없어, 실지거래가액에 의한 세금부과 행위는 법령상 아무런 근거가 없는 것이어서 위법하다며 과세처분의 취소소송을 제기함.

[참조조문]

*구 소득세법 제23조 (양도소득)

① 양도소득은 당해연도에 발생한 다음 각호의 소득으로 한다.

1. 토지 또는 건물의 양도로 인하여 발생하는 소득

② 양도소득금액은 당해 자산의 양도로 인하여 발생한 총수입금액(이하 '양도가액'이라 한다)에서 제45조의 규정에 의한 필요경비를 공제한 금액(이하 '양도차익'으로 한다)에서 다시 다음 각호의 금액을 순차로 공제한 금액으로 한다.

④ 양도가액은 실지거래가액에 의하되 **대통령령이 정하는 경우에는 그 자산의 양도당시의 기준시가에 의한다**

*구 소득세법시행령 제170조 (양도소득금액의 조사결정)

③ **법 제23조제4항** 및 법 제45조제1항제1호에서 **"대통령령이 정하는 경우"라 함은 다음 각호의 1에 해당하는 경우**를 말한다.

1. 법 제23조제1항제1호 및 제2호의 소득을 법 제95조 또는 법 제100조의 규정에 의하여 **신고하지 아니 하거나 실지거래 가액과 다르게 신고한 경우**

2. 법 제23조제1항제3호의 소득에 대한 **실지거래가액을 양도자가 제출한 증빙에 의하여 확인할 수 없는 경우**

④ **다음 각호의 1**에 해당하는 경우에는 제3항의 규정에 불구하고 **실지거래가액에 의하여 양도차익을 계산**한다.

2. 국세청장이 지역에 따라 정하는 일정규모 이상의 거래 기타 부동산 투기의 억제를 위하여 필요하다고 인정되어 **국세청장이 지정하는 거래**에 있어서 양도 취득당시의 실지거래가액을 확인할 수 있는 경우

➡ 이에 따라 **국세청훈령인 재산제세사무처리규정 제72조3항은,** 양도소득세의 **실지거래가액이 적용될 부동산투기억제를 위하여 필요하다고 인정되는 거래의 유형을 열거**

2. 판시사항 및 판결요지

[1] 행정규칙의 법규성

- 상급행정기관이 하급행정기관에 대하여 업무처리지침이나 법령의 해석적용에 관한 기준을 정하여서 발하는 이른바 행정규칙은 일반적으로 행정조직 내부에서만 효력을 가질 뿐 대외적인 구속력을 갖는 것은 아니지만, **법령의 규정이 특정행정기관에게 그 법령내용의 구체적 사항을 정할 수 있는 권한을 부여하면서 그 권한행사의 절차나 방법을 특정하고 있지 아니한 관계로 수임행정기관이 행정규칙의 형식으로 그 법령의 내용이 될 사항을 구체적으로 정하고 있다면** 그와 같은 행정규칙, 규정은 **행정규칙이 갖는 일반적 효력으로서가 아니라, 행정기관에 법령의 구체적 내용을 보충할 권한을 부여한 법령규정의 효력에 의하여 그 내용을 보충하는 기능을 갖게 된다** 할 것이므로 이와 같은 행정규칙, 규정은 **당해 법령의 위임한계를 벗어나지 아니하는 한 그것들과 결합하여 대외적인 구속력이 있는**

법규명령으로서의 효력을 갖게 된다.

[2] 재산제세사무처리규정 제72조3항이 양도소득세의 실지거래가액에 의한 과세의 법령상 근거가 될 수 있는지 여부 (적극)

- 소득세법 제23조4항, 제45조1항 제1호에서 양도소득세의 양도차익을 계산함에 있어 실지거래가액이 적용될 경우를 대통령령에 위임함으로써 동법시행령 제170조4항 제2호가 위 위임규정에 따라 양도소득세의 실지거래가액이 적용될 경우의 하나로서 국세청장으로 하여금 양도소득세의 실지거래가액이 적용될 부동산투기억제를 위하여 필요하다고 인정되는 거래를 지정하게 하면서 그 지정의 절차나 방법에 관하여 아무런 제한을 두고 있지 아니하고 있어 이에 따라 국세청장이 재산제세사무처리규정 제72조3항에서 양도소득세의 실지거래가액이 적용될 부동산투기억제를 위하여 필요하다고 인정되는 거래의 유형을 열거하고 있으므로, 이는 비록 위 재산제세사무처리규정이 국세청장의 훈령형식으로 되어 있다 하더라도 이에 의한 거래지정은 소득세법시행령의 위임에 따라 그 규정의 내용을 보충하는 기능을 가지면서 그와 결합하여 대외적 효력을 발생하게 된다 할 것이므로 그 보충규정의 내용이 위 법령의 위임한계를 벗어났다는 등 특별한 사정이 없는 한 양도소득세의 실지거래가액에 의한 과세의 법령상의 근거가 된다.

관련 판례 2 노령수당지급대상자선정제외처분취소

(대판 1996.4.12, 95누7727)

1. 사실관계

甲은 만 65세, 관악구청장에게 노령수당지급을 신청함. 보사부장관이 정한 노인복지사업지침에는 만 70세 이상 생활보호대상 노인에게만 노령수당을 지급토록 규정되어 있어 노령수당 지급거부처분을 함.

2. 판시사항 및 판결요지

[1] 보건사회부장관이 정한 1994년도 노인복지사업지침의 법적 성질

- 보건사회부장관이 정한 1994년도 노인복지사업지침은 노령수당의 지급대상자의 선정기준 및 지급수준 등에 관한 권한을 부여한 노인복지법 제13조2항, 같은법시행령 제17조, 제20조1항에 따라 보건사회부장관이 발한 것으로서 실질적으로 법령의 규정내용을 보충하는 기능을 지니면서 그것과 결합하여 대외적으로 구속력이 있는 법규명령의 성질을 가지는 것으로 보인다.

[2] 노령수당의 지급대상자를 '70세 이상'으로 규정한 [1]항의 지침이 노인복지법 제13조, 같은 법시행령 제17조의 위임한계를 벗어나 효력이 없다고 한 사례

- 법령보충적인 행정규칙, 규정은 당해 법령의 위임한계를 벗어나지 아니하는 범위 내에서만 그것들과 결합하여 법규적 효력을 가지고, 노인복지법 제13조2항의 규정에 따른 노인복지법시행령 제17조, 제20조1항은 노령수당의 지급대상자의 연령범위에 관하여 위 법 조항과 동일하게 '65세 이상의 자'로 반복하여 규정한 다음, 소득수준 등을 참작한 일정소득 이하의 자라고 하는 지급대상자의 선정기준과 그 지급대상자에 대한 구체적인 지급수준(지급액) 등의 결정을 보건사회부장관에게 위임하고 있으므로, 보건사회부장관이 노령수당의 지급대상자에 관하여 정할 수 있는 것은 65세 이상의 노령자 중에서 그 선정기준이 될 소득수준 등을 참작한 일정소득 이하의 자인 지급대상자의 범위와 그 지급대상 자에 대하여 매년 예산확보상황 등을 고려한 구체적인 지급수준과 지급시기, 지급방법 등일 뿐이지, 나아가 지급대상자의 최저연령을 법령상의 규정보다 높게 정하는 등 노령수당의 지급대상자의 범위를 법령의 규정보다 축소·조정하여 정할 수는 없다고 할 것임에도, 보건사회부장관이 정한 1994년도 노인복지사업지침은 노령수당의 지급대상자를 '70세 이상'의 생활보호대상자로 규정함으로써 당초 법령이 예정한 노령수당의 지급대상자를 부당하게 축소·조정하였고, 따라서 위 지침 가운데 노령수당의 지급대상자를 '70세 이상'으로 규정한 부분은 법령의 위임한계를 벗어난 것이어서 그 효력이 없다.

기출 사례 법령보충규칙의 법적 성격 및 법규명령의 통제수단

(07년 행시 - 일반행정)

다음 사례를 읽고 물음에 답하시오

방송위원회는 종합유선방송사업자인 A방송사의 XX오락프로그램이 방송심의규정을 위반하여 청소년의 건전한 인격형성을 저해하는 내용을 방영하였음을 이유로 A방송사에 대하여 XX프로그램의 방송중지를 명하였다. 그러나 A방송사는 방송위원회의 방송중지명령을 위반하여 방송을 계속하였고 그러던 차에 A방송사에 대한 허가기간이 만료되었다. 방송위원회는 재허가추천을 거부하였고 이에 따라 정보통신부장관은 A방송사에 대한 재허가를 거부하였다.

(1) 방송심의규정에 근거하여 프로그램의 방송중지명령과 같은 국민의 권익을 직접 침해하는 처분을 할 수 있는가? (10점)

(2) A방송사는 방송심의규정에 방송의 자유를 침해하는 애매모호한 표현이 다수 포함되어 있음을 문제점으로 지적하고 있다. 방송심의규정에 대한 통제방안을 설명하시오. (20점)

[참조조문]

***방송법**[1]

제2조(용어의 정의) 이 법에서 사용하는 용어의 정의는 다음과 같다

3. '방송사업자'라 함은 다음 각 목의 자를 말한다

나. 종합유선방송사업자 : 종합유선방송사업을 하기 위하여 제9조2항의 규정에 의하여 허가를 받은 자

제17조(재허가 등)

1. 방송사업자(방송채널사용사업자는 제외한다) 및 중계유선방송사업자가 허가유효기간의 만료 후 계속 방송을 행하고자 하는 때에는 방송위원회의 재허가 추천을 받아 정보통신부장관의 재허가를 받아야 한다.

2. 방송위원회가 제1항 및 제2항의 규정에 의하여 재허가추천 또는 재승인을 할 때에는 제10조1항 각호 및 다음 각 호의 사항을 심사하고 그 결과를 공표하여야 한다.

2) 방송위원회의 시정명령의 횟수와 시정명령에 대한 불이행 사례

제33조(심의규정)

1. **위원회**는 **방송의 공정성 및 공공성을 심의**하기 위하여 **방송심의에 관한규정(이하 '심의규정'이라 한다)을 제정·공표하여야 한다**.

2. 제1항의 심의규정에는 다음 각 호의 사항이 포함되어야 한다.

3) 아동 및 청소년의 보호와 건전한 인격형성에 관한 사항

제100조(제재조치등)

1. 방송위원회는 방송사업자,중계유선방송사업자 또는 전광판방송사업자가 제33조의 심의규정 및 제74조2항에 의한 협찬고지 규칙을 위반한 경우에는 다음 각 호의 제재조치를 명할 수 있다.

2. 해당 방송프로그램의 정정, 수정 또는 중지

Ⅰ. 방송위원회의 방송중지명령 가부 - 설문(1)

1. 문제의 소재

- 방송중지명령은 침익적 처분으로 법률유보원칙에 따라 법적 근거(헌법 제37조2항)가 필요.
- 방송법 제100조2항은 방송심의규정 위반시 중지명령이 가능하다고 규정하고 있고, 방송위원회가 제정·공포한 방송심의규정은 방송법 제33조1항에 근거하여 제정되는데, 방송심의규정의 법적 성질이 무엇인지에 따라 방송중지명령의 근거 여부가 결정됨.

2. 방송심의규정의 법적 성질[2]

⑴ 방송심의규정의 형태

법규명령의 형식이 아닌 행정규칙 형식에 해당. 그러나 그 내용은 방송법의 위임에 의해 동 규정 위반시 제재조치까지 가능하게 하는 법규적 내용을 담고 있으므로 법령보충적 행정규칙에 해당.

⑵ 법령보충적 행정규칙의 법적 성질

학설 대립 있으나 판례는 법규명령설. 법규명령설로 검토.

3. 사안의 해결

방송심의규정은 방송법 100조와 결합하여 방송중지명령의 근거

Ⅱ. 방송심의규정 통제방안 - 설문(2)

- 방송심의규정의 법적 성질을 법규명령으로 보면, 법규명령에 대한 통제방안을 언급하면 됨.
- 항고소송은 처분적 법령이 아니므로 불가.
- 권리구제형 헌법소원은 방송심의규정이 직접 국민의 권리의무를 제한한다고 볼 수 없고, 그에 근거한 방송중지명령과 같은 구체적 처분을 매개로 하여 영향을 미치므로 불가.
- 의회에 의한 통제(국회법 98조의2), 행정적 통제, 국민에 의한 통제(국민의 여론, 압력, 청원), 국가배상청구 등이 있으나 실효적인 구제수단이라고 보기는 어려움.
- A방송사는 재허가거부처분을 다투면서 부수적으로 방송심의규정에 대해 위헌 위법여부를 다툴 수 있음(구체적 규범통제).

---

1) 시험 당시의 방송법이고 현행 방송법은 방송통신위원회의 재허가를 받도록 하고 있음(방송위원회와 정보통신부가 폐지되고 방송통신위원회가 신설되었음).

2) 방송심의규정을 방송법과 결합한 법령보충적 규칙의 문제로 접근함. **정하중** 교수님은 감사원,공정거래위원회,금융위원회,중앙노동위원회 등 **독립된 지위를 갖는 합의제 행정관청이 법률에 근거하여 규칙제정권**을 갖고 있으며 이 **규칙의 법적 성격**에 행정규칙설과 법규명령설이 대립하며 헌법재판소와 대법원의 판례를 따랐을 때 법규명령이라고 풀이. **감사원법에 근거한 감사원규칙의 법규명령 여부에 대한 논의와 같은 맥락으로 접근**한 것. 그렇지만 **해설**은 방송법에서 방송심의규정 제정을 위임했고 방송심의규정은 방송법과 결합해서 **법령보충적 규칙에 해당된다고 풀이**한 것임. 어느 경우이든 헌법에 규정한 법규명령의 형식이 예시적이냐 열거적이냐에

기출 사례 **법령보충적 규칙**(10년 행시 - 재경)

약사법 제23조6항은 "한약사가 한약을 조제할 때에는 한의사의 처방전에 따라야 한다. 다만, 보건복지부장관이 정하는 한약처방의 종류 및 조제 방법에 따라 조제하는 경우에는 한의사의 처방전 없이도 조제할 수 있다"고 규정하고 있다. 이 조항에 근거하여 보건복지부장관은 한약사가 임의로 조제할 수 있는 한약처방의 종류를 100가지로 제한하는 보건복지부고시('한약처방의 종류 및 조제방법에 관한 규정')를 제정하였다. 그런데 한약사 甲은 보건복지부고시

Ⅰ. 쟁점 정리

- 甲이 주장할 수 있는 법적 논거로 (1) 법령보충적 규칙에 해당하는 보건복지부고시의 형식으로 위임입법은 허용될 수 없으므로 고시는 위헌이라는 것, (2) 법령보충적 규칙에 대해 법규명령으로서의 효력을 인정하나 고시가 포괄위임입법금지원칙, 직업선택의 자유 위반, 평등의 원칙 등에 반하는 것으로서 위헌이라는 것을 생각해 볼 수 있음.
- 권리구제수단으로서는 과징금부과처분에 대한 행정쟁송, 고시에 대한 위헌·위법 명령심사제, 헌법소원 등의 가능성을 검토

Ⅱ. 보건복지부고시 형식의 위임입법의 가능성

1. 위헌·무효라는 견해에 대한 검토

(1) 법령보충적 행정규칙의 의의

(2) 위헌으로 허용될 수 없다는 견해(#17.관련판례의 [반대의견])

- 헌법이 규정하는 법규명령의 형식은 열거적
- 국회입법원칙의 예외는 엄격
- 행정규제기본법 제4조2항은 위헌

[헌재 반대의견] 우리헌법은 경성헌법이므로 법률을 포함한 일체의 국가의사가 헌법의 문언에 저촉되어서는 유효하게 존립될 수 없고 헌법에 명문으로 규정된 원칙에 대해서는 예외를 인정할 수 없다. 그러므로 우리 **헌법이 법규명령의 형식을 문언상으로 확정**하면서 그 **명령의 구체적 종류·발령주체·위임범위·요건 등에 관한 명시적인 규정**을 두고 있는 이상, **법률로써 헌법문언에 정해두지 않은 다른 종류의 법규명령을 창설할 수 없고**, 더구나 그러한 **법규사항을 행정규칙에 위임하여서는 아니 된다** 할 것이다. 그렇다면 구 약사법 제21조7항(설문의 23조6항)은 법규적 사항을 헌법에서 한정적으로 열거한 위임입법의 형식을 따르지 아니하고 법률에서 임의로 위임입법의 형식을 창설한 것이므로 헌법에 위반되고, 위헌인 법률에 따라 이루어진 이 사건 조제규정 역시 헌법에 위반된다(헌재결 2008.7.31, 2005헌마667·2006헌마674(병합)).

(3) 비판적 검토

- 법규명령설의 학설·판례를 소개한 후 **법규명령설로 검토**
- 사회적 변화에 대응한 입법수요의 급증과 종래의 형식적 권력분립주의로는 현대사회에 대응할 수 없다는 **기능적 권력분립론**을 고려할 때 헌법이 인정하는 **위임입법의 형식은 예시적.**
- **다만** 이에 대한 **통제는 엄격**해야 하며, **업무의 성질상 위임이 불가피한 사항에 한정**되며, **반드시 구체적·개별적으로 한정**된 사항에 대하여 행해져야 함(#17.관련판례의 결정내용을 주로 활용)
- 사안에서 **한약처방의 종류 및 그 조제방법**이라는 것은 그 **대상이 매우 다양**하고, **세부적, 기술적, 가변적 사항**으로서 어떠한 처방에 대하여 한약사에게 임의조제를 허용할 것인가는 그 처방이 일반적으로 안정성과 유효성이 인정된 것인지 여부를 고려하여 판단하여야 하는 **전문적·기술적 영역**이며, 그 판단을 위해서는 고도의 전문지식이 필요하고 조제규정의 내용 역시 매우 기술적이고 세부적이라는 점에서 이러한 내용을 법규명령에 위임하지 아니하고 **보건복지부 고시에 위임**하는 것은 **허용**됨.

2. 법규명령에 해당하는 경우 위헌 여부[3)]

(1) 포괄위임입법금지원칙 위반 여부

- 한의사의 처방전 없이 조제할 수 있는 한약의 범위나 그 지정 근거 등에 대해 아무런 기준도 정하지 않고 포괄적으로 위임한 점이 포괄위임금지원칙에 반한다고 볼 수도 있으나 한약사의 경우 한의사의 처방전이 있는 경우에만 그 처방전에 따라서 한약을 조제하는 것을 원칙으로 하되, 일반적으로 많이 쓰이고 의학적 안전성이 비교적 입증되어 한의사의 처방전이 없이 조제, 판매되더라도 안전성이 확보된다고 인정할 만한 한약처방에 대하여 특별히 한의사의 처방전이 없는 경우에도 한약사가 조제할 수 있도록 허용한다는 입법목적에 비추어 고시의 수범자가 한약에 대한 전문가인 한약사들로서 임의조제가 허용되는 한약처방의 범위에 대하여 대체적으로 예측할 수 있다는 점을 포괄위임입법금지원칙 위반은 아님.

관한 것이 핵심.

(2) 직업선택의 자유 위반 여부

한약사라는 직업의 선택 자체를 제한하는 것이 아니라 한약사가 한의사의 처방전 없이 조제할 수 있는 한약처방의 범위를 제한하는 것으로서 직업결정의 자유에 비하여 상대적으로 넓은 규제가 가능하고, 또한 한약사라는 전문분야에 관한 자격제도의 내용을 구성하는 것으로서 입법부의 입법형성의 자유가 인정되는 영역인바 직업선택의 자유 위반에 해당되지 않음

(3) 평등의 원칙 위반 여부

- 한의사 및 약사와의 관계에서 평등의 원칙 위반여부가 문제되나 한약사와 한의사는 자격 및 주된 업무의 내용, 진단 및 처방 등 의료행위를 할 수 있는지 여부 등에서 전혀 다르고 한방과 양방의 차이를 고려할 때 평등의 원칙 위반에 해당되지 않음.

Ⅲ. 甲의 권리구제수단

1. 문제의 소재

- 만약 보건복지부장관의 고시를 위헌·무효로 볼 경우 및 법규명령으로서의 효력을 인정하는 경우에도 포괄위임금지원칙 위반 등에 반하는 경우로서 고시가 위헌인 경우 구제수단이 문제

- 사안은 과징금 납부통지서만 받은 단계이므로 손해전보는 문제되지 않으며 과징금부과처분과 그 근거가 된 고시에 대한 불복수단을 검토

2. 위헌·위법명령심사제

- 헌법 제107조2항은 구체적 규범통제로서 부수적(간접적) 규범통제를 채택하여 법규명령의 효력을 직접 소송을 통하여 다투는 것은 허용되지 않음.

- 甲은 과징금부과처분에 대한 행정소송을 제기하면서, 본안에서 그 고시규정이 위헌무효임을 주장해야 함.

- 법원이 재판의 전제가 된 고시의 위헌성을 판단한 경우 당해 명령을 당해 사건에 적용을 거부할 수 있으므로 고시에 근거한 처분은 위법하게 됨.

3. 행정쟁송의 종류

- 위헌인 법령에 근거한 행정처분은 무효와 취소의 구별기준인 중대명백설에 의할 경우 취소사유에 해당.

- 취소심판, 취소소송을 제기.

- 가구제로서 집행정지도 문제되나 2천만원의 과징금부과처분은 금전으로 회복할 수 있는 손해에 해당한다고 봐야 하므로 집행정지의 인용가능성은 없음.

4. 권리구제형 헌법소원

- 보건복지부장관의 고시가 헌법소원의 요건(특히 직접성, 보충성 요건)을 충족하면 가능.

- 과징금부과처분의 근거조항에 대한 헌법소원이 아니라 한약처방의 종류를 제한하는 고시에 대한 헌법소원이므로 고시에 의해서 직접 기본권을 침해하는 경우에 해당.[4]

Ⅳ. 결 론

---

3) 1. 위헌,무효 여부에 대한 논의보다는 배점이 적을 것으로 생각됨.
   - 2005헌마667 판례에서는 (1)(2)(3) 모두 쟁점이 되었지만, 설문에 비추어 (2)(3)보다는 (1)의 논의 정도만 서술해도 무방함.

4) 과징금부과처분의 근거인 약사법 조항에 대해서 헌법소원을 제기하면 직접성 요건에서 탈락될 것.

23 행정계획의 법적 성질

Ⅰ. 행정계획의 의의

행정에 관한 전문적·기술적 판단을 기초로 하여 도시의 건설·정비·개량 등과 같은 특정한 **행정목표를 달성**하기 위하여 서로 관련되는 **행정수단을 종합·조정**함으로써 장래의 일정한 시점에 있어서 일정한 질서를 실현하기 위한 활동기준으로 설정된 것을 말한다.

Ⅱ. 행정계획의 법적 성질

1. 문제점

행정계획의 종류와 내용은 **매우 다양**하고 상이한바 모든 계획에 하나의 법적 성격을 부여하는 것은 불가능하며 계획마다 근거법과 관련하여 **개별적으로 검토**하는 것이 타당하다. 법규명령 등 특정의 법적 형식에 의해 수립된 경우 그 법적 형식의 성질을 가지며 특정의 행위형식을 취하지 않는 경우에 주로 문제되는데, 비구속적행정계획과 행정기관에만 구속력을 갖는 행정계획은 항고소송의 대상이 아니며, **국민에게도 구속력을 갖는 행정계획** 특히 **도시·군관리계획의 법적 성격이 문제**된다.

2. 학 설

① **일반적 추상적인 규율**에 해당한다는 **입법행위설**, ② 개인의 권리 내지 법률상 이익에 **개별적 구체적 직접적**으로 영향을 주는 것이라는 **행정행위설**, ③ **규범이 아니고 행정행위도 아닌** 독자적 성질의 것으로서 **행정행위에 준하여 구속력**을 가진다는 **독자성설**, ④ **도시·군관리계획도 성질을 달리 하는 여러 계획**이 있으므로 각 계획마다 분리하여 개별적으로 검토해야 한다는 **개별검토설**이 대립한다.

3. 판 례

구 도시계획법상 도시계획결정(현행 국토의 계획 및 이용에 관한 법률(이하 "국토법"이라 함)상 **도시·군관리계획)**에 대하여 고등법원은 이를 일반적·추상적 결정으로 보아 처분성을 부인했으나, 대법원은 원심을 파기하고 **특정 개인의 권리 내지 법률상의 이익을 개별적이고 구체적으로 규제하는 효과**를 가져온다고 보아 **처분성을 긍정**하였다.[1)]

판 례 원심은, ……… 건설부장관의 **도시계획결정은 도시계획사업의 기본이 되는 일반적 추상적인 도시계획의 결정**으로서 이와 같은 일반계획의 결정이 있었던 것만으로는 **특정 개인에게 어떤 직접적이며 구체적인 권리의무 관계가 발생한다고는 볼 수 없다** 할 것이므로 피고의 이 사건 도시계획결정은 결국 항고소송의 대상이 되는 **행정처분은 아니라고 봄**이 상당하고, 원고의 이 소는 결국 행정소송의 대상 이 될 수 없는 사항을 그 대상으로 삼은 부적법한 소라 하여 이를 각하한다고 판시하고 있다. **그러나** 도시계획법 제12조 소정의 **도시계획결정이 고시되면 도시계획구역안의 토지나 건물 소유자의 토지형질변경, 건축물의 신축, 개축 또는 증축 등 권리행사가 일정한 제한을 받게 되는바 이런 점에서 볼 때 고시된 도시계획결정은 특정 개인의 권리 내지 법률상의 이익을 개별적이고 구체적으로 규제하는 효과를 가져오게 하는 행정청의 처분**이라 할 것이다(대판 1982.3.9, 80누105).

4. 검 토

도시·군관리계획결정은 그 **내용에 따라 국민의 권리의무에 구체적·개별적 영향을 미치며**, 그 계획에 근거한 처분이 있은 후에 처분에 대해 다투도록 하는 것보다는 도시관리계획의 처분성을 인정함으로서 **조기에 권리구제를 해줄 필요**도 있으므로, **처분성을 인정**하는 것이 타당하다. **물적 행정행위**의 성격을 갖는다는 견해도 있다.

---

1) 반면 판례는 구도시계획법상 "**도시기본계획(현행도 동일)은** 도시의 기본적인 공간구조와 장기발전방향을 제시하는 종합계획으로서 그 계획에는 토지이용계획, 환경계획, 공원녹지계획 등 장래의 **도시개발의 일반적인 방향이 제시되지만, 그 계획은 도시계획입안의 지침이 되는 것에 불과하여 일반 국민에 대한 직접적인 구속력은 없는 것**이다"(대판 2002.10.11, 2000두8226).고 하여 처분성을 부정한다.

24 계획재량

Ⅰ. 서 설

1. 의 의

행정계획을 수립함에 있어서 계획청에게 허용되는 광범위한 형성의 자유를 말한다. 일반적인 행정법규는 요건·효과의 조건명제 형식을 취하지만, 계획규범은 계획의 요건과 효과에 대해서는 규정하지 않고 계획이 추구하는 목적과 이를 위한 수단에 대하여 규정하는 **목적·수단 명제의 형식**을 취하는 특성이 있다. 따라서 계획청은 목적의 설정과 수단의 선택에 있어서 독자적인 판단에 따라 행동할 형성의 자유를 가지게 된다. 계획재량이 행정재량과 구별되는지와, 계획재량에 대한 사법적 통제에 논의 실익이 있다.

판 례 행정계획이라 함은 행정에 관한 전문적·기술적 판단을 기초로 하여 도시의 건설·정비·개량 등과 같은 특정한 행정목표를 달성하기 위하여 서로 관련되는 행정수단을 종합·조정함으로써 장래의 일정한 시점에 있어서 일정한 질서를 실현하기 위한 활동**기준**으로 설정된 것으로서, **도시계획법 등 관계 법령에는 추상적인 행정목표와 절차만이 규정되어 있을 뿐 행정계획의 내용에 대하여는 별다른 규정을 두고 있지 아니하므로 행정주체는 구체적인 행정계획을 입안·결정함에 있어서 비교적 광범위한 형성의 자유를 가진다**(대판 1996.11.29, 96누8567).

Ⅱ. 법적 성질(행정재량과의 구별)

1. 학 설

① **계획규범은 일반행정법규와 규범구조의 차**이가 있으며(목적·수단 명제), 하자이론의 구성에 있어서 **형량명령이라는 특유한 재량하자이론**이 있다고 보아 행정재량과는 질적으로 **구별된다는 견해** ② 재량의 범위나 내용은 입법자의 수권에 따라 달라지며, 재량이란 **다같이 행정청에게 선택의 자유를 인정**하는 것이며, 계획재량에 대한 통제도 행정재량에서와 마찬가지로 **비례의 원칙의 구체화**에 해당한다면서 **질적인 차이를 부정하는 견해**가 대립한다.

2. 판 례

종래 행정계획결정에 있어서 광범위한 형성의 자유를 인정하고, 그에 대한 한계로서 **형량명령의 법리를 반영하면서도 '형량하자'라는 용어를 사용하지 않고 재량권의 일탈·남용이라고 판시하였으나**(판례1), **최근의 판례는 재량권의 일탈·남용이라는 표현 대신 형량에 하자가 있다고 하여 계획재량의 독자성을 나타내는 경향**(판례2)을 보이고 있다.

3. 검 토

계획청에 폭넓은 재량이 인정되지만, 행정청에게 선택의 자유가 있다는 점에서 **질적인 차이는 부정하는 것이 타당하다.**

Ⅲ. 계획재량과 사법심사

1. 형량의 원리

(1) 의 의

계획수립주체가 계획재량권을 행사함에 있어서 **공익상호간, 사익상호간, 공익과 사익 상호간**에 **정당한 형량**을 하여야 한다는 원리이다. 집단적 이해관계의 갈등을 행정절차를 통해 사전에 조정하는 기능을 수행하여, 계획재량을 통제하는 법리이다.

(2) 형량하자의 유형

① 형량의 해태, ② 형량의 흠결, ③ 오형량으로 구별된다.

(3) 판 례

판례 1 행정주체가 가지는 이와 같은 형성의 자유는 무제한적인 것이 아니라 그 행정계획에 관련되는 자들의 이익을 공익과 사익 사이에서는 물론이고 공익 상호간과 사익 상호간에도 정당하게 비교교량하여야 한다는 제한이 있는 것이고, 따라서 행정주체가 행정계획을 입안·결정함에 있어서 이익형량을 전혀 행하지 아니하거나 이익형량의 고려 대상에 마땅히 포함시켜야 할 사항을 누락한 경우 또는 이익형량을 하였으나 정당성·객관성이 결여된 경우에는 그 행정계획결정은 재량권을 일탈·남용한 것으로서 위법하다(대판 1996.11.29, 96누8567).

판례 2 [1] 행정주체가 행정계획을 입안·결정하면서 이익형량을 전혀 행하지 않거나 이익형량의 고려 대상에 마땅히 포함시켜야 할 사항을 빠뜨린 경우 또는 이익형량을 하였으나 정당성과 객관성이 결여된 경우에는 행정계획결정은 형량에 하자가 있어 위법하게 된다. 이러한 법리는 행정주체가 구 국토의 계획 및 이용에 관한 법률 제26조에 의한 주민의 도시관리계획 입안 제안을 받아들여 도시관리계획결정을 할 것인지를 결정할 때에도 마찬가지이고, 나아가 도시계획시설구역 내 토지 등을 소유하고 있는 주민이 장기간 집행되지 아니한 도시계획시설의 결정권자에게 도시계획시설의 변경을 신청하고, 결정권자가 이러한 신청을 받아들여 도시계획시설을 변경할 것인지를 결정하는 경우에도 동일하게 적용된다고 보아야 한다.

[2] 甲 등이 자신들의 토지를 도시계획시설인 완충녹지에서 해제하여 달라는 신청을 하였으나 관할 구청장이 이를 거부하는 처분을 한 사안에서, 위 토지를 완충녹지로 유지해야 할 공익상 필요성이 소멸되었다고 볼 수 있다는 이유로, 위 처분은 甲 등의 재산권 행사를 과도하게 제한한 것으로서 행정계획을 입안·결정하면서 이익형량을 전혀 하지 않았거나 이익형량의 정당성·객관성이 결여된 경우에 해당한다고 본 원심판단을 정당하다고 한 사례(대판 2012.1.12, 2010두5806).

2. 절차적 심사

행정계획의 경우 사후적인 사법적 구제가 어려운 특성(처분성 유무, 광범위한 형성의 자유, 사정판결 등)이 있으므로 절차규정의 준수가 중요하다.

3. 사정판결의 필요성

행정계획의 ① 장기성, ② 종합성, ③ 기성사실의 불가피한 존중 요구 등에 의해 사정판결이 가능성이 크다.

기출 사례 **계획재량(04년 행시)**

아래의 판결을 건설교통부장관의 입장에서 비판적으로 논평하시오(각 취소소송의 소송요건은 모두 구비되었음)[1)]

"건설교통부장관은 A시 B동 및 C동 소재 임야지역을 국토의계획및이용에관한법률 제38조1항에 의거하여 개발제한구역으로 지정하는 도시관리계획결정을 하였다. 그런데 그 지역의 토지소유자들이 제기한 취소소송에서 법원은 B동 임야지역에 대해서는 도시개발 제한의 필요성은 인정되지만 원고들의 소유토지까지 포함시킨 것은 과도한 조치라는 이유로 위 도시관리계획결정을 취소하는 판결을 선고하였다."

[참조조문]

*국토의계획및이용에관한법률

제38조 (개발제한구역의 지정)

① 건설교통부장관은 도시의 무질서한 확산을 방지하고 도시주변의 자연환경을 보전하여 도시민의 건전한 생활환경을 확보하기 위하여 도시의 개발을 제한할 필요가 있거나 국방부장관의 요청이 있어 보안상 도시의 개발을 제한할 필요가 있다고 인정되는 경우에는 개발제한구역의 지정 또는 변경을 도시관리계획으로 결정할 수 있다.

1. 쟁 점

- 계획법상 행정의 자율과 행정소송의 심사강도의 문제에 관한 것으로 통상의 재량과 비교하여 어떠한 특성이 있는지 문제.
- 건교부장관은 도시관리계획결정은 계획재량의 범위 내에서 형량하자가 없는 적법한 처분이라고 주장.

2. 계획재량 – 통상의 행정과의 차이점

3. 형량하자

4. 판결의 타당성

- 건교부장관의 입장에 선다면 도시계획수립에서는 행정

청에게 광범위한 형성의 자유가 존재하며, 관련된 이익의 형량을 한 결과로서 즉 B, C동 지역에 대한 개발제한구역을 지정한 것이므로 판결은 잘못됨.

- 공·사익의 형량뿐만 아니라 사익상호간에도 이익형량이 행해져야 하는 점을 감안할 때 개발제한의 필요성이 인정되는 지역이므로 B동 지역을 C동 지역처럼 개발제한구역으로 포함한 것은 적법.

기출 사례 **도시관리계획의 처분성/형량하자/기속력** (09년 사시)

행정청 乙의 관할 구역 내에 있는 A도시공원을 찾는 등산객이 증가하고 있다. 등산객들이 공원입구를 주차장처럼 이용하여 공원의 경관과 이미지를 훼손하고 있다. 이에 관할 행정청 乙은 이곳에 휴게 광장을 조성하여 주민들에게 만남의 장소를 제공하고, 도시 경관을 향상시키기 위해 甲의 토지를 포함한 일단의 지역에 대해서 광장의 설치를 목적으로 하는 도시관리계획을 입안·결정하였다. 그런데 행정청 乙은 지역 발전에 대한 의욕이 앞선 나머지 인구, 교통, 환경, 토지이용 등에 대한 기초조사를 하지 않고 도시관리계획을 입안·결정하였다. 甲은 자신의 토지전부를 광장에 포함시키는 乙의 도시관리계획 입안·결정이 법적으로 문제가 있다고 보고, 위 도시관리계획결정의 취소를 구하는 소송을 제기하였다.

1. 위 취소소송에서 甲의 청구는 인용될 수 있는가? (30점)
2. 甲의 청구가 인용된 경우에 행정청 乙은 동일한 내용의 도시관리계획결정을 할 수 있는가? (20점)

[참조조문]

***국토의계획및이용에관한법률**

제13조 [광역도시계획의 수립을 위한 기초조사]

① 국토해양부장관, 시·도시자, 시장 또는 군수는 광역도시계획을 수립하거나 변경하려면 미리 인구, 경제, 사회, 문화, 토지이용, 환경, 교통, 주택, 그 밖에 대통령령으로 정하는 사항 중 그 광역도시계획의 수립 또는 변경에 필요한 사항을 대통령령으로 정하는 바에 따라 조사하거나 측량하여야 한다.

②~③생략

제27조 [도시관리계획의 입안을 위한 기초조사 등]

① 도시관리계획을 입안하는 경우에는 제13조를 준용한다. 〈단서 생략〉

②~④생략

Ⅰ. 쟁점의 정리

- 설문1 에서 甲의 청구의 인용되기 위해서는 소제기가 적법하고 甲이 청구가 이유있어야 하는데, 소송요건에서는 乙의 도시관리계획의 처분성이 문제되며, 청구의 이유와 관련해서는 도시관리계획이 위법해야 하는데 도시관리계획 결정시 절차하자는 없는지, 형량하자는 없는지가 문제되며,
- 설문2에서는 乙이 동일한 내용의 도시관리계획결정을 한 것이 취소판결의 기속력(반복금지효)에 반하는 것은 아닌지 문제됨.

Ⅱ. 甲의 청구의 인용가능성 - 설문1

1. 소송요건의 구비여부

⑴ 소송요건 일반론

- 원고적격과 관련, 甲은 **자신의 토지가 도시관리계획(광장)에 포함되면 재산권의 제약**을 당하게 되므로 **도시관리계획결정의 취소를 구할 현실적 이익이 있는 자**에 해당하므로 인정.
- 관할, 피고적격, 제소기간에 있어서는 설문상 별다른 문제가 보이지 않으며 **도시관리계획의 처분성이 문제됨.**

⑵ 도시관리계획의 처분성

1) 도시관리계획의 법적 성질 - 행정계획

2) 행정계획의 법적 성질에 관한 논의

3) 사안의 경우

- 사안의 경우 휴게광장을 설치할 목적으로 乙이 도시관리계획결정을 하게 되면, 별다른 집행행위의 개입 없이 甲은 도시관리계획구역 안의 토지나 건물에 대한 권리행사에 일정한 제한을 받게 되는 점에 비추어 乙의 도시관리계획결정은 **처분에 해당**. 따라서 甲이 제기한 소제기는 적법.

2. 甲의 청구의 이유유무

⑴ 문제점

乙이 행한 **도시관리계획결정도 행정작용으로서 법치행정에 부합해야 하며, 행정계획의 적법요건을 구비해야** 함. **계획수립권자인 乙이 수립**한 것이므로 **주체에는 문제가 없으며, 형식의 하자도 없으나** 도시관리계획입안에 대한 **기**

1) #32. 판단여지의 기출사례와 묶어서 50점으로 출제

초조사가 결여되어 있다는 점에서 계획수립절차요건의 적법성이 문제되며, 내용상 하자와 관련하여 계획규범은 일반 행정행위의 규범구조와 다른 구조를 가지고 있으며 계획수립에 광범위한 재량이 인정된다는 점에서 일반적인 재량통제의 법리가 위법성 판단의 척도로 기능할 수 있는지가 문제.

(2) 절차요건의 적법성

1) 기초조사[2)]

- 행정계획의 특질상 행정계획의 내용에 대한 법적 통제나 사법적 통제가 어려우므로 절차적 통제는 중요한 의미를 가진다. 행정계획수립시에는 도시계획위원회의 심의, 행정기관상호간의 의견조정, 주민의 의견수렴 등의 절차가 필요하나 설문에서는 이러한 절차하자는 발견되지 않으며 기초조사를 결여한 하자가 문제됨.

- 국토의계획및이용에관한법률(이하 '국토계획법'이라 한다) 27조는 도시관리계획을 입안하는 경우 도시관리계획수립권자가 미리 인구, 경제, 사회, 문화, 토지이용, 환경, 교통, 주택 등의 사항 등 도시계획의 수립에 필요한 사항을 조사하거나 측량하여야 한다고 규정하고 있는데 기초조사를 하게 한 취지는 다수 이해관계인들의 이해대립을 합리적으로 조정하여 국민의 권리자유에 대한 부당한 침해를 방지하고 행정의 민주화 및 신뢰를 확보함과 아울러 자의적인 도시계획을 배제하고 타당한 도시계획이 되도록 하려는 데 있음.[3)]

2) 사안의 경우

乙이 도시관리계획을 입안·결정함에 있어서 휴게광장을 추가적으로 조성할 필요성이 있는지에 대한 검토를 위한 기초조사를 실시하지 않은 것은 도시관리계획수립과정에 절차하자가 존재. 절차하자의 독자적위법성을 인정하는 것이 일반적인 견해이므로 乙이 행한 도시관리계획결정은 후술하는 실체적인 형량하자의 존재와 무관하게 기초조사를 결여한 것을 이유로 독자적인 위법사유.

(3) 내용요건의 적법성-계획재량에 대한 사법적 통제

1) 계획재량

- 계획재량의 의의
- 일반재량행위와 구별

2) 형량명령이론

- 의의
- 형량하자 - 형량의 해태, 형량의 흠결, 오형량
- 판례 - 종래에는 형량하자를 언급하면서도 재량권의 일탈·남용의 문제로 판시였으나 최근 판례는 형량의 하자가 있다고 판시하여 형량하자의 독자성을 인정하는 듯.[4)]

3) 사안의 경우

- A도시공원을 찾는 등산객들이 공원입구를 무단 주차장화 하여 공원의 경관과 이미지를 저해하고 있어 휴게광장을 조성하여 주민들에게 만남의 장소를 제공하고 도시경관을 향상시키고자 하는 목적에서 입안된 도시계획사업은 그 필요성이 있고, 乙은 이러한 행정목적을 달성하기 위하여 도시계획사업을 입안·결정함에 있어서 비교적 광범위한 형성의 자유를 가지고 있음.

- 그러나, 도시계획을 입안함에 있어서는 미리 인구·교통·환경·토지이용 등에 대한 기초조사를 거쳐 추가적인 도시계획시설의 필요성 및 수요를 파악하여 시설의 규모와 편입대상 토지의 범위 등에 대한 검토가 이루어져야 함에도, 행정청 乙은 이러한 기초조사도 하지 않은 상태에서 도시관리계획을 입안하였다는 점에서, 乙이 甲의 토지를 포함한 일단의 지역에 대하여 토지 전부를 사업부지로 편입한 것은 공익과 사익에 관한 이익형량을 전혀 하지 않은 형량의 해태에 해당하는 형량의 하자가 있어 위법.

(4) 위법성의 정도

무효와 취소의 구별기준에 관한 중대명백설에 의하면 도시관리계획 결정을 함에 있어서 국토의계획및이용에관한

---

2) 기초조사의 결여를 별도의 절차하자로 볼 필요가 있는지에 대해서는 교수님들간에도 이론이 있을 수 있음. 기초조사는 다른 행정기관과의 협의, 주민의 의견수렴, 도시계획위원회의 심의 등의 행정계획수립절차와는 달리 계획청이 계획수립의 준비단계에서 준비활동으로서 행하는 조사의 일환이기 때문에 형량하자와 관련하여 검토하면 족하다는 입장도 있을 수 있고, 형량하자 외에도 절차하자로 언급할 필요가 있다는 입장도 있을 수 있을 것 같음. 그러나 후자의 입장이라고 하더라도 절차하자는 간단히 처리하면 족하다고 할 것 같음.
 - 각주4)의 고법판례는 기초조사를 거치지 아니한 하자를 절차하자로 봄.
 - 설문의 출제의 근거가 된 대판 2007.1.25, 2004두12063는 별도로 절차하자는 언급 없이 형량하자만 검토하고 있음.

3) 부산고등법원 1993.8.18, 92구251
 - 대법원은 보통 행정계획수립시 계획절차의 의의에 대해서 이런 판시를 주로 함.

4) 대판 2007.4.12, 2005두1893; 대판 2006.9.8, 2003두5426 등
 - 재량 일탈·남용이라고만 소개하지 않고 형량의 하자라고 한 판례를 정확히 소개해주면 좋을 것.

법률 27조의 기초조사 절차를 적법하게 거치지 아니한 하자가 있었더라도 그러한 절차상의 하자는 도시계획결정의 취소사유는 될지언정 당연무효의 사유라고는 보여지지 않으며,[5] 기초조사를 하지 않은 것에 근거한 형량의 해태 역시 취소사유에 해당.[6]

3. 소결 – 법원의 판결

乙의 도시관리계획 입안·결정이 법적으로 문제가 있다는 甲의 주장은 이유 있음. 도시계획은 취소사유 있는 위법이 있다고 하더라도 사정판결의 가능성(법28조)이 존재하지만 설문에서는 공사 등의 완료로 기성사실의 발생하는 등의 사정이 보이지 않아 사정판결의 가능성은 없음. 법원은 취소판결을 내려야 함.

Ⅲ. 甲의 청구가 인용된 경우 행정청 乙이 동일한 내용의 도시관리계획결정을 할 수 있는지 여부 – 설문2

1. 문제점

甲의 청구가 인용되어 취소판결이 확정된 후 행정청 乙이 동일한 내용의 도시관리계획결정을 할 수 있는가는 취소판결의 기속력에 반하는가의 문제이다. 동일한 내용의 도시관리계획결정이 취소된 당초의 도시관리계획결정과 동일한 처분인지가 문제.

2. 취소판결의 기속력

- 일반론 소개
- 설문과 관련해서는 반복금지효가 문제

3. 사안의 경우

(1) 기초조사를 행하지 않고 다시 동일한 내용의 도시관리계획결정을 한 경우

- 기초조사를 결여한 절차하자만을 이유로 취소된 경우나 형량의 해태를 이유로 취소된 경우에도 기초조사를 행하지 않고 다시 동일한 내용의 도시관리계획결정을 하는 것은 판결의 이유로 제시되었던 위법사유를 보완하지 않은 채 동일한 사실관계 아래에서 동일 당사자에 대하여 동일한 내용의 처분을 하는 것으로서 기속력에 반함.
- 기속력에 반하는 처분은 취소사유로 보는 견해도 있으나 취소사유로 볼 경우 제소기간의 경과 등으로 확정력이 발생할 수도 있으므로 기속력의 인정 취지에 반하므로 무효사유로 보는 것이 타당하다. 판례도 무효로 봄. 乙의 동일한 내용의 도시관리계획결정은 무효에 해당.

(2) 기초조사를 행한 후 다시 동일한 내용의 결정을 하는 경우

- 乙이 행한 도시관리계획결정이 기초조사를 결여한 절차하자만을 이유로 취소된 경우에는 기초조사를 거쳐서 다시 동일한 내용의 도시관리계획결정을 하는 것은 절차하자를 시정하여 적법한 절차를 갖춘 새로운 처분으로 취소된 처분과 동일한 처분이 아니므로 기속력에 반하지 않음.
- 乙이 행한 도시관리계획결정이 형량의 해태가 있다는 이유로 취소된 경우에도 기초조사를 실시하여 인구, 토지이용, 환경, 교통 등 도시관리계획수립에 필요한 사항에 대한 정확한 조사·확인을 거친 후 휴게광장조성의 필요성과 도시계획사업으로 인하여 침해받는 乙의 이익에 대한 올바른 형량과정을 거친 후에 다시 동일한 결정을 내렸다면 기속력에 반하지 않음. 재량고려가 변화되는 경우에는 처분의 동일성은 더 이상 유지되지 않기 때문.
- 새로운 도시관리계획결정은 취소판결에 의하여 취소된 도시관리계획결정과는 동일성이 유지되지 않는 처분이므로 행정청 乙은 동일한 내용의 도시관리계획결정을 할 수 있음.

Ⅳ. 결 론

기출 사례 행정계획과 절차의 하자(11년 행시 - 재경)

A시는 자신의 관할구역 내의 국유하천에 대한 주변자연환경개선계획(이하 '자연환경개선계획')을 발표하면서 관계 A시 소유의 시민체육공원이 포함된 부지를 시민자연생태공원용지로 그 지목과 용도를 변경하여 생태공원을 조성하고 생태학습장 및 환경교육센터 등을 설치한다고 고시하였다. 이러한 자연환경개선계획을 발표하는 과정에서 법령상 정해진 도시계획위원회의 심의는 거치지 않았다. 이 계획에 대해 인근 주민과 환경관련 시민사회단체(NGO) 등은 적극적인 찬성입장을 표명하였으나, 시민체육공원의 위탁관리주체인 서울올림픽기념국민체육진흥공단(이하 '진흥공단')은 A 시의 자연환경개선계획에 대하여 '이는 국가예산의 낭비일 뿐만 아니라 시민체육공원을 정기적, 부정기

5) 대판 1990.6.12, 90누2178

6) 만약 무효사유라고 검토했다면 무효선언을 의미하는 취소판결(취소소송의 소송요건을 구비한 것을 전제로)이 가능하므로 역시 인용판결 가능하다고 서술하면 됨.

적으로 이용하는 국민 일반의 권리를 침해하는 것'이라면서 비판하고 있다. (총 40점)

1) 진흥공단이 A 시의 자연환경개선계획에 대해서 항고소송을 제기할 경우 당해 소송은 적법한가? (20점)

2) A시의 국유하천주변 자연환경개선계획의 효력유무에 대해서 검토하시오.(단, 실체적인 요건은 모두 갖춘 것으로 전제한다.)(10점)

3) 인근 주민 갑은 평소 시민체육공원의 배트민턴장을 정기적으로 이용하다가 A시의 자연환경개선계획으로 인해 이 시설을 더 이상 이용하지 못할 위험에 처했다. 이에 갑은 A시의 자연환경개선계획에 대해서 행정소송을 제기하려고 한다. 갑의 시민체육공원 시설이용의 법적 성질에 대해 검토하시오.(10점)

[참조조문]

***국민체육진흥법**

제36조 (서울올림픽기념국민체육진흥공단)

① 제24회 서울올림픽대회를 기념하고 국민체육 진흥을 위한 다음의 사업을 하게 하기 위하여 문화체육관광부장관의 인가를 받아 서울올림픽기념국민체육진흥공단(이하 "진흥공단"이라 한다)을 설립한다.

1. 제24회 서울올림픽대회 기념사업
2. 기금의 조성, 운용 및 관리와 이에 딸린 사업
3. 체육시설의 설치·관리 및 이에 따른 부동산의 취득·임대 등 운영 사업
4. 체육 과학의 연구
5. 그 밖에 문화체육관광부장관이 인정하는 사업

② 진흥공단은 법인으로 한다.

③ 진흥공단에 관하여 이 법에서 규정한 것 외에는 민법 중 재단법인에 관한 규정을 준용한다.

④ 진흥공단은 제1항 제3호에 따른 체육시설 중 제24회 서울올림픽대회를 위하여 설치된 체육시설의 유지·관리에 드는 경비를 충당하기 위하여 그 체육시설에 입장하는 자로부터 입장료를 받을 수 있다.

⑤ 제4항의 입장료를 받으려면 문화체육관광부장관의 승인을 받아야 한다. 승인받은 사항을 변경하려는 때에도 또한 같다.

***체육시설의 설치·이용에 관한 법률**

제6조 (생활체육시설)

① 국가와 지방자치단체는 국민이 거주지와 가까운 곳에서 쉽게 이용할 수 있는 생활체육시설을 대통령령으로 정하는 바에 따라 설치·운영하여야 한다.

② 제1항에 따른 생활체육시설을 운영하는 국가와 지방자치단체는 장애인이 생활체육시설을 쉽게 이용할 수 있도록 시설이나 기구를 마련하는 등의 필요한 시책을 강구하여야 한다.

제8조 (체육시설의 개방과 이용)

① 제5조 및 제6조에 따른 체육시설은 경기대회 개최나 시설의 유지·관리 등에 지장이 없는 범위에서 지역 주민이 이용할 수 있도록 개방하여야 한다.

② 제1항에 따른 체육시설의 개방 및 이용에 관하여 필요한 사항은 문화체육관광부령으로 정한다.

Ⅰ. 공단이 제기한 소송의 적법성 - 설문1)

1. 문제의 소재

- 소송요건 중 대상적격과 원고적격이 문제됨.
- 자연환경개선계획의 처분성 여부가 문제되고
- 진흥공단은 당사자능력은 있으나(국민체육진흥법 36조3항은 민법의 재단법인에 관한 규정을 준용) 원고적격이 문제됨

2. 대상적격 – A 시의 자연환경개선계획의 법적 성질

- 행정계획의 성질에 관한 논의
- 판례는 계획마다 구체적으로 판단.
- A 시의 자연환경개선계획은 도시관리계획에 해당되는 것으로서 지정, 고시가 있으면 토지소유자들에게 권리제한의 효과를 가져오므로 처분에 해당.

3. 원고적격(#110)

- 원고적격(법률상 이익)에 관한 일반론
- 법률상보호이익구제설이 통설, 판례.
- 진흥공단이 "국가예산낭비와 시민체육공원을 정기적, 부정기적으로 이용하는 국민 일반의 권리가 침해"된다는 것을 이유로 비판하고 있는바 진흥공단의 법익침해가 아니라, 국민 일반의 권리침해를 이유로 소를 제기하는 것은 주관소송 체계를 유지하는 행정소송법에서는 부정.
- 결국 사익보호성이 인정되지 않아 원고적격 부정.

Ⅱ. 자연환경개선계획의 효력유무 - 설문2)

1. 절차상 하자 유무

- 자연환경개선계획을 발표하는 과정에서 법령상 정해진 도시계획위원회의 심의를 거지치 않은 절차상 하자가 존재.

2. 절차상 하자가 독자적 위법성 인정여부(#80)

- 통설, 판례는 긍정.

3. 위법성의 정도 및 효력

- 무효인지 취소사유인지는 다수설, 판례인 중대명백설에 의해 판단(#47)할 때 취소사유로 검토.

- 따라서 자연환경개선계획은 유효함.

Ⅲ. 갑의 시민체육공원 시설이용의 법적 성질 - 설문3)

1. 시민체육공원의 법적 성질

- 강학상 공물(공공용물)(#147.각주1)

2. 시민체육공원 이용관계의 성질 - 공물의 일반사용((#150)

- 체육시설의 설치・이용에 관한 법률 제6조, 제8조에 의하면 갑의 체육공원 이용에는 특허나 허가가 필요하지 않고 체육공원을 이용하고자 하는 자는 다른 이용자의 사용을 방해하지 않는 범위에서 자유롭게 사용가능하므로 공물의 일반사용(보통/자유사용)에 해당
- 일반사용의 성질에 대해 공권설과 반사적 이익설의 견해 대립.
- 판례는 공물의 일반사용관계에서 용도폐지처분에 대해 다툴 법률상 이익이 없다는 입장.

3. 인접주민의 고양(강화)된 일반사용 (#150)

- 인근 주민 갑은 평소 배드민턴장을 정기적으로 이용하고 있는 바, 인접주민의 고양된 일반사용이 인정될 수 있는지 문제됨.
- 고양된 일반사용관계가 인정되는 경우, 경우에 따라서는 공원의 용도폐지처분에 대해 다툴 원고적격이 인정될 수도 있음. 판례도 공공용재산의 성질상 특정개인의 생활에 개별성이 강한 직접적이고 구체적인 이익을 부여하고 있는 경우에는 원고적격을 인정하고 있음.
- 그러나 사안의 경우 갑이 정기적으로 이용하고 있는 것만으로는 갑이 자신의 토지나 건물 등의 적절한 이용을 위한 불가결한 사용이라고 볼 수 없어 인정하기 곤란. 체육공원이 다른 사람에게 부여되지 않는 갑의 생활에 직접적이고 구체적인 이익을 부여하는 특별한 상황이 존재하지 않음(반대견해 가능).

25 행정계획의 적법요건

1. 적법요건

(1) 주체 - 정당한 권한

(2) 절 차

행정계획이 확정되면 많은 사람을 대상으로 하여 장기적으로 영향을 미치므로, 여타 행정작용보다 많은 기관 및 이해관계자의 참여하에 결정하는 것이 민주화의 요청이자 법치국가의 요청이다. 행정절차법은 행정계획의 수립절차에 관해 규정을 두고 있지 않으며 단지 행정예고(절차법 제46조)의 대상으로 규정하고 있을 뿐이다. 국토의 계획 및 이용에 관한 법률(이하 '국토법'이라 함)은 도시·군 관리계획의 수립절차에 대해서 규정하고 있다.

1) 합의제기관의 심의

(예) 국토교통부장관이 도시관리계획 결정시 중앙도시계획위원회의 심의를 거쳐야(국토법 제30조3항)

2) 행정기관상호간의 의견조정

(예) 국토교통부장관이 도시관리계획 결정시 관계중앙행정기관의 장과 협의하여야(국토법 제30조1항)

3) 이해관계인의 참여

(예) 국토교통부장관이 도시관리계획을 입안하는 때에는 주민의 의견을 들어야 하며, 의견이 타당하다고 인정하는 때에는 도시관리계획안에 반영하여야(국토법 제28조1항)

판 례 구 국토의 계획 및 이용에 관한 법률(이하 '법'이라 한다) 제28조 제1항, 제2항, 제3항, 제4항, 구 국토의 계획 및 이용에 관한 법률 시행령(이하 '시행령'이라 한다) 제22조 제5항이 관할 행정청으로 하여금 도시관리계획을 입안할 때 해당 도시관리계획안의 내용을 주민에게 공고·열람하도록 한 것은 다수 이해관계자의 이익을 합리적으로 조정하여 국민의 권리에 대한 부당한 침해를 방지하고 행정의 민주화와 신뢰를 확보하기 위하여 국민의 의사를 그 과정에 반영시키는 데 그 취지가 있다..
이러한 주민의견청취 절차의 의의와 필요성은 시장 또는 군수가 도시관리계획을 입안하는 과정에서뿐만 아니라 도시관리계획안이 도지사에게 신청된 이후에 내용이 관계 행정기관의 협의 및 도시계획위원회의 심의 등을 거치면서 변경되는 경우에도 마찬가지이고, ~~(중략)~~그러므로 도지사가 관계 행정기관의 협의 등을 반영하여 신청받은 당초의 도시관리계획안을 변경하고자 하는 경우 내용이 해당 시 또는 군의 도시계획조례가 정하는 중요한 사항인 때에는 다른 특별한 사정이 없는 한 법 제28조 제2항, 시행령 제22조 제5항을 준용하여 그 내용을 관계 시장 또는 군수에게 송부하여 주민의 의견을 청취하는 절차를 거쳐야 한다(대판 2015.1.29, 2012두11164).

4) 행정예고 - 행정절차법 제46조

(3) 내 용

행정의 법률적합성 원칙에 따라 행정계획은 적법하고 공익에 타당해야 한다. 법률유보와 관련하여 구속적 행정계획은 법률의 근거를 요하지만 계획의 수립에 있어 미래예측은 어려우므로 수권법률은 개괄적일 수밖에 없다. 반면 비구속적 행정계획은 단순히 행정지침 및 국민에 대한 정보 제공에 그치므로 법적 근거는 필요하지 않다.

(4) 형 식

법률, 법규명령, 조례 등의 형식으로 정하는 경우는 이에 관한 형식을 구비하면 되고, 그 밖의 형식으로 계획을 정하는 경우에는 개별법이 정한 형식을 따라야 한다.

2. 효력요건

계획이 법률, 법규명령, 조례 등의 형식인 경우에는 공포를, 그 밖의 형식인 경우에는 고시를 요한다.

(예) 국토법상의 도시관리계획 결정시에는 고시하고 관계서류를 일반이 공람하게 하여야 한다(국토법 제30조6항).

26 계획보장청구권

Ⅰ. 의 의

협의로는 행정계획의 폐지・변경 및 그 내용의 불이행이 있는 경우 당사자의 신뢰보호를 위해 손실보상을 주장하는 권리로 보지만, 일반적으로는 **행정계획에 대한 관계국민의 신뢰를 보호하기 위하여 관계국민에 대하여 인정된 행정주체에 대한 권리를 총칭**하는 광의의 개념으로 사용된다. 공익적 견지에서 계획의 변경이나 폐지가 요구되는 경우 계획의 존속을 신뢰한 사인의 이해관계에 중대한 영향을 미치게 되는데(**행정계획의 변경가능성과 신뢰보호의 충돌**), 행정계획의 변경으로 인한 권익침해에 대해 적절한 구제방법을 강구할 필요가 있다는 견지에서 인정되는 권리이다.

Ⅱ. 내 용 - 존. 이. 경. 손

1. 계획존속청구권

계획의 변경 또는 폐지에 대하여 계획의 존속을 주장하는 권리이다. 행정계획이 유연성과 가변성을 전제로 하고 있으므로 **원칙적**으로 **인정될 수 없다.** 단지 ① **법률의 형식**에 의한 행정계획의 경우 개인의 재산적 처분의 계기가 되었고, 계획존속에 대한 개인의 신뢰가 계획변경에 대한 공익보다 우월한 경우 **부진정 소급효의 배제사유가 인정**되는 경우, ② **행정행위**의 형식에 의한 경우에는 행정행위의 **취소와 철회의 제한**의 원칙에 의하여 개인의 신뢰를 보호할 수 있는 경우 예외적으로 인정될 것이다.

2. 계획이행(집행)청구권

확정된 계획을 행정주체로 하여금 실현하도록 요구하는 권리이다. 계획존속청구권에서와 마찬가지로 원칙적으로 인정되지 않는다. 다만 **국토법 제47조**는 도시계획시설부지에 대해 10년 이내에 사업을 시행하지 않는 경우에 **매수청구권**을 인정하는데, **계획이행청구권에 갈음**하는 청구권에 해당한다.

3. 경과조치청구권

계획의 변경 또는 폐지로 인하여 재산상 손실을 입게 될 개인이 새로운 상황에 적응할 수 있도록 경과조치나 적응조치를 요구할 수 있는 권리이다. **실정법적 근거가 있는 경우에만** 인정된다.

4. 손해전보청구권

계획의 변경 및 폐지를 통하여 개인의 보호할 가치가 있는 신뢰가 침해되는 경우에, **손실보상**이나 **손해배상**을 주장하는 청구권이다.

Ⅲ. 소송상 실현방법

1. 거부처분취소소송 또는 부작위위법확인소송

2. 손해배상청구 또는 손실보상청구

27 계획변경청구권

계획변경청구권은 **계획이 확정된 후 사정변경 등을 이유로 하여 그 계획의 변경을 청구하는 권리**이다.[1] **계획법규는 원칙상 공익의 보호를 목적**으로 하는 것이어서 계획변경청구권도 **원칙상 인정되기가 쉽지 않다.**

부정판례 국민의 신청에 대한 행정청의 거부가 행정처분이 되기 위하여는 국민이 그 신청에 따른 행정행위를 요구할 수 있는 법규상 또는 조리상의 권리가 있어야 할 것인 바, **도시계획법상 주민이 도시계획 및 그 변경에 대하여 어떤 신청을 할 수 있다는 규정이 없을 뿐만 아니라 도시계획과 같이 장기성, 종합성이 요구되는 행정계획에 있어서는 그 계획이 일단 확정된 후에 어떤 사정의 변경이 있다 하여 지역주민에게 일일이 그 계획의 변경을 청구할 권리를 인정해 줄 수도 없는 이치**이므로 도시계획시설인 공원조성계획 취소신청을 거부한 행위는 항고소송의 대상이 되는 행정처분이라고 볼 수 없다(대판 1989.10.24, 89누72).

그러나 계획변경신청을 거부하는 것이 실질적으로 당해 처분 자체를 거부하는 결과가 되는 경우에는 예외적으로 인정한 판례가 있다.

긍정판례 구 국토이용관리법(2002.2.4. 법률 제6655호 국토의계획및이용에관한법률 부칙 제2조로 폐지) 상 주민이 국토이용계획의 변경에 대하여 신청을 할 수 있다는 규정이 없을 뿐만 아니라, 국토건설종합계획의 효율적인 추진과 국토이용질서를 확립하기 위한 국토이용계획은 장기성, 종합성이 요구되는 행정계획이어서 **원칙적으로는 그 계획이 일단 확정된 후에 어떤 사정의 변동이 있다고 하여 그러한 사유만으로는 지역주민이나 일반 이해관계인에게 일일이 그 계획의 변경을 신청할 권리를 인정하여 줄 수는 없을 것이지만, 장래 일정한 기간 내에 관계 법령이 규정하는 시설 등을 갖추어 일정한 행정처분을 구하는 신청을 할 수 있는 법률상 지위에 있는 자의 국토이용계획변경신청을 거부하는 것이 실질적으로 당해 행정처분 자체를 거부하는 결과가 되는 경우에는 예외적으로 그 신청인에게 국토이용계획변경을 신청할 권리가 인정된다고 봄이 상당하므로, 이러한 신청에 대한 거부행위는 항고소송의 대상이 되는 행정처분에 해당**한다(대판 2003.9.23, 2001두10936).[2]

또한 판례는 관계법령의 규정내용과 헌법상 재산권 보장의 취지에 비추어 행정계획과 관련해 주민의 법규상·조리상 신청권을 인정하기도 하였다.

판례 1 **문화재보호법**은 문화재를 보존하여 이를 활용함으로써 국민의 문화적 생활의 향상을 도모함과 아울러 인류문화의 발전에 기여함을 목적으로 하면서도, **문화재보호구역의 지정에 따른 재산권행사의 제한을 줄이기 위하여, 행정청에게 보호구역을 지정한 경우에 일정한 기간마다 적정성 여부를 검토할 의무를 부과**하고, 그 검토사항 등에 관한 사항은 문화관광부령으로 정하도록 위임하였으며, 검토 결과 보호구역의 지정이 적정하지 아니하거나 기타 특별한 사유가 있는 때에는 보호구역의 지정을 해제하거나 그 범위를 조정하여야 한다고 규정하고 있는 점, 같은 법 제8조3항의 위임에 의한 같은법 시행규칙 제3조의2 제1항은 **그 적정성 여부의 검토에 있어서 당해 문화재의 보존가치 외에도 보호구역의 지정이 재산권 행사에 미치는 영향 등을 고려하도록 규정하고 있는 점 등과 헌법상 개인의 재산권 보장의 취지에 비추어 보면, 문화재보호구역 내에 있는 토지소유자등으로서는**

---

1) 계획변경의 내용이 기존계획으로의 변경을 신청하는 것과 관련된 것이라면 계획보장청구권의 논의에 포섭될 수도 있겠으나, 장래의 발전적 계획으로의 변경을 내용으로 하는 것이라면 계획보장청구권과는 무관한 것이다.

2) 동판례의 **파기환송심**에서는 **원고 패소**판결을 내렸고 **원고가 재상고**했으나, 대법원은 **재상고심**(대판 2005.4.28, 2004두8828)에서 **신뢰보호원칙에 반하지 않고, 재량권의 일탈·남용이 없다**고 하여 **기각판결**함. 판례의 결론에 대해서 법원은 환경상의 공익보호보다는 원고의 적정통보에 대한 신뢰를 보호하는 것이 보다 합리적인 결정으로 보여지며, 만약 공익상의 요구가 매우 큰 경우에는 **사정판결을 하여 원고의 청구는 기각하되 원고에게 손해배상 등 적절한 권리구제의 길을 열어주어야 할 것이라는 평석** 있음(김성수, 행정법판례평론 49면)

판 례 [1] 폐기물처리업 사업계획에 대하여 **적정통보를 한 것만으로** 그 사업부지 토지에 대한 **국토이용계획변경신청을 승인하여 주겠다는 취지의 공적인 견해표명을 한 것으로 볼 수 없다**고 한 사례

[2] 폐기물처리업을 위한 국토이용계획변경신청에 대해 폐기물처리시설이 들어설 경우 수질오염 등으로 인근 주민들의 생활환경에 피해를 줄 우려가 있다는 등의 공익상의 이유를 들어 거부한 경우, 그 거부처분이 재량권의 일탈·남용이 아니라고 한 사례(대판 2005.4.28, 2004두8828)

위 보호구역의 지정해제를 요구할 수 있는 법규상 또는 조리상의 신청권이 있다고 할 것이고, 이러한 신청에 대한 거부행위는 항고소송의 대상이 되는 행정처분에 해당한다(대판 2004.4.27, 2003두8821).

판례 2 구 도시계획법(2002.2.4. 법률 제6655호 국토의계획및이용에관한법률 부칙 제2조로 폐지)은 도시계획의 수립 및 집행에 관하여 필요한 사항을 규정함으로써 공공의 안녕질서를 보장하고 공공복리를 증진하며 주민의 삶의 질을 향상하게 함을 목적으로 하면서도 **도시계획시설결정으로 인한 개인의 재산권행사의 제한을 줄이기 위하여**, 도시계획시설부지의 매수청구권, 도시계획시설결정의 실효에 관한 규정과 아울러 도시계획 입안권자인 특별시장·광역시장·시장 또는 군수로 하여금 **5년마다 관할 도시계획구역 안의 도시계획에 대하여 그 타당성 여부를 전반적으로 재검토하여 정비하여야 할 의무를 지우고, 도시계획입안제안과 관련하여서는 주민이 입안권자에게 '1. 도시계획시설의 설치·정비 또는 개량에 관한 사항 2. 지구단위계획구역의 지정 및 변경과 지구단위계획의 수립 및 변경에 관한 사항'에 관하여 '도시계획도서와 계획설명서를 첨부'하여 도시계획의 입안을 제안할 수 있고, 위 입안제안을 받은 입안권자는 그 처리결과를 제안자에게 통보하도록 규정**[3]**하고 있는 점 등과 헌법상 개인의 재산권 보장의 취지에 비추어 보면, 도시계획구역 내 토지 등을 소유하고 있는 주민으로서는 입안권자에게 도시계획입안을 요구할 수 있는 법규상 또는 조리상의 신청권이 있다고 할 것이고, 이러한 신청에 대한 거부행위는 항고소송의 대상이 되는 행정처분에 해당**한다(대판 2004.4.28, 2003두1806).

나아가 **장기미집행 도시계획시설의 변경을 구하는 경우 계획변경신청권을 인정**하는 전제 하에 본안에서 형량하자가 있다고 판시한 바가 있다.

판례 **甲 등이 자신들의 토지를 도시계획시설인 완충녹지에서 해제하여 달라는 신청을 하였으나 관할 구청장이 이를 거부하는 처분을 한 사안**에서, 위 토지를 **완충녹지로 유지해야 할 공익상 필요성이 소멸**되었다고 볼 수 있다는 이유로, 위 처분은 **甲 등의 재산권 행사를 과도하게 제한**한 것으로서 행정계획을 입안·결정하면서 **이익형량을 전혀 하지 않았거나 이익형량의 정당성·객관성이 결여된 경우에 해당**한다고 본 원심판단을 정당하다고 한 사례(대판 2012.1.12, 2010두5806).

---

3) 현행 국토의계획및이용에관한법률 제26조(도시·군관리계획입안의 제안)

①주민(이해관계자를 포함한다. 이하 같다)은 다음 각호의 사항에 대하여 제24조의 규정에 의하여 도시·군관리계획을 입안할 수 있는 자에게 도시·군관리계획의 입안을 제안할 수 있다. 이 경우 제안서에는 도시·군관리계획도서와 계획설명서를 첨부하여야 한다.

1. 기반시설의 설치·정비 또는 개량에 관한 사항
2. 지구단위계획구역의 지정 및 변경과 지구단위계획의 수립 및 변경에 관한 사항

②제1항의 규정에 의하여 도시·군관리계획의 입안을 제안받은 자는 그 처리결과를 제안자에게 통보하여야 한다.

③제1항의 규정에 의하여 도시·군관리계획의 입안을 제안받은 자는 제안자와 협의하여 제안된 도시·군관리계획의 입안 및 결정에 필요한 비용의 전부 또는 일부를 제안자에게 부담시킬 수 있다.

④제1항 내지 제3항에 규정된 사항 외에 도시·군관리계획의 제안, 제안서의 처리 등에 관하여 필요한 사항은 대통령령으로 정한다.

28 행정행위와 처분[1]

Ⅰ. 행정행위

1. 의 의

행정행위(Verwaltungsakt)란 **행정청이 구체적인 사실에 대한 법집행으로서 행하는 외부에 대하여 직접·구체적인 법적 효과를 발생시키는 권력적인 단독행위인 공법행위**를 의미한다.

2. 행정행위의 개념요소

(1) 행정청의 행위

행정청은 **행정주체의 의사를 외부적으로 결정·표시할 수 있는 권한을 가진 기관**을 말한다. 조직법상 의미와 반드시 일치하는 것은 아니며 **기능적 의미**로 파악되므로 행정권한을 위임 또는 위탁받은 공공단체의 기관이나 사인도 행정청이 될 수 있다.

(2) 구체적인 사실에 대한 법집행행위

행정행위는 **특정한 사람과 특정한 사안에 대한 개별적·구체적 규율**에 해당하므로 일반적, 추상적인 행정입법은 행정행위가 아니다.

(3) 외부에 대한 직접적인 법적효과를 발생하는 행위(법적 행위)

1) 외부적 행위

행정조직 **내부의 행위(협의·동의 등)는 행정행위가 아니다.** 다만 특별행정법관계 내부에서 구성원 지위에 관련한 일정한 행위, 예컨대 공무원관계에 있어 해임이나 파면 등은 행정행위에 해당한다.

2) 직접적인 법적 효과를 갖는 행위

따라서 준비행위, **사실행위는 해당되지 않는다.**

(4) 권력적 단독행위

행정행위는 행정주체가 행정객체에 대하여 **우월한 지위에서 일방적**으로 행하는 권력작용이다. 따라서 비권력적인 공법상 계약이나 공법상 합동행위는 이에 해당하지 않는다.

(5) 공법행위

물자를 조달하거나 일반재산을 관리하는 활동은 사법행위이므로 행정행위에 해당하지 않는다.

Ⅱ. 행정행위와 처분과의 관계

1. 문제의 소재

1984년 개정 전의 행정소송법은 처분개념에 대한 정의규정을 두지 않았지만, 학설과 실무는 처분 개념을 실체법상 행정행위로 해석해 왔다. 그런데 1984년 개정된 행정소송법이 취소소송 및 무효확인소송의 대상을 처분과 재결로 하면서 처분을 행정청이 행하는 구체적 사실에 관한 법집행행위로서의 공권력의 행사 또는 그 거부와 그 밖에 이에 준하는 행정작용이라고 정의하고 있어 **"그밖에 이에 준하는 행정작용"의 의미가 무엇인지, 처분과 행정행위가 같은 개념인지**에 대해 논의가 있다.

---

1) 처분의 개념요소도 행정행위의 개념요소와 본질적으로는 유사하나, 처분은 행정절차법, 행정소송법에 규정된 법문을 중심으로 개념요소를 분설할 필요가 있다.

2. 학 설

(1) 쟁송법적 개념설(이원론)

취소소송의 기능이 권익구제에 있음을 중시하여, 처분을 실체법상 행정행위와 별개의 관념으로 파악하여 행정행위에 한정되지 않는다고 하며, 현행 쟁송법상의 처분개념은 쟁송법적 개념설을 제도화한 것이라고 주장한다. 현행법상 아직 다양한 행위형식에 상응한 소송유형이 인정되지 않고 있어서, 실체법상의 행정행위에는 해당하지 아니할지라도 이를 항고쟁송의 형식에 의하여 다투는 외에는 적절한 구제수단이 없으므로, **처분을 행정행위에 한정하는 것은 국민의 권리구제를 축소**하는 것이 되어 처분개념의 확대가 필요하다고 한다. **형식적 행정행위(공권력행사로서의 실체는 가지고 있지 않으나, 국민의 권리·이익에 계속적으로 사실상의 지배력을 미치는 경우에 항고쟁송의 대상이 되는 형식적·기술적 의미의 행정행위)**의 처분성을 긍정하는 주장도 이에 해당한다.

(2) 실체법적 개념설(일원론)

취소소송을 행정행위의 공정력을 깨기 위한 재심절차로 보아, 취소소송의 대상을 공정력을 가지는 행정행위에 한정한다. 즉 행정의 다양한 **행위형식에 상응하는 소송유형**을 통한 권리구제를 도모하는 것이 타당하며, 행정행위에 해당하지 않는 비권력적 행정작용은 공법상 당사자소송이나 행정상 손해배상을 통해 권리구제하면 충분하다고 한다. '그 밖에 이에 준하는 작용'이란 공권력으로서의 실체는 가지나, 전형적인 행정행위에 해당하지 않는 것들(예컨대 일반처분이나 권력적 사실행위 등)로 이해하게 된다.

※**권력적 사실행위**의 처분성에 대하여 **일원론** 중에서도 부정하는 견해(김성수, 김용섭)도 있지만, 일원론에서도 **인정**하는 것이 **일반적**이다. 이들은 권력적 사실행위를 **수인하명**이라는 강학상 행정행위와 **사실행위**가 결합된 **합성행위**로 보고, **항고소송의 대상**이 되는 것은 **수인하명**이라고 한다. 일원론과 이원론은 일정한 경우의 비권력적 사실행위에 있어서 처분성 인정 여부에 있어 차이가 있다(#58).

3. 판 례

판례는 **기본적으로 실체법적 개념설**을 취하는 것으로 보이지만(판례 1), **쟁송법적 개념설로 평가될 만한 판시**를 하고 있기도 하다(판례 2). 판례에 대한 평가는 통일되어 있지 않지만 **처분개념을 확대**해 가고 있는 것은 분명하다.

판례 1 항고소송의 대상이 되는 행정처분이라 함은 행정청의 공법상 행위로서 특정사항에 대하여 법규에 의한 **권리의 설정 또는 의무의 부담을 명하며 기타 법률상 효과를 발생케 하는 등 국민의 구체적 권리의무에 직접적 변동을 초래**하는 행위를 말하고 **행정권 내부에서의 행위나 알선, 권유, 사실상의 통지 등과 같이 상대방 또는 기타 관계자들의 법률상 지위에 직접적인 법률적 변동을 일으키지 아니하는 행위는 항고소송의 대상이 될 수 없다**(대판 1993.10.26, 93누6331).

판례 2 행정청의 어떤 행위를 행정처분으로 볼 것이냐의 문제는 **추상적 일반적으로 결정할 수 없고, 구체적인 경우 행정처분은 행정청이 공권력의 주체로서 행하는 구체적 사실에 관한 법집행으로서 국민의 권리의무에 직접 영향을 미치는 행위라는 점을 고려하고 행정처분이 그 주체, 내용, 절차, 형식에 있어서 어느 정도 성립 내지 효력요건을 충족하느냐에 따라 개별적으로 결정**하여야 하며, 행정청의 어떤 행위가 법적 근거도 없이 객관적으로 국민에게 불이익을 주는 행정처분과 같은 외형을 갖추고 있고, 그 **행위의 상대방이 이를 행정처분으로 인식할 정도라면 그로 인하여 파생되는 국민의 불이익 내지 불안감을 제거시켜 주기 위한 구제수단이 필요한 점에 비추어 볼 때 행정청의 행위로 인하여 그 상대방이 입는 불이익 내지 불안이 있는지 여부도 그 당시에 있어서의 법치행정의 정도와 국민의 권리의식 수준 등은 물론 행위에 관련한 당해 행정청의 태도 등도 고려**하여 판단하여야 한다(대판 1993.12.10, 93누12619).

4. 검 토

행정소송법의 처분개념 정의규정의 **문언이나 입법취지**에 비추어 볼 때 **쟁송법적 개념설이 타당**하다. 사실행위나 비권력적 행위에 대한 권리구제제도가 불비한 현재의 상황 하에서, 처분개념을 확대하여 **국민의 권리구제의 기회를 확대할 필요**가 있다.

관련 판례 **행정소송법 제2조1항1호 등 위헌소원**
(헌재결 2009.4.30, 2006헌바66)

가. 이 사건 법률조항의 연혁, 입법취지 및 내용

(1) 연혁 및 입법취지

현행 행정소송법은 항고소송에 대하여 행정청의 처분 등이나 부작위에 대하여 제기하는 소송으로 정의하고(제3조1호), 취소소송을 비롯한 항고소송의 종류를 규정하면서(제4조), 취소소송의 대상을 '처분 등' 즉 "행정청이 행하는 구체적 사실에 관한 법집행으로서의 공권력의 행사 또는 그 거부와 그 밖에 이에 준하는 행정작용(이하 '처분'이라 한다) 및 행정심판에 대한 재결"이라고 규정하고(제19조, 제2조1항1호) 이를 무효등확인소송 및 부작위위법확인소송에도 준용함으로써(제38조1항, 2항) 항고소송의 대상이 처분과 재결임을 명시함과 아울러, 행정소송에 관하여 개괄주의를 규정하고 있다.

이에 앞서 구 행정소송법(1984.12.15. 법률 제4754호로 전부 개정되기 이전의 것, 이하 '구법'이라 한다)은 처분 개념에 대한 정의규정을 두지 않은 채 행정소송법의 목적에 관한 규정(제1조)에서 간접적으로 항고소송의 대상이 '행정청 또는 그 소속기관의 위법한 처분'임을 규정하였고, 학설은 이를 근거로 구법이 항고소송의 대상에 관하여 개괄주의를 취한 것으로 보면서 항고소송의 대상이 되는 처분 개념은 실체법상 행정행위 개념과 동일한 것으로 해석하여 왔으며, 대법원은 판례를 통하여 명문의 정의규정이 없었던 '처분'의 내포 및 외연을 구축하여 왔다.

그러다가 1984.12.15. 행정소송법 개정으로 구법의 개괄주의적 입장을 그대로 견지하면서 위와 같이 이 사건 법률조항에서 처분 개념을 구체적으로 규정하였는데 이 사건 법률조항은 종래의 행정행위 개념보다 확장된 해석을 유도하는 입법문언이 채택된 것으로 현대산업사회에 있어서의 행정작용의 적극화 및 행위형식의 다양화에 부응하여 행정쟁송사항을 확대함으로써 국민의 권리구제의 길을 넓히려는 데 그 입법취지가 있다고 할 수 있다.

(2) 이 사건 법률조항의 성격과 내용

(가) 처분 개념의 성격 및 의미

처분 개념을 정의한 이 사건 법률조항은 법원의 행정재판에 관한 사항을 규정한 것인바, 행정재판 역시 법원조직법 제2조1항에 규정된 '법률상의 쟁송'을 전제로 한 것이어서 구체성을 지닌 쟁송을 전제로(구체적 사건성), 법령을 해석, 적용함으로써 해결할 수 있는 쟁송이어야 하므로(법적 해결성), 이 사건 법률조항에 의한 처분 개념은 위와 같은 사법본질상의 한계를 반영한 것으로서 사법본질상 불가피한 측면이 내재된 것이라고 볼 수 있다.

한편, 항고소송의 대상인 처분의 존부는 광의의 소의 이익의 하나인 소송요건으로서 법원의 직권조사사항인데 소의 이익의 존재가 소송을 적법하게 하는 하나의 소송요건이 듯이, 다투어지고 있는 행정청의 행위가 항고소송의 대상성을 결여한 경우 국민이 그에 의하여 권리침해 내지 중대한 불이익을 받더라도 소송의 문전에서 배척되게 되고, 항고소송의 구조상 그 원고는 항상 권익을 침해당한 개인이 되는데다가 소송의 형식 및 대상은 원고가 특정하도록 되어 있다. 따라서 항고소송의 대상을 제대로 특정하지 못할 경우 그로 인한 불이익은 항상 권리구제를 구하는 원고에게 있으므로, 헌법상의 재판청구권의 보장에 비추어 항고소송의 대상을 명확히 해야 할 필요성은 적지 않다.

그러나 처분의 개념 자체가 학문적, 실무적 업적을 바탕으로 하여 역사적으로 생성된 개념인데다가 현대행정이 복잡하고도 광범위하게 펼쳐짐에 따라 그 수단인 행정작용도 다양해져 처분성의 판정이 곤란한 사례가 많고, 그 판정에 있어서도 국민의 권리구제와 행정의 사법적 통제에 있어서의 항고소송의 기능을 어떻게 보느냐 하는 관점에 따라 여러 가지 견해가 나올 수 있는데 다양하고 개별적인 행정작용에 있어서 위와 같은 처분 개념에 해당되는지 여부에 관하여는 학설과 판례에서 많은 논의가 있어 왔다.

(나) 학설과 대법원의 입장

1) 실체법상 개념설

이 견해는 행정소송법상의 처분을 실체법상의 행정행위와 동일한 것으로 파악하는 종래의 전통적인 견해로서, 취소소송의 기능을 행정행위의 자기확인적 공정력을 깨기 위한 재심절차로 보아서 취소소송의 대상을 이른바 공정력을 가진 행정행위에 좁게 한정하려는 것이다.

2) 쟁송법상 개념설

이 견해는 현대행정의 적극화·다양화와 더불어 항고소송의 권익구제기능을 중시하여 쟁송법상의 행정처분의 개념을 실체적 행정행위 개념과 별도로 정립하여야 한다는 것으로, 항고소송의 대상을 공정력을 가진 행정행위에 한정하는 행정소송제도는 권리구제기능을 충분히 발휘할 수 없다 하여 비권력적 행위도 처분 개념에 포함시켜 항고소송의 대상으로 확대하여야 한다는 입장이다.

3) 대법원의 입장

처분 개념에 대한 정의규정을 두지 않았던 구법 시대의 대법원은 '처분'에 관하여 일반적 정의를 내린 뒤에 구체적 사안이 이에 해당하는지 여부를 판단하고 있는바, 대체적으로 "행정소송의 대상이 되는 행정청의 처분이라 함은 행정청의 공법상의 행위로서 특정사항에 대하여 법규에 의한 권리의 설정 또는 의무의 부담을 명하거나 기타 법률상 효과를 발생하게 하는 등 국민의 권리의무에 직접 관계가 있는 행위를 말한다"(대판 1967.6.27, 67누44)고 봄으로써 종래 행정처분의 개념을 이해함에 있어 대체로 실체법상 개념설에 가까운 태도를 유지하여 오고 있다.

그 이후 대법원은 "항고소송의 대상이 되는 행정처분이라 함은 행정청의 공법상의 행위로서 특정 사항에 대하여 법규에 의한 권리의 설정 또는 의무의 부담을 명하거나 기타 법률상 효과를 발생하게 하는 등 국민의 권리의무에 직접 관계가 있는 행위를 가리키는 것이고, 행정권 내부에서의 행위나 알선, 권유, 사실상의 통지 등과 같이 상대방 또는 기타 관계자들의 법률상 지위에 직접적인 법률적 변동을 일으키지 아니하는 행위 등은 항고소송의 대상이 되는 행정처분이 아니다"(대판 1996.3.22, 96누433 등)고 판시하여 실체법상 개념설에 가까운 태도를 유지하면서도, "어떤 행정청의 행위가 행정소송의 대상이 되는 행정처분에 해당하는가는 그 행위의 성질, 효과 외에 행정소송 제도의 목적 또는 사법권에 의한 국민의 권리보호의 기능도 충분히 고려하여 합목적적으로 판단되어야 한다"(대판 1984.2.14, 82누370)고 판시하기도 하고, 나아가 "행정청의 어떤 행위를 행정처분으로 볼 것이냐의 문제는 추상적 일반적으로 결정할 수 없으며, 구체적인 경우 행정처분은 행정청이 공권력의 주체로서 행하는 구체적 사실에 관한 법집행으로서 국민의 권리의무에 직접 영향을 미치는 행위라는 점을 고려하고 행정처분이 그 주체, 내용, 절차, 형식에 있어서 어느 정도 성립 내지 효력요건을 충족하느냐에 따라 개별적으로 결정하여야 하고, 행정청의 어떤 행위가 법적 근거도 없이 객관적으로 국민에게 불이익을 주는 행정처분과 같은 외형을 갖추고 있으며, 그 행위의 상대방이 이를 행정처분으로 인식할 정도라면 그로 인하여 파생되는 국민의 불이익 내지 불안감을 제거시켜 주기 위한 구제수단이 필요한 점에 비추어 볼 때 행정청의 행위로 인하여 그 상대방이 입는 불이익 내지 불안이 있는지 여부도 그 당시에 있어서의 법치행정의 정도와 국민의 권리의식 수준 등은 물론 행위에 관련한 당해 행정청의 태도 등도 고려하여 판단하여야 한다"(대판 1993.12.10, 93누12619)고 판시하기도 하였다.

(다) 행정소송법 개정안

현행 행정소송법은 이 사건 법률조항에서 처분 개념을 정하여 행정청이 행하는 공권력행사 중 '구체적 사실에 관한 법집행으로서 하는 것'을 항고소송의 대상으로 하였다. 그런데 대법원은 '국민의 권리의무에 직접 법적 효과를 미치는 것'만을 처분에 해당한다고 판시함으로써 '그 밖에 이에 준하는 행정작용'으로 규정하는 부분은 거의 활용되지 못하고 있는 상황이다. 이러한 상황 하에서 대법원은 2006.9.8. '처분'을 "행정청이 행하는 구체적 사실에 관한 공권력의 행사 그 밖에 이에 준하는 행정작용"으로 정의하는 내용의 행정소송법 개정의견을 국회에 제출한 바 있었으나 정부에서는 2007.7.6. 법무부공고 제2007-72호로 행정소송법 개정법률안에 대한 입법예고를 거쳐 국무회의 심의를 마쳤는데 위 개정법률안 제2조1항1호는 현행 행정소송법과 동일하게 "처분 등이라 함은 행정청이 행하는 구체적 사실에 관한 법집행으로서의 공권력의 행사 또는 그 거부와 그 밖에 이에 준하는 행정작용 및 행정심판에 대한 재결을 말한다"라고 규정함으로써 항고소송의 대상을 확대하고 있지 않다.

나. 이 사건 법률조항의 위헌 여부

(1) 재판을 받을 권리 침해 여부

(가) 절차적 기본권은 기본권보장을 위한 기본권이며 청구권적 기본권의 성격을 지니므로 국민이 재판을 통하여 권리보호를 받기 위해서는 그 전에 최소한 법원조직법에 의하여 법원이 설립되고 민사소송법 등 절차법에 의하여 재판관할이 확정되는 등의 구체적인 입법절차가 필요하고, 재판을 받을 권리의 보장은 입법자의 구체적인 형성을 전제로 한다. 그러나 입법자의 형성권은 무제한적인 것이 아니므로 국민의 권리보호를 위한 최소한의 사법절차는 보장되어야 하는바, 헌법상의 재판을 받을 권리의 본질적 내용은 '법적 분쟁이 있는 경우 독립된 법원에 의하여 사실관계와 법률적 관계에 관하여 적어도 한 차례 법관에 의하여 심리·검토를 받을 수 있는 기회가 부여될 권리'가 인정된다는 것이다(헌재결 2000.6.29, 99헌바66등, 판례집 12-1, 848, 867 ; 헌재결 2002.10.31, 2001헌바40, 판례집 14-2, 473, 481). 이와 같이 헌법 제27조1항이 규정하는 '법률에 의한' 재판청구권을 보장하기 위해서는 입법자에 의한 재판청구권의 구체적 형성이 불가피하므로 입법자의 광범위한 입법재량이 인정된다고 할 것인바(헌재결 1996.8.29, 93헌바57, 판례집 8-2, 46, 60 참조), 이러한 재판청구권에는 행정재판을 받을 권리도 포함되는데 처분 개념을 규정한 이 사건 법률조항을 통하여 항고소송의 대상을 어느 범위로 규정할 것인가는 입법자의 형성의 자유가 폭 넓게 인정되는 영역

에 해당하므로 입법목적에 비추어 입법자가 선택한 수단이 합리적인지 여부가 문제된다.

(나) 이 사건 법률조항에 따라 항고소송의 대상에 해당되지 않음에 따라 대상적격이 결여되어 행정재판을 받지 못하게 되는 제약 내지 불이익을 받게 되는데, 이는 불필요한 소송을 억제하여 법원과 당사자의 부담을 경감시킴으로써 효율적인 재판제도를 구현하기 위한 취지이고, 구법과 달리 이와 같이 이 사건 법률조항에서 처분 개념을 규정한 것은 현대행정의 다양화 등에 따른 권리구제 확대의 필요성을 반영한 것으로서 그 목적의 정당성이 인정된다고 할 것이다.

나아가, 이 사건 법률조항에서 '구체적 사실에 관한 법집행으로서의 공권력의 행사'라고 처분 개념을 정의한 것은 앞서 보았듯이 사법본질상 내재되어 있는 법원조직법 제2조1항의 '법률상의 쟁송'의 개념을 구체화시킨 것으로서 다른 권리구제 수단과의 관계에 비추어 보더라도 그와 같이 규정한 것에 합리적인 이유가 있다고 할 것이다.

먼저 헌법소원과의 관계에서, 이 사건 법률조항에 의하여 항고소송의 대상이 제한됨에 따라 항고소송이 불가능한 행정작용은 헌법소원의 대상이 될 여지가 많은데, 우리나라에서는 헌법소원의 대상에서 재판이 제외되기 때문에 대상적격을 충족하여 항고소송이 가능한 행정작용에 대하여는 대법원이 최종적으로 심사권한을 갖게 되고 헌법소원이 배제되는 반면, 대상적격이 흠결되어 항고소송이 불가능한 행정작용은 헌법소원의 보충성원칙의 예외 내지 비적용에 해당되어, 헌법소원의 대상이 될 수 있다.

나아가 당사자소송과의 관계에서 보면, 항고소송의 대상인 처분 개념을 통하여 권리구제를 확대시키고자 하는 쟁송법적 처분 개념에 대한 비판적인 입장에서 당사자소송 등 다른 구제수단을 활용하자는 논의가 제기되고 있는바, 이는 전체로서의 권리보장의 유효성은 모든 소송형태를 통합적으로 고찰하여 판단하여야 하므로, 항고소송의 대상에 해당하지 아니하는 법률상의 쟁송에 대하여 공법상 당사자소송 등을 통하여 구제받도록 하여야 한다는 입장이다. 특히 무효확인소송의 경우에는 이른바 공정력이 없고 누구나 어떠한 방법으로나 그 효력을 부인할 수 있으므로 당사자소송과 대체적인 관계에 있을 수 있는 점 등에 비추어 반드시 처분 개념을 확대하는 방법만이 당사자의 권리구제에 유익하다고 볼 것은 아니다.

이와 같이 행정작용에 대한 법률상 쟁송에 대하여도 항고소송 이외에 당사자소송, 민사소송 중 어느 형태의 소송에 의하여 다툴 수 있게만 하면 권리구제의 개괄주의는 충족되는 것이고, 구체적으로는 항고소송에서 처분성이 인정되지 않는 '공권력의 행사'라고 하더라도 헌법재판소법 제68조1항 소정의 헌법소원이나 행정소송법상 당사자소송에 의한 구제수단에 의하여 권리구제가 확대될 수 있음을 감안할 때, 처분 개념을 규정한 이 사건 법률조항은 국민의 공권력의 권리구제를 어렵게 할 정도로 입법재량권의 한계를 벗어났다고 단정할 수 없다.

(다) 따라서 이 사건 법률조항에서 항고소송의 대상이 되는 처분 개념에 관하여 '구체적 사실에 관한 법집행으로서의 공권력의 행사 또는 거부'로 규정한 데에는 충분히 합리적인 이유가 있다고 할 것이므로, 이 사건 법률조항이 재판받을 권리를 침해하였다고 할 수 없다.

(2) 평등권 침해 여부

청구인은 이 사건 법률조항에서 '구체적 사실에 대한 법집행으로서의 공권력의 행사'로 처분 개념을 한정함으로써 '구체적 사실에 대한 법집행으로서의 공권력의 행사'에 의하여 권리 또는 이익을 침해당한 자와 '그 밖의 공권력의 행사'에 의하여 권리 또는 이익이 침해당한 자 사이에 불합리한 차별취급이 존재한다고 주장한다.

위 두 집단 모두 행정청의 공권력 행사에 의하여 권리 또는 이익을 침해당한 자에 해당한다는 점에서 동일한 비교집단에 해당한다고 할 수 있고, 항고소송의 대상이 되는 처분 개념을 제한한 이 사건 법률조항에 의하여 처분성이 인정되지 아니할 경우 항고소송절차를 통한 권리구제를 받을 수 없는 차별이 발생하므로, 양 자 사이에 차별 취급 자체는 인정된다고 할 것이다.

그러나 항고소송의 대상적격을 결정짓는 이 사건 법률조항은 기본적으로 입법자의 광범위한 입법형성권이 인정되는 영역에 속하는 것으로 사법본질상의 한계를 반영하여 '구체적 사실에 관한 법집행으로서의 공권력의 행사'로 처분 개념을 규정한 데에는 앞서 본 바와 같이 합리적인 이유가 인정된다고 할 것이다.

따라서 이 사건 법률조항으로 인하여 양 자 사이에 합리적 이유가 없는 자의적인 차별이 있다고 볼 수는 없으므로, 이 사건 법률조항이 평등권을 침해한다고 할 수 없다.

29 일반처분

Ⅰ. 의 의

일반처분이란 구체적 사실과 관련하여 불특정 다수인을 상대방으로 하여 발하여지는 행정청의 단독적, 권력적 규율행위를 말한다. 법적 성질에 대해 논란이 있으나, 행정행위의 한 유형으로 보는 것이 일반적이다.

행정청의 고권적이고 일방적인 법적 행위는 일반적·추상적 규율인 법규명령과 개별적·구체적인 행정행위에 한정되는 것이 아니라 일반적·구체적 규율도 생각할 수 있는 것인데, 독일연방행정절차법은 이러한 일반적·구체적 규율을 물적 행정행위와 더불어 일반처분이라 하여 행정행위에 해당한다고 규정하고 있다.

Ⅱ. 일반처분의 종류

1. 대인적 일반처분(일반적·구체적 규율)

불특정한 다수의 사람을 수범자로 하고 특정한 사안을 대상으로 하는 일반적 구체적 규율이다(예: A단체 주도의 반정부시위금지처분)

2. 물적 행정행위[1])로서의 일반처분(대물적 일반처분)

물건에 대한 규율을 내용으로 하는 처분으로서, 물건의 공법적 성격에 관한 규율과 공공시설 등에 대한 사용규율이 있다. 전자의 예로서는 도로의 공용지정행위, 특정물건을 문화재로 지정하는 행위, 국토의 계획 및 이용에 관한 법률상의 용도지역·지구 및 구역의 지정행위 등이 있으며, 후자의 예로서는 교통표지판을 통한 도로의 사용규율(주차금지, 속도제한, 일방통행, 통행금지) 등이 있다. 독일행정절차법 제35조 후단은 이러한 일반처분을 행정행위로 보고 있는데, 물적 행정행위는 수범자에 대한 직접적인 규율이 아니라 물적 상태에 대한 규율이기는 하나 간접적 효과로서 물건의 소유자 또는 사용자의 권리나 의무에 영향을 준다는 특징이 있다.

사례 횡단보도설치의 처분성, 원고적격

A(法人)는 K시(광역시)의 시장과 협정을 맺어 지하도를 자비로 건설하여 도로 일부를 상가로 운영하고 있던 중, K시의 경찰청장이 상가 위에 횡단보도를 설치하므로 인하여 영업에 큰 지장을 받게 되었다. 그리하여 A는 위 경찰청장의 횡단보도설치취소소송을 제기하기에 이르렀다. 이 점과 관련하여 다음의 점에 대해 답하시오.

(1) 지방경찰청장의 횡단보도설치(교통표지)가 처분에 해당하는가?

(2) 설문에서의 A에게 원고적격이 인정될 수 있는가?

(김남진 교수님 고시연구 2001년 5월호 출제문제 요약)

[참조조문]

***구 도로교통법**

제10조(도로의 횡단)

① 지방경찰청장은 도로를 횡단하는 보행자의 안전을 위하여 행정안전부령이 정하는 기준에 의하여 횡단보도를 설치할 수 있다.

② 보행자는 지하도·육교 그밖의 도로횡단시설이나 제1항의 규정에 의한 횡단보도가 설치되어 있는 도로에서는 그곳으로 횡단하여야 한다(이하 생략)

제17조(보행자의 보호)

① 모든 차의 운전자는 보행자가 횡단보도를 통행하고 있는 때에는 그 횡단보도 앞(정지선이 설치되어 있는 곳에서는 그 정지선을 말한다)에서 일시 정지하여 보행자의 횡단을 방해하거나 위험을 주어서는 안 된다.

***구 도로교통법시행규칙(행정안전부령)**

제11조(횡단보도의 설치기준)

1) 대물적 행정행위와 구별 要. 대물적 행정행위는 물건의 객관적 상태와 관련하여 물건의 소유자나 관리자에게 직접 권리를 부여하거나 의무를 부과하는 반면, 물적 행정행위는 배타적인 물적 상태규율로서 간접적으로만 관련된 사람에게 법적 효과를 발생시킴.

지방경찰청장은 법 제10조1항의 규정에 의하여 횡단보도를 설치하고자 하는 때에는 다음 각호에 적합하도록 하여야 한다.
1. 횡단보도에는 별표6에 의한 횡단보도표시와 횡단보도표지판을 설치한다.
2. 횡단보도를 설치하고자 하는 장소에 횡단보행자용 신호기가 설치되어 있는 경우에는 횡단보도표시만 설치한다.
3. 횡단보도를 설치하고자 하는 도로의 표면이 포장이 되지 아니하여 횡단보도표시를 할 수 없는 때에는 횡단보도표지판만을 설치한다. 이 경우에는 그 횡단표지판에 횡단보도의 너비를 표시하는 보조표지를 설치한다.
4. 횡단보도는 육교·지하도 및 다른 횡단보도로부터 **200미터 이내에 설치하여서는 아니된다**(단서 생략).

I. 문제의 상황

행정소송법은 "취소소송은 처분 등을 대상으로 한다"(제19조)고 규정하고 있으며, 또한 "취소소송은 처분 등의 취소를 구할 법률상의 이익이 있는 자가 제기할 수 있다"(제12조)라고 규정하고 있다. 따라서 설문에 있어서 A가 취소소송을 제기하여 승소하기 위해서는 지방경찰청장의 횡단보도설치가 처분등의 성질을 가지고, A에게 그 처분의 취소를 구할 법률상 이익(원고적격)이 있다는 것이 전제되어야 한다.

II. 횡단보도설치(교통표지)의 법적 성질

1. 문제점

횡단보도의 설치를 **도로공사의 일종으로 생각하면**, 그것은 사실행위에 불과하며 **법적 행위로서의 성질을 가지지 않는다. 그러나, 교통표지로서 기능**하는 점을 생각하면, 횡단보도의 설치를 **법적 효과를 발생하는 법적 행위로서 볼 여지**가 충분히 있다.

도로교통법은 횡단보도와 관련하여 **보행자 및 자동차운전자에게 여러 가지 의무를 부과**하고 있다(동법 10조 2항, 동법 17조 1항).

그러나, 횡단보도의 설치를 통해 그 교통표지가 직접 통행인, 운전자 등에게 부과하는 법적 효과(의무의 부과 등)를 생각하면, 그것들은 **일반성과 추상성**을 지니게 된다.

문제는 어떤 국가적 작용이 '일반적, 추상적 규율'로서의 성질을 가지게 되면, 그것은 법규범의 성질을 가지는 것이 되어 행정행위 또는 처분으로서의 성질을 부인받게 된다고 하는 점이다. 항고소송의 대상이 아니되는 것이다. 그리하여, 그들 **교통표지를 항고소송의 대상이 되는 행정행위(처분)로서 보기 위한 이론적 구성으로서 물적 행정행위 또는 물적 일반처분개념이 출현**하게 되었다.

2. 물적 행정행위

물건에 대한 규율을 내용으로 하는 처분이다. 이러한 물적 행정행위는 사람의 권리·의무가 아니라 물건의 법적 성질 또는 지위를 그 규율내용으로 하는 것이므로, 그 한도에서는 그 대상은 사람이 아니라 물건이라고 할 수 있을 것이나, 당해 **물건의 이용에 관한 법적 규율의 내용에 따라 그 이용자의 권리·의무가 설정**되는 것이라는 점에서는 이러한 물적 행정행위도 **간접적으로는 사람에 대하여 적용**되는 것이다.

독일연방 행정절차법(제35조2문)은 **일반처분의 내용에 물적 행정행위를 포함**시킴으로써 **입법적으로 해결**하였다.

3. 판 례

-**고등법원**은 처분성을 **부정**했으나 **대법원**은 **긍정.**

고등법원판례 도로교통법 제1조, 제10조1항 제3조, 제104조1항, 같은법시행령 제71조의2 등 횡단보도설치에 관한 근거 법령의 규정들을 종합하면, 횡단보도설치행위의 법률적 성질은 그 설치권자가 일반 국민들의 도로상의 보행편의와 함께 보행과 관련한 교통사고를 방지하고 교통의 안정성 및 원활한 소통을 보장할 목적으로 행하는 **공물인 도로의 관리행위의 일종**으로 해석되고, **이로 인해 국민의 구체적인 권리의무에 직접적인 변동을 초래하게 하는 것이라고 볼 수가 없을 뿐만 아니라**, 횡단보도설치행위는 그 설치권자의 횡단보도설치결정과 설치권자와 시공회사와의 시설물설치계약 및 최종적인 시설공사행위로 나누어 볼 수가 있다 할 것인데, 시설권자의 **횡단보도설치결정은 행정청의 내부적 의사를 확정**하는 절차이고, **시공회사와의 계약은 공법적 색채가 강한 민법상의 도급계약**이며, 시공회사의 **공사행위 그 자체는 사실상의 행위에 불과**하여 이들을 각 행정소송법이 규정하는 항고소송의 대상이 된다고 볼 수 없고, 이러한 횡단보도설치에 관한 일련의 행위를 전체로서 평가한다고 하여도 이를 행정소송법이 규정하는 항고소송의 대상인 행정청의 처분 기타 공권력행사에 해당한다고 볼 수 없다(광주고법 1998.4.24, 97구3209).

판 례 도로교통법 제10조1항, 동조 2항, 제24조1항의 규정 취지에 비추어 볼 때, 지방경찰청장이 **횡단보도를 설치하여 보행자의 통행방법 등을 규제**하는 것은 **행정청이 특정사항에 대하여 의무의 부담을 명하는 행위**이고 이는 **국민의 권리의무에 직접 관계가 있는 행위로서 행정처분**이라고 보아야 할 것이다(대판 2000.10.27, 98두896).

4. 검 토

판례는 물적 행정행위 개념을 직접 원용하지는 않고 대인적 행정행위인 듯이 판시하고 있으나 횡단보도설치는 일반처분의 일종인 물적 행정행위에 해당된다고 보는 것이 타당하다. 따라서 지방경찰청장의 횡단보도설치는 행정소송법상의 처분에 해당된다(행정소송법 제2조).[2)]

Ⅲ. A의 원고적격 유무

1. 문제점

원고적격이란 구체적인 사건에 있어서 원고가 될 수 있는 자격을 말한다. 취소소송을 제기하기 위해서는 행정소송법 제12조의 법률상 이익이 있는 자에 해당하여야 하는바, 법률상 이익의 개념에 대하여 취소소송의 목적이나 기능에 대한 이해와 관련하여 견해의 대립이 있으며 A에게 법률상 이익을 인정할 수 있을 것인지 문제된다.

2. 학설의 대립

(1) 권리구제설
(2) 법률상 보호이익설(법률상 보호되는 이익구제설)
(3) 보호가치있는 이익구제설
(4) 적법성보장설

3. 판 례

판례는 "법률상의 이익은 당해 처분의 근거법률에 의하여 보호되는 직접적이고 구체적인 이익이 있는 경우를 말하고, 다만 공익보호의 결과로 국민 일반이 공통적으로 가지는 추상적, 평균적, 일반적인 이익과 같이 간접적이나 사실적, 경제적 이해관계를 가지는데 불과한 경우는 여기에 포함되지 않는다"(대판 2000.10.27, 98두896)고 하여 통설과 견해를 같이하고 있다.

4. 검 토

적법성보장설은 취소소송이 주관적 소송이라는 점에서, 권리구제설은 인정 범위가 좁다는 점에서, 보호가치이익구제설은 법원이 법창조적 기능까지 한다는 점에서 문제가 있으며 법률상 보호이익설이 타당하다.

법률상 보호이익설에 의하여 도로교통법과 도로교통법시행규칙등의 관련법규를 검토해보면 횡단보도가 설치된 도로 인근에서 영업활동을 하는 자에게 횡단보도의 설치에 관하여 특정한 권리나 법령에 의하여 보호되는 이익이 부여되어 있다고 말할수 없으므로 A에게 원고적격이 인정된다고 볼 수 없다.[3)] 판례도 사안과 같은 경우 "일반적으로 도로는 국가나 지방자치단체가 직접 공중의 통행에 제공하는 것으로서 일반국민은 이를 자유로이 이용할 수 있으므로 이러한 횡단보도 설치에 관한 근거법령의 규정취지와 도로의 이용관계에 비추어 볼 때, 횡단보도가 설치된 도로 인근에서 영업활동을 하는 자에게 횡단보도의 설치에 관하여 특정한 권리나 법령에 의하여 보호되는 이익이 부여되어 있다고 말할 수 없으므로, 이와 같은 횡단보도의 설치행위를 다툴 수 없다"(대판 2000.10.27, 98두896)고 하여 원고적격을 부정한바 있다.

---

2) 박균성 교수님은 육교, 횡단보도, 소각장, 쓰레기매립장 등 공공시설의 설치행위에 대해서 다음과 같이 서술하고 있다(355면)
- 설치주체가 지방자치단체로서 지방자치단체의 신청에 따라 국가기관의 승인을 받아야 하는 경우에 당해 승인행위는 행정행위이므로 처분이 된다는 점에는 이론이 없으며
- 설치가 신청행위를 전제로 하지 않고 지방자치단체 또는 국가기관의 일방적인 결정에 의해 행해지는 경우에 ①그 결정을 내부행위로 보고 공공시설설치행위는 비권력적 사실행위로 보면서 공공시설설치행위를 처분으로 보지 않는 견해와 ②행정소송법상의 "그 밖에 의에 준하는 행정작용"에 해당하는 것으로 보아 처분성을 인정하는 견해가 있다.
- 사견에 의하면 공공시설설치로 인근주민의 권익에 직접 영향을 미치는 경우에는 그 설치계획의 결정을 행정소송법상의 처분으로 보고, 그에 따른 공사는 단순한 집행행위로 보는 것이 타당하다.

3) 원고적격 문제에서 A의 원고적격을 판례에 따라 부정하는 것으로 검토했지만, 김남진 교수님은 판례의 태도를 비판하면서 원고적격을 인정할 여지가 충분히 있다고 한다. 원고적격을 인정하는 것으로 포섭하여도 무방하며 논리적 전개만 있으면 된다. 원고적격을 긍정하는 입장에서의 검토는 다음과 같이 하면 된다.
- "행정소송에 있어서의 원고적격을 되도록 확대하려는 국내외에서의 경향에 비추어 볼 때 대법원의 판단에 대하여 이의를 제기할 여지는 많다. 아울러, 대법원은 도로의 사용관계에 있어서의 隣人(인접주민)의 특수한 법적 지위(인접주민의 고양된 보통사용,#150.Ⅱ.1.(4)참조)에 대한 배려를 또한 결하고 있다고 말할 수 있다. 결론적으로, A의 원고적격을 인정할 여지는 충분히 있다"(김남진교수님 문제중 발췌).

30 복효적 행정행위에서 제3자보호

Ⅰ. 의 의

복효적 행정행위란 하나의 행정행위가 수익적 및 침익적 두 효과가 발생하는 행정행위를 말한다. 광의로는 상대방에 대해 수익적 효과와 침익적 효과를 동시에 발생하는 행정행위도 포함되나, 협의의 개념은 행정행위의 상대방에게는 수익적이나 제3자에 대해서는 침익적인 경우 및 그 반대의 효과를 갖는 경우인 **제3자효 행정행위만**을 의미한다. 처분의 상대방이 아닌 제3자에게 사실상 침익적 효과가 발생했거나 제3자에게 수익적이 되는 처분을 발하지 않고 있을 때의 **제3자의 보호가 문제**이다. 복수의 이해관계자가 있으므로 사익과 공익의 조화뿐만 아니라 **사익과 사익의 이익형량이 중요한 문제로 대두된다.**

Ⅱ. 절차법상 보호

복효적 행정행위로 인해 권리가 침해될 제3자에게, 처분 전 행정절차에 참여할 기회를 부여해야 한다. **행정절차법**은 동법 제2조 4호에서 '당사자 등'의 개념에 제3자까지 포함하고 있으며, 사전통지(제21조), 의견제출(제27조1항)의 기회를 부여하고 있다. 그러나 이들 규정은 **제3자의 범위를 행정청이 직권 또는 신청에 의하여 행정절차에 참여하게 한 자로 한정**하고 있어, **제3자가 행정절차법상 고지를 받을 수 있는 근거규정이 없다(절차법 제26조는 당사자에 대한 고지만 규정)**. 입법론으로는 독일연방행정절차법처럼 이해관계 있는 제3자에게 통지의무를 부과하는 것을 고려할 필요가 있다. 한편 **행정심판법 제58조2항(이해관계인의 신청에 의한 고지)**은 제3자에 대한 고지의 근거규정이 되기도 한다.

Ⅲ. 실체법상 보호

1. 취소, 철회의 제한(#55,53)

복효적 행정행위의 취소, 철회는 **처분의 상대방뿐 아니라 제3자의 이익도** 구체적으로 **비교형량**하여야 한다. 처분의 상대방에 대한 수익적 행정행위가 상대방의 신뢰보호필요성보다 취소에 따른 제3자의 이익이 더 큰 때에는 신뢰가 보호할 가치가 있는 경우에도 취소해야하는 상황이 발생할 수 있다. 반대로 처분의 상대방에 대해 침익적인 행위는 원칙적으로 취소·철회가 제한되지 않지만, 수익적 효과를 누리는 제3자의 이익을 고려하여 취소, 철회가 제한되는 경우가 있다.

직권취소에 있어서는 **불가쟁력 발생 전**에는 제3자효 행정행위의 **수익자는 부담을 받는 제3자의 쟁송제기를 예견**하고 있으므로 직권취소에서 수익자의 **신뢰보호 필요성이 약한 상태**이고, **발생 후에는 강하게 보호**해야 한다면서 **불가쟁력 발생여부에 따라** 이익형량에 있어 특별한 고려해야 한다는 견해가 있다.

2. 행정개입청구권(#12)

제3자가 수익적 지위에 있을 때 행정청이 처분을 발하고 있지 않을 경우 제3자에게 행정권의 발동을 요구할 수 있는지의 문제이다. **재량행위라도 재량권이 영으로 수축되는 경우에는 청구가능**하다고 본다.

Ⅳ. 쟁송법상 보호 - 원. 고. 재. 판. 참. 가. 기

1. 원고적격의 인정(행정심판에서는 청구인적격)(#110)

원고적격이 인정되기 위해서는 **제3자에게 '법률상 이익'이 인정되어야** 하는데(행소법 제12조, 제35조, 제36조), 법률상 이익이란 법적으로 보호된 이익을 의미한다. 제3자는 피침해이익이 법적으로 보호된 이익인 경우에 한해 원고적격이 인정되는데,

개별사안에서 법적 보호이익인지 여부는 근거법령의 취지가 제3자의 이익까지 보호하고자 하는 취지인지 여부를 기준으로 판단한다.

판례도 연탄공장허가처분으로 이익이 침해된 인근주민이 허가처분의 취소를 구할 법률상 이익을 인정하였고(인인소송), 기존시내버스업자가 제기한 다른 시외버스업자에게 시내버스로의 전환을 허용하는 사업계획변경인가처분의 취소소송에서 기존업자의 원고적격을 인정하였으며(경업자소송), 경원자관계에서도 마찬가지이다(#110).

2. 참가와 재심청구(#110. 사시2010년 기출사례)

법원은 제3자의 신청 또는 직권으로 제3자를 소송에 참가시킬 수 있으며(행소법 제16조 1항, 제38조), 판결에 의해 권리 또는 이익의 침해를 받은 제3자는 책임 없는 사유로 소송에 참가하지 못한 경우 재심을 청구할 수 있는 기회가 있다(동법 제31조, 제38조). 행정심판에서도 행정심판위원회의 허가를 받아 참가하거나, 위원회가 참가를 요구할 수 있다(행심법 제20조). **행정심판에서는 재심제도는 없다**(행심법 제51조).

3. 가구제 - 집행정지신청(행소법 제23조, 행심법 제30조)(#115)

(1) 제3자의 집행정지신청

행소법 **제23조 2항**이 행정행위의 **상대방에 한정하지 않고 있으며, 제29조2항**은 **집행정지결정의 효력이 제3자에게 미치는 것**으로 하고 있으므로 제3자가 집행정지신청을 할 수 있다. 심판에서도 동일하다. 다만 처분청과 제3자 이외에 처분의 상대방이 존재하므로, **집행정지결정시 상대방의 이익도 고려**되어야 한다.

(2) 상대방의 집행정지결정에 대한 불복

집행정지결정이 확정되었는데 제3자효 행정행위의 **상대방이 소송참가를 한 경우, 행소법 제23조5항에 근거한 즉시항고 또는 제24조에 근거한 집행정지결정의 취소를 청구할 수 있는지** 논란이 있다. 소송참가인은 보조참가인이며 **소송당사자가 아니라**는 **부정설**이 있으나, 공동소송적 보조참가인의 지위가 인정되어 **당사자에 준하는 지위**를 가지므로 **긍정설**이 타당하다.

4. 판결의 효력(#125)

처분 등의 취소·무효확인 및 부작위의 위법을 확인하는 확정판결(인용판결)의 효력은 **제3자에게도 미친다**(행소법 제29조1항, 제38조1항·2항).

5. 제소기간 및 심판청구기간(행소법 제20조2항, 행심법 제27조3항)(#113)

처분에 대해 제3자는 알지 못하는 경우가 많을 것이기 때문에 취소소송의 제소기간을 도과할 경우가 많을 것이다. 행정소송법 제20조2항은 제소기간을 제한하면서 **정당한 사유**가 있는 경우 제소기간이 도과해도 소를 제기할 수 있도록 하고 있는바, 제3자가 전혀 처분의 결정과정에 관여하지 못했고 제3자에 대한 통보도 없었다면 정당한 이유를 인정할 가능성이 있다.

판 례 행정처분의 직접상대방이 아닌 **제3자는 행정처분이 있음을 곧 알 수 없는 처지**이므로 **행정심판법 제18조(현행 제27조)3항 소정의 심판청구의 제척기간내에 처분이 있음을 알았다는 특별한 사정이 없는 한** 그 **제척기간의 적용을 배제할** 같은 조항 단서 소정의 **정당한 사유**가 있는 때에 해당한다(대판 1989.5.9, 88누5150).

6. 행정심판법상 고지(#104)

절차법은 처분의 당사자에게만 고지를 하도록 하고 있으나, 행정심판법은 제3자인 이해관계인이 요구하는 경우 고지를 의무사항으로 규정하고 있다(심판법 제58조2항).

31 재량행위와 기속행위

Ⅰ. 의 의

1. 재량행위

법규의 해석상 행정청에게 행위 여부나 행위 내용에 관한 선택의 가능성을 부여하고 있어서, 여러 행위 중 하나를 선택할 수 있는 자유가 인정되는 행정행위를 말한다. 행위 여부에 대한 선택의 자유를 결정재량이라고 하고, 행위 내용에 관한 선택의 자유를 선택재량이라고 한다.

2. 기속행위

행정작용의 근거가 되는 행정법규가 요건에 따른 행위의 내용을 일의적, 확정적으로 규정하고 있어서, 행정청이 단순히 기계적으로 법규를 집행하는데 그치는 행정행위를 말한다.

Ⅱ. 구별실익 - 재. 공. 부

1. 재판통제의 범위

기속행위는 전면적으로 법원의 통제를 받게 되나 재량행위는 재량권의 한계를 넘지 않는 한 재량을 그르쳐도 부당한 행위가 됨에 불과하며 법원에 의해 통제되지 않는다. 그러나 재량의 일탈·남용이 있어 재량권의 한계를 벗어나는 경우에는 사법심사의 대상이 된다. 사법심사의 방식도 차이가 있다(아래 판례).

판 례 기속행위 내지 기속재량행위와 재량행위 내지 자유재량행위로 구분된다고 할 때 양자에 대한 사법심사는, 전자의 경우 그 법규에 대한 원칙적인 기속성으로 인하여 법원이 사실인정과 관련 법규의 해석·적용을 통하여 일정한 결론을 도출한 후 그 결론에 비추어 행정청이 한 판단의 적법 여부를 독자의 입장에서 판정하는 방식에 의하게 되나, 후자의 경우 행정청의 재량에 기한 공익판단의 여지를 감안하여 법원은 독자의 결론을 도출함이 없이 당해 행위에 재량권의 일탈·남용이 있는지 여부만을 심사하게 되고, 이러한 재량권의 일탈·남용 여부에 대한 심사는 사실오인, 비례·평등의 원칙 위배, 당해 행위의 목적 위반이나 동기의 부정 유무 등을 그 판단 대상으로 한다(대판 2001.2.9, 98두17593).

2. 부관의 가부

종래 재량행위에만 부관이 가능하다고 하였으나, 현재는 기속행위에도 명문의 규정이 있거나 법률요건충족적 부관은 가능하다고 본다.

3. 공권의 성립

종래 재량행위에는 공권이 성립하지 않는다고 보았으나, 오늘날 재량행위도 무하자재량행사청구권이 인정되고 있다. 그러나 공권의 내용에 있어서 재량행위에 인정되는 공권은 특정한 행위를 청구할 수는 없다는 점에서 구별된다.

Ⅲ. 구별기준

전통적으로 ① 근거법규의 요건이 공백규정·종국목적인 경우에는 재량행위, 일의적이고 명백하게 규정된 경우에는 기속행위라는 요건재량설 ② 처분 등이 침익적 행위이면 기속행위, 수익적 행위이면 재량행위라고 보는 효과재량설등이 주장되었다. 그러나 요건재량설은 법률요건의 해석과 적용은 인식작용으로 재량에 특유한 합목적성의 고려가 있을 수 없다는 점에서 문제가 있다. 효과재량설은 수익적 행정행위도 법규가 기속행위만을 허용하는 경우도 있고 제재처분도 개인의 이익보호를 위하여 재량행위로 보는 것이 바람직한 경우가 있으므로 타당하지 않다. 따라서 1차적으로 법문언을 고려하고, 법문이 불명확한 경우 보충적으로 법규의 취지와 목적, 당해 행위의 성질 및 기본권과의 관련성 등을 고려하여 종합적으로 판단하는 것이 타당하다(종합설).

판례도 당해 행위의 **근거가 된 법규의 체재·형식과 그 문언, 당해 행위가 속하는 행정 분야의 주된 목적과 특성, 당해 행위 자체의 개별적 성질과 유형 등을 모두 고려**하여 종합적인 판단을 하면서도(판례 1), 효과재량설을 보충적인 기준으로 활용(판례 2)하면서 경우에 따라 공익성을 구별기준(판례 2, 3)으로 들기도 한다.

판례 1 행정행위가 그 재량성의 유무 및 범위와 관련하여 이른바 기속행위 내지 기속재량행위와 재량행위 내지 자유재량행위로 구분된다고 할 때, 그 **구분**은 **당해 행위의 근거가 된 법규의 체재·형식과 그 문언, 당해 행위가 속하는 행정 분야의 주된 목적과 특성, 당해 행위 자체의 개별적 성질과 유형 등을 모두 고려**하여 판단하여야 한다(대판 2001.2.9, 98두17593). - 법(체.형.문). 분. 자

판례 2 구 주택건설촉진법(2003.5.29. 법률 제6916호 주택법으로 전문 개정되기 전의 것) 제33조에 의한 **주택건설사업계획의 승인**은 상대방에게 권리나 이익을 부여하는 효과를 수반하는 이른바 **수익적 행정처분으로서 법령에 행정처분의 요건에 관하여 일의적으로 규정되어 있지 아니한 이상** 행정청의 **재량행위**에 속하므로, 이러한 승인을 받으려는 주택건설사업계획이 **관계 법령이 정하는 제한에 배치되는 경우는 물론이고 그러한 제한사유가 없는 경우에도 공익상 필요가 있으면 처분권자는 그 승인신청에 대하여 불허가 결정을 할 수 있으며, 여기에서 말하는 '공익상 필요'에는 자연환경보전의 필요도 포함**된다. 특히 산림의 훼손은 국토 및 자연의 유지와 수질 등 환경의 보전에 직접적으로 영향을 미치는 행위이므로, 법령이 규정하는 산림훼손 금지 또는 제한 지역에 해당하는 경우는 물론이고 금지 또는 제한 지역에 해당하지 않더라도 허가관청은 **산림훼손허가신청 대상토지의 현상과 위치 및 주위의 상황 등을 고려하여 국토 및 자연의 유지와 환경의 보전 등 중대한 공익상 필요가 있다고 인정될 때에는 허가를 거부할 수 있고, 그 경우 법규에 명문의 근거가 없더라도 거부처분을 할 수 있다**(대판 2007.5.10, 2005두13315).

판례 3 구 자동차운수사업법) 제4조1항, 3항, 같은법시행규칙 제14조의2 등의 관련 규정에 의하면 **마을버스운송사업면허의 허용 여부는 사업구역의 교통수요, 노선결정, 운송업체의 수송능력, 공급능력 등에 관하여 기술적·전문적인 판단을 요하는 분야**로서 이에 관한 행정처분은 **운수행정을 통한 공익실현과 아울러 합목적성을 추구하기 위하여 보다 구체적 타당성에 적합한 기준에 의하여야** 할 것이므로 그 범위 내에서는 법령이 특별히 규정한 바가 없으면 **행정청의 재량**에 속하는 것이라고 보아야 할 것이고, 또한 마을버스 한정면허시 확정되는 마을버스 노선을 정함에 있어서도 **기존 일반노선버스의 노선과의 중복 허용 정도에 대한 판단도 행정청의 재량**에 속한다(대판 2001.1.19, 99두3812).

Ⅳ. 재량권행사의 한계 - 목. 사. 법. 동. 일(비, 평). 해

재량권은 무한정한 것은 아니며 일정한 법적 한계가 있다. 즉 재량의 일탈·남용이 없어야 하며, 이러한 법적 한계를 넘은 재량권 행사는 위법한 것이 되어 사법심사의 대상이 된다. 예컨대 **일의적으로 명확한 법규정의 위반, 사실오인, 평등원칙 위반, 비례원칙 위반, 재량권의 불행사 또는 해태, 목적위반 등의 경우 재량권의 법적 한계를 넘어서 위법**한 것이 된다(대판 2001.2.9. 98두17593).

Ⅴ. 재량행위와 판단여지[#32]

32 판단여지

Ⅰ. 의 의

요건규정에 불확정개념이 규정된 경우에도 이를 법개념으로 보아 하나의 판단만이 적법하다고 보면서도, 행정청의 결정이 일정한 한계 내에서 이루어진 경우 법원은 이를 존중하여야 한다는 이론이다. 전통적인 요건재량설을 비판하면서 등장하였다. 입법자가 불확정 개념을 사용하면서 행정에 자신의 책임하에 결정을 내릴 것을 수권하는 경우에, 법원으로부터 독립된 행정의 고유한 책임영역을 인정하고, 법원은 행정기관의 판단을 존중하여야 함을 근거로 하여 인정된다.

Ⅱ. 재량행위와 구별

1. 학 설

요건부분의 인정은 법 인식의 문제이지만, 재량은 행위효과의 결정에 관한 문제여서 구별된다는 구별 긍정설과 양개념이 법이론적으로 다르다는 점을 긍정하면서도 판단여지가 인정되는 한도에서는 재판통제가 미치지 않는다는 점에서 실질적으로 재량행위와 같은 의미를 가진다는 구별 부정설이 대립한다.

2. 판 례

재량권과 판단여지를 구분하지 않고 일관되게 행정청의 판단여지 대신에 재량을 인정하고 있다.

판 례 법원이 위 검정에 관한 처분의 위법여부를 심사함에 있어서는 문교부장관과 동일한 입장에 서서 어떠한 처분을 하여야 할 것인가를 판단하고 그것과 동처분을 비교하여 당부를 판단하는 것은 불가하고, 문교부장관이 관계법령과 심사기준에 따라서 처분을 한 것이라면 그 처분은 유효한 것이고 그 처분이 현저히 부당하거나 또는 재량권의 남용에 해당한다고 볼 수밖에 없는 특별한 사정이 있는 때가 아니면 동 처분을 취소할 수 없다(대판 1988.11.8, 86누618).

3. 검 토

법치국가의 원리에 비추어 법률의 구성요건은 객관적인 것으로서 요건충족 여부의 판단은 예견가능하여야 하므로, 구성요건의 해석문제는 재량의 문제일 수 없다. 법규에서의 불확정개념은 재량을 부여한 것이 아니라, 오로지 하나의 정당한 판단을 해야하는 법적용으로 봐야 하므로 구별긍정설이 타당하다. 다만 권력분립과 기본권은 충분한 사법적 보호를 요구한다는 점, 그리고 법의 적용에 대한 최종결정권은 원칙적으로 법원이 가져야한다는 점 등을 고려할 때 판단여지는 제한된 범위에서만 인정되어야 한다.

Ⅲ. 판단여지가 인정되는 영역 - 예. 비. 구. 형(정)

1. 비대체적 결정

주관적 판단 개입이 불가피하거나 상황재현이 불가능한 경우, 사람의 인격·적성·능력 등에 관한 판단(성적평가, 공무원근무평정 등) 등이 이에 해당한다.

2. 구속적 가치평가

객관적, 전문적인 중립적 기관의 판단이나, 예술·문화 등의 분야에 있어 어떤 물건이나 작품의 가치 등에 대해 독립한 합의제 기관이 내린 판단 또는 결정을 존중할 필요가 있는 경우이다.

3. 예측결정

행정기관의 평가특권을 인정하는 경우이다. 미래예측적 성질을 가진 행정결정, 대한민국의 이익을 해할 우려가 현저하다고 인정되는 자에 대한 법무부장관의 출국금지명령 등이 그 예이다.

4. 형성적 결정

법률적 판단의 문제라기보다는 정치적, 정책적인 문제인 경우이다. 예컨대 도시계획행정 등이 그 예이다.

Ⅳ. 법적 효과와 한계

1. 효 과

판단여지가 인정되어 여러 가능성이 존재하는 경우, 행정청의 신중한 판단은 **재판통제의 대상이 되지 않는다.**

2. 한 계 - 사. 자. 절. 구. 경

판단여지가 인정되는 경우에도 **① 합의제 행정기관의 구성이 적정하게 이루어지지 않은 경우 ② 법에서 규정한 절차가 제대로 준수되지 않은 경우 ③ 행정청의 결정이 정확한 사실관계에 기초하지 않은 경우 ④ 관련법률이 옳게 해석되고 일반적으로 인정된 평가기준이 준수되지 않은 경우**(경험법칙에 위배되는 경우) **⑤ 사안과 무관한 고려 내지는 행정청의 판단에 있어 자의가 개입되어 있는 경우에는 판단여지의 한계를 넘어 위법**하게 된다.

판 례 의료기술의 안전성·유효성 평가나 신의료기술의 시술로 국민보건에 중대한 위해가 발생하거나 발생할 우려가 있는지에 관한 판단은 고도의 의료·보건상의 전문성을 요하므로, 행정청이 국민의 건강을 보호하고 증진하려는 목적에서 의료법 등 **관계 법령이 정하는 바에 따라 이에 대하여 전문적인 판단을 하였다면, 판단의 기초가 된 사실인정에 중대한 오류가 있거나 판단이 객관적으로 불합리하거나 부당하다는 등의 특별한 사정이 없는 한 존중되어야** 한다. 또한 행정청이 전문적인 판단에 기초하여 재량권의 행사로서 한 처분은 **비례의 원칙을 위반하거나 사회통념상 현저하게 타당성을 잃는 등 재량권을 일탈하거나 남용한 것이 아닌 이상 위법하다고 볼 수 없다**(대판 2016.2.28, 2013두21120).

관련 판례 **국정교과서검정처분취소**(대판 1992.4.24, 91누6634)

1. 사실관계

원고들은 교육부장관에게 중학교 2종 교과서 한문, 영어, 음악 과목에 관한 교과용 도서에 검정신청을 하였다가 불합격처분을 받았고 **① 위 불합격결정의 취소**를 구하면서, 위 처분과 같은 때에 행하여진 다른 신청자에 대한 한문, 영어, 음악 과목 외에 수학, 미술과목의 교과용 도서에 대한 **② 합격결정의 취소**를 구하는 소를 제기.

2. 판시사항 및 판결요지

[2] 2종 교과용 도서에 대하여 검정신청을 하였다가 불합격결정처분을 받은 뒤 그 처분이 위법하다 하여 이의 취소를 구하면서 위 처분 당시 시행중이던 구 교과용 도서에관한규정 제19조에 "2종 도서의 합격종수는 교과목 당 5종류 이내로 한다"고 규정되어 있음을 들어 위 처분과 같은 때에 행하여진 수학, 음악, 미술, 한문, 영어과목의 교과용 도서에 대한 합격결정처분의 취소를 구하고 있으나 원고들은 각 한문, 영어, 음악과목에 관한 교과용 도서에 대하여 검정신청을 하였던 자들이므로 **자신들이 검정신청한 교과서의 과목과 전혀 관계가 없는 수학, 미술과목의 교과용 도서에 대한 합격결정처분에 대하여는 그 취소를 구할 법률상의 이익이 없다.**

[3] **교과서검정이 고도의 학술상, 교육상의 전문적인 판단을 요한다는 특성**에 비추어 보면, 교과용 도서를 검정함에 있어서 **법령과 심사기준에 따라서 심사위원회의 심사를 거치고, 또 검정상 판단이 사실적 기초가 없다거나 사회통념상 현저히 부당하다는 등 현저히 재량권의 범위를 일탈한 것이 아닌 이상** 그 검정을 **위법하다고 할 수 없다.**

3. 해 설

1) 원고적격과 관련해서는 검정신청한 **한문, 영어, 음악** 과목 교과서에 대한 **① 불합격결정처분에 대한 취소소송**에 대하여는 물론, **동일 과목**의 다른 교과용 도서들에 대한 **② 합격결정처분의 취소소송**에 대해서도 전형적인 **'경쟁자소송'**의 하나로 이를 다툴 법률상 이익이 인정될 것(대법원 역시 재량권 일탈이 없음을 이유로 원고들의 소송을 '기각'하였음. 기각한 것이므로 소송요건인 원고적격은 인정했다는 것).

- **그러나** 원고들이 **검정신청을 하지 않은 수학, 미술** 과목에 대한 합격결정처분의 취소를 구할 **법률상 이익은 없다**는 것이 판례.

2) **교육부 장관이 행하는 검정**에 대해서는 이른바 **'판단여지이론'**이 논의됨. 이에 대해서는 재량행위와 비교할 때 사법심사의 범위에 있어서 실질적인 차이가 없다는 것을 이유로 **독자성을 부인하는 견해**도 있고, 판단여지가 구성요건의 인식측면에 관한 것이라는 점에서 **재량과 구별된다는 견해**도 있음.

3) 구별을 **긍정하는 견해**에서는 판례가 **판단여지의 정당화 사유**

로 거론되는 (a) 고도의 학술 교육상의 전문적 판단과 (b) 전문가 또는 이익대표로 구성된 독립위원회의 평가적 결정이라는 요인들을 동원하고 있다고 함. 또한 교육법령의 관계규정들을 종합하여 볼 때에도 교육부장관의 검정결정은 재량권에 기한 것이라기보다는 검정의 실체판단에 관하여 판단여지의 유무가 검토될 수 있는 수권에 의한 것이라고 함.

4) 판단여지를 긍정하더라도 판단여지의 한계를 넘는 경우에는 사법통제의 대상이 되는데, 판결요지 [3] 중에서 '법령과 심사기준에 따라서 심사위원회의 심사를 거치고, 또 검정상 판단이 사실적 기초가 없다거나 사회통념상 현저히 부당하다는 등' 부분은 판단여지의 한계에 해당하는 부분임.

5) 그러나 판례는 판단여지의 독자성을 부정하고 재량과 구분하지 않는 입장이므로 '재량의 일탈이 없는 한'이라고 하여 재량권 일탈·남용의 문제로 귀결했다고 볼 수 있음

6) 당해 판례에 대해서 "교과서 '국정제'나 '검인정'제 자체에 대한 위헌론은 별론으로 하고, 또한 판단여지론 자체에 대한 논란은 뒤로 하고라도 교과서 검정을 위한 심사위원의 선정이나 심사위원회의 구성운영 등에 관한 행정절차적 보장이 없는 상태에서 교육부장관의 판단여지 또는 넓은 의미의 재량은 인정하기 곤란하다"는 평석이 있음(홍준형, 행정법 판례연습 183면).

기출 사례 판단여지와 재량행위(04년 행시)

아래의 판결을 공정거래위원회의 입장에서 비판적으로 논평하시오(각 취소소송의 소송요건은 모두 구비되었음).

"공정거래위원회는 甲회사가 乙회사 및 丙회사의 전체 주식을 취득한 것이 독점규제및공정거래에관한법률(약칭 '공정거래법') 제7조1항 소정의 기업결합에 해당하고 또한 그 기업결합의 폐단을 시정하는 방법으로서는 그 취득 주식의 전부를 매각하도록 하는 방법 밖에 없다고 판단하여, 동법 제16조1항2호에 의거하여 甲회사에 대하여 위 취득 주식의 전부를 처분할 것을 명하였다. 그런데 甲회사가 제기한 취소소송에서 법원은 甲회사가 乙회사의 주식을 취득한 것이 공정거래법상 금지되는 기업결합에 해당되지 않는다는 이유로 甲회사가 丙회사의 주식을 취득한 것은 기업결합에 해당되긴 하지만, 예컨대 동법 제16조1항7호에 따라 경쟁제한의 폐해를 방지할 수 있도록 영업방식이나 영업범위를 제한하는 것이 타당한 방법이기 때문에 그 취득 주식 전부의 처분을 명한 것은 과도한 조치라는 이유로, 공정거래위원회의 위 처분을 취소하는 판결을 선고하였다."

***독점규제및공정거래에관한법률**

제7조(기업결합의 제한)

① 누구든지 직접 또는 대통령령이 정하는 특수한 관계에 있는 자(이하 '특수관계인'이라 한다)를 통하여 다음 각호의 1에 해당하는 행위(이하 '기업결합'이라 한다)로서 일정한 거래분야에서 경쟁을 실질적으로 제한하는 행위를 하여서는 아니된다.

1. 다른 회사의 주식의 취득 또는 소유

제16조 (시정조치)

① 공정거래위원회는 제7조(기업결합의 제한) 1항 ……의 규정에 위반하거나 위반할 우려가 있는 행위가 있는 때에는 당해사업자……또는 위반행위자에 대하여 다음 각호의 1의 시정조치를 명할 수 있다(이하 생략).

1. 당해행위의 중지
2. 주식의 전부 또는 일부의 처분
3. - 6(생략)
7. 기업결합에 따른 경쟁제한의 폐해를 방지할 수 있는 영업방식 또는 영업범위의 제한
8. 기타 법위반상태를 시정하기 위하여 필요한 조치

1. 쟁 점

- 행정의 자율성과 행정소송의 통제밀도의 문제
- 공정위는 판단여지 및 재량행위임을 주장하면서 주식처분명령의 적법성을 주장할 것. 乙회사의 주식취득은 판단여지가, 丙회사의 주식취득은 재량이 문제됨.

2. 판단여지(乙회사와 관련)

- '경쟁을 실질적으로 제한'의 개념은 불확정개념으로서 법률요건에 해당하며 판단여지인지 요건재량인지 논의 소개.
- 판단여지로 검토.
- 판단여지에 해당한다면, 법원이 공정위의 취소처분이 乙회사의 주식취득이 기업결합에 해당되지 않는다는 이유로 주식처분명령이 위법하다고 판시한 부분은 잘못됨. 판단여지의 한계를 벗어난 사정이 사안에서는 보이지 않음.

3. 재량(丙회사와 관련)

- 시정조치는 재량행위. 재량권행사의 한계 내에선 적법.
- 법원은 丙에 대한 주식취득행위로 인한 주식전부처분명령이 비례의 원칙에 반한다고 하여 취소했으나, 甲회사와 丙회사의 기업결합을 영업방식이나 영업범위를 제한하는 방법으로는 막을 수 없으므로 비례의 원칙에 반하지 않는다는 입장에 선다면 법원의 판결은 잘못됨.

33 허 가[1]

Ⅰ. 의 의

법령에 의한 일반적 금지를 특정한 경우에 해제하여, 자유를 적법하게 행사할 수 있도록 회복하여 주는 행정행위이다. 상대적 금지 · 일반적 금지 · 예방적 금지의 해제를 의미하며, 억제적 금지를 해제하는 예외적 승인과 구별된다.

※ 자유제한과 해제의 형태(강 → 약) (홍정선 210면)
절대적 금지(인신매매) → 억제적 금지(아편사용금지)와 해제(예외적 승인) → 예방적 금지(무면허 운전금지)와 해제(허가) → 등록(정기간행물등록)(신고 + 수리) → 수리를 요하지 않는 신고 → 자유(담장설치)

Ⅱ. 법적 성질

1. 명령적 행위 여부

종래 허가는 상대적 금지를 해제시킨다는 점에 주목하여 이를 명령적 행위로 보아 왔다. 그러나 근래 허가는 단순한 자연적 자유의 회복에 그치는 것이 아니라 헌법상의 기본권을 적법하게 행사할 수 있게 하여주는 행위, 즉 법적 지위의 설정행위라는 점에서는 형성적 행위로서의 성질도 아울러 가진다는 견해(양면성설 - 허가와 특허의 상대화)가 일반적이다. 다만 허가는 개인에게 권리를 새로이 설정하여 주는 것이 아니라 원래 갖고 있던 자유권을 회복시켜 준다는 점에서 형성적 행위는 특허와는 구별된다.

2. 기속행위 여부

1) 법률요건이 충족된 경우에도 허가를 거부하는 것은 헌법상의 자유권을 부당하게 제한하는 것이므로 허가는 법령에서 특별히 재량을 부여하지 않는 한 원칙적으로 기속행위의 성격을 갖는다. 그러나 허가라 하더라도 재량행위인 경우가 있을 수 있다.

2) 허가요건이 구비되었음에도 행정청이 법규에서 정한 거부사유 외에 중대한 공익을 이유로 허가를 거부할 수 있는지가 문제되는데 판례는 석유판매업허가, 산림훼손허가, 입목의 벌채 · 굴채허가 등의 경우에 법규에서 정한 제한사유 외에 중대한 공익상의 필요를 이유로 허가를 거부할 수 있는 것으로 보았다. 일설(김남진)은 판례를 법치행정에 반한다고 하면서 사정판결의 방식으로 해결할 것을 제안하기도 한다. 향후 입법론적으로 허가요건을 상세하게 규율하든지, 중대한 공익 자체를 허가요건으로 규정하여 행정청에게 판단여지를 부여하는 것이 바람직하다(정하중). 한편 일설은 허가요건을 구비하면 원칙적으로 허가를 하여야 하나 예외적으로 중대한 공익을 이유로 거부할 수 있다는 판례를 기속재량을 인정한 것으로 평가하기도 한다(박균성).

3) 건축법상 건축허가는 종래 전형적인 기속행위로 보았다. 그러나 건축허가라도 (1) 건축법 제11조4항은 "위락시설 또는 숙박시설이 주거환경 또는 교육환경 등 주변환경을 감안할 때 부적합하다고 인정하는 경우에는 건축허가를 하지 아니할 수 있다"고 규정하고 있어 법문상 재량행위이며, (2) 건축허가에 의해 의제되는 인 · 허가가 재량행위

1) 법률행위적 행정행위와 준법률행위적 행정행위의 분류 - 하. 허. 면/ 특. 대. 인/ 확. 공. 통. 수

- 법률행위적 행정행위
  - 명령적 행정행위
    - 하명(작위·부작위·수인·급부의무를 부과)
    - 허가(부작위 의무의 해제)
    - 면제(작위·수인·급부의무의 해제)
  - 형성적 행정행위 – 특허/인가/공법상대리
- 준법률행위적 행정행위 – 확인/공증/통지/수리

인 경우에는 그 한도 내에서는 건축허가도 재량행위로 보아야 한다(판례 1). (3) 개발제한구역 안에서의 건축허가는 예외적 승인으로 재량행위라는 것이 일반적이다. 최근 판례는 중대한 공익상의 필요가 있으면 건축허가를 관계법령에서 정하는 제한사유 외의 사유를 들어 거부할 수도 있다는 취지로 판시하고 있다(판례 2).

판례 1 국토의계획및이용에관한법률에서 정한 도시지역 안에서 토지의 형질변경행위를 수반하는 건축허가는 건축법 제8조(현행 11조)1항의 규정에 의한 건축허가와 국토의계획및이용에관한법률 제56조1항2호의 규정에 의한 토지의 형질변경허가의 성질을 아울러 갖는 것으로 보아야 할 것이고, 같은 법 제58조1항4호, 3항, 같은법시행령 제56조1항 [별표 1] 1호 (가)목 (3), (라)목 (1), (마)목 (1)의 각 규정을 종합하면, 같은 법 제56조1항2호의 규정에 의한 토지의 형질변경허가는 그 금지요건이 불확정개념으로 규정되어 있어 그 금지요건에 해당하는지 여부를 판단함에 있어서 행정청에게 재량권이 부여되어 있다고 할 것이므로, 같은 법에 의하여 지정된 도시지역 안에서 토지의 형질변경행위를 수반하는 건축허가는 결국 재량행위에 속한다(대판 2005.7.14, 2004두6181).

판례 2 건축허가권자는 건축허가신청이 건축법 등 관계 법규에서 정하는 어떠한 제한에 배치되지 않는 이상 당연히 같은 법조에서 정하는 건축허가를 하여야 하고, 중대한 공익상의 필요가 없는데도 관계 법령에서 정하는 제한사유 이외의 사유를 들어 요건을 갖춘 자에 대한 허가를 거부할 수는 없다(대판 2009.9.24, 2009두8946).

Ⅲ. 종 류

그 대상에 따라 주관적 요소가 심사대상인 대인적 허가(예: 운전면허, 의사면허), 물건의 객관적 사정에 착안한 대물적 허가(예: 건축허가, 자동차검사), 사람 · 물건 양자 모두를 심사대상으로 하는 혼합적 허가(예: 화약류제조허가)로 구분할 수 있다. 구별실익은 허가효과의 이전 여부에 있다. 대인적 허가는 효과가 일신전속적인 것이나, 대물적 허가의 경우 승계가 가능하며, 혼합적 허가는 인적 요소의 변경에 관하여는 새로운 허가를 요하고 물적 요소의 변경에는 신고를 요하는 등 제한이 따르는 것이 일반적이다.

Ⅳ. 성 립(요건)

개별법령이 규정하는 요건을 구비한 상대방의 신청을 전제로 한다(일반처분의 경우 신청이 없어도 발할 수 있다).

Ⅴ. 효 과

1. 자연적 자유의 회복

허가받은 사인이 허가대상 행위를 할 수 있는 이익은 기본권인 자유권이 구체화된 법적 지위로서 법적 이익이다.

2. 영업상 이익

허가의 결과 일정한 독점적 이익을 받더라도, 사실상 · 반사적 이익에 해당될 뿐이다. 그러나 관계법규에 거리제한규정이나 영업구역이 설정되어 있고 이러한 관계규정의 목적, 취지가 공익뿐만 아니라 관계업자 개개인의 이익도 보호하는 것으로 해석되는 때에는 법적으로 보호되는 이익으로 볼 수 있다.

판례 1 한의사 면허는 경찰금지를 해제하는 명령적 행위(강학상 허가)에 해당하고, 한약조제시험을 통하여 약사에게 한약조제권을 인정함으로써 한의사들의 영업상 이익이 감소되었다고 하더라도 이러한 이익은 사실상의 이익에 불과하고 약사법이나 의료법 등의 법률에 의하여 보호되는 이익이라고는 볼 수 없으므로, 한의사들이 한약조제시험을 통하여 한약조제권을 인정받은 약사들에 대한 합격처분의 무효확인을 구하는 당해 소는 원고적격이 없는 자들이 제기한 소로서 부적법하다(대판 1998.3.10, 97누4289).

판례 2 甲이 적법한 약종상허가를 받아 허가지역내에서 약종상영업을 경영하고 있음에도 불구하고 행정관청이 구 약사법시행규칙(1969.8.13. 보건사회부령 제344호)을 위배하여 같은 약종상인 乙에게 乙의 영업허가지역이 아닌 甲의 영업허가지역내로 영업소를 이전하도록 허가하였다면 甲으로서는 이로 인하여 기존업자로서의 법률상 이익을 침해받았음이 분명하므로 甲에게는 행정관청의 영업소이전허가처분의 취소를 구할 법률상 이익이 있다(대판 1988.6.14, 87누873).

3. 타법상의 제한까지 해제를 가져오는 것은 아님

다만 복합민원으로서 인·허가 의제(#79)되는 경우는 타법상의 제한도 해제된다.

4. 무허가 행위

무허가 행위의 사법적 효력은 인정되지만, 무허가영업자는 행정상 강제집행 또는 행정벌의 대상이 된다.

Ⅵ. 허가의 갱신

허가의 기간에 제한이 있는 경우 종전 허가의 효력을 지속시키기 위해 필요한데, 허가의 요건에 대한 판단이 장기적인 관점에서 이루어지기 곤란하고, 오히려 비교적 단기간에 반복적으로 판단할 필요가 있는 경우에 인정된다.

판례 1 유료 직업소개사업의 허가갱신은 허가취득자에게 종전의 지위를 계속 유지시키는 효과를 갖는 것에 불과하고 갱신 후에는 **갱신 전의 법위반 사항을 불문에 붙이는 효과를 발생하는 것이 아니므로 일단 갱신이 있은 후에도 갱신 전의 법위반 사실을 근거로 허가를 취소할 수 있다**(대판 1982.7.27, 81누174).

판례 2 [1] 행정행위인 허가 또는 특허에 붙인 조항으로서 종료의 기한을 정한 경우 종기인 기한에 관하여는 일률적으로 기한이 왔다고 하여 당연히 그 행정행위의 효력이 상실된다고 할 것이 아니고 그 **기한이 그 허가 또는 특허된 사업의 성질상 부당하게 짧은 기한을 정한 경우에 있어서는 그 기한은 그 허가 또는 특허의 조건의 존속기간을 정한 것이며 그 기한이 도래함으로써 그 조건의 개정을 고려한다는 뜻**으로 해석하여야 할 것이다.[2)]

[2] 종전의 허가가 기한의 도래로 실효한 이상 원고가 종전 허가의 **유효기간이 지나서 신청**한 이 사건 **기간연장신청**은 그에 대한 종전의 허가처분을 전제로 하여 단순히 그 유효기간을 연장하여 주는 행정처분을 구하는 것이라기보다는 **종전의 허가처분과는 별도의 새로운 허가를 내용으로 하는 행정처분을 구하는 것**이라고 보아야 할 것이어서, 이러한 경우 허가권자는 이를 새로운 허가신청으로 보아 법의 관계 규정에 의하여 허가요건의 적합 여부를 새로이 판단하여 그 허가 여부를 결정하여야 할 것이다(대판 1995.11.10, 94누11866).

Ⅶ. 허가의 양도와 지위승계(#16)

대인적 허가는 일신전속적이므로 양도불가능하나, **대물적 허가는 양도가능**하다. **판례는 대물적 허가가 양도가능함에 따라 양도인의 법적 지위도 양수인에게 승계되고, 따라서 양도인의 법령위반을 이유로 양수인에게 제재처분을 할 수 있다**고 한다.

관련 판례 **허가신청후 법령개정과 허가의 기준**
(대판 1992.12.8, 92누13813)

1. 사실관계

甲은 1991.9.5. 서해관광호텔의 지하실에서 투전기업소를 경영하고자 당시 시행중이던 복표발행현상 기타 사행행위단속법(이하 사행행위단속법)에 따라 인천직할시장에게 그 신규허가신청을 한 다음, 서해관광호텔 지하실의 건축물 용도가 숙박시설로 되어 있어 투전기업소를 설치할 수 없다는 사실을 알고 같은 해 9.11. 위 지하실의 용도를 위락시설로 변경하여 건축법상의 하자를 보완하였다. 그런데 사행위단속법은 같은 해 3.8. 사행행위등규제법으로 전면 개정되어 공포 후 6월이 경과한 같은 해 9.8.부터 시행되게 되어 있었고, 같은 법 제5조가 투전기업소등의 구체적인 허가요건을 시행령에 위임하여 그 시행령이 개정작업 중에 있어, 관할청인 인천직할시장은 원고의 신규허가신청에 대한 결정을 유보하였고, 같은해 12.17. 같은 법 시행령이 전면 개정되어 시행되자 피고는 1992.3.26. 원고의 위 허가신청이 사행행위등규제법 제5조 및 개정된 시행령 제3조 4호에 저촉된다는 이유로 불허하는 처분을 하였다. 이에 甲은 취소소송을 제기.

2. 판시사항 및 판결요지

[1] 인·허가신청 후 처분 전에 관계 법령이 개정 시행된 경우 새로운 법령 및 허가기준에 따라서 한 처분의 적부(한정적극)

---

2) 판례에 의하면 허가에 붙은 종기(기한)의 의미는 ① 종기의 도래로 허가의 효력이 당연히 소멸하는 경우 ② 종기가 상당히 단기인 경우, 종기의 도래로 허가의 효력이 소멸하는 것은 아니고, 허가처분에 가해진 조건의 개정을 고려해야하는 경우 두 가지가 있음.

- 행정행위는 처분 당시에 시행중인 법령 및 허가기준에 의하여 하는 것이 원칙이고, 인·허가신청 후 처분 전에 관계 법령이 개정 시행된 경우 신법령 부칙에서 신법령 시행 전에 이미 허가신청이 있는 때에는 종전의 규정에 의한다는 취지의 경과규정을 두지 아니한 이상 당연히 허가신청 당시의 법령에 의하여 허가 여부를 판단하여야 하는 것은 아니며, 소관 행정청이 허가신청을 수리하고도 정당한 이유 없이 처리를 늦추어 그 사이에 법령 및 허가기준이 변경된 것이 아닌 한 새로운 법령 및 허가기준에 따라서 한 불허가처분이 위법하다고 할 수 없다.

[2] 구체적인 허가기준을 정하도록 위임받은 시행령이 개정 시행되기를 기다리며 신청에 대한 처리를 보류하고 있다가 새로운 시행령에 의하여 한 불허가처분이 정당한 이유 없이 처리를 지체한 것이라고 볼 수 없으므로 적법하다고 한 사례
- 사행행위등규제법으로부터 투전기업소허가에 관한 구체적인 기준을 정하도록 위임받은 시행령이 개정 시행되기를 기다리며 신청에 대한 처리를 보류하고 있다가 새로운 시행령이 시행되자 그에 의하여 한 불허가처분이 신청을 수리하고도 정당한 이유 없이 처리를 지체한 것이라고 볼 수 없으므로 적법하다고 한 사례.

[3] 관광숙박업사업계획승인시 부대시설에 대한 사업계획을 포함하여 승인하였음에도 호텔 내의 투전기업소신규허가신청을 불허한 조치가 신뢰보호의 원칙에 위배되는지 여부(소극)
- 행정청이 관광호텔에 대한 관광숙박업사업계획승인시 부대시설에 대한사업계획을 포함하여 승인을 하였다 하더라도 개개의 부대시설의 영업에 대하여는 관계 법령이 정하는 바에 따라 그 허가조건을 갖추어 각 소관 행정청으로부터 별도의 영업허가를 받아야 하는 것이고, 그와 같은 사업계획승인을 가리켜 호텔 내에서의 투전기업소에 대한 영업허가를 해 주겠다는 의사표시로 볼 수는 없으므로 불허가처분이 신뢰보호의 원칙에 위배되어 위법하다고 할 수 없다.

기출 사례 건축허가거부와 의견제출(05년 사시)

甲은 국토의계획및이용에관한법률상의 도시지역으로서 녹지지역에 위치한 토지 위에 지하 1층 지상 2층(건축면적 324㎡, 연면적 1,285㎡) 규모의 장례식장을 신축하는 내용의 건축허가신청을 하였다. 관할행정청인 A市의 시장 乙은 건축위원회의 심의를 거친 다음 甲에게 사전에 통지하지 아니하고 2005.6.1. "관계법령에 규정된 허가요건들을 전부 구비되었지만, 위 장례식장이 신축될 경우 관광도시로서의 위상이 크게 손상되어 공익이 현저히 침해될 우려가 있을 뿐만 아니라, 허가신청서에 첨부된 주민동의서도 대부분 위조되었다"는 이유로 甲의 건축허가신청을 반려하였다. 甲은 위 건축허가신청 반려처분을 다투는 취소소송을 제기하고자 한다. 위법사유로 주장할 수 있는 모든 사유들을 들고 그 당부를 논하시오.

[참조조문]

***구건축법(출제 당시의 법령)**

제8조 (건축허가)

① 다음 각호의 1에 해당하는 건축 또는 대수선을 하고자 하는 자는 시장·군수·구청장의 허가를 받아야 한다. 다만, 21층 이상의 건축물등 대통령령이 정하는 용도·규모의 건축물을 특별시 또는 광역시에 건축하고자 하는 경우에는 특별시장 또는 광역시장의 허가를 받아야 한다.

1. 국토의계획및이용에관한법률에 의하여 지정된 도시지역 및 제2종지구단위계획구역안에서 건축물을 건축하거나 대수선하고자 하는 자

④ 허가권자는 제1항의 규정에 의하여 허가를 하고자 하는 경우 당해 용도·규모 또는 형태의 건축물을 그 건축하고자 하는 대지에 건축하는 것이 제33조·제37조·제45조·제47조 내지 제49조·제51조·제53조·제54조·제67조와 국토의계획및이용에관한법률 제54조·제56조 내지 제62조·제76조 내지 제82조,개발제한구역의지정및관리에관한특별조치법 제11조1항 각호외의 부분 단서· 제12조·제14조 및 농지법 제34조·제36조 기타 대통령령이 정하는 관계 법령의 규정에 적합한 지의 여부를 확인하여야 한다.

⑤ 허가권자는 위락시설 또는 숙박시설에 해당하는 건축물의 건축을 허가 하는 경우 당해 대지에 건축하고자 하는 건축물의 용도·규모 또는 형태가 주거환경 또는 교육환경 등 주변환경을 감안할 때 부적합하다고 인정하는 경우에는 이 법 또는 다른 법률의 규정에 불구하고 건축위원회의 심의를 거쳐 건축허가를 하지 아니할 수 있다.

⑥ 제1항의 규정에 의한 건축허가를 받는 경우에는 다음 각호의 허가등을 받거나 신고를 한 것으로 보며, 공장건축물의 경우에는 산업집적활성화및공장설립에관한법률 제13조의2 및 제14조의 규정에 의하여 관련법률의 인·허가 등 또는 허가 등을 받은 것으로 본다.

3. 국토의계획및이용에관한법률 제56조의 규정에 의한 개발행위허가

***국토의 계획 및 이용에 관한 법률**

제36조 (용도지역의 지정)

① 건설교통부장관 또는 시·도지사는 다음 각호의 1의 용도지역의 지정 또는 변경을 도시관리계획으로 결정한다.

1. 도시지역 : 다음 각목의 1로 구분하여 지정한다.

라. 녹지지역 : 자연환경·농지 및 산림의 보호, 보건위생, 보안과 도시의 무질서한 확산을 방지하기 위하여 녹지의 보전이 필요한 지역

제56조 (개발행위의 허가)

① 다음 각호의 1에 해당하는 행위로서 대통령령이 정하는 행위(이하 '개발행위'라 한다)를 하고자 하는 자는 특별시장·광역시장·시장 또는 군수의 허가(이하 '개발행위허가'라 한다)를 받아야 한다. 다만, 도시계획사업에 의하는 경우에는 그러하지 아니하다.

1. 건축물의 건축 또는 공작물의 설치

제57조 (개발행위허가의 절차)

④ 특별시장·광역시장·시장 또는 군수는 개발행위허가를 하는 경우에는 대통령령이 정하는 바에 따라 당해 개발행위에 따른 기반시설의 설치 또는 그에 필요한 용지의 확보·위해방지·환경오염방지·경관·조경 등에 관한 조치를 할 것을 조건으로 개발행위허가를 할 수 있다.

◆

1. 건축허가의 성질

- 기속행위와 재량행위의 구별기준 언급
- 제8조1항의 건축허가 자체는 기속행위이나 건축허가를 받으면 개발행위허가를 받은 것으로 의제되므로 개발행위허가의 요건 및 기준을 고려하여야 함. 국토계획법 제36조 1항 및 제57조4항을 볼 때, 자연환경의 보호, 농지의 보전, 경관의 보호 등의 필요가 있는 경우에는 그 한도 내에서 재량행위로 볼 수 있음.

2. 법령상 허가요건이 구비되더라도 다른 사유로 거부할 수 있는지 여부(甲은 거부사유가 건축허가의 요건이 아니라거나 재량행위이더라도 재량의 고려사유가 아니라고 주장)

(1) 건축허가가 기속행위라고 보는 경우

- 요건 충족시 허가하여야 함. 관광도시로서의 위상이나 주민동의서의 위조는 법상 거부사유에 해당 × ⇒ 거부처분은 위법

(2) 건축허가가 재량행위라고 보는 경우

- 요건 충족하더라도 거부 가능. 다만 재량권의 일탈 또는 남용에 해당하지 않아야 함.
- 관광도시로서의 위상이 손상된다거나 주민동의서가 위조되었다는 사유는 건축허가가 재량행위인 경우에도 건축허가거부사유 아님. 재량의 남용에 해당하여 거부처분은 위법

3. 사전통지의무의 위반여부(甲은 사전통지 결여를 이유로 위법주장)

(1) 거부처분이 행정절차법 21조의 불이익처분에 해당되어 사전통지 및 의견제출을 거쳐야 하는지 여부가 문제

- 긍정설, 부정설(판례), 제한적 긍정설이 대립하나 긍정설이 타당.[3]

(2) 절차하자의 독자적 위법사유[4]

- 학설이 대립하나 독자적 위법사유 긍정하는 것이 타당. 판례도 긍정. 따라서 사전통지를 하지 않아 거부처분은 위법하다는 甲의 주장은 타당.

---

3) #78참조 - 사례에서 절차하자의 독자적 위법사유까지 언급하고자 한다면 기술적으로 긍정설을 취해야 할 것. 그러나 본 사안과 같이 실체적 하자도 있는 경우에는 절차하자의 독자적위법사유의 논의는 사실 의미가 없다고 볼 수 있음. 간단히 언급만 하면 족함.

4) #80 참조.

34 예외적 승인(허가)

Ⅰ. 의 의

일정한 행위가 유해하거나 사회적으로 바람직하지 않은 것으로 법령상 원칙적으로 금지되고 있으나, 예외적인 경우 금지를 해제하여 당해 행위를 적법하게 할 수 있도록 하여주는 행위이다(예: 카지노영업허가, 개발제한구역내의 건축허가[1], 학교보건법상 학교환경위생정화구역 내에서의 유흥주점허가 등[2]). 행위를 금지하는 법규정의 일반성, 추상성으로 인한 개별적 사안의 부당함을 시정하여 구체적 타당성을 도모하는데 의의가 있다.

Ⅱ. 구별개념

1. 허 가

허가는 **허가유보부 예방적 금지(본래 자유로운 행위를 일반적, 상대적으로 금지)의 해제**이며 통상적으로 **기속행위**라는 점에서, **해제유보부 억제적 금지(사회적으로 유해한 행위를 억제적 금지)의 해제**이며 **재량행위**인 예외적 승인과 구별

2. 특 허

특허는 **특별한 권리의 설정**이라는 점에서, **금지의 해제**인 예외적 승인과 구별된다.

3. 면 제

부작위의 해제라는 측면에서 특정한 작위, **급부의무의 해제**인 면제와 구별된다.

Ⅲ. 성 질

승인여부에 대하여 행정청에 독자적 판단권이 인정되게 되므로 일반적으로 **재량행위**의 성질을 갖는다.

판례 1 **개발제한구역 내에서는 구역 지정의 목적상 건축물의 건축이나 그 용도변경은 원칙적으로 금지되고, 다만 구체적인 경우에 위와 같은 구역 지정의 목적에 위배되지 아니할 경우 예외적으로 허가에 의하여 그러한 행위를 할 수 있게 되어 있음**이 위와 같은 관련 규정의 체재와 문언상 분명한 한편, **이러한 건축물의 용도변경에 대한 예외적인 허가는 그 상대방에게 수익적인 것**에 틀림이 없으므로, 이는 그 **법률적 성질이 재량행위 내지 자유재량행위**에 속하는 것이라고 할 것이고, 따라서 그 위법 여부에 대한 심사는 재량권 일탈·남용의 유무를 그 대상으로 한다(대판 2001.2.9, 98두17593).

판례 2 학교보건법 제6조1항 단서의 규정에 의하여 시·도교육위원회교육감 또는 교육감이 지정하는 자가 **학교환경위생정화구역 안**에서의 금지행위 및 시설의 해제신청에 대하여 그 **행위 및 시설이 학습과 학교보건에 나쁜 영향을 주지 않는 것인지의 여부를 결정**하여 그 **금지행위 및 시설을 해제하거나 계속하여 금지(해제거부)하는 조치**는 시·도교육위원회교육감 또는 교육감이 지정하는 자의 **재량행위**에 속하는 것으로서, 그것이 재량권을 일탈·남용하여 위법하다고 하기 위하여는 그 행위 및 시설의 종류나 규모, 학교에서의 거리와 위치는 물론이고, 학교의 종류와 학생 수, 학교주변의 환경, 그리고 위 행위 및 시설이 주변의 다른 행위나 시설 등과 합하여 학습과 학교보건위생 등에 미칠 영향 등의 사정과 그 행위나 시설이 금지됨으로 인하여 상대방이 입게 될 재산권 침해를 비롯한 불이익 등의 사정 등 여러 가지 사항들을 합리적으로 비교·교량하여 신중하게 판단하여야 한다(대판 1996.10.29, 96누8253).

---

1) #108. 사시 2013년 기출사례는 **개발제한구역 내의 개발행위허가**에 대한 사안이 출제되었다.
2) **기부금품모집허가**에 대해서 **판례는 강학상 허가**로 보고 있으나(대판 1999.7.23, 99두3690) 다른 사람으로부터 기부금 모집하는 일이 과연 기본권적 자유의 성질을 가지고, 그에 대한 허가가 자연적 자유를 회복시켜 주는 행정행위에 해당하는 것인지 의문을 가지면서 **예외적 승인으로 보는 견해(김남진)**도 있다.

35 특 허

Ⅰ. 의의 및 구별 개념

특정인에 대하여 새로운 권리·능력 또는 포괄적인 법률관계를 설정하는 행정행위로서, 실정법상 면허, 허가 등으로 표현되기도 한다. 공물사용권의 특허와 같이 특허된 권리의 내용이 공권의 성질을 지닌 것도 있으며, 광업권,어업권 같이 사권의 성질을 띠는 경우도 있다. 형성적 행위이므로 명령적 행위인 허가와 구별되며 특허는 설권적 행위인 점에서 사인의 법률행위의 효력을 완성시키는 행위인 인가와 구별된다.

도로점용허가, 하천점용허가, 행정재산의 사용·수익 허가, 개인택시면허, 방송사업허가등이 특허의 예이다.

Ⅱ. 법적 성질

1. 형성적 행위

상대방에게 권리 등을 설정하여 주는 행위이다.

판 례 **공유수면매립면허는 설권행위인 특허**의 성질을 갖는 것이므로 원칙적으로 **행정청의 자유재량**에 속하며, 일단 **실효된 공유수면매립면허의 효력을 회복시키는 행위도** 특단의 사정이 없는 한 새로운 면허부여와 같이 **면허관청의 자유재량**에 속한다(대판 1989.9.12, 88누9206).

2. 재량행위

다만 관계법의 규정방식에 따라서 기속행위인 경우도 있을 수 있다.

Ⅲ. 형식 및 출원

행정행위에 또는 법규에 의해 발해지며, 행정행위에 의한 특허의 경우에는 언제나 출원을 전제(쌍방적 행정행위)로 한다. 그러나 법규에 의한 특허는 출원을 요하지 않는다.

Ⅳ. 효 과

상대방에게 **새로운 권리, 능력 기타 법률상의 힘(권리)을 발생**시키며 이는 **법률상 이익에 해당**한다.

Ⅴ. 허가와 특허의 상대화 경향

1. 명령적 행위, 형성적 행위의 상대화

종래 허가는 상대방의 자연적 자유를 회복시켜 주는 명령적 행위이고, 특허는 법률상의 지위를 인정해 주는 형성적 행위라고 하여 양자를 구별해 왔다. 그러나 허가 역시 헌법상의 자유권을 적법하게 행사할 수 있게 하는 행위로서, 형성적 행위의 측면을 갖고 있다. 다만 허가는 헌법상 보장되는 자유권을 적법하게 행사할 수 있도록 함에 그치는 반면, 특허는 새로운 법률상의 힘을 설정하여 준다는 차이가 있다.

2. 기속행위, 재량행위의 상대화

허가를 기속행위, 특허를 재량행위로 보는 것도 절대적인 것은 아니며, **관계법령의 해석에 따라서 허가가 재량행위인 경우도 있고, 특허가 기속행위인 경우도 존재**한다.

3. 반사적 이익과 법률상 이익의 상대화

종래 **허가로 인하여 상대방이 받는 영업상 이익은 반사적 이익일 뿐이고 특허에 의한 권리는 법률상 이익이라고 하였으나, 허가에서의 영업상 이익 역시 법률상 이익으로 해석하는 경우가 늘고 있다.**

36 인 가

Ⅰ. 의 의

행정청이 제3자가 한 법률행위의 효력을 완성시켜주는 행정행위를 말한다(예: 사업양도의 인가, 비영리법인설립인가·임원취임승인 등). 원래 행정의 상대방과 제3자간에 성립하는 법률관계는 행정청의 관여 없이 효력을 발생하는 것이 원칙이지만, **공익과 중요한 관련이 있는 경우는 행정청이 공익의 실현자로서 법률행위에 관여**하여 법률적 효력의 완전한 발생을 위해 행정청의 인가를 요하도록 하는 경우가 있다. 이 경우는 인가 이전에는 그 법률행위는 효력이 없다.

Ⅱ. 성질, 형식, 대상

인가는 **형성적 행위**이며, 언제나 **처분의 형식**으로 행해진다. 허가는 법률행위와 사실행위 모두를 그 대상으로 함에 비해 **인가의 대상은 언제나 법률행위**이다. **사법행위가 주 대상**이지만 **공법행위를 대상으로 하는 경우도** 있다.

Ⅲ. 인가의 보충성

① 허가는 신청없이 일반처분으로도 가능함에 비해, **인가는 언제나 신청을 요한다.** ② 허가는 수정허가도 있을 수 있지만, **수정인가는 법령상 근거가 없는 한 허용되지 않는다.** 한편 ③ **기본행위가 불성립 또는 무효인 경우에는 인가가 있어도 기본행위의 하자가 치유 되지 않는다.**

Ⅳ. 효 력

인가에 의해 기본적인 법률행위의 효과가 발생하며(효력요건), **무인가행위는 무효일 뿐이어서 강제집행이나 처벌의 대상이 아님이 원칙**이다. 이 점에서 **무허가행위의 경우에는 강제집행 또는 처벌 등의 제재를 받지만, 행위 자체의 효력을 부인할 수는 없는 것과 구별**된다.[1)]

Ⅴ. 기본행위와 인가와의 관계

1) 기본행위는 적법하나 인가에 하자가 있는 경우 ① 인가가 무효이면 기본행위는 무인가행위가 되어 법률행위의 효력이 완성되지 않는다. ② 인가에 취소사유의 하자가 있다면 인가가 있은 후에도 인가를 취소할 수는 있으나, 취소할 때까지는 유인가행위가 된다.
2) 기본행위가 불성립 또는 무효인 경우 인가가 있더라도 기본행위는 불성립 또는 무효이며 하자가 치유되지 않는다.
3) 기본행위가 적법·유효해도 사후에 실효되는 경우 인가도 당연히 효력을 상실한다.
4) **기본행위에 하자가 있는 경우 기본행위를 쟁송의 대상으로 다투어야지 인가를 다툴 것은 아니며**(기본행위가 사법상 법률행위라면 민사소송, 공법행위라면 행정소송을 제기), **인가를 다투면 소의 이익이 없다**는 것이 확립된 판례이다.

판 례 인가는 기본행위인 재단법인의 정관변경에 대한 법률상의 효력을 완성시키는 보충행위로서, 그 기본이 되는 정관변경 결의에 하자가 있을 때에는 그에 대한 인가가 있었다 하여도 기본행위인 정관변경 결의가 유효한 것으로 될 수 없으므로 **기본행위인 정관변경 결의가 적법 유효하고 보충행위인 인가처분 자체에만 하자가 있다면 그 인가처분의 무효나 취소를 주장할 수 있지만, 인가처분에 하자가 없다면 기본행위에 하자가 있다 하더라도** 따로 그 **기본행위의 하자를 다투는 것은 별론**으로 하고 **기본행위의 무효를 내세워 바로 그에 대한 행정청의 인가처분의 취소 또는 무효확인을 소구할 법률상의 이익이 없다**(대판(전) 1996.5.16, 95누4810).

---

1) 국토의 계획 및 이용에 관한 법률은 토지거래허가를 받지 않고 체결한 토지거래계약은 효력을 발생하지 않는다고 규정(제118조6항)할 뿐만 아니라 토지거래허가를 받지 않고 토지거래허가를 체결한 경우에 벌칙도 규정(제141조6항)하고 있어, **토지거래허가**가 허가인지 인가인지 여부가 다투어지고 있는데, **판례는 인가**로 본다(#159).

37 준법률행위적 행정행위

Ⅰ. 법률행위적 행정행위와 구별

1. 구별기준

법률행위적 행정행위는 **행정청의 효과의사를 구성요소**로 하고 그 **법적효과가 효과의사의 내용에 따라 발생**하는 행위인 반면, 준법률행위적 행정행위는 **효과의사 이외의 정신작용을 구성요소**로 하고 **법적효과가 행위자의 의사와는 무관하게 법규범에 의하여 부여**되는 행위를 말한다.

2. 구별실익

종래 통설은 준법률행위적 행정행위에는 재량권이 인정될 수 없으며, 부관을 부가할 수 없다고 보았다. 그러나 재량행위와 기속행위의 구별은 **관계법규가 기준**이 되는 것이지 법률행위적 행정행위와 준법률행위적 행정행위의 구별과 관계있는 것은 아니며, **준법률행위적 행정행위에도 부관을 붙일 수 있는 경우도 있어 이러한 구분에 비판**이 있다(예: 공증의 경우 기한을 붙일 수 있는 것으로 규정된 경우).

Ⅱ. 종 류

1. 확 인

⑴ 의 의

특정한 사실 또는 법률관계의 존재 여부를 공권적으로 판단하여 확정하는 행위이다**(예: 당선인결정, 합격결정, 발명특허, 교과서검정).** 특허와 같이 새로운 법률관계를 설정하는 것이 아니라 기존의 사실 또는 법률관계를 유권적으로 확정하는 것이다.

⑵ 성 질

법 선언적 행위이자 판단작용으로서 기속행위에 해당한다. 다만 **판단여지가 인정될 수 있다(예: 교과서검정).**

⑶ 종 류

행정분야에 따라 ① 조직법상 확인(당선인의 결정), ② 급부행정법상 확인(발명권특허, 교과서검인정 등), ③ 재정법상 확인(소득금액확인), **④ 쟁송법상 확인(행정심판재결)** 등이 있다.

판 례 친일반민족행위자 재산의 국가귀속에 관한 특별법 제3조1항 본문, 제9조 규정들의 취지와 내용에 비추어 보면, 같은 법 제2조 2호에 정한 친일재산은 **친일반민족행위자재산조사위원회가 국가귀속결정을 하여야 비로소 국가의 소유로 되는 것이 아니라 특별법의 시행에 따라 그 취득·증여 등 원인행위시에 소급하여 당연히 국가의 소유**로 되고, 위 위원회의 **국가귀속결정은** 당해 재산이 **친일재산에 해당한다는 사실을 확인하는 이른바 준법률행위적 행정행위**의 성격을 가진다(대판 2008.11.13, 2008두13491).

⑷ 법적 효과

사실 또는 법률관계의 존부 또는 정부를 공적으로 확인하는 효과를 가지며, 구체적 효과는 각개의 법률이 정하는 바에 따라 다르다.

2. 공 증

⑴ 의 의

특정의 사실 또는 법률관계의 존재 여부를 공적으로 증명하는 행위이다.

⑵ 성 질

요식행위, 인식표시행위, 기속행위이다.

(3) 종류 - 등기부·등록부에의 등기·등록, 여권 등의 발급 등

위의 행위들은 본래는 사실행위에 그치는 것이나, 법률이 그에 일정한 법률효과 즉 공적 증거력을 부여하는 행위에 한하여 공증행위의 법적 성격을 가지게 된다.

(4) 법적 효과

공통적 효과는 **공적 증거력**이 발생한다는 것이고(**반증 있으면 번복 가능**, 기타 개별 법률이 정하는 바에 따라 공증은 권리행사요건(선거인명부에의 등록)이나 권리성립요건(부동산등기부에의 등기), 효력요건(광업원부에의 등록)이 되기도 한다.

(5) 처분성 인정여부에 관한 논의 - 특히 각종 공적 장부 등재에 대하여

1) 학 설

① 공적 증거력을 발생시키는 준법률행위적 행정행위로서 처분성을 긍정하는 견해와 **② 공정력이 인정되지 않고 공적 증거력은 반증에 의해 번복될 수 있으므로 처분성을 부정하는 견해**가 대립한다.

2) 판 례

종래 토지대장, 건물관리대장 등 각종 공부에의 등재 또는 그 변경행위에 대하여 원칙적으로 **처분성을 부인**하였으나,

---

판 례 **토지대장 등 지적공부에 일정한 사항을 등재하거나 등재된 사항을 변경**하는 행위는 **행정사무집행의 편의와 사실증명의 자료로 삼기 위한 것**이고 등재나 변경으로 인하여 당해 토지에 대한 **실체상의 권리관계에 어떤 변동을 가져오는 것이 아니므로** 소관청이 **등재사항에 대한 변경신청을 거부하였다 하여** 이를 항고소송의 대상이 되는 **행정처분에 해당한다고 할 수 없다**(대판 1993.6.11, 93누3745).

헌법재판소 판례는 지적공부의 등록사항 정정신청을 반려한 행위에 대하여 **헌법소원의 대상이 되는 공권력의 행사**라고 판시한 바 있다.

헌재결정 지적법 제38조2항에 의하면 **토지소유자**에게는 지적공부의 등록사항에 대한 **정정신청의 권리**가 부여되어 있고, 이에 대응하여 **소관청은** 소유자의 정정신청이 있으면 등록사항에 오류가 있는지를 조사한 다음 **오류가 있을 경우에는 등록사항을 정정하여야 할 의무**가 있는바, 피청구인의 **반려행위는 지적관리업무를 담당하고 있는 행정청의 지위에서 청구인의 등록사항 정정신청을 확정적으로 거부하는 의사를 밝힌 것으로서 공권력의 행사인 거부처분**이라 할 것이므로 헌법재판소법 **제68조1항 소정의 '공권력의 행사'에 해당**한다(헌재결 1999.6.24, 97헌마315).

최근 대법원도 지목변경신청에 대한 반려행위는 처분에 해당된다고 판시한 바 있으며,

판 례 구지적법(2001.1.26 법률 제6389호로 전문개정되기 전의 것) 제20조, 제38조2항의 규정은 토지소유자에게 지목변경신청권과 지목정정신청권을 부여한 것이고, 한편 **지목은 토지에 대한 공법상의 규제, 개발부담금의 부과대상, 지방세의 과세대상, 공시지가의 산정, 손실보상가액의 산정 등 토지행정의 기초로서 공법상의 법률관계에 영향**을 미치고, **토지소유자는 지목을 토대로 토지의 사용·수익·처분에 일정한 제한을 받게 되는 점 등을 고려하면, 지목은 토지소유권을 제대로 행사하기 위한 전제요건으로서 토지소유자의 실체적 권리관계에 밀접하게 관련**되어 있으므로 지적공부 소관청의 **지목변경신청 반려행위는 국민의 권리관계에 영향을 미치는 것으로서 항고소송의 대상이 되는 행정처분**에 해당한다(대판(전) 2004.4.22, 2003두9015).

이에 따라 **건축물관리대장의 용도변경신청 및 건축물관리대장의 작성신청 거부행위**의 **처분성을 긍정**하였다. 반면 **무허가건물관리대장의 처분성은 부정**하였다. **결국 판례는 각종 대장에 기재된 사항을 변경하는 행위가 실체적 권리관계에 영향을 미치는지 여부에 따라 판단**하고 있다.

판례 1 구 건축법(2005.11.8. 법률 제7696호로 개정되기 전의 것) 제14조4항의 규정은 건축물의 소유자에게 건축물대장의 용도변경신청권을 부여한 것이고, 한편 **건축물의 용도는 토지의 지목에 대응하는 것으로서 건물의 이용에 대한 공법상의 규제, 건축법상의 시정명령, 지방세 등의 과세대상 등 공법상 법률관계에 영향**을 미치고, **건물소유자는 용도를 토대로 건물의 사용·수익·처**

분에 일정한 영향을 받게 된다. 이러한 점 등을 고려해 보면, 건축물대장의 용도는 건축물의 소유권을 제대로 행사하기 위한 전제요건으로서 건축물 소유자의 실체적 권리관계에 밀접하게 관련되어 있으므로, 건축물대장 소관청의 용도변경신청 거부행위는 국민의 권리관계에 영향을 미치는 것으로서 항고소송의 대상이 되는 행정처분에 해당한다(대판 2009.1.30, 2007두7277).[1]

판례 2 무허가건물관리대장은, 행정관청이 지방자치단체의 조례 등에 근거하여 무허가건물 정비에 관한 행정상 사무처리의 편의와 사실증명의 자료로 삼기 위하여 작성, 비치하는 대장으로서 무허가건물을 무허가건물관리대장에 등재하거나 등재된 내용을 변경 또는 삭제하는 행위로 인하여 당해 무허가 건물에 대한 실체상의 권리관계에 변동을 가져오는 것이 아니고, 무허가건물의 건축시기, 용도, 면적 등이 무허가건물관리대장의 기재에 의해서만 증명되는 것도 아니므로, 관할관청이 무허가건물의 무허가건물관리대장 등재 요건에 관한 오류를 바로잡으면서 당해 무허가건물을 무허가건물관리대장에서 삭제하는 행위는 다른 특별한 사정이 없는 한 항고소송의 대상이 되는 행정처분이 아니다(대판 2009.3.12, 2008두11525).

판례 3 토지대장에 기재된 일정한 사항을 변경하는 행위는, 그것이 지목의 변경이나 정정 등과 같이 토지소유권 행사의 전제요건으로서 토지소유자의 실체적 권리관계에 영향을 미치는 사항에 관한 것이 아닌 한 행정사무집행의 편의와 사실증명의 자료로 삼기 위한 것일 뿐이어서, 그 소유자 명의가 변경된다고 하여도 이로 인하여 당해 토지에 대한 실체상의 권리관계에 변동을 가져올 수 없고 토지 소유권이 지적공부의 기재만에 의하여 증명되는 것도 아니다(대판 1984.4.24, 82누308, 대판 2002.4.26, 2000두7612 등 참조). 따라서 소관청이 토지대장상의 소유자명의변경신청을 거부한 행위는 이를 항고소송의 대상이 되는 행정처분이라고 할 수 없다(대판 2012.1.12, 2010두12354).

3) 검 토

공증의 법적 성격은 일률적으로 판단하기 어려우며, 개인의 권리나 법적 지위를 구속적으로 확정하는 규율적 성격을 갖는 경우(예: 농지취득자격증명발급, 문화재지정등록 등)에는 행정행위의 성격을 갖는 반면, 특정한 사실관계의 증명과 같이 반복적이고 기술적인 직무수행활동에 지나지 않는 것(예: 인감증명행위, 졸업 및 재학증명서 발급)은 사실행위에 지나지 않는다.

3. 통 지

특정인 또는 불특정다수인에게 특정한 사실을 알리는 행정행위이다(예: 사업인정의 고시, 특허출원의 공고, 대집행 계고통지 · 대집행 영장통지, 납세독촉 등). 행정행위의 효력발생요건으로서의 통지(심판재결서 송달, 영업허가증의 발송) 및 단순한 사실의 통지(정년퇴직발령통지)와 구별된다.

4. 수 리

행정청이 사인의 행위를 유효한 행위로 받아들이는 행위로서, 수리를 요하는 신고에서의 수리를 의미(수리를 요하지 않는 신고에서의 수리는 아님)한다.

1) 공증행위는 실체적 권리관계의 변동과 관련을 갖고 있기는 하지만, 공적 장부에 대한 공신력이 인정되고 있지 않고, 담당공무원의 실질적 심사권도 인정되고 있지 않는 등 특수한 사정에 있는 행정작용이며, 기존 판례는 이러한 점에 착안하여 처분성을 부정했으나, 실질적으로 지적공부의 등재나 기재사항의 변경 등은 당사자의 이해관계에 매우 밀접한 관계를 맺는 것이므로, 이러한 내용적 측면을 간과할 수는 없음. 예컨대,지목내용이 당사자의 권리 또는 의무의 변동에 직접 영향을 미치는 성질은 인정될 필요가 있을 것임. 따라서 새로운 판례의 취지에 따라 처분성을 긍정하는 것이 타당하다고 보임.(류지태 · 박종수 13판 174면 인용)

38 부관의 종류

1. 부관의 의의

행정행위의 효력을 제한하거나 보충하기 위하여 주된 행정행위에 부가된 종된 규율이다. 행정의 신축성을 확보하고 공익 및 제3자의 이익보호 기능을 수행하는 반면, 행정편의에 치우쳐 남용되는 경우 상대방에게 불이익을 주는 역기능도 있다.

2. 법정부관과 구별

법정부관은 외형상 부관처럼 보이나, 행정행위의 효과제한이 직접 법령에 규정되어 있는 경우를 말한다(예: 자동차관리법 제41조상 자동차검사의 유효기간 등). 법령에 의해 직접 부과되므로 부관이 아니라 법규 그 자체이다. 따라서 위헌법률심사(헌법 제107조1항) 또는 명령·규칙심사(헌법 제107조2항)를 통해 통제가 가능하다.

판 례 [1] 식품제조영업허가기준이라는 고시는 공익상의 이유로 허가를 할 수 없는 영업의 종류를 지정할 권한을 부여한 구식품위생법 제23조의3 제4호에 따라 보건사회부장관이 발한 것으로서, 실질적으로 법의 규정내용을 보충하는 기능을 지니면서 그것과 결합하여 대외적으로 구속력이 있는 법규명령의 성질을 가진 것이다.
[2] 위 고시에 정한 허가기준에 따라 보존음료수 제조업의 허가에 붙여진 전량수출 또는 주한외국인에 대한 판매에 한한다는 내용의 조건은 이른바 법정부관으로서 행정청의 의사에 기하여 붙여지는 본래의 의미에서의 행정행위의 부관은 아니므로, 이와 같은 법정부관에 대하여는 행정행위에 부관을 붙일 수 있는 한계에 관한 일반적인 원칙이 적용되지는 않는다(대판 1994.3.8, 92누1728).

3. 부관의 종류

⑴ 조 건

행정행위의 효력의 발생 또는 소멸을 발생이 불확실한 장래의 사실에 의존하게 하는 부관으로서, 조건의 성취로 당연히 효력이 발생하는 정지조건과 소멸하는 해제조건이 있다.

⑵ 기 한

행정행위의 효력의 발생 또는 소멸을 장래 도래할 것이 확실한 사실에 의존하게 하는 부관으로서, 기한의 도래로 당연히 효력이 발생하는 시기와, 반대로 효력이 소멸하는 종기가 있다.

⑶ 부 담

주된 행정행위에 부수하여 행정행위의 상대방에게 작위·부작위·급부·수인의무를 부과하는 부관으로서, 그 자체 행정행위의 성격이 있다.[1)]

※부담과 조건의 구별

부담은 행정행위의 효과의 발생시점과는 관계없이 처음부터 행정행위의 효과가 완전하게 발생한다는 점에서, 행정행위의 효과를 직접 제한하며 일정한 경우 당연히 행정행위의 효과가 성립하는 정지조건과 구별된다. 또한 부담의 경우 상대방이 이행하지 않는 경우 행정청은 주된 행정행위를 철회하거나 부과된 의무를 강제집행할 수 있다는 점에서 해제조건과도 구별된다.

실정법상 조건과 부담은 혼용되기도 하는바, 부관의 준수가 매우 중요하거나 행정행위의 요건과 밀접한 관련이 있는 경우에는 조건으로 보고 그렇지 않는 경우에는 부담으로 보는 것이 타당하다. 구별이 명확하지 않은 경우에는 부담으로 추정하는 것이 비례의 원칙상 상대방의 이익이나 법적 안정성을 위해 유리하다.

---

1) 수익적 행정처분에 있어서는 법령에 특별한 근거규정이 없다고 하더라도 그 부관으로서 부담을 붙일 수 있고, 그와 같은 부담은 행정청이 행정처분을 하면서 일방적으로 부가할 수도 있지만 부담을 부가하기 이전에 상대방과 협의하여 부담의 내용을 협약의 형식으로 미리 정한 다음 행정처분을 하면서 이를 부가할 수도 있다(대판 2009.2.12., 2005다65500).

(4) 철회권의 유보

주된 행정행위에 부가하여 **특정한 경우에 행정행위를 철회할 수 있는 권리를 유보**하는 부관이다. 상대방은 철회가능성을 예견하고 있기 때문에, **신뢰보호원칙에 근거하여 철회의 제한 내지는 손실보상을 요구할 수는 없다.** 다만 철회권이 유보된 경우에도 ① 철회권의 유보가 적법하여야 하며 ② 철회권의 행사를 정당화시키는 합리적인 사유가 있어야 하고 ③ 철회권 행사는 **비례의 원칙** 등 행정법의 일반원칙에 **반하지 않아야** 한다(이익형량의 원칙).

판 례 **취소권의 유보**의 경우에 있어서도 **무조건으로 취소권을 행사할 수 있는 것이 아니고 취소를 필요로 할 만한 공익상의 필요가 있는 때에 한하여** 취소권을 행사할 수 있는 것이다(대판 1962.2.22, 60누42).

(5) 법률효과의 일부배제

주된 행정행위에 부가하여 **법령이 일반적으로 그 행위에 부여하고 있는 법률효과의 일부를 배제**하는 부관으로서, 법률이 인정한 효과를 행정청의 의사로 배제하는 것이므로 **법률의 근거가 있는 경우에만 허용**된다. **전통적 견해와 판례는 부관의 성격을 이를 부관으로 인정**하고 있으나, 그 의미는 **행정행위의 내용규정에 지나지 않으므로 부관과 구별하는 것이 타당**하다. **즉 법률효과의 일부배제는** 신청된 행정행위의 내용의 일부는 받아들이는 동시에 일부는 거부하는 행위이므로, **상대방이 받아들이기 원하지 않으면 행정행위의 발급에 대한 의무이행심판이나 거부처분취소소송**을 제기하면 될 것이다.

판 례 행정행위의 부관은 부담의 경우를 제외하고는 독립하여 행정소송의 대상이 될 수 없는 것인바, 행정청이 한 **공유수면매립준공인가 중 매립지 일부에 대하여 한 국가귀속처분은 매립준공인가를 함에 있어서 매립의 면허를 받은 자의 매립지에 대한 소유권취득을 규정한 공유수면매립법 제14조의 효과 일부를 배제하는 부관을 붙인 것**이므로 이러한 행정행위의 부관에 대하여는 독립하여 행정소송의 대상으로 삼을 수 없다(대판 1991.12.13, 90누8503).

(6) 행정행위의 사후부관의 유보 및 사후변경의 유보

행정행위를 발령한 **후에 새로운 부관을 붙일 수 있는 권한을 유보하는 부관** 및 **사후에 변경·보완**하는 권한을 유보하는 부관이다.

39 부관의 가능성과 한계

Ⅰ. 가능성(성립상 한계)

어떠한 종류의 행정행위에 대하여 부관을 붙일 수 있는가의 문제인데, 법에 근거가 없는 경우에 행정청의 재량으로 부관을 부가할 수 있는가 하는지가 문제된다.

전통적 견해는 법률행위적 행정행위와 재량행위에는 부가할 수 있으나, 법률이 일정한 법적 효과를 결부시키는 준법률행위적 행정행위와 행정청이 법규에 엄격히 구속되는 기속행위는 부관은 부가할 수 없다고 하였다.

판 례 기속행위에 대하여는 법령상 특별한 근거가 없는 한 부관을 붙일 수 없고 가사 부관을 붙였다 하더라도 이는 무효이다(대판 1993.7.27, 92누13998). ➡ 화물터미널이 설립될 경우에는 화물터미널 내로 이전하여야 한다"고 한 등록조건이 무효라고 본 사안으로 명문의 규정도 없고, 요건충족적 부관이 아닌 사안.

그러나 최근의 일반적 견해는 법률행위적 행정행위나 재량행위라도 부관을 붙이기가 적당치 않은 것이 있는가 하면(귀화허가는 부관과 친숙하지 않음), 준법률행위적 행정행위에도 부관을 붙일 수 있는 것이 있으며(확인, 공증에는 기한, 특히 종기가 부가되는 경우가 많음), 한편 기속행위도 명문의 규정이 있거나 장래에 있어서의 법률요건의 충족을 확보할 필요가 있다고 판단되는 때에는 법률요건충족적 부관은 가능하다고 한다.

Ⅱ. 사후부관(시간적 한계)

1. 문제점

행정행위를 발한 후에 새로이 부관을 추가하거나, 이미 부가한 부관을 사후에 변경할 수 있는가의 문제이다.

2. 학 설

① 법령에 명문의 규정이 있거나 본인의 동의, 혹은 애초에 사후부관 가능성을 유보한 경우에 허용된다는 제한적 긍정설
② 부담은 주된 행정행위를 전제로 한 것일 뿐 그 자체로서 하나의 행정행위여서 사후의 부담을 인정하는 부담긍정설
③ 부관은 행정행위의 내용에 부가하는 부대적 규율이므로 존재의 독자성이 없으므로 불가하다는 부정설이 대립한다.

3. 판례 – 제한적 긍정설 – 법. 유. 동. 사

판 례 행정처분에 이미 부담이 부가되어 있는 상태에서 그 의무의 범위 또는 내용 등을 변경하는 부관의 사후변경은, 법률에 명문의 규정이 있거나 그 변경이 미리 유보되어 있는 경우 또는 상대방의 동의가 있는 경우에 한하여 허용되는 것이 원칙이지만, 사정변경으로 인하여 당초에 부담을 부가한 목적을 달성할 수 없게 된 경우에도 그 목적달성에 필요한 범위 내에서 예외적으로 허용된다(대판 1997.5.30, 97누2627).

4. 검 토

부관의 부종성의 요구는 행정작용의 명확성과 당사자 권리보호의 기능을 실현하는 측면이 있는데, 사후부관도 이러한 요청이 확보된다면 목적 달성에 필요한 범위에서 인정하는 것이 합리적이다. 제한적 긍정설이 타당하다.

Ⅲ. 일반적 한계

부관은 법령에 위반되지 않아야 하며, 그 내용이 명확하고 이행가능하여야 하며, 주된 행정행위의 목적에 반하여는 안 되며, 평등 · 비례 · 부당결부금지원칙등 행정법의 일반원칙에 반하면 안 된다.

판 례 부관의 내용은 적법하고 이행가능하여야 하며 비례의 원칙 및 평등의 원칙에 적합하고 행정처분의 본질적 효력을 해하지 아니하는 한도의 것이어야 한다(대판 1997.3.14, 96누16698).

40 하자있는 부관이 주된 행정행위에 미치는 영향

1. 문제점

부관이 하자가 있는 경우 주된 행정행위에 어떠한 효력을 미치는지가 부관에 대한 행정쟁송과 관련하여 중요한 문제가 되고 있다.

2. 학 설

1) 부관만 무효가 될 뿐 본체인 행정행위에는 아무런 영향이 없어 **부관없는 단순행정행위가 된다는 견해**, 2) **부관부 행정행위 전부가 무효가 된다는 견해**, 3) 원칙적으로 부관없는 단순행정행위가 되나, 예외적으로 부관이 없었다면 주된 행위를 하지 않았을 것(**본질적**)**이라고 인정되는 경우 부관부 행정행위 전체가 무효로 된다는 견해**가 대립한다.

3. 판례 – 3설

판 례 기부채납받은 **행정재산에 대한 사용 · 수익허가**에서 그 **허가기간은 행정행위의 본질적 요소**에 해당한다고 볼 것이어서, 부관인 **허가기간에 위법사유가 있다면 이로써 이 사건 허가 전부가 위법**하게 될 것이다(대판 2001.6.15, 99두509 판결이유 중).

4. 검 토

부관의 하자의 효과를 검토함에 있어서는 **부관을 통하여 달성하려는 공익적 이해관계와 특정 행정행위의 신청자의 이해관계**가 **모두 반영되어야** 한다. 부관의 부가는 **주된 수익적 행정행위를 아무런 제약 없이 발령하는 것이 아니라는 의미를 내포**하는 것이므로, 부관의 하자가 바로 이러한 부관이 존재하지 않는 경우와 동일한 것은 아니다. 결국 **3설이 타당**하다. 한편 부관이 주된 행정행위에 본질적인지 여부의 판단은 **행정청의 주관적 의사가 아니라, 구체적인 경우에 객관적이고 합리적으로 판단되는 행정청의 의사에 초점**을 두어야 한다.

41 위법한 부관에 대한 독립쟁송 · 취소가능성

Ⅰ. 부관의 독립쟁송가능성 및 쟁송형태[1]

1. 문제의 소재

행정청이 수익적 행정행위를 발령하면서 위법한 침익적인 부관을 부가하여 법률상 이익을 침해하는 경우, 상대방은 부관이 없는 주된 수익적 행정행위의 발급을 원할 것이다. 이 경우 **본체인 행정행위와 분리하여 위법한 부관만을 행정쟁송의 대상**으로 할 수 있는지, 부관부 행정행위 전체를 쟁송의 대상으로 삼아야 하는지 문제된다.

2. 학 설

(1) 부담만의 독립쟁송가능성설(부담과 기타부관을 구분하는 견해)

부담은 그 자체로서 특정한 의무를 명하는 행정처분의 성질을 가지나, 그 밖의 부관은 독자적인 처분성을 갖지 못하고 주된 행정행위의 한 부분으로서의 성격을 갖는 부관이므로 부담만이 독립쟁송가능하다고 한다. 쟁송형태는 **부담은 진정 일부취소쟁송**의 형태로, **기타부관은** 부관부행정행위 전체를 쟁송대상으로 하여 그 중에서 부관부분만의 취소를 구하는 **부진정 일부취소쟁송**이 된다고 한다. 행정심판법 제5조1호 및 **행정소송법 제4조1호는** 일부취소를 포함하므로 부진정 일부취소쟁송이 가능하다고 한다.

(2) 모든 부관에 대해 인정하는 견해

부담을 포함하여 **모든 부관은 주된 행정행위와 분리가능**하므로, **소의 이익이 있다면** 모든 부관에 대하여 쟁송가능하다고 본다. 쟁송형태는 **부관의 성질상 모두 부진정 일부취소소송**의 형태를 취하게 된다고 한다.

(3) 분리가능성이 있는 부관만이 가능하다는 견해

부관의 독립쟁송가능성은 부관의 독자적인 취소가능성 문제의 전제조건으로서의 성격을 가진다고 보아, 주된 행정행위와 분리가능성이 인정되는 부관은 독자적으로 다툴 수 있다고 본다. 쟁송형태는 **분리가능성이 인정**되는 부관은 **처분성을 갖는 부담은 진정 일부취소소송으로, 처분성이 인정되지 않는 기타 부관은 부진정 일부취소소송**으로 다투어야 한다고 한다.

3. 판 례

판례는 **부담은** 행정행위의 불가분적 요소가 아니어서 부담 그 자체로 **항고소송의 대상**이 된다고 하면서 진정 일부취소소송을 인정하지만(판례 1), **부담 이외의 부관**에 대해서는 **독립쟁송을 인정하지 않고 부진정일부취소소송을 부정**하는 입장이라고 할 수 있다(판례 2). 따라서 판례에 의하면 부담 이외의 부관으로 인해 권리를 침해받은 자는 **부관부 행정행위 전체의 취소를 청구하든지, 아니면 행정청에 부관이 없는 처분으로의 변경을 청구한 다음 그것이 거부된 경우에 거부처분취소소송을 제기하여야 한다는 것**이다(판례 3).

판례 1 행정행위의 부관은 행정행위의 일반적인 효력이나 효과를 제한하기 위하여 의사표시의 주된 내용에 부가되는 종된 의사표시이지 그 자체로서 직접법적 효과를 발생하는 **독립된 처분이 아니므로** 현행 행정쟁송제도 아래서는 부관 그 자체만을 **독립된 쟁송의 대상으로 할 수 없는 것이 원칙이나** 행정행위의 부관 중에서도 행정행위에 부수하여 그 행정행위의 상대방에게 일정한 의무를 부과하는 행정청의 의사표시인 **부담의 경우에는 다른 부관과는 달리 행정행위의 불가분적인 요소가 아니고 그 존속이 본체인 행정행위의 존재를 전제로 하는 것일 뿐**이므로 부담 그 자체로서 행정쟁송의 대상이 될 수 있다(대판 1992.1.21, 91누1264).

---

1) 학설은 **부관의 쟁송형태까지 독립쟁송가능성의 문제로 검토하는 것이 일반적**이며 독립쟁송가능성과 쟁송형태를 분리하는 서술(류지태, 홍정선, 김남진·김연태)도 있다. 쟁송형태의 논의는 부담이 아닌 부관의 경우 부진정일부취소를 인정할 수 있는지가 핵심이다. 수험생 입장에서는 쟁송형태를 분리해서 서술하려면 부담은 진정 일부취소소송으로 기타부관은 부진정 일부취소소송으로 정리하면 될 것이나, **답안분량을 감안할 때 독립쟁송가능성과 쟁송형태를 묶어서 같이 검토**하는 것이 무난할 것이다.

판례 2 어업면허처분을 함에 있어 그 면허의 유효기간을 1년으로 정한 경우, 위 **면허의 유효기간**은 행정청이 위 어업면허처분의 효력을 제한하기 위한 행정행위의 부관이라 할 것이고 이러한 행정행위의 부관은 **독립하여 행정소송의 대상이 될 수 없는 것**이므로 위 어업면허처분 중 그 면허유효기간만의 취소를 구하는 청구는 허용될 수 없다(대판 1986.8.19, 86누202).

판례 3 수산업법 제15조에 의하여 어업의 면허 또는 허가에 붙이는 부관은 그 성질상 허가된 어업의 본질적 효력을 해하지 않는 한도의 것이어야 하고 허가된 어업의 내용 또는 효력 등에 대하여는 행정청이 임의로 제한 또는 조건을 붙일 수 없다고 보아야 할 것이며 수산업법시행령 제14조의4 3항의 규정내용은 기선선망어업에는 그 어선규모의 대소를 가리지 않고 등선과 운반선을 갖출 수 있고, 또 갖추어야 하는 것이라고 해석되므로 **기선선망어업의 허가를 하면서 운반선, 등선 등 부속선을 사용할 수 없도록 제한한 부관은 그 어업허가의 목적달성을 사실상 어렵게 하여 그 본질적 효력을 해하는 것**일 뿐만 아니라 위 **시행령의 규정에도 어긋**나는 것이며, 더우기 **어업조정이나 기타 공익상 필요하다고 인정되는 사정이 없는 이상 위법**한 것이다(대판 1990.4.27, 89누6808).[2)]

4. 검 토

모든 부관에 대해 인정하는 견해는 **부담 이외의 다른 부관**에 대해서는 행정소송으로서의 **처분성이 인정되지 아니한 점을 간과**하고 있다는 문제점이 있으며, 분리가능성을 기준으로 해결하는 입장은 **분리가능성의 문제는 본안에서 판단해야할 실체적 사항**임에도 불구하고 소의 허용성 판단단계에서 검토한다는 문제가 있다. 처분성이 인정되는 **부담만 독립쟁송 가능하다는 견해가 타당**하다. 판례는 기타 부관에 대한 부진정일부취소소송을 인정하지 않고 대신 부관 없는 또는 부관의 내용을 변경하여 달라는 신청에 대한 거부처분의 취소소송은 인정하는데 권리구제가 우회적이라는 문제가 있다. 따라서 **부진정일부취소소송도 인정하는 것이 타당**하다. 결국 **부담**은 **진정**일부취소소송으로 **독립쟁송가능**하고, **기타 부관은 독립쟁송가능하지는 않더라도** 부관부행정행위 전체를 대상으로 쟁송을 제기하여 부관만을 취소해달라는 **부진정일부취소소송**의 제기가 가능하다.[3)]

Ⅱ. 부관의 독립취소가능성

1. 문제의 소재

부관의 쟁송가능성을 전제로, 법원이 부관의 위법성을 인정한 경우 **위법한 부관만을 취소할 수 있는가**의 문제이다.

2. 학 설

(1) 기속행위에만 부관의 취소를 구할 수 있다는 견해(법구속정도기준설)

기속행위는 법률이 허용하는 경우가 아니면 원칙적으로 부관을 붙일 수 없으므로 **기속행위에 부가된 부관은 당연히 취소**될 수 있으며, **재량행위**의 경우에는 부관만을 취소하는 것은 본체인 행정행위를 존속시키기 때문에 **행정청이 부관 없이는 하지 않았을 행위를 행정청에 강제로 부가하는 결과**가 되므로 **권력분립관점**에서 허용되지 않는다.

(2) 위법성이 인정되는 경우 취소할 수 있다는 견해(하자기준설)

재량행위와 기속행위를 구분하지 않고 법원이 본안심리를 통하여 우선 부관에 관하여 위법성이 있는지를 검토하고 위법성이 인정되는 경우에는 부관만을 취소할 수 있다고 본다.

(3) 부관이 주된 행정행위의 본질적 요소인지에 따라 판단하는 견해(관련성정도기준설)

기속행위의 경우는 독립취소를 **긍정**하고, **재량행위**의 경우 당해 행정행위를 하지 않았을 것이라고 해석되는지 여부에 따라 즉 행정행위의 **본질적 요소인지 여부에 따라** 독립취소 가부를 판단한다.

---

2) **원고가 기존의 어업허가에 부가된 허가제한사항을 변경신청을 하였는데 경상남도지사가 불허가하였고, 원고가 어업허가사항변경신청 불허가처분을 다툰 사안**에서 원심 및 대법원은 기존에 부가된 허가제한사항(부관)이 허가의 본질적 효력을 해할 뿐만 아니라, 시행령의 규정에도 반한다고 하여 위법하다고 판시하였다. **당초 어업허가를 소송의 대상으로 다투면서 부관만을 다툴 경우에는 판례가 받아들이지 않으나, 부관의 변경신청을 할 경우에는 받아준다는 점에서 권리구제가 우회적**이라고 하는 것이다.

3) 판례와의 차이는 기타 부관에 대한 부진정일부취소소송을 인정하느냐의 차이가 있다.

3. 판 례

부진정 일부취소소송의 형태를 인정하지 않는 결과 **부담만이 독립하여 취소**될 수 있고, 기타 부관은 독립하여 취소의 대상이 되지 않는다는 입장이다.

4. 검 토

1설은 **부관이 대부분 재량행위에 부가**된다는 점을 고려하면 **부관에 대한 행정소송이 실질적으로 유명무실**하게 되는 문제가 있고, **위법성이 인정된다고 하여 일반적으로 취소를 긍정할 수는 없다**는 점에서 2설도 타당하지 않으므로 **3설이 타당**하다. 부관이 주된 행정행위에 본질적이지 않다면 독립취소할 수 있으며, 본질적 요소라면 독립취소할 수 없다.4)

관련 판례 **무상사용허가 일부거부처분취소**
(대판 2001.6.15, 99두509)

1. 사실관계 – 무상사용허가일부거부처분취소

甲은 서울특별시장으로부터 구 도시공원법 제6조1항 등의 규정에 의하여 공원시설을 조성하도록 하는 도시계획사업(공원조성) 시행허가를 받아 이 사건 시설물을 설치하여 이를 서울특별시에 기부한 다음 서울특별시장의 권한을 위임받은 서울대공원 관리사업소장으로부터 이 사건 시설물에 대하여 그 기간을 20년간으로 한 무상 사용·수익의 허가를 받자, 위와 같은 허가기간의 산정이 위법하다고 하면서, 주위적으로는 이 사건 **허가 중 원고가 신청한 사용·수익 허가기간 40년 가운데 20년간만 허가기간으로 인정하고 그 나머지 기간에 대한 신청을 받아들이지 않은 부분의 취소**를 구하고, **예비적으로는 이 사건 허가 전부의 취소**를 구하는 이 사건 소를 제기함.

2. 판시사항 및 판결요지

[1] **구 지방재정법 제75조의 규정에 따라 기부채납받은 행정재산에 대한공유재산 관리청의 사용·수익허가의 법적 성질(=행정처분)**

- **공유재산의 관리청이 하는 행정재산의 사용·수익에 대한 허가는 순전히 사경제주체로서 행하는 사법상의 행위가 아니라 관리청이 공권력을 가진 우월적 지위에서 행하는 행정처분**이라고 보아야 할 것인바, 행정재산을 보호하고 그 유지·보존 및 운용 등의 적정을 기하고자 하는 지방재정법 및 그 시행령 등 관련 규정의 입법 취지와 더불어 잡종재산에 대해서는 대부·매각 등의 처분을 할 수 있게 하면서도 행정재산에 대해서는 그 용도 또는 목적에 장해가 없는 한도 내에서 사용 또는 수익의 허가를 받은 경우가 아니면 이러한 처분을 하지 못하도록 하고 있는 구 지방재정법(1999.1.21. 법률 제5647호로 개정되기 전의 것) 제82조1항, 제83조2항 등 규정의 내용에 비추어 볼 때 그 **행정재산이 구 지방재정법 제75조의 규정에 따라 기부채납받은 재산이라 하여 그에 대한 사용·수익허가의 성질이 달라진다고 할 수는 없다.**

[2] **기부채납받은 행정재산에 대한 사용·수익허가 중 사용·수익허가의 기간에 대하여 독립하여 행정소송을 제기할 수 있는지 여부(소극)**

- **행정행위의 부관은 부담인 경우를 제외하고는 독립하여 행정소송의 대상이 될 수 없는바, 기부채납받은 행정재산에 대한 사용·수익허가에서 공유재산의 관리청이 정한 사용·수익허가의 기간은 그 허가의 효력을 제한하기 위한 행정행위의 부관으로서 이러한 사용·수익허가의 기간에 대해서는 독립하여 행정소송을 제기할 수 없다.**

3. 해 설

1) 사안의 기부채납된 시설물은 행정재산으로 이에 대한 **무상 사용·수익허가가 행정처분인지 단순한 사법상의 행위인지** 논의가 있음 ① 현행 국유재산법과 공유재산 및 물품관리법이 사용 수익의 형식과 관련하여 사용허가만을 규정하고 ② 그 허가의 취소와 철회를 규정하고 있다는 점에서 **행정처분으로 보는 것이 통설, 판례**의 입장(#151).
2) **사용·수익허가에 부가된 부관이 독립한 행정행위로서 행정소송을 제기할 수 있는 것인지**에 대해서는 견해 대립하나, **판례**는 행정행위의 부관은 **부담인 경우를 제외하고는 독립하여 행정소송의 대상이 될 수 없다**는 입장.
3) 판례에 의할 때 사안에서 **사용·수익허가의 기간은 그 허가의 효력을 제한하기 위한 (부담이 아닌) 행정행위의 부관(기한)**으로서 이러한 사용·수익허가의 기간에 대해서는 **독립하여 행정소송을 제기할 수 없음**. 따라서 주위적

4) 본질적인 경우에는 부관부행정행위 전부를 취소하는 것은 처분권주의에 반하므로 기각판결을 해야 한다는 견해도 있고, 이 경우는 처분권주의가 적용되지 않아 부관부행정행위 전부를 취소할 수 있다는 견해도 있다.

청구는 각하될 것.
4) 시설물에 대한 무상사용 수익 허가는 행정재산의 목적 외 사용・수익 허가로서 행정처분에 해당. 따라서 이에 대한 취소를 구하는 예비적 청구는 적법.

기출 사례 부관의 종류, 한계와 권리구제(01년 행시)

乙시장은 도심도로에서의 무질서한 상행위를 근절시키기 위하여 무허가 노점상을 전면 금지함과 동시에 예외적으로 몇 개소를 지정하여 신청자를 상대로 노점시장사용허가를 해 주기로 하였다. 甲은 노점시장 사용허가를 신청하였는 바, 乙시장은 甲에게 사용허가를 해 주면서

1) 행정청은 공익상 필요에 의하여 언제든지 노점시설 사용허가를 철회할 수 있다.
2) 노점시설 영업을 타인에게 양도할 때에는 시장의 인가를 얻어야 한다.
3) 제세 및 공과금 이외에 영업소득의 20%를 시에 납부하여 도로정비 목적으로 사용하도록 한다.
4) 계약기간은 1년으로 한다.
5) 위 사항을 위반할 때에는 언제든지 노점시설 사용허가처분을 취소할 수 있다고 하는 내용의 조건을 부가하였다.

이에 甲은 위 조건의 내용이 너무 과중하다고 생각하여 소송으로 다투려고 한다. 그 방법과 승소가능성에 대하여 논하시오.

1. 부관의 종류

1)철회권 유보, 2)3)부담, 4)기한(종기), 5)철회권의 유보

2. 부관의 가능성

- 노점시설 사용허가는 공물의 사용특허로서 특허행위에 해당하며 재량행위. 따라서 위 부관은 명문의 법적 근거가 없는 경우에도 가능.

3. 부관의 위법성(홍정선 행정법연습 8판 794면 풀이)

1) 노점시설사용허가의 철회보다 침해가 경미한 노점시설사용허가의 일시중지의 가능성을 배제하는 것이고 동시에 공익과 사익간의 형량을 배제하는 것으로 비례원칙에 반하는 부관[5]
2) 노점시설사용허가의 효과가 당연히 양수인에게 이전되는 것은 아니며, 乙시장은 사인간의 영업양도를 불문하고 도로관리에 책임을 부담. 부관은 도로관리상 불가피한 것으로서 적법.
3) 영업소득의 20%의 납부가 도로점용료의 납부인지 또는 도로점용료 외의 추가부담인지 불분명하나 표현상 도로점용료 외의 추가부담으로 보이며, 법적 근거 없이 도로점용료 외의 추가 부담을 징수하는 것은 위법. 만약 도로점용료의 납부라면 도로법 제43조가 정하는 금액일 경우에만 적법[6]
4) 도로법시행령 제24조 점용기간은 10년 내에서 허용하고 있으므로 적법.
5) 적법한 부관을 준수하지 않았음을 이유로 사용허가처분을 취소할 수 있다는 철회권 유보의 부관은 적법.

4. 부관의 독립쟁송가능성과 소송형식

부담은 그 자체가 독립된 행정행위이므로 취소소송의 대상이 된다는 것이 다수설, 판례.

부담 이외의 부관에 대해서 다수설은 부관부행정행위를 취소소송의 대상으로 하여 부관만의 일부취소를 구하여야 한다고 하나, 판례는 부담 이외의 부관은 주된 행정행위의 불가분적 요소이고 그 자체로서 독립한 처분이 아니라는 이유로 부관만의 취소를 구하는 소송을 인정하지 않음. 다수설에 의할 경우 1)은 부진정 일부취소소송을 3)은 진정 일부취소소송 제기 가능.

5. 부관의 독립취소가능성

학설대립. 부관이 주된 행정행위에 본질적인 경우는 독립적으로 취소하지 못한다는 견해가 타당. 1)의 철회권 유보 및 3)의 사용료부담은 주된 행정행위인 사용허가의 본질적인 부분이 아니므로 부관의 독립취소 가능.

---

5) 박균성 교수님은 적법한 것으로 봄. 철회의 제한 법리에 따라 이익형량은 하지만 공익을 이유로 한 철회권의 유보는 적법한 것으로 보고 있으나(행정법연습 5판, 202면). **공익상 필요에 의하여 불가피한 경우가 아니라 언제든지 철회할 수 있다는 내용은 비례의 원칙에 반한다**는 것이 타당(정하중).

6) 박균성 교수님은 사용료의 사용목적이 도로정비이므로 사용허가와 부관 사이에 실체적 관련성이 있으므로 부당결부금지원칙에는 반하지 않고, 20%의 사용료부담은 도로정비에 대한 비용부담 및 노점상의 경제형편이 어려운 점을 고려하면 과도한 부담으로 비례의 원칙에 반한다고 함(행정법연습 203면). 정하중 교수님도 과도한 부담이라고 함.

기출 사례 강학상 철회, 부담의 독립쟁송가능성, 거부가 처분이기 위한 요건(08년 행시 - 일반행정)

甲은 A구 구청장인 乙에게 임야로 되어 있는 자신의 토지 위에 건축을 하기 위해 토지형질변경행위허가를 신청하였다. 이에 乙은 당해 토지의 일부를 대지로 변경하고 그 나머지를 도로로 기부채납하는 것을 조건으로 토지형질변경행위를 허가하였다.

이에 따라 甲은 건물을 신축하였는데 신축건물이 기부채납 토지부분을 침범하게 되자 乙은 토지형질변경행위허가를 취소하고 그 대신에 기부채납토지부분을 감축하여 주면서 감축된 토지에 대한 감정가액을 납부하도록 하는 내용의 토지형질변경행위의 변경허가를 하였다.

그러나 甲은 감정가액을 납부하지 않고 준공검사를 마치지 못하는 사이에 예규로 설정된 사무처리기준이 변경되어 기부채납을 하도록 하는 의무가 면제되었다. 이에 甲은 금전납부의 부담을 없애 달라는 내용의 토지형질변경행위의 변경허가를 신청하였으나 乙은 甲이 금전납부의 부담을 이행하지 아니하고 준공검사를 마치지 않았다는 이유를 들어 甲의 신청을 반려하였다.

1. 乙의 토지형질변경행위허가 취소의 법적 성질에 대하여 설명하시오. (10점)
2. 甲이 금전납부의 부담만을 위법으로 하여 행정소송을 제기할 수 있는지 검토하시오. (15점)
3. 乙의 반려행위에 대한 甲의 취소소송제기가능성을 검토하시오. (15점)

Ⅰ. 토지형질변경행위허가취소의 법적 성질 - 설문(1)

1. 강학상 철회에 해당 여부

- 행정행위의 철회의 의의 및 구별개념(#53)
- 사안의 경우 신축건물이 기부채납 토지부분 침범이라는 후발적 사유에 의한 토지형질변경행위허가의 효력을 소멸시키는 행위라는 점에서 강학상 철회에 해당

2. 재량행위 해당 여부

- 기속행위와 재량행위 구별기준(#31)
- 사안의 경우 관련법령이 언급되어 있지 않으므로 판단이 곤란한 측면이 있지만 의무위반에 대한 제재적 행정처분의 성질을 갖는 철회는 재량행위로 규정하는 입법현실을 감안하면 재량행위로 봄이 타당

Ⅱ. 甲의 행정소송제기 가능성 - 설문(2)

1. 甲의 금전납부 부담의 법적 성질

- 부담의 의의 및 부담과 조건의 구별(#38)
- 사안의 경우 기부채납토지부분을 감축하여 주면서 감축된 토지에 대한 감정가액을 납부하도록 하는 금전납부의무를 명하는 것이므로 '부담'에 해당.

2. 금전납부 부담에 대한 행정소송제기 가능성

- 부관의 독립쟁송가능성의 논의
- 부담에 대해서는 가능하다는 것이 판례.

Ⅲ. 乙의 반려행위에 대한 甲의 취소소송제기가능성 - 설문(3)

- 소송요건 중에서 문제가 되는 것이 을의 반려행위가 거부처분에 해당하는지가 문제됨.
- 거부가 처분이기 위한 판례의 요건(#108.Ⅲ.)을 언급하고 법규상, 조리상 신청권을 요구하는 판례에 대한 학설의 비판을 소개. 판례에 찬성하는 견해를 취하면 신청권의 문제로 검토.[7] 사안의 경우에 판례는 신청권을 부정.

판 례 도시계획법령이 토지형질변경행위허가의 변경신청 및 변경허가에 관하여 아무런 규정을 두지 않고 있을 뿐 아니라, 처분청이 처분 후에 원래의 처분을 그대로 존속시킬 필요가 없게 된 사정변경이 생겼거나 중대한 공익상의 필요가 발생한 경우에는 별도의 법적 근거가 없어도 별개의 행정행위로 이를 철회 변경할 수 있지만 이는 그러한 철회 변경의 권한을 처분청에게 부여하는 데 그치는 것일 뿐 상대방 등에게 그 철회 변경을 요구할 신청권까지를 부여하는 것은 아니라 할 것이므로, 이와 같이 법규상 또는 조리상의 신청권이 없이 한 국민들의 토지형질변경행위 변경허가신청을 반려한 당해 반려처분은 항고소송의 대상이 되는 처분에 해당되지 않는다(대판 1997.9.12, 96누6219).

- 그러나 甲은 새로운 사정이 발생된 경우에는 토지형질변경허가의 변경에 대하여 하자 없이 재량을 행사하여 줄 것을 요구할 수 있는 신청권의 존재를 긍정하는 것이 타당하며 따라서 乙의 반려행위는 거부처분에 해당.[8]

---

7) 만약 판례를 비판하면서 신청권의 문제를 원고적격의 문제로 보는 견해로 검토한다면 대상적격에서는 신청권의 논의를 소개한 뒤에 신청의 대상이 토지형질변경허가가 처분이므로 대상적격 충족한다고 한 후에 별도로 원고적격의 목차를 잡아서 신청권 인정여부에 따라 원고적격 인정여부를 검토해 주어야 함.

기출 사례 절차의 하자와 비례의 원칙(11년 사시)

건축업자 A는 공사시행을 위하여 Y 시장에게 도로점용허가를 신청하였고, Y 시장은 2006.11.23. 소정의 기간을 붙여 점용허가를 하였다. 그 기간 만료 후 A는 공사가 아직 완료되지 않아 새로이 점용허가를 신청하였다. Y 시장은 도로의 점용이 일반인의 교통을 현저히 방해하지 않음에도 인근 상가 주민의 민원이 있다는 이유로 점용허가를 거부하였다. 그런데 Y 시장은 이러한 불허가처분을 하기 전에 '의견을 제출할 수 있다는 뜻과 의견을 제출하지 아니하는 경우의 처리방법'을 알리지 아니하였다.

1. Y 시장의 불허가 처분은 적법한가? (15점)
2. 만약 Y 시장이 새로이 점용허가를 하면서 기간을 지나치게 짧게 정한 경우, A의 행정소송상의 구제방법은? (20점)

[참조조문]

***도로법**

제38조 (도로의 점용) ① 도로의 구역에서 공작물이나 물건, 그 밖의 시설을 신설·개축·변경 또는 제거하거나 그 밖의 목적으로 도로를 점용하려는 자는 관리청의 허가를 받아야 한다. 허가받은 사항을 연장 또는 변경하려는 때에도 또한 같다.
② 1항에 따라 허가를 받을 수 있는 공작물·물건, 그 밖의 시설의 종류와 도로 점용허가의 기준 등에 관하여 필요한 사항은 대통령령으로 정한다.
③~⑤ 〈생략〉

***도로법 시행령**

제28조 (점용의 허가신청) ① 법 제38조1항에 따른 허가를 받으려는 자는 다음의 사항을 적은 신청서를 관리청에 제출하여야 한다. 이 경우 점용장소·점용기간·공작물 또는 시설의 구조 등 점용에 관한 사항은 별표 1의2의 기준에 적합하게 하여야 한다.
1. 점용의 목적 2. 점용의 장소와 면적 3. 점용의 기간
4~7 〈생략〉

Ⅰ. Y시장의 불허가 처분의 적법성 - 설문(1)

1. 도로점용허가 및 불허가처분의 법적 성질

- 공물의 이용에 관한 것으로 공익의 비중이 커 재량행위

2. 불허가 처분의 절차상 하자 유무(#78)

- 불허가처분(거부처분)이 행정절차법21조의 사전통지의 대상여부에 관한 논의 소개
- 판례는 부정설의 입장. 판례에 의하면 절차하자는 없으나, 긍정설이나 제한적 긍정설에 의하면 절차하자는 존재. 2006.11.23. 이미 도로점용허가를 받은 경우이고 연장허가 신청을 한 상황이므로 제한적 긍정설에 의하더라도 사전통지의 대상이 된다고 할 수 있음.
- 절차의 하자를 인정하는 견해를 취할 경우 절차하자의 독자적 위법사유 논의는 아주 간단히 소개.

3. 인근 상가주민의 민원을 이유로 거부한 것의 위법성

- 도로법 및 도로법 시행령은 인근주민의 민원에 관한 사항을 허가요건으로 규정하고 있지 않음.
- 재량행위이므로 법령상의 제한사유에 해당하지 않더라도 중요한 공익상 필요가 있는 경우에는 도로점용허가를 거부할 수 있으나 사안은 중요한 공익상의 필요가 있는 것으로 보이지 않음.
- 결국 비례의 원칙 내지는 평등의 원칙에 반하는 처분

Ⅱ. 점용허가기간에 대한 A의 행정소송상의 구제방법 - 설문(2)

1. 점용허가기간의 법적 성질

- 강학상 부관. 부관 중에서 기한

2. 부관만에 대한 쟁송가능성

- 학설·판례 소개하고 검토한 입장에 따라서 포섭.
- 판례에 의하면 기한만을 대상으로 쟁송불가.
- 부진정일부취소소송 인정하는 학설에 의하면 쟁송가능.

3. 기한부도로점용허가에 대한 전부취소소송

4. 기한변경신청에 대한 거부처분 취소소송 및 간접강제

---

8) 정하중 교수님은 신청권을 원고적격의 문제로 보는 입장인데, 사안에서 신청권의 존재를 긍정함. "토지형질변경허가가 재량행위의 성격을 갖고 사무처리기준이 재량준칙의 성격을 갖기 때문에 행정의 자기구속의 법리에 따라 외부적 효력을 갖는다면, 신청권의 존재를 부인할 이유가 없다고 본다. 원고는 토지형질변경에 대한 무하자재량행사청구권을 갖고 있으며, 이후에 새로운 사정(사무처리기준)이 발생된 경우에는 토지형질변경허가의 변경에 대하여 하자 없이 재량을 행사하여 줄 것을 요구할 수 있는 무하자재량행사청구권을 갖고 있기 때문이다"라고 풀이하고 있음.

기출 사례 **부관의 종류, 한계와 권리구제**(13년 행시-일반행정)

A시장은 B에 대하여 도로점용허가를 함에 있어서 점용기간을 1년으로 하고 월 10만원의 점용료를 납부할 것을 부관으로 붙였다. 이에 관한 다음 물음에 답하시오.(총30점)

1) B는 도로점용허가에 붙여진 부관부분에 대해 다투고자 하는 경우에 부관만을 독립하여 행정소송의 대상으로 할 수 있는가? (10점)

2) 부관을 다투는 소송에서 본안심리의 결과 부관이 위법하다고 인정되는 경우에 법원은 독립하여 부관만을 취소하는 판결을 내릴 수 있는가? (10점)

3) A시장은 B에 대하여 위 부관부 도로점용허가를 한 후에 추가로 도로점용시간을 16시부터 22시까지로 제한하는 부관을 붙일 수 있는가? (10점)

Ⅰ. 부과에 대한 독립쟁송가능성 - 설문(1)

- 부관의 독립쟁송가능성 및 쟁송형태에 관한 학설·판례 소개 후 부담과 기타 부관을 구분하는 견해로 검토.
- 사안의 점용기간은 기한(종기), 월10만원 점용료 납부부분은 부담에 해당. 점용료 납부 부관만 독립하여 쟁송의 대상이 되어 진정일부취소소송으로 제기하면 되나, 점용기간은 부진정일부취소소송의 형식으로 제기할 수 밖에 없음.

Ⅱ. 부관의 독립취소가능성 - 설문(2)

- 학설대립 소개 후 부관이 주된 행정행위에 중요한 요소인지에 따라 판단하는 견해로 검토.
- 월10만원 점용료 납부를 명하는 부관은 도로점용허가에 중요한 요소가 아니므로 독립취소가능. 점용허가기간 1년은 기한으로서 도로점용허가에 중요한 요소이므로 부관만 취소할 수 없음.

Ⅲ. 사후부관의 가능성 - 설문(3)

- 사후부관의 가능성에 관한 학설대립을 소개한 후 다수설,판례인 제한적 긍정설로 검토.
- 도로점용시간을 16시부터 22시까지로 제한하는 부관은 부작위의무를 부과하는 부담 또는 법률효과의 일부배제에 해당하는데 도로점용허가 발령후 부가한 사후부관에 해당.
- 어느 입장을 취하든지 제한적 긍정설에 의할 때 설문의 경우, 법령에 명문의 규정이 있는 경우는 아니고, 사후부관을 유보하지도 않았고, B의 동의도 없고, 당초의 부관으로 목적달성이 어렵다는 사정변경이 보이지 않으므로 추가로 도로점용시간을 16시부터 22시까지로 제한하는 부관은 붙일 수 없음(목적달성이 어렵다는 사정변경이 있다면 가능).

42 기부채납부담의 하자와 부담의 이행으로 행한 기부채납의 효력

Ⅰ. 문제의 소재

기부채납부담에 의해 부과된 의무의 이행으로서 기부채납이 이루어졌는데, 기부채납부담에 하자가 있다고 할 경우 기부채납부담의 이행으로 이루어진 기부채납의 효력이 어떠한지, 기부채납된 부분이 부당이득이 되는지의 문제이다. 기부채납의 법적 성질이 공법상 행위인지 사법상 행위인지와 관련되는 논의이다.

Ⅱ. 학 설

1. 독립설[1)]

부담과 그 부담의 이행으로 인한 기부채납(사법상 법률행위)은 별개의 행위이므로 효력도 별개로 논해야 한다고 본다. 부담의 이행으로 인한 사법상 법률행위의 효력은 부담이 당연무효이거나 취소되지 않은 상태에서 그 부관으로 인하여 사법상 계약(증여계약)을 취소할 수 없으며. 행정처분에 붙인 부담인 부관이 취소되거나 무효라 하더라도 부담의 이행으로 한 사법상 법률행위가 당연히 무효가 되는 것은 아니고, 단지 법률행위의 중요부분의 착오로서 취소사유가 될 뿐이라고 한다.

2. 종속설(부당이득반환청구권설)

기부채납행위는 부담과 별개가 아니라 부담의 이행행위에 불과하다고 보는 견해로서, ① 기부채납부담이 무효이거나 취소되면 기부채납은 법률상 원인없이 이루어진 것으로 부당이득이 된다고 하며, 반면 ② 기부채납부담이 단순위법인 경우에는 공정력에 기해 효력이 있으므로 기부채납은 부당이득이 되지 않는다고 한다.

Ⅲ. 판 례

기부채납을 사법상 행위(증여)로 보면서 부담과 기부채납은 별개의 행위이므로 효력도 별개로 논하여야 한다는 독립설의 입장이다. 부담의 하자는 기부채납을 하게 된 동기에 불과하여 착오취소를 부정하거나(판례 1), 공정력을 고려하여 부관이 당연무효이거나 취소되지 아니한 이상 착오취소할 수 없다고 한다(판례 2).[2)]

한편 판례는 부담인 부관이 제소기간 도과로 불가쟁력이 생긴 경우에도, 그 부담의 이행으로 한 사법상 매매계약 등 사법상 법률행위가 사회질서 위반이나 강행규정에 위반되는지 여부 등을 다툴 수 있다고 한다(판례 3).

판례 1 건축허가를 하면서 일정 토지를 기부채납하도록 하는 내용의 허가조건이 무효라고 하더라도 그 부관 및 본체인 건축허가 자체의 효력이 문제됨은 별론으로 하고, 허가신청대행자가 그 소유인 토지를 허가관청에게 기부채납함에 있어 위 허가조건은 증여의사표시를 하게 된 하나의 동기 내지 연유에 불과한 것이고, 위 허가신청대행자가 건축허가를 받은 토지의 일부를 반드시 허가관청에 기부채납하여야 한다는 법령상의 근거규정이 없음에도 불구하고 위 허가조건의 내용에 따라 위 토지를 기부채납하여야만 허가신청인들이 시공한 건축물의 준공검사가 나오는 것으로 믿고 증여계약을 체결하여 허가관청인 시 앞으로 위 토지에 관하여 소유권이전등기를 경료하여 주었다면 이는 일종의 동기의 착오로서 그 허가조건상의 하자가 허가신청대행자의 증여의사표시 자체에 직접 영향을 미치는 것은 아니므로, 이를 이유로 하여 위 시 명의의 소유권이전등기의 말소를 청구할 수는 없다고 한 사례(대판 1995.6.13, 94다56883).

---

1) 독립설, 종속설은 박균성, 정하중 교수님 교과서에서 소개된 명칭인데, 홍정선 교수님은 독립설을 부관비구속설, 종속설을 부관구속설이라고 소개하기도 함. 각각 민법상 중요부분 착오취소설, 부당이득반환청구설로 표기해도 상관없음.

2) 판례1과 판례2가 모순되는 내용인 듯 보이나, 기본적으로 동기의 착오에 불과해 증여의 의사표시에 직접 영향을 미치는 것은 아니지만 부담이 무효이거나 취소되었다면 증여 의사표시의 중요부분의 착오에 해당되어 의사표시를 취소할 수 있는 것이라고 해석하면 모순되지 않는다고 할 수 있음.

판례 2 토지소유자가 토지형질변경행위허가에 붙은 기부채납의 부관에 따라 토지를 국가나 지방자치단체에 기부채납(증여)한 경우, 기부채납의 부관이 당연무효이거나 취소되지 아니한 이상 토지소유자는 위 부관으로 인하여 증여계약의 중요부분에 착오가 있음을 이유로 증여계약을 취소할 수 없다(대판 1999.5.25, 98다53134).

판례 3 행정처분에 부담인 부관을 붙인 경우 부관의 무효화에 의하여 본체인 행정처분 자체의 효력에도 영향이 있게 될 수는 있지만, 그 처분을 받은 사람이 부담의 이행으로 사법상 매매 등의 법률행위를 한 경우에는 그 부관은 특별한 사정이 없는 한 법률행위를 하게 된 동기 내지 연유로 작용하였을 뿐이므로 이는 법률행위의 취소사유가 될 수 있음은 별론으로 하고 그 법률행위 자체를 당연히 무효화하는 것은 아니다. 또한, 행정처분에 붙은 부담인 부관이 제소기간의 도과로 확정되어 이미 불가쟁력이 생겼다면 그 하자가 중대하고 명백하여 당연 무효로 보아야 할 경우 외에는 누구나 그 효력을 부인할 수 없을 것이지만, 부담의 이행으로서 하게 된 사법상 매매 등의 법률행위는 부담을 붙인 행정처분과는 어디까지나 별개의 법률행위이므로 그 부담의 불가쟁력의 문제와는 별도로 법률행위가 사회질서 위반이나 강행규정에 위반되는지 여부 등을 따져보아 그 법률행위의 유효 여부를 판단하여야 한다.

구 도시 및 주거환경정비법(2003.5.29. 법률 제6893호로 개정되기 전의 것) 제65조2항 후단 규정의 입법 취지에 비추어 보면, 이는 민간 사업시행자에 의하여 새로 설치될 정비기반시설의 설치비용에 상당하는 범위 안에서 용도폐지될 정비기반시설의 무상양도를 강제하는 강행규정이므로, 위 규정을 위반하여 사업시행자와 국가 또는 지방자치단체 간에 체결된 매매계약 등은 무효이다(대판 2009.6.25, 2006다18174).

Ⅳ. 검 토

기부채납부담의 이행으로서 이루어진 기부채납은 자발적인 기부채납과는 달리 공법상 특유의 법률행위로 파악하는 것이 간명하고 합리적인 해결을 가져다 줄 수 있다는 점에서 종속설이 타당하다. 따라서 부당결부금지원칙에 반하는 기부채납부담을 부가한 경우, 부담이 무효이거나 취소되면 기부채납한 부분은 부당이득이 된다고 보아야 한다.

43 행정행위의 성립 및 효력요건

1. 성립요건(적법요건) - 주. 내. 절. 형

행정의 법률적합성의 원칙에 따라 법질서가 행정행위에게 요구하는 요건.

(1) 주 체

정당한 권한을 가진 행정청에 의하여 권한의 범위 내에서 정상적인 의사작용에 의하여 발하여져야 한다.

판례 1 행정청의 권한에는 사무의 성질 및 내용에 따르는 제약이 있고, 지역적·대인적으로 한계가 있으므로 이러한 권한의 범위를 넘어서는 권한유월의 행위는 무권한 행위로서 원칙적으로 무효이다(대판 2007.7.26, 2005두15748).

판례 2 [1] 구 폐기물처리시설 설치촉진 및 주변지역지원 등에 관한 법률(2004. 2. 9. 법률 제7169호로 개정되기 전의 것) 제9조 제3항, 같은 법 시행령(2004. 8. 10. 대통령령 제18514호로 개정되기 전의 것) 제7조 [별표 1], 제11조 제2항 각 규정들에 의하면, 입지선정위원회는 폐기물처리시설의 입지를 선정하는 의결기관이고, 입지선정위원회의 구성방법에 관하여 일정 수 이상의 주민대표 등을 참여시키도록 한 것은 폐기물처리시설 입지선정 절차에 있어 주민의 참여를 보장함으로써 주민들의 이익과 의사를 대변하도록 하여 주민의 권리에 대한 부당한 침해를 방지하고 행정의 민주화와 신뢰를 확보하는 데 그 취지가 있는 것이므로, 주민대표나 주민대표 추천에 의한 전문가의 참여 없이 의결이 이루어지는 등 입지선정위원회의 구성방법이나 절차가 위법한 경우에는 그 하자 있는 입지선정위원회의 의결에 터잡아 이루어진 폐기물처리시설 입지결정처분도 위법하게 된다.
[2] 구 폐기물처리시설 설치촉진 및 주변지역 지원 등에 관한 법률에 정한 입지선정위원회가 그 구성방법 및 절차에 관한 같은 법 시행령의 규정에 위배하여 군수와 주민대표가 선정·추천한 전문가를 포함시키지 않은 채 임의로 구성되어 의결을 한 경우, 그에 터잡아 이루어진 폐기물처리시설 입지결정처분의 하자는 중대한 것이고 객관적으로도 명백하므로 무효사유에 해당한다고 한 사례(대판 2007.4.12, 2006두20150).[1]

(2) 절 차

일정한 절차가 요구되는 경우 그에 관한 절차를 거쳐야 한다.

판례 1 산지관리법 시행령 제32조 제2항 본문은 토석채취 허가권자인 시장 등이 현지조사를 거쳐 신청인이 제출한 자료를 심사하여 신청이 산지관리법 제28조에 따른 토석채취허가기준에 적합한지를 1차적으로 검토한 결과 허가기준에 적합하지 아니함이 객관적으로 명백한 경우에는 지방산지관리위원회 심의를 거치지 않은 채 불허가할 수 있으나, 그렇지 않은 경우에는 지방산지관리위원회의 심의를 거쳐야 한다고 해석하는 것이 타당하며, 심의를 거치지 아니하고 처분을 한 때에는 법령에 규정된 절차의 흠결로 처분은 위법하다(대판 2015.11.26, 2013두765).

판례 2 사전구제절차로서 과세전적부심사 제도가 가지는 기능과 이를 통해 권리구제가 가능한 범위, 이러한 제도가 도입된 경위와 취지, 납세자의 절차적 권리 침해를 효율적으로 방지하기 위한 통제방법과 더불어, 헌법 제12조 제1항에서 규정하고 있는 적법절차의 원칙은 형사소송절차에 국한되지 아니하고, 세무공무원이 과세권을 행사하는 경우에도마찬가지로 준수하여야 하는 점 등을 고려하여 보면, 국세기본법 및 국세기본법 시행령이 과세전적부심사를 거치지 않고 곧바로 과세처분을 할 수 있거나 과세전적부심사에 대한 결정이 있기 전이라도 과세처분을 할 수 있는 예외사유로 정하고 있다는 등의 특별한 사정이 없는 한, 과세예고 통지 후 과세전적부심사 청구나 그에 대한 결정이 있기도 전에 과세처분을 하는 것은 원칙적으로 과세전적부심사 이후에 이루어져야 하는 과세처분을 그보다 앞서 함으로써 과세전적부심사 제도 자체를 형해화시킬 뿐만 아니라 과세전적부심사 결정과 과세처분 사이의 관계 및 그 불복절차를 불분명하게 할 우려가 있으므로, 그와 같은 과세처분은 납세자의 절차적 권리를 침해하는 것으로서 그 절차상 하자가 중대하고도 명백하여 무효라고 할 것이다(대판 2017.1.2, 2016두49228).

(3) 형 식

행정절차법은 처분을 하는 때에는 문서로 하도록 하고 있으며, 전자문서로 하는 경우 상대방의 동의를 얻도록 하고

1) 의결기관의 구성상의 하자에 대해서 주체의 하자라고 명시적으로 언급하지 않았지만 의결기관도 실질적으로 의사결정을 하는 주체이므로 주체의 하자로 보아도 무방할 것. 교수님들도 주체의 하자에서 소개하고 있음.

있고(제24조), **근거와 이유를 제시**하도록 하고 있어 **이유제시**[2] **의무를 부과**하고 있다(제23조).

판 례 운전 면허정지처분의 경우 면허관청으로 하여금 **일정한 서식의 통지서에 의하여 처분 집행일 7일 전까지 발송**하도록 한 **도로교통법 시행규칙 제53조2항**의 규정은 **효력 규정**이다. 면허관청이 운전면허정지처분을 하면서 별지 52호 서식의 **통지서에 의하여 면허정지사실을 통지하지 아니하거나** 처분집행예정일 7일전까지 이를 발송 하지 아니한 경우에는 특별한 사정이 없는 한 위 관계 법령이 요구하는 절차·형식을 갖추지 아니한 조치로서 그 **효력이 없고**, 이와 같은 법리는 면허관청이 임의로 출석한 상대방의 편의를 위하여 **구두로 면허정지사실을 알렸다고 하더라도 마찬가지**이다(대판 1996.6.14, 95누17823).

(4) 내 용

① 행정행위는 내용에 있어서 적법하여야(**법률우위, 법률유보**) 하고, ② 비례·평등·신뢰보호 등 행정법의 일반원칙에 합치하여야 하며, ③ 상대방이 누구인지 및 행정청이 무엇을 원하는지 명확히 알 수 있어야 하며(행정절차법 제5조는 상대방의 해석요청권을 규정), ④ 실현 가능한 것이어야 한다.

2. 효력발생요건

(1) 송 달

행정행위는 원칙적으로 송달을 통해 상대방이 알 수 있는 상태에 도달함으로써 효력을 발생한다. 행정절차법은 송달에 관하여 특별히 규정하고 있는 바, 송달은 **우편, 교부 또는 정보통신망 이용** 등의 방법에 의하고(제14조), **효력발생시기는 송달받는 자에게 도달된 때이다(제15조. 취소소송의 제소기간 기산점과 관련하여 의미를 가짐(#113)).**

(2) 고시 또는 공고[3]

1) 행정절차법상 공고

송달받을 자의 주소를 확인할 수 없는 경우와 송달이 불가능한 경우에는 송달받을 자가 알기 쉽도록 관보나 일간신문 등에 공고하고 인터넷에도 공고하여야 하며(**제14조4항**), **이 경우** 공고일로부터 14일이 경과한 때 효력이 발생한다(**제15조3항**).

2) 개별법상의 고시 또는 공고

상대방이 **불특정 다수인**이거나, 상대방이 **특정될 수 있으나 일일이 통지하는 것이 적절하지 않은 경우** 등의 규정이 있다(예 : **공토법 제22조1항의 사업인정 고시**). 효력발생일을 법령에서 명시적으로 규정하고 있는 경우는 그에 따르고(공토법 22조 3항 - 고시한 날부터), **명시적인 규정이 없는 경우** 대통령령인 행정업무의 효율적 운영에 관한 규정(구 사무관리규정) **제6조3항은 공고문서의 경우 그 문서에서 효력발생 시기를 구체적으로 밝히고 있지 않으면 고시 또는 공고가 있은 날부터 5일이 경과**한 때에 효력이 발생한다고 규정하고 있다. **판례도 명문의 규정이 없는 경우에는 위 규정을 적용하여, 당해 고시 또는 공고가 있은 후 5일이 경과한 날부터 효력이 발생**한다고 한다.

판 례 중앙행정기관 및 그 소속기관, 지방자치단체의 기관과 군의 기관의 사무관리에 적용되는 **구 사무관리규정**(2011. 12. 21. 대통령령 제23383호 **행정업무의 효율적 운영에 관한 규정**으로 전부 개정되기 전의 것) **제8조 제2항 단서**는 **공고문서**의 경우에는 **공고문서에 특별한 규정이 있는 경우를 제외하고는 그 고시 또는 공고가 있은 후 5일이 경과한 날부터 효력을 발생**한다고 규정하고 있고, 구 **주택법**(2012. 1. 26. 법률 제11243호로 개정되기 전의 것, 이하 '구 주택법'이라 한다)은 제16조 제1항에서 사업계획승인권자로 국토해양부장관, 시·도지사, 시장·군수 등을 정하고, 제16조 제6항에서 **사업계획승인권자는 제1항에 따라 사업계획을 승인하였을 때에는 이에 관한 사항을 고시하여야 하는 것으로 규정**하고 있으므로, 구 주택법 제16조에 따라 정하는 **사업계획승인의 효력은 사업계획승인권자의 고시가 있은 후 5일이 경과한 날부터 발생**한다(대판 2013.3.28, 2012다57231).

2) 이유제시는 형식의 문제로 분류하는 교수님도 있고, 절차의 문제로 분류하는 교수님도 있음.

3) 법령에서 고시를 하도록 규정하고 있어도 고시가 효력발생요건이 아닌 경우도 있다. 국적법 시행령 제5조는 "법무부장관은 귀화를 허가하였을 때에는 그 사실을 지체 없이 본인과 등록기준지 가족관계등록관서의 장에게 통보하고, 관보에 고시하여야 한다"고 규정하고 있기는 하지만 여기서의 고시를 효력발생요건으로 볼 수는 없다. 법무부장관이 허가를 통보하면 효력이 발생하고 고시는 귀화허가처분의 내용을 모든 국민에게 알리는 통지수단에 불과하다고 보아야 할 것이다.

44 공정력

I. 의 의

행정행위에 하자가 있는 경우에도, 그것이 당연무효가 아닌 한 권한을 가진 기관(처분청, 행정심판기관, 취소소송의 수소법원)에 의해 취소될 때까지는 유효한 것으로 통용되는 힘을 말한다. 행정행위는 그 내용 또는 근거법률의 규정에 따라 일정한 효력을 갖게 되는데(구속력), 공정력은 그러한 구속력이 있음을 승인하는 절차적, 잠정적 효력이다.[1)]

II. 근 거

1. 이론적 근거

① 행정행위를 판결과 같은 성질의 것으로 보아 그 자체로서 적법성이 추정된다는 자기확인설, ② 행정청이 우월적인 지위에서 행하였기 때문에 일단 유효성을 인정받는다는 국가권위설 등이 있으나, ③ 행정법관계의 안정과 행정행위에 대한 신뢰를 보호하려는 법기술적인 요청에서 근거를 찾는 법적 안정성설(행정정책설)(多)이 타당하다.

2. 실정법적 근거

직접적 규정은 없으나 공정력의 승인을 전제로 한 규정들은 있다. 즉 취소에 관한 규정들(행정심판법 제5조1호, 제13조, 행정소송법 제12, 제35, 제36조)이 그 예이다.

III. 공정력과 입증책임

공정력에 따라 적법성이 추정된다고 보면 원고에게 입증책임이 있게 되지만, 공정력은 입증책임과 무관하다는 것이 일반적인 견해(항고소송과 입증책임은 #120)이다.

IV. 한 계

1. 무효인 행정행위

무효와 취소의 구별이 상대적임을 이유로 무효의 경우에도 공정력을 인정하는 견해가 있으나, 법적 안정성을 중시하더라도 무효인 행정행위에까지 공정력을 인정하는 것은 타당하지 않다(다수설).

2. 행정행위 이외의 행위

공정력은 취소쟁송제도의 존재를 이론적 전제로 하므로 행정행위에 인정되며, 취소쟁송의 대상이 아닌 명령, 사실행위, 비권력적 행위, 사법행위 등에는 인정되지 않는다.

V. 공정력과 선결문제

1. 의 의

1) 행정행위의 효력 유무·위법 여부가 민사소송이나 형사소송에서 선결문제로 되는 경우에, 민사소송이나 형사소송의 수소법원이 이를 선결(先決)문제로서 심리·판단하는 것이 공정력에 반하는지의 문제이다. 즉 특정사건의 재판에서 본안판단에 앞서서 행정행위의 효력 유무·존재 여부 또는 위법 여부가 먼저 해결되어야 하는 경우의 문제이다.

2) 위법 여부가 선결문제라는 것은 선결문제의 위법 여부에 대하여 수소법원이 판단할 수 있어야 수소법원이 본안판단을 할 수 있다는 것이고, 효력 여부가 선결문제라는 것은 수소법원이 선결문제의 위법 여부뿐만 아니라 효력

---

1) 이에 대하여 정하중 교수님은 공정력은 행정행위의 잠정적 유효성을 근거지우는 실체법적 효력이며, 구속력이란 행정행위의 유효성으로부터 나오는 당연한 효력에 지나지 않는다고 함(정하중 241면)

유무도 판단할 수 있어야 수소법원이 본안판단을 할 수 있다는 의미이다.

2. 민사소송[2)]

(1) 위법성여부를 판단(확인)해야 하는 경우(국가배상청구)

1) 학 설

① **법원은 공정력에 기속되고 취소소송의 배타적 관할원칙** 및 **행정소송법 제11조1항의 문언**을 근거로 하는 소극설이 있으나, ② 다수설은 **공정력은 절차법상의 유효성 통용력에 불과**하며, 이 경우는 **효력부인이 아니라 위법성 판단의 문제**이고, **제11조1항은 예시적**인 것이며, 국가배상에서의 위법성의 의미는 행정소송에서보다 넓다는 점을 근거로 적극설을 취하고 있다.

2) 판 례 - 적극설

판 례 위법한 행정대집행이 완료되면 그 처분의 무효확인 또는 취소를 구할 소의 이익은 없다 하더라도, 미리 그 **행정처분의 취소판결이 있어야만, 그 행정처분의 위법임을 이유로 한 손해배상 청구를 할 수 있는 것은 아니다**(대판 1972.4.28, 72다337).

3) 검 토

공정력은 **적법성을 추정하는 효력은 아니며** 위법한 처분이 취소되기까지 **잠정적으로 유효하다는 것일 뿐**이므로 **적극설이 타당**하다.

(2) 효력을 부인해야 하는 경우(부당이득반환청구)

이 경우는 위에서와 달리 행정행위의 하자가 무효사유에 해당하는 경우에는 선결문제로서 심사할 수 있지만, 취소사유에 그치는 경우에는 효력을 부인할 수 없다는 소극설이 학설·판례의 입장이다. 다만 원인행위에 대한 취소소송을 제기하고 관련청구인 부당이득반환청구소송을 **병합하여 제기하는 것은 가능**하다(행정소송법 제10조2항).[3)]

판 례 국세 등의 부과 및 징수처분과 같은 행정처분이 당연무효임을 전제로 하여 민사소송을 제기한 때에는 그 행정처분이 당연무효인지의 여부가 선결문제이므로 법원은 이를 심사하여 그 행정처분의 하자가 중대하고도 명백하여 **당연무효라고 인정될 경우에는 이를 전제로 하여 판단할 수 있으나, 그 하자가 단순한 취소사유에 그칠 때에는 법원은 그 효력을 부인할 수 없다**(대판 1973.7.10, 70다1439).

(3) 불복제기기간 도과한 경우의 국가배상청구가능성

처분에 대한 취소소송을 제기할 수 있는 **제소기간이 도과**한 뒤 국가배상청구를 한 경우 수소법원이 선결문제로서 처분의 위법여부를 심리할 수 있는가의 문제로서, 이 경우 **취소소송과 국가배상청구소송 모두 금전적 급부반환청구라는 동일한 목적을 갖고 있으므로** 취소소송의 제한을 잠탈·회피하기 위해 국가배상을 악용할 우려가 있어 논의된다.

1) 학 설

① **금전급부의무를 부과하는 행정처분**의 경우, 국가배상청구를 허용하면 **불가쟁력이 발생한 처분(예: 과세처분)에 대한 취소소송을 인정하는 결과**가 됨을 근거로 하는 **소극설**과 ② 처분의 효력을 다투는 취소소송과 피해의 배상을 구하는 국가배상은 **제도의 취지를 달리하므로** 취소판결이 없이도 국가배상청구가 가능하다고 보는 **적극설**이 대립한다.

2) 판례 - 긍정

---

2) 국가배상청구권과 부당이득반환청구권을 판례는 사권으로 보고 민사소송으로 처리하고 있으므로 '민사소송과 선결문제'로 논의하나, 만약 학설에 따라 공권으로 보고 당사자소송으로 처리해야 한다고 한다면 민사소송과 선결문제로 접근하면 곤란. 이 경우에도 민사소송과 선결문제의 논의가 그대로 적용되는지에 대해서 교과서상으로 언급이 거의 없으나 **박균성, 홍정선, 김연태 교수님은 당사자소송에서도 같은 논의가 가능**하다고 서술하고 있음.

3) 사실심변론종결시까지 가능하며(행정소송법 제10조2항), 관련청구소송은 취소소송의 제기가 적법한 것을 전제로 하므로 판례는 취소소송의 제기요건을 갖출 것을 요구함(대판 1997.3.14, 95누13708).

판 례 물품세 과세대상이 아닌 것을 세무공무원이 직무상 과실로 과세대상으로 오인하여 과세처분을 행함으로 인하여 손해가 발생된 경우에는, 동 **과세처분이 취소되지 아니하였다 하더라도, 국가는 이로 인한 손해를 배상할 책임**이 있다(대판 1979.4.10, 79다262). (**제소기간이 도과한 사례에서 이렇게 판시함.**)

3) 검 토 - 정당한 세액을 벗어나는 부분에 대하여 배상을 구하는 것은 **정의에 부합**하는 것이지 정의에 반하는 것이 아니므로, 적극설이 타당하다.

3. 형사소송 - 범죄구성요건 해석에 관한 것으로 당해 처벌규정의 내용이 문제.

(1) 행정행위의 위법성판단이 선결문제인 경우(행정행위의 적법성이 구성요건)

예컨대 "국토의 계획 및 이용에 관한 법률"에 의한 공사중지처분을 받은 자가 이를 위반하였다는 이유로 형사기소된 경우에, 형사법원이 그러한 공사중지처분의 적법성을 스스로 판단할 수 있는가의 문제이다.

공정력을 이유로 하는 부정설도 있으나, 다수 견해는 ① **민사소송에서와 동일한 논거에 입각**하여 해결하거나, ② 형사소송에 특유한 논거로서 행정행위의 공정력은 행정행위가 만들어내는 **법률관계의 안정을 기하기 위해 인정**되는 것이어서 **형사관계에는 미치지 않는다거나**, ③ **위법한 행정행위의 이행을 확보하기 위하여 국민에게 형벌에 의한 제재를 가한다는 것은 행정편의주의**에 치우치는 것이어서 헌법상 적법절차 원칙에 위반된다는 점을 들어 긍정설을 취한다(통설 · 판례).

판 례 구 도시계획법 제78조(현133조)1항에 정한 처분이나 조치명령을 받은 자가 이에 위반한 경우 이로 인하여 같은 법 제92조(현142조)에 정한 **처벌을 하기 위하여는 그 처분이나 조치명령이 적법한 것이라야 하고**, 그 처분이 **당연무효가 아니라 하더라도 그것이 위법한 처분으로 인정되는 한 같은 법 제92조 위반죄가 성립될 수 없다**(대판 1992.8.18, 90도1709).

(2) 행정행위의 효력부인이 문제인 경우(행정행위의 유효성이 구성요건)

민사소송에서와 같이 위법사유가 당연무효인 경우는 판단할 수 있으나, **취소사유**인 경우에는 **효력을 부인할 수 없다는 것이 다수설**이다.

판례도 ① 무면허운전죄로 처벌하기 위해 **연령미달결격자에게 교부된 운전면허(취소사유의 하자 있음)의 효력을 형사법원이 부인할 수 없다**고 보았으며, ② 마찬가지 논리로 하자있는 **수입면허(취소사유)를 받고 물품을 통관한 자를 관세법상 무면허수입죄로 처벌하기 위해 형사법원이 수입면허의 효력을 부인할 수 없다**고 하여 **부정설**의 입장이다. **한편 판례 중**에는 면허취소 후 운전을 이유로 **무면허운전으로 기소 중 면허취소처분이 취소소송에서 취소**된 경우 면허**취소처분은 처분시에 소급하여 효력을 잃게 되어 범죄가 성립되지 않는다**는 것이 있는데(대판 1999.2.5, 98도4239), 이러한 판례의 입장에 의하면 국민이 행정행위의 **불복제기기간 내에 취소를 구하는 불복을 제기하지 않은 경우**에는 위법한 처분의 취소를 구할 수 없고 따라서 처벌받을 수밖에 없게 되어 **취소소송을 제기한 경우와 비교해 형평의 원칙에 반하는 문제**가 생기므로, 이 경우(**피고인에게 유리하게 되는 경우**)에는 **형사소송의 특수성에 비추어 피고인의 인권보장이 고려**되어야 하고 **신속한 재판을 받을 권리**의 보장을 위해 형사법원이 행정행위의 효력을 스스로 **부인할 수 있는 것으로 보아야 한다는 유력한 견해**가 있다(박윤흔, 박균성).[4]

관련 판례 1 **구도시계획법위반죄**(대판 1992.8.18, 90도1709)

1. 사실관계

乙은 도시계획구역안의 토지소유자로 甲에게 토지를 임대. 甲은 乙의 동의 없이 허가도 받지 아니한 채 토지형질변경행위를 하였는데, 관할구청장은 토지소유자인 乙에게 원상복구 시정명령을 함. 乙은 토지형질변경행위를 한 자는 甲이므로 시정명령이 위법한 것으로 보아 명령을 이행하지

---

4) 이러한 견해도 처분이 **취소되어야 범죄가 불성립되는 경우(예: 위법하게 운전면허가 취소된 경우 계속 운전을 하다가 무면허운전으로 기소된 경우)에 효력을 부인할 수 있다는 것**이지 처분이 **취소되어야 범죄가 성립되는 경우(예: 위법사유가 있는 운전면허를 가진 자가 무면허운전으로 기소)까지 효력을 부인하고자 하는 것은 아님.**

않았음. 검사는 乙에 대해 구 도시계획법 제92조4호의 명령위반죄를 공소사실로 기소함.

2. 판결요지 및 판시사항

[1] **도시계획구역 안에서 허가 없이 토지의 형질을 변경한 경우 행정청이 도시계획법 제78조1항에 의하여 행하는 처분이나 원상회복 등 조치명령의대상자**(=그 토지의 형질을 변경한 자) **및 토지의 형질을 변경하지 않은 자에 대하여 한 원상복구의 시정명령의 적부**(소극)

- 구 도시계획법(1991.12.14. 법률 제4427호로 개정되기 전의 것) 제92조4호, 제78조1호, 제4조1항1호의 각 규정을 종합하면 도시계획구역 안에서 허가 없이 토지의 형질을 변경한 경우 행정청은 그 **토지의 형질을 변경한 자에 대하여서만 같은 법 제78조1항에 의하여 처분이나 원상회복 등의 조치명령을 할 수 있다**고 해석되고, 토지의 **형질을 변경한 자도 아닌 자에 대하여 원상복구의 시정명령이 발하여진 경우 위 원상복구의 시정명령은 위법**하다 할 것이다.

[2] **같은 법 제78조1항에 정한 처분이나 조치명령을 받은 자가 이에 위반한 경우 같은 법 제92조에 정한 처벌을 하기 위하여는 그 처분이나 조치명령이 적법할 것을 요하는지 여부**(적극)

- 같은 법 제78조1항에 정한 처분이나 조치명령을 받은 자가 이에 위반한 경우 이로 인하여 같은 법 제92조에 정한 **처벌을 하기 위하여는 그 처분이나 조치명령이 적법한 것이라야 하고**, 그 처분이 **당연무효가 아니라 하더라도 그것이 위법한 처분으로 인정되는 한 같은 법 제92조 위반죄가 성립될 수 없다**.

3. 해 설

1) 사안에서 토지의 형질을 무단으로 변경한 자는 甲이므로 乙에 대한 원상복구 시정명령은 위법.
2) **형사법원이 선결문제로 시정명령의 위법성을 심사할 수 있는지**에 대해서는 행정행위의 적법성 추정력까지 인정하는 입장에서는 부정하지만, 통설은 공정력은 유효성의 추정에 불과하다는 입장에서 긍정하며, **판례** 역시 **긍정**.
3)구 도시계획법상의 조치명령위반죄의 경우 **법률의 문언에서 명시적으로 조치명령의 적법성을 구성요건요소라고 규정하고 있는 것은 아니나 대법원이 행정처분의 적법성이 구성요건요소라고 해석**함으로써 **형사법원에서 독자적으로 행정처분의 적법여부를 심사**할 수 있는 길을 열어준 것이라고 본다는 평석이 있음[5]

관련 판례 2 **도로교통법위반죄**(대판 1982.6.8, 80도2646)

1. 사실관계

도로교통법 제57조1호는 18세 미만의 자는 운전면허를 받을 자격이 없는 것으로 규정하고 있는데, 위 연령미달의 결격사유에 해당하는 피고인 甲은 형 명의로 운전면허시험에 응시하여 합격함으로써 운전면허를 받아 운전을 하여오던 중 동운전면허는 시행법규인 도로교통법 제57조1호에 위반하여 이루어진 것이라는 이유로 도로교통법 제38조(무면허운전금지) 위반사범으로 기소됨.

2. 판결이유 중

도로교통법 제65조1호는, 동 법 제57조1호에 위반하여 교부된 운전면허는 당연무효라는 정신 하에 이를 취소사유에서 제외하고 동 법제57조2호 내지 4호에 위반하여 교부된 운전면허만을 취소대상으로 규정한 것이 아니라, 운전면허를 받은 자가 (사후에) 동 법 제57조2호 내지 4호의 결격자에 (해당하게 된 때)를 운전면허 취소사유로 규정하고 있는 것에 불과함이 그 법문상 명백하므로, 위 규정이 도로교통법 제57조1호에 위반하여 교부된 운전면허를 당연무효로 보아야만 할 근거가 될 수는 없다.

그렇다면 위 도로교통법 제65조1호의 규정방식을 근거로 내세워 도로교통법 제57조1호에 규정한 **연령미달의 결격자이던 피고인이 그의 형인 공소외 이창규 이름으로 운전면허시험에 응시 합격하여 받은** 원판시 **운전면허를 당연무효로 보아야 할 것이라는 소론 주장은 채택할 바 못되는** 것이고, 피고인이 위와 같은 방법에 의하여 받은 운전면허는 **비록 위법하다 하더라도 도로교통법 제65조3호의 허위 기타 부정한 수단으로 운전면허를 받은 경우에 해당함에 불과하여 취소되지 않는 한 그 효력이 있는 것**이라 할 것이므로 같은 취지에서 피고인의 원판시운전행위가 도로교통법 제38조의 무면허운전에 해당하지 아니한다고 본 원심판단은 정당하다.

3. 해 설

행정행위의 **효력부인이 형사소송에서 선결문제**가 된 경우에 형사법원이 심리할 수 있는지가 문제됨.

타인의 명의로 발급받은 운전면허를 당연무효로 보지 않고 취소사유로 보는 전제하에서 원심법원에서는 취소되지 않는 한 효력이 있는 것으로 보아 무죄를 선고하였고, **대법원**은 원심판단의 정당함을 인정함. 효력을 부인할 수 없다는 **부정설**의 입장임.

형사소송에서 피고인의 인권보장과 신속한 재판을 받을 권리를 보장하기 위해 효력을 부인하자는 견해에 의하더라도 판례 사안은 효력 부인시 피고인에게 불리해지는 경우에 해당함을 주의!

기출 사례 공매처분의 하자와 소유권이전등기말소청구 (02년 사시)

甲이 국세를 체납하자 관할 세무서장은 甲 소유가옥에 대한 공매절차를 진행하여 그에 따라 낙찰자 乙에게 소유권이전등기가 경료되었다. 그런데 甲은 그로부터 1년이 지난 후에야 위 공매처분에 하자가 있음을 발견하였다.

(1) 甲이 공매처분의 하자를 이유로 乙을 상대로 하여 소유권이전등기의 말소등기절차의 이행을 구하는 민사소송을 바로 제기한 경우, 법원은 원고승소판결을 할 수 있는가?

(2) 甲이 가옥의 소유권을 상실하는 손해를 입었음을 이유로 바로 국가를 상대로 한 손해배상청구소송을 제기한 경우, 법원은 공매처분의 위법성을 심사할 수 있는가?(50점)

Ⅰ. 소유권이전등기 말소청구소송의 인용가능성 - 설문(1)

1. 공매처분의 법적 성질 및 하자

- 공매하기로 한 결정과 공매결정의 통지는 처분이 아니지만 공매결정은 처분에 해당(판례)[6]
- 하자가 존재한다고 하였으나 무효사유인지 취소사유인지 판단 곤란. 무효라면 소유권이전등기의 효력에 영향. 그러나 취소사유라면 소유권이전등기의 효력에 영향을 주지 않음.

2. 민사법원이 선결문제로서 공매처분의 하자를 심리할 수 있는지 여부

⑴ 공매처분이 무효인 경우

- 행정소송법 제11조1항에 의해 심리 가능. 민사법원은 甲의 승소판결 가능.

⑵ 공매처분이 취소사유인 경우

- 민사법원은 공매처분의 효력을 부인할 수 없음. 공정력 내지는 구성요건적 효력에 반하기 때문임.
- 민사법원은 甲의 패소판결을 내려야 함.
- 또한 1년 경과로 불가쟁력이 발생하여 甲이 공매처분에 대한 취소소송을 제기할 수도 없음.

Ⅱ. 국가배상청구소송에서 공매처분의 위법성 심사 - 설문(2)

1. 국가배상청구소송이 민사소송인지 당사자소송인지?

- 견해 대립하나 판례는 민사소송으로 봄.

2. 선결문제로서 공매처분의 위법성 심사여부

- 민사소송으로 볼 경우 공매처분의 공정력 내지는 구성요건적 효력 때문에 민사법원이 선결문제로서 공매처분의 위법성을 심사할 수 있는지 여부가 문제됨.
- 학설(적극설, 소극설) 대립하나 다수설, 판례는 적극설.
- 적극설에 의하면 민사법원은 공매처분의 위법성 심사 가능.

기출 사례 형사소송과 선결문제(16년 변시)

PC방 영업을 하는 丙은 청소년 출입시간을 준수하지 않았다는 이유로 관할 시장으로부터 영업정지 1월의 처분을 받았다. 그런데 관할 시장은 이 처분을 하기 전에 丙에게 처분의 원인이 되는 사실과 의견제출의 방법 등에 관한 「행정절차법」상 사전통지를 하지 아니하였다. 이에 丙은 사전통지 없는 영업정지처분이 위법하다고 주장하며 영업정지명령에 불응하여 계속하여 영업을 하였고, 관할 시장은 「게임산업진흥에 관한 법률」상 영업정지명령위반을 이유로 丙을 고발하였다. 이 사건을 심리하는 형사 법원은 丙에 대해 유죄 판결을 할 수 있겠는가? (20점)

[참조조문]

*** 게임산업진흥에 관한 법률**

제28조(게임물 관련사업자의 준수사항) 게임물 관련사업자는 다음 각 호의 사항을 지켜야 한다.

7. 대통령령이 정하는 영업시간 및 청소년의 출입시간을 준수할 것

제35조(허가취소 등) ② 시장·군수·구청장은 제26조의 규정에 의하여 게임제공업·인터넷컴퓨터게임시설제공업 또는 복합유통게임제공업의 허가를 받거나 등록 또는 신고를 한 자가 다음 각 호의 어느 하나에 해당하는 때에는 6월 이내의 기간을 정하여 영업정지를 명하거나 허가·등록취소 또는 영업폐쇄를 명할 수 있다.

5) 최계영, 행정처분과 형벌, 한국행정판례연구회 210차 발표논문 10쪽 이하.
6) # 71-1

5. 제28조의 규정에 따른 준수사항을 위반한 때

제45조(벌칙) 다음 각호의 어느 하나에 해당하는 자는 2년 이하의 징역 또는 2천만 원 이하의 벌금에 처한다.

9. 제35조 제2항 제2호의 규정에 의한 영업정지명령을 위반하여 영업한 자

*** 게임산업진흥에 관한 법률 시행령**

제16조(영업시간 및 청소년 출입시간제한 등) 법 제28조 제7호에 따른 영업시간 및 청소년의 출입시간은 다음 각 호와 같다.

2. 청소년의 출입시간

가. 청소년게임제공업자, 복합유통게임제공업자(「청소년보호법 시행령」 제5조제1항제2호 단서에 따라 청소년의 출입이 허용되는 경우만 해당한다.), 인터넷컴퓨터게임시설제공업자의 청소년 출입시간은 오전 9시부터 오후 10시까지로 한다. 다만, 청소년이 친권자 · 후견인 · 교사 또는 직장의 감독자 그 밖에 당해 청소년을 보호 · 감독할 만한 실질적인 지위에 있는 자를 동반한 경우에는 청소년 출입시간 외의 시간에도 청소년을 출입시킬 수 있다.

Ⅰ. 문제의 소재

- 위법한 영업정지명령을 따르지 않아 형사기소된 경우 형사법원이 무죄판결을 하는 것이 공정력 내지는 구성요건적 효력에 반하는지 문제됨. 그 전제로서 관할 시장이 丙에게 사전통지를 하지 아니하고 영업정지처분을 한 것이 절차하자가 있어 위법한지도 검토함.

Ⅱ. 丙에 대한 영업정지명령의 위법성

1. 사전통지

- 일반론 소개

2. 사안의 경우

- 丙에 대한 영업정지명령은 1개월간 丙의 PC방 영업을 제약하는 것으로서 불이익처분에 해당하므로 예외사유에 해당하지 않는 한 사전통지를 의무적으로 해야 함. 사안은 특별한 예외사유도 보이지 않고 사전통지를 결여한 영업정지명령은 절차상 하자가 있음. 절차 하자의 독자적 위법성 인정 여부에 대하여 긍정설, 부정설, 절충설 등의 견해대립이 있으나 긍정설이 다수설·판례이므로 丙에 대한 영업정지명령은 위법함. 다만 위법성의 정도에 대해서 판례에 따르면 청문 등을 결여한 처분은 취소사유에 해당.

Ⅲ. 형사소송과 선결문제

1. 공정력과 구성요건적 효력

2. 형사소송과 선결문제

(1) 문제점

- 형사법원이 범죄구성요건의 충족 여부를 판단할 때 행정행위의 위법성 판단이 선결문제가 되는 경우 형사법원이 처분의 위법성을 심사할 수 있는지 문제

(2) 학설 - 부정설, 긍정설

(3) 판례 - 긍정설

(4) 검토

- 위법한 행정행위의 이행을 확보하기 위하여 국민에게 형벌에 의한 제재를 가한다는 것은 행정편의주의에 치우치는 것이어서 헌법상 적법절차 원칙에 위반되므로 긍정설이 타당. 따라서 형사법원이 위법성을 심사하여 처분이 위법한 경우 무죄판결을 하여야 함

Ⅳ. 사안의 해결

- 형사법원이 丙을 「게임산업진흥에 관한 법률」 제45조 9호의 영업정지명령 위반죄로 처벌하기 위해서는 범죄구성요건의 충족 여부를 판단하면서 영업정지명령의 위법성을 심사할 수 있어야 함. 따라서 형사법원은 관할시장의 영업정지명령이 사전통지 절차를 결여한 위법한 처분이어서 범죄구성요건이 충족되지 않았음을 이유로 丙에게 무죄판결을 하여야 하고 유죄판결을 할 수는 없음.

사례 공정력과 형성력의 충돌 및 불가쟁력이 발생한 이후에 형사법원에서 선결문제로서 심사가능성(장태주 교수님 고시계 2004. 7월호 내용 중 일부)

피고인 甲이 1997.3.1 자동차운전면허취소처분 받았으나, 과도한 조치라고 생각하여 따르지 않고 계속 운전하던 중 적발되어 1997.5.1 도로교통법상 무면허운전으로 기소됨.

(1) 甲이 기소전인 1997.4.1 취소소송을 제기했고, 형사재판이 진행중인 1997.11.27 운전면허취소처분의 취소를 구하는 행정소송에서 甲이 승소판결을 받아 확정되었다면 형사법원에서 유죄판결을 할 수 있는가?

(2) 만약 피고인 甲이 위 운전면허취소처분에 대해 미처 취소소송을 제기하지 못한 채 쟁송기간을 도과하였다

면 수소법원인 형사법원은 甲에 대하여 무죄판결을 할 수 없는 것인가?

Ⅰ. 면허취소처분 취소판결이 확정된 경우 - 설문(1)

1. 판 례

피고인이 행정청으로부터 자동차 운전면허취소처분을 받았으나 나중에 그 행정처분 자체가 **행정쟁송절차에 의하여 취소되었다면**, 위 운전면허취소처분은 그 처분시에 **소급하여 효력을 잃게 되고**, 피고인은 위 **운전면허취소처분에 복종할 의무가 원래부터 없었음이 후에 확정**되었다고 봄이 타당할 것이고, 행정행위에 **공정력의 효력이 인정된다고 하여 행정소송에 의하여 적법하게 취소된 운전면허취소처분이 단지 장래에 향하여서만 효력을 잃게 된다고 볼 수는 없다**(대판 1999.2.5, 98도4239).

2. 학 설

(1) 판례에 긍정적인 견해(박정훈)

- 우리 행정절차법은 독일 연방행정절차법과 같은 공정력에 관한 명문의 규정을 두고 있지 않고, 취소판결의 취소의 의미는 '독일에서와 같은 **엄격한 의미의 취소가 아니라** 당해 행정행위가 위법하기 때문에 법원이 **행정행위의 위법성을 확인하여 처음부터 무효이었음을 선언하는 확인판결**로서의 성격'을 갖기 때문에 형사법원은 유죄를 선고할 수 없음(강사 주: 박정훈 교수님은 취소소송을 확인소송으로 보고 있음).

(2) 판례에 부정적인 견해(김중권)

- 행정행위가 위법하긴 해도 **폐지되기 전까지 복종한 사람과 전혀 따르지 않은 사람에 대한 차별적 법적 취급이 문제**되고, 국가행위에 대한 시민의 무조건적 부정이 초래될 수 있으므로 쟁송취소에 대한 **소급효에 대해 실체법적 근거규정을 두어 해결하는 것이 바람직**하다는 견해.

(3) 장태주 교수님

- **판례의 견해는** 공정력을 행정행위의 위법 여부에 대하여 다툼이 있는 경우에 법원의 판결이 있기 전까지 인정되는 절차적·잠정적 구속력에 지나지 않는다고 이해하면서, **소급효를 갖는 취소판결의 형성력에 근거**하고 있음.
- 판례의 입장에 대해서는 취소판결의 형성력이 당연히 소급효를 갖는가 하는 점과 행정행위의 공정력이 항고소송의 배타적 관할권을 통하여 제도적으로 인정되고 있는 점에 비추어 실체적 공정력의 의미와 관련하여 의문의 여지가 있음.
- **판례의 태도는 심각한 법적 불균형을 초래하고, 공정력과의 관계에서 취소판결의 형성력이 어떠한 효력을 갖는지에 대해서는 아무런 언급이 없다는 점에서 문제**점이 제기됨.
- 가장 **바람직한 해결방법은 행정소송법에서 취소판결의 형성력에 관한 명문의 규정을 두면서 행정처분의 공정력과의 관계를 어느 정도 입법화하는 것.**
- **공정력은 민사재판에만 미치고 형사재판에는 미치지 아니한다는 입장도 충분한 논거**를 가지고 있는 것으로 보인다. 위법한 행정명령의 이행을 확보하기 위하여 국민에게 형벌에 의한 제재를 가한다는 것은 행정편의주의에 지나지 않는 것으로, 적법절차에 의하지 아니하고는 처벌을 받지 아니하도록 보장한 헌법규정에도 위배된다고 할 것이기 때문.[7]

Ⅱ. 면허취소처분에 대한 제소기간이 도과한 경우 - 설문(2)

- 형사소송과 선결문제 논의 중 효력부인에 관한 논의(일반론).
- 장태주 교수님은

"행정행위에 불가쟁력을 인정하는 이유는 행정행위의 효력을 신속하게 형식적으로 확정시킴으로서 행정법관계의 안정성을 확보하기 위한 것으로, 이는 절차법적 효력의 일종이다. 불가쟁력이 생긴 행정행위라도 그 행위의 위법이 확인되면 국가배상법에 따른 배상청구가 가능하고 행정청이 직권으로 취소할 수 있다. 따라서 **형사법원이 처분의 불가쟁력으로 인하여 위법성을 스스로 판단하지 못하고 행정청의 판단을 그대로 인정하여 유죄판결을 할 수 있다는 것은 불가쟁력의 성격에 맞지 아니한다**"고 하면서 불가쟁력이 발생한 이후에도 형사법원이 면허취소처분에 대해 효력부인을 할 수 있는 여지를 인정하고 있는 듯함(반면 장태주 교수님 교과서상에서는 통설, 판례가 효력을 부인할 수 없다는 부정설로 소개).

7) 장태주 교수님은 판례의 결론은 동의하지만 이론적 근거면에서 판례가 불충분하다는 입장으로 생각됨.

45 구성요건적 효력

Ⅰ. 의 의

유효한 행정행위가 존재하는 이상, 비록 흠 있는 행위일지라도 모든 행정기관과 법원은 그 행위의 존재와 법적 효과를 존중하며 스스로의 판단의 기초 내지는 구성요건으로 삼아야 하는 구속력을 말한다. 종래 공정력에 대한 개념을 그 적용국면에 따라 ① 행정행위의 상대방 또는 이해관계인에 대한 구속력을 의미하는 공정력과 ② **다른 행정청 및 법원에 대한 구속력을 의미하는 구성요건적 효력**으로 구분해야 한다는 관점에서 등장한 개념이다.[1)]

Ⅱ. 공정력과의 관계(공정력과 구성요건적 효력을 구별하는 견해에 의할 때)

1. 이론적 근거

① 공정력은 공익과 행정법관계의 안정이라는 측면에서 이론적으로 정당화되는 반면, 구성요건적 효력은 주로 **국가기관 상호간의 권한존중 및 행정권과 사법권의 권력분립**을 근거로 한다. ② 위법한 행정행위를 절차상 유효한 행위로 통용시킨다는 것은 법치국가원리상 위법한 행위로 인해 "권익을 침해받는 자"가 그 위법한 행위를 다툴 수 있음을 전제로 하는 것이므로, 공정력은 위법한 행위를 다툴 수 있는 자에게만 미치는 구속력으로 이해하여 **행정쟁송의 제기와 거리가 먼 다른 행정기관이나 법원에는 공정력이 미치지 않는 것**으로 본다.

2. 실정법상 근거

공정력의 근거는 취소소송·직권취소 등에서 찾고, 구성요건적 효력은 **권력분립규정·행정기관상호간 사무분장규정**에서 찾는다.

3. 내 용

공정력은 잠정적으로 통용되는 절차적 효력인데 반하여, 구성요건적 효력은 절차적인 것이 아니라 행정행위의 존재 및 내용이 타 국가기관을 구속하는 효력으로서 **실체적 구속력**이라고 본다.

4. 범 위

공정력은 상대방 또는 이해관계인에게 미치는 효력이나, 구성요건적 효력은 모든 국가기관에 미친다.

Ⅲ. 선결문제(#44. Ⅴ)

공정력과 구별하여 구성요건적 효력을 인정할 경우 민사소송과 형사소송에서의 선결문제는 **공정력과의 관계에서가 아니라 구성요건적 효력과의 관계에서 문제**가 되는 것이다.

---

1) 공정력을 절차적 효력이 아니라 실체법적 효력으로 보는 정하중 교수님은 다수견해가 행정행위의 상대방에 대한 구속력을 공정력이라 부르고 다른 국가기관 또는 수소법원 이외의 법원에 대한 구속력을 구성요건적 효력이라고 부르는 것을 비판하면서 공정력은 행정행위가 잠정적으로 유효성을 인정받는 힘인데 반하여, 구속력이란 이러한 유효성에서 나오는 효력이라고 보는 것이 타당하다고 하면서 구속력을 다시 상대방 및 제3자에 대한 구속력, 처분청에 대한 구속력, 다른 국가기관 및 수소법원 이외의 법원에 대한 구속력으로 구별함(정 254면). 다른 국가기관 및 수소법원 이외의 법원에 대한 구속력을 구성요건적 효력이라고 함.

46 존속력 - 불가쟁력과 불가변력

Ⅰ. 행정행위의 존속력(확정력)

존속력은 **행정행위가 행하여진 후**에는 이를 기초로 많은 법률관계가 형성되므로, **효력을 가능한 한 존속**시키는 것이 법적 안정성의 측면에서 바람직하여 일단 발하여진 행정행위를 존속시키기 위하여 인정되는 효력이다. 법원의 판결의 효력을 형식적 확정력과 실질적 확정력으로 구분하는 것을 유추하여 행정행위의 존속력도 형식적 존속력과 실질적 존속력으로 구분한다.

형식적 존속력은 불가쟁력을 의미하며, **실질적 존속력의 의미**에 대해서는 견해가 대립한다. **통설**은 **판결과 행정행위의 차이**를 전제로 하여, ① 판결의 실질적 확정력이란 형식적 확정력인 불가쟁력을 전제로 하여 인정되는 내용적 구속력인 기판력을 의미하지만 ② **행정행위의 실질적 존속력은 불가쟁력을 전제로 하지 않는 불가변력**으로 이해한다. 반면 **유력한 견해**(정하중)는 판결과 행정행위의 **유사성을 강조**하여, 행정행위의 실질적 존속력 역시 **형식적 존속력인 불가쟁력이 발생한 것을 전제로 하는 내용적 구속력**이라고 본다.

Ⅱ. 형식적 존속력(불가쟁력)

1. 의의 및 인정이유

행정행위에 대한 **쟁송제기기간이 경과하거나, 쟁송수단을 모두 거친 후에는 더 이상 다툴 수 없게 되는 행정행위의 효력**을 말한다. **법적 안정성**을 위해 인정된 개념으로 **무효인 행정행위**는 쟁송제기기간의 제한을 받지 않으므로 불가쟁력은 **인정되지 않는다.**

2. 효 과

행정행위에 불가쟁력이 발생하면 상대방은 설령 그 행정행위가 위법하더라도 취소·철회를 요구할 수 없게 된다. 즉 불가쟁력이 발생한 행정행위에 대한 **행정심판 및 행정소송 제기는 부적법하여 각하**되며, 다만 **불가쟁력이 발생한 경우에도 국가배상청구는 가능**하다고 본다(반대견해 있음). 반면 불가쟁력이 발생하더라도 행정행위의 위법이나 사정변경을 이유로 **처분청**이 행정행위를 **직권취소·철회 또는 변경할 수는 있다.**

3. 입법론 - 재심사청구제도

법원의 확정판결에 대해서도 일정한 경우 재심이 인정되는 반면, **현행법과 판례는** 공정성과 신중성의 측면에서 판결에 못미치는 행정행위에 대하여 **재심사의 청구를 인정하지 않고 있어 입법론상 비판**이 있다. **독일행정절차법**은 ① 처분의 근거가 되는 법률관계 등이 당사자에게 유리하게 변경되거나 ② 민사소송법상의 재심사유에 해당하는 사정이 발생한 경우 등에 재심사 청구를 **인정**하고 있다.

판 례 **제소기간이 이미 도과하여 불가쟁력이 생긴 행정처분**에 대하여는 **개별 법규에서 그 변경을 요구할 신청권을 규정**하고 있거나 **관계 법령의 해석상 그러한 신청권이 인정될 수 있는 등 특별한 사정이 없는 한** 국민에게 그 **행정처분의 변경을 구할 신청권이 있다 할 수 없다**(대판 2007.4.26, 2005두11104).

Ⅲ. 행정행위의 실질적 존속력(불가변력)

1. 의의 및 인정이유

일정한 행정행위는 처분청도 당해 행위에 구속되어 더 이상 직권으로 취소·변경할 수 없는 힘이다. 행정행위에 대한 당사자의 법적 안정성을 도모하기 위해 인정된다.

2. 인정범위

(1) 준사법적 행정행위

행정심판의 재결 또는 소청심사위원회의 결정과 같이 일정한 쟁송절차를 거쳐 행해지는 사법적 성질의 행정행위에는 소송법적인 확정력에 준하는 불가변력이 인정된다.

판 례 귀속재산에 관한 지방관재기관의 귀속재산처리에 대한 소청심의회 결정이 원래 행정처분의 성격을 가진 것이라 할 것이나 실질적인 면에서 본다면 본질상 쟁송의 절차를 통한 준 재판이라 할 것인 만큼 이러한 성질을 가진 소청 재결청의 판정은 일반 행정처분과는 달리 재심 기타 특별한 규정이 없는한 재결청인 소청심의회 자신이 취소·변경할 수는 없고 그 재결의 구속을 받는 지방관재기관의 처분 또한 행정소송에 의한 취소변경은 몰라도 위 재결의 적법한 취소변경 없이 그 지방관재기관 자신에 의하여 취소 변경될 수는 없다(대판(전) 1965.4.22, 63누200).

---

(2) 수익적 행정행위의 취소·철회의 제한

① 이를 상대방의 신뢰보호나 법률생활의 안정성을 보장하기 위한 것이어서 취소·철회권의 제한의 문제일 뿐 불가변력이 인정되는 것을 아니라는 견해(다수설)와, ② 불가변력을 광의로 이해하여 이 경우도 불가변력이 인정되는 것으로 보는 견해가 대립한다.

(3) 법률의 규정에 의한 경우

공익사업을위한토지등의취득및보상에관한법률 제86조1항에 의해서 토지수용재결에 확정판결의 효력을 인정하는 경우가 있는바, 이는 행정행위 자체의 효력이 아니라 법률에 의하여 인정되는 효력으로 불가변력과는 무관하다(다수설).

(4) 공공복리를 이유로 하는 경우

사정판결 및 사정재결의 대상이 되는 행정행위와 같이 중대한 공공복리가 요구되는 경우에도 불가변력이 인정된다고 하는 견해도 있으나, 공공복리와의 비교형량을 통해 취소권이 제한되는 것으로 보는 것이 일반적이다.

Ⅳ. 불가쟁력과 불가변력의 차이점

(1) 효력의 내용

불가쟁력은 쟁송법상의 효력이고, 불가변력은 실체법상의 효력이다.

(2) 구속력의 규율상대방

불가쟁력은 처분의 상대방 및 이해관계인에게 미치는 효력이지만, 불가변력은 행정청에 미치는 효력이다.

(3) 적용범위

불가쟁력은 모든 행정행위에 인정되지만, 불가변력은 특수한 행정행위만 인정된다.

Ⅴ. 불가쟁력과 불가변력의 관계

불가쟁력이 생긴 행위라도 불가변력이 없는 한 권한 행정청은 그 행위를 취소·변경할 수 있고, 불가변력이 있는 행위일지라도 쟁송수단이 허용되는 한 상대방 등은 다툴 수 있다.

47 무효와 취소할 수 있는 행정행위

Ⅰ. 행정행위의 하자론 개관

행정행위가 **적법요건과 효력요건을 구비하지 못한 경우** 하자 있는 행정행위가 된다. 행정행위의 하자는 **넓은 의미로는 부당도** 포함하나 **좁은 의미는 위법**한 경우만을 의미한다. 오기·오산 등 **명백한 오류는 정정의 대상**이 되는 것으로(행정절차법 제25조) 하자와는 구별된다. **하자의 판단시점은 행정행위의 발급시점**이 기준시점이 된다.

하자 있는 행정행위의 효력은 **다수의 견해는 무효인 행정행위와 취소할 수 있는 행정행위로 구분**하는데, 일설은 행정행위라고 볼 수 있는 외형상의 존재 자체가 없는 경우인 부존재를 포함시키기도 한다. 행정행위의 **부존재와 무효인 행정행위의 구별실익**에 대해서는 행정행위로서 효력이 발생하지 않는다는 점에서는 차이가 없다는 **부정설**과 행정행위로서의 외형의 존재 유무에 따라 차이가 있고 무효확인쟁송과 부존재확인쟁송은 소송형태를 달리한다는 **긍정설**이 대립한다.

Ⅱ. 무효인 행정행위와 취소할 수 있는 행정행위

행정행위의 **무효**는 행정행위가 **외관상 성립은 하였으나 행정행위의 효력이 발생하지 않는 경우로서**, 하자가 중대하고 명백하여 권한 있는 기관의 취소 없이도 **누구나 효력을 부인할 수 있다.**

반면 취소할 수 있는 행정행위는 성립에 **하자가 있음에도 불구**하고 **공정력에 의해 권한 있는 기관인 행정청 또는 법원이 취소할 때까지 유효**한 행정행위로서 효력을 지속하는 행정행위이다. 이 경우는 취소가 있을 때까지 사인은 물론, 취소권을 가지고 있는 행정기관 외의 다른 행정기관도 그 **효력을 부인하지 못한다.**

Ⅲ. 무효와 취소의 구별실익 - 쟁. 기. 공. 선. 사. 입. 간. 하. 하. 하.

1. 쟁송수단(쟁송형태) 및 제소기간

취소사유인 경우 취소심판이나 취소소송으로 다투고, 무효사유인 경우 무효확인심판이나 무효확인소송 및 무효선언을 구하는 취소소송으로 다툰다.[1] 또한 취소소송에는 경우 제소기간 제한과 행정심판전치주의가 적용되나, 무효확인소송에는 이러한 제한이 없다. 다만 무효선언을 구하는 취소소송에는 제소기간 및 행정심판전치주의가 적용된다.

2. 공정력·구성요건적 효력과 선결문제(#44)

무효인 행정행위는 공정력·구성요건적 효력이 없으므로 민사법원인나 형사법원은 선결문제로 심리할 수 있다. 하자가 취소사유인 경우는 선결문제로 심리할 수 있는지 여부에 대한 논의가 있다.

3. 사정재결 및 사정판결(#121)

무효인 경우는 사정판결이 인정되지 않는다는 것이 다수설, 판례이다.

4. 하자의 승계(#49)

선행행정행위가 취소사유인 경우 다수설, 판례는 선행·후행 행정행위가 동일한 법적 효과의 발생을 목적으로 하냐, 별개의 법적 효과의 발생을 목적으로 하느냐에 따라서 무효인 행정행위와는 무관한 것이 원칙이다. 선행처분이 무효인 경우는 선행처분의 하자를 이유로 후행처분은 당연히 위법하게 되므로 일반적으로 하자가 승계된다.

---

1) **무효를 주장하는 방법**은 이 외에 **민사소송·당사자소송·형사소송 등에서 선결문제**로서 행정행위의 무효를 주장할 수도 있다.

5. 하자의 치유와 전환(#50,51)

다수설은 하자의 치유는 취소할 수 있는 행정행위에만, 전환은 무효인 행정행위에만 인정한다(반대학설 있음).

6. 간접강제(#124)

거부처분에 대한 취소소송의 간접강제제도는 거부처분에 대한 무효확인소송에는 준용되지 않는다는 것이 통설, 판례이다(행정소송법 제38조1항은 제34조를 준용하지 않음).

7. 입증책임(#120)

무효사유에 관해 통설은 취소사유와 마찬가지로 법률요건분류설에 따라 분배하는데, 판례는 무효사유의 입증책임이 원고에게 있다고 한다.

Ⅳ. 구별기준

1. 문제점

무효사유와 취소사유에 대해서는 **국가공무원법 제13조2항, 제81조3항**[2]**과 같이 극히 예외적인 경우를 제외하고는 실정법으로 규정하고 있지 않아 문제**가 된다. 구별기준의 문제는 공정력의 한계와 행정행위에 대한 취소소송의 배타적 관할의 원칙을 어디까지 설정할 것인가의 문제이자, 실질적으로는 **행정목적의 실현 내지 행정법관계의 안정과 요청과 국민의 권리구제의 요청**을 어떻게 **조정**할 것인가의 문제이다.

2. 학 설

① 하자가 강행법규 위반 등으로 중대하면 무효라는 중대설, ② 하자가 중대하고 명백한 경우에 한하여 무효라는 **중대명백설**, ③ 명백성은 **법적 안정성**이나 이해관계 가지는 **제3자의 신뢰보호**의 요청이 있는 경우에만 **가중적**으로 요구된다는 **명백성보충요건설**, ③ 명백성의 판단을 **공무원**의 직무수행상 당연히 요구되는 정도의 조사에 의하여 판명될 수 있는 정도로 완화하는 **조사의무설**, ⑤ 구체적인 사안마다 권리구제의 요청과 법적 안정성의 요청 및 제3자의 이익 사이에 **개별적인 비교형량**을 하여야 한다는 **구체적 가치형량설**이 대립한다.

3. 판 례

1) 대법원 전원합의체 판결의 **다수의견**은 "하자있는 행정처분이 당연무효이기 위해서는 그 하자가 **법규의 중요한 부분을 위반한 중대한 것으로서 객관적으로 명백**한 것이어야 하며 하자가 중대하고 명백한지 여부의 판단은 그 **법규의 목적, 의미, 기능 등을 목적론적으로 고찰함과 동시에 구체적 사안 자체의 특수성에 관하여도 합리적으로 고찰**함을 요한다"고 하여 **중대명백설**을 취하고 있다.[3] 반면 **소수의견**은 **명백성보충요건설**의 입장이다.

2) **헌법재판소는 원칙적으로 중대명백설**을 따르면서도, **위헌법률에 근거한 처분이 법적 안정성의 요구에 비하여 권리구제의 필요성이 큰 경우에는 무효사유를 인정하여 중대명백설의 예외를 인정**한 바 있다.[4]

판 례 행정청이 어느 법률관계나 사실관계에 대하여 어느 법률의 규정을 적용하여 행정처분을 한 경우에 그 **법률관계나 사실관계에 대하여는 그 법률의 규정을 적용할 수 없다는 법리가 명백히 밝혀져 그 해석에 다툼의 여지가 없음에도 행정청이 위 규정을 적용하여 처분을 한 때에는 그 하자가 중대하고도 명백**하다고 할 것이나, 그 법률관계나 사실관계에 대하여 그 법률의 규정을 적용할 수 없다는 법리가 **명백히 밝혀지지 아니하여 그 해석에 다툼의 여지**가 있는 때에는 **행정관청이 이를 잘못 해석하여 행정처분을 하였더라도** 이는 그 **처분 요건사실을 오인한 것에 불과**하여 그 하자가 **명백하다고 할 수 없다**(대판 2013.10.31, 2012두19007).

---

2) 국가공무원법 제13조2항은 소청인에게 진술기회를 주지 아니한 소청결정은 무효라는 내용이며, 제81조3항은 징계의결에서 제13조2항을 준용한다는 내용.

3) 대판(전) 1995.7.11, 94누4615-관련판례.

4) 헌재결 1994.6.30, 92헌바23-Ⅳ.3 후술하는 Ⅴ.3에 소개.

4. 검 토

무효·취소의 구별기준 논의는 궁극적으로 **법적 안정성, 행정의 원활한 수행 및 실질적 정의**(국민의 권리구제)**의 요청을 조화**시키는 것인 바, **중대명백설**이 이러한 요청을 적절히 조화시키는 이론으로 타당하다. 다만 입법론으로서는 행정절차법에 무효사유를 명기하는 노력이 필요하다.[5]

V. 위헌인 법률에 근거한 처분의 효력

1. 논의 상황

행정처분이 위헌법률에 근거하여 발하여진 경우 이는 내용상 하자에 해당하는데, 그러한 처분이 무효인지 아니면 취소할 수 있는 행정처분인지가 문제된다.

2. 판 례

위헌인 법률에 근거한 행정처분이 당연무효인지의 여부는 **위헌 결정의 소급효**[6]**와는 별개**의 문제로서, 위헌 결정의 소급효가 인정된다고 하여 위헌인 법률에 근거한 행정처분이 당연무효가 된다고 할 수 없으며, **특별한 사정이 없는 한 취소할 수 있는 행위일 뿐**이라고 본다. 이 때 **'특별한 사정이 없는 한'의 의미**를 구체적으로 논하고 있지는 않으나 **법률의 위헌성이 명백한 경우**를 의미한다고 볼 것이며, 위헌결정된 국가보위입법회의법 부칙 제4항 후단의 규정에 의하여 이루어진 면직처분은 당연무효라고 본 판례는 이러한 예외에 해당한다고 볼 수 있다.

판 례 **행정청이 법률에 근거하여 행정처분을 한 후에 헌법재판소가 그 법률을 위헌으로 결정하였다면 그 행정처분은 결과적으로 법률의 근거가 없이 행하여진 것과 마찬가지가 되어 하자가 있다고 할 것이나**, 하자 있는 행정처분이 당연무효가 되기 위하여는 그 하자가 중대할 뿐만 아니라 명백한 것이어야 하는데, **일반적으로 법률이 헌법에 위반된다는 사정은 헌법재판소의 위헌결정이 있기 전에는 객관적으로 명백한 것이라고 할 수 없으므로 특별한 사정이 없는 한 이러한 하자는 위 행정처분의 취소사유에 해당할 뿐 당연무효 사유는 아니라고 보아야 한다**(대판 2000.6.9, 2000다16329).

3. 헌법재판소의 입장

법적 안정성과 권리구제의 필요성을 비교형량하여 위헌으로 선고된 법률에 근거한 처분의 효력을 결정하여야 한다고 하여, **대법원보다는 무효의 범위를 넓게** 보고 있다.

헌재결정 행정처분의 집행이 이미 종료되었고 그것이 번복될 경우 법적 안정성을 크게 해치게 되는 경우에는 후에 행정처분의 근거가 된 법규가 헌법재판소에서 위헌으로 선고된다고 하더라도 그 행정처분이 당연무효가 되지는 않음이 원칙이라고 할 것이나, 행정처분 자체의 효력이 쟁송기간경과 후에도 존속 중인 경우, 특히 그 **처분이 위헌법률에 근거하여 내려진 것이고 그 행정처분의 목적달성을 위하여서는 후행행정처분이 필요한데 후행 행정처분은 아직 이루어지지 않은 경우와 같이 그 행정처분을 무효로 하더라도 법적 안정성을 크게 해치지 않는 반면에 그 하자가 중대하여 그 구제가 필요한 경우에 대하여서는 그 예외를 인정하여 이를 당연무효사유**로 보아서 쟁송기간 경과 후에라도 무효확인을 구할 수 있는 것이라고 봐야 할 것이다. 그렇다면 관련소송사건에서 청구인이 무효확인을 구하는 행정처분의 진행정도는 마포세무서장의 압류만 있는 상태이고 그 처분의 만족을 위한 환가 및 청산이라는 행정처분은 아직 집행되지 않고 있는 경우이므로 이 사건은 위 예외에 해당되는 사례로 볼 여지가

---

5) 독일 연방행정절차법은 무효의 일반적 기준과 무효사유를 열거하고 있으며, 무효와 취소의 경계영역으로 무효로 인정하지 않는 사유를 열거하고 있음.

6) 위헌결정의 소급효에 관한 대법원 판례 - 당. 동. 계. 일
"헌법재판소의 **위헌결정의 효력**은 **위헌제청을 한 당해사건**, **위헌결정이 있기 전에 이와 동종의 위헌 여부에 관하여 헌법재판소에 위헌제청**을 하였거나 **법원에 위헌제청신청을 한 사건**과 따로 **위헌제청신청은 아니하였지만 당해 법률 또는 법률 조항이 재판의 전제가 되어 법원에 계속중**인 사건뿐만 아니라, **위헌결정 이후에 위와 같은 이유로 제소된 일반사건**에도 **미친다고 할 것이**나, 위헌결정의 효력은 그 미치는 범위가 무한정일 수는 없고 다른 법리에 의하여 그 소급효를 제한하는 것까지 부정되는 것은 아니라 할 것이며, **법적 안정성의 유지나 당사자의 신뢰보호를 위하여 불가피한 경우에 위헌결정의 소급효를 제한**하는 것은 오히려 법치주의의 원칙상 요청되는 바라 할 것이다"(대판 2006.6.15, 2005두10569)

있고, 따라서 헌법재판소로서는 위 압류처분의 근거법규에 대하여 일응 재판의 전제성을 인정하여 그 위헌 여부에 대하여 판단하여야 할 것이다(헌재결 1994.6.30, 92헌바23).

관련 판례 무효와 취소의 구별기준(대판(전) 1995.7.11, 94누4615)

1. 사실관계

영등포구청장은 甲 건설회사가 서울특별시 난지도 관리사업소가 발주하는 난지도 주변 휀스설치공사에 관하여 조달청과 공사도급계약을 체결하고도 하청업체에게 일괄 하도급계약을 체결 하였다는 이유로 건설업법에 의거하여 4개월 동안 영업을 정지하는 처분을 함.

건설업법상 영업정지권한자인 건설부장관은 법 제57조에 따라 처분권한을 서울시장 등에게 위임하였고, 서울시장은 행정권한의위임및위탁에관한규정 제4조에 의거하여 건설부장관의 재위임 승인을 받고 서울특별시행정권한위임조례가 정하는 바에 따라 이를 영등포구청장 등 구청장에게 재위임하여 영등포구청장은 영업정지처분을 하게 되었고 甲은 무효확인소송을 제기함.

2. 판시사항 및 판결요지

[1] 구 건설업법 제50조2항3호 소정의 영업정지 등 처분권한을 위임받은 시・도지사가 이를 구청장 등에게 재위임할 수 있는지 여부 (#133)

- 구 건설업법(1994.1.7. 법률 제4724호로 개정되기 전의 것) 제57조1항, 같은법시행령 제53조1항1호에 의하면 건설부장관의 권한에 속하는 같은 법 제50조2항3호 소정의 영업정지 등 처분권한은 서울특별시장・직할시장 또는 도지사에게 위임되었을 뿐 시・도지사가 이를 구청장・시장・군수에게 재위임할 수 있는 근거규정은 없으나, 정부조직법 제5조(현행 제6조) 1항과 이에 기한 행정권한의위임및위탁에관한규정 제4조에 재위임에 관한 일반적인 근거규정이 있으므로 시・도지사는 그 재위임에 관한 일반적인 규정에 따라 위임받은 위 처분권한을 구청장 등에게 재위임할 수 있다.

[2] 이른바 기관위임사무를 지방자치단체의 조례에 의하여 재위임할 수 있는지 여부 (#139)

- '가'항의 영업정지 등 처분에 관한 사무는 국가사무로서 지방자치단체의 장에게 위임된 이른바 기관위임사무에 해당하므로 시・도지사가 지방자치단체의 조례에 의하여 이를 구청장 등에게 재위임할 수는 없고 행정권한의위임및위탁에관한규정 제4조에 의하여 위임기관의장의 승인을 얻은 후 지방자치단체의 장이 제정한 규칙이 정하는 바에 따라 재위임하는 것만이 가능하다.

[3] 하자 있는 행정처분이 당연무효인지를 판별하는 기준

[다수의견] 하자 있는 행정처분이 당연무효가 되기 위하여는 그 하자가 법규의 중요한 부분을 위반한 중대한 것으로서 객관적으로 명백한 것이어야 하며 하자가 중대하고 명백한 것인지 여부를 판별함에 있어서는 그 법규의 목적, 의미, 기능 등을 목적론적으로 고찰함과 동시에 구체적 사안 자체의 특수성에 관하여도 합리적으로 고찰함을 요한다.

[반대의견] 행정행위의 무효사유를 판단하는 기준으로서의 명백성은 행정처분의 법적 안정성 확보를 통하여 행정의 원활한 수행을 도모하는 한편 그 행정처분을 유효한 것으로 믿은 제3자나 공공의 신뢰를 보호하여야 할 필요가 있는 경우에 보충적으로 요구되는 것으로서, 그와 같은 필요가 없거나 하자가 워낙 중대하여 그와 같은 필요에 비하여 처분 상대방의 권익을 구제하고 위법한 결과를 시정할 필요가 훨씬 더 큰 경우라면 그 하자가 명백하지 않더라도 그와 같이 중대한 하자를 가진 행정처분은 당연무효라고 보아야 한다.

[4] 처분권한의 근거 조례가 무효인 경우, 그 근거 규정에 기하여 한 행정처분이 당연무효인지 여부

[다수의견] 조례제정권의 범위를 벗어나 국가사무를 대상으로 한 무효인 서울특별시행정권한위임조례의 규정에 근거하여 구청장이 건설업영업정지처분을 한 경우, 그 처분은 결과적으로 적법한 위임 없이 권한 없는 자에 의하여 행하여진 것과 마찬가지가 되어 그 하자가 중대하나, 지방자치단체의 사무에 관한 조례와 규칙은 조례가 보다 상위규범이라고 할 수 있고, 또한 헌법 제107조2항의 '규칙'에는 지방자치단체의 조례와 규칙이 모두 포함되는 등 이른바 규칙의 개념이 경우에 따라 상이하게 해석되는 점 등에 비추어 보면 위 처분의 위임 과정의 하자가 객관적으로 명백한 것이라고 할 수 없으므로 이로 인한 하자는 결국 당연무효사유는 아니라고 봄이 상당하다.

[반대의견] 구청장의 건설업영업정지처분은 그 상대방으로 하여금 적극적으로 어떠한 행위를 할 수 있도록 금지를 해제하거나 권능을 부여하는 것이 아니라 소극적으로 허가된 행위를 할 수 없도록 금지 내지 정지함에 그치고 있어 그 처분의 존재를 신뢰하는 제3자의 보호나 행정법 질

서에 대한 공공의 신뢰를 고려할 필요가 크지 않다는 점, 처분권한의 위임에 관한 조례가 무효이어서 결국 처분청에게 권한이 없다는 것은 극히 중대한 하자에 해당하는 것으로 보아야 할 것이라는 점, 그리고 다수의견에 의하면 위 영업정지처분과 유사하게 규칙으로 정하여야 할 것을 조례로 정하였거나 상위규범에 위반하여 무효인 법령에 기하여 행정처분이 행하여진 경우에 그 처분이 무효로 판단될 가능성은 거의 없게 되는데, 지방자치의 전면적인 실시와 행정권한의 하향분산화 추세에 따라 앞으로 위와 같은 성격의 하자를 가지는 행정처분이 늘어날 것으로 예상되는 상황에서 이에 대한 법원의 태도를 엄정하게 유지함으로써 행정의 법 적합성과 국민의 권리구제 실현을 도모하여야 할 현실적인 필요성도 적지 않다는 점 등을 종합적으로 고려할 때, 위 영업정지처분은 그 처분의 성질이나 하자의 중대성에 비추어 그 하자가 외관상 명백하지 않더라도 당연무효라고 보아야 한다.

3. 해 설

1) 무효와 취소의 구별기준을 언급한 전합판례로서 의미있는 리딩판례에 해당. 뿐만 아니라 일반조항에 의한 위임의 가능성에 대해 판시하였고, 조례제정의 한계 및 조례의 하자의 효과까지도 관련되는 중요한 판례임

2) 개별법에서 명시적으로 권한의 위임·재위임에 대해 규정하고 있으면 문제가 없지만 규정이 없는 경우에 정부조직법 제5조(현행법 제6조) 및 행정권한의 위임 및 위탁에 관한 규정(대통령령) 제4조의 일반조항에 의한 위임·재위임이 가능한지에 대해서 긍정설, 부정설의 견해가 대립하는데 판례는 긍정설을 취함(#133 상세히 소개). 사안은 건설업법에 위임은 근거는 있지만 재위임의 근거 없는 사안인데, 위임받은 서울시장은 건설업법에 근거가 없더라도 건설부장관의 승인을 얻어 재위임할 수 있다는 것이 판례의 결론.

3) 건설부장관의 영업정지업무는 국가사무이며 서울시장에게 위임한 것으로 기관위임사무에 해당. 기관위임사무는 법령의 위임이 없는 한 조례제정의 대상이 되지 않음(#138.Ⅳ, 139.Ⅱ). 사안은 건설업법에 조례로 위임한다는 규정이 없는데도 불구하고 서울시조례의 형식으로 재위임을 하였는 바 조례제정의 한계를 벗어난 것으로서 조례에 하자가 있음. 조례의 하자가 있는 경우 그 효력은 무효에 해당함. 판결요지[4]의 "조례제정권의 범위를 벗어나 국가사무를 대상으로 한 무효인 서울특별시행정권한위임조례에 근거하여"라는 부분을 보면 판례도 이러한 입장으로 보임.

4) 조례가 하자가 있는 경우 무효인 조례에 근거한 처분이 무효사유인지 취소사유인지가 당해 사안에서 문제가 되었음.

- 원심은 조례가 조례제정권의 범위를 벗어난 국가사무를 대상으로 한 것으로 재위임은 무효이고 따라서 영업정지처분은 권한 없는 피고에 의하여 행해진 것으로서 당연무효라고 판단하였으나
- 대법원의 다수의견은 중대명백설을 구별기준으로 제시하면서 취소사유에 불과하다고 한 것이고, 대법원의 반대의견은 명백성보충요건설을 제시하면서 사안의 경우 명백성이 요구되지 않는 사안이므로 중대성만으로 무효라고 보아야 한다는 것임.
- 조례가 무효라는 것과 무효인 조례에 근거한 처분은 취소사유라는 것을 구별해야 함을 유념할 것.

기출 사례 기관위임된 사무의 조례에 의한 재위임과 그에 따른 처분의 효과(03년 행시)

도지사 A는 환경개선비용부담법 제9조1항의 규정에 의한 환경개선부담금 부과징수권한을 같은 법 제22조 및 같은 법 시행령 제28조1항1호에 의해 환경부장관으로부터 위임받았다. 그런데 A는 이 권한을 직접 행사하지 않고, 재위임에 관하여 법에 아무런 규정이 없기 때문에 행정권한을도 조례에 의해 군수에게 재위임하였는바, 군수 B는 이에 의거하여 甲에게 환경개선부담금을 부과하였다.

1) 이에 대하여 甲은 무효확인소송을 제기하였다. 甲의 권리구제의 가능성을 논하시오.

2) 이 경우 일반적인 재위임의 법적 근거와 문제점을 논하시오.

Ⅰ. 무효확인소송에서 甲의 권리구제가능성[7)]

1. 소송요건은 특별히 문제되지 않음.

2. 본안판단

⑴ 조례의 적법성

1) 조례제정의 사물적 한계

- 조례는 제정사항은 지방자치단체의 사무(자치사무, 단체위임사무)를 대상

7) 대부분 케이스 풀이에서는 이 논의에서 일반규정에 의한 재위임의 가능성 여부에 관한 문제부터 논하면서 풀이를 하나, 문제 자체가

- 환경개선부담금부과징수사무의 성질은 기관위임사무. 재위임할 경우에는 규칙으로 제정하여야 함(조례로 不可).
- 도조례는 조례제정의 사물적 한계를 벗어나 하자 有.

2) 하자있는 조례의 효력
- 하자 있는 법규명령의 효력에 관한 논의 소개.
- 조례를 포함한 법규명령의 하자의 효과는 무효(다수설)
- 도 조례는 무효. 그러나 환경개선부담금부과처분에 대한 무효확인소송의 수소법원이 무효를 일반적으로 선언할 수는 없음(구체적 규범통제).

⑵ 무효인 조례에 근거한 처분(환경개선부담금부과처분)의 효력
1) 무효와 취소의 구별기준 - 통설, 판례는 중대명백설
2) 사안의 경우
- 무효인 조례에 근거한 처분으로 결국 법적인 근거 없이 한 처분으로 내용상 중대한 하자가 有.
- 조례가 법원에 의해 위법하다고 판단되기 전까지 위법성이 명백한 것은 아니므로 명백한 하자는 아님. 판례도 조례는 규칙보다 상위의 효력을 가지며 헌법 제107조의 '규칙'은 조례와 규칙을 모두 포함하는 등 경우에 따라서는 규칙의 개념이 상이하게 사용되는 점을 들어 위임과정에 객관적으로 명백한 하자가 존재하지 않는다고 판시.
- 부담금부과처분의 하자는 취소사유.
- 명백성보충요건설에 의하면 무효사유.

⑶ 법원의 판결
- 취소사유이므로 무효확인소송에서는 승소곤란.
- 그러나 甲이 제기한 무효확인청구에는 명시적인 반대의 사표시가 없는 한 취소청구도 당연히 포함되어 있다고 봄.
- 취소소송제기요건을 갖추지 못한 경우라면 기각판결을
- 취소소송제기요건을 갖춘 경우라면 법원은 석명권을 행사하여 취소소송으로 소변경한 후에 취소판결을 해야 함(소변경 없이 취소판결을 할 수 있다는 견해도 있음)(#111.Ⅶ참조)

Ⅱ. 일반적인 재위임의 법적 근거와 문제점

1. 재위임에 법적 근거 요부(#133)[8)]
- 행정권한 법정주의에 비추어 법적 근거 필요.
- 개별법의 근거가 필요한 것이 원칙.

2. 재위임에 관한 일반적 규정(#133)
- 기관위임사무의 경우 정부조직법 제6조1항과 행정권한의위임및위탁에관한규정(대통령령) 제4조.
- 지방자치단체의 사무의 경우 지방자치법 104조 2항.

3. 일반규정에 의한 재위임의 가능성 및 문제점
- 학설 대립하며 판례는 긍정.
- 긍정하는 견해는 행정권한법정주의 원칙에 비추어 문제가 있으며, 행정권한에 관한 개별적 규정을 무력화시키며, 권한의 소재가 명백함으로 인하여 국민이 갖는 이익을 고려하지 못하는 문제가 있음.

기출 사례 부담금 납부 후 근거법률의 위헌결정시 행정소송상 반환수단(13년 행시-재경)

정부는 문화한국의 기치를 내걸고 전국에 문화시설을 확충하기로 하였다. 이에 부응하여 국회는 새로 개발되는 지역에는 반드시 일정규모의 문화시설을 갖추도록 하고 문화시설의 용지 확보를 위하여 개발사업지역에서 단독주택 건축을 위한 토지 또는 공동주택 등을 분양받는 자에게 부담금을 부과·징수할 수 있도록 하는 것을 골자로 하는 문화시설용지 확보에 관한 특례법(가상의 법률임. 이하 '특례법'이라 한다)을 제정·공포하였고, 특례법은 2012. 1. 1.부터 시행되었다.
이에 A도(道)의 B군수는 A도로부터 A도 조례가 정하는 바에 의하여 권한을 위임받아 도시 및 주거환경정비법 에 따른 개발사업을 실시하였다. 이에 따라 건축된 관내 C아파트를 분양받은 甲에 대하여 2012. 2. 26.특례법 제3조 제1항에 따라 문화시설용지부담금을 부과하는 처분을 하였다. 이에 甲은 위 처분에 따라 부과된 부담금을 납부했다. 그 후 헌법재판소는 2013. 3. 31. "특례법 제3조 제1항 중 같은 법 제2조 제2호가 정한 도시 및 주거환경정비법 에 의하여 시행하는 개발사업지역에서 공동주택을 분양받은 자에게 문화시설용지 확보를 위하여 부담금을 부과·징수할 수 있다는 부분은 헌법에 위반된다."는 결정을 하였다. 이에 甲은 자신이 이미 납부한 문화시설 용지부담금을 되돌려 받고자 한다. 甲이 취할 수 있는 행정소송법상 수단과 그 승소 가능성은? (40점) - #127 기출사례인 2011년 변시 모의시험과 유사)

설문2)에서 재위임의 법적 근거에 대해서 별도로 물었기 때문에 별도의 목차 Ⅱ에서 논함.

8) 설문이 재위임에 관한 문제이므로 목차를 재위임으로 잡고 논의를 하지만 위임이 문제되는 경우라도 똑같은 논리가 적용됨.

[참조조문]

***문화시설용지 확보에 관한 특례법(가상의 법률임)**

제2조 (정의) 이 법에서 사용하는 용어의 정의는 다음과 같다.
2. "개발사업"이라 함은 도시 및 주거환경정비법 에 의하여 시행하는 사업 중 300세대 규모 이상의 주택건설용 토지를 조성・개발하는 사업을 말한다.

제3조 (부담금의 부과・징수) ① 시・도지사는 문화시설용지의 확보를 위하여 개발사업지역에서 단독주택 건축을 위한 토지(공익사업을 위한 토지 등의 취득 및 보상에 관한 법률 에 의한 이주용 택지로 분양받은 토지를 제외한다) 또는 공동주택(임대주택을 제외한다)등을 분양받는 자에게 부담금을 부과・징수할 수 있다.

제8조 (권한의 위임) ① 시・도지사는 당해 시・도의 조례가 정하는 바에 의하여 제3조의 규정에 의한 부담금의 부과・징수에 관한 업무를 시장・군수・구청장(자치구의 구청장을 말한다)에게 위임할 수 있다.

Ⅰ. 쟁점의 정리

Ⅱ. 위헌결정의 효력

- 위헌결정의 소급효에 관한 판례 소개
- 위헌법률에 근거한 처분은 취소사유에 불과

Ⅲ. 항고소송

1. 취소소송

- 취소소송에서 취소판결을 받으면 취소판결의 기속력(결과제거의무)에 의하여 반환받을 수 있으나, 설문은 취소소송의 제소기간이 경과하여 각하될 것. 위헌결정의 소급효가 미치는 일반사건에 해당하지 않는다(제소기간이 도과하여 확정된 처분에는 위헌결정의 소급효가 미치지 않는다는 것이 판례).

2. 무효확인소송

- 부당이득반환청구소송과의 관계에서 무효확인소송의 보충성은 판례가 더 이상 요구하지 않으므로 소의 이익과 관련한 문제는 없다.

- 이 사안에서는 위헌결정의 소급효가 미치지 않을 뿐더러, 미친다고 하더라도 취소사유에 불과하므로 무효확인소송을 제기할 경우 기각될 것이다(취소소송의 제소기간이 경과하였으므로 취소소송으로 소변경 역시 불가능).

Ⅳ. 부당이득반환청구소송

- 부당이득반환청구소송이 당사자소송이라는 학설에 의하면 행정소송법상 구제수단이 됨.

- 부당이득반환청구소송을 통하여 돌려받으려면 법원이 부담금부과처분의 효력을 부인할 수 있어야 하는데 위헌법률에 근거한 처분은 취소사유에 불과한데 공정력 내지는 구성요건적 효력 때문에 당사자소송의 수소법원이 효력을 부인할 수 없음. 또한 갑에 대한 부담금부과처분은 위헌결정의 소급효가 미치는 경우도 아님. 결국 청구기각될 것.

Ⅴ. 국가배상청구소송

- 국가배상청구소송이 당사자소송이라는 학설에 의하면 행정소송법상 구제수단이 됨.

- 공정력 내지는 구성요건적 효력과 선결문제의 논의에서 위법성 확인의 국면이므로 선결문제로 심사할 수 있다는 것이 통설・판례임. 그러나 갑에 대한 처분은 위헌결정의 소급효가 미치지 않으므로 위헌법률에 근거한 처분이라 할 수 없으므로 위법하다고 할 수 없으며, 또한 소급효가 미치는 경우라 하더라도 법률을 적용하여 부담금부과처분을 한 공무원에게 고의・과실을 인정하기 곤란함. 따라서 국가배상청구소송도 기각될 것임.

Ⅴ. 결 론

- 성실납세자인 갑은 현행법상으로는 적극적인 행정소송법상 구제수단을 강구하기 어려움. 갑의 구제를 위해 원행정처분에 대한 헌법소원을 예외적으로 인정하자는 견해, 입법상 과실을 인정하여 국가배상을 인정하자는 견해, 재심사청구를 인정하고 직권취소를 통해 해결하자는 견해 등이 제시되고 있음.

48 위헌인 법률에 근거한 처분의 집행력

1. 문제점

위헌인 법률에 근거한 처분에 이미 불가쟁력이 발생한 경우, 행정상의 강제집행 대상이 될 수 있는지의 문제이다.

2. 학 설

① **불가쟁력이 발생한 처분**에 대해서는 위헌결정의 **소급효가 미치지 않음**을 근거로 하는 **집행력 긍정설**과 ② **위헌결정은 법원을 비롯한 국가기관을 기속**함(헌법재판소법 제47조 1항)을 근거로 하는 **집행력 부정설**이 대립한다.

3. 판 례

위헌법률에 기한 행정처분의 집행은 위헌결정의 기속력에 위반되며, 하자는 중대하고 명백하여 당연무효라고 판시하였는데 집행력 부정설의 입장이다.

판례 1 위헌결정 이후에는 국민의 권리구제 측면에서 위헌법률의 적용상태를 그대로 방치하거나 위헌법률의 종국적 집행을 위한 국가의 추가적인 행위를 용납하여서는 아니되므로 위헌법률에 기한 행정처분의 집행이나 집행력을 획득하기 위한 공법상의 당사자소송이나 민사소송등 제소행위는 위헌결정의 기속력에 위반되어 허용되지 않는다(대판 2002.8.23, 2002두4372).

판례 2 위헌결정 이전에 이미 부담금 부과처분과 압류처분 및 이에 기한 압류등기가 이루어지고 위 각 처분이 확정되었다고 하여도, 위헌결정 이후에는 별도의 행정처분인 매각처분, 분배처분 등 후속 체납처분 절차를 진행할 수 없는 것은 물론이고, 기존의 압류등기나 교부청구만으로는 다른 사람에 의하여 개시된 경매절차에서 배당을 받을 수도 없다(대판 2002.7.12, 2002두3317).

4. 검 토

위헌인 법률에 근거한 처분을 위헌결정 이후에도 유효한 것으로 보아 계속 집행력을 부여하는 것은 위헌결정의 기속력에 반하므로, **집행력부정설이 타당**하다.

관련 판례 **위헌결정 후 압류처분의 효력**
(대판(전) 2012.2.16, 2010두10907)

[다수의견]

구 **헌법재판소법**(2011.4.5.법률 제10546호로 개정되기 전의 것, 이하 '구 헌법재판소법'이라고 한다) 제47조1항은 "법률의 위헌결정은 법원 기타 국가기관 및지방자치단체를 기속한다."고 규정하고 있는데, 이러한 위헌결정의 기속력과 헌법을 최고규범으로 하는 법질서의 체계적 요청에 비추어 **국가기관 및 지방자치단체는 위헌으로 선언된 법률규정에 근거하여 새로운 행정처분을 할 수 없음은 물론이고, 위헌결정전에 이미 형성된 법률관계에 기한 후속처분이라도 그것이 새로운 위헌적 법률관계를 생성·확대하는 경우라면 이를 허용할 수 없다**고 봄이 타당하다.

따라서 조세 부과의 근거가 되었던 법률규정이 위헌으로 선언된 경우, 비록 그에 기한 과세처분이 위헌결정 전에 이루어졌고, 그 과세처분에 대한 제소기간이 이미 경과하여 조세채권이 확정되었으며, 그 조세채권의 집행을 위한 체납처분의 근거규정 자체에 대하여는 따로 위헌결정이 내려진 바 없다고 하더라도, 위와 같은 위헌결정 이후에 조세채권의 집행을 위한 새로운 체납처분에 착수하거나 이를 속행하는 것은 더 이상 허용되지 않고, 나아가 이러한 위헌결정의 효력에 위배하여 이루어진 체납처분은 그 사유만으로 하자가 중대하고 객관적으로 명백하여 당연무효라고 보아야 한다.

원심이 일부 인용한 제1심판결 이유에 의하면, 《피고는 1997.10.22. 원고가 구 국세기본법(1998.12.28. 법률 제5579호로 개정되기 전의 것, 이하 '구 국세기본법'이라고 한다) 제39조1항2호 다목 에 규정된 제2차 납세의무자에 해당한다는 이유로 원고에게 주식회사 경성의 **체납국세에 대한 과세처분**(이하 '이 사건 과세처분'이라고 한다)을 한 사실, 그런데 **헌법재판소는 1998.5.28.** 선고 97헌가13 결정을 통하여 **구 국세기본법 제39조1항2호 다목 이 헌법에 위반된다고 선언**한 사실, 그 후 피고는 이사건 과세처분에 따라 당시 유효하게 시행 중이던 국세징수법을 근거로 원고가 체납중이던 체납액 및 결액(가산세 포함)을 징수하기 위하여 **2005.10.11.** 원고 명의의 예금채권을 압류(이하 '이사건 압류처분'이라고 한다)》 한 사실을 알 수 있다.……(중략)……이 사건 과세처분의 근거규정에 대한 위헌결정 이후에 행해진 이 사건 압류처분은 이 사건 과세처분의 종국적인 집행을 위한 피고의 추가적인 행위로서 당연무효인 행정처분에 해당한다고 판단하였다. ……(중략)…… 원심의 결론은 정당하다.

[반대의견]

다수의견에 대하여는 아래와 같은 이유로 찬성할 수 없다.

첫째, 행정청이 어떠한 법률의 조항에 근거하여 행정처분을 한 후 헌법재판소가 그 조항을 위헌으로 결정하였다면 그 행정처분은 결과적으로 법률의 근거 없이 행하여진 것과 마찬가지로 되어 후발적으로나마 하자가 있게 된다고 할 것이나, 일반적으로 법률이 헌법에 위반된다는 사정은 헌법재판소의 위헌결정이 있기 전에는 객관적으로 명백한 것이라고 할 수는 없으므로, 특별한 사정이 없는 한 그러한 하자는 행정처분의 취소사유일 뿐 당연무효 사유라고 할 수 없다).

그리고 일정한 행정목적을 위하여 독립된 행위가 단계적으로 이루어진 경우 선행처분에 있어서의 당연무효 또는 부존재인 하자가 있는 때를 제외하고 선행처분의 하자가 후속처분에 당연히 승계된다고 할 수는 없다.

이러한 종래 대법원 판례의 법리를 전제로 할 경우 이 사건 과세처분과 이 사건 압류처분은 별개의 행정처분이므로 선행처분인 이 사건 과세처분이 당연무효인 경우를 제외하고는 이 사건 과세처분의 하자를 이유로 후속 체납처분인 이 사건 압류처분의 효력을 다툴 수 없다고 봄이 타당하다. 더욱이 이 사건 과세처분은 앞서 본 바와 같이 유효한 처분이라고 할 수 있다.

둘째 위헌결정의 효력에 관한, 구 헌법재판소법 제47조에 따라 법률의 위헌결정은 법원 기타 국가기관 및 지방자치단체를 기속하지만(1항), 위헌으로 결정된 법률 또는 법률의 조항은 그 결정이 있는 날로부터 효력을 상실하며, 다만, 형벌에 관한 법률 또는 법률의 조항의 경우에 소급하여 그 효력을 상실하는 것이 원칙이므로(2항), 국가기관 및 지방자치단체에 대한 위헌결정의 기속력도 위헌의 효력이 미치는 범위 내에서 그 효력을 가진다고 해석함이 타당하다.

그런데 압류처분 등 체납처분은 과세처분과는 별개의 행정처분으로서 과세처분 근거규정이 직접 적용되지 않고 체납처분 관련 규정이 적용될 뿐이므로, 과세처분 근거규정에 대한 위헌결정의 기속력은 체납처분과는 무관하고 이에 미치지 않는다고 보아야한다.

그뿐 아니라, 과거에 이루어진 과세처분에 대하여 위헌결정의 소급효가 제한되어 그 효력이 미치지 않는다고 보는 경우, 해당 과세처분은 유효하고 위헌이 아니라고 할 것이므로, 그 과세처분에 기초한 체납처분 역시 위헌은 아니며 위헌결정의 기속력에 위배된다고 할 수 없다. 따라서 과세처분에 기초한 체납처분 절차의 진행을 중단시키기 위해서는, 형벌에 관한 법률의 경우와 마찬가지로 과세처분 근거규정에 대한 위헌결정효력의 범위를 확장하여 과세처분의 효력을 배제시키는 절차를 두거나 체납처분 절차의 진행을 제한하는 등의 별도의 입법이 필요하다.

그럼에도 다수의견과 같이 유효한 과세처분에 대하여 그 체납처분 절차의 진행을 금지시켜 실질적으로 당해 과세처분의 효력을 부정하고 사실상 소멸시키는 데까지 기속력의 범위가 미친다고 새긴다면, 이는 기속력의 범위를 지나치게 확장하는 것이 되어 결과적으로 위헌결정의 소급효를 제한한 구 헌법재판소법 제47조2항 본문의 취지에 부합하지 않는다는 지적이 가능하다.

셋째, 외국의 일부 입법례와 비교하여 보면, 독일의 경우에는 위헌결정에 소급효가 있음을 원칙으로 하나, 위헌결정 당시 이미 확정된 법률관계에 대하여는 소급효가 미치지 않는 것으로 보되, 위헌결정이 선고된 법률조항에 따른 집행행위를 할 수 없다는 취지의 명문의 규정을 두고 있다. 다수의견은 결국 이와 같이 명문의 규정을 두고 있는 독일처럼 우리나라의 관련 규정을 해석·운용해야 한다는 것이나, 이와 같은 명문의 규정이 없는 우리나라에서는 이러한 해석론을 그대로 받아들이기 어렵다.

따라서 선행처분에 해당하는 과세처분에 당연무효 사유가 없고 과세처분에 따른 체납처분의 근거규정이 유효하게 존속하는 이상, 과세처분의 근거규정에 대한 헌법재판소의 위헌결정이 있었다는 이유만으로 체납처분이 위법하다고 볼 수는 없다.

이러한 법리에 비추어 보면, 이 사건 과세처분에 당연무효 사유가 없고 그 과세처분에 따른 후속 체납처분에 해당하는 이 사건 압류처분의 근거규정이 유효하게 존속하며, 외국의 일부 입법례와 같이 위헌법률의 집행력을 배제하는 명문의 규정이 없는 이상, 이 사건 압류처분을 당연무효로 볼 수는 없다.

기출 사례 위헌법률에 근거한 처분의 하자, 위헌법률에 근거한 처분의 집행력(14년 사시)

A 세무서장은 甲 주식회사에 대하여 1996년 사업연도 귀속 법인세 8억원을 부과하였다. 甲 회사가 이를 체납하고 甲 회사 재산으로는 위 법인세 충당에 부족하자 A 세무서장은 1997. 10. 22. 甲 회사의 최대주주인 乙의 아들 丙에 대하여 과점주주이자 乙과 생계를 같이하는 직계비속인 이유로 구 국세기본법 제39조 제1항 제2호 다.목상 제2차 납세의무자로 지정하고, 위 법인세를 납부하도록 통지하였다. 그 후 위 丙에 대한 법인세부과처분이 확정되자 A 세무서장은 2005. 10. 11. 丙이 체납 중이던 체납액 10억원(가산세 포함)을 징수하기 위하여 丙 명의의 부동산을 압류하였다. 한편, 1998. 5. 28. 헌법재판소는 위 구 국세기본법 제39조 제1항 제2호에 대하여 위헌결정을 하였다.(30점)

1. 丙에 대한 위 법인세부과처분의 효력은 어떻게 되는가? (단, 각 처분과 관련된 시효 및 제척기간은 도과되지 않았다고 간주함) (17점)
2. A 세무서장의 丙에 대한 압류처분의 효력은 어떻게 되는가? (13점)

[참조조문]

***구「국세기본법」[시행 1993.12.31.] [법률 제4672호, 1993. 12.31. 일부개정]**

제39조 (출자자의 제2차 납세의무) ① 법인의 재산으로 그 법인에게 부과되거나 그 법인이 납부할 국세·가산금과 체납처분비에 충당하여도 부족한 경우에는 그 국세의 납세의무의 성립일 현재 다음 각호의 1에 해당하는 자는 그 부족액에 대하여 제2차 납세의무를 진다.
2. 과점주주 중 다음 각목의 1에 해당하는 자
가. 주식을 가장 많이 소유하거나 출자를 가장 많이 한 자
다. 가목 및 나목에 규정하는 자와 생계를 함께 하는 자

***구「국세징수법」[시행 2003.1.1.] [법률 제6805호, 2002. 12.26. 일부개정]**

제24조 (압류의 요건) ① 세무공무원은 다음 각호의 1에 해당하는 경우에는 납세자의 재산을 압류한다.
1. 납세자가 독촉장을 받고 지정된 기한까지 국세와 가산금을 완납하지 아니한 때
2. 제14조 제1항의 규정에 의하여 납세자가 납기 전에 납부의 고지를 받고 지정된 기한까지 완납하지 아니한 때

Ⅰ. 丙에 대한 법인세 부과처분의 효력 - 설문1

1. 문제의 소재

- 병에 대한 부과처분 후에 불가쟁력이 발생한 상황에서 헌법재판소의 위헌결정이 있는 바, 위헌결정의 효력이 병에게 미치는지 문제됨.

2. 위헌결정의 소급효

3. 위헌법률에 근거한 처분의 하자

4. 사안의 해결

- 병에 대한 법인세부과처분은 위헌결정의 소급효가 미치는 사안이 아님(헌재와 대법원은 불가쟁력이 발생한 확정된 처분에는 소급효가 미치지 않는다고 함). 설령 소급효가 미치는 경우라고 하더라도 위헌법률에 근거한 처분은 취소사유에 불과하며 제소기간의 도과로 부과처분은 확정됨.
- 법인세부과처분은 유효.

Ⅱ. A 세무서장의 丙에 대한 압류처분의 효력

1. 문제의 소재

- 확정된 법인세부과처분에 기한 압류처분이 위헌결정 이후에 있는 바, 위헌결정의 기속력에 반하는 것은 아닌지 문제됨.

2. 위헌법률에 근거한 처분의 집행력 인정 여부

- 학설, 판례 소개 후 집행력 부정설(판례의 다수의견)로 검토
- A 세무서장의 압류처분은 위헌결정의 기속력에 반하는 위법한 처분. 비록 법인세부과처분이 제소기간의 도과로 조세채권이 확정되었고, 체납처분의 근거에 대해 위헌결정이 내려진 바가 없더라도 조세채권의 집행을 위한 새로운 체납처분에 착수하거나 속행하는 것은 위헌결정의 기속력에 위반됨(집행력 긍정설은 위헌결정의 기속력도 위헌결정의 소급효가 미치는 범위에서만 효력을 가진다고 하면서 법인세부과처분은 소급효가 미치지 않으므로 유효하고 위헌이 아니며 체납처분 역시 위헌이 아니며 위헌결정의 기속력에 반하지 않는다고 함).

3. 丙에 대한 압류처분의 효력

- 무효와 취소의 구별기준인 중대명백설에 의할 때 위헌결정의 기속력에 반하는 처분은 무효사유에 해당(판례의 다수의견).
- 반면 위헌결정의 기속력에 반하지 않는다는 판례의 반대의견에 의하면 압류처분을 당연무효로 볼 수 없음.

49 하자의 승계

Ⅰ. 의 의

두 개 이상의 행정행위가 연속하여 행하여지는 경우, 제소기간이 경과하여 불가쟁력이 발생한 선행행위의 하자를 후행행위의 위법사유로서 주장할 수 있는지의 문제이다.

행정행위의 하자 또는 효력은 **행정법관계의 안정성과 행정의 실효성을 보장**하기 위하여 당해 행정행위별로 판단되는 것이 원칙이므로 선행행정행위의 위법을 후행 행정행위를 다투면서 **주장할 수 없는 것이 원칙**이다. **그러나** 선행행위와 후행행위가 상호 밀접한 관계를 가지며 하나의 법적 효과의 발생을 목적으로 하는 경우에 제소기간 내에 선행행정행위를 다투지 못하였다고 하여 후의 행정행위를 감수하여야 한다는 것이 **상대방이나 이해관계인의 권리보호라는 점에서 가혹**하므로 하자의 승계의 필요성이 있는 것이다.

Ⅱ. 논의의 전제

① **선행행위와 후행행위가 모두 처분**이고, ② **선행행위에 취소사유**에 해당하는 하자가 존재하며(무효사유이면 언제든 주장할 수 있다), ③ **후행행위에는 고유한 하자가 없고**, ④ **선행행위에 불가쟁력이 발생**한 경우에 논의된다.

Ⅲ. 학 설

1. 전통적 견해

선행행위와 후행행위가 결합하여 **동일한 법적 효과의 발생을 목적**으로 하는 경우에만 하자의 승계를 **긍정**하고, 서로 독립하여 **별개의 법률효과를 목적**으로 하는 경우에는 승계를 **부정**한다. 두 행위가 동일한 법률효과를 지향하는 경우에는 불가쟁력의 인정을 통하여 주장하지 못하였던 선행행위의 하자를 동일한 법률효과를 지향하는 후행행위에서 주장할 수 있도록 하는 것이 당사자의 권리보호나 개별적인 경우에 비추어 다른 이해관계보다 강하게 작용한다고 볼 수 있다는 점을 근거로 든다.

2. 구속력이론(규준력)

하자의 승계를 불가쟁력이 발생한 행정행위의 후행행위에 대한 구속력의 문제로 파악하여, 원칙적으로는 선행행위의 하자를 이유로 후행행위를 다툴 수는 없다고 본다. **사물적** 한계(**규율대상** 내지는 법적 효과에 있어서 일치성), **대인적** 한계(**수범자**의 일치), **시간적** 한계(선행행위의 기초를 이루는 **사실 및 법상태의 유지**) 및 **추가적** 한계(**예측가능, 수인가능**한 범위 내일 것) 내의 범위에서 구속력이 미친다는 것이다. 반면 이러한 한계를 넘는 경우, 예컨대 후행행위로 인한 상대방의 불이익이 선행행위 당시 예측불가능하거나, 그 불이익을 수인불가능한 경우에는 선행행위의 구속력이 미치지 않는다고 한다.[1]

Ⅳ. 판 례

1) 전통적인 견해와 마찬가지로 선, 후의 행정행위가 결합하여 **하나의 법적 효과를 달성시키는가, 아니면 독립하여 별개의 법적 효과를 발생시키는가를 구분**하여 전자의 경우에 하자의 승계를 인정한다. **다만 판례는 하자승계론을 원칙으로** 하면서도, 선행행정행위와 후행행정행위가 서로 독립하여 **"별개"의 효과를 목적으로 하는 경우에도 선행 행정행위의 불가쟁력이나 구속력이** 그로 인하여 불이익을 입게 되는 자에게 **수인한도를 넘은 가혹함**을 가져오고,

1) 전통적 견해에서 "하자가 승계된다"는 것은, 구속력이론에 의하면 "구속력이 미치지 않는다"는 의미이다. 반대로 "하자가 승계되지 않는다"는 것은, 구속력이론에서는 "구속력이 미친다"는 의미이다.

그 결과가 당사자에게 **예측가능한 것이 아닌 경우**에는 국민의 재판을 받을 권리를 보장하고 있는 헌법 이념에 비추어 선행행위의 위법을 후행행위에 대한 취소소송에서 주장할 수 있는 경우가 있다고 판시하고 있다.

2) 하자의 승계가 **인정**된 경우로는 ① **대집행에 있어서 계고·대집행영장에 의한 통지·실행·비용납부명령 간** ② **개별공시지가결정**(#160)**과 과세처분**[2] ③ **조세체납처분에서 독촉·압류·매각·충당**의 각 행위 간 ④ **친일반민족행위진상규명위원회의 친일반민족행위자 결정과 지방보훈지청장의 독립유공자법 적용배제결정간**의 행위 등을 들 수 있다. 반면 승계를 **부정**한 경우로는 ① **건물철거명령과 대집행계고처분** ② **사업인정과 수용재결** ③ **도시계획결정과 수용재결** ④ **표준지공시지가결정과 개별공시지가결정** ⑤ **직위해제처분**(#145)**과 직권면직** ⑥ **과세처분과 체납처분** 사이가 있다.

V. 검 토

구속력 이론은 행정행위의 효력을 체계화한 점에서 논리적이기는 하지만, ① 행정행위가 **판결과 구조적인 차이가 있음에도 불구하고 기판력과 유사한 효력을 인정하는 점에서 문제**가 있고, ② 이는 선행행위와 후행행위 사이에 하자의 승계를 원칙적으로 인정하지 않는 이론임을 감안할 때 **국민의 권리주장의식이 높은 것을 전제로 하여 성립된 독일의 구속력이론을 그대로 도입하는 것은 국민의 권리구제라는 관점에서 아직 시기상조**라는 점에서 **다수설, 판례가 타당**하다. 동일·별개의 법적 효과라는 형식적인 기준이 개별적인 사안에 따라 불합리한 결과가 도출될 수도 있지만, 판례가 언급하고 있는 **예측가능성·수인한도의 법리를 보충적으로 활용하면 구체적 타당성을 도모**할 수 있을 것이다.

관련 판례 **공시지가와 하자의 승계**

1. 표준지공시지가와 조세부과처분 사이– 하자의 승계 부정

판 례 개별토지가격에 대한 불복방법과는 달리 표준지의 공시지가에 대한 불복방법을 지가공시 및 토지의 평가 등에 관한 법률 제8조1항 소정의 절차를 거쳐 처분청을 상대로 다툴 수 있을 뿐 그러한 절차를 밟지 아니한 채 조세소송에서 그 공시지가결정의 위법성을 다툴 수 없도록 제한하고 있는 것은 **표준지의 공시지가와 개별토지가격은 그 목적·대상·결정기관·결정절차·금액 등 여러 가지 면에서 서로 다른 성질의 것**이라는 점을 고려한 것이므로, 이러한 차이점에 근거하여 표준지의 공시지가에 대한 불복방법을 개별토지가격에 대한 불복방법과 달리 인정한다고 하여 그것이 헌법상 평등의 원칙, 재판권 보장의 원칙에 위반된다고 볼 수는 없다(대판 1997.9.26, 96누7649 ; 토지초과이득세부과처분취소)[3]

➡ 판례가 개별공시지가와 조세부과처분 사이의 하자승계를 긍정한 3번 판례(93누8542)에서 인정하고 있는 **하자의 승계의 예외의 범위를 제한적으로만 인정하려는 대법원의 입장을 표명한 것이라는 평가**(김동희)와 판례에 대해 **표준지공시지가는 개별공시지가보다 더욱 예측가능성과 수인가능성이 없다는 점에 비추어 타당하지 않다는 비판**(박균성[4])이 있었음.

2. 표준지공시지가와 개별공시지가 사이 – 하자승계 부정

판 례 표준지로 선정된 토지의 공시지가에 대하여 불복하기 위하여는 지가공시및토지등의평가에관한법률 제8조1항 소정의 이의절차를 거쳐 처분청을 상대로 그 공시지가결정의 취소를 구하는 행정소송을 제기하여야 하는 것이지, 그러한 절차를 밟지 아니한 채 **개별토지가격결정을 다투는 소송에서 그 개별토지가격 산정의 기초가 된 표준지 공시지가의 위법성을 다툴 수는 없다**(대판 1997.9.26, 96누7649).

➡ **표준지공시지가의 처분성을 부정했던 시기에 박균성** 교수님은 잘못 산정된 표준지공시지가를 기준으로 개별공시지가를 결정하였을 때 당해 **개별공시지가를 다투도록**

---

2) 부정된 예도 있음. 관련판례 4번.
3) 표준지공시지가가 개별공시지가로 기능하는 경우임. 공시지가는 #160 참조.
4) 박균성 교수님은 과거에 표준지공시지가의 처분성에 대해서 개별공시지가의 성질을 가지는 경우를 제외하고는 처분성을 부정했었음(현재는 긍정) 박교수님의 과거 입장을 따른다면, 표준공시지가의 처분성이 부정되므로 하자의 승계의 논의가 문제되지 않으나, 판례처럼 표준지공시지가의 처분성을 긍정하고 하자의 승계론으로 접근할 때 판례의 입장은 문제가 있다는 비판을 하고 있는 것임.

하여도 표준지 주변의 토지소유자의 권익구제에 불이익은 없을 것이라고 하면서, 오히려 판례처럼 표준지공시지가의 처분성을 인정하고 하자의 승계를 부정하는 것이 국민의 권익구제의 관점에서는 불리하다고 비판함.

3. 개별공시지가와 조세부과처분 사이 – 하자승계 긍정

판 례 [1] 두 개 이상의 행정처분이 연속적으로 행하여지는 경우 선행처분과 후행처분이 서로 결합하여 1개의 법률효과를 완성하는 때에는 선행처분에 하자가 있으면 그 하자는 후행처분에 승계되므로 선행처분에 불가쟁력이 생겨 그 효력을 다툴 수 없게 된 경우에도 선행처분의 하자를 이유로 후행처분의 효력을 다툴 수 있는 반면 선행처분과 후행처분이 서로 독립하여 별개의 법률효과를 목적으로 하는 때에는 선행처분에 불가쟁력이 생겨 그 효력을 다툴 수 없게 된 경우에는 선행처분의 하자가 중대하고 명백하여 당연무효인 경우를 제외하고는 선행처분의 하자를 이유로 후행처분의 효력을 다툴 수 없는 것이 원칙이나 선행처분과 후행처분이 서로 독립하여 별개의 효과를 목적으로 하는 경우에도 선행처분의 불가쟁력이나 구속력이 그로 인하여 불이익을 입게 되는 자에게 수인한도를 넘는 가혹함을 가져오며, 그 결과가 당사자에게 예측가능한 것이 아닌 경우에는 국민의 재판받을 권리를 보장하고 있는 헌법의 이념에 비추어 선행처분의 후행처분에 대한 구속력은 인정될 수 없다.

[2] 개별공시지가결정은 이를 기초로 한 과세처분 등과는 별개의 독립된 처분으로서 서로 독립하여 별개의 법률효과를 목적으로 하는 것이나, 개별공시지가는 이를 토지소유자나 이해관계인에게 개별적으로 고지하도록 되어 있는 것이 아니어서 토지소유자 등이 개별공시지가결정 내용을 알고 있었다고 전제하기도 곤란할 뿐만 아니라 결정된 개별공시지가가 자신에게 유리하게 작용될 것인지 또는 불이익하게 작용될 것인지 여부를 쉽사리 예견할 수 있는 것도 아니며, 더욱이 장차 어떠한 과세처분 등 구체적인 불이익이 현실적으로 나타나게 되었을 경우에 비로소 권리구제의 길을 찾는 것이 우리 국민의 권리의식임을 감안하여 볼 때 토지소유자 등으로 하여금 결정된 개별공시지가를 기초로 하여 장차 과세처분 등이 이루어질 것에 대비하여 항상 토지의 가격을 주시하고 개별공시지가결정이 잘못된 경우 정해진 시정절차를 통하여 이를 시정하도록 요구하는 것은 부당하게 높은 주의의무를 지우는 것이라고 아니할 수 없고, 위법한 개별공시지가결정에 대하여 그 정해진 시정절차를 통하여 시정하도록 요구하지 아니하였다는 이유로 위법한 개별공시지가를 기초로 한 과세처분 등 후행 행정처분에서 개별공시지가결정의 위법을 주장할 수 없도록 하는 것은 수인한도를 넘는 불이익을 강요하는 것으로서 국민의 재산권과 재판받을 권리를 보장한 헌법의 이념에도 부합하는 것이 아니라고 할 것이므로, 개별공시지가 결정에 위법이 있는 경우에는 그 자체를 행정소송의 대상이 되는 행정처분으로 보아 그 위법 여부를 다툴 수 있음은 물론 이를 기초로 한 과세처분 등 행정처분의 취소를 구하는 행정소송에서도 선행처분인 개별공시지가결정의 위법을 독립된 위법사유로 주장할 수 있다고 해석함이 타당하다(대판 1994.1.25, 93누8542).

➡ 구속력 이론을 주장하는 김남진 교수님은 동 판례가 구속력(규준력)론을 승인한 것으로 보아 종래의 판례를 변경한 것으로 보기도 하나,

- 전통적 견해에서는 여전히 하자의 승계의 문제로 봄.
- "구체적 타당성에 중점을 둔 것으로서 행정법의 일반원리의 하나인 수인한도의 법리가 결정적 기준이 되며, 그러나 수인한도의 법리는 구체적 기준을 제시하고 있지 않으므로 판례에 따른 하자승계론의 원칙에 대한 예외의 인정에 있어서는 그 범위의 획정 문제가 중요한 과제로 제기된다"는 평가(김동희)와 "동 판결의 전제는 양 행정행위가 서로 별개의 법률효과를 지향하고 있다는 사실에서 출발하고 있다는 사실에 출발하고 있으며, 형식적 기준만을 적용함으로써 구체적인 개별적인 경우에 발생할 수 있는 불합리한 결과를 제거하기 위하여, 보충적인 논거로서 예측가능성과 기대가능성의 기준을 적용하고 있는 것으로 종래의 판례와 모순되지 않는 것"이라는 평가(류지태)등이 그러한 입장

4. 개별공시지가와 조세부과처분 사이 – 하자승계 부정

판 례 [판결이유] 중

원심판결 이유에 의하면 원심은, 원고가 이 사건 토지에 관한 1993년도 개별공시지가 결정에 대하여 재조사청구[5])를 하자, 소외 부산광역시 사하구청장은 이를 감액조정하여 1993.9.18. 원고에게 통지하고 같은 달 23. 공고하였으며, 원고는 이에 대하여 더 이상 불복하지 아니한 사실, 원고는

5) 현행 지가공시법은 1995.12.29 개정시 개별토지가격에 대한 '이의신청'제도(표준지공시지가에 대한 이의신청제도는 그 전에도 있었음)를 신설하였으나, 그 이전에는 국무총리 훈령인 '개별토지가격합동조사지침'에 근거하여 개별토지가격에 대한 '재조사청구' 제도를 시행했었음. 동 조사지침은 1996.10 폐지되었으며 현행법상으로는 '이의신청'제도를 기억하면 됨.

위 재조사청구에 따른 조정결정이 있기 전인 같은 해 8.19. 부산광역시 사하구에 이 사건 토지를 협의매도한 후 1994. 5.31. 피고에게 양도가액을 위 **조정된 개별공시지가로 하여 산출한 양도소득세를 확정신고**한 사실을 인정한 다음, 이와 같이 원고가 이 사건 토지를 매도한 이후에 그 양도소득세 산정의 기초가 되는 1993년도 개별공시지가 결정에 대하여 한 **재조사청구에 따른 조정결정을 통지받고서도 더 이상 다투지 아니한 경우까지 선행처분인 개별공시지가 결정의 불가쟁력이나 구속력이 수인한도를 넘는 가혹한 것이거나 예측불가능하다고 볼 수 없어, 위 개별공시지가 결정의 위법을 이 사건 과세처분의 위법사유로 주장할 수 없다**고 판단하고 있다. 기록과 위에서 본 법리에 비추어 살펴보면, 원심의 위와 같은 판단은 정당하고, 거기에 상고이유로 지적하는 바와 같은 법리오해 등의 위법이 있다고 할 수 없다(대판 1998.3.13, 96누6059).

5. 표준지공시지가와 수용재결 사이 – 하자승계 긍정

판 례 표준지공시지가결정은 이를 기초로 한 수용재결 등과는 별개의 독립된 처분으로서 서로 독립하여 **별개의 법률효과를 목적으로 하지만**, 표준지공시지가는 이를 **인근 토지의 소유자나 기타 이해관계인에게 개별적으로 고지하도록 되어 있는 것이 아니어서 인근 토지의 소유자 등이 표준지공시지가결정 내용을 알고 있었다고 전제하기가 곤란**할 뿐만 아니라, 결정된 표준지공시지가가 공시될 당시 보상금 산정의 기준이 되는 표준지의 인근 토지를 함께 공시하는 것이 아니어서 인근 토지 소유자는 **보상금 산정의 기준이 되는 표준지가 어느 토지인지를 알 수 없으므로**, 인근 토지 소유자가 표준지의 공시지가가 확정되기 전에 이를 다투는 것은 불가능하다. 더욱이 장차 어떠한 **수용재결 등 구체적인 불이익이 현실적으로 나타나게 되었을 경우에 비로소 권리구제의 길을 찾는 것이 우리 국민의 권리의식**임을 감안하여 볼 때, 인근 토지소유자 등으로 하여금 결정된 표준지공시지가를 기초로 하여 장차 토지보상 등이 이루어질 것에 대비하여 항상 토지의 가격을 주시하고 표준지공시지가결정이 잘못된 경우 정해진 시정절차를 통하여 이를 시정하도록 요구하는 것은 **부당하게 높은 주의의무**를 지우는 것이고, 위법한 표준지공시지가결정에 대하여 그 정해진 시정절차를 통하여 시정하도록 요구하지 않았다는 이유로 위법한 표준지공시지가를 기초로 한 수용재결 등 후행 행정처분에서 표준지공시지가결정의 위법을 주장할 수 없도록 하는 것은 **수인한도를 넘는 불이익을 강요**하는 것으로서 **국민의 재산권과 재판받을 권리를 보장한 헌법의 이념**에도 부합하는 것이 아니다. 따라서 표준지공시지가결정이 위법한 경우에는 그 자체를 행정소송의 대상이 되는 행정처분으로 보아 그 위법 여부를 다툴 수 있음은 물론, **수용보상금의 증액을 구하는 소송에서도 선행처분으로서 그 수용대상 토지 가격 산정의 기초가 된 비교표준지공시지가결정의 위법을 독립한 사유로 주장할 수 있다**(대판 2008.8.21, 2007두13845).

➡ 보상금증액을 구하는 소송에서 직접 다투는 것은 보상금에 관한 법률관계이지만 보상금증감청구소송은 **형식적 당사자소송(#129)**으로서 **수용재결에 대한 불복의 실질**이 있는 것이기 때문에 보상금증액소송에서도 하자의 승계가 문제되는 것임.

- 후술하는 93누8542판례의 취지와 동일한 판시임. 별개의 법적 효과의 발생을 목적으로 하는 경우에도 국민의 권리구제를 위하여 **하자의 승계의 인정범위를 넓혀**가고 있음. 당해 판례의 취지를 고려한다면 전술한 **96누7649판례도 판례변경이 예상**됨.

기출 사례 일반조항에 의한 재위임의 가능성, 무효와 취소의 구별, 하자의 승계(17년 변시)

「석유 및 석유대체연료 사업법」상 석유정제업에 대한 등록 및 등록취소 등의 권한은 산업통상자원부장관의 권한이나, 산업통상자원부장관은 같은 법 제43조 및 같은 법 시행령 제45조에 의해 위 권한을 시·도지사에게 위임하였다. 석유정제업 등록 및 등록취소 등의 권한을 위임받은 A도지사는 위임받은 권한 중 석유정제업의 사업정지에 관한 권한을 A도 조례에 의하여 군수에게 위임하였다.

사업정지권한을 위임받은 B군수는, A도 내 B군에서 석유정제업에 종사하는 甲이 같은 법 제27조를 위반하였다는 이유로 같은 법 제13조 제1항 제11호에 따라 6개월의 사업정지처분을 하였다.

甲은 위 사업정지처분에 대해 따로 불복하지 않은 채, 사업정지처분서를 송달받은 후 4개월이 넘도록 위 정지기간 중 석유정제업을 계속하였다. 이에 A도지사는 같은 법 제13조 제5항에 따라 甲의 석유정제업 등록을 취소하였다.

1. B군수에 대한 A도지사의 권한 재위임은 적법한가? (30점)
2. B군수가 甲에 대하여 한 사업정지처분의 효력에 대하여 검토하시오.(30점)
3. 사업정지처분에 대하여 다투지 않은 甲은, A도지사가 한 석유정제업 등록취소처분에 대하여 항고소송을 통해 권리구제를 받을 수 있는가? (20점)

[참고조문]

*** 석유 및 석유대체연료 사업법**

제5조(석유정제업의 등록 등) ① 석유정제업을 하려는 자는 산업통상자원부령으로 정하는 바에 따라 산업통상자원부장관에게 등록하여야 한다.

제11조의2(석유사업 등록 등의 제한) 제5조, 제9조 및 제10조에 따라 다음 각 호의 석유사업의 등록 또는 신고를 하려는 자는 해당 호의 각 목의 사유가 있은 후 2년이 지나기 전에는 그 영업에 사용하였던 시설의 전부 또는 대통령령으로 정하는 중요 시설을 이용하여 해당 호의 석유사업에 대한 등록 또는 신고를 할 수 없다.

1. 석유정제업

나. 제13조 제5항에 해당하여 석유정제업의 등록이 취소되거나 그 영업장이 폐쇄된 경우

제13조(등록의 취소 등) ① 산업통산자원부장관은 석유정제업자가 다음 각 호의 어느 하나에 해당하면 그 석유정제업자의 등록을 취소하거나 그 석유정제업자에게 영업장 폐쇄(신고한 사업자에 한한다. 이하 이 조에서 같다) 또는 6개월 이내의 기간을 정하여 그 사업의 전부 또는 일부의 정지를 명할 수 있다. 다만, 제1호 또는 제3호부터 제5호까지의 어느 하나에 해당하는 경우에는 그 등록을 취소하거나 영업장 폐쇄를 명하여야 한다.

11. 제 27조에 따른 품질기준에 맞지 아니한 석유제품의 판매금지 등을 위반한 경우

⑤ 산업통상자원부장관은 제1항부터 제3항까지의 규정에 따라 사업의 정지명령을 받은 자가 그 정지기간 중 사업을 계속하는 경우에는 그 석유정제업·석유수출입업 또는 석유판매업의 등록을 취소하거나 영업장 폐쇄를 명하여야한다.

제27조(품질기준에 맞지 아니한 석유제품의 판매 금지 등) 석유정제업자들은 제24조 제1항의 품질기준에 맞지 아니한 석유제품 또는 제25조 제1항·제2항에 따른 품질검사 결과 불합격 판정을 받은 석유제품(품질보정행위에 의하여 품질기준에 맞게 된 제품은 제외한다)을 판매 또는 인도하거나 판매 또는 인도할 목적으로 저장·운송 또는 보관하여서는 아니 된다.

제43조(권한의 위임·위탁) ① 산업통상자원부장관은 이 법에 따른 권한의 일부를 대통령령으로 정하는 바에 따라 시·도지사 또는 시장·군수·구청장에게 위임할 수 있다.

「석유 및 석유대체연료 사업법 시행령」

제45조(권한의 위임·위탁) ① 산업통상자원부장관은 법 제43조 제1항에 따라 석유정제업자등에 관한 다음의 각 호의 권한을 시·도지사에게 위임한다.

1. 법 제 13조 제1항 및 제5항의 규정에 의한 석유정제업 등록취소, 영업장폐쇄 또는 사업정지

*** 행정권한의 위임 및 위탁에 관한 규정**

제4조(재위임) 특별시장·광역시장·특별자치시장·도지사 또는 특별자치도지사(특별시·광역시·특별자치시·도 또는 특별자치도의 교육감을 포함한다. 이하 같다)나 시장·군수 또는 구청장(자치구의 구청장을 말한다. 이와 같다)은 행정 능률향상과 주민의 편의를 위하여 필요하다고 인정될 때는 수임사무의 일부를 그 위임기관의 장의 승인을 받아 규칙으로 정하는 바에 따라 시장·군수·구청장(교육장을 포함한다) 또는 읍·면·동장, 그 밖의 소속기관의

장에게 다시 위임할 수 있다.

※ 이상의 법령 조항은 현행법과 불일치할 수 있으며 현재 시행 중임을 전제로 할 것

Ⅰ. B군수에 대한 A도지사의 권한 재위임의 적법성 - 설문 1

1. 문제의 소재

- 개별법에 법적 근거가 없더라도 일반법에 의해 재위임이 가능한지가 문제됨. A도지사가 처리하는 석유정제업 등록 및 등록취소 사무의 법적 성격과도 관련됨.

2. 권한의 위임 및 재위임(#133)

- 권한의 위임은 법령이 정한 행정기관의 권한이 다른 행정기관에게 이전하여 권한의 법적 귀속을 변경시키는 것으로 법적 권한의 소재를 변경시키므로 반드시 법적 근거가 필요하며, 수임기관이 재위임을 할 경우에도 법적 근거가 필요함. 국가사무를 위임받은 광역자치단체장은 위임기관의 승인을 얻어서 재위임할 수 있음(행정권한의 위임 및 위탁에 관한 규정 제4조).

3. 일반적 근거에 의한 재위임의 가능성(#133)

- 긍정설과 부정설이 대립하나 판례는 긍정설. 긍정설로
- 행정의 능률적 수행과 행정권한의 지방분산을 위해서는 현실적으로 위임이 필요하므로 긍정설이 타당.

4. 권한 재위임의 방식

- 국가사무를 위임받은 시도지사가 재위임을 할 경우에는 규칙으로 재위임해야 함(위임위탁규정 제4조)

5. 사안의 해결

- A도지사는 산업통상자원부장관의 승인을 얻었다면 정부조직법 및 위임위탁규정에 의하여 A도지사가 제정한 규칙으로 정하는 바에 따라 B군수에게 다시 재위임할 수 있음. 그런데 사안은 A도 조례에 의하여 군수에게 재위임을 한 것이므로 A도지사의 권한 재위임은 위법함.

Ⅱ. B군수의 사업정지처분의 효력 - 설문 2

1. 문제의 소재

- A도지사가 석유정제업 등록 및 등록취소 등의 권한을 조례에 의하여 재위임하였는 바, 조례의 하자에 대해 검토하고, 하자 있는 조례에 근거한 B군수의 사업정지처분의 하자 및 효력이 문제됨.

2. A도 조례의 하자(#139)

- 기관위임사무는 조례제정의 대상이 아님. 석유정제업 등록 및 등록취소사무는 산업통상자원부장관이 처리하는 국가사무로서 A도지사에게 위임된 것이므로 기관위임사무에 해당하므로 조례는 하자가 있음.

- 조례의 하자에 대해서는 취소설, 무효설, 무효・취소설 등의 견해가 대립하나 조례는 공정력이 없으므로 무효설이 타당. A도의 조례는 무효에 해당.

3. B군수가 행한 사업정지처분의 하자

(1) 무효와 취소의 구별

- 견해대립이 있으나 통설,판례인 중대명백설로 검토.

(2) 사안의 경우

- 위임과정의 하자가 객관적으로 명백하지 않으므로 취소사유에 해당.

4.취소사유 있는 사업정지처분의 효력

- 취소사유가 있는 사업정지처분은 공정력이 있음. 권한있는 기관에 의해 취소되기까지는 유효하게 통용됨.

Ⅲ. 사업정지처분과 등록취소처분간 하자의 승계 - 설문 3

1. 문제의 소재

- 석유정제업 등록취소처분을 다투면서 불가쟁력이 발생한 사업정지처분의 하자를 주장할 수 있는지가 하자의 승계의 문제로서 논의됨.

2. 하자의 승계(#49)

- 일반론 서술

3. 사안의 해결

- 업무정지처분은 甲이 석유정제업자임을 전제로 하여 일정기간 석유정제업을 금지시키는 하명에 해당하는 반면, 석유정제업 등록취소처분은 甲의 석유정제업자로서의 지위를 박탈하여 궁극적으로 석유정제업을 금지하고자 하는 목적을 가진 것으로서 서로 독립하여 별개의 법적 효과의 발생을 목적으로 함.

- 업무정지처분에 대해서 달리 다투지 못할 만한 사정이 보이지도 않으므로 제소기간 도과의 불이익이 수인한도를 넘는 가혹함을 가져오지도 않으므로 하자의 승계는 부정됨. 甲은 석유정제업 등록취소처분 대한 취소소송에서 권리구제를 받을 수 없음.

50 하자의 치유

Ⅰ. 의 의

행정행위가 발령당시에는 적법요건을 완전히 구비하지 못해 위법하여도, 사후에 흠결을 보완하면 발령 당시의 하자에도 불구하고 그 행위의 효과를 다툴 수 없도록 유지하는 것이다. 민법과 달리 명문규정이 없어 그 인정 여부에 논란이 있다. 하자 있는 행정행위의 치유는 하자의 사후적 제거를 위한 것이라는 점에서 새로운 행위로 대체되는 하자 있는 행정행위의 전환과 구별된다.

Ⅱ. 인정여부

1. 학 설

① 행정의 법률적합성의 원칙을 강조하는 부정설, ② 무용한 행정행위 반복 방지 및 행정의 능률성 확보를 근거로 하는 긍정설, ③ 법치주의 관점에서 원칙적으로는 허용되지 않으나, 당해 처분의 형식 또는 절차의 본질적 의의를 손상하지 않는 범위 내에서만 인정하는 제한적 긍정설이 대립한다.

2. 판 례 – 제한적 긍정설

판 례 하자있는 행정행위의 치유나 전환은 행정행위의 성질이나 법치주의의 관점에서 볼 때 원칙적으로 허용될 수 없는 것이지만, 행정행위의 무용한 반복을 피하고 당사자의 법적 안정성을 위해 이를 허용하는 때에도 국민의 권리와 이익을 침해하지 않는 범위에서 구체적 사정에 따라 합목적적으로 인정해야 할 것이다(대판 1983.7.26, 82누420).

3. 검 토

시민의 권리보호이념과 동시에 행정의 능률적 수행이념을 조화하는 제한적 긍정설이 타당하다.

Ⅲ. 치유 인정 사유

종래 ① 요건의 사후보완, ② 장기간의 방치로 인한 법률관계의 확정, ③ 취소를 불허하는 공공복리상의 필요 등을 치유사유로 보았으나, ②③은 행정행위의 취소의 제한사유로 보는 것이 타당하므로 ①만을 사유로 봄이 타당하다.

Ⅳ. 적용영역

1. 무효인 행정행위에 적용여부

무효와 취소의 구별이 상대적 이라는 것을 논거로 긍정하는 견해도 있으나, 하자의 치유는 행정행위의 존재를 전제로 하는 것인데 무효는 처음부터 어떠한 효력도 발생할 수 없으므로 전환은 가능해도 치유는 부정하는 것이 타당하다. 판례도 징계처분이 당연무효라면 징계처분을 받은 자가 이를 용인하였다 하여 그 흠이 치료되는 것은 아니다고 하여 부정하고 있다.

2. 내용상 하자 – 판례는 부정

판 례 이 사건 처분에 관한 하자가 행정처분의 내용에 관한 것이고 새로운 노선면허가 이 사건 소제기이후에 이루어진 사정 등에 비추어 하자의 치유를 인정치 않은 원심의 판단은 정당하다(대판 1991.5.28, 90누1359) ➡ 시외버스운송사업계획변경인가는 면허를 받은 노선에서만 가능한 것인데 면허를 받지 않은 노선에 대해 변경인가를 내주었으나 제3자의 변경인가처분에 대한 소송제기 후에 변경인가를 받은 운수업자에게 노선면허를 해준 것.

V. 한 계

1. 내용적 한계

판례는 국민의 권리와 이익을 침해하지 않는 한도 내에서만 예외적으로 허용된다고 한다(기출사례).

2. 시간적 한계

① **분쟁의 일회적 해결과 소송경제**의 관점에서 **소송절차종결 전까지 가능하다는 견해**(독일행정절차법의 태도)와 ② **행정심판절차는 넓은 의미의 행정절차**에 해당하므로 **행정심판절차까지 가능하다는 견해**(정하중)가 있으나, ③**행정심판은 준사법적 성격**이 강하며, **소송도중에도 인정**하는 것은 행정의 효율성 및 소송경제를 일방적으로 강조하여 행정절차가 갖고 있는 **법치국가적인 사전권리구제의 기능을 본질적으로 훼손**시키는 결과가 되므로 **쟁송제기 전까지 가능하다는 견해가 타당(다수설)**하다. **판례도** 과세처분시 납세고지서에 과세표준, 세율, 세액의 산출근거 등이 누락된 경우에는 늦어도 과세처분에 대한 **불복여부의 결정 및 불복신청에 편의를 줄 수 있는 상당한 기간 내에 보정행위를 하여야** 그 하자가 치유된다고 하여 같은 입장이다. - 불결. 불편. 상기

VI. 효 과

하자의 치유에 의해 당해 행정행위는 **처음부터 적법한 행정행위로서 효력이 인정**된다.

기출 사례 경원자소송과 하자치유(08년 행시 - 재경)

甲은 LPG충전사업허가를 신청하였다. 이에 대하여 乙 시장은 인근 주민들의 반대여론이 있고 甲의 사업장이 교통량이 많은 대로변에 있어서 교통사고시 위험이 초래될 수 있다는 이유로 사업허가를 거부하였다. 한편 乙 시장은 丙이 신청한 LPG충전사업에 대하여 허가를 하였다. 관련법령에 의하면 乙 시장의 관할구역에는 1개소의 LPG충전사업만이 가능하고 충전소의 외벽으로부터 100m이내에 있는 건물주의 동의를 받도록 되어 있다. 그런데 丙은 이에 해당하는 건물주로부터 동의를 얻지 아니한 채 위의 허가신청을 하였다.

만약 丙이 처분이 내려진 후에 인근주민의 동의를 받았다면 위의 허가처분에 대한 하자는 치유되는 것인가? (20점)

1. 하자의 치유의 의의

2. 하자의 치유 인정여부

- 법치주의 관점에서 볼 때 원칙적 불허, 다만 국민의 권익을 침해하지 않는 범위 내에서 행정행위의 무용한 반복을 피하기 위해 예외적으로 허용

3. 하자 치유의 한계

(1) 내용적 한계 - 국민의 권익을 침해하지 않는 범위 내

(2) 시간적 한계 - 쟁송제기 전까지(판례)

4. 사안의 해결

- 사안에서 관련법령에 의하면 LPG충전사업허가를 받기 위해서는 충전소의 외벽으로 부터 100미터이내에 있는 건물주의 동의를 받도록 되어 있음에도 이를 받지 아니하고 허가처분을 받은 후 동의를 받은 것은 하자가 존재함
- 甲이 丙에 대한 허가처분에 대한 쟁송을 제기하기 전이라면 시간적으로는 하자의 치유가 가능하나, 사안에서 甲과 丙은 경원자관계로서 丙에 대한 위법한 수익적 행정행위에 대해 치유를 인정한다면 원고인 甲에게 불이익하게 되므로 하자의 치유를 허용할 수 없음.[1]

---

1) (관련판례) 원심판결에 의하면 원심은, 참가인들이 허가신청한 충전소설치예정지로부터 100미터 이내에 상수도시설 및 농협창고가 위치하고 있어 위 고시의 규정에 따라 그 건물주의 동의를 받아야 하는 것임에도 그 동의가 없으니 그 신청은 허가요건을 갖추지 아니한 것으로써 이를 받아들인 이 사건 처분은 위법하다고 한 다음, 이 사건 처분 후 위 각 건물주로부터 동의를 받았으니 이 사건 처분의 하자는 치유되었다는 주장에 대하여는, 하자 있는 행정행위의 치유는 행정행위의 성질이나 법치주의의 관점에서 볼 때 원칙적으로 허용될 수 없는 것이고 예외적으로 행정행위의 무용한 반복을 피하고 당사자의 법적 안정성을 위해 이를 허용하는 때에도 국민의 권리나 이익을 침해하지 않는 범위에서 구체적 사정에 따라 합목적적으로 인정하여야 할 것인데 이 사건에 있어서는 원고의 적법한 허가신청이 참가인들의 신청과 경합되어 있어 이 사건 처분의 치유를 허용한다면 원고에게 불이익하게 되므로 이를 허용할 수 없다고 판시하였다. 원심의 위와 같은 사실인정과 판단은 정당하고 이에 사실오인이나 법리오해의 위법이 있다고 할 수 없다(대판 1992.5.8, 91누13274).

51 하자있는 행정행위의 전환

Ⅰ. 의 의

하자있는 행정행위를 적법한 다른 행정행위로 유지시키는 것을 말한다. 새로운 행위로 본다는 점에서 하자의 치유, 처분사유의 추가변경과 구별된다.

법치행정의 원리에 비추어 하자의 전환은 원칙적으로 허용되지 않는 것이 원칙이나, 국민의 법생활의 안정과 신뢰보호·불필요한 행정의 반복 방지를 위해서 인정할 필요가 있으며, 다만 그 인정범위와 요건은 법치행정에 비추어 엄격히 제한되어야 한다(하자의 치유에서와 동일).

Ⅱ. 법적 근거

명문규정은 없으나 학설·판례는 인정한다. 학설 중에는 민법 제138조가 유추적용된다는 견해도 있다.

Ⅲ. 법적 성질

전환 그 자체가 일종의 행정행위의 성질을 갖는다.

판 례 귀속재산을 불하받은 자가 사망한 후에 그 수불하자에 대하여 한 그 **불하취소처분은 사망자에 대한 행정처분이므로 무효**이지만 그 취소처분을 **수불하자의 상속인에게 송달한 때에는 그 송달시에 그 상속인에 대하여 다시 그 불하처분을 취소한다는 새로운 행정처분**을 한 것이라고 할 것이다(대판 1969.1.21, 68누190).

Ⅳ. 요 건

적극적 요건으로서 ① 하자 있는 행정행위와 전환되는 행정행위 사이에 목적·효과에 있어 실질적 공통성이 있어야 하며, ② 전환되는 행정행위로서의 적법요건이 충족되어야 한다. 소극적 요건으로서 ③ 전환이 처분청의 의도에 반하지 않아야 하며, ④ 전환에 의해 상대방에게 원처분에서보다 불이익을 부과하여서는 안 되고 ⑤ 제3자의 이익을 침해하지 않아야 한다. ⑥ 한편 기속행위를 재량행위로 전환하는 것은 허용되지 않는다.

Ⅴ. 적용영역(취소사유인 행위에 적용 여부)

무효와 취소의 **구별은 상대적**임을 근거로 **취소할 수 있는 행위에도 전환을 긍정하는 견해**가 있으나, **다수설은 취소사유인 경우 하자의 치유 가능성**이 있다는 점을 들어 **무효인 행위에만 전환을 인정**한다.

Ⅵ. 효 과

전환된 행정행위로서의 효력이 인정되며, 상대방은 새로운 행정행위에 대해 행정쟁송으로 다툴 수 있다.

52 직권취소

I. 의 의

일단 유효하게 발령된 행정행위를, 처분청이나 감독청이 그 행위시에 위법 또는 부당한 하자가 있음을 이유로 하여 직권으로 그 효력을 소멸시키는 것을 말한다. 행정행위에서의 취소라 함은 일반적으로 직권취소를 의미한다. 이에 대해 넓은 의미의 취소란 행정쟁송절차에 의한 쟁송취소를 포함하는 개념이다. 행정행위의 성립 당시의 흠을 이유로 효력을 소멸시킨다는 점에서, 후발적 사유로 효력을 소멸시키는 철회와 구별된다. 직권취소와 철회를 합쳐서 강학상 폐지라고 한다. 직권취소에 대한 통칙적 규정은 없으며 학설, 판례를 통해 논의되고 있다.

II. 쟁송취소와 구별

쟁송취소 제도는 행정행위의 추상적 위법성을 이유로 소급적으로 적법상태를 실현시키고 국민의 권리를 구제하는 제도이며 주로 부담적 행정행위가 대상이 된다. 반면, 직권취소는 적법성을 회복시킴과 동시에 장래를 향하여 행정목적을 실현시키기 위한 수단으로서의 특색이 있으며 주로 부담적 행정행위뿐만 아니라 수익적 행정행위도 대상으로 하며, 특히 수익적 행정행위와 관련하여 여러 가지 법적 문제를 야기한다. 쟁송취소는 위법을 이유로 취소하며, 쟁송제기기간의 제한이 있으며, 취소의 효과는 소급한다. 반면 직권취소는 위법뿐 아니라 부당을 이유로도 하며, 기간의 제한이 별도로 없으며, 취소의 효과는 소급하나 수익적 행정행위에서는 상대방의 귀책사유가 없는 경우에는 소급하지 않는다.

III. 법적 근거 요부

수익적 행정행위가 취소대상이 되는 경우 침해유보설에 입각하여 법적 근거가 필요하다는 견해도 있으나, 행정의 법률적합성의 원칙의 관점에 의해 처분청은 명문 규정 없어도 취소가 가능하다는 것이 통설이다. 기득권에 대한 고려는 법률유보의 문제라기보다는 신뢰보호의 원칙에 의한 취소권제한의 문제로 봄이 타당하다.

IV. 취소권자

원칙적으로 당해 행정행위를 한 처분청이다. 이외에 감독청도 취소권을 행사할 수 있는지에 대하여, ① 처분청의 권한 침해를 근거로 부정하는 소극설과 ② 교정적 · 사후적 통제수단이므로 감독목적의 달성을 위해 가능하다는 적극설이 대립한다. 취소의 효과는 조직내부에 그치지 않고 국민에 대하여 미치므로, 국민의 법적 안정성을 고려한 소극설이 타당하다. 다만 법률에 의하여 감독청의 취소권이 인정되는 경우가 있다(정부조직법 제11조2항, 제18조2항, 지방자치법 제169조1항, 행정권한의 위임 및 위탁에 관한 규정 제6조)1).

V. 취소사유 및 취소의 제한

1. **취소사유** - 단순위법한 행위와 부당한 행위를 대상으로 한다.

2. **취소의 제한**

침익적 행위와 달리 수익적 행위의 경우에는 신뢰보호원칙, 비례의 원칙(이익형량)에 의한 제한을 받는다. 한편 취소기간에 대한 명문의 규정은 없지만 실권의 법리 혹은 관계자의 신뢰보호에 의해 일정한 제한을 받는다.

---

1) *행정권한의 위임 및 위탁에 관한 규정 제6조 -위임기관 및 위탁기관은 수임기관 및 수탁기관의 수임 및 수탁사무처리에 대하여 지휘 · 감독하고, 그 처리가 위법 또는 부당하다고 인정되는 때에는 이를 취소하거나 정지시킬 수 있다.

판 례 행정처분에 하자가 있음을 이유로 처분청이 이를 취소하는 경우에도 그 처분이 국민에게 권리나 이익을 부여하는 처분인 때에는 그 처분을 취소하여야 할 공익상의 필요와 그 취소로 인하여 당사자가 입게 될 불이익을 비교교량한 후 공익상의 필요가 당사자가 입을 불이익을 정당화할 만큼 강한 경우에 한하여 취소할 수 있는 것이지만, 그 처분의 하자가 당사자의 사실은폐나 기타 사위의 방법에 의한 신청행위에 기인한 것이라면 당사자는 그 처분에 의한 이익이 위법하게 취득되었음을 알아 그 취소가능성도 예상하고 있었다고 할 것이므로 그 자신이 위 처분에 관한 신뢰이익을 원용할 수 없음은 물론 행정청이 이를 고려하지 아니하였다고 하여도 재량권의 남용이 되지 않는다(대판 2002.2.5, 2001두5286).

Ⅵ. 취소의 효과

원칙적으로 소급효가 인정된다. 다만 하자의 발생에 대하여 상대방에게 귀책사유가 없는 경우에는 법적 안정성 내지는 신뢰보호의 관점에서 장래효만 인정될 수도 있다.

Ⅶ. 취소의 취소

원행정행위를 직권취소한 것을 다시 직권취소한 경우, 원행정행위의 효력을 유지할 수 있는지의 문제이다.

1. (1차) 취소처분이 당연무효인 경우

본래의 행정행위는 취소된 것이 아니며, 원행정행위는 그대로 유효하게 존속한다.

2. (1차) 취소처분에 취소사유가 있는 경우

(1) 학 설

① 취소처분도 그 자체가 행정행위이므로 행정행위의 하자의 일반론에 따라 취소처분을 취소하면 원행정행위가 원상회복된다는 긍정설, ② 행정행위가 일단 취소되면 확정적으로 효력을 상실하므로 원처분의 회복은 불가능하고, 다시 원처분과 같은 내용의 새로운 행정행위를 해야 한다는 부정설, ③ 원처분이 수익적인지 또는 침익적인지 여부, 상대방의 기득권 내지 신뢰보호, 이해관계 있는 제3자의 권리보호, 법적 안정성, 합법성의 원칙, 행정경제 등을 고려한다는 절충설 등이 대립한다.

(2) 판 례

판례의 입장은 일정하지 않지만 침익적 처분은 부정하고 수익적 처분은 긍정하는 것으로 평가할 수 있다. 다만 수익적 처분이라도 취소 후 이해관계인이 생긴 경우는 부정하고 있다.

부정판례 1 (부담적 행정행위의 취소의 취소) 국세 … 설사 부과의 취소에 위법사유가 있다고 하더라도 당연무효가 아닌 한 일단 유효하게 성립하여 부과처분을 확정적으로 상실시키는 것이므로, 과세관청은 부과의 취소를 다시 취소함으로써 원부과처분을 소생시킬 수는 없고 납세의무자에게 종전의 과세대상에 대한 납부의무를 지우려면 다시 법률에서 정한 부과절차에 좇아 동일한 내용의 새로운 처분을 하는 수밖에 없다(대판 1995.3.10, 94누7027).

제한적 긍정판례 (수익적 행정행위의 취소의 취소) 일단 취소처분을 한 후에 새로운 이해관계인이 생기기 전에 취소처분을 취소하여 그 광업권의 회복을 시켰다면 모르되 피고가 본건 취소처분을 한 후에 원고가 1966.1.19에 본건 광구에 대하여 선출원을 적법히 함으로써 이해관계인이 생긴 이 사건에 있어서, 피고가 1966.8.24자로 1965.12.30자의 취소처분을 취소하여, 위 안소영 명의의 광업권을 복구시키는 조처는, 원고의 선출원 권리를 침해하는 위법한 처분이라고 하지 않을 수 없을 것(대판 1967.10.23, 67누126).

긍정판례[2] 행정처분이 취소되면 그 소급효에 의하여 처음부터 그 처분이 없었던 것과 같은 효과를 발생하게 되는바, 행정청이 의료법인의 이사에 대한 이사취임승인취소처분(제1처분)을 직권으로 취소(제2처분)한 경우에는 그로 인하여 이사가 소급하여 이사로서의 지위를 회복하게 되고, 그 결과 위 제1처분과 제2처분 사이에 법원에 의하여 선임결정된 임시이사들의 지위는 법원의

2) 원심은 "피고의 참가인들에 대한 이사취임승인취소처분이 피고에 의하여 직권취소되었다 하더라도 그로 인하여 법원의 임시이사 선임결정이 당연히 무효가 되는 것은 아니고 그 임시이사들의 권한이 당연히 소멸하는 것도 아니므로, 위 법인 임시이사들의 권한은 정식이사가 선임될 때까지는 계속된다"고 판시하여 취소의 취소에 대해 부정적인 입장이었음.

해임결정이 없더라도 당연히 소멸된다(대판 1997.1.21, 96누3401).

(4) 검 토

행정법에서는 법치행정의 원리가 강하게 지배하므로, 취소행위에서도 취소에 따른 효과가 발생하기 위하여는 행정청의 취소행위에 하자가 존재하지 않아야 함. 따라서 취소행위에서 법치행정의 원칙에 따른 적법성을 회복하려는 의미를 강조하는 한 긍정설이 타당하다. 취소 후 이해관계인이 생긴 경우는 취소권 제한의 법리인 이익형량의 원칙을 적용해서 해결하면 된다.

관련 판례 자동차운전면허취소처분취소와 신뢰보호원칙
(대판 2000.2.25, 99두10520)

1. 사실관계

甲은 1998.6.7 음주운전 중 경찰관 乙의 측정 결과 혈중알콜농도 0.15로 판명됨. 乙은 같은 날 원고에게 운전면허가 취소됨을 고지하고 의견진술의 기회를 준 후, 6월 15일 甲의 법규위반내용을 적시하고 회수한 운전면허증을 첨부하여 운전면허취소권자인 대구지방경찰청장에게 甲에 대한 운전면허취소의 행정처분을 의뢰하였고, 한편 여수경찰서 교통사고 조사계 순경 丙은 전산입력 착오로 甲을 운전면허정지 대상자로 분류한 나머지, 여수경찰서장이 100일 면허정지처분을 함. 여수경찰서장으로부터 甲에 대한 위의 법규위반 사실 통지를 받은 대구지방경찰청장은 6월 18일 여수경찰서장의 처분과는 별도로 甲의 자동차운전면허를 6월 7일자로 취소하는 내용의 자동차운전면허취소통지서를 발송하였고, 통지서는 23일 甲에게 도달함.

2. 판결이유 中

행정청이 일단 행정처분을 한 경우에는 행정처분을 한 행정청이라도 법령에 규정이 있는 때, 행정처분에 하자가 있는 때, 행정처분의 존속이 공익에 위반되는 때, 또는 상대방의 동의가 있는 때 등의 특별한 사유가 있는 경우를 제외하고는 행정처분을 자의로 취소(철회의 의미를 포함한다. 아래에서도 같다)할 수 없다고 할 것인바(대판 1990.2.23, 89누7061 참조), 선행처분인 여수경찰서장의 면허정지처분은 비록 그와 같은 처분이 도로교통법시행규칙 제53조1항 [별표 16]에서 정한 행정처분기준에 위배하여 이루어진 것이라 하더라도 그와 같은 사실만으로 곧바로 당해 처분이 위법하게 되는 것은 아닐 뿐더러[3], 원고로서는 그 면허정지처분이 효력을 발생함으로써 그 처분의 존속에 대한 신뢰가 이미 형성되었다 할 것이고 또한 그와 같은 처분의 존속이 현저히 공익에 반한다고는 보이지 아니하므로, 동일한 사유에 관하여 보다 무거운 면허취소처분을 하기 위하여 이미 행하여진 가벼운 면허정지처분을 취소하는 것은 선행처분에 대한 당사자의 신뢰 및 법적 안정성을 크게 저해하는 것이 되어 허용될 수 없다.

3. 해 설

1) 1심법원은 일사부재리원칙에 반하여 위법하다고 판시하였으나 헌법은 동일한 범죄에 대한 이중처벌을 금지하고 있는데 도로교통법상의 음주운전금지규정의 위반을 범죄로 볼 수 있는가 의문. 운전면허취소라고 하는 행정행위를 헌법상의 처벌로 볼 수 있는지 의문.
- 헌법재판소도 이중처벌금지원칙에 대하여 국가가 행하는 일체의 제재나 불이익처분을 모두 그에 포함된다고 할 수는 없다는 전제에서 건축법상의 무허가건축행위에 대한 형사처벌과 과태료의 부과는 헌법이 금하는 이중처벌에 해당하지 않는다고 판시.

2) 2심 법원은 정지처분의 불가변력으로 인하여 취소철회할 수 없다고 하였으나 불가변력은 행정행위의 재결 등과 같이 일정한 쟁송절차를 거쳐 행해지는 확인판단적·준사법적 행정행위의 경우에만 인정되는 것이지 모든 행정행위에 인정된다고 볼 수 없음.

3) 대법원은 사안에서 면허정지처분이 효력발생함으로서 처분의 존속에 대한 신뢰가 이미 형성되었고 그와 같은 처분의 존속이 현저히 공익에 반한다고 보이지 아니하므로, 동일한 사유에 관하여 보다 무거운 면허취소처분을 하기 위하여 이미 행하여진 가벼운 면허정지처분을 취소하는 것은 선행처분에 대한 당사자의 신뢰 및 법적 안정성을 크게 저해하는 것으로서 허용될 수 없다고 함.

4) 대법원의 판시내용에 대해서 신뢰보호의 원칙에 관한 종전의 판례에 비해 지나치게 관대한 것이 아니냐 하는 의문이 제기되기도 하며(홍준형) 신뢰보호요건에 관한 판례의 입장이 국민의 보호에 지나치게 엄격하다는 비판적 견해에서 보더라도 위 판례는 지나치게 완화한 것으로 보인다. 甲은 신뢰보호원칙에 의한 보호를 받기가 어렵다고 판단된다는 비판도 있음(김남진).

3) 판례는 부령 형식으로 규정된 제재처분기준에 대해서 법규명령으로 보지 않기 때문.

53 행정행위의 철회

Ⅰ. 의 의

하자 없이 적법하게 성립된 행정행위의 효력을 그 성립 후에 발생한 사정에 의하여 더 이상 존속시킬 수 없는 경우, 장래에 향하여 그 효력의 전부 또는 일부를 소멸시키는 독립한 행정행위이다. **변화된 사실 및 법률상태에 대한 적응을 목적**으로 한다는 점에서 **하자의 시정을 주목적으로 하는 직권취소와 구별**된다.

Ⅱ. 법적 근거 요부

1. 문제점

철회에 반드시 법률의 명시적 근거가 있어야 하는지에 논란이 있다. 행정의 자유로운 공익판단을 중시할 것인가 또는 법치행정의 원리를 중시할 것인가의 문제이다.

2. 학 설

① **근거불요설**은 행정은 **공익에 적합하고 변화에 적응할 필요**가 있으며 **원행정행위의 수권규정은 철회권의 근거규정**으로 볼 수 있다고 한다. ② **근거필요설**은 침익적 행위의 철회가 수익적인 것과 달리 **수익적 행위의 철회는 침익적**이므로, 헌법 제37조2항에 비추어 법적 근거를 요한다고 한다. ③ **제한적 필요설**은 당사자의 **귀책사유가 있거나 철회권이 유보**되어 있는 경우에는 **요하지 않으나, 공익상의 필요**로 인한 경우는 법적 근거를 **요한다**고 한다.

3. 판례 – 근거불요설

판 례 행정행위를 한 처분청은 그 처분 당시에 그 행정처분에 별다른 하자가 없었고 또 그 처분 후에 이를 취소할 **별도의 법적 근거가 없다 하더라도** 원래의 처분을 그대로 존속시킬 필요가 없게 된 사정변경이 생겼거나 또는 중대한 공익상의 필요가 발생한 경우에는 별개의 행정행위로 이를 철회하거나 변경할 수 있다(대판 1992.1.17, 91누3130).

4. 검 토

공익상 이유에 의한 철회도 전혀 새로운 행정처분인 것은 아니고 **본래의 행정처분을 장래에 향하여 실효**시키는 것에 지나지 않기 때문에 **철회권은 처분권에 당연히 포함**된다고 할 수 있으므로 **근거불요설이 타당**하다.

Ⅲ. 철회권자

처분청은 명문의 규정을 불문하고 철회권을 **행사**할 수 있다. 반면 **감독청은 명문의 규정이 없는 한 철회권을 갖지 못한다**(다수설). 이를 인정한다면 **처분청의 권한을 침해하여 행정조직법정주의의 목적에 반**하기 때문이다.

Ⅳ. 철회사유 – 유. 부. 법. 사. 의. 중

철회사유가 법령에 규정되어 있는 경우뿐만 아니라 철회권유보, 부담의 불이행, 사실관계의 변화, 법적 상황의 변화, 중대한 공익상 필요(보충적 철회사유이므로 엄격해석 필요)등을 이유로 철회권을 행사할 수 있다.

판 례 행정행위의 부관으로 **취소(강학상 철회를 의미)권이 유보되어 있는 경우,** 당해 행정행위를 한 행정청은 그 **취소사유가 법령에 규정되**어 있는 경우뿐만 아니라 **의무위반**이 있는 경우, **사정변경**이 있는 경우, **좁은 의미의 취소권이 유보**된 경우, **또는 중대한 공익상의 필요가 발생한 경우** 등에도 그 행정처분을 취소할 수 있는 것이다(대판 1984.11.13, 84누269).

Ⅴ. 철회의 제한

수익적 행정행위의 철회는 특히 **신뢰보호원칙이나 비례원칙의 제한**을 받는다. 침익적 행정행위의 철회는 상대방에게는 수익적이므로 원칙적으로 허용되지만, 그것이 복효적 행정행위인 경우에는 제3자의 이익을 위해 제한될 수 있다.

판 례 수익적 행정처분을 취소 또는 철회하거나 중지시키는 경우에는 이미 부여된 국민의 기득권을 침해하는 것이 되므로, 비록 취소 등의 사유가 있다고 하더라도 그 취소권 등의 행사는 기득권의 침해를 정당화할 만한 중대한 공익상의 필요 또는 제3자의 이익보호의 필요가 있고, 이를 상대방이 받는 불이익과 비교·교량하여 볼 때 공익상의 필요 등이 상대방이 입을 불이익을 정당화할 만큼 강한 경우에 한하여 허용될 수 있다(대판 2012.3.15, 2011두27322).

Ⅵ. 효 과

철회된 행정행위가 발령시점에는 적법하였으므로 철회는 장래효를 갖는 것이 원칙이다. 다만 소급효를 인정하지 않으면 철회의 목적을 달성할 수 없는 경우에는 예외적으로 소급효를 인정할 수 있다(예: 상대방의 의무위반으로 인한 보조금지급결정의 철회). 상대방이 특별한 손해를 입게 되면 상대방에게 귀책사유가 없는 한 행정청은 그 손실을 보상해주는 것이 정당한데 국유재산법 제36조4항, 하천법 제77조는 명문으로 인정하고 있다.

Ⅶ. 철회의 취소 - 취소의 취소에서와 같은 논의

Ⅷ. 일부철회

원행정행위에 가분성이 있거나 처분대상의 일부가 특정될 수 있다면 가능하다.

1. 복수운전면허의 일부철회 인정 판례

판 례 [1] 한 사람이 여러 종류의 자동차 운전면허를 취득하는 경우뿐 아니라 이를 취소 또는 정지함에 있어서도 서로 별개의 것으로 취급하는 것이 원칙이고, 한 사람이 여러 종류의 자동차 운전면허를 취득하는 경우 1개의 운전면허증을 발급하고 그 운전면허증의 면허번호는 최초로 부여한 면허번호로 하여 이를 통합관리하고 있다고 하더라도, 이는 자동차 운전면허증 및 그 면허번호 관리상의 편의를 위한 것에 불과할 뿐 그렇다고 하여 여러 종류의 면허를 서로 별개의 것으로 취급할 수 없다거나 각 면허의 개별적인 취소 또는 정지를 분리하여 집행할 수 없는 것은 아니다.

[2] 외형상 하나의 행정처분이라 하더라도 가분성이 있거나 그 처분대상의 일부가 특정될 수 있다면 그 일부만의 취소도 가능하고 그 일부의 취소는 당해 취소부분에 관하여 효력이 생긴다고 할 것인바, 이는 한 사람이 여러 종류의 자동차 운전면허를 취득한 경우 그 각 운전면허를 취소하거나 그 운전면허의 효력을 정지함에 있어서도 마찬가지이다.

[3] 제1종 보통, 대형 및 특수 면허를 가지고 있는 자가 레이카크레인을 음주운전한 행위는 제1종 특수면허의 취소사유에 해당될 뿐 제1종 보통 및 대형 면허의 취소사유는 아니므로, 3종의 면허를 모두 취소한 처분 중 제1종 보통 및 대형 면허에 대한 부분은 이를 이유로 취소하면 될 것이나, 제1종 특수면허에 대한 부분은 원고가 재량권의 일탈·남용하여 위법하다는 주장을 하고 있음에도, 원심이 그 점에 대하여 심리·판단하지 아니한 채 처분 전체를 취소한 조치는 위법하다고 하여 원심판결 중 제1종 특수면허에 대한 부분을 파기환송한 사례(대판 1995.11.16, 95누8850). - #122 변시 기출사례 참조.

2. 복수운전면허의 일부철회 부정 판례

판 례 한 사람이 여러 종류의 자동차운전면허를 취득하는 경우뿐 아니라 이를 취소 또는 정지하는 경우에 있어서도 서로 별개의 것으로 취급하는 것이 원칙이기는 하나, 자동차운전면허는 그 성질이 대인적 면허일 뿐만 아니라 도로교통법시행규칙 제26조 별표 14에 의하면, 제1종 대형면허 소지자는 제1종 보통면허로 운전할 수 있는 자동차와 원동기장치자전거를, 제1종 보통면허 소지자는 원동기장치자전거까지 운전할 수 있도록 규정하고 있어서 제1종 보통면허로 운전할 수 있는 차량의 음주운전은 당해 운전면허뿐만 아니라 제1종 대형면허로도 가능하고, 또한 제1종 대형면허나 제1종 보통면허의 취소에는 당연히 원동기장치자전거의 운전까지 금지하는 취지가 포함된 것이어서 이들 세 종류의 운전면허는 서로 관련된 것이라고 할 것이므로 제1종 보통면허로 운전할 수 있는 차량을 음주운전한 경우에 이와 관련된 면허인 제1종 대형면허와 원동기장치자전거면허까지 취소할 수 있는 것으로 보아야 한다(대판 1994.11.25, 94누9672).

54 확 약

Ⅰ. 의 의

행정청이 사인에 대해 장차 일정한 행정행위를 행하거나 행하지 않겠다고 하는 것을 내용으로 하는 공법상 일방적인 자기구속의 의사표시이다. 행정행위의 발령을 목적으로 한다는 점에서, 완결된 행정행위인 부분허가나 예비결정과 구별되며, 확약은 하나의 약속일 뿐이고 집행할 수 없다는 점에서 이행을 확보할 수 있는 가행정행위와 구별된다.

Ⅱ. 법적 성질 - 처분성 인정 여부

1. 학 설

① 긍정설은 행정청에 대하여 확약한 내용을 이행할 법적의무를 발생시키는 효과를 가지므로 처분으로 보아야 한다고 하나, ② 부정설은 확약단계에서는 아직 종국적 규율성이 없어 처분이 아니라고 한다.

2. 판례 - 부정설

판례는 어업권면허에 선행하는 우선순위결정은 행정청이 우선권자로 결정된 자의 신청이 있으면 어업권면허처분을 하겠다는 것을 약속하는 행위로서 강학상 확약에 불과하고 행정처분은 아니므로, 공정력이나 불가쟁력과 같은 효력은 인정되지 아니한다고 하여 부정설의 입장이다. 한편 시외버스운송사업면허내인가처분에 대한 집행정지신청에서 처분성을 문제삼지 않은 채, 회복하기 어려운 손해에 해당하지 않는다고 한바 있는데(대결 1991.5.6. 91두13), 학자들이 확약의 예로 들고 있는 내인가에 대해서는 확약과는 다른 독자적인 행위로서 처분성을 인정하는 것으로 보인다.

3. 검토 - 긍정설

확약의 효과가 일반 행정행위와 동일한 것은 아니나 행정청은 확약된 행위를 하여야 할 자기구속적인 의무가 발생하고 상대방은 그에 대응하는 권리를 가진다는 점, 그리고 조기의 권리구제의 관점에서도 긍정설이 타당하다.

Ⅲ. 허용성 및 자유성

1) 확약의 허용성은 명문의 규정이 없는 경우에도 허용되는지의 문제인데 다수설은 확약은 처분권에 수반되는 예비적 권한행사로서 본처분권에 당연히 포함된 것으로 본다(본처분권한 내재설).

2) 확약의 자유성(한계)은 기속행위이거나 본처분의 요건사실이 완성된 뒤에도 확약이 가능한지의 문제인데 예지이익(처분의 발령을 미리 알 수 있는 이익)이나 대처이익이 있기 때문에 이 경우도 가능하다고 한다.

Ⅳ. 요 건

① 주체는 본행정행위를 할 권한을 가지고 있는 행정청이어야 하고, ② 확약의 내용이 법령적합, 이행가능, 명확해야 하며, ③ 절차상 본처분에 관하여 일정한 절차 규정된 경우에는 확약도 당해 절차를 요한다. 그리고 ④ 형식에 대하여 독일에서는 명문으로 서면형식을 요하지만, 우리의 경우 그러한 규정이 없어 서면이 효력요건인지는 논란이 있다.

Ⅴ. 효 과

통상의 행정행위만큼 광범위하지는 않으나 원칙적으로 구속효가 인정되므로 행정청은 확약의 내용을 이행해야 할 자기구속을 받고, 상대방은 확약 내용의 이행을 청구할 수 있다. 다만 확약후 사실상태 또는 법적 상태가 변경되면, 구속력이 배제될 수 있다.

판 례 행정청이 상대방에게 장차 어떤 처분을 하겠다고 확약 또는 공적인 의사 표명을 하였다고 하더라도, 그 자체에서 상대방으로 하여금 언제까지 처분의 발령을 신청하도록 유효기간을 두었는데도 그 기간 내에 상대방의 신청이 없었다거나 확약 또는 공적인 의사표명이 있은 후에 사실적·법률적 상태가 변경되었다면, 그와 같은 확약 또는 공적인 의사표명은 행정청의 별다른 의사표시를 기다리지 않고 실효된다(대판 1996.8.20, 95누10877).

Ⅵ. 권리구제

1. 확약 자체에 대한 쟁송

확약 자체에 대한 쟁송은 확약의 처분성 인정 여부에 따라 다르다.

2. 확약의 내용인 행정행위를 하지 아니하는 경우

그 불이행에 대하여는 의무이행심판이나 거부처분취소소송 또는 부작위위법확인소송을 통해 행정행위 발급에 대한 행정쟁송을 제기할 수 있다. 확약의 불이행에 의해 손해를 입은 자는 국가에 손해배상을 요구할 수 있고, 공익을 위하여 확약을 철회한 경우에는 신뢰보호의 관점에서 손실보상 청구가 가능하다.

관련 판례 1 **신어업권면허처분취소소송**(대판 1995.1.20, 94누6529)

1. 사실관계

충남도지사는 6개 신어업권 대상어장에 대하여 乙 등을 1순위자로, 甲을 2순위자로 우선순위결정하고 이에 따라 乙 등에게 신어업권면허처분을 함. 甲은 乙 등이 허위 기타 부정한 방법으로 1순위자로 결정되었다는 이유로 신어업권면허처분취소소송을 제기함.

2. 판시사항 및 판결요지

[1] 어업권면허처분에 선행하는 우선순위결정의 성질

- 어업권면허에 선행하는 우선순위결정은 행정청이 우선권자로 결정된 자의 신청이 있으면 어업권면허처분을 하겠다는 것을 약속하는 행위로서 강학상 확약에 불과하고 행정처분은 아니므로, 우선순위결정에 공정력이나 불가쟁력과 같은 효력은 인정되지 아니하며, 따라서 우선순위결정이 잘못되었다는 이유로 종전의 어업권면허처분이 취소되면 행정청은 종전의 우선순위결정을 무시하고 다시 우선순위를 결정한 다음 새로운 우선순위결정에 기하여 새로운 어업권면허를 할 수 있다.

[3] 수익적 처분이 상대방의 허위 기타 부정한 방법으로 행하여진 경우에도 그 상대방의 신뢰를 보호하여야 하는지 여부

- 수익적 처분이 있으면 상대방은 그것을 기초로 하여 새로운 법률관계 등을 형성하게 되는 것이므로, 이러한 상대방의 신뢰를 보호하기 위하여 수익적 처분의 취소에는 일정한 제한이 따르는 것이나, 수익적 처분이 상대방의 허위 기타 부정한 방법으로 인하여 행하여졌다면 상대방은 그 처분이 그와 같은 사유로 인하여 취소될 것임을 예상할 수 없었다고 할 수 없으므로, 이러한 경우에까지 상대방의 신뢰를 보호하여야 하는 것은 아니라고 할 것이다.

관련 판례 2 **자동차운수사업양도인가거부처분취소**
(대판 1991.6.28, 90누4402)

1. 판결요지

자동차운송사업양도양수계약에 기한 양도양수인가신청에 대하여 피고 시장이 내인가를 한 후 위 내인가에 기한 본인가신청이 있었으나 자동차운송사업 양도양수인가신청서가 합의에 의한 정당한 신청서라고 할 수 없다는 이유로 위 내인가를 취소한 경우, 위 내인가의 법적 성질이 행정행위의 일종으로 볼 수 있든 아니든 그것이 행정청의 상대방에 대한 의사표시임이 분명하고, 피고가 위 내인가를 취소함으로써 다시 본인가에 대하여 따로이 인가 여부의 처분을 한다는 사정이 보이지 않는다면 위 내인가 취소를 인가신청을 거부하는 처분으로 보아야 할 것이다.

2. 해 설

1) 판례는 학자들이 확약의 예로 들고 있는 내인가의 취소에 대해서 처분성을 긍정했는데 "내인가를 취소하였다"는 의미가 문제됨. "내인가를 취소한다"는 말의 의미는 ① 법형식상으로는 독립의 행정행위로서 내인가의 취소라는 의미를 가지며 ② 실질적으로는 본인가 거부라는 의미도 가진다고 볼 수 있는데

2) 판례는 내인가의 법형식성이 아니라 실질적 의미의 면에서 접근하여 내인가의 취소를 인가거부처분으로 새기고 있음.

3) 이에 대해서 홍정선 교수님은 행정쟁송에서는 법형식성이 보다 중요하게 고려되어야 할 사항이기 때문에 내인가와 관련하여 행정쟁송상 취소의 대상은 내인가이지 본인가는 아니라고 하면서 판례가 내인가취소를 인가신청거부로 보는 것은 확약의 법리를 정면으로 도입하고 있지 아니한데 기인한 것이라고 함(행정법연습 8판, 240면).

55 가행정행위

Ⅰ. 서 설

사실관계와 법률관계의 계속적인 심사를 유보한 상태에서, 당해 행정법관계의 권리와 의무를 잠정적으로 규율하는 행위이다. 행정법관계의 **종국적인 효과를 확정하기 어려운 경우**에 탄력적인 행정운영 수단으로서의 의미를 갖는다.

Ⅱ. 법적 성질 - 행정행위성 여부

① 행정청의 특수한 행위형식으로 보는 입장도 있으나, ② 행위의 효력발생이 시간적으로 잠정적이라는 사실은 행정행위개념과는 상관이 없으며, **잠정적이라는 한도 내에서는 종국적이고 최종적인 규율**을 행한다는 점에서 **행정행위**로 인정함이 타당하다.

Ⅲ. 구별개념

잠정적이기는 하나 외부에 대하여 집행의 효과가 나타난다는 점에서 **확약**과 구별되고, 효과가 잠정적이어서 종국적인 결정에 의한 대체성을 전제로 한다는 점 및 대상이 되는 법률관계 전체를 대상으로 한다는 점에서는 **사전결정·부분허가**와 구별된다.

Ⅳ. 법적 근거

전적으로 상대방에게 수익적이 아닌 한 법률유보의 원칙이 적용되어야 한다는 견해도 있으나, 개별법에 명시적인 근거가 없어도 **본처분의 권한이 있으면 발동이 가능**하다고 보는 것이 다수설이다.

Ⅴ. 인정영역

보통 조세법 영역에서 행해지나(예: **세액의 잠정적 결정에 의한 조세부과처분**), 급부행정 및 침해행정에서도 그 예를 찾을 수 있다(예 : **징계의결이 요구중인 자에 대한 잠정적인 직위해제**[1] 처분).

Ⅵ. 효 력

① 가행정행위는 **잠정적**이기는 하나 그 자체로서 **직접 법적 효력을 발생**시키며, ② 다만 **본행정행위에 대한 구속력은 없고**(즉 어떠한 종국적인 결정이 내려질 것인가에 대한 위험부담은 행정청이 아니라 신청자가 부담한다), ③ 본행정행위가 있으면 **본행정행위에 의해 대체**되고 효력을 상실한다(대체성).

Ⅶ. 가행정행위와 권리구제

가행정행위도 행정행위이므로 통상의 불복방법에 의한 권리구제가 가능하다. 즉 ① 당사자의 가행정행위 발령신청이 거부된 경우에는 의무이행심판이나 거부처분취소소송을, ② 가행정행위 발령후 종국적인 결정이 행해지지 않는 경우에는 의무이행심판이나 부작위위법확인소송을 제기할 수 있다.

가행정행위는 불가변력이 없고 종국결정에 의한 대체성을 가지므로 당사자는 **신뢰보호의 원칙을 원용하지는 못한다.**

---

1) 류지태, 홍정선 교수님은 이 경우의 직위해제를 가행정행위로 봄. 직위해제 사유는 여러 가지(국가공무원법 제73조의3)가 있으나 그 중에서 징계의결이 요구중인 자에 대한 경우에만 해당.

56 사전결정과 부분허가

Ⅰ. 단계적 행정결정

행정기관의 최종결정이 여러 단계의 결정을 통하여 연계적으로 이루어지는 것을 말한다. 장기투자가 필요한 대규모사업의 경우 **사업자의 투자위험을 감경할 필요**가 있어 독일에서 도입된 제도이다. 사전결정이 되면 행정과정에 대한 개관가능성이 높아지며, 절차 초기에 중요한 쟁점이 확정될 수 있기 때문에 **이해관계인에게 조기에 권리보호의 기회를 부여**할 수 있다. 사전결정과 부분허가가 대표적이다.[1)]

Ⅱ. 사전결정(예비결정)

1. 의 의

최종적인 행정행위를 하기 전에 종국적인 행정행위의 요건 중 일부에 대한 종국적인 판단으로서 내려지는 결정이다. 사후의 종국적인 결정의 유보 하에 이루어지는 행위라는 점에서 **부분허가와 차이**가 있으며, 종국적인 결정에 대한 관계에서 종국적인 결정의 일부요건에 대한 결정이긴 하나 그 자체가 최종적 결정이라는 점에서는 종국적인 결정에 대한 약속에 불과한 **확약과 구별**된다(예: 건축법 제10조(건축에 관한 입지 및 규모의 사전결정), 원자력안전법 제10조3항(부지사전승인제도) 등).

2. 법적 성질

예비결정에서 정해진 부분에만 **제한적인 효력**을 가지며, 그 자체가 하나의 **확인적 행정행위의 성격**을 갖는다.

3. 법적 근거

법치국가의 원리에 반하지 않는 한, 행정결정에 대한 절차를 합목적적으로 수행하고 그 결정을 부분적으로 행할 수 있어야 하므로 **법적 근거 없이도 할 수 있다.** 입법론으로는 **개별법상 근거규정을 두는 것이 바람직**하다.

4. 효 력

예비결정이 **후행결정(본결정)에 대한 구속력을 가지는지**에 대해서는 **신뢰보호의 원칙에 의한 이익만을 인정하는 구속력부정설**이 있으나, 사전결정은 **종국적 판단으로서 내려지는 결정**이며 만약 구속력을 부정한다면 **사전결정제도를 규정한 입법취지**가 무색해지므로 **구속력긍정설**이 타당하다. 이에 의하면 행정청은 최종결정에서 사전결정된 것은 그대로 인정하고 사전결정되지 않은 부분만 결정하여야 한다. **다만,** 사전결정시 불가피하게 파악되지 못하였던 **사실관계나 법적 관계의 변경이 초래**되었을 경우에는 **이익형량**을 통하여 그 **구속력이 배제**될 수 있다. **판례는 사전결정 및 종국처분이 재량행위에 해당하는 경우 신뢰보호의 원칙에 따라 판단**하고 있다.

판례 1 **폐기물처리업**에 대하여 사전에 관할 관청으로부터 **적정통보**를 받고 막대한 비용을 들여 허가요건을 갖춘 다음 허가신청을 하였음에도 **다수 청소업자의 난립으로 안정적이고 효율적인 청소업무의 수행에 지장**이 있다는 이유로 한 **불허가처분**이 **신뢰보호의 원칙 및 비례의 원칙에 반하는 것**으로서 재량권을 남용한 위법한 처분이다(대판 1998.5.8, 98두4061).[2)]

판례 2 주택건설촉진법 제33조1항의 규정에 의한 **주택건설사업계획의 승인**은 상대방에게 권리나 이익을 부여하는 효과를 수반하는 이른바 **수익적 행정처분**으로서 행정처분의 요건에 관하여 일의적으로 규정되어 있지 아니한 이상 행정청의 **재량행위**에 속하고, **그 전 단계인** 같은 법 제32조의4 1항의 규정에 의한 **주택건설사업계획의 사전결정이 있다하여 달리 볼 것은 아니다.** 따라서 피고가 이 사건 **주택건설사업에 대한 사전결정을 하였다고 하더라도 사업승인 단계에서 그 사전결정에 기속되지 않고 다시 사익과 공익을 비교형량**하여 그 **승인 여부를 결정할 수 있다**고 판단한 원심의 조치는 정당하고, 거기에 소론과 같은 위법이

1) 확약, 가행정행위까지 단계적 행정결정에 포함하여 논하기도 함(박균성, 홍정선).
2) #27. 각주2)와 비교

있다고 할 수 없다. 논지는 이유 없다(대판 1999.5.25, 99두1052).

5. 권리구제

(1) 사전결정 및 그에 따른 종국결정에 대하여

① 사전결정 자체가 처분이므로 그 발령이나 불발령에 대해서는 항고소송으로 다툴 수 있다. ② 사전결정 후 종국결정의 거부나 부작위에 대해서도 의무이행심판 내지 거부처분취소소송이나 부작위위법확인소송으로 다툴 수 있으며, 경우에 따라서는 신뢰보호원칙 위반 주장도 가능하다.

(2) 사전결정에 대한 취소소송 계속 중 최종결정이 내려진 경우

판례는 원자로 및 관계시설의 부지사전승인처분에 대한 취소소송 중 **최종적인 건설허가처분이 있게 되면 건설허가처분에 흡수**되어 부지사전승인처분의 취소를 구하는 소송은 소의 이익을 상실하며 최종결정에 대하여 취소소송을 제기하여야 한다는 입장이나(관련판례 2), 이는 **사전결정의 독자적인 존재가치를 의문스럽게 하는 것으로 부당하여 부지사전승인행위에 대한 소의 이익을 긍정하는 것이 타당하다는 비판**이 있다.

Ⅲ. 부분허가(부분승인)

1. 의 의

단계적 행정절차에서 사인이 원하는 바의 특정부분에 대해서만 우선 승인하는 행위이다. 신청자에게 특정한 부분의 설치나 운영을 시작하는 것을 허가하며, 당해시설의 특정부분에 관해서는 종국적 결정이 된다. 다세대건축허가 신청에서 전체허가는 보다 구체적인 검토가 필요한 것으로 판단되는 경우 일단 그 가분적 일부에 대한 허가, 고속전철공사의 일부 구간의 공사허가를 예로 들 수 있다. 원자력안전법 제10조의 부지사전승인제도는 사전결정과 부분허가의 성격을 동시에 가지고 있다.

2. 법적 성질

중간단계에서 행해지는 결정이나, **그 단계 자체에 대하여는 종국적**인 행정행위이다.

3. 효 력

승인을 받은 범위 안에서 승인 받은 행위를 할 수 있고(이 점에서 사전결정과 차이), 행정청은 나머지 부분에 대한 결정에서 부분승인한 내용과 상충되는 결정을 할 수 없다(구속효).

4. 권리구제 – 사전결정에서와 동일

관련 판례 1) 폐기물관리법상 부적정통보
(대판 1998.4.28, 97누21086)

1. 사실관계

甲은 관할구청장에게 폐기물관리법 제26조1항 및 동법 시행규칙 제17조2항에 의하여 폐기물처리업 사업계획서를 작성 제출하자, 관할구청장은 환경부 예규인 폐기물처리업 허가업무처리지침 및 광역시장의 사업계획서 검토지침에 의거하여 甲에게 생활 폐기물 수집 운반업 허가는 폐기물량의 대폭적인 증가와 위탁구역 확대 등의 요인이 발생할 때 선정 허가할 계획이라는 이유로 부적정통보를 함. 이에 甲은 위 부적정통보처분취소소송을 제기.

[참조조문]

***(구) 폐기물관리법 제26조 (폐기물처리업)**

① **폐기물의 수집·운반 또는 처리를 업(이하 '폐기물처리업'이라 한다)으로 하고자 하는 자는 환경부령이 정하는 기준에 의한 시설·장비·기술능력·자본금을 갖추어 업종별로 시·도지사의 허가를 받아야 한다.** 허가받은 사항 중 환경부령이 정하는 중요사항을 변경하고자 할 때에도 또한 같다. 다만, 지정폐기물을 대상으로 하여 폐기물처리업을 하고자 하는 자는 환경부장관의 허가를 받아야 한다.

***(구) 폐기물관리법시행규칙 제17조 (폐기물처리업의 허가)**

① 법 제26조1항의 규정에 의한 폐기물처리업을 하고자 하는 자가 갖추어야 할 시설·장비·기술능력·자본금의

기준은 별표 6과 같다.

② 법 제26조1항의 규정에 의하여 폐기물처리업의 허가를 받고자 하는 자는 별지 제5호서식의 사업계획서에 다음 각호의 서류를 첨부하여 폐기물처리시설설치예정지(수집·운반업의 경우 차고지 또는 영업소 소재지)를 관할하는 시·도지사 또는 지방환경관서의 장에게 제출하여야 한다. 그 허가요건에 관련되는 사업계획서의 내용을 변경할 때에도 또한 같다.

1. 처리대상폐기물의 수집·운반 또는 처리계획서(시설설치, 장비 및 기술능력의 확보계획을 포함한다)

③ 시·도지사 또는 지방환경관서의 장은 제2항의 규정에 의하여 제출된 사업계획서에 대하여 이를 검토한 후 사업계획의 적정여부를 신청인에게 통보하여야 한다.

④ 제3항의 규정에 의하여 사업계획의 적정통보를 받은 자는 시설·장비·기술능력·자본금을 갖추어 사업계획의 적정통보를 받은 날부터 1년(폐기물수집·운반업의 경우에는 6월, 폐기물처리업중 매립시설 또는 소각시설의 설치가 필요한 경우에는 3년)이내에 별지 제6호서식의 허가신청서에 다음 각호의 서류를 첨부하여 시·도지사 또는 지방환경관서의 장에게 제출하여야 한다.

2. 판결요지

[1] 폐기물관리법 관계 법령에 의한 폐기물처리업 허가권자의 부적정 통보가 행정처분에 해당하는지 여부(적극)

- 폐기물관리법 관계 법령의 규정에 의하면 폐기물처리업의 허가를 받기 위하여는 먼저 사업계획서를 제출하여 허가권자로부터 사업계획에 대한 적정통보를 받아야 하고, 그 적정통보를 받은 자만이 일정기간 내에 시설, 장비, 기술능력, 자본금을 갖추어 허가신청을 할 수 있으므로, 결국 부적정통보는 허가신청 자체를 제한하는 등 개인의 권리 내지 법률상의 이익을 개별적이고 구체적으로 규제하고 있어 행정처분에 해당한다.

[2] 폐기물처리업의 허가에 앞서 사업계획서에 대한 적정·부적정 통보 제도를 둔 취지

- 폐기물관리법 제26조1항, 2항 및 같은법시행규칙 제17조1항 내지 5항의 규정에 비추어 보면 폐기물처리업의 허가에 앞서 사업계획서에 대한 적정·부적정 통보 제도를 두고 있는 것은 폐기물처리업을 하고자 하는 자가 스스로 시설 등을 설치하여 허가신청을 하였다가 허가단계에서 그 사업계획이 부적정하다고 판명되어 불허가되면 허가신청인이 막대한 경제적·시간적 손실을 입게 되므로, 이를 방지하는 동시에 허가관청으로 하여금 미리 사업계획서를 심사하여 그 적정·부적정통보 처분을 하도록 하고, 나중에 허가단계에서는 나머지 허가요건만을 심사하여 신속하게 허가업무를 처리하는데 그 취지가 있다.

[3] 기속행위와 재량행위의 구별 기준

- 어느 행정행위가 기속행위인지 재량행위인지 나아가 재량행위라고 할지라도 기속재량행위인지 또는 자유재량에 속하는 것인지의 여부는 이를 일률적으로 규정지을 수는 없는 것이고, 당해 처분의 근거가 된 규정의 형식이나 체제 또는 문언에 따라 개별적으로 판단하여야 한다.

[4] 폐기물처리 사업계획 적정 여부 판단 기준의 해석·적용 방법

- 당해 처분의 근거인 폐기물관리법 제26조1항, 2항과 같은법 시행규칙 제17조1항 내지 4항의 체제 또는 문언을 살펴보면 이들 규정들은 폐기물처리업허가를 받기 위한 최소한도의 요건을 규정해 두고는 있으나 사업계획 적정 여부에 대하여는 일률적으로 확정하여 규정하는 형식을 취하지 아니하여 그 사업의 적정 여부에 대하여 재량의 여지를 남겨 두고 있다 할 것이고, 이러한 경우 사업계획 적정 여부 통보를 위하여 필요한 기준을 정하는 것도 역시 행정청의 재량에 속하는 것이므로, 그 설정된 기준이 객관적으로 합리적이 아니라거나 타당하지 않다고 볼 만한 다른 특별한 사정이 없는 이상 행정청의 의사는 가능한 한 존중되어야 한다.

[5] 환경부예규인 폐기물처리업 허가업무처리지침 등을 폐기물처리업허가와 관련한 사업계획 적정 여부 통보에 관한 기준으로 보아 그에 따른 당해 처분은 적법하다고 한 사례

- 환경부예규인 폐기물처리업 허가업무처리지침(1996.3.5.자 환경부예규 제137호)과 대구광역시장의 1997.2.13.자 생활폐기물 및 사업장생활계폐기물 수집, 운반업 허가에 따른 사업계획서 검토지침 등은 폐기물처리업허가와 관련한 사업계획 적정 여부 통보에 관한 기준으로 보여지고, 그 설정된 기준이 객관적으로 합리적이 아니라거나 타당하지 않다고 볼 만한 다른 특별한 사정이 없으므로, 이러한 예규 및 지침에 따라 한 당해 처분은 적법하다고 하여 이와 달리 본 원심판결을 파기한 사례.

3. 해 설

1) 예비결정의 처분성 여부 및 부적정통보의 재량행위성 및 재량의 일탈·남용 여부가 문제됨.
2) 예비결정은 그 자체가 하나의 완결적인 행정행위로서 행정처분에 해당한다는 것이 판례의 태도이다. 폐기물관리법상의 부적정 통보는 최종 폐기물처리업허가에 앞서 최종 허가요건 중 사업계획서에 대한 일부요건을 확정적으로 심사하는 것으로서 예비결정 또는 사전결정에 해당하

는 종국적 결정으로서 **항고소송의 대상이 되는 처분에 해당한다**는 것이 통설, 판례.

3) 부적정통보처분의 근거인 법 제26조1, 2항과 시행규칙 제17조1항 내지 4항의 체제 또는 문언을 살펴보면, 이들 규정들은 사업계획 적정 여부에 대하여는 일률적으로 확정하여 규정하는 형식을 취하지 아니하여 재량의 여지를 남겨 두고 있으므로 위 **부적정통보처분은 재량행위에 해당.**

4) 부적정통보처분을 재량행위로 보는 이상 위 **사업계획 적정 여부 통보를 위하여 필요한 기준을 정하는 것도 역시 행정청의 재량**에 속한다고 보아야 하고, 그 설정된 기준이 객관적으로 합리적이 아니라거나 타당하지 않다고 볼 만한 다른 특별한 사정이 없는 이상 행정청의 의사는 가능한 한 존중되어야 함. 사안의 환경부예규나 광역시장의 지침은 그 설정된 기준이 객관적으로 합리적이 아니라거나 타당하지 않다고 볼 만한 다른 특별한 사정이 없으므로, 이러한 예규 및 지침에 따라 한 이 사건 처분은 재량을 일탈·남용한 위법이 없음.

관련 판례 2 원전부지사전승인처분취소
(대판 1998.9.4, 97누19588)

1. 사실관계

한국전력공사는 원자로건설허가를 받기에 앞서 원자력법에 의하여 과학기술처장관으로부터 부지사전승인처분을 받음. 이에 인근 주민인 甲은 방사선물질에 의한 생명, 신체에 위해가 발생하고 환경영향평가대상지역안의 환경침해가 우려된다는 이유로 부지사전승인처분에 대한 취소소송을 제기.

2. 판결요지

[2] **원자력법 제12조2호(발전용 원자로 및 관계 시설의 위치·구조 및 설비가 대통령령이 정하는 기술수준에 적합하여 방사성물질 등에 의한 인체·물체·공공의 재해방지에 지장이 없을 것)의 취지**는 원자로 등 건설사업이 방사성물질 및 그에 의하여 오염된 물질에 의한 인체·물체·공공의 재해를 발생시키지 아니하는 방법으로 시행되도록 함으로써 방사성물질 등에 의한 생명·건강상의 위해를 받지 아니할 이익을 일반적 공익으로서 보호하려는 데 그치는 것이 아니라 **방사성물질에 의하여 보다 직접적이고 중대한 피해를 입으리라고 예상되는 지역 내의 주민들의 위와 같은 이익을 직접적·구체적 이익으로서도 보호**하려는 데에 있다 할 것이므로, 위와 같은 **지역 내의 주민들에게는 방사성물질 등에 의한 생명·신체의 안전침해를 이유로 부지사전승인처분의 취소를 구할 원고적격이 있다.**

[3] 원자력법 제12조3호(발전용 원자로 및 관계시설의 건설이 국민의 건강·환경상의 위해방지에 지장이 없을 것)의 취지와 원자력법 제11조(현행 원자력 안전법 제10조)[3]의 규정에 의한 원자로 및 관계 시설의 건설사업을 환경영향평가대상사업으로 규정하고 있는 구 환경영향평가법(1997.3.7. 법률 제5302호로 개정되기 전의 것) 제4조, 구 환경영향평가법시행령(1993.12.11. 대통령령 제14018호로 제정되어 1997.9.8. 대통령령 제15475호로 개정되기 전의 것) 제2조2항 [별표 1]의 다의 (4) 규정 및 환경영향평가서의 작성, 주민의 의견 수렴, 평가서 작성에 관한 관계 기관과의 협의, 협의내용을 사업계획에 반영한 여부에 대한 확인·통보 등을 규정하고 있는 위 법 제8조, 제9조1항, 제16조1항, 제19조1항 규정의 내용을 종합하여 보면, 위 **환경영향평가법 제7조에 정한 환경영향평가대상지역 안의 주민들이 방사성물질 이외의 원인에 의한 환경침해를 받지 아니하고 생활할 수 있는 이익도 직접적·구체적 이익으로서 그 보호대상**으로 삼고 있다고 보이므로, 위 **환경영향평가대상지역 안의 주민에게는 방사성물질 이외에 원전냉각수 순환시 발생되는 온배수로 인한 환경침해를 이유로 부지사전승인처분의 취소를 구할 원고적격도 있다.**[4]

[4] 원자력법 제11조3항 소정의 부지사전승인제도는 원자로 및 관계 시설을 건설하고자 하는 자가 그 계획중인 건설부지가 원자력법에 의하여 원자로 및 관계 시설의 부지로 적법한지 여부 및 굴착공사 등 일정한 범위의 공사(이하 '사전공사'라 한다)를 할 수 있는지 여부에 대하여 건설허가 전에 미리 승인을 받는 제도로서, 원자로 및 관계 시설의 건설에는 **장기간의 준비·공사가 필요**하기 때문에 **필요한 모든 준비를 갖추어 건설허가신청을 하였다가 부지의 부적법성을 이유로 불허가될 경우 그 불이익이 매우 크고** 또한 원자로 및 관계 시설 건설의 이와 같은 특성상 **미리 사전공사를 할 필요**가 있을 수도 있어 **건설허가 전에 미리 그 부지의 적법성 및 사전공사의 허용 여부에 대한 승인**을 받을 수 있게 함으로써 그의 **경제적·시간적 부담을 덜어 주고 유효·적절한 건설공사를 행할 수 있도록 배려**하려는 데 그 **취지**가 있다고 할 것이므로, 원자로 및 관계 시설의 **부지사전승인처분은 그 자체로서 건설부지를 확정하고 사전공사를 허용하는 법률효과를 지닌 독립한 행정처분이기는 하지만, 건설허가 전에 신청자의 편의를 위하여 미리 그 건설허가의 일부 요건을 심사하여 행하는**

3) **원자력안전법 제10조(건설허가)** ③ 위원회는 발전용 원자로 및 관계시설을 건설하고자 하는 자가 **건설허가신청 전에 부지에 대한 사전승인을 신청하면 이를 검토한 후 승인할 수 있다.** ④ 제3항에 따라 **부지에 관한 승인을 얻은 자는 총리령이 정하는 범위에서 공사를 할 수 있다.** ⇒ 현행 원자력안전법은 원자력안전위원회가 승인권자임.

4) 주의 ! 2006.3.16. 선고된 소위 새만금판결(대판(전) 2006.3.16, 2006두330)에서는 "**환경영향평가 대상지역 밖의 주민이라 할지라도** 공유수면매

사전적 부분 건설허가처분[5]의 성격을 갖고 있는 것이어서 나중에 건설허가처분이 있게 되면 그 건설허가처분에 흡수되어 독립된 존재가치를 상실함으로써 그 건설허가처분만이 쟁송의 대상이 되는 것이므로, 부지사전승인처분의 취소를 구하는 소는 소의 이익을 잃게 되고, 따라서 부지사전승인처분의 위법성은 나중에 내려진 건설허가처분의 취소를 구하는 소송에서 이를 다투면 된다.

3. 평 석

(1) 정하중 교수님(저스티스 1999년3월호, 多段階行政節次에 있어서 事前決定과 部分許可의 意味. 판례평석중 결론부분 인용)

독일의 다단계행정절차에 대한 고찰은 우리의 학계와 실무계에 많은 것을 시사하고 있다. 사실관계에서 부지사전허가처분과 건설허가처분은 아직 불가쟁력이 발생되고 있지 않은 상태에 있다. 대법원은 부지사전허가처분에 대하여 독립한 행정처분에 해당하기는 하나 후행되는 건설허가처분이 있게 되면 그에 흡수되어 독립된 존재가치를 상실하고 그 건설허가처분만이 쟁송의 대상이 되는 것이므로 부지사전승인처분의 취소를 구하는 소는 소의 이익을 잃게 된다는 견해는 다단계행정절차의 기능과 의미를 간과한데서 기인되고 있는 것으로 볼 수 있다. 제3자는 부지적합성 및 그 공사에 관한 부분허가가 자신의 권리를 침해하는 경우 이에 대하여 직접 취소소송을 제기하여야 하며, 부지문제에 관하여 어떠한 독자적인 규율을 포함하지 않으며 단지 반복적인 성격을 갖는 후행건설허가처분을 소송의 대상으로 하여서는 안 된다는 것이 오히려 취소소송의 일반원칙에 해당한다고 보아야 할 것이다.

(부지사전승인처분과 건설허가처분이 둘 다 불가쟁력이 발생되지 않은 상태에 있고 양자에 대하여 취소소송이 각 각 제기되는 경우를 상정할 수가 있다. 이러한 경우에는 소의 객관적 병합에 의하여 처리할 수 있을 것이다.)

아울러 대법원의 견해는 행정결정의 회복할 수 없는 결과를 예방하는데 그 목적을 두고 있는 효과적인 권리보호와 시설자의 투자이익보호에도 위배된다. 원자로시설을 설치할 지점의 굴착공사의 시작과 더불어 이미 기성사실이 발생하기 때문이다.

또한 사실관계에 해당되지는 않지만 사전결정과 부분허가 제도의 배제효는 종래 흠의 승계방식으로 문제해결을 하여온 대법원견해의 재검토를 요구하고 있다. 예를 들어 대집행절차에 있어서 자신의 건물에 대한 강제철거가 충분히 예견되고 있음에도 불구하고 대집행계고에 대하여 이미 90일이나 되는 제소기간을 도과한 건물주에 대하여, 단지 서로 결합하여 한 개의 효과를 발생시킨다는 이유로 불가쟁력이 발생된 계고처분의 위법성을 이유로 후행 대집행영장을 공격할 수 있다는 대법원의 태도는(대판 1996.2.9, 95누12507) 충분한 설득력을 갖고 있지 못하다.

이는 법적 안정성과 개인의 권리구제를 충분히 형량하여 내린 실정법상의 제소규정을 명백히 위반하는 견해라고 할 수 있다. 이에 관련하여 강제집행절차에서 선행처분이 불가쟁력이 발생된 경우 선행처분의 위법성을 이유로 후행처분을 다툴 수 없다는 원칙을 성문화시키고 있는 독일의 연방행정강제집행법 제18조1항은 좋은 참고가 되고 있다.

상술한 독일연방오염방지법, 원자력법, 건축법상의 다단계행정절차와 그의 본질적인 요소들인 사전결정과 부분허가는 이미 오래전부터 독일에서 학설과 실무에 의하여 발전되어 온 제도가 성문화된 것에 지나지 않는다. 행정청은 실정법상의 명시적인 규정이 없다고 하더라도 종국적인 결정에 대한 권한을 갖고 있는 한, 합목적적인 절차형성의 권한을 근거로 하여 사전결정과 부분허가를 내릴 수가 있다. 향후 행정결정과정의 복잡화현상으로 다단계행정절차에 의한 해결방식은 계속 증대될 것이 예견되고 있으며 이로 인해 발생되는 제반 법적 문제들의 해결을 위한 정제된 이론적 기반의 마련은 학계와 실무계의 당면과제이다.

(2) 류지태 교수님(류지태・박종수 185면 인용)

- 판례의 논리에 따르게 되면, 부지사전승인처분은 후행처분인 건설허가처분이 발령되고 있지 않은 단계에서만 그 의미를 가질 뿐이어서 그 독자적인 존재가치가 의문스럽게 된다. 이러한 논리는 단계적 행정절차의 요소로서의 부분허가의 독자적 행정행위성을 인정하는 의미를 상실하게 하여 따를 수 없다고 평가되어야 할 것이다. 따라서 부지사전승인행위에 대해서는 건설허가처분의 존재와 무관하게 독자적으로 취소소송을 제기할 수 있다고 보아야하며, 부지사전승인에 대한 취소소송이 인용되는 경우에는 부지사전승인에 근거한 건설허가처분도 법적으로 효력을 상실하게 된다고 보아야 한다.

립면허처분 등으로 인하여 그 처분 전과 비교하여 수인한도를 넘는 환경피해를 받거나 받을 우려가 있는 경우에는, 공유수면매립면허처분 등으로 인하여 환경상 이익에 대한 침해 또는 침해우려가 있다는 것을 입증함으로써 그 처분 등의 무효확인을 구할 원고적격을 인정받을 수 있다"고 하여 원고적격을 한층 넓힘.

5) 부지사전승인이 있으면 부지의 적합성이라는 실질적 요건에 대한 종국적인 판단이 되고, 원자로건설허가요건의 일부에 대해 미리

관련 판례 3 **노선배분취소처분취소,국제선정기항공운송업면허거부처분취소**(대판 2004.11.26, 2003두10251·10268)

대한민국 정부와 중국 정부 사이에 1994.10.31. 체결된 조약인 대한민국 정부와 중화인민공화국 정부 간의 민간항공운수에 관한 잠정협정(이하 '이 사건 잠정협정'이라고 한다)을 근거로 대한민국과 중국 항공당국 사이에 특정 항공노선을 개설하기로 하는 협약을 체결한 다음 쌍방 항공당국이 당해 노선에 취항할 국적항공사를 지정하여 상대방 국가에게 통보하면, 위와 같이 지정된 항공사(이하 '지정항공사'라고 한다)는 상대방 국가로부터 일정한 조건하에 부당한 지체 없이 적절한 운항허가를 받을 수 있고, 허가를 받으면 합의된 업무를 할 수 있으며, 당해 노선상의 합의된 업무를 운영함에 있어 정해진 항로를 따라 상대방 국가의 영역을 통과하는 무착륙 비행, 쌍방 항공당국 간 합의된 상대방 국가의 영역 내 제 지점에서의 비운수목적의 착륙 등 제 권리를 가지게 되는 점, 국제선 정기항공운송사업에 관한 서울/계림, 서울/무한, 서울/곤명, 부산/청도, 대구/청도, 서울/우룸치, 서울/천진 노선(다만, 서울/천진 노선은 화물운송사업에 관한 노선이고, 나머지 노선은 여객운송사업에 관한 노선임, 이하 '이 사건 각 노선'이라고 한다)은 양국 항공당국이 1997.11.7. 이 사건 잠정협정의 부속서로서의 성격을 가지는 비밀양해각서(이하 '이 사건 비밀양해각서'라고 한다)를 체결하면서 개설하기로 합의된 노선으로서 그 지정항공사는 취항에 선행하여 상대국 지정항공사와 상무협정을 체결하고 양국 항공당국의 승인을 받도록 되어 있는 점, 피고는 1998.1.24. 이 사건 잠정협정 및 비밀양해각서와 노선배분에 관한 원칙과 기준을 정한 피고의 내부지침인 국적항공사경쟁력강화지침(1994.8.27.자 교통부예규 194호, 이하 '이 사건 지침'이라고 한다)을 근거로 이 사건 각 노선에 대한 운수권을 원고에게 배분하고 이를 중국 항공당국에 통보한 점을 각 알 수 있다.

이러한 점에 비추어 보면, 노선을 배분받은 항공사는 중국 항공당국에 통보됨으로써 이 사건 잠정협정 및 비밀양해각서에 의한 지정항공사로서의 지위를 취득하고, 중국의 지정항공사와 상무협정을 체결하는 등 노선면허를 취득하기 위한 후속절차를 밟아 중국 항공당국으로부터 운항허가를 받을 수 있게 되며, 추후 당해 노선상의 합의된 업무를 운영함에 있어 중국의 영역 내에서 무착륙비행, 비 운수목적의 착륙 등 제 권리를 가지게 되는 반면, 노선배분을 받지 못한 항공사는 상대국 지정항공사와의 상무협정 체결 등 노선면허 취득을 위한 후속절차를 밟을 수 없을 뿐만 아니라 중국 항공당국으로부터 운항허가를 받을 수도 없는 지위에 놓이게 된다.

위에서 본 법리에 비추어 보면, 이 사건 각 노선에 대한 운수권배분처분[6)7)]은 이 사건 잠정협정 등과 행정규칙인 이 사건 지침에 근거하는 것으로서 상대방에게 권리의 설정 또는 의무의 부담을 명하거나 기타 법적 효과를 발생하게 하는 등으로 원고의 권리의무에 직접 영향을 미치는 행위로서 항고소송의 대상이 되는 행정처분에 해당한다고 할 것이다.

기출 사례 **폐기물처리사업계획 적정통보와 허가거부처분**(99년 사시)

폐기물관리법 제26조1항 및 동법 시행규칙 제17조의 규정에 의하면 폐기물처리허가를 받고자 하는 자는 사업계획서를 관할관청에 제출하여야 하고, 관할관청은 이를 검토한 후 그 사업계획의 적정 여부를 신청인에게 통보하도록 되어 있다. 이에 따라 적정통보를 받은 자는 소정의 기간내에 허가신청서를 관할관청에 제출하여 시설·장비·기술능력·자본금의 심사를 거쳐 허가를 받도록 되어 있다. 甲은 폐기물처리업허가를 받고자 관할관청에 사업계획서를 제출하였다. 다음 물음에 답하시오.

(1) 관할관청은 甲의 위 사업계획서에 대해 甲에게 부적정통보를 하였다. 이 경우 甲이 폐기물처리업을 영위하기 위한 권익구제를 논하시오.

결정한다는 측면에서 사전결정의 성질을 가지며, 또한 원자력법 제11조4항에 의하여 제한된 범위에서 공사를 할 수 있는 효과가 발생하는 부분허가의 성질도 지니므로 판례가 사전적 부분건설허가처분이라고 판시한 것으로 보임.

6) 운수권 배분의 법적 성질에 대해서 박균성 교수님은 사례집(5판, 262면)에서, 운수권 배분은 노선면허의 요건판단 등 결정사항 중 일부(노선면허의 주된 내용이 되는 운항횟수 등)에 대한 결정인 점에서 '사전결정의 성질'을 갖는다고 함.

7) 어업면허 우선순위결정에 관한 판례에서 우선순위결정은 확약이라고 하면서도 처분성을 부정한 판례와 비교!(실제로, 운수권배분판례에서 피고가 어업면허우선순위결정 판례를 원용했으나 "94누6529 판결은 어업권면허에 선행하는 우선순위결정의 효력에 관한 것으로 이 사건에 원용하기에 적절하지 아니하다"고 하여 판례는 받아들이지 않음)

(2) 관할관청은 甲의 위 사업계획서에 대해 적정통보를 하고도 그 후의 甲의 허가신청을 거부하였다. 이 경우 甲의 권익구제를 논하시오.

1. 사업계획 부적정통보에 대한 권익구제

(1) 행정소송

1) 소송요건

- 부적정통보가 처분인지 문제됨.
- 강학상 사전결정(예비결정)에 해당. 허가신청 자체를 제한하는 등 개인의 권리 내지 법률상 이익을 개별적이고 구체적으로 제한. 처분에 해당.

2) 위법성판단(본안)

- 적정·부적정 판단은 재량행위(판례).
- 요건이 미비된 경우 부적정통보는 적법하며, 요건 구비시에도 폐기물처리업의 공공성을 고려할 때 부적정 여부의 판단에 재량이 존재- 재량하자가 없는 한 적법하나 설문상 위법 판단 곤란.

(2) 기타 구제수단

행정심판(부당한 경우도 청구인용 가능), 청원, 국가배상청구(위법한 경우).

2. 허가거부처분에 대한 권익구제

(1) 행정소송

- 취소소송을 제기하면 됨. 허가처분을 할 것을 명하는 의무이행소송은 현행법상 인정 ×(판례).

1) 소송요건

- 판례에 의할 경우 거부처분의 처분성 문제. 법규상 신청권 존재.

2) 본안판단(위법성)

- 신뢰보호원칙 위반으로 위법. 위법성의 정도는 중대명백설에 의할 때 취소사유. 청구인용될 것.

(2) 기타 구제수단

- 행정심판(의무이행심판, 취소심판), 국가배상, 청원

57 공법상 계약

Ⅰ. 개 설

공법적 효과의 발생을 목적으로 하는 복수당사자 간의 반대방향의 의사표시의 합치에 의해 성립되는 공법행위이다. 현대행정에서 협의에 의한 행정이 강조되면서 민주적 법치국가시대에 적합한 행위형식이다. 공법적 효과의 발생을 목적으로 한다는 점에서 사법상 효과의 발생을 목적으로 하는 사법상 계약과 구별되며, 합의에 의해 성립하고 계약당사자의 의사표시는 계약의 성립요건이라는 점에서 일방적으로 행해지며 사인의 의사표시는 적법요건인 쌍방적 행정행위와 구별된다.

Ⅱ. 공법상 계약과 법치행정

1. 성립가능성

종래 국가와 사인은 권력적인 상하관계에 있어 계약이 성립할 수 없다고 보았으나, 오늘날에는 비권력적 행정영역의 증가로 인해 공법상 계약을 일반적으로 인정한다.

2. 법률유보의 원칙 적용 여부(자유성)

공법상 계약은 비권력적관계에서 합의에 의한 것이므로 법적 근거 없어도 가능하다는 것이 지배적인 견해다. 다만, 사실상의 계약강제가 존재하는 경우는 법적 근거가 필요하다고 할 것이다.

3. 법률우위의 원칙

공법상 계약도 법률우위의 원칙은 적용된다. 관계법령 및 행정법의 일반원리에 합치하여야 한다.

4. 행정행위에 갈음하는 공법상 계약의 문제

독일 연방행정절차법은 "행정청은 행정행위를 하는 것에 갈음하여 행정행위를 할 상대방과 공법상계약을 체결할 수 있다"고 규정하여 행정행위와 공법상계약간의 대체성 내지 호환성 인정하고 있지만 행정행위에 갈음한 공법상 계약의 허용에는 일정한 한계가 있다. 원칙적으로 행위형식의 선택의 자유가 긍정되나 당해 행정영역의 성질, 기본권 관련성과 관련해 행정법의 일반원리에 반할 가능성이 있거나 엄격한 규율이 요구될 때는 제한되어야 한다. 경찰·조세행정분야와 같은 침해행정에는 법률에 특별한 규정이 있는 경우 이외에는 원칙적으로 허용되지 않는다.

Ⅲ. 종 류(계약 당사자에 따른 분류)

1. 행정주체 상호간의 계약

공공단체상호간 사무위탁, 지자체 상호간 도로·하천의 관리 및 경비부담에 관한 합의 등이 이에 해당한다.

2. 행정주체와 사인간의 계약

계약직공무원채용계약, 행정사무위탁계약 등이다. 판례는 공중보건의사등 지방전문직공무원 채용계약, 시립무용단원위촉에 대해서 공법상 계약으로 본 바 있다.

판례 1 지방자치법 제9조2항5호 (라)목 및 (마)목 등의 규정에 의하면, 광주광역시립합창단의 활동은 지방문화 및 예술을 진흥시키고자 하는 광주광역시의 공공적 업무수행의 일환으로 이루어진다고 해석될 뿐 아니라, 그 단원으로 위촉되기 위하여는 공개전형을 거쳐야 하고 지방공무원법 제31조의 규정에 해당하는 자는 단원의 직에서 해촉될 수 있는 등 단원은 일정한 능력요건과 자격요건을 갖추어야 하며, 상임단원은 일반공무원에 준하여 매일 상근하고 단원의 복무규율이 정하여져 있으며, 일정한 해촉사유가 있는 경우에만 해촉되고, 단원의 보수에 대하여 지방공무원의 보수에 관한 규정을 준용하는 점 등에서는 단원의 지위가 지방공무원과 유사한 면이 있으나, 한편 단원의 위촉기간이 정하여져 있고 재위촉이 보장되지 아니하며, 단원에 대하여는 지방공무원의 보수에 관한 규정을 준용하는 이외에는 지방공무원법 기타 관계 법령상의 지방공무원의 자격, 임용, 복무, 신분보장, 권익의 보장, 징계 기타 불이익처분에 대한 행정심판 등의 불복절차에 관한 규정이 준용되지도 아니하는 점 등을 종합하여 보면, **광주광역시문화예술회관장의 단원 위촉은 광주광역시문화예술회관장이 행정청으로서 공권력을 행사하여 행하는 행정처분이 아니라 공법상의 근무관계의 설정을 목적으로 하여 광주광역시와 단원이 되고자 하는 자 사이에 대등한 지위에서 의사가 합치되어 성립하는 공법상 근로계약**에 해당한다고 보아야 할 것이므로, 광주광역시립합창단원으로서 위촉기간이 만료되는 자들의 재위촉 신청에 대하여 광주광역시문화예술회관장이 실기와 근무성적에 대한 평정을 실시하여 **재위촉을 하지 아니한 것을 항고소송의 대상이 되는 불합격처분이라고 할 수는 없다**(대판 2001.12.11, 2001두7794).

판례 2 행정청이 자신과 상대방 사이의 근로관계를 일방적인 의사표시에 의하여 종료시켰다고 하더라도 곧바로 그 의사표시가 행정청으로서 공권력을 행사하여 행하는 행정처분이라고 단정할 수는 없고, 관계 법령이 상대방의 근무관계에 관하여 구체적으로 어떻게 규정하고 있는지에 따라 그 의사표시가 항고소송의 대상이 되는 행정처분에 해당하는 것인지, 아니면 공법상 계약관계의 일방 당사자로서 대등한 지위에서 행하는 의사표시인지 여부를 개별적으로 판단하여야 한다.………(중략)…………
위와 같은 관계규정들에 의하면, 이장은 읍・면장에 의하여 임명되고 공적인 임무를 수행하는 지위에 있기는 하나, ① 지방공무원법이 1981. 4. 20. 법률 제3448호로 개정되면서 그 **신분이 별정직 공무원에서 제외된 이래 현재까지 공무원으로 규정된 바 없는 점**, ② 읍・면장은 **이장을 임명함에 있어 주민의 의사에 따라야 하고 직권으로 면직함에 있어서도 주민들의 의견을 들어야** 하는 점, ③ 이장이 공무원으로서의 지위를 갖는 것은 아니나 지방계약직 공무원과 그 지위에서 유사할 뿐만 아니라 이장의 **면직사유에 관한 규정은 지방계약직 공무원에 대한 채용계약 해지사유를 정한 지방계약직공무원규정과 유사**한 점 등을 종합하면, 읍・면장의 **이장에 대한 직권면직행위는 행정청으로서 공권력을 행사하여 행하는 행정처분이 아니라 서로 대등한 지위에서 이루어진 공법상 계약에 따라 그 계약을 해지하는 의사표시**로 봄이 상당하다(대판 2012.10.25, 2010두18963).

3. 사인상호간의 계약

계약당사자의 **일방이 공무수탁사인**인 경우에 가능하다. 기업자가 사인인 경우, 토지소유자와의 사이에 토지수용에 관한 합의를 하는 경우가 이에 해당한다.

Ⅳ. 공법상 계약의 적법요건

공법상 계약은 주체 요건으로 계약을 체결할 수 있는 정당한 권한을 가진 행정청에 의해 체결되어야 한다. 절차요건은 공법상 계약의 절차를 일반적으로 규율하는 법령은 존재하지 않고 행정절차법의 적용대상도 아니다. 다만 개별법에서 다른 행정청의 동의,협의 등 일정한 절차를 요구하는 경우 거쳐야 한다. 형식 요건은 특별한 규정은 없으나 문서에 의하는 것이 바람직하다. 내용에 관한 요건으로 법률우위의 원칙은 적용되지만 법률유보의 원칙은 적용되지 않는다.

판례 계약직공무원에 관한 현행 법령의 규정에 비추어 볼 때, **계약직공무원 채용계약해지의 의사표시는** 일반공무원에 대한 징계처분과는 달라서 항고소송의 대상이 되는 처분 등의 성격을 가진 것으로 인정되지 아니하고, 일정한 사유가 있을 때에 **국가 또는 지방자치단체가 채용계약 관계의 한쪽 당사자로서 대등한 지위에서 행하는 의사표시로 취급**되는 것으로 이해되므로, 이를 **징계해고 등에서와 같이 그 징계사유에 한하여 효력 유무를 판단하여야 하거나, 행정처분과 같이 행정절차법에 의하여 근거와 이유를 제시하여야 하는 것은 아니다**(대판 2002.11.26, 2002두5948).

Ⅴ. 특수성

1. 실체법상 특수성

① 법률적합성의 원칙이 적용되며 **사적자치가 제한**된다. 다만 계약성립에 관하여 특별한 공법규정이 없으면 사법의 일반원리가 준용된다. ② 그 내용에 있어 **민법상 해지규정 등은 직접 적용되지 않으며,** 행정청은 공공복리에 중대한 침해를 방지하거나 제거하기 위하여 계약을 해지 가능하다. ③ **의사표시상의 하자가 있는 경우에는** 특별한

규정이 없는 한 민법상의 계약에 관한 규정이 적용되어 **무효 또는 취소**의 하자가 모두 인정된다. 그러나 공법상 계약이 갖는 **내용상 하자**에 대해서는 **행정행위와 달리 공정력이 인정되지 않으므로, 무효**의 하자유형만 인정된다.

판 례 문화체육관광부장관이 일반계약직공무원으로 채용한 국립현대미술관 관장에게 미술품 구입과정에서 국가공무원법 제56조의 성실의무 및 계약직공무원규정 제7조의 복무상 의무를 위반하여 채용계약의 기초가 된 신뢰관계가 파괴되었다는 이유로 채용계약의 해지를 통보한 사안에서, 국립현대미술관장으로서 미술품 구입과정에서 통관절차에 다소 부적절한 업무처리가 된 것을 미리 막지 못한 점 정도를 제외하고는 달리 비난할 만한 사유가 있었다고 볼 수 없으므로, 국가공무원법이나 계약직공무원 규정이 정한 복무상 의무를 위반하였다고 할 수 없어 위 **채용계약의 해지는 효력이 없다**(대판 2010.9.9, 2010두863).

2. 쟁송법상 특수성

공법상 계약에 관한 분쟁은 공법상 법률관계에 관한 소송인 **공법상 당사자소송**으로 해결한다.

판 례 전문직공무원인 공중보건의사의 채용계약의 해지가 관할 도지사의 일방적인 의사표시에 의하여 그 신분을 박탈하는 불이익처분이라고 하여 곧바로 그 의사표시가 관할 도지사가 행정청으로서 공권력을 행사하여 행하는 행정처분이라고 단정할 수는 없고, 공무원 및 공중보건의사에 관한 현행 실정법이 공중보건의사의 근무관계에 관하여 구체적으로 어떻게 규정하고 있는가에 따라 그 의사표시가 항고소송의 대상이 되는 처분 등에 해당하는 것인지의 여부를 개별적으로 판단하여야 할 것인바, 농어촌등보건의료를위한특별조치법 제2조, 제3조, 제5조, 제9조, 제26조와 같은법 시행령 제3조, 제17조, 전문직공무원규정 제5조1항, 제7조 및 국가공무원법 제2조3항3호, 4항 등 관계 법령의 규정내용에 미루어 보면 현행 실정법이 **전문직공무원인 공중보건의사의 채용계약 해지의 의사표시는 일반공무원에 대한 징계처분과는 달라서** 항고소송의 대상이 되는 처분 등의 성격을 가진 것으로 인정되지 아니하고, 일정한 사유가 있을 때에 관할 도지사가 **채용계약 관계의 한쪽 당사자로서 대등한 지위에서 행하는 의사표시**로 취급하고 있는 것으로 이해되므로, 공중보건의사 채용계약 해지의 의사표시에 대하여는 **대등한 당사자간의 소송형식인 공법상의 당사자소송**으로 그 **의사표시의 무효확인을 청구**할 수 있는 것이지, 이를 항고소송의 대상이 되는 행정처분이라는 전제하에서 그 취소를 구하는 항고소송을 제기할 수는 없다(대판 1996.5.31, 95누10617).

관련 판례 1 **전임계약직공무원(나급) 재계약거부처분 및 감봉처분취소**(대판 2008.6.12, 2006두16328)

1. 사실관계

1) 甲은 건강진단과 전문의로서 2002.7.1. 서울시와 다음과 같은 내용의 지방계약직공무원 채용계약을 체결함.

○ 직급 : 전임(일반의사) 계약직 나급

○ 계약기간 : 2002.7.1.부터 2005.2.28.까지

○ 소속 : 서울특별시여성보호센터

○ 담당업무 및 성과계획 : 보호여성 내부진료, 보호여성 외부의료기관 의뢰

○ 월보수지급액 및 보수지급방법 : 봉급 2,438,410원(연봉 29,261,000원, 2003년도에 연봉이 32,606,000원으로 인상됨), 수당 및 지급방법은 지방공무원규정에 의함

○ 근무실적평가 : 담당업무 및 성과목표를 기준으로 하여 원고의 근무실적을 매년 정기평가하고 필요시 수시평가할 수 있으며 계약만료시에는 최종평가를 함

○ 계약의 해지 : 지방계약직공무원규정 제7조 각호의 1에 해당하거나 근무실적평가 결과 불량으로 판정된 때에는 계약기간에 불구하고 채용계약을 해지할 수 있음

2) 서울특별시 산하 근무실적평가위원회에서는 2004.1.30.경 원고의 근무실적평가등급을 'D등급(미흡)'으로 의결하였고, 이에 따라 서울특별시는 같은 달 9.경 원고의 **보수를 3% 삭감**한다는 내용이 담긴 '계약직공무원 근무실적평가 결과 시달'이라는 공문을 원고에게 전자문서로 **통보**(이하 '이 사건 **보수삭감조치**'라 한다)함으로써 2004년 3월분부터 원고에 대한 보수를 3% 삭감하였음.

3) 여성보호센터소장은 2004.8.24.경 계약직의사의 직급을 전임계약직 나급에서 비전임계약직 가급으로 조정하면서 간호직 직원을 1명 증원하는 등의 내용이 담긴 여성보호센터운영 개선방안을 수립한 후 이를 토대로 2004.10.13. 계약직(의사)직급을 2005.3.1.자로 비전임계약직 가급으로 변경하는 직급조정계획(이하 '직급조정계획'이라 한다)을 원고에게 통보함.

4) 서울특별시는 甲에 대한 **채용계약의 기간만료 이후 위 계약을 갱신하지 아니하였을** 뿐 아니라 직급조정계획을 2005.3.1.자로 실시하여 공고절차를 거쳐 비전임계약직 가급 의사 1명을 채용함.

5) 甲은 서울특별시의 2004.10.13.자 전임계약직공무원(나급) **채용계약 해지의 의사표시는 무효임을 확인한다는 청구**

를 구하는 소송을 제기함과 아울러 삭감된 보수의 이행을 청구하는 소송을 제기함.

2. 판결이유 중

(1) 확인의 이익에 관하여

지방자치단체와 채용계약에 의하여 채용된 계약직공무원이 그 계약기간 만료 이전에 채용계약 해지 등의 불이익을 받은 후 그 계약기간이 만료된 때에는 그 채용계약 해지의 의사표시가 무효라고 하더라도, 지방공무원법이나 지방계약직공무원규정 등에서 계약기간이 만료되는 계약직공무원에 대한 재계약의무를 부여하는 근거 규정이 없으므로 계약기간의 만료로 당연히 계약직공무원의 신분을 상실하고 계약직공무원의 신분을 회복할 수 없는 것이므로, 그 해지의사표시의 무효확인청구는 과거의 법률관계의 확인청구에 지나지 않는다 할 것이고, 한편 과거의 법률관계라 할지라도 현재의 권리 또는 법률상 지위에 영향을 미치고 있고 현재의 권리 또는 법률상 지위에 대한 위험이나 불안을 제거하기 위하여 그 법률관계에 관한 확인판결을 받는 것이 유효·적절한 수단이라고 인정될 때에는 그 법률관계의 확인소송은 즉시확정의 이익이 있다고 보아야 할 것이나, 계약직공무원에 대한 채용계약이 해지된 경우에는 공무원 등으로 임용되는 데에 있어서 법령상의 아무런 제약사유가 되지 않을 뿐만 아니라, 계약기간 만료 전에 채용계약이 해지된 전력이 있는 사람이 공무원 등으로 임용되는 데에 있어서 그러한 전력이 없는 사람보다 사실상 불이익한 장애사유로 작용한다고 하더라도 그것만으로는 법률상의 이익이 침해되었다고 볼 수는 없으므로 그 무효확인을 구할 이익이 없다(대판 2002.11.26, 2002두1496 등 참조). 또한, 이 사건과 같이 이미 채용기간이 만료되어 소송 결과에 의해 법률상 그 직위가 회복되지 않는 이상 채용계약 해지의 의사표시의 무효확인만으로는 당해 소송에서 추구하는 권리구제의 기능이 있다고 할 수 없고, 침해된 급료지급청구권이나 사실상의 명예를 회복하는 수단은 바로 급료의 지급을 구하거나 명예훼손을 전제로 한 손해배상을 구하는 등의 이행청구소송으로 직접적인 권리구제방법이 있는 이상 무효확인소송은 적절한 권리구제수단이라 할 수 없어 확인소송의 또 다른 소송요건을 구비하지 못하고 있다 할 것이며, 위와 같이 직접적인 권리구제의 방법이 있는 이상 무효확인 소송을 허용하지 않는다고 해서 당사자의 권리구제를 봉쇄하는 것도 아니다(대판(전) 2000.5.18, 95재다199 등 참조).

(2) 이 사건 보수삭감조치의 법적 근거에 관하여

임금은 근로자와 그 부양가족의 생존의 기초가 되는 재원을 이루는 것이기 때문에 근로기준법은 임금채권을 보호하기 위해 임금의 지급방법에 관하여 통화지급, 직접지급, 전액지급, 월 1회 이상 정기지급(제43조)을 강제하는 외에 임금채권에 대하여 우선변제권의 인정(제38조), 상계의 금지(제21조 및 제43조) 등을 규정하고 있고, 그 밖에 민사집행법에 임금채권에 대한 압류를 제한하는 규정(제246조)을 두는 등 다른 법률에서도 임금채권 보호를 위한 장치를 마련하여 두고 있는바, 공무원도 임금을 목적으로 근로를 제공하는 근로기준법 제2조 소정의 근로자이므로 위와 같은 규정은 공무원에 대하여도 적용이 된다 할 것이다.

한편, 지방공무원법 및 그 위임에 따라 지방공무원의 보수에 관하여 필요한 사항을 규정하고 있는 대통령령인 지방공무원보수규정에는 경력직공무원의 보수는 물론, 특수경력직공무원의 보수도 이를 삭감할 수 있는 근거가 될 만한 규정이 없고, 다만 지방공무원법 제70조에서 징계의 종류의 하나로 '감봉'을 규정하고 있는데, 특수경력직공무원에 대해서는 지방공무원법 제73조의3(특수경력직공무원의 징계)이 "다른 법률에 특별한 규정이 있는 경우를 제외하고는 대통령령으로 정하는 바에 의하여 특수경력직공무원에 대하여도 이 장의 규정을 준용할 수 있다"고 규정하고 있고, 대통령령인 지방공무원징계및소청규정 제13조4항은 "법 제2조3항 3호에 규정된 계약직공무원에게 법 제69조1항 각 호의 징계사유가 있는 때에는 채용계약을 해지하는 외에 이 영의 규정에 의한 징계처분을 할 수 있다"고 규정하고 있으므로, 특수경력직공무원에 대해서도 지방공무원법 및 지방공무원징계및소청규정에 따라 감봉을 포함한 징계처분은 가능하다 할 것이다.

위와 같은 근로기준법 등의 입법 취지, 지방공무원법 및 지방공무원징계및소청규정의 제 규정내용에 의하면, 지방계약직공무원에 대해서도 채용계약상 특별한 약정이 없는 한, 지방공무원법 및 지방공무원징계및소청규정에 정한 징계절차에 의하지 아니하고는 보수를 삭감할 수 없다고 봄이 상당하다.

원심판결 이유에 의하면, 원심은 제1심판결을 인용하여, 지방공무원법 제2조4항의 위임에 의하여 지방계약직공무원의 채용조건·임용절차 등에 관하여 규정하고 있는 대통령령인 지방계약직공무원규정 제8조에 의하면 지방자치단체의 장은 채용된 지방계약직공무원의 근무상황과 업무수행실적을 정기 또는 수시로 평가하여 계약의 변경·연장 또는 해지시 반영할 수 있고, 지방계약직공무원규정 제10조에 의하여 이 영 시행에 필요한 사항을 규정하고 있는 서울특별시 지방계약직공무원 인사관리규칙(이하 '인사관리규칙'이라고만 한다)에 의하면 영 제8조의 규정에 의한 근무실적 평가 중 정기평가는 채용 후 매 1년마다 하고, 수시평가는 계약의 연장 · 봉급액의 조정 · 기타 계약내용을 변경하고자 하는 때에 하며, 계약기간 만료시에는 최종평가를 하여야 하고(제7조1항), 근무실적 평가 결과는 계약의 연장 및 해지, 봉급액의 조정 등 계약직공무원의 인사관리에 반영하여야 하며(제7조5항), 근무실적 평가 결과 근무실적이 불량한 자에 대하여는 봉급을 삭감할 수 있고(제8조3항), 인사관리규칙 제7조2항에 따라 서울특별시장이 정한 계약직 공무원 근무실적 평가요령(이하 '평가요령'이라고만 한다)에 의하면, 평가등급이 'D등급(미흡)'에 해당할 경우에는 보수를 삭감할 수 있는바, 위 규정내용을 종합하면, 지방계약직공무원규정 제8조 소정의 '계약의 변경'에는 '봉급액의 조정'도 포함되고, 이에 근거한 인사관리규칙 및 평가요령에서 근무실적 평가 결과에 의하여 지방계약직공무원의 봉급액 조정이 가능함을 명시하고 있으므로, 이 사건 보수삭감조치는 관계 법령의 규정에 근거하여 이루어진 것으로서 적법하다고 판단하였다.

그러나 원심의 위와 같은 판단은 앞서 본 법리와 다음과 같은 이유로 수긍하기 어렵다.

먼저, 지방공무원법 제76조1항, 2항 및 3항은 각각 "임용권자는 정기 또는 수시로 소속공무원의 근무성적을 객관적이고 엄정하게 평정하여 이를 인사관리면에 반영시켜야 한다", "제1항의 규정에 의한 근무성적평정 결과 근무성적이 우수한 자에 대하여는 상여금을 지급하거나 특별승급시킬 수 있다", "제1항의 근무성적평정에 관한 사항은 대통령령으로 정한다"고 각 규정하고 있는바, 위 각 규정은 경력직공무원과 특수경력직공무원 모두에 대하여 적용되는 것으로서, 근무성적이 우수한 공무원에 대하여 상여금을 지급할 수 있다고 되어 있을 뿐이므로, 근무성적이 불량한 공무원에 대하여 그 보수 삭감의 근거가 될 수는 없다. 한편, 지방계약직공무원의 채용조건 · 임용절차 등에 관하여 필요한 사항을 정하고 있는 대통령령인 지방계약직공무원규정 제8조는 "지방자치단체의 장은 채용된 지방계약직공무원의 근무상황과 업무수행실적을 정기 또는 수시로 평가하여 계약의 변경 · 연장 또는 해지시 이를 반영할 수 있다"고 규정하고 있는바, 업무수행실적을 계약의 변경시 반영할 수 있다는 취지의 위 규정에서 바로 지방자치단체의 장에게 일방적으로 지방계약직공무원의 보수를 삭감할 수 있는 권리가 발생한다고 볼 수는 없다.

그런데 지방계약직공무원규정의 시행에 필요한 사항을 규정함을 목적으로 한 인사관리규칙 제8조3항은 "재직중인 계약직공무원에 대하여는 지방공무원보수규정 개정에 따라 계약직공무원의 봉급을 조정하되, 이 경우 전체 공무원의 봉급인상률을 감안하여 그 인상률 범위 내에서 시장이 따로 정할 수 있다. 다만, 영 [별표] 채용구분 '가'호에 해당하는 자와 실적의 우수성 · 새로운 자격의 취득 등을 봉급인상 기준범위를 초과하여 조정할 특별한 사유가 있거나 근무실적 평가 결과 근무실적이 불량한 자에 대하여는 근무실적 평가서 등 필요한 자료를 구비하여 제7조3항의 규정에 의한 평가위원회의 사전심사를 거쳐 봉급인상기준을 초과 조정하거나 또는 동결 · 삭감할 수 있다"고 하여 근무실적 평가 결과 근무실적이 불량한 자에 대하여는 봉급을 삭감할 수 있다고 규정하고 있는바, 보수의 삭감은 이를 당하는 당해 공무원의 입장에서는 징계처분의 일종인 감봉과 다를 바 없다 할 것임에도 징계처분에 있어서와 같이 자기에게 이익이 되는 사실을 진술하거나 증거를 제출할 수 있는 등(지방공무원징계 및 소청규정 제5조)의 절차적 권리가 보장되지 아니하고, 소청(지방공무원징계 및 소청규정 제16조) 등의 구제수단도 인정되지 아니한 채 이를 감수하도록 하는 위 규정은 부당하다고 아니할 수 없을 뿐만 아니라 위에서 본 바와 같이 지방공무원법이나 지방계약직공무원규정에 아무런 위임의 근거도 없는 것이거나 위임의 범위를 벗어난 것으로서 무효라 할 것이다.

그럼에도 불구하고, 원심은 피고가 인사관리규칙 제8조3항 등에 근거하여 원고에 대하여 한 이 사건 보수삭감조치가 정당하다고 판단하였으니, 원심판결에는 지방계약직공무원의 보수 등에 관한 법리를 오해함으로써 판결에 영향을 미친 위법이 있다 할 것이고, 이 점을 지적하는 상고이유의 주장은 이유 있다.

나아가 원심판결 이유에 의하면, 원심은, 이 사건 보수삭감조치는 감봉처분이라 할 것인데, 이에 관하여 공무원징계령상의 징계위원회의 심의, 의결을 거치지 않아 무효라는 원고의 주장에 대하여, 이 사건 보수삭감조치는 원 · 피고 사이에 2002. 7. 1. 체결된 지방계약직공무원채용계약 및 지방계약직공무원규정에 의한 계약 변경의 일환으로서 징계처분이라 할 수 없고, 공무원징계령은 국가공무원에 대한 징계를 규정하는 법률로서 원고와 같은 특수경력직 지방공무원에 대해서는 적용되지 않으며, 지방공무원법 제3조1항에 의하면 원고와 같은 특수경력직지방공무원에 대해서는 징계에 관한 지방공무원법 제69조 내지 제73조의3은 적용되지 않는다고 규정되어 있으므로, 이 사건 보수삭감조치가 징계처분임을 전제로 하는 원고의 주장은 이유 없다고 하여 원고의 주장을 배척하였다. 그러나 앞서 본 바와 같이 지방공무원법 제73조의3과 지방공무원징계및소청규정 제13조4항에 의하여 지방계약직공무원에게도 지방공무원법 제69조1항 각 호의 징계사유가 있는 때에는 징계처분을 할 수 있으므로, 원고와 같은 지방계약직공무원에 대하여 징계에 관한 지방공무원법의 규정이 적용되지 않는다는 취지의 원심의 설시는 적절하다고 할 수 없음을 지적하지 않을 수 없다.

관련 판례 2 관리위탁료부과처분취소

(서울행정법원 2007.6.29, 2007구합10020)[1]

1. 사실관계

어린이대공원의 관리청인 서울특별시장은 공원관리를 서울특별시시설관리공단에 위탁하였고, 공단은 甲에게 공원시설인 매점시설에 관하여 관리를 (재)위탁. 甲은 공단으로부터 원경쟁입찰의 방식에 따라 관리를 위탁받으면서 공단과 사이에 매점관리위탁계약을 체결함. 공단은 2007년도분 관리위탁료를 甲에게 부과하였고 甲은 관리위탁료부과에 대해 신뢰의 원칙 또는 비례의 원칙에 반하거나, 재산가액 변동률이 이중계산되어 부당하다는 이유로 취소소송을 제기함.

2. 판 결

1) 국공유재산 등 공물의 사용관계 중 특허사용이란 특정인에게 일반인에게는 인정되지 않는 공물의 사용권을 설정하는 것을 말하고, 국공유재산 등의 관리청이 하는 행정재산의 사용・수익에 대한 허가는 순전히 사경제주체로서 행하는 사법상의 행위가 아니라 관리청이 공권력을 가진 우월적 지위에서 행하는 행정처분으로서 특정인에게 행정재산을 사용할 수 있는 권리를 설정하여 주는 강학상 특허에 해당한다고 할 것이다(대판 1998.2.27, 97누1105, 대판 2006.3.9, 2004다31074 등 참조).

그러나 법률이 행정행위로 할 것을 명시하지 않는 한 행정청은 법률의 집행에 있어 행정행위의 방법으로 할 것인지 계약의 방법으로 할 것인지 법의 강제를 받는 것은 아니라고 할 것이므로, 행정주체와 사인간의 계약을 통하여 사인에게 공물의 사용권을 설정할 수도 있다고 할 것이다. 특히 계약은 개인이 행정의 단순한 객체가 아닌 독립한 법주체로서 행정주체의 동반자적 지위에서 행정작용의 수행에 참여하는 민주적 법치국가 시대에 적합한 행위형식에 해당하고, 행정청은 계약을 통하여 행정 목적을 실현시키는 것이 바람직하다고 할 수도 있다.

한편, 당사자 사이에 공물의 특별사용관계를 설정하는 효과를 발생하게 하는 계약은 당사자의 지위, 법률관계의 특수성, 법률효과의 차이, 권리보호 및 쟁송절차의 특수성에 비추어 대등한 당사자 사이의 사법상 계약이 아닌 공법상 계약에 해당한다고 할 것이고, 공법상 계약에 따른 의무를 일방당사자가 이행하지 않는 경우 타방당사자는 법원의 판결을 통하여 집행명의를 취득하여 강제집행할 수 있으나, 계약의 특수성상 예외적으로 법령에서 별도의 명문규정을 두고 있는 경우 행정청은 자력으로 강제집행할 수 있을 것이다.

2) 위 인정사실에 나타난 이 사건 위탁계약의 형식, 내용, 체결방식 등을 종합하여 볼 때, 이 사건 위탁계약은 그 대상 등에 비추어 사경제적 주체로서 행한 사법상 계약이라고 볼 수는 없으나, 그 명칭, 계약의 내용 등에 비추어 공법상 계약으로 봄이 상당하다. 한편, 이사건 위탁계약이 공법상 계약이라 하더라도 위 계약과 관련한 피고의 행위가 행정처분에 해당하는 경우도 있을 수 있고(예컨대, 입찰참가자격제한, 낙찰자결정 등), 관리위탁료의 부과도 관계법령이나 계약에서 정한 바에 따라 상대방의 의사 여하에 불구하고 행정청이 일방적으로 정하여 부과하는 경우에는 그것이 행정처분에 해당할 수도 있겠지만, 이미 계약에서 정해진 내용 그대로 이행을 청구하는 경우에는 계약의 이행청구에 해당할 뿐 그것이 행정처분에 해당한다고 할 수 없다. 즉, 원고의 위탁료 납부의무는 이미 계약에서 확정되어 있는 것으로서 이를 납부고지함으로써 그 의무가 발생하는 것이 아니다. 또한 이를 행정처분으로 보는 경우에는 그 효력으로 공정력, 불가쟁력이 발생하므로 개인에게 오히려 불리한 결과가 될 수 있다. 요컨대, 공법상 계약의 체결 등과 관련한 행정청의 일방적인 결정은 취소소송 등 항고소송의 대상으로 되어야 하지만, 공법상 계약의 효력 등과 관련한 공법상 법률관계는 공법상 당사자소송의 대상이 된다고 할 것이다.

이러한 관점에서 볼 때, 이사건 납부고지는 피고가 일방적으로 위탁료를 결정하여 부과하는 것이 아니라 이 사건 위탁계약에서 정한 관리위탁료 자체의 이행청구에 해당한다고 할 것이고, 따라서 이 사건 납부고지는 항고소송의 대상인 처분에 해당한다고 할 수 없다.

3) 다만, 이 사건 위탁계약에서 원고가 관리위탁료를 제때 납부하지 않을 경우 체납처분의 예에 따라 강제징수할 수 있다는 규정을 두고 있는바, 피고는 위 규정에 따라 관리위탁료를 강제징수하기 위하여 체납처분의 전단계로서 고지를 한 것이고, 이와 같은 고지는 징수처분으로서의 성격을 가지는 것으로서 이 사건 납부고지가 부과처분으로서의 처분성은 인정되지 않지만 징수처분으로서의 처분성은 인정할 수 있지 않는지 의문이 들 수 있다.

그러나 **공법상 계약에서 체납처분의 예에 따라 강제징수를 할 수 있다는 규정을 두고 있다 하더라도 법령에서 이러한 경우에 강제징수를 할 수 있다는 명문규정이 없는 한 계약의 효력만으로 강제징수를 인정할 수는 없다**고 할 것인바, 도시공원법 제18조는, "시장 또는 군수는 이 법에 의한 부담금 · 점용료 또는 사용료를 납부하지 아니한 때에는 지방세체납처분의 예에 의하여 이를 징수할 수 있다"고 규정하고 있으나, 여기서 말하는 부담금 · 점용료 또는 사용료에 관리위탁료가 포함된다고 보기도 어려울 뿐만 아니라, 이는 행정처분으로서 행한 부담금 · 점용료 또는 사용료 부과처분의 강제징수를 규정한 것이고, 그 권한행사 주체도 공원관리청인 시장 또는 군수일 뿐 공원관리청으로부터 공원관리를 위탁 또는 재위탁받은 자는 이러한 권한이 당연히 인정된다고 볼 수는 없으므로, 이사건에서 문제된 관리위탁료에 관하여는 강제징수할 수 없다고 할 것이다. 따라서 이 사건 납부고지는 징수처분으로서의 성질을 가진다고 볼 수도 없다.

4) 결국, 이 사건 **납부고지는 취소소송의 대상이 되는 행정처분이라고 할 수 없으므로, 이사건 소는 부적법**하다.

1) 대법원 판례는 아니라 하급심 판례여서 그 의미는 제한적이지만 행정처분과 공법상 계약의 구별의 학습에 유용한 판례여서 소개함. #151.Ⅱ.2 의 판례와 비교.

58 행정상 사실행위

Ⅰ. 의 의

일정한 법적 효과의 발생을 목적으로 하는 것이 아니라, 직접 사실상의 효과 발생이나 결과의 실현을 목적으로 하는 일체의 행정작용을 말한다. 오늘날 행정수요의 다양화로 인해 행정작용의 형태는 행정행위에 한정되지 않고 사실행위가 갖는 비중이 높아지고 있다. 법적 효과가 발생하지 않는다고 하여 법적으로 무의미한 것은 아니며, 만약 사실행위가 위법한 경우에는 **결과제거 내지 손해배상청구의 문제를 야기**하게 된다.

Ⅱ. 종 류

① 사실행위가 이루어지는 영역에 따라 내부적(공문서처리), 외부적(쓰레기수거) 사실행위, ② 인간의 의사작용의 포함 여부에 따라 정신적(행정지도), 물리적(도로공사) 사실행위, ③ 행정청이 우월한 지위에서 행하는 공권력의 행사로서의 성질을 갖는지에 따라 **권력적(행정대집행), 비권력적(행정지도) 사실행위**로 구분할 수 있다.

Ⅲ. 사실행위의 한계(적법요건)

행정청이 당해 사실행위를 할 수 있는 **정당한 권한**을 가져야 한다. 사실행위도 행정주체의 행정작용이므로 **법률우위원칙은 적용**된다. **법률유보의 원칙**은 **권력적 사실행위는** 대개 침익적이어서 **적용**되나, **비권력적 사실행위**는 그것이 **침익적 효과를 발생시키지 않는 한 적용되지 않는다.**

Ⅳ. 권리구제

1. 항고소송

⑴ 권력적 사실행위

1) 권력적 사실행위에 대해서는 **처분에 해당**한다고 보는 것이 **일반적**이다. **판례**는 **권력적 사실행위로 볼 수 있는 단수조치, 미결수용자의 이송조치, 재산압류, 동장의 주민등록직권말소행위 등을 처분에 해당**된다고 한 바 있으며, **최근**에는 **교도소장이 수형자를 접견시 교도관 참여대상자로 지정한 행위에 대해서 공권력적 사실행위로서 처분에 해당한다고 명시적**으로 판시한 바 있다. **헌법재판소도 교도소장의 서신검열에 대해서 권력적 사실행위로서 행정처분에 해당**된다고 결정하였다.

2) **처분성이 긍정되더라도** 대부분 비교적 단시간에 집행이 완료되어 **협의의 소익이 문제**되는 경우가 있다. 다만 물건의 영치, 전염병환자의 격리, 강제송환을 위한 수용 등 **계속적**인 성격을 갖는 권력적 사실행위의 경우에는 소의 이익을 인정할 수 있다. 한편 권력적 사실행위의 경우 취소소송을 통한 구제에는 어려움이 있으므로 **집행정지**와 같은 가구제의 필요성이 크고, 입법론으로서는 **예방적 부작위소송**을 인정할 필요가 있다.

판 례 원심은 ~~(중략)~~피고는 원고가 천안교도소에 수감된 무렵, 원고를 **'접견내용 녹음 · 녹화 및 접견 시 교도관 참여대상자'로 지정**한 사실, 이에 따라 원고의 첫 접견이 있었던 2011. 7. 16.부터 피고의 별도 지시 없이도 **원고의 접견 시에 항상 교도관이 참여하여 그 접견내용을 청취 · 기록하고, 녹음 · 녹화**한 사실 등을 인정하였다. 나아가 원심은, ① 피고가 위와 같은 지정행위를 함으로써 **원고의 접견 시마다 사생활의 비밀 등 권리에 제한을 가하는 교도관의 참여, 접견내용의 청취 · 기록 · 녹음 · 녹화**가 이루어졌으므로 이는 **피고가 그 우월적 지위에서 수형자인 원고에게 일방적으로 강제하는 성격을 가진 공권력적 사실행위의 성격**을 갖고 있는 점, ② **위 지정행위는 그 효과가 일회적인 것이 아니라** 이 사건 제1심판결이 선고된 이후인 2013. 2. 13.까지 **오랜 기간 동안 지속**되어 왔으며, **원고로 하여금 이를 수인할 것을 강제하는 성격도 아울러** 가지고 있는 점, ③ 위와 같이 **계속성을 갖는 공권력적 사실행위를 취소할 경우 장래에 이루어질지도 모르는 기본권의 침해로부터 수형자들의 기본적**

권리를 구제할 실익이 있는 것으로 보이는 점 등을 종합하면, 위와 같은 지정행위는 수형자의 구체적 권리의무에 직접적 변동을 초래하는 행정청의 공법상 행위로서 항고소송의 대상이 되는 '처분'에 해당한다고 판단하였다. 원심의 위와 같은 판단은 정당하다(대판 2014.2.13, 2013두20899).

(2) 비권력적 사실행위

형식적 행정행위 인정여부와 관련하여, 처분성 여부에 대해 학설이 대립(#28)한다. **판례는 대체로 부정적**이나, **최근 판례중에는 공공기관의 장 또는 사용자에 대한 시정권고조치를 처분**으로 본 사례가 있는데 이는 국가인권위원회의 시정조치권고에 응하여야 할 법적 의무를 부과하고 있기 때문이다(정하중). **가구제**는 **처분성이 긍정될** 경우 **집행정지**가 가능하나 **처분성이 부정**될 경우에는 **당사자소송**을 제기하고 **민사집행법상 가처분**을 신청하여 실효적인 권리구제를 도모하여야 한다.

판례 1 무단 용도변경을 이유로 단전조치된 건물의 소유자로부터 새로이 전기공급신청을 받은 한국전력공사가 관할 구청장에게 전기공급의 적법 여부를 조회한 데 대하여, 관할 구청장이 한국전력공사에 대하여 건축법 제69조2항, 3항의 규정에 의하여 위 건물에 대한 **전기공급이 불가하다는 내용의 회신을 하였다면, 그 회신은 권고적 성격의 행위에 불과**한 것으로서 한국전력공사나 특정인의 법률상 지위에 직접적인 변동을 가져오는 것은 아니므로 항고소송의 대상이 되는 행정처분이라고 볼 수 없다(대판 1995.11.21, 95누9099).

판례 2 구 남녀차별금지 및 구제에 관한 법률 제28조에 의하면, **국가인권위원회의 성희롱결정과 이에 따른 시정조치의 권고는 불가분의 일체로 행하여지는 것**인데 국가인권위원회의 이러한 결정과 시정조치의 권고는 **성희롱 행위자로 결정된 자의 인격권에 영향을 미침과 동시에 공공기관의 장 또는 사용자에게 일정한 법률상의 의무를 부담시키는 것**이므로 국가인권위원회의 성희롱결정 및 시정조치권고는 행정소송의 대상이 되는 **행정처분**에 해당한다고 보지 않을 수 없다(대판 2005.7.8, 2005두487).

2. 결과제거청구권(#100)

사실행위에 의해 위법한 상태가 야기되고 이로 인하여 권익을 침해당한 자가 있는 경우, 그 사인은 원상회복을 위한 결과제거청구권을 갖는다.

3. 손해배상

사실행위에 대하여도 실효성 있는 구제수단으로서 국가배상법 제2조1항에 의한 손해배상청구권 행사가 인정된다.

4. 손실보상

공공필요에 의한 사실행위에 따라 사인이 특별한 희생에 해당하는 손실을 입은 경우, 그 손실보상 청구가 가능하다.

5. 헌법소원

헌재결정 가. **행정청이 우월적 지위에서 일방적으로 강제하는 권력적 사실행위는 헌법소원의 대상이 되는 공권력의 행사에 해당**한다는 것이 우리 재판소의 판례이다. 이 사건 **감사는 피청구인이 폐기물관리법 제43조1항에 따라 폐기물의 적정 처리 여부 등을 확인하기 위한 목적으로 청구인들의 의사에 상관없이 일방적으로 행하는 사실적 업무행위**이고, **청구인들이 이를 거부·방해하거나 기피하는 경우에는 과태료**에 처해지는 점으로 볼 때 **청구인들도 이를 수인해야 할 법적 의무**가 있다. 그렇다면 이 사건 감사는 피청구인이 우월적 지위에서 일방적으로 강제하는 권력적 사실행위라 할 것이고 이는 헌법소원의 대상이 되는 헌법재판소법 제68조1항의 '공권력의 행사'에 해당된다.

나. **권력적 사실행위가 행정처분의 준비단계로서 행하여지거나 행정처분과 결합된 경우(合成的 行政行爲)에는 행정처분에 흡수·통합되어 불가분의 관계**에 있다할 것이므로 **행정처분만이 취소소송의 대상**이 되고, **처분과 분리하여 따로 권력적 사실행위를 다툴 실익은 없다**. 그러나 권력적 사실행위가 항상 행정처분의 준비행위로 행하여지거나 행정처분과 결합되는 것은 아니므로 그러한 사실행위에 대하여는 다툴 실익이 있다할 것임에도 법원의 판례에 따르면 일반쟁송 절차로는 다툴 수 없음이 분명하다. **이 사건 감사는 행정처분의 준비단계로서 행하여지거나 처분과 결합된 바 없다**. 그렇다면, 이 사건 감사는 행정소송의 대상이 되는 행정행위로 볼 수 없어 법원에 의한 권리구제절차를 밟을 것을 기대하는 것이 곤란하므로 **보충성의 원칙의 예외로서 소원의 제기가 가능**하다(헌재결 2003.12.18, 2001헌마754).

59 행정지도

Ⅰ. 의 의

일정한 행정목적을 실현하기 위하여 상대방의 임의적 협력을 기대하며 행하는 지도 · 권고 · 조언 등의 행정작용을 말한다(행정절차법 제2조3호). 비권력적 사실행위로서 여타의 비권력적 사실행위와는 달리 상대방이 동의 · 협력을 요한다는 특성이 있다. 행정의 효율과 탄력성을 도모하고 국민에 대한 정보제공이라는 측면에서 필요성이 있으나, 사실상의 강제적 효과를 발생하고 남용의 위험성도 있어 행정구제수단의 확보 필요성이 크다.

Ⅱ. 종 류

1. 법령의 근거유무에 따른 분류

독점규제 및 공정거래에 관한 법률 제51조에 의한 위반행위의 시정권고와 같이 법령의 직접적 근거에 의한 행정지도도 있으며, 건축법 제79조에 건축물의 철거명령에 대한 근거가 있는 경우에 철거명령에 갈음 또는 선행하여 행하는 철거권고와 같이 법령의 간접적 근거에 의한 행정지도도 있으며, 소관사무에 관하여 일반적인 조직법상의 권한에 근거한 행정지도처럼 법령에 근거하지 않은 행정지도도 있다.

2. 기능에 따른 분류

① 일정한 행정목적 달성을 위해 일정한 행위를 예방 · 억제하는 규제적 행정지도 ② 이해당사자 사이의 분쟁이나 대립을 조정하기 위한 조정적 행정지도(예: 노동조합 및 노동관계조정법 제51조에 이한 노사간의 쟁의조정) ③ 일정한 질서의 형성을 촉진하기 위하여 관계자에게 기술이나 지식을 제공하는 등의 조성적 행정지도(예: 중소기업기본법 제6조에 의한 중소기업의 기술지도)로 분류할 수 있다.

Ⅲ. 법적 근거

1. 조직법적 근거

조직법상 근거는 언제나 필요하다. 행정절차법도 제2조3호에서 '소관사무의 범위 안에서'라고 규정하고 있다.

2. 작용법적 근거 요부

근거필요설은 규제적 행정지도나 사실상 강제력을 갖는 경우는 상대방의 임의성이 제한된다는 점에서 법적 근거를 필요로 하나, 다수설인 근거불요설은 행정지도는 상대방의 임의적 협력을 전제로 하는 점에서 필요하지 않다고 한다. 생각건대, 행정지도에 일일이 법적 근거를 요하는 것은 법률이 흠결된 경우에 행정수요에 탄력적으로 대응할 수 있는 행정지도의 장점이 상실되므로 불요설이 타당하다.

Ⅳ. 한 계

행정지도도 법률우위의 원칙에 따라 법령에 위배되어서는 안되며, 행정법의 일반원칙에 위배되어서도 안된다. 행정절차법은 행정지도의 원칙으로 비례의 원칙, 임의성의 원칙, 불이익조치금지원칙 등을 규정하고 있으며, 방식에 대해서도 규정하고 있다(제48조~제51조).

판 례 토지의 매매대금을 허위로 신고하고 계약을 체결하였다면 이는 계약예정금액에 대하여 허위의 신고를 하고 토지 등의 거래계약을 체결한 것으로서 구 국토이용관리법(1993.8.5. 법률 제4572호로 개정되기 전의 것) 제33조4호에 해당한다고 할 것이고, 행정관청이 국토이용관리법 소정의 토지거래계약신고에 관하여 공시된 기준시가를 기준으로 매매가격을 신고하도록 행정지도를 하여 그에 따라 허위신고를 한 것이라 하더라도 이와 같은 행정지도는 법에 어긋나는 것으로서 그와 같은 행정지도나 관행에 따라 허위신고행위에 이르렀다고 하여도 이것만 가지고서는 그 **범법행위가 정당화 될 수 없다**(대판 1994.6.14, 93도3247).

Ⅴ. 권리구제

1. 항고소송

(1) 형식적 행정행위 인정여부와 관련하여 처분성 인정여부

일반적으로 행정지도는 **비권력적 사실행위**로서 **처분성이 부정**된다. **판례도 권고적 성격의 행위에 대해서는 처분성을 부정**하고 있다. 이에 대하여 행정지도가 실질적으로 권력적 사실행위와 다르지 않은 경우도 적지 않은 점을 고려하여 **규제적, 조정적** 행정지도 및 **행정행위 대체적인 행정지도**에 대하여는 **처분성을 긍정하는 견해**가 있다. 형식적 행정행위론을 주장하는 쟁송법상 처분개념설에서 주장된다. 위법한 계고, 경고 등의 행정지도에 의하여 영업상의 이익 또는 명예, 신용 등의 침해를 당한 자는 행정지도의 위법성을 공적으로 선언하고 불리한 사실상의 효과를 제거하기 위하여 취소소송 등을 제기할 필요성이 있다. 그러나 **판례는 부정**하는 입장이다.

판 례 항고소송의 대상이 되는 행정처분이라 함은 행정청의 공법상 행위로서 특정사항에 대하여 법규에 의한 권리의 설정 또는 의무의 부담을 명하며 기타 법률상 효과를 발생케 하는 등 국민의 구체적 권리의무에 직접적 변동을 초래하는 행위를 말하고 **행정권 내부에서의 행위나 알선, 권유, 사실상의 통지 등과 같이 상대방 또는 기타 관계자들의 법률상 지위에 직접적인 법률적 변동을 일으키지 아니하는 행위는 항고소송의 대상이 될 수 없다**(대판 1993.10.26, 93누6331).

(2) 행정지도를 따르지 아니하여 일정한 행정행위가 뒤따르는 경우, 그 행정행위에 대하여 항고소송 가능

2. 헌법소원

헌재결정 **행정지도라 하더라도 그에 따르지 않을 경우 일정한 불이익조치를 예정하고 있는 경우에는 사실상 상대방에게 그에 따를 의무를 부과하는 것과 다를 바 없는 것**인데, 이 사건 **학칙시정요구**의 경우 대학총장들이 그에 따르지 않을 경우 행·재정상 불이익이 따를 것이라고 경고하고 있어, 학교의 장으로서는 피청구인의 학칙시정요구에 따를 수밖에 없는 **사실상의 강제**를 받게 되므로, 이러한 **시정요구는 임의적 협력을 기대하여 행하는 비권력적·유도적인 권고·조언 등의 단순한 행정지도로서의 한계를 넘어 규제적·구속적 성격**을 상당히 강하게 갖는 것으로서 **헌법소원의 대상**이 되는 공권력의 행사라고 봄이 상당하다(헌재결 2003.6.26, 2002헌마337).

3. 손해배상

위법한 행정지도에 의해 피해를 입은 자는 국가배상법 제2조1항에 따라 손해배상을 청구할 수 있다. 국가배상법이 정한 배상요건인 '공무원의 직무'에는 권력적 작용만이 아니라 **행정지도와 같은 비권력적 작용도 포함**된다(통설, 판례). **인과관계의 인정여부가 문제**되는데, 동의는 불법행위성립을 조각시킨다는 논리에 따라 **상대방이 동의한 경우는 통상 부정**될 것이다. 그러나 이 경우에도 행정지도의 통상적인 한계를 넘어 국민의 권익을 침해하는 경우와 같이 행정지도가 **손해의 직접적인 원인이 된 경우에는 긍정**하여야 한다.

판 례 행정지도가 **강제성을 띠지 않은 비권력적** 작용으로서 **행정지도의 한계를 일탈하지 아니하였다면**, 그로 인하여 상대방에게 어떤 손해가 발생하였다 하더라도 행정기관은 그에 대한 **손해배상책임이 없다**. 행정기관의 **위법한 행정지도로 일정기간 어업권을 행사하지 못하는 손해를 입은 자가 그 어업권을 타인에게 매도하여 매매대금 상당의 이득**을 얻었더라도 그 이득은 손해배상책임의 원인이 되는 행위인 **위법한 행정지도와 상당인과관계에 있다고 볼 수 없다**(대판 2008.9.25, 2006다18228).

4. 손실보상

손실보상은 **일방적인 공행정작용에 의한 재산권침해를 요건**으로 하기 때문에 **피해자의 자유로운 의사에 의한 경우는** 손실보상의 **요건을 충족하기 어려울 것**이다. 이에 대하여 수용적 침해이론에 의하여 보상이 가능하다는 견해도 있다.

60 행정조사

Ⅰ. 의 의

행정기관이 사인으로부터 행정상 필요한 자료나 정보를 수집하기 위하여 행하는 일체의 행정작용을 말한다. 현행법상 **행정조사기본법**의 적용대상이 된다. 전통적으로는 행정조사를 권력적 조사활동만으로 보아 의무이행확보수단으로 이해했으나 권력적 조사 뿐만 아니라 비권력적 조사까지 포함하여 독자적인 행정작용으로 보는 것이 타당하다. 행정조사기본법이 2007년 제정되었으며 권력적 조사뿐만 아니라 비권력적 조사도 규율하나 권력적 조사를 중심대상으로 하고 있다.

행정조사는 행정작용의 준비작용이며 권력적·비권력적 작용 모두 가능하다는 점에서, 행정상 필요한 상태의 실현을 위한 작용이며 권력적 작용인 **행정상 즉시강제와 구별**된다.

Ⅱ. 종 류

① 조사대상에 따라 대인적·대물적·대가택조사로 분류할 수 있고, ② 조사의 성질에 따라 권력적·비권력적 조사로 분류할 수 있다. 한편 ③ 조사목적의 개별성 여부에 따라 개별적·일반적 조사로 분류된다.

Ⅲ. 법적 근거 요부

권력적(강제)조사는 법적 근거가 **필요**하며, **비권력적(임의)**조사는 **법적 근거 없이도 가능**하지만 조직법상 근거는 필요하다. **행정조사기본법** 제5조는 **법령 등에서 행정조사를 규정하고 있는 경우에 한하여 행정조사를 실시**할 수 있으나, 조사대상자의 **자발적인 협조를 얻어 실시**하는 행정조사의 경우에는 **법률의 근거가 필요 없다**고 규정하고 있다.

Ⅳ. 한 계

1. 실체법상 한계

행정조사는 성문법과 행정법의 일반원칙을 준수해야 하며, 특히 **행정조사기본법 제4조는 비례의 원칙 및 목적적합성·중복조사금지·비밀누설금지·목적외 사용금지 원칙**을 규정하고 있다.

2. 절차법상 한계

⑴ 행정조사기본법상의 절차

사전통지 및 의견제출 절차(행정조사기본법 제17조, 제21조)와 **증표제시의무**(행정조사기본법 제11조3항)를 규정하고 있다.

⑵ 영장주의와 관계

명문의 규정이 없는 경우에 행정조사에도 헌법 제12조, 제16조에서 요구하는 영장주의가 적용되는지에 논란이 있다. 영장주의는 **형사사법권의 행사에서만 적용**된다는 근거로 하는 부정설이 있으나, **행정조사로 인한 국민의 권익의 침해가능성도 형사사법권의 행사로 인한 경우에 못지않다**는 점을 고려하면 형사소추절차가 아니라는 이유만으로 영장주의를 **배제할 수는 없으며, 다만** 영장을 기다려서는 행정조사목적을 달성할 수 없는 **긴급한 경우 등에는 예외**가 인정된다는 절충설이 지배적 견해이며 타당하다.

Ⅴ. 실력행사가능성

1. 문제점

행정조사에 대해 상대방이 조사를 거부·방해하는 경우 실력을 행사하여 행정조사를 행할 수 있는지가 특히 **강제**

조사 중 조사를 거부하는 경우 벌칙규정이 있지만 실력행사에 관한 명문의 규정이 없는 경우에 문제된다.

2. 학 설

① 강제조사란 실력을 행사할 수 있다는 의미가 아니라 상대방이 이를 거부하는 경우 벌칙이 가해진다는 의미로 보아 실력행사를 부정하는 **부정설과**, ② 피조사자측의 거부에 벌칙이나 불이익제재를 규정한 것은 피조사자측의 저항이 위법임을 전제로 한 것이며, **강제조사의 방해를 배제하는 것은 강제조사의 범위 안에 들어가는 것**이므로 **비례원칙의 범위 안에서** 실력행사가 가능하다는 **긍정설**이 대립한다.

3. 검 토

행정조사를 위한 주거나 영업소의 출입은 그 자체가 상대방의 의사여부에 불문하여 행해지는 강제조사이므로 비례의 원칙에 반하지 않는 한 실력행사는 불가피하다. **긍정설이 타당**하다(정하중).

Ⅵ. 위법한 행정조사와 행정행위의 하자

1. 문제점

행정조사가 위법한 경우 당해 조사를 근거로 한 행정행위가 위법한지 문제된다. **수집된 자료 자체가 부당**한 경우 **그것에 기초한 행정행위는 사실오인이 있는 것이어서 위법**하게 됨은 물론이다. 문제가 되는 것은 조사에 의해 **수집된 자료는 정확**하지만 **행정조사 자체가 실체법상 또는 절차법상 한계를 넘어 위법한 경우**이다.

2. 학 설

① **적법절차 원칙**의 관점에서 행정결정도 위법하게 된다는 **적극설**, ② 법령에서 행정조사를 행정행위의 전제요건으로 규정하지 않은 한 **양자는 별개**여서 행정결정이 위법하게 되는 것은 아니라는 **소극설**, ③ **행정조사에 중대한 위법사유**가 있는 때에는 이를 기초로 한 행정행위도 위법하게 된다는 **절충설**이 대립한다.

3. 판 례

판례는 **중복세무조사금지원칙에 반하거나 강요에 의한 과세자료에 터잡은 과세처분의 위법성을 인정**한 바 있어 **적극설**의 입장이라고 할 수 있다. **그러나 행정조사절차의 하자가 경미**한 경우에는 **위법사유가 되지 않는 것**으로 본다.

판례 1 납세자에 대한 부가가치세부과처분이, 종전의 부가가치세 경정조사와 같은 세목 및 같은 과세기간에 대하여 **중복하여 실시된 위법한 세무조사에 기초**하여 이루어진 것이어서 **위법**하다(대판 2006.6.2, 2004두12070).

판례 2 **과세처분의 근거가 된 확인서**, 명세서, 자술서, 각서 등이 **과세관청** 내지 그 상급관청이나 수사기관의 **일방적이고 억압적인 강요로 작성자의 자유로운 의사에 반하여 별다른 합리적이고 타당한 근거도 없이 작성**된 것이라면 이러한 자료들은 그 작성경위에 비추어 내용이 진정한 과세자료라고 볼 수 없으므로, **이러한 과세자료에 터잡은 과세처분의 하자는 중대한 하자**임은 물론 위와 같은 과세자료의 성립과정에 직접 관여하여 그 경위를 잘 아는 **과세관청에 대한 관계에 있어서 객관적으로 명백한 하자**라고 할 것이다(대판(전) 1992.3.31, 91다32053).

판례 3 토양환경보전법상 토양정밀조사명령의 전제가 되는 **토양오염실태조사를 실시할 권한은 시·도지사**에게 있는 바, 이 사건 토양정밀조사명령의 근거가 된 토양오염실태조사가 감사원에 의해 실시된 것이어서 토양환경보전법의 규정에 따른 것이라고 할 수 없다.…(중략)…**토양오염실태조사가 감사원 소속 감사관의 주도하에 실시되었다는 사정만으로 토양정밀조사명령에 이를 위법한 것으로서 취소해야 할 정도의 하자가 있다고 볼 수 없다.**…(중략)…채취된 시료의 대상지역 토양에 대한 대표성을 전혀 인정할 수 없을 정도로 그 위반의 정도가 중대한 경우가 아니라면, 토양오염공정시험방법에 규정된 내용에 위반되는 방식으로 시료를 채취하였다는 사정만으로는 그에 기초하여 내려진 토양정밀조사명령에 위법하다고 할 수 없다.…(중략)…설령 시료를 채취함에 있어 **원고측으로부터 시료채취확인 및 시료봉인을 받지 않은 것이 절차상 하자에 해당한다 하더라도** 이러한 **(조사)절차상 하자가** 이 사건 **처분을 취소할 정도에까지는 이르지 아니하였다**(대판 2009.1.30., 2006두9498).

판례 4 구 국세기본법 제81조의5가 마련된 이후에는 개별 세법이 정한 질문·조사권은 구 국세기본법 제81조의5가 정한 요건과 한계 내에서만 허용된다. 또한 구 국세기본법 제81조의5가 정한 세무조사대상 선정사유가 없음에도 세무조사대상으로 선정하여 과세자료를 수집하고 그에 기하여 과세처분을 하는 것은 적법절차의 원칙을 어기고 구 국세기본법 제81조의5와 제81조의3 제1항을 위반한 것으로서 특별한 사정이 없는 한 과세처분은 위법하다(대판 2014.6.26, 2012두911).

판례 5 음주운전 여부에 관한 조사방법 중 혈액 채취(이하 '채혈'이라고 한다)는 상대방의 신체에 대한 직접적인 침해를 수반하는 방법으로서, 이에 관하여 도로교통법은 호흡조사와 달리 운전자에게 조사에 응할 의무를 부과하는 규정을 두지 아니할 뿐만 아니라, 측정에 앞서 운전자의 동의를 받도록 규정하고 있으므로(제44조 제3항), 운전자의 동의 없이 임의로 채혈조사를 하는 것은 허용되지 아니한다. 그리고 수사기관이 범죄 증거를 수집할 목적으로 운전자의 동의 없이 혈액을 취득·보관하는 행위는 형사소송법상 '감정에 필요한 처분' 또는 '압수'로서 법원의 감정처분허가장이나 압수영장이 있어야 가능하고, 다만 음주운전 중 교통사고를 야기한 후 운전자가 의식불명 상태에 빠져 있는 등으로 호흡조사에 의한 음주측정이 불가능하고 채혈에 대한 동의를 받을 수도 없으며 법원으로부터 감정처분허가장이나 사전 압수영장을 발부받을 시간적 여유도 없는 긴급한 상황이 발생한 경우에는 수사기관은 예외적인 요건하에 음주운전 범죄의 증거 수집을 위하여 운전자의 동의나 사전 영장 없이 혈액을 채취하여 압수할 수 있으나 이 경우에도 형사소송법에 따라 사후에 지체 없이 법원으로부터 압수영장을 받아야 한다. 따라서 음주운전 여부에 대한 조사 과정에서 운전자 본인의 동의를 받지 아니하고 또한 법원의 영장도 없이 채혈조사를 한 결과를 근거로 한 운전면허 정지·취소 처분은 도로교통법 제44조 제3항을 위반한 것으로서 특별한 사정이 없는 한 위법한 처분으로 볼 수밖에 없다(대판 2016.12.27, 2014두46850).

4. 검 토

행정조사에 의해 수집된 정보가 행정결정의 기초가 된 경우 이는 행정결정을 하기 위한 절차라고 볼 수 있으며, 절차의 하자의 문제가 되므로 적법절차의 관점에서 적극설이 타당하다.

Ⅶ. 행정조사에 대한 행정구제

1. 적법한 행정조사에 대한 구제

손실보상 청구가 가능하다(공토법 제27조3항, 행정조사기본법 제12조(시료채취)).

2. 위법한 행정조사에 대한 구제

(1) 행정쟁송

장부제출명령, 출두명령 등 행정행위의 형식을 취하는 행정조사는 물론 사실행위로서의 행정조사도 권력적인 경우에는 처분에 해당되어 쟁송 가능하다고 보아야 한다(사실행위인 경우 권력적 사실행위의 처분성 논의와 동일).

(2) 국가배상 청구

관련 판례 1 **과세처분이 중복조사금지원칙에 위배한 세무조사에 기초하여 이루어진 경우 위법성**(서울행정법원 2009.1.20, 2007구합47152)[1)]

[1] 세무조사라 함은 세무공무원이 각 세법에 규정되어 있는 질문검사권 내지 질문조사권을 행사하여 납세의무자 등에게 직무상의 필요에 따라 질문을 하고 또 관계서류·장부 기타 물건을 조사하거나 그 제출을 명하는 행위를 의미하고{법인세법 제122조, 소득세법 제170조, 조사사무처리규정(국세청 훈령) 제2조1호 등 참조}, 국세기본법 제81조의4, 같은 법 시행령 제63조의2 및 조사사무처리규정 제13조에서 규정하고 있는 중복세무조사금지원칙의 입법취지는 반복적인 세무조사를 허용하게 되면 납세자의 영업의 자유, 프라이버시를 침해할 뿐만 아니라 과세관청에 의한 자의적인 세무조사의 위험도 있어 과세관청에 의한 세무조사의 남용을 방지함에 있다.

[3] 중복조사금지원칙은 납세자의 영업의 자유 및 프라이버시 침해방지 및 자의적인 세무조사에 대한 사전적 통제를 통하여 납세자의 권리를 절차적인 측면에서 보장함을 목적으로 하고 있는 점에 비추어 중복조사금지원칙에 위배한 세무조사에 기초하여 이루어진 과세처분은 위법하다.

관련 판례 2 세무조사결정이 항고소송의 대상이 되는 행정처분에 해당하는지 여부(대판 2011.3.10, 2009두23617·23624)

부과처분을 위한 과세관청의 질문조사권이 행해지는 세무조사결정이 있는 경우 납세의무자는 세무공무원의 과세자료 수집을 위한 질문에 대답하고 검사를 수인하여야 할 법적 의무를 부담하게 되는 점, 세무조사는 기본적으로 적정하고 공평한 과세의 실현을 위하여 필요한 최소한의 범위 안에서 행하여져야 하고, 더욱이 동일한 세목 및 과세기간에 대한 재조사는 납세자의 영업의 자유 등 권익을 심각하게 침해할 뿐만 아니라 과세관청에 의한 자의적인 세무조사의 위험마저 있으므로 조세공평의 원칙에 현저히 반하는 예외적인 경우를 제외하고는 금지될 필요가 있는 점, 납세의무자로 하여금 개개의 과태료 처분에 대하여 불복하거나 조사 종료 후의 과세처분에 대하여만 다툴 수 있도록 하는 것보다는 그에 앞서 세무조사결정에 대하여 다툼으로써 분쟁을 조기에 근본적으로 해결할 수 있는 점 등을 종합하면, 세무조사결정은 납세의무자의 권리·의무에 직접 영향을 미치는 공권력의 행사에 따른 행정작용으로서 항고소송의 대상이 된다.

기출 사례 세무조사결정의 법적 성질, 인용재결의 기속력, 세무조사의 하자가 과세처분에 미치는 영향, 환급거부에 대한 구제수단(14년 사시)

甲은 A시에서 개인 변호사 사무실을 운영하는 변호사로서 관할 세무서장 乙에게 2010년부터 2012년까지 3년간의 부가가치세 및 종합소득세를 자진신고 납부한 바 있다. 丙은 甲의 변호사 사무실에서 사무장으로 근무하다가 2013년 3월경 사무장 직을 그만두면서 사무실의 형사약정서 복사본과 민사사건 접수부를 가지고 나와 이를 근거로 乙에게 甲의 세금탈루사실을 제보하였다.

이에 따라 乙은 2013년 6월 甲에 대하여 세무조사를 하기로 결정하고, 甲에게 조사를 시작하기 10일 전에 조사대상 세목, 조사기간 및 조사 사유, 그 밖에 대통령령으로 정하는 사항을 통지하였다. 그런데 통지를 받은 甲은 장기출장으로 인하여 세무조사를 받기 어렵다는 이유로 乙에게 조사를 연기해 줄 것을 신청하였으나 乙은 이를 거부하였다. (50점)

1. 위 사례에서 세무조사와 세무조사결정의 법적 성질은? (10점)
2. 위 사례에서 乙이 행한 세무조사 연기신청 거부처분에 대하여 甲은 취소심판을 청구하였다. 관할 행정심판위원회에서 이를 인용하는 재결을 하는 경우 乙은 재결의 취지에 따라 처분을 하여야 하는가? (15점)
3. 乙은 세무조사를 하면서 당초 사전통지된 기간보다 조사기간을 연장하였으나 이를 甲에게 통지하지 아니하였다. 이 경우 이 세무조사에 근거하여 甲에게 부과된 소득세부과처분은 위법한가? (10점)
4. 甲은 소득세부과처분에 대하여 취소소송을 제기하였으나 기각판결이 확정되었다. 만약 그 후 甲이 이전 과세처분상의 납부액이 법령상 기준을 초과하였다는 이유로 초과납부한 금액에 대한 국세환급결정을 신청하였지만 乙이 이를 거부하였다면, 이에 대하여 甲이 권리구제를 받을 수 있는 방안은 무엇인가? (15점)

[참조조문]

***구 「국세기본법」 [시행 2013.1.1.] [법률 제11604호, 2013.1.1. 일부개정]**

제51조 (국세환급금의 충당과 환급) ① 세무서장은 납세의무자가 국세·가산금 또는 체납처분비로서 납부한 금액 중 잘못 납부하거나 초과하여 납부한 금액이 있거나 세법에 따라 환급하여야 할 환급세액(세법에 따라 환급세액에서 공제하여야 할 세액이 있을 때에는 공제한 후에 남은 금액을 말한다)이 있을 때에는 즉시 그 잘못 납부한 금액, 초과하여 납부한 금액 또는 환급세액을 국세환급금으로 결정하여야 한다. 이 경우 착오납부·이중납부로 인한 환급청구는 대통령령으로 정하는 바에 따른다.

제81조의6 (세무조사 대상자 선정) ② 세무공무원은 제1항에 따른 정기선정에 의한 조사 외에 다음 각 호의 어느 하나에 해당하는 경우에는 세무조사를 할 수 있다.

3. 납세자에 대한 구체적인 탈세 제보가 있는 경우

제81조의7 (세무조사의 사전통지와 연기신청) ① 세무공무원은 세무조사(「조세범 처벌절차법」에 따른 조세범칙조사는 제외한다)를 하는 경우에는 조사를 받을 납세자(납세자가 제82조에 따라 납세관리인을 정하여 관할 세무서장에게 신고한 경우에는 납세관리인을 말한다. 이하 이 조에서 같다)에게 조사를 시작하기 10일 전에 조사대상 세목, 조사기간 및 조사 사유, 그 밖에 대통령령으로 정하는 사항을 통지하여야 한다. 다만, 사전에 통지하면 증거인멸 등으로 조사 목적을 달성할 수 없다고 인정되는 경우에는 그러하지

1) 하급심 판례이지만 세무조사의 의의 및 중복세무조사금지원칙의 취지에 대해 설시하고 있어 소개함.

아니하다.

② 제1항에 따른 통지를 받은 납세자가 천재지변이나 그 밖에 대통령령으로 정하는 사유로 조사를 받기 곤란한 경우에는 대통령령으로 정하는 바에 따라 관할 세무관서의 장에게 조사를 연기해 줄 것을 신청할 수 있다.

③ 제2항에 따라 연기신청을 받은 관할 세무관서의 장은 연기신청 승인 여부를 결정하고 그 결과를 조사 개시 전까지 통지하여야 한다.

제81조의8 (세무조사 기간) ⑥ 세무공무원은 제1항 단서에 따라 세무조사 기간을 연장하는 경우에는 그 사유와 기간을 납세자에게 문서로 통지하여야 하고, 제4항 및 제5항에 따라 세무조사를 중지 또는 재개하는 경우에는 그 사유를 문서로 통지하여야 한다.

***구 「국세기본법」 시행령 [시행 2013.3.23.] [대통령령 제24441호, 2013.3.23. 타법개정]**

제63조의7 (세무조사의 연기신청) ① 법 제81조의7 제2항에서 "대통령령으로 정하는 사유"란 다음 각 호의 어느 하나에 해당하는 사유를 말한다.

2. 납세자 또는 납세관리인의 질병, 장기출장 등으로 세무조사가 곤란하다고 판단될 때

◆

Ⅰ. 세무조사와 세무조사결정의 법적 성질 - 설문 1

1. 세무조사의 법적 성질

- 행정조사로서 강제조사에 해당.
- 조사 그 자체는 사실행위에 해당하며 세무조사는 권력적 사실행위에 해당.

2. 세무조사결정의 법적성질

- 세무조사결정의 처분성이 문제됨.
- 세무조사결정은 국민의 권리와 의무에 직접 제한을 가하는 행정행위가 아니라 세무조사를 개시하기 전에 그와 같은 세무조사를 개시하겠다는 세무관서의 내부적인 방침을 미리 납세자에게 예고하는 것에 불과하며, 세무조사 결정 자체에는 구체적인 수인 의무를 부과하는 내용이 전혀 포함되지 않으므로 처분이 아니라는 견해도 있으나(고등법원의 입장)
- 세무조사결정이 있는 경우 납세의무자는 세무공무원의 과세자료 수집을 위한 질문에 대답하고 검사를 수인하여야 할 법적 의무를 부담하게 되고, 납세의무자로 하여금 개개의 과태료 처분에 대하여 불복하거나 조사 종료 후의 과세처분에 대하여만 다툴 수 있도록 하는 것보다는 그에 앞서 세무조사결정에 대하여 다툼으로써 분쟁을 조기에 근본적으로 해결할 수는 점을 고려할 때 처분성을 긍정하는 것이 타당(대법원의 입장).
- 세무조사결정 통지 없이 세무조사가 이루어졌다면 권력적 사실행위라고 할 수 있으나, 사전에 세무조사결정 통지가 있는 경우라면 세무조사결정을 처분으로 보는 것이 타당

Ⅱ. 취소심판의 취소재결이 있는 경우 을의 재처분의무 - 설문2

1. 문제의 소재

- 거부처분 취소재결이 있는 경우 재처분의무가 인정되는지 문제됨. 행정심판법은 재처분의무에 대한 명문의 규정이 없어 문제됨.

2. 기속력 일반론(#123)

3. 취소재결이 있는 경우 재처분의무의 인정여부(#102.6)

- 학설(긍정설, 부정설), 판례(긍정), 검토(긍정설).

4. 사안의 경우

- 을은 재결의 취지에 따라 처분을 하여야 함.

Ⅲ. 위법한 세무조사에 기초한 소득세부과처분의 위법성 - 설문3

1. 문제의 소재

- 세무조사연장사유와 기간을 문서로 통지하지 않은 세무조사의 위법사유가 소득세부과처분도 위법하게 만드는지 문제됨.

2. 세무조사의 하자

- 구 국세기본법 제81조의8을 위반한 하자가 있음.

3. 위법한 행정조사에 기초한 행정처분의 하자

- 학설, 판례 소개 후 적극설로 검토.

4. 사안의 경우

- 연장통지를 하지 않은 세무조사의 하자는 소득세부과처분의 절차하자에 해당, 절차하자의 독자적 위법사유를 긍정할 수 있으며 소득세부과처분은 위법.

Ⅳ. 환급신청 거부에 대한 권리구제수단 - 설문4

1. 문제의 소재[2)]

- 환급거부결정에 대한 취소소송이 가능한지? 과오납금에 대한 환급청구소송 또는 국가배상청구소송을 통해 권리구제가 가능한지 문제됨.

2. 환급거부결정에 대한 취소소송(#162. Ⅳ.4)

- 환급거부결정이 직접 환급청구권을 발생하게 하는 형성적 효과가 있는 것이 아니고 확인적 의미밖에 없다고 하더라도 처분성을 긍정하는 견해(판례의 반대의견)가 있으나, 환급결정에 의하여 비로소 환급청구권이 확정되는 것은 아니므로 국세환급금결정이나 환급거부 결정 등은 납세의무자가 갖는 환급청구권의 존부나 범위에 구체적이고 직접적인 영향을 미치는 않으므로 처분성을 부정하는 것이 타당(판례의 다수의견). 취소소송과 같은 항고소송은 불가.

3. 과오납금환급청구소송

- 처분이 적법한 것으로 확정되었으므로 과오납에 해당하지 않음.
- 과오납금환급청구소송의 수소법원(민사법원인지 당사자소송의 수소법원인지 견해대립 있음)이 처분의 효력을 부인하는 것은 공정력 내지는 구성요건적 효력에 반하므로 법원은 인용판결을 할 수 없음.
- 또한 인용판결을 하는 것은 소득세부과처분 취소소송의 확정판결의 기판력에도 반함.

4. 국가배상청구소송

- 국가배상청구소송(민사소송인지 당사자소송인지 견해대립 있음)에서는 처분의 위법성을 심리하는 것이 공정력 또는 구성요건적 효력에 반하지 않는다는 것이 통설, 판례이므로 법원은 소득세부과처분의 위법성을 심리할 수 있으나, 법원이 위법성을 인정하여 국가배상을 명하는 판결을 하는 것은 기판력에 반하게 되어 허용되지 않음(협의의 행위위법설에 의하면 취소소송과 국가배상청구소송에서 위법 개념이 동일하므로 취소소송의 기판력이 국가배상청구소송에 미치게 됨).

기출 사례 하자의 승계, 지위승계신고에 대한 수리, 행정조사와 실력행사(15년 사시)

甲은 乙로부터 2014. 10. 7. A시 B구 소재 이용원 영업을 양도받고 관할 행정청인 B구 구청장 X에게 영업자 지위승계신고를 하였다. 그런데 甲은 위 영업소를 운영하던 중, 2014. 12. 16. C경찰서 소속 경찰관에 의해 「성매매알선 등 행위의 처벌에 관한 법률」 위반으로 적발되었다. 구청장 X는 2014. 12. 19. 甲에 대하여 3월의 영업정지처분을 하였다. 한편, 乙은 이미 같은 법 위반으로 2014년 7월부터 9월까지 2월의 영업정지처분을 받은 바 있었다. 그 후 2015. 5. 6. B구청 소속 공무원들은 위생관리실태를 검사하기 위하여 위 영업소에 들어갔다가 甲이 여전히 손님에게 성매매알선 등의 행위를 하는 것을 적발하였다. 이에 구청장 X는 이미 乙이 제1차 영업정지처분을 받았고 甲이 제2차 영업정지처분을 받았음을 이유로, 2015. 5. 6.에 적발된 위법행위에 대하여 甲에게 「공중위생관리법」 제11조 제1항 및 제2항, 같은 법 시행규칙 제19조 [별표 7] 행정처분기준에 따라 적법한 절차를 거쳐서 가중된 제재처분인 영업소 폐쇄명령을 내렸다.

1. 甲은 구청장 X의 영업소 폐쇄명령에 대한 취소소송을 제기하면서, 자신에 대한 제2차 영업정지처분의 위법성을 폐쇄명령의 취소사유로 주장하고 있다. 甲에 대한 제2차 영업정지처분 시에 의견청취절차를 거치지 않았으나, 이를 다투지 않은 채 제소기간이 도과하였다. 이러한 甲의 주장이 타당한지를 검토하시오. (25점)
2. 甲의 영업소 바로 인근에서 이용업을 행해온 丙은 甲이 이전에 「성매매알선 등 행위의 처벌에 관한 법률」을 위반하여 폐쇄명령을 받은 전력이 있음에도 불구하고 구청장 X가 甲의 영업자 지위승계신고를 받아주었음을 이유로 하여 이를 취소소송으로 다투고자 한다. 구청장 X가 甲의 영업자 지위승계신고를 받아들인 행위는 丙이 제기하는 취소소송의 대상이 되는가? (10점)

---

2) 문제가 있는 설문으로 생각됨. 설문2행의 **"이전 과세처분상의 납부액"이 무엇을 의미하는 것인지 명확하지 않음**. 세무조사에 기초한 소득세부과처분에 의한 납부액을 의미하는 것인지, 자신신고하고 납세한 것을 의미하는 것인지 명확하지는 않으나, 신고납세를 의미하는 것이라기 보다는 소득세부과처분에 의한 납부액을 의미하는 것으로 보는 것이 표현상은 부합함. 그러나 설문에서는 소득세부과처분에 대한 기각판결이 확정된 후에 세금을 납부하였다는 사정이 제시되지 않아 100프로 부합하지는 않는 측면이 있음. 논란의 소지가 있을 수 있으나 기각판결 확정 후에 소득세를 납부한 것을 전제하고 풀이함.
- 만약 종전의 신고납세에 의해 납부한 세액을 의미하는 것으로 본다면 환급거부처분 취소소송은 구제방법이 되지 않지만 초과납부한 금액에 대해 과오납금환급청구소송을 제기하여 구제받을 수 있다고 하면 됨. 이 경우는 공정력과 선결문제나 기판력이 쟁점이 되지는 않고, 초과납부한 시기에 바로 과오납금이 되어 반환청구 가능.

3. 만일 甲이 영업소 안에서 문을 잠그고 B구청 소속 공무원들의 영업소 진입에 불응하여, 위 공무원들이 잠금장치와 문을 부수고 강제로 진입하여 위생관리 실태를 조사하였다면, 甲이 그에 대하여 취할 수 있는 권리구제수단에 관하여 설명하시오. (15점)

*** 공중위생관리법**

제3조의2(공중위생영업의 승계)

① 공중위생영업자가 그 공중위생영업을 양도하거나 사망한 때 또는 법인의 합병이 있는 때에는 그 양수인·상속인 또는 합병후 존속하는 법인이나 합병에 의하여 설립되는 법인은 그 공중위생영업자의 지위를 승계한다.

④ 제1항 또는 제2항의 규정에 의하여 공중위생영업자의 지위를 승계한 자는 1월 이내에 보건복지부령이 정하는 바에 따라 시장·군수 또는 구청장에게 신고하여야 한다.

제9조(보고 및 출입 · 검사)

① 특별시장·광역시장·도지사(이하 "시·도지사" 라 한다) 또는 시장·군수·구청장은 공중위생관리상 필요하다고 인정하는 때에는 공중위생영업자 및 공중이용시설의 소유자등에 대하여 필요한 보고를 하게 하거나 소속공무원으로 하여금 영업소·사무소·공중이용시설 등에 출입하여 공중위생영업자의 위생관리의무이행 및 공중이용시설의 위생관리실태 등에 대하여 검사하게 하거나 필요에 따라 공중위생영업장부나 서류를 열람하게 할 수 있다.

제11조(공중위생영업소의 폐쇄 등)

① 시장·군수·구청장은 공중위생영업자가 이 법 또는 이 법에 의한 명령에 위반하거나 또는 「성매매알선 등 행위의 처벌에 관한 법률」·「풍속영업의 규제에 관한 법률」·「청소년 보호법」·「의료법」에 위반하여 관계 행정기관의 장의 요청이 있는 때에는 6월 이내의 기간을 정하여 영업의 정지 또는 일부 시설의 사용중지를 명하거나 영업소폐쇄 등을 명할 수 있다. 다만, 관광숙박업의 경우에는 당해 관광숙박업의 관할 행정기관의 장과 미리 협의하여야 한다.

② 제1항의 규정에 의한 영업의 정지, 일부 시설의 사용중지와 영업소폐쇄명령 등의 세부적인 기준은 보건복지부령으로 정한다.

제11조의3(행정제재처분효과의 승계)

① 공중위생영업자가 그 영업을 양도하거나 사망한 때 또는 법인의 합병이 있는 때에는 종전의 영업자에 대하여 제11조제1항의 위반을 사유로 행한 행정제재처분의 효과는 그 처분기간이 만료된 날부터 1년간 양수인·상속인 또는 합병후 존속하는 법인에 승계된다.

*** 공중위생관리법 시행규칙**

제19조(행정처분기준) 법 제7조제2항 및 법 제11조제2항의 규정에 의한 행정처분의 기준은 별표 7과 같다.

[별표 7] 행정처분기준

Ⅱ. 개별기준　　3. 이용업

위반사항	관련법규	행정처분기준		
		1차 위반	2차 위반	3차 위반
3. 「성매매알선 등 행위의 처벌에 관한 법률」·「풍속영업의 규제에 관한 법률」·「의료법」에 위반하여 관계행정기관의 장의 요청이 있는 때 가. 손님에게 성매매알선등 행위 또는 음란행위를 하게 하거나 이를 알선 또는 제공한 때 (1) 영업소	법 제11조 제1항	영업정지 2월	영업정지 3월	영업장 폐쇄명령

Ⅰ. 영업정지처분과 영업소폐쇄명령 사이의 하자의 승계 - 설문(1)

1. 문제의 소재

- 양도인 을이 2014.7~9 영업정지처분을 받았고, 양수인 갑이 2014.12.19. 3월의 영업정지처분을 받은 상황에서 2015.5.6. 갑에게 가중된 제재처분인 영업소폐쇄명령을 한 것임. 공중위생관리법 [별표7]에 의하면 3차 위반시 영업장폐쇄명령으로 가중 처분하도록 되어 있음.

- 을에 대한 제재처분의 효과도 공중위생관리법 제11조의3에 의해서 양수인에게 승계되므로 양도인에 대한 제재처분의 효과가 양수인에게 승계될 수 있는지는 문제되지 않고, 불가쟁력이 발생한 2차 영업정지처분의 절차하자가 영업소폐쇄명령에 승계될 수 있는지 문제됨.

2. 하자의 승계의 의의(#49)

- 두 개 이상의 행정행위가 연속하여 행하여지는 경우, 제소기간이 경과하여 불가쟁력이 발생한 선행행위의 하자를 후행행위의 위법사유로서 주장할 수 있는지의 문제

3. 하자의 승계의 논의의 전제

(1) 논의의 전제

(2) 의견청취절차를 거치지 않은 2차 영업정지처분의 하자

- 참조조문으로 제시되어 있지 않지만 공중위생관리법 제12조는 청문을 필수적 절차로 규정하고 있고, 공중위생관리법을 고려하지 않더라도 행정절차법상 의무를 부과하거나 권익을 제한하는 처분에 해당되어 사전통지 및 의견제출의 기회를 주어야 하는데(절차법 제21조1항 및 제22조3

항), 그러한 절차를 결여했으므로 절차하자가 존재

- 절차하자의 독자적 위법성 인정여부에 대해 견해대립 있으나 다수설,판례는 긍정.

- 의견청취절차를 결여한 하자의 위법성의 정도는 취소사유에 해당.

4. 하자의 승계 여부

⑴ 학설 - 하자의 승계론/ 구속력 이론

⑵ 판례 - 하자의 승계론

⑶ 검토 - 수인가능성, 예측가능성을 고려하는 하자의 승계론

5. 사안의 해결

- 구청장의 2차 영업정지처분과 영업소 폐쇄명령은 후행처분이 선행처분을 전제로 하는 것이기는 하나, 처분 사유가 다르고 동일한 법적 효과의 발생을 목적으로 하는 것으로 볼 수 없으며 영업정지처분의 하자를 다투기 어려운 사정도 보이지 않으므로 하자의 승계가 부정

Ⅱ. 영업자 지위승계신고에 대한 수리의 처분성 - 설문(2)

1. 문제의 소재

- 지위승계신고에 대한 수리가 행정소송법상 처분에 해당하는지 문제됨.

2. 처분에 관한 일반론(#108)

3. 지위승계신고의 성격(#16.1)

- 판례는 수리를 요하는 신고로 봄.

- 신고대상이 되는 영업의 종류에 따라 판단해야 한다는 견해가 유력한데 이 견해에 의하면 신고대상이 되는 영업이 수리를 요하지 않는 신고라면 지위승계신고도 수리를 요하지 않는 신고에 해당하며 따라서 이에 대한 수리 역시 처분에 해당하지 않는다고 함.

4. 사안의 해결

- 사안의 이용업이 수리를 요하지 않는 신고에 해당.

- 판례에 의하면 구청장 X가 甲의 영업자 지위승계신고를 받아들인 행위는 丙이 제기하는 취소소송의 대상이 되나 유력한 견해에 의하면 취소소송의 대상이 되지 않음.

Ⅲ. 강제조사와 실력행사에 대한 권리구제 - 설문(3)

1. 문제의 소재

- B구청 소속 공무원들이 위생관리 실태를 조사한 것의 법적 성격이 문제되며, 조사대상자가 저항할 경우 강제로 실력행사를 할 수 있는지 문제되고, 실태조사가 위법한 경우 권리구제수단이 문제됨.

2. 위생관리 실태조사의 법적 성격

- 행정조사에 해당하며 강제조사(권력적 조사)로서 권력적 사실행위에 해당.

3. 상대방이 조사를 거부하는 경우 실력행사가능성

- 조사를 거부하는 경우 벌칙규정을 통해 실효성을 확보해야 한다는 부정설과 강제조사의 방해를 배제하는 것은 강제조사의 범위 안에 들어간다는 긍정설이 대립.

- 조사를 위한 영업소의 출입은 그 자체가 상대방의 의사여부에 불문하여 행해지는 것이므로 비례의 원칙에 반하지 않는 한 실력행사는 불가피하므로 긍정설이 타당.

- 그러나 사안의 경우는 잠금장치와 문을 부수고 강제로 진입하였다는 점에서 비례의 원칙에 반할 소지가 있으므로 위법한 조사에 해당.

4. 위법한 조사에 대한 구제수단

⑴ 행정쟁송

- 위생관리 실태조사는 권력적 사실행위로서 처분에 해당(#58).

- 사실행위의 경우 쟁송의 대상이 된다고 하더라도 집행이 종료되면 권리보호의 필요(협의의 소의 이익, 심판청구이익)이 문제됨.

- 사안에서 이미 조사가 종료되었다면 권리보호필요가 부정되나 조사가 계속 진행중이라면 긍정.

- 소의 이익이 긍정되는 경우에는 취소소송(취소심판)을 제기하고 집행정지를 신청할 수 있을 것. 그러나 설문의 사정으로는 집행이 종료되었다고 보는 것이 실제적일 것.

⑵ 국가배상

- 위생 관리실태 조사에 대한 쟁송에서 권리보호의 필요가 부정된다면 국가배상이 위법한 조사에 대한 실효적인 구제수단이 될 것.

- 국가배상청구소송의 법적 성격에 대해 민사소송설과 당사자소송설의 대립 있음. 판례는 민사소송설의 입장.

⑶ 결과제거청구소송

- 위법한 위생관리실태조사로 인하여 위법한 상태가 계속되고 있다면 위법한 결과를 제거해 줄 것을 청구할 수 있음. 결과제거청구소송은 당사자소송으로 제기하면 됨.

- 공법상 결과제거청구권에 대해 아직 판례가 명시적으로 인정한 바는 없음.

61 행정의 실효성 확보수단 개관

일정한 행정작용을 통해서 개인에게 부과된 의무는 적지 않은 경우 **불이행됨으로써 행정목적달성에 장애**를 야기시키고 있는데 이러한 경우 행정목적의 실현을 확보하고 행정법규의 실효성을 담보하기 위하여 **강제적 수단이 필요**한데, 이를 행정의 실효성확보수단 또는 의무이행 확보수단이라고 한다. 실효성 확보수단은 전통적인 수단과 새로운 수단으로 나누어진다.

전통적인 수단은 현재의 의무불이행상태에 대하여 직접적으로 실력을 행사하여 장래의 방향으로 의무이행을 실현시키는 **행정강제와** 과거의 의무위반에 대하여 일정한 제재를 가함으로써 행정법규위반에 대한 처벌을 직접 목적으로 하면서도 간접적으로 심리적 압박을 통하여 의무이행을 확보시키는 **행정벌로** 구분된다.

행정강제는 다시 구체적인 의무불이행을 전제로 하는 **행정상 강제집행과** 구체적인 의무불이행을 전제로 하지 않는 **행정상 즉시강제**로 세분된다. 행정상 강제집행의 종류는 **비금전적 의무의 강제집행수단으로서 대집행, 이행강제금, 직접강제**와 **금전적 의무의 강제집행수단인 행정상 강제징수**가 있다. (대. 직. 이. 강)

행정벌은 다시 형법상의 벌을 부과하는 **행정형벌과 과태료를 부과하는 행정질서벌**로 구분된다.

전통적인 수단을 보완하기 위해 **새로운 실효성확보수단이 등장**하였는데 이들은 **제재적 행정수단과 실효성확보수단의 두 가지 성격**을 함께 가지고 있다. 이들 수단들은 행정벌과 마찬가지로 **의무위반자에게 제재를 가하여 간접적으로 의무이행을 확보**하는 기능을 수행한다.

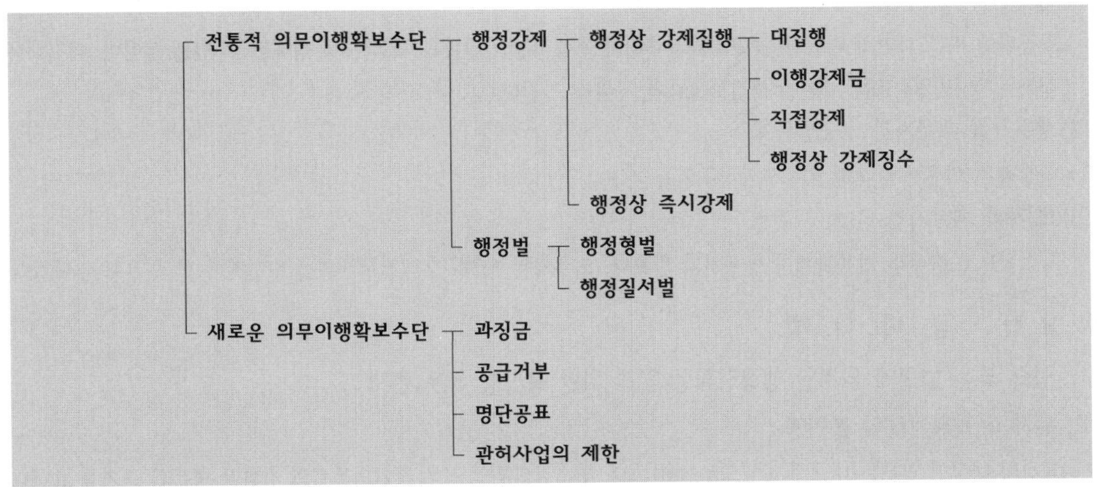

62 대집행

Ⅰ. 의 의

대집행은 **대체적 작위의무의 불이행이 있는 경우 당해 행정청이 불이행된 의무를 스스로 행하거나 제3자로 하여금 이행하게 하고, 그 비용을 의무자로부터 징수하는 것**(행정대집행법 제2조)을 말한다. 대집행은 비용을 의무자가 부담하고 제3자로 하여금 이행시킬 수도 있다는 점에서, 행정청이 직접 비용을 부담하고 행하는 **직접강제와 구별**된다.

Ⅱ. 법적 근거

일반법으로 행정대집행법이 있으며, 개별법으로 건축법 제85조, 공익사업을 위한 토지 등의 취득 및 보상에 관한 법률 제89조 등이 있다.

Ⅲ. 대집행 주체

1. 당해 행정청(대집행법 제2조)

대집행의 대상이 되는 의무를 명하는 처분을 행한 행정청이 대집행 주체가 된다.

2. 자기집행 외에 제3자에게 위탁(타자집행)도 가능

⑴ 자기집행의 경우 - 그로 인한 모든 법률관계가 공법관계에 해당한다.

⑵ 타자집행의 경우

1) 행정청과 제3자간 - 사법관계(사법상 도급)

공공단체 또는 사인의 대집행은 항상 대집행권자인 행정청의 감독과 책임 하에 행해질 수 있는 것이며, 대집행을 행하는 공공단체 또는 사인은 **행정보조자의 지위**를 가진다.[1)]

2) 행정청과 의무자간 - 공법관계

행정청은 의무자에 대해 비용상환청구권을 가진다.

3) 제3자와 의무자간

직접적으로 **아무런 법률관계가 발생하지 않으나,** 의무자는 제3자의 대집행행위를 **수인해야 할 의무**를 부담한다.

Ⅳ. 요 건 - 공. 대. 다. 방.

1. 법령 또는 법령에 의거한 행정청의 명령에 의한 공법상 의무 존재

2. 대체적 작위의무의 불이행

대집행 대상인 의무는 대체적 작위의무여야 한다. **부작위의무의 경우 작위의무로의 전환**은 **명문의 근거를 요한다**(판례 1, 2), **토지나 건물의 인도·명도의무**는 **대체적 작위의무가 아니다**(판례 3).

판례 1 단순한 부작위의무의 위반, 즉 관계 법령에 정하고 있는 절대적 금지나 허가를 유보한 상대적 금지를 위반한 경우에는 당해 법령에서 그 위반자에 대하여 위반에 의하여 생긴 유형적 결과의 시정을 명하는 행정처분의 권한을 인정하는 규정(예컨대, 건축법 제69조, 도로법 제74조, 하천법 제67조, 도시공원법 제20조, 옥외광고물등관리법 제10조 등)을 두고 있지 아니한 이상, **법치주의의 원리에 비추어** 볼 때 위와 같은 **부작위의무로부터 그 의무를 위반함으로써 생긴 결과를 시정하기 위한 작위의무를 당연히 끌어낼 수는 없으며, 또 위 금지규정(특히 허가를 유보한 상대적 금지규정)으로부터 작위의무, 즉 위반결과의 시정을 명하는 권한이 당연**히 추론(推論)되는 것도 아니다(대판 1996.6.28, 96누4374).

---

1) 2007다82950판례(#9.의 관련판례)와 비교할 것. 동 판례는 법령에 의해서 대집행 권한이 토지공사에 위탁된 것으로 토지공사가 단순한 행정보조자의 지위에 있는 것이 아님.

판례 2 행정대집행법 제2조는 '행정청의 명령에 의한 행위로서 타인이 대신하여 행할 수 있는 행위를 의무자가 이행하지 아니하는 경우'에 대집행할 수 있도록 규정하고 있는데, 이 사건 **용도위반 부분을 장례식장으로 사용하는 것이 관계 법령에 위반한 것이라는 이유**로 **장례식장의 사용을 중지할 것과 이를 불이행할 경우** 행정대집행법에 의하여 **대집행하겠다는 내용의 이 사건 처분**은, 이 사건 처분에 따른 **'장례식장 사용중지 의무'가 원고 이외의 '타인이 대신'할 수도 없고, 타인이 대신하여 '행할 수 있는 행위'라고도 할 수 없는 비대체적 부작위 의무에 대한 것**이므로, 그 자체로 **위법**함이 명백하다(대판 2005.9.28, 2005두7464).

판례 3 도시공원시설인 매점의 관리청이 그 공동점유자 중의 1인에 대하여 소정의 기간 내에 위 매점으로부터 퇴거하고 이에 부수하여 그 판매 시설물 및 상품을 반출하지 아니할 때에는 이를 대집행하겠다는 내용의 계고처분은 그 주된 목적이 매점의 원형을 보존하기 위하여 점유자가 설치한 불법 시설물을 철거하고자 하는 것이 아니라, 매점에 대한 점유자의 점유를 배제하고 그 점유이전을 받는 데 있다고 할 것인데, **이러한 의무는 그것을 강제적으로 실현함에 있어 직접적인 실력행사가 필요한 것이지 대체적 작위의무에 해당하는 것은 아니어서 직접강제의 방법에 의하는 것은 별론으로 하고 행정대집행법에 의한 대집행의 대상이 되는 것은 아니다**(대판 1998.10.23, 97누157).

3. 다른 수단으로는 그 이행을 확보하기 곤란(보충성)

비례의 원칙에 따라 다른 수단으로 의무 이행을 확보할 수 있다면 대집행은 불가능하다.

4. 그 불이행을 방치함이 심히 공익을 해할 것

공익이라는 불확정개념을 사용하고 있어 판단여지가 적용될 소지가 있으나, 대집행은 실력으로써 행정상 필요한 상태를 실현시키는 제도로서 **개인의 권리를 침해할 가능성이 많기 때문에 그 해석과 적용은 엄격**하게 하여야 한다.

Ⅴ. 대집행권 행사의 재량성

1. 재량행위 여부

대집행권 행사를기속행위로 보는 견해가 있으나, 행정대집행법 제2조의 규정형식이 가능규정의 형태를 취하고 있는 점에 비추어 재량행위로 보는 것이 타당하다(다수설, 판례). 다만 구체적인 상황에 따라서는 재량이 영으로 수축되어 대집행의 실시가 행정청의 의무로 되는 경우가 있을 수 있다.

2. 이행강제금과의 관계(이행강제금 참조)

건축법과 같이 행정상 강제집행수단으로서 대집행과 이행강제금을 모두 규정하고 있는 경우에 대집행 대신에 이행강제금을 부과할 수 있는지의 문제이다. **헌법재판소**는 양자를 **선택적으로 활용**할 수 있고, **중첩적 제재에 해당되지 않는다**고 결정하였다(#63.Ⅲ).

Ⅵ. 절 차 - 계. 통(영). 실. 비.

1. 계 고

(1) 의 의

상당한 기간내에 의무의 이행을 하지 않으면 대집행을 한다는 의사를 사전에 통지하는 행위이다. 상대방에게 **의무이행을 독촉하는 동시에,** 대집행에 대한 **예측가능성을부여**하게 된다.

(2) 법적 성질

준법률행위적 행정행위로서 통지이다. **반복된 계고**의 경우 **후행계고는 연기통지에 불과하므로 처분성이 부정**되며, 1차 계고만 처분성이 인정된다(판례).

판 례 철거대집행계고처분을 고지한 후 이에 불응하자 다시 **제2차, 제3차 계고서**를 발송하여 일정기간까지의 자진철거를 촉구하고 불이행하면 대집행을 한다는 듯을 고지하였다면 행정대집행법상의 **건물철거의무는 제1차 철거명령 및 계고처분으로서 발생**하였고, **새로운 철거의무를 부과하는 것은 아니고 다만 대집행기한의 연기통지에 불과**하므로 **행정처분이 아니다**(대판 1994.10.28, 94누5144).

(3) 요 건 - 대. 구. 문. 상.

① 대집행의 요건이 충족된 경우에, ② 의무의 내용을 구체적으로 특정하여, ③ 문서로, ④ 상당한 이행기간을 정해서 하여야 한다.

판 례 행정청이 행정대집행법 제3조1항에 의한 대집행계고를 함에 있어서는 의무자가 스스로 이행하지 아니하는 경우에 대집행할 행위의 내용 및 범위가 구체적으로 특정되어야 하나, 그 행위의 내용 및 범위는 반드시 대집행계고서에 의하여서만 특정되어야 하는 것이 아니고, 계고처분 전후에 송달된 문서나 기타 사정을 종합하여 행위의 내용이 특정되거나 실제건물의 위치, 구조, 평수 등을 계고서의 표시와 대조・검토하여 대집행의무자가 그 이행의무의 범위를 알 수 있을 정도로 하면 족하다(대판 1996.10.11, 96누8086).

(4) 의무를 명하는 행정처분과 계고의 결합가능성

계고시 이미 대집행 요건이 충족되어야 하므로 원칙상 별도로 행하여져야 하나, 긴급한 필요가 있고 상당한 자진이행기간을 주고 있는 경우에 한하여 예외적으로 동시에 행하는 것이 가능하다. 판례도 같은 태도이다.

판 례 계고서라는 명칭의 1장의 문서로서 일정기간 내에 위법건축물의 자진철거를 명함과 동시에 그 소정기한 내에 자진철거를 하지 아니할 때에는 대집행할 뜻을 미리 계고한 경우라도 건축법에 의한 철거명령과 행정대집행법에 의한 계고처분은 독립하여 있는 것으로서 각 그 요건이 충족되었다고 볼 것이고, 이 경우, 철거명령에서 주어진 일정기간이 자진철거에 필요한 상당한 기간이라면 그 기간 속에는 계고시에 필요한 '상당한 이행기간'도 포함되어 있다고 보아야 할 것이다(대판 1992.6.12, 91누13564).

2. 통 지

대집행을 실행하겠다는 의사를 구체적으로 통지하는 행위이다(행정대집행법 제3조2항). 대집행 영장에 의하여 대집행의 구체적 내용과 그에 대한 실행을 수반할 의무가 확정되며, 그 성질은 준법률행위적 행정행위로서 통지이다.

3. 대집행실행

(1) 의 의

당해 행정청이 스스로 또는 타인으로 하여금 대체적 작위의무를 이행시키는 물리력의 행사이다.

(2) 법적 성질 - 권력적 사실행위

판 례 대집행계고처분 취소소송의 변론종결 전에 대집행영장에 의한 통지절차를 거쳐 사실행위로서 대집행의 실행이 완료된 경우에는 행위가 위법한 것이라는 이유로 손해배상이나 원상회복 등을 청구하는 것은 별론으로 하고 처분의 취소를 구할 법률상 이익은 없다(대판 1993.6.8, 93누6164).

(3) 절차 - 대집행을 실행하는 경우 증표를 휴대하여 제시(대집행법 제4조).

(4) 실력행사 가능성

의무자가 수인의무를 위반하여 행하는 저항을 행정청이 실력으로 배제할 수 있는지에 대하여 ① 신체에 대한 물리력행사는 직접강제의 대상일 뿐 대집행 절차에서는 인정되지 않는다는 부정설과 ② 필요한 한도 내에서 부득이한 실력행사는 대집행에 수반되는 기능이라는 긍정설이 대립한다. 실무에서는 형법상 공무집행방해죄의 구성요건에 해당하고, 경찰관직무집행법 제5조의 위험발생의 방지를 위한 경찰권발동요건에 해당된다면 그에 따라 처리하는 경향이 있다. 생각건대, 의무자의 저항을 실력으로 배제하는 것을 인정할 필요가 있지만, 그것의 인정을 위하여는 별도의 법률상 근거가 있어야 하므로 부정설이 타당하다. 독일의 경우처럼 명문으로 법적 근거를 마련하는 것이 법치국가원리에 부합한다.

4. 비용징수 - 급부 하명.

Ⅶ. 구 제

1. 행정쟁송

(1) 대 상

대집행계고와 통지는 준법률행위적 행정행위로서 통지에 해당하며, 대집행 실행행위는 권력적 사실행위이며, 비용납부명령은 급부하명에 해당하므로 항고소송의 대상인 처분에 해당한다.

(2) 대집행 실행의 경우 협의의 소의 이익 문제

대집행 실행은 **성질상 단기간에 완료되는바, 이미** 실행이 완료되면 소의 이익이 부정된다. 대집행이 **완료되면 손해배상청구**를 하거나 **대집행비용청구의 취소**를 구하는 수밖에 없다. 따라서 그 **실행 전에 집행정지 신청이 필요하다.**

판 례 대집행계고처분 취소소송의 변론종결 전에 대집행영장에 의한 통지절차를 거쳐 **사실행위로서 대집행의 실행이 완료**된 경우에는 행위가 위법한 것이라는 이유로 **손해배상이나 원상회복 등을 청구**하는 것은 **별론**으로 하고 처분의 **취소를 구할 법률상 이익은 없다**(대판 1993.6.8, 93누6164).

(3) 하자의 승계

판례는 **의무를 명하는 처분과 계고처분사이**는 승계를 **부정**하는 반면, **계고·통지·대집행실행·비용납부명령 사이**에는 승계를 **긍정**한다.

판례 1 건물철거명령이 **당연무효가 아닌 이상** 행정심판이나 소송을 제기하여 그 위법함을 소구하는 절차를 거치지 아니하였다면 위 선행행위인 건물철거명령은 적법한 것으로 확정되었다고 할 것이므로 **후행행위인 대집행계고처분**에서는 그 건물이 무허가건물이 아닌 **적법한 건축물이라는 주장이나 그러한 사실인정을 하지 못한다**(대판 1998.9.8, 97누20502).

판례 2 대집행의 계고, 대집행영장에 의한 통지, 대집행의 실행, 대집행에 요한 비용의 납부명령 등은 **타인이 대신하여 행할 수 있는 행정의무의 이행을 의무자의 비용부담하에 확보하고자 하는, 동일한 행정목적**을 달성하기 위하여 단계적인 일련의 절차로 연속하여 행하여지는 것으로서, **서로 결합하여 하나의 법률효과를 발생**시키는 것이므로, 선행처분인 계고처분이 하자가 있는 위법한 처분이라면, 비록 그 하자가 중대하고도 명백한 것이 아니어서 당연무효의 처분이라고 볼 수 없고 행정소송으로 효력이 다투어지지도 아니하여 이미 불가쟁력이 생겼으며, 후행처분인 대집행영장발부통보처분 자체에는 아무런 하자가 없다고 하더라도, **후행처분인 대집행영장발부통보처분의 취소를 청구하는 소송에서 청구원인으로 선행처분인 계고처분이 위법한 것이기 때문에 그 계고처분을 전제로 행하여진 대집행영장발부통보처분도 위법한 것이라는 주장**을 할 수 있다(대판 1996.2.9, 95누12507).

2. 국가배상 – 대집행이 종료된 경우 보다 큰 의미 있음

위법한 대집행에 의해 손해를 입은 자는 국가배상법 제2조에 의한 손해배상을 청구할 수 있다. 이 때 수소법원은 선결문제로서 대집행의 위법 여부를 심리할 수 있다.

관련 판례 **부작위의무위반과 대집행**(대판 1996.6.28, 96누4374)

1. 사실관계

甲은 유치원에 접해 있는 아파트 단지 내 수목을 임의 제거하고 어린이 놀이시설을 설치함. 관할구청장이 원상복구명하였으나 불응하자 구청장은 계고처분. 이에 甲은 선행처분인 원상복구명령의 제소기간이 도과하여 후행처분인 대집행계고처분의 무효확인을 구하는 소송을 제기.

2. 판시사항 및 판결요지

[1] 금지규정에서 작위의무 명령권이 당연히 도출되는지 여부(소극)

- 행정대집행법 제2조는 **대집행의 대상이 되는 의무**를 "법률(법률의 위임에 의한 명령, 지방자치단체의 조례를 포함한다. 이하 같다)에 의하여 직접 명령되었거나 또는 법률에 의거한 행정청의 명령에 의한 행위로서 타인이 대신하여 행할 수 있는 행위"라고 규정하고 있으므로, 대집행계고처분을 하기 위하여는 법령에 의하여 직접 명령되거나 법령에 근거한 행정청의 명령에 의한 의무자의 **대체적 작위의무 위반행위가 있어야** 한다. 따라서 **단순한 부작위의무의 위반, 즉 관계 법령에 정하고 있는 절대적 금지나 허가를 유보한 상대적 금지를 위반한 경우에는 당해 법령에서 그 위반자에 대하여 위반에 의하여 생긴 유형적 결과의 시정을 명하는 행정처분의 권한을 인정하는 규정**(예컨대, 건축법 제69조

(헌79조), 도로법 제74조, 하천법 제67조, 도시공원법 제20조, 옥외광고물등관리법 제10조 등)을 두고 있지 아니한 이상, 법치주의의 원리에 비추어 볼 때 위와 같은 부작위의무로부터 그 의무를 위반함으로써 생긴 결과를 시정하기 위한 작위의무를 당연히 끌어낼 수는 없으며, 또 위 금지규정(특히 허가를 유보한 상대적 금지규정)으로부터 작위의무, 즉 위반결과의 시정을 명하는 권한이 당연히 추론되는 것도 아니다.

[2] 권한 없는 자의 원상복구명령에 따른 의무불이행을 이유로 한 계고처분의 효력

- 행정기관의 권한에는 사무의 성질 및 내용에 따르는 제약이 있고, 지역적·대인적으로 한계가 있으므로 이러한 권한의 범위를 넘어서는 권한유월의 행위는 무권한 행위로서 원칙적으로 무효이고, 선행행위가 부존재하거나 무효인 경우에는 그 하자는 당연히 후행행위에 승계되어 후행행위도 무효로 된다. 그런데 주택건설촉진법 제38조2항은 공동주택 및 부대시설·복리시설의 소유자·입주자·사용자 등은 부대시설 등에 대하여 도지사의 허가를 받지 않고 사업계획에 따른 용도 이외의 용도에 사용하는 행위 등을 금지하고(정부조직법 제6조1항, 행정권한의 위임 및 위탁에 관한 규정 제4조에 따른 인천광역시사무위임규칙에 의하여 위 허가권이 구청장에게 재위임되었다), 그 위반행위에 대하여 위 주택건설촉진법 제52조의2 1호에서 1천만 원 이하의 벌금에 처하도록 하는 벌칙규정만을 두고 있을 뿐, 건축법 제69조 등과 같은 부작위의무 위반행위에 대하여 대체적 작위의무로 전환하는 규정을 두고 있지 아니하므로 위 금지규정으로부터 그 위반결과의 시정을 명하는 원상복구명령을 할 수 있는 권한이 도출되는 것은 아니다. 결국 행정청의 원고에 대한 원상복구명령은 권한 없는 자의 처분으로 무효라고 할 것이고, 위 원상복구명령이 당연무효인 이상 후행처분인 계고처분의 효력에 당연히 영향을 미쳐 그 계고처분 역시 무효로 된다.

기출 사례 **대집행과 권리구제**(05년 행시 - 재경)

A시장이 택지개발지구로 지정된 구역 내의 무허가 건축물에 대하여 소유자 甲에게 철거명령을 내렸는데 甲은 이를 이행하지 않고 있다. 이에 A 시장은 의무불이행 그 자체만을 염두에 두고서 곧바로 행정대집행을 실행하였다.

1) 甲의 권리구제 가능성과 그 구제방법을 설명하시오.(35점)

2) 만약 甲이 철거반의 접근을 실력으로 방해할 경우에 A시장은 어떻게 대처할 수 있는가?(15점)

Ⅰ. 철거명령과 대집행에 대한 권리구제 - 설문(1)

1. 철거명령의 위법성과 취소소송의 제기

- 甲의 건물이 택지개발지구로 지정된 구역 내의 무허가 건축물이라는 점에서 철거명령은 적법. 따라서 철거명령에 대한 취소소송 및 집행정지 신청은 기각될 것.

2. 대집행실행에 대한 권리구제

(1) 대집행실행의 법적 성질

- 권력적 사실행위. 처분에 해당

(2) 대집행실행의 위법성

- 대집행 요건 충족 要. 대집행요건이 미비된 사정은 없음.
- 계고와 영장통지절차를 거친 후 대집행 실행을 해야 함.
- 행정대집행법 제3조3항은 계고와 영장통지에 생략가능성을 인정하고 있으나, 사안에서는 생략가능한 급박한 사정이 없어 대집행 실행은 계고절차 및 통지절차를 거치지 않은 위법한 처분(절차하자를 취소사유로 보는 판례에 의하면 하자는 취소사유이고, 절차를 결여한 경우 무효로 보는 견해에 의하면 무효사유에 해당).

(3) 권리구제

1) 대집행실행 종료 전

- 대집행실행에 대한 취소소송(무효확인소송)의 제기와 집행정지신청이 가능.

2) 대집행실행 종료 후

- 취소소송이나 무효확인소송의 소의 이익이 없음.
- 위법한 대집행으로 인한 손해에 대해 국가배상청구가 실효적인 구제수단.[2)]
- 결과제거청구권의 행사 가능성은 부정.[3)]

Ⅱ. 실력행사가능성 - 설문(2)

- 甲의 저항을 실력으로 배제하는 것이 대집행에 포함되는지에 대해 학설 대립하나 명문의 규정이 없는 한 실력으로 대집행에 저항하는 행위를 저지할 수 없음. 부정설이 타당. 부정설에 의할 경우 공무집행방해죄로 처벌 내지는 경찰관직무집행법상 경찰권 발동으로 해결하는 경향. 그러나 설문의 경우는 대집행 자체가 위법한 경우이므로 공무집행방해죄에 해당하지 않음.

2) 박균성 교수님은 무허가건축물이기 때문에 적법절차를 거쳐 어차피 철거될 건물이므로 철거된 것만으로는 손해가 발생하지 않았으나

기출 사례 **대집행 일반**(12년 행시 - 일반행정)

A시의 시장은 건물 소유자인 甲에게 건축법 제79조 및 행정대집행법 제3조에 따라 동 건물이 무허가건물이라는 이유로 일정기간까지 철거할 것을 명함과 아울러 불이행할 때에는 대집행한다는 내용의 계고를 하였다. 그 후 甲이 이에 불응하자 다시 2차계고서를 발송하여 일정기간까지 자진철거를 촉구하고 불이행하면 대집행한다는 내용을 고지하였다. 그러나 甲은 동 건물이 무허가건물이 아니라고 다투고 있다. (단, 대집행 요건의 구비 여부에 대하여는 아래 각 질문사항에 따라서만 검토하기로 한다) (총 50점)

(1) 甲은 위 계고에 대하여 취소소송을 제기하려고 한다. 계고의 법적 성질을 논하고, 소송의 대상이 되는 계고가 어느 것인지를 검토하시오. (15점)

(2) 철거명령과 함께 이루어진 1차 계고는 적법한가? (10점)

(3) 철거명령의 위법을 이유로 계고의 위법을 다툴 수 있는가? (10점)

(4) 위 사안에서 대집행에 대한 甲의 구제방안에 대하여 설명하시오. (15점)

Ⅰ. 계고의 성질 및 소송의 대상 - 설문(1)

1. 계고의 의의

2. 계고의 성질 - 준법률행위적 행정행위로서 통지.

3. 반복된 계고의 경우 소송의 대상

- 행정대집행법상의 건물철거의무는 1차 철거명령 및 계고처분으로서 발생하였고, 이후 2차 계고는 대집행기한의 연기통지일 뿐이어서 행정처분이 아님.

Ⅱ. 철거명령과 계고의 결합가능성 - 설문(2)

1. 문제의 소재

2. 계고 요건

3. 철거명령과 계고의 결합가능성

- 별도로 행하는 것이 원칙이나, 긴급한 필요가 있는 등에는 결합 가능. 판례도 계고서라는 명칭의 1장의 문서로서 철거명령과 대집행 계고를 함께 한 것을 적법하다고 봄.

- 이에 대하여 기한의 이익을 박탈하는 문제가 있으므로 동시에 부과할 수 없다는 비판이 있음.

Ⅲ. 하자의 승계[4]- 설문(3)

1. 문제의 소재

2. 하자의 승계 일반론

3. 사안의 경우

- 철거명령과 계고처분은 별개의 목적을 가지고 있는 것으로서 하자의 승계가 부정하는 것이 판례임. 구속력 이론에 의하더라도 철거명령의 구속력이 미치는 범위이므로 계고처분을 다투면서 철거명령의 하자를 주장할 수 없음.

Ⅳ. 대집행에 대한 권리구제방안 - 설문(4)

1. 행정쟁송

(1) 대상성

- 계고에 대해 쟁송을 제기할 수 도 있고, 후속절차인 영장통지, 대집행실행(권력적 사실행위), 비용납부명령에 대해 소를 제기할 수 있음.

(2) 소의 이익 유무

- 대집행이 실행되어 종료된 경우에는 계고, 영장통지, 대집행실행행위는 소의 이익이 부정.

2. 국가배상

- 실행이 된 후에는 국가배상이 유효적절한 구제수단.

甲이 일시적으로 주거를 상실함으로써 받는 물질적, 정신적 손해가 있고 甲의 건축물 내의 생활용품들이 파괴된 경우 이로 인하여 손해를 입을 것이며 이 한도 내에서 국가배상을 받을 수 있다고 함(행정법연습 5판 312면)

3) 김용섭 교수님은 유사한 사안에서 결과제거청구권의 가능성까지 언급하고 있는바 사안과 같은 경우에는 부정하고 있음.

- 결과제거청구권은 위법한 행정작용의 결과로 야기된 상태로 인하여 자기의 법률상 이익을 침해받고 있는 자가 행정주체를 상대로 위법한 상태를 제거하여줄 것을 청구하는 권리를 말하며 학설상 논의되고 있음. 사안의 경우 위법한 대집행실행으로 甲의 법적 이익이 침해되었고 그 위법상태도 계속되고 있으나, 위법건축물을 원상회복의무로서 다시 축조한다는 것은 행정의 법률적합성의 원칙상 법률적으로 허용할 수 없는 허용성의 요건을 갖추지 못한 것이므로 인용가능성은 희박.

4) 설문은 철거명령과 계고를 동시에 한 것이므로 계고를 다투면서 철거명령의 하자를 주장하는 하자의 승계가 문제될 수는 없음. 그러나 설문의 괄호에서 대집행요건의 구비 여부는 아래 질문사항에 따라서만 검토하라고 한 점을 고려해 하자의 승계로 해설함.

63 이행강제금(집행벌)

Ⅰ. 의 의

부작위의무, 작위의무 또는 수인의무를 이행하지 않는 경우에, 그 이행을 강제하기 위한 수단으로서 부과하는 금전부담이다. 장래의 의무이행을 확보하기 위하여 과해진다는 점에서 과거의 의무위반에 대한 제재인 행정벌과 구별된다.

판 례 이행강제금은 **행정법상의 부작위의무 또는 비대체적 작위의무를 이행하지 않은 경우에 '일정한 기한까지 의무를 이행하지 않을 때에는 일정한 금전적 부담을 과할 뜻'을 미리 '계고'함으로써 의무자에게 심리적 압박을 주어 장래를 향하여 의무의 이행을 확보하려는 간접적인 행정상 강제집행 수단**이다(대판 2015.6.24, 2011두2170).

헌재결정 건축법 제78조에 의한 **무허가 건축행위**에 대한 **형사처벌**과 건축법 제83조1항에 의한 **시정명령 위반에 대한 이행강제금**의 부과는 그 처벌 내지 제재대상이 되는 **기본적 사실관계로서의 행위를 달리**하며, 또한 그 보호법익과 목적에서도 차이가 있으므로 헌법 제13조1항이 금지하는 **이중처벌에 해당한다고 할 수 없다**(헌재결 2004.2.26, 2001헌바80).

Ⅱ. 유용성

행정벌에 의한 통제가 문제점이 부각되면서 등장한 강제수단으로서, 행정법상 의무가 점차 비대체화되어 감에 따라 비대체적의무에 대한 강제집행수단으로 도입되었다. 반복 부과가 가능하여 이기적 의무자에게 적합하다.

Ⅲ. 대 상

비대체적 작위의무, 부작위의무 또는 수인의무의 불이행에 대하여 부과된다. **한편 대체적 작위의무**에 대하여는 대집행이 가능하므로 이행강제금을 **인정할 필요가 없다고 보는 견해**도 있지만, 대체적 작위의무에 대해서도 **대집행이 부적절한 경우 효과적인 권리구제수단**이 될 수 있다. **건축법**은 건축물의 철거등 대체적 작위의무 위반에 대해서 **대집행 외에 이행강제금도 규정하였으며, 헌법재판소는 이를 합헌**으로 보았다.

헌재결정 **전통적으로 행정대집행은 대체적 작위의무에 대한 강제집행수단으로, 이행강제금은 부작위의무나 비대체적 작위의무에 대한 강제집행수단으로 이해**되어 왔으나, 이는 **이행강제금제도의 본질에서 오는 제약은 아니며, 이행강제금은 대체적 작위의무의 위반에 대하여도 부과될 수 있다**. 현행 **건축법상** 위법건축물에 대한 이행강제수단으로 **대집행과 이행강제금**(제83조1항)이 인정되고 있는데, 양 제도는 **각각의 장·단점**이 있으므로 행정청은 개별사건에 있어서 위반내용, 위반자의 시정의지 등을 감안하여 대집행과 이행강제금을 **선택적으로 활용**할 수 있으며, 이처럼 그 합리적인 재량에 의해 선택하여 활용하는 이상 **중첩적인 제재에 해당한다고 볼 수 없다**(헌재결 2004.2.26, 2001헌바80·2001헌바84·2001헌바102·2001헌바103·2002헌바26).

Ⅳ. 법적 근거

일반법은 없고 건축법(제80조), 부동산 실권리자명의 등기에 관한 법률(제6조), 독점규제 및 공정거래에 관한 법률(제17조의3), 국토의 계획 및이용에 관한 법률(제124조의2) 등 개별법에서 규정하고 있다.

Ⅴ. 부 과

반복하여 부과 가능하며, 의무를 이행한 경우에는 새로운 이행강제금의 부과를 중지하되, 이미 부과된 이행강제금은 징수한다. 납부의무는 **일신전속적**인 성격을 가지므로, 승계는 인정되지 않는다.

판례 1 **구 건축법**(2005.11.8. 법률 제7696호로 개정되기 전의 것)상의 **이행강제금**은 구 건축법의 위반행위에 대하여 시정명령을 받은 후 시정기간 내에 당해 시정명령을 이행하지 아니한 건축주 등에 대하여 부과되는 **간접강제의 일종**으로서 그 **이행강제금**

납부의무는 상속인 기타의 사람에게 승계될 수 없는 일신전속적인 성질의 것이므로 이미 사망한 사람에게 이행강제금을 부과하는 내용의 처분이나 결정은 당연무효이고, 이행강제금을 부과받은 사람의 이의에 의하여 비송사건절차법에 의한 재판절차[1]가 개시된 후에 그 이의한 사람이 사망한 때에는 사건 자체가 목적을 잃고 절차가 종료한다(대결 2006.12.8, 2006마470).

판례 2 구 건축법(2014. 5. 28. 법률 제12701호로 개정되기 전의 것, 이하 같다)상 이행강제금은 시정명령의 불이행이라는 과거의 위반행위에 대한 제재가 아니라, 시정명령을 이행하지 않고 있는 건축주등에 대하여 다시 상당한 이행기한을 부여하고 그 기한 안에 시정명령을 이행하지 않으면 이행강제금이 부과된다는 사실을 고지함으로써 의무자에게 심리적 압박을 주어 시정명령에 따른 의무의 이행을 간접적으로 강제하는 행정상의 간접강제 수단에 해당한다(헌법재판소 2011.10.25. 선고 2009헌바140 결정 등 참조). 그리고 구 건축법 제80조 제1, 4항에 의하면 그 문언상 최초의 시정명령이 있었던 날을 기준으로 1년 단위별로 2회에 한하여 이행강제금을 부과할 수 있고, 이 경우에도 매 1회 부과시마다 구 건축법 제80조 제1항 단서에서 정한 1회분 상당액의 이행강제금을 부과한 다음 다시 시정명령의 이행에 필요한 상당한 이행기한을 정하여 그 기한까지 시정명령을 이행할 수 있는 기회(이하 '시정명령의 이행 기회'라 한다)를 준 후 비로소 다음 1회분 이행강제금을 부과할 수 있다고 할 것이다(대판 2010.6.24, 2010두3978). 따라서 비록 건축주등이 장기간 시정명령을 이행하지 아니하였다 하더라도, 그 기간 중에는 시정명령의 이행 기회가 제공되지 아니하였다가 뒤늦게 시정명령의 이행 기회가 제공된 경우라면, 그 시정명령의 이행 기회 제공을 전제로 한 1회분의 이행강제금만을 부과할 수 있고, 시정명령의 이행 기회가 제공되지 아니한 과거의 기간에 대한 이행강제금까지 한꺼번에 부과할 수는 없다고 보아야 한다. 그리고 이를 위반하여 이루어진 이행강제금 부과처분은 과거의 위반행위에 대한 제재가 아니라 행정상의 간접강제 수단이라는 이행강제금의 본질에 반하여 구 건축법 제80조 제1항, 제4항 등 법규의 중요한 부분을 위반한 것으로서, 그러한 하자는 중대할 뿐만 아니라 객관적으로도 명백하다고 할 것이다(대판 2016.7.14, 2015두46598). ☞ 피고가 2006년경 원고에 대하여 건물 철거를 명하는 시정명령을 하였으나, 2008년 - 2010년 기간 중 그 시정명령의 이행을 요구하지 않다가, 2011년경 비로소 시정명령의 이행 기회를 제공한 후 2008년 - 2011년의 4년분 이행강제금을 한꺼번에 부과한 사안에서, 2011년 기준 1회분 이행강제금 외에 2008-2010년분 이행강제금 부분은 그 하자가 중대·명백하여 무효라고 판단하여 상고를 기각한 사례.

Ⅵ. 불 복

이행강제금에 대한 불복은 과태료 불복절차에 의하는 경우도 있으며(농지법 제62조), 일반 행정소송으로 불복하는 경우도 있다(부동산실권리자명의등기에 관한 법률 제6조).

구 건축법은 이행강제금 부과절차에 관하여 과태료부과절차를 준용하도록 하고 있었는데, 판례는 구건축법상 이행강제금 부과처분은 행정소송 이외의 특별불복절차가 마련되어 항고소송의 대상이 되는 처분이 아니라고 하였다. 그러나 2005년 건축법 개정으로 과태료 부과 준용규정이 삭제되었으므로 건축법상 이행강제금은 순수한 강제수단으로서 행정쟁송의 대상인 처분으로 보는 것이 타당하다. 최근 판례도 건축법상의 이행강제금부과처분을 항고소송의 대상인 처분으로 보고 있다.[2] 향후 과태료 불복절차를 취하고 있는 이행강제금도 행정쟁송의 대상으로 규정하는 것이 바람직하다. 이행강제금 납부의 독촉 행위도 처분에 해당한다.

판 례 구 건축법(2008. 3. 21. 법률 제8974호로 전부 개정 전의 것) 제69조의2 제6항, 지방세법 제28조, 같은 법 제82조, 국세징수법 제23조의 각 규정에 의하면, 이행강제금 부과처분을 받은 자가 이행강제금을 기한 내에 납부하지 아니한 때에는 그 납부를 독촉할 수 있으며, 납부독촉에도 불구하고 이행강제금을 납부하지 않으면 체납절차에 의하여 이행강제금을 징수할 수 있고, 이때 이행강제금 납부의 최초 독촉은 징수처분으로서 항고소송의 대상이 되는 행정처분이 될 수 있다(대판 2009.12.24, 2009두14507).

---

1) 구건축법에서는 이행강제금 부과절차에 관하여 과태료부과절차를 준용하도록 하고 있었는데, 2005.10 법개정으로 과태료부과 준용규정 삭제함. 교과서상 간혹 건축법상 이행강제금 부과처분이 행정소송 이외의 특별불복절차가 마련되어 항고소송의 대상이 되는 처분이 아니라는 판례가 소개되기도 하는데 이는 2005년 개정 이전의 건축법하에서의 판례임을 주의!

2) 대판 2010.8.19, 2010두8072.

64 직접강제

Ⅰ. 의 의

행정법상의 의무불이행시 행정기관이 **직접 의무자의 신체·재산에 실력**을 가하여 의무자가 직접 의무를 이행한 것과 같은 상태를 실현하는 작용이다. 행정벌이 간접적 강제수단이라는 점에서 실효성에 한계가 있어 인정될 필요성이 있으며 **가장 강력한 강제집행수단**이라 할 수 있다.

Ⅱ. 성 질

권력적 사실행위로서 작위, 부작위, 수인 의무 불이행에 대해서 가능하며, 다만 **대체적 작위의무에 대하여 대집행이 가능한 경우에는 비례의 원칙상 직접강제는 인정되지 않는다**고 보아야 한다. 구체적으로 부과된 의무의 불이행을 전제로 하는 점에서, 이를 전제로 하지 않는 **즉시강제와 구별**된다.

Ⅲ. 법적 근거 및 내용

일반법은 없고, 개별법에서 예외적으로 규정하고 있다(출입국관리법상 강제퇴거 조치, 식품위생법상 영업장폐쇄조치 등).

판 례 학원의설립·운영에관한법률 제2조1호와 제6조 및 제19조 등의 관련 규정에 의하면, 같은 법상의 학원을 설립·운영하고자 하는 자는 소정의 시설과 설비를 갖추어 등록을 하여야 하고, 그와 같은 등록절차를 거치지 아니한 경우에는 **관할 행정청이 직접 그 무등록 학원의 폐쇄를 위하여 출입제한 시설물의 설치와 같은 조치를 취할 수 있게 되어 있으나**, 달리 무등록 학원의 **설립·운영자에 대하여 그 폐쇄를 명할 수 있는 것으로는 규정하고 있지 아니하고**, 위와 같은 **폐쇄조치에 관한 규정이 그와 같은 폐쇄명령의 근거 규정이 된다고 할 수도 없다**(대판 2001.2.23, 99두6002).[1)]

Ⅳ. 한 계

직접강제는 성질상 국민의 기본권 침해 위험이 큰 강제방법으로서, 그 행사에는 국민의 보호를 위해 보다 **엄격한 제한 필요성**이 있다. 즉 비례의 원칙 및 적법절차의 원칙에 따라 보다 **엄격한 절차법적, 실체법적 통제가 요구되며, 입법론으로서는** 특히 **주거의 자유 및 신체의 자유에 대한 제한을 수반**하는 경우 **영장주의를 도입**하는 것이 **필요**하다.

Ⅴ. 구 제

1. 행정쟁송

권력적 사실행위에 대한 쟁송 가부가 문제된다. 이는 특히 처분성 및 소의 이익 유무의 문제이다.

2. 국가배상

3. 결과제거청구(#100)

4. 인신보호법에 의한 구제

- 위법한 직접강제에 의하여 국가 등이 운영하는 시설에 수용·보호 또는 감금된 경우 인신보호법에 의한 절차(제3조)에 따라 구제받을 수 있다.

---

1) 직접강제에 대한 근거규정만 있고 작위의무를 부과하는 하명의 근거가 별도로 없는 경우에 직접강제의 근거가 하명의 근거가 될 수 없다는 판례.

65 행정상 강제징수

Ⅰ. 의 의

공법상의 **금전급부의무가 이행되지 않는 경우**에 행정청이 **의무자의 재산에 실력**을 가하여, 그 의무이행을 실현하는 행정작용이다.

Ⅱ. 근 거

국세징수법은 본래 **국세징수와 관련한 법**이지만, 지방세법 · 보조금의 예산 및 관리에 관한 법률 등 많은 법률들이 강제징수에 대하여 국세징수법을 준용하고 있어, **실질적으로 일반법적 지위**에 있다.

Ⅲ. 절 차 - 독. 압. 매. 청.

1. 독 촉 - 준법률행위적 행정행위(통지)

납세의무자에게 이행을 최고하고 일정한 기한까지 의무를 이행하지 않는 경우 체납처분을 할 것을 예고하는 통지행위로서 **준법률행위적 행정행위인 통지**에 해당한다. **동일한 내용의 독촉이 반복된 경우 최초의 독촉만이 처분**에 해당한다.

판 례 구 의료보험법(1994. 1. 7. 법률 제4728호로 전문 개정되기 전의 것) 제45조, 제55조, 제55조의2의 각 규정에 의하면, 보험자 또는 보험자단체가 사기 기타 부정한 방법으로 보험급여비용을 받은 의료기관에게 그 급여비용에 상당하는 금액을 부당이득으로 징수할 수 있고, 그 의료기관이 납부고지에서 지정된 납부기한까지 징수금을 납부하지 아니한 경우 국세체납절차에 의하여 강제징수할 수 있는바, **보험자 또는 보험자단체가 부당이득금 또는 가산금의 납부를 독촉한 후 다시 동일한 내용의 독촉을 하는 경우 최초의 독촉만이 징수처분으로서 항고소송의 대상**이 되는 행정처분이 되고 **그 후에 한 동일한 내용의 독촉은 체납처분의 전제요건인 징수처분으로서 소멸시효 중단사유가 되는 독촉이 아니라 민법상의 단순한 최고에 불과**하여 국민의 권리의무나 법률상의 지위에 직접적으로 영향을 미치는 것이 아니므로 항고소송의 대상이 되는 행정처분이라 할 수 없다(대판 1999.7.13, 97누119).

2. 체납처분

⑴ 재산의 압류 - 권력적 사실행위

압류란 의무자의 재산에 대하여 사실상 · 법률상의 처분을 금지시키고 그 재산을 확보하는 강제보전행위이다. 판례는 **독촉절차를 거치지 않고 압류처분을 한 경우도 당연무효는 아니라고** 본다. 다만 납세자가 아닌 **제3자의 재산을 대상으로 한 압류**처분은 그 내용이 법률상 실현될 수 없는 것이어서 **당연무효**이다.

⑵ 압류재산의 매각

1) 납세자의 압류재산을 금전으로 환가하는 것이다. 공정성을 도모하기 위하여 **공매를 원칙**으로 하지만(국세징수법 제61조), 예외적으로 수의계약에 의할 수도 있다. 공매는 경매 또는 입찰에 의한다.

2) 공매의 법적 성질에 대하여 **체납자의 매수인 사이에 체결되는 사법상 계약**으로 보는 견해도 있으나, 공매는 **체납자의 압류재산을 금전으로 환가하기 위하여 강제적으로 소유권을 이전**하게 하는것이므로 **행정행위**로 보는 것이 **다수의 견해**이다. **형성적 행정행위의 일종인 공법상 대리**에 해당한다. 판례는 **공매결정은 처분**으로 보나, **공매하기로 한 결정은 내부행위**로서 **처분이 아니며, 공매통지도 처분이 아니라고** 한다.

판 례 **공매통지 자체가 그 상대방인 체납자 등의 법적 지위나 권리·의무에 직접적인 영향을 주는 행정처분에 해당한다고 할 것은 아니므로** 다른 특별한 사정이 없는 한 체납자 등은 공매통지의 결여나 위법을 들어 공매처분의 취소 등을 구할 수 있는 것이지 공매통지 자체를 항고소송의 대상으로 삼아 그 취소 등을 구할 수는 없다(대판 2011.3.24, 2010두25527).

3) 다만 공매통지가 공매결정의 절차적 요건인지에 대해서 종래 판례는 공매의 요건이 아니고 공매사실 그 자체를 체납자에게 알려주는 데 불과한 것이라고 하였으나, 최근 판례는 체납자 등의 권리 내지 재산상의 이익을 보호하기 위하여 법률로 규정한 절차적 요건에 해당되며 따라서 공매통지가 없는 공매는 위법하다고 하였다.

판 례 [1] 체납자는 국세징수법 제66조에 의하여 직접이든 간접이든 압류재산을 매수하지 못함에도, 국세징수법이 압류재산을 공매할 때 공고와 별도로 체납자 등에게 공매통지를 하도록 한 이유는, 체납자 등에게 공매절차가 유효한 조세부과처분 및 압류처분에 근거하여 적법하게 이루어지는지 여부를 확인하고 이를 다툴 수 있는 기회를 주는 한편, 국세징수법이 정한 바에 따라 체납세액을 납부하고 공매절차를 중지 또는 취소시켜 소유권 또는 기타의 권리를 보존할 수 있는 기회를 갖도록 함으로써, 체납자 등이 감수하여야 하는 강제적인 재산권 상실에 대응한 절차적인 적법성을 확보하기 위한 것이다. 따라서 체납자 등에 대한 공매통지는 국가의 강제력에 의하여 진행되는 공매에서 체납자 등의 권리 내지 재산상의 이익을 보호하기 위하여 법률로 규정한 절차적 요건이라고 보아야 하며, 공매처분을 하면서 체납자 등에게 공매통지를 하지 않았거나 공매통지를 하였더라도 그것이 적법하지 아니한 경우에는 절차상의 흠이 있어 그 공매처분은 위법하다. 다만, 공매통지의 목적이나 취지 등에 비추어 보면, 체납자 등은 자신에 대한 공매통지의 하자만을 공매처분의 위법사유로 주장할 수 있을 뿐 다른 권리자에 대한 공매통지의 하자를 들어 공매처분의 위법사유로 주장하는 것은 허용되지 않는다.

[2] [**다수의견**] 공매통지는 공매의 요건이 아니라 공매사실 자체를 체납자 등에게 알려주는 데 불과한 것이라는 취지로 판시한 대판 1971.2.23, 70누161 ; 대판 1996.9.6, 95누12026 등을 비롯한 같은 취지의 판결들은 이 판결의 견해에 배치되는 범위 내에서 이를 모두 변경하기로 한다.

[**대법관 양창수의 별개의견**] 대법원이 전에 이 사건 판결의 판시에 배치되는 '법률의 해석 적용에 관한 의견'을 낸 일이 없고, 오히려 공매통지 없는 공매처분은 위법하되 단지 그러한 하자가 있다고 해도 그로 인하여 그 공매처분이 당연 무효가 되는 것은 아니라는 태도를 줄곧 취하여 왔다고 본다. 따라서 이 사건 판결에서 법원조직법 제7조1항 단서 3호에서 정하는 바의 '종전에 대법원에서 판시한 법률의 해석적용에 관한 의견을 변경할 필요'는 없다(대판(전) 2008.11.20, 2007두18154).

(3) 청 산

체납처분에 의하여 수령한 금액을 체납세금 및 체납자에게 배분하는 행정작용이다.

Ⅳ. 불 복

1. 행정쟁송절차에 의해 취소 또는 변경 청구 가능

독촉 또는 체납처분이 위법·부당한 경우, 행정쟁송절차에 의하여 그 취소나 변경을 청구할 수 있다. 다만 행정심판의 경우에는 일반법인 행정심판법이 배제되고, 국세기본법상 특별한 전심절차(#162)인 심사청구와 심판청구절차(제55조 이하) 중 어느 하나를 거친 후에 비로소 행정소송을 제기할 수 있다(제56조).

2. 하자의 승계와 관련(#49)

판례는 조세부과처분과 독촉 및 체납처분 사이에는 승계를 부정하나, 독촉과 체납처분 사이·체납처분의 각 행위들 사이에는 승계를 긍정한다.

66 행정상 즉시강제

Ⅰ. 의 의

행정상 장해가 존재하거나 장해의 발생이 **목전에 급박**한 경우에, **성질상 개인에게 의무를 명해서는 공행정목적을 달성할 수 없거나 또는 미리 의무를 명할 시간적 여유가 없어 행정기관이 직접 개인의 신체나 재산에 실력**을 가해 행정상 필요한 상태의 실현을 목적으로 하는 작용이다. 구체적인 의무불이행을 전제로 하지 않는다는 점에서 **행정상 강제집행**과 구별되며, 의무이행이 있는 상태를 직접 실현하는 작용이라는 점에서 그 자체가 목적이 아니라 행정작용을 위한 자료를 얻기 위한 예비적·보조적 수단인 **행정조사와 구별**된다.

Ⅱ. 법적 성질 - 권력적 사실행위(사실행위와 법적 행위가 합성).

Ⅲ. 법적 근거

일반법은 없고 경찰작용영역의 일반법으로 경찰관직무집행법이 있으며, **개별법**으로서 식품위생법 제56조2항, 전염병예방법 제42조 등이 있다.

Ⅳ. 수단(종류)

① **대인적** 강제로서 전염병예방법상 강제격리, 출입국관리법상 강제퇴거 등이 있고, ② **대물적** 강제로서 식품위생법상 물건의 폐기, 도로교통법상 교통장애물의 제거 등이 있으며, ② **대가택** 강제로서 경직법상 위해방지를 위한 가택출입이 있다.

Ⅴ. 한 계

1. 실체법상 한계

① 위험의 현재화가 거의 확실시되는 경우에(**장애의 현재성**), ② 경찰목적을 위하여(**소극성**), ③ 다른 수단으로는 행정목적을 달성할 수 없어야 하며(**보충성**), ④ 비례의 원칙을 준수해야 한다(**적합성, 필요성, 상당성**).

판례 1 출입국관리법 제63조1항은, 강제퇴거명령을 받은 자를 즉시 대한민국 밖으로 송환할 수 없는 때에 송환이 가능할 때까지 그를 외국인 보호실·외국인 보호소 기타 법무부장관이 지정하는 장소에 보호할 수 있도록 규정하고 있는바, 이 규정의 취지에 비추어 볼 때, 출입국관리법 제63조1항의 보호명령은 **강제퇴거명령의 집행확보 이외의 다른 목적을 위하여 이를 발할 수 없다는 목적상의 한계** 및 일단 적법하게 보호명령이 발하여진 경우에도 송환에 필요한 준비와 절차를 신속히 마쳐 **송환이 가능할 때까지 필요한 최소한의 기간 동안 잠정적으로만 보호**할 수 있고 **다른 목적을 위하여 보호기간을 연장할 수 없다는 시간적 한계**를 가지는 **일시적 강제조치**라고 해석된다(대판 2001.10.26, 99다68829).

판례 2 **경찰관직무집행법 제6조 제1항 중 경찰관의 제지에 관한 부분은 범죄의 예방을 위한 경찰 행정상 즉시강제에 관한 근거** 조항이다. **행정상 즉시강제는 그 본질상 행정 목적 달성을 위하여 불가피한 한도 내에서 예외적으로 허용**되는 것이므로, 위 조항에 의한 **경찰관의 제지 조치 역시 그러한 조치가 불가피한 최소한도 내에서만 행사되도록 그 발동·행사 요건을 신중하고 엄격하게 해석**하여야 한다. 그러한 해석·적용의 범위 내에서만 우리 헌법상 신체의 자유 등 기본권 보장 조항과 그 정신 및 해석 원칙에 합치될 수 있다(대판 2008.11.13, 2007도9794).

2. 절차법상 한계(헌법 제12조3항, 제16조에 의한 영장주의 要否)

(1) 학 설

① 영장필요설은 즉시강제도 형사사법권 행사와 마찬가지로 신체·재산에 대한 실력작용이므로 영장이 필요하다

고 한다. ② 영장불요설은 영장주의를 엄격하게 요구하면 즉시강제의 실효성을 거둘 수 없다는 점을 근거로 한다. ③ 절충설은 원칙적으로 영장주의를 적용하되, 행정목적의 달성을 위해 불가피하다고 인정할만한 특별한 사유가 있는 경우에는 사전영장을 요하지 않는다고 한다(다수설, 판례).

(2) 판 례

대법원은 사전영장주의를 고수하다가는 도저히 행정목적을 달성할 수 없는 지극히 예외적인 경우에는 영장주의의 예외를 인정할 수 있다는 입장인데 절충설의 입장이라고 할 수 있다. 헌법재판소는 행정상 즉시강제는 본질상 급박성을 요건으로 하고 있어 법관의 영장을 기다려서는 목적을 달성할 수 없어 원칙적으로 영장주의가 적용되지 않는다고 하면서 게임물 등의 영장 없는 수거는 급박한 상황에 대처하기 위한 것으로서 영장주의에 위배되지 않는다고 한 바 있는데 영장불요설의 입장으로 볼 수 있다(관련판례).

판 례 헌법 제12조제3항은 현행법 등 일정한 예외를 제외하고는 인신의 체포, 구금에는 반드시 법관이 발부한 사전영장이 제시되어야 하도록 규정하고 있는데, 이러한 사전영장주의원칙은 인신보호를 위한 헌법상의 기속원리이기 때문에 인신의 자유를 제한하는 국가의 모든 영역(예컨대, 행정상의 즉시강제)에서도 존중되어야 하고 다만 사전영장주의를 고수하다가는 도저히 그 목적을 달성할 수 없는 지극히 예외적인 경우에만 형사절차에서와 같은 예외가 인정된다고 할 것이다(대판 1995.6.30, 93추83).

(3) 검 토

영장주의는 행정작용에도 기본적으로 적용되어야 한다. 그러나 기본권 보장만을 고수하여 어떠한 즉시강제에도 영장을 필요로 한다면 목전의 급박한 위해를 방지하여 국민의 신체, 재산을 보호하는 행정상 즉시강제가 인정될 여지가 없을 것이다. 따라서 행정상 즉시강제의 실효성과 국민의 기본권 보장을 조화하는 측면에서 절충설이 타당하다.

Ⅵ. 구제수단

1) 적법한 즉시강제에 의해 제3자에게 특별한 희생이 발생할 수 있는 바, 현행법상 소방기본법 제25조4항, 자연재해대책법 제64조 등에서 보상규정을 두고 있다.
2) 위법한 즉시강제에 의해 개인이 권익을 침해받은 경우 ① 우선 권력적 사실행위로서 행정쟁송 제기가 가능하다. 다만 이 경우에는 처분성 유무 및 소의 이익이 문제될 수 있다. ② 위법한 즉시강제가 국가배상법 제2조1항에 해당하는 경우, 위 규정에 의해 국가배상을 청구할 수 있다. ③ 한편 즉시강제에 의하여 의료시설이나 수용시설에 보호 또는 감금된 경우에는 인신보호법에 의해 구제받을 수 있다(인신보호법 제3조). ④ 위법한 즉시강제에 대한 항거는 형법상의 정당방위에 해당하여, 공무집행방해죄의 위법성이 조각된다.

관련 판례 **음반 · 비디오물 및 게임물에 관한 법률 제24조 3항4호중 게임물에 관한 규정부분 위헌제청**(헌재결 2002.10.31, 2000헌가12)

가. 행정상 즉시강제의 의의 및 한계

이 사건 법률조항은 문화관광부장관, 시 · 도지사, 시장 · 군수 · 구청장이 법 제18조5항의 규정에 의한 등급분류를 받지 아니하거나 등급분류를 받은 게임물과 다른 내용의 게임물을 발견한 때에는 관계공무원으로 하여금 이를 수거하여 폐기하게 할 수 있도록 규정하고 있는바, 이는 어떤 하명도 거치지 않고 행정청이 직접 대상물에 실력을 가하는 경우로서, 위 조항은 행정상 즉시강제 그 중에서도 대물적(對物的) 강제를 규정하고 있다고 할 것이다.

행정상 즉시강제란 행정강제의 일종으로서 목전의 급박한 행정상 장해를 제거할 필요가 있는 경우에, 미리 의무를 명할 시간적 여유가 없을 때 또는 그 성질상 의무를 명하여 가지고는 목적달성이 곤란할 때에, 직접 국민의 신체 또는 재산에 실력을 가하여 행정상 필요한 상태를 실현하는 작용이며, 법령 또는 행정처분에 의한 선행의 구체적 의무의 존재와 그 불이행을 전제로 하는 행정상 강제집행과 구별된다.

행정강제는 행정상 강제집행을 원칙으로 하며, 법치국가적 요청인 예측가능성과 법적 안정성에 반하고, 기본권 침해의 소지가 큰 권력작용인 행정상 즉시강제는 어디까지나 예외적인 강제수단이라고 할 것이다. 이러한 행정상 즉시강제는 엄격한 실정법상의 근거를 필요로 할 뿐만 아니라, 그 발동에 있어서는 법규의 범위 안에서도 다시 행정상의 장해가 목전에 급박하고, 다른 수단으로는 행정목적을 달성할 수 없는 경우이어야 하며, 이러한 경우에도 그 행사는 필요 최소한도에 그쳐야 함을 내용으로 하는 조리상의 한계에 기속된다.

라. 영장주의와 적법절차의 원칙에 위배되는지 여부

(1) 헌법 제12조3항은 "체포・구속・압수 또는 수색을 할 때에는 적법한 절차에 따라 검사의 신청에 의하여 법관이 발부한 영장을 제시하여야 한다. 다만, 현행범인인 경우와 장기 3년 이상의 형에 해당하는 죄를 범하고 도피 또는 증거인멸의 염려가 있을 때에는 사후에 영장을 청구할 수 있다"라고 규정하고 있고, 헌법 제16조는 "주거에 대한 압수나 수색을 할 때에는 검사의 신청에 의하여 법관이 발부한 영장을 제시하여야 한다"라고 규정하고 있다.

이 사건 법률조항은 영장에 관하여 아무런 규정을 두지 아니하면서, 법 제24조4항 및 6항에서 '수거증 교부' 및 '증표 제시'에 관한 규정을 두고 있는 점으로 미루어 보아 영장제도를 배제하고 있는 취지로 해석되므로, 이 사건 법률조항이 영장주의에 위배되는지 여부가 문제된다.

영장주의가 행정상 즉시강제에도 적용되는지에 관하여는 논란이 있으나, 행정상 즉시강제는 상대방의 임의이행을 기다릴 시간적 여유가 없을 때 하명 없이 바로 실력을 행사하는 것으로서, 그 본질상 급박성을 요건으로 하고 있어 법관의 영장을 기다려서는 그 목적을 달성할 수 없다고 할 것이므로, 원칙적으로 영장주의가 적용되지 않는다고 보아야 할 것이다.

만일 어떤 법률조항이 영장주의를 배제할 만한 합리적인 이유가 없을 정도로 급박성이 인정되지 아니함에도 행정상 즉시강제를 인정하고 있다면, 이러한 법률조항은 이미 그 자체로 과잉금지의 원칙에 위반되는 것으로서 위헌이라고 할 것이다.

이 사건 법률조항은 앞에서 본바와 같이 급박한 상황에 대처하기 위한 것으로서 그 불가피성과 정당성이 충분히 인정되는 경우이므로, 이 사건 법률조항이 영장 없는 수거를 인정한다고 하더라도 이를 두고 헌법상 영장주의에 위배되는 것으로는 볼 수 없다.

(2) 한편, 이 사건 법률조항은 수거에 앞서 청문이나 의견제출 등 절차보장에 관한 규정을 두고 있지 않으나, 행정상 즉시강제는 목전에 급박한 장해에 대하여 바로 실력을 가하는 작용이라는 특성에 비추어 사전적(事前的) 절차와 친하기 어렵다는 점을 고려하면, 이를 이유로 적법절차의 원칙에 위반되는 것으로는 볼 수 없다.

그러나 비록 이 사건 법률조항이 규정하고 있는 수거의 경우 영장주의의 배제가 용인되고, 그 성격상 사전적 절차와 친하지 아니함을 인정한다고 하더라도, 일체의 절차적 보장이 배제된다고 볼 것은 아니며, 국가권력의 남용을 방지하고 국민의 권리를 보호하기 위하여 적법절차의 관점에서 일정한 절차적 보장이 요청된다.

이러한 관점에서 법 제24조4항은 관계공무원이 당해 게임물 등을 수거한 때에는 그 소유자 또는 점유자에게 수거증을 교부하도록 하고 있고, 동조 제6항은 수거 등 처분을 하는 관계공무원이나 협회 또는 단체의 임・직원은 그 권한을 표시하는 증표를 지니고 관계인에게 이를 제시하도록 하는 등의 절차적 요건을 규정하고 있으므로, 이 사건 법률조항이 적법절차의 원칙에 위배되는 것으로 보기도 어렵다.

기출 사례 행정상 즉시강제에 대한 취소소송의 적법성 (10년 행시 - 일반행정)

A시에서 육류판매업을 영위하고 있는 乙은 살모넬라병에 감염된 쇠고기를 보관・판매하였던바, A시 시장은 이를 인지하고 「식품위생법」 제5조와 제72조에 근거하여 담당공무원 甲에게 해당 제품을 폐기조치 하도록 명하였다. 이에 따라 甲은 乙이 보관・판매하고 있던 감염된 쇠고기를 수거하여 폐기행위를 개시하였고, 乙은 즉시 甲의 폐기행위에 대해 취소소송을 제기하였다. 이 소송의 적법 여부를 설명하시오. (25점)

[참조조문]

***식품위생법 시행규칙**

제4조 (판매 등이 금지되는 병든 동물 고기 등)

법 제5조에서 '보건복지부령으로 정하는 질병'이란 다음 각 호의 질병을 말한다.

1. '축산물가공처리법 시행규칙' 별표 3 제1호다목에 따라 도축이 금지되는 가축전염병
2. 리스테리아병, 살모넬라병, 파스튜렐라병 및 선모충증

Ⅰ. 쟁점의 정리

- 소송요건 일반론 언급 후, 특히 권력적 사실행위인 폐기행위의 처분성, 원고적격, 협의의 소의 이익 등이 문제됨을 언급.

Ⅱ. 쇠고기 폐기행위의 법적 성질

- 행정상 즉시강제
- 권력적 사실행위

Ⅲ. 폐기행위에 대한 취소소송의 적법 여부

1. 처분성 여부(대상적격)

- 처분에 관한 일반론(개념, 행정행위와 처분과의 관계)
- 권력적 사실행위의 처분성이 문제되는데 쟁송법상 처분개념설에서는 인정에 문제 없고, 실체법상 처분개념설에서도 수인하명과 집행행위라는 사실행위의 합성행위로 이해하여 처분성을 긍정하는 것이 일반적

2. 원고적격

- 행정소송법 제12조 '법률상 이익'에 관해 간단히 언급
- 사안은 처분의 직접 상대방이므로 직접상대방이론(수범자이론)에 의해서 원고적격이 인정됨

3. 피고적격

- 처분을 행한 행정청(행정소송법 제13조)
- 담당공무원 갑이 폐기행위를 하였으나 처분권한은 시장에게 있으므로 A시의 시장이 피고

4. 권리보호의 필요(소의 이익)

- 권력적 사실행위에서 소의 이익의 문제. 집행이 종료된 경우 소의 이익이 없는 것이 원칙.
- 폐기행위를 개시하였고 즉시 취소소송을 제기하였다고 제시되었으므로, 집행이 종료되지 않은 것으로 보이는 바 소의 이익을 긍정.
- 만약, 집행이 종료되었다면 제12조 2문의 처분의 효력이 실효한 경우의 소의 이익이 문제되며, 처분이 실효된 경우 원칙적으로 부정되나 예외적으로 위법한 처분이 반복될 구체적인 위험성이 있거나 가중적 제재처분의 요건으로 규정되어 있는 경우 등의 경우에는 인정하는데 사안의 경우는 예외적인 경우에 해당되지 않음.

5. 그 밖의 소송요건

- 제소기간(제20조), 행정심판전치주의(제18조, 임의적), 관할법원(제9조)을 검토. 별 문제 없음.

Ⅳ. 결 론

67 행정질서벌(과태료)

Ⅰ. 의 의

행정질서벌은 법익을 직접 침해하지는 않지만 행정상의 질서에 장애를 야기할 우려가 있는 의무위반에 대해 형법상의 형이 아닌 과태료가 과하여지는 벌을 말한다. 행정상 위법행위에 대한 제재인 동시에 행정법상의 의무이행을 확보하는 간접적 행정강제수단이다.

행정법규위반에 대해 과해지는 제재라는 점은 행정형벌과 동일하나, 행정형벌은 공행정목적을 정면으로 위반한 경우에 과해지나, 행정질서벌은 신고의무 태만 등과 같이 간접적으로 행정목적의 달성에 장애를 줄 위험성이 있는 행위에 대해 부과한다는 점에서 구별된다. 다만 행정형벌의 질서벌화 현상에 의하여 양자의 구별은 상대화되어가고 있다.

Ⅱ. 법적 근거 및 과벌절차

1. 법적 근거

과태료의 성립요건과 부과절차 등에 관한 총칙으로 질서위반행위규제법(2008년 제정. 이하 '질서법'이라 함)이 있으며, 구체적인 과태료부과의 근거는 개별법률에서 규정하고 있다. 행정형벌과 달리 형법총칙은 적용되지 않는다. 한편 지방자치단체의 조례로서 조례위반행위에 대하여 과태료를 정할 수 있으며(지방자치법 제27조), 공공시설의 부정사용자 등에 대하여도 과태료를 정할 수 있다(지방자치법 제139조2항).

2. 과벌절차

질서법에 의하면 행정청이 과태료를 부과하고자 하는 때에는 10일 이상의 기간을 정하여 당사자에게 의견을 제출할 기회를 부여한 후 과태료를 부과·징수하고, 과태료부과의 제척기간은 질서위반행위가 종료한 날부터 5년으로 하며, 과태료 부과에 대하여 당사자가 이의를 제기하면 이를 법원에 통보하여 재판을 받도록 하였다.

Ⅲ. 부과요건

1. 상대방(부과대상자)

원칙상 질서위반행위를 한 자이다. 법인의 대표자, 법인 또는 개인의 대리인·사용인·종업원이 업무에 관하여 법인 또는 개인에게 부과된 법률상의 의무를 위반한 때에는 법인 또는 개인도 상대방이 된다(질서법 제11조).

2. 고의 과실 요부

질서법 제정 전에는 행정질서벌은 반윤리성이 희박하므로 행정법규위반이라는 객관적 사실만 있으면 족하다고 하였으나, 질서법은 고의 또는 과실이 없는 질서위반행위는 과태료를 부과하지 아니한다고 규정하였다(질서법 제7조).

질서위반행위규제법 제정 전의 판례 도과태료와 같은 행정질서벌은 행정질서유지를 위한 의무의 위반이라는 객관적 사실에 대하여 과하는 제재이므로 반드시 현실적인 행위자가 아니라도 법령상 책임자로 규정된 자에게 부과되고 원칙적으로 위반자의 고의·과실을 요하지 아니하나, 위반자가 그 의무를 알지 못하는 것이 무리가 아니었다고 할 수 있어 그것을 정당시할 수 있는 사정이 있을 때 또는 그 의무의 이행을 그 당사자에게 기대하는 것이 무리라고 하는 사정이 있을 때 등 그 의무 해태를 탓할 수 없는 정당한 사유가 있는 때에는 이를 부과할 수 없다(대판 2000.5.26, 98두5972).

3. 위법성의 인식

위법하지 아니한 것으로 오인하고 행한 질서위반행위는 오인에 정당한 이유가 있는 때에 한하여 부과하지 않는다(질서법 제8조).

4. 책임능력

14세가 되지 아니한 자에게는 과태료를 부과하지 않으며(질서법 제9조), 심신장애로 인하여 행위의 옳고 그름을 판단할 능력이 없거나 그 판단에 따른 행위를 할 능력이 없는 자의 질서위반행위 역시 과태료를 부과하지 아니하고, 심신장애로 인하여 옳고 그름을 판단할 능력이 미약한 자에게는 감경한다(질서법 제10조).

5. 사전통지 및 의견제출(법 제16조)

6. 부과의 제척기간

종래 판례는 형사벌과 달리 공소시효나 형의 시효가 없으며 국가의 금전채권의 소멸시효도 적용되지 않는다고 했으나, 질서법은 질서위반행위가 종료한 날부터 5년 내에 부과해야 한다고 하여 제척기간을 규정하였다(질서법 제19조).

Ⅳ. 과태료의 징수

행정청의 과태료 부과처분이나 법원의 과태료 재판이 확정된 후 5년간 징수하지 아니하거나 집행하지 아니하면 시효로 인하여 소멸한다(제15조1항). 질서법은 실효성 제고수단으로 체납시 가산금, 중가산금 부과(질서법 제24조), 관허사업 제한(질서법 제52조), 감치처분(질서법 제54조) 등을 두고 있다.

Ⅴ. 병과가능성

1. 행정형벌과 행정질서벌

학설은 ① 양자는 목적이나 성질이 다르므로 일사부재리의 원칙에 반하지 않아 병과가 가능하다는 긍정설과, ② 과벌절차는 다르지만 양자 모두 행정벌이므로 동일한 행위에 대해서 병과할 수 없다는 부정설이 대립한다. 판례는 긍정설의 입장인데, 다만 헌법재판소는 양자의 병과는 국가입법권의 남용이 될 여지가 있다고 하였다.

판 례 행정법상의 질서벌인 과태료의 부과처분과 형사처벌은 그 성질이나 목적을 달리하는 별개의 것이므로 행정법상의 질서벌인 과태료를 납부한 후에 형사처벌을 한다고 하여 이를 일사부재리의 원칙에 반하는 것이라고 할 수는 없으며, 자동차의 임시운행허가를 받은 자가 그 허가 목적 및 기간의 범위 안에서 운행하지 아니한 경우에 과태료를 부과하는 것은 당해 자동차가 무등록 자동차인지 여부와는 관계없이, 이미 등록된 자동차의 등록번호표 또는 봉인이 멸실되거나 식별하기 어렵게 되어 임시운행허가를 받은 경우까지를 포함하여, 허가받은 목적과 기간의 범위를 벗어나 운행하는 행위 전반에 대하여 행정질서벌로써 제재를 가하고자 하는 취지라고 해석되므로, 만일 임시운행허가기간을 넘어 운행한 자가 등록된 차량에 관하여 그러한 행위를 한 경우라면 과태료의 제재만을 받게 되겠지만, 무등록 차량에 관하여 그러한 행위를 한 경우라면 과태료와 별도로 형사 처벌의 대상이 된다(대판 1996.4.12, 96도158).

헌재결정 행정질서벌로서의 과태료는 행정상 의무의 위반에 대하여 국가가 일반통치권에 기하여 과하는 제재로서 형벌(특히 행정형벌)과 목적·기능이 중복되는 면이 없지 않으므로, 동일한 행위를 대상으로 하여 형벌을 부과하면서 아울러 행정질서벌로서의 과태료까지 부과한다면 그것은 이중처벌금지의 기본정신에 배치되어 국가 입법권의 남용으로 인정될 여지가 있다(헌재결 1994.6.30, 92헌바38).

2. 징계벌과 행정질서벌

병과 가능하다는 것이 다수설·판례이다, 학설 중에는 일사부재리원칙에 따라 병과할 수 없다는 견해가 있다.

Ⅵ. 행정형벌의 행정질서벌화

경미한 행정법규 위반이 행정형벌로 이어진다면 국민을 전과자 만들 가능성이 크므로, 비교적 경미한 행정법규위반에 대하여 단기자유형이나 벌금형을 규정하는 경우에는 과태료로 전환하는 것이 필요하다. 다만 행정질서벌이 늘어나면 엄격한 사법절차의 회피, 간소한 행정절차만 적용 등 질서벌화의 역기능이 발생한다는 지적이 있다.

68 범칙금과 도로교통법상 벌점

Ⅰ. 범칙금(통고처분)

1. 의 의

행정법규위반의 범칙자가 통고처분에 의하여 국고에 납부할 금전으로서, 벌금 또는 과료 등 형사절차에 의한 제재 대신 간이·신속한 행정절차에 의하여 부과·징수하는 행정제재금의 일종이다. 조세범, 관세범, 교통사범 등에게 인정된다.

2. 취 지

판 례 경미한 교통법규 위반자로 하여금 형사처벌절차에 수반되는 심리적 불안, 시간과 비용의 소모, 명예와 신용의 훼손 등의 여러 불이익러 당하지 않고 범칙금 납부로써 위반행위에 대한 제재를 신속·간편하게 종결할 수 있게 하여주며, 교통법규 위반행위가 홍수를 이루고 있는 현실에서 행정공무원에 의한 전문적이고 신속한 사건처리를 가능하게 하고, 검찰 및 법원의 과중한 업무 부담을 덜어준다. 또한 통고처분제도는 형벌의 비범죄화 정신에 접근하는 제도이다(헌재결 2003.10.30, 2002헌마275).

3. 법적 성질

행정행위로 보는 견해가 있으나, 상대방의 임의적 협력을 요건으로 하는 과벌절차의 하나로서 법정기간이 지나면 당연히 효력을 상실한다는 과벌절차설이 다수설이다. 판례도 통고처분을 행정소송법상 처분으로 보지 않는다.

4. 과벌 및 불복절차

부과된 금액을 납부하면 과벌절차는 종료되며, 동일한 사건에 대하여 다시 처벌받지 않는다. 범칙금의 통고처분에 대하여 이의가 있으면 이를 이행하지 아니하면 되고, 법정기간이 지나면 통고처분은 효력을 상실하며 즉결심판청구 또는 고발에 의해 형사소송절차로 이행되는 것으로 특별불복절차에 의한다. 행정쟁송으로 다툴 수 없다.

판 례 도로교통법 제118조에서 규정하는 경찰서장의 통고처분은 행정소송의 대상이 되는 행정처분이 아니므로 그 처분의 취소를 구하는 소송은 부적법하고, 도로교통법상의 통고처분을 받은 자가 그 처분에 대하여 이의가 있는 경우에는 통고처분에 따른 범칙금의 납부를 이행하지 아니함으로써 경찰서장의 즉결심판청구에 의하여 법원의 심판을 받을 수 있게 될 뿐이다(대판 1995.6.29, 95누4674).

Ⅱ. 도로교통법상 벌점

1. 의 의

자동차운전면허의 취소·정지처분의 기초자료로 활용하기 위하여 법규위반 또는 사고 야기에 대하여 그 위반의 경중·피해의 정도 등에 따라 배점되는 점수로서, 운전면허행정처분기준의 하나이다.

2. 법적 성질 – 판례는 처분성을 부정

판 례 운전면허 행정처분처리대장상 벌점의 배점은 도로교통법규 위반행위를 단속하는 기관이 도로교통법시행규칙 별표 16의 정하는 바에 의하여 도로교통법규 위반의 경중, 피해의 정도 등에 따라 배정하는 점수를 말하는 것으로 자동차운전면허의 취소, 정지처분의 기초자료로 제공하기 위한 것이고 그 배점 자체만으로는 아직 국민에 대하여 구체적으로 어떤 권리를 제한하거나 의무를 명하는 등 법률적 규제를 하는 효과를 발생하는 요건을 갖춘 것이 아니어서 그 무효확인 또는 취소를 구하는 소송의 대상이 되는 행정처분이라고 할 수 없다(대판 1994.8.12, 94누2190).

3. 도로교통법상 범칙금과 병과가능성

벌점은 무사고기간의 경과나 도주차량신고 등에 의하여 벌점이 소멸 또는 공제되기도 하고, 누산점수가 일정한 점수를 넘으면 면허정지 또는 면허취소의 처분을 받을 수도 있는 등 행정처분의 기초자료로 활용하기 위한 것이며 그 자체 행정처분이 아니므로, 병과할 수 없다는 특별한 규정이 없는 한 이중처벌이라고 할 수 없어 병과 가능하다.

69 과징금

Ⅰ. 의 의

행정법상의 의무를 위반한 자에게 경제적 이익이 발생한 경우에 그 이익을 박탈하여 간접적으로 의무이행을 확보하기 위한 수단이다(전형적 의미 - 독점규제 및 공정거래에 관한 법률 제6조). 행정법규 또는 행정법상 의무의 위반으로 막대한 경제적 이익을 얻는 경우 행정벌만으로는 그 위반을 막을 수 없는 것이 현실인데, 경제적 이득을 박탈함으로써 간접적으로 의무이행을 강제하는 효과를 얻고자 하는 취지에서 도입된 새로운 의무이행확보수단이다.

Ⅱ. 성 질

과징금은 금전부담으로서 부과행위는 행정행위로서 급부하명에 해당한다. 금전적 제재이면서도 부당이득을 환수하는 성격이 있어 의무위반에 대한 제재인 행정형벌 및 행정질서벌과는 구별되므로 이들과 이론적으로는 병과가 가능하다. 국가의 재정적 수입을 주목적으로 하는 재정적 공과금의 한 형태인 특별부담금과도 구별된다.

Ⅲ. 법적 근거

부담적 행정행위이므로 법률의 근거를 요한다. 통칙적 규정은 없고 개별법에 있다(식품위생법, 의료법, 약사법 등).

Ⅳ. 변형된 과징금

다수국민이 이용하는 사업이나 국가사회에 중대한 영향을 미치는 사업을 행하는 자가 행정법상의 의무를 위반하는 경우, 그 인허가의 정지에 갈음하여 부과하는 행정제제금이다(여객자동차운수사업법 제88조1항, 대기환경보전법 제37조1항). 과징금을 부과할 것인가 영업정지처분을 내릴 것인가는 통상 행정청의 재량에 속한다. 인허가의 철회·정지시 일반국민의 생활상 불편이 발생할 수 있으며, 경미한 의무위반에는 벌금 등 행정벌이 적합하지 않다는 점 때문에 변형된 과징금이 늘어나고 있다.

Ⅴ. 구제수단

과징금 부과행위는 처분에 해당하여 행정쟁송으로 구제 가능하며, 법률상 원인 없이 징수된 경우 공법상 부당이득반환청구권 행사하거나 국가배상을 청구할 수 있다.

기출 사례 과징금의 법적 성질 및 일부취소 가부(06년 사시)

甲은 영리를 목적으로 2006.5.10. 22:00경 청소년인 남녀 2인을 혼숙하게 하였는데, 이에 대하여 관할 행정청은 청소년보호법 위반을 이유로 500만원의 과징금부과처분을 하였다. 그러자 甲은 적법한 제소요건을 갖추어 관할 법원에 위 부과처분이 위법하다고 주장하면서 과징금부과처분 취소소송을 제기하였다.
그런데 청소년보호법시행령 제40조2항 [별표7] 위반행위의 종별에 따른 과징금 부과기준 9호는 "법 제26조의2 8호의 규정에 위반하여 청소년에 대하여 이성혼숙을 하게 하는 등 풍기를 문란하게 하는 영업행위를 하거나 그를 목적으로 장소를 제공하는 행위를 한 때"에 대한 과징금액을 '위반 횟수마다 300만원'으로 규정하고 있다.

(1) 위 과징금의 성격은?(5점)

(2) 위 과징금부과처분은 위법한가?(15점)

(3) 위 사안에서 관할법원은 과징금부과처분이 위법하다고 인정하는 경우 일부취소판결을 할 수 있는가?(10점)

[참조조문]

***청소년보호법**

제26조의2(청소년유해행위의 금지)
누구든지 다음 각호의 1에 해당하는 행위를 하여서는 아니된다.
8. 청소년에 대하여 이성혼숙을 하게 하는 등 풍기를 문란하게 하는 영업행위를 하거나 그를 목적으로 장소를 제공하는 행위

제49조(과징금)

② 시장·군수 또는 구청장은 제50조 또는 제51조 각호의 1에 해당하는 행위로 인하여 이익을 취득한 자에 대하여 대통령령이 정하는 바에 의하여 1천만원 이하의 과징금을 부과·징수할 수 있다. 다만, 다른 법률의 규정에 의한 영업허가취소·영업소폐쇄·영업정지 또는 과징금부과 등 행정처분의 대상으로서 행정처분이 이루어진 경우 또는 행정처분이 가능한 경우에는 그러하지 아니하다.

제50조(벌칙)

다음 각호의 1에 해당하는 자는 3년 이하의 징역 또는 2천만원 이하의 벌금에 처한다.

4. 제26조의2 7호 내지 9호의 규정을 위반한 자

***청소년보호법시행령**

제40조(과징금 부과기준)

② 법 제49조2항의 규정에 의한 과징금을 부과하는 위반행위의 종별에 따른 과징금의 금액은 별표7과 같다.

③ 청소년위원회 또는 시장·군수·구청장은 위반행위의 내용·정도·기간, 위반행위로 인하여 얻은 이익 등을 참작하여 제1항 또는 제2항의 규정에 의한 과징금의 금액의 2분의 1의 범위 안에서 이를 감경할 수 있다.

Ⅰ. 과징금의 성격 - 설문(1)

1. 과징금의 의의

2. 과징금 유형

- 법령위반행위에 따른 부당이득 환수하는 성격, 영업의 취소·정지에 갈음하거나 선택관계에 놓이는 제재적 성격, 양자의 성격을 동시에 가지는 경우가 있음.

3. 설문의 경우

- 甲이 청소년에 대하여 이성혼숙을 하게 하는 등 풍기를 문란하게 하는 영업행위를 하거나 그를 목적으로 장소를 제공하는 행위를 하지 말아야 할 청소년보호법상 의무위반에 대한 제재로서의 의미도 갖고 아울러 청소년보호법의 위반행위로 얻은 경제적 이익을 박탈하는 의미도 가짐.

Ⅱ. 과징금부과처분의 위법성 - 설문(2)

1. 문제점

- 침익적 처분인 과징금부과처분은 청소년보호법시행령의 과징금부과기준에 규정된 금액을 초과하여 부과한 것으로서 과징금부과처분의 위법성을 검토하기 위해서는 먼저 처분의 근거가 되는 시행령상의 부과기준의 법적 성질을 검토할 필요가 있으며, 과징금부과처분이 재량행위인지가 문제.

2. 청소년보호법 시행령 제40조 및 별표 7의 법적 성질(#21)

- 법규명령형식의 행정규칙이 논의.
- 청소년보호법 시행령 별표7은 청소년보호법 제49조 ②항에 근거한 것으로 수권규정이 있으므로 법규명령에 해당.

3. 과징금부과처분의 위법성

(1) 재량행위 여부

- 과징금부과기준은 법규명령의 성격을 갖고 있으나 동법 시행령 제40조3항의 감경규정을 고려할 때 과징금의 최고한도를 정한 재량규정임.

(2) 법규명령형식에 근거한 처분의 위법성 심사(#21 참조)

- 감경규정이 있는 처분기준에 위반한 경우에 해당

(3) 사안의 경우

- 별표 7을 법규명령으로 보더라도 감경규정이 있으므로 150만원에서 300만원 사이의 범위에서 구체적 사정을 고려하여 제재처분을 하여야 함. 규정된 처분기준을 초과하여 500만원의 과징금을 부과한 것은 재량의 한계를 넘어선 것으로 재량권을 일탈한 위법한 처분임.

Ⅲ. 일부취소판결의 가능성 - 설문(3)(#122)

1. 문제의 소재

- 일반적으로 처분은 판결에 의해 취소할 수 있지만 그 일부를 취소하는 것도 가능한지의 여부가 행정소송법 제4조1호에 규정된 '변경'의 해석과 관련하여 문제.
- 변경의 의미를 일부취소로 이해하는 것이 일반적인 견해

2. 일부취소판결의 인정기준(요건)

- 외형상 하나의 행정처분이라고 하더라도 가분성이 있거나 그 처분대상의 일부가 특정될 수 있다면 일부취소 가능.
- 다만, 처분의 일부에 대하여 취소할 이유가 있다고 하더라도 그 부분이 전체처분의 본질적인 구성요소가 되거나 사법심사의 범위를 벗어나 재량권 등 처분권을 침해하는 경우에는 인정될 수 없음.

3. 사안의 경우

- 재량행위인 과징금부과처분에 대해 법원이 일부취소판결을 한다면 사법심사의 범위를 벗어나 재량권 등 처분권을 침해하는 경우에 해당되므로 일부취소판결을 할 수 없고 전부취소판결을 해야 할 것.

기출 사례 **무효와 취소, 부당이득반환청구(15년 사시)**

행정청 A는 미성년자에게 주류를 판매한 업주 甲에게 영업정지처분에 갈음하여 과징금부과처분을 하였고, 甲은 부과된 과징금을 납부하였다. 그러나 甲은 이후 과징금부과처분에 하자가 있음을 알게 되었다(아래 각 문제는 독립된 것임).

1. A가 권한 없이 과징금부과처분을 한 경우, 甲이 이미 납부한 과징금을 반환 받기 위해 제기할 수 있는 소송유형들을 검토하시오. (20점)
2. A가 처분의 이유를 제시하지 아니한 채 과징금부과처분을 하였고, 甲은 이미 납부한 과징금을 반환 받기 위해 과징금부과처분을 다투고자 한다. 甲이 제기할 수 있는 소송을 설명하시오. (10점)

Ⅰ. 과징금부과처분이 무효사유인 경우 과징금을 반환 받기 위해 제기할 수 있는 소송 - 설문(1)

1. 문제의 소재

- 권한 없는 A의 과징금부과처분의 위법성의 정도가 무효사유인지 문제되고, 납부한 과징금을 반환받기 위한 소송으로 부당이득반환청구소송, 항고소송으로서 무효확인소송이 가능한지를 주로 검토하고, 추가적으로 당사자소송으로서 과징금납부의무 부존재확인소송 및 국가배상청구소송도 가능한지 검토.

2. 권한 없는 자가 행한 과징금부과처분의 하자(#47)

- 권한 없이 과징금부과처분을 한 것은 무권한의 하자로서 행정행위의 적법요건 중 주체의 하자가 있는 경우에 해당.

- 위법성의 정도는 통설·판례는 중대명백설에 따라 판단하는데 무권한의 하자는 무효사유에 해당.

3. 부당이득반환청구소송(#18)

- 공법상 부당이득반환청구권의 의의

- 부당이득반환청구소송의 성격에 대해서는 당사자소송설과 민사소송설의 견해대립이 있음(부당이득반환청구권이 공권인지 사권인지의 논의). 판례는 민사소송설.

- 무효인 처분은 공정력 내지는 구성요건적 효력이 존재하지 않아 부당이득반환청구소송의 수소법원은 처분이 무효임을 전제로 부당이득반환여부에 대해 판단할 수 있음.

4. 과징금부과처분 무효확인소송(#127)

- 무효확인소송의 소의 이익과 관련하여 무효확인소송의 보충성 인정 여부에 대해 보충성 필요설과 불요설의 견해 대립 있음. 판례는 종래 필요설에서 불요설로 견해를 변경.

- 보충성 불요설에 의하면 부당이득반환청구소송이 가능하더라도 과징금부과처분 무효확인소송도 반환받기 위한 소송유형에 해당. 무효확인판결이 있으면 기속력이 발생하고 행정청 A는 결과제거의무(원상회복의무)에 의해서 갑에게 납부한 과징금을 반환해야 할 의무가 있음.

- 과징금부과처분 무효확인소송의 소제기가 적법하다면, 부당이득반환청구소송은 행정소송법 제10조2항에 의한 관련청구소송으로서 병합하여 제기 가능.

5. 당사자소송으로서 과징금납부의무부존재확인소송

- 당사자소송으로 확인소송은 민사소송과 마찬가지로 확인의 이익이 필요한데 부당이득반환청구소송이라는 이행소송이 가능하므로 확인의 이익이 없어 소의 이익이 결여.

6. 국가배상청구소송

- 당사자소송인지 민사소송인지 견해대립 있으나 판례는 민사소송설.

- 처분이 무효이므로 선결문제로 심리할 수 있으며, 만약 A의 고의·과실까지 있는 경우라면 국가배상청구를 통해서 과징금을 반환받을 수도 있음. 다만, A의 고의·과실을 요구하고 갑이 입증해야 하므로 부당이득반환청구소송을 제기하는 것이 보다 효과적인 구제수단이 됨.

Ⅱ. 과징금부과처분이 취소사유인 경우 과징금을 반환받기 위해 제기할 수 있는 소송 - 설문(2)

1. 문제의 소재

- 이유제시를 결여한 하자의 위법성의 정도가 취소사유인지 문제되고, 납부한 과징금을 반환받기 위해서 취소소송 부당이득반환청구소송이 가능한지를 주로 검토하고, 추가적으로 당사자소송으로서 과징금납부의무 부존재확인소송 및 국가배상청구소송도 가능한지 검토.

2. 이유제시를 결여한 과징금부과처분의 하자(#74)

- 행정절차법 제23조의 이유제시를 결여한 절차하자가 존재하고 절차하자의 독자적 위법성을 인정할 수 있고, 위법성의 정도는 중대명백설에 의할 때 취소사유에 해당.

3. 취소소송

- 취소판결을 받으면 기속력(결과제거의무)에 의해서 A는 갑에게 납부한 과징금을 반환하여야 함.

4. **부당이득반환청구소송**

- 과징금부과처분이 취소사유이므로 공정력이 존재하며 공정력(구성요건적 효력)과 선결문제의 논의가 필요.
- 선결문제로서 효력부인이 문제되는 국면임. 법원은 과징금부과처분의 효력을 부인할 수 없어 인용판결을 할 수 없음.
- 부당이득반환청구소송을 취소소송과 관련청구소송으로 병합하여 제기할 수는 있음(행소법 제10조2항). 판례는 병합청구된 부당이득반환청구가 인용되기 위해서는 그 소송절차에서 판결에 의해 당해 처분이 취소되면 충분하고 그 처분의 취소가 확정되어야 하는 것은 아니라고 함(대판 2009.4.9, 2008두23153).

5. **과징금납부의무 부존재확인소송**

- 확인소송이므로 확인의 이익도 문제되고, 당사자소송의 수소법원이 과세처분의 효력을 부인할 수 없으므로 적절한 소송수단이 될 수 없음.

6. **국가배상청구**

- 국가배상청구소송에서 과징금부과처분의 위법성을 선결문제로서 다툴 수도 있다는 것이 통설·판례이나(공정력과 선결문제의 논의에서 위법성 확인 국면), 고의·과실이 필요하다는 점에서 다소 우회적인 소송유형임.

70 명단의 공표

Ⅰ. 의 의

행정법상 의무위반 또는 의무불이행이 있는 경우에 그 **의무위반자 또는 불이행자의 명단과 그 위반 또는 불이행한 사실을 공중이 알 수 있도록 공표**함으로써, **의무이행을 간접적으로 확보**하려는 제도이다. 새로운 의무이행확보수단으로서 국민의 알권리 실현수단이기도 하다.

Ⅱ. 법적 성질

사회적 비난과 그에 따르는 불명예 또는 영업상 불이익이라는 간접적·심리적 강제에 의하여 행정상 의무이행을 확보하려는 것이나, 그 자체는 법적 효과 발생하지 않으므로 **비권력적 사실행위로 보는 것이 일반적**이다. 반면 공표는 행정기관에 의해 일방적으로 행해지며 그로 인하여 명예, 신용 또는 프라이버시권이 훼손되므로 **권력적사실행위로 보는 견해도** 있다.

Ⅲ. 법적 근거

공표에 의해 **관계자의 명예, 신용 또는 프라이버시를 침해하거나 사실상 심각한 불이익을 초래**하는 경우는 헌법 제37조2항에 의해 법률의 **근거를 요한다.** 현재 일반법은 없고 개별법에만 규정이 있다(식품위생법 제56조의2, 공정거래법 제21조, 건축법 제79조[1], 공직자윤리법 제8조의2[2]).

Ⅳ. 한 계

1. 국민의 알권리와 개인의 인격권과의 충돌

양자의 이익형량에 따라 허용여부를 결정해야 한다. 일반적으로 행정법상 의무위반자의 성명이나 위반사실 공표는 국민의 알권리가 앞서므로 허용된다고 할 것이나, **의무위반과 관계없는 사항**, 예컨대 축재과정이나 그 밖의 사생활을 공표하는 것은 **프라이버시를 침해하게 될 가능성이 크다.** 헌법재판소는 청소년의 성보호에 관한 법률 제20조2항1호 **신상공개제도**에 대하여 과잉금지원칙에 반하지 않는다 하여 **합헌**결정하였다.

헌재결정 **신상공개제도는 범죄자 본인을 처벌하려는 것이 아니라, 현존하는 성폭력위험으로부터 사회 공동체를 지키려는 인식을 제고함과 동시에 일반인들이 청소년 성매수 등 범죄의 충동으로부터 자신을 제어하도록 하기 위하여 도입**된 것으로서, 이를 통하여 달성하고자 하는 **'청소년의 성보호'라는 목적은 우리 사회에 있어서 가장 중요한 공익**의 하나라고 할 것이다.
이에 비하여 청소년 성매수자의 일반적 인격권과 사생활의 비밀의 자유가 제한되는 정도를 살펴보면, 법 제20조2항은 **'성명, 연령, 직업 등의 신상과 범죄사실의 요지'를 공개**하도록 규정하고 있는바, 이는 이미 공개된 형사재판에서 **유죄가 확정된 형사판결이라는 공적 기록의 내용 중 일부를 국가가 공익 목적으로 공개**하는 것으로 공개된 형사재판에서 밝혀진 범죄인들의 신상과 전과를 일반인이 알게 된다고 하여 그들의 **인격권 내지 사생활의 비밀을 침해하는 것이라고 단정하기는 어렵다.**
또한, **신상과 범죄사실이 공개되는 범죄인들은 이미 국가의 형벌권 행사로 인하여 해당 기본권의 제한 여지를 일반인보다는 더 넓게 받고 있다.** 청소년 성매수 범죄자들이 자신의 신상과 범죄사실이 공개됨으로써 **수치심을 느끼고 명예가 훼손된다고 하더라도 그 보장 정도에 있어서 일반인과는 차이**를 둘 수밖에 없어, 그들의 인격권과 사생활의 비밀의 자유도 그것이 본질적인 부분이 아닌 한 넓게 제한될 여지가 있다.
그렇다면 **청소년 성매수자의 일반적 인격권과 사생활의 비밀의 자유가 제한되는 정도가 청소년 성보호라는 공익적 요청에 비해 크다고 할 수 없으므로** 결국 법 제20조2항1호의 신상공개는 해당 범죄인들의 일반적 인격권, 사생활의 비밀의 자유를 과잉금지의 원칙에 위배하여 침해한 것이라 할 수 없다(헌재결 2003.6.26, 2002헌가14).

---

1) 위반건축물에 대한 조치로서 위반건축물 표지 설치.
2) 공직자재산등록을 허위로 한 경우에 공직자윤리위원회가 행하는 일간신문 광고란을 통한 허위등록사실의 공표.

2. 행정상 공표에서의 위법성조각사유

판례는 **명예훼손의 경우와 동일한 원리**가 적용된다고 보고 있으나, **사인에 의한 경우와는 달리 위법성을 조각하는 상당한 이유의 인정을 보다 엄격**하게 판단한다.

판 례 국가기관이 행정목적달성을 위하여 언론에 보도자료를 제공하는 등 이른바 행정상 공표의 방법으로 실명을 공개함으로써 타인의 명예를 훼손한 경우, 그 공표된 사람에 관하여 적시된 사실의 내용이 **진실이라는 증명이 없더라도 국가기관이 공표 당시 이를 진실이라고 믿었고 또 그렇게 믿을 만한 상당한 이유가 있다면 위법성이 없는 것**이고, 이 점은 언론을 포함한 **사인에 의한 명예훼손의 경우에서와 마찬가지**이다. **상당한 이유의 존부의 판단**에 있어서는, 실명공표 자체가 매우 신중하게 이루어져야 한다는 요청에서 비롯되는 **무거운 주의의무와 공권력의 광범한 사실조사능력, 공표된 사실이 진실하리라는 점에 대한 국민의 강한 기대와 신뢰, 공무원의 비밀엄수의무와 법령준수의무 등에 비추어, 사인의 행위에 의한 경우보다는 훨씬 더 엄격한 기준이 요구**된다 할 것이므로, 그 사실이 의심의 여지없이 확실히 진실이라고 믿을 만한 객관적이고도 타당한 확증과 근거가 있는 경우가 아니라면 그러한 상당한 이유가 있다고 할 수 없다(대판 1993.11.26, 93다18389).

V. 권리구제

1. 행정쟁송

(1) 처분성 여부

비권력적 사실행위로 보아 처분성을 **부정하는 견해**, 비권력적 사실행위로 보면서도 형식적 행정행위 관념을 전제로 **쟁송법상 처분개념설을 주장하면서 처분성을 긍정하는 견해, 권력적 사실행위로서 처분성을 긍정하는 견해, 공표에 앞서 공표결정이 당사자에게 통보되지 않는 경우 공표행위는 권력적 사실행위로 보아 처분성을 긍정하고 공표결정이 통보되는 경우는 공표결정통보행위를 행정행위로 보아 처분성을 인정하는 견해**[3]가 대립한다.

생각건대 **공공기관의 정보공개에 관한 법률에 있어서 정보공개 여부의 결정은 행정처분**의 성격을 갖고 **정보공개 자체는 사실행위**의 성격을 갖는 점을 고려할 때 **공표결정통보 여부를 기준으로 하는 견해가 타당**하다(정하중).

(2) 소의 이익의 문제

긍정설에 의할 경우 명단이 이미 공표된 경우에도 **공표가 계속 중**인 경우 당연히 **소의 이익이 있다**. 공표가 **종료된 후에도** 공표가 취소되면 **판결의 기속력에 의해 정정공고 등 원상회복의무**가 있으므로 **소의 이익이 있다.**[4]

(3) 취소재결·판결의 내용

취소의 대상이 될 경우 협의의 '취소'의 의미가 '행정행위에 대하여 성립상의 흠을 이유로 그 효력을 상실시키는 행위'인데 비하여, 비권력적 사실행위에 대해 처분성을 긍정하는 경우 즉 사실행위의 '취소'의 의미는 협의의 취소와는 달리 **사실행위의 폐지·철폐라는 의미**로 파악되어야 한다.[5] 취소재결 및 취소판결의 기속력(심판법 제49조1항, 소송법 제30조1항)에 의해서 **행정청은 공표행위를 철폐하여야 하는 법적 의무**를 지게 되고 의무의 이행은 일간신문 등에 공표행위의

---

3) 박균성 411면 이하.
- 공표결정이 **통보되지 않는 경우의 예**로 소개되어 있는 **위반건축물 표지의 설치**에 대해서 **박균성** 교수님은 권력적사실행위로 보면서 처분성을 긍정하여 **항고소송으로 해결**하지만, **김연태** 교수님은 "처분개념에 형식적 행정행위가 포함되지 않는다는 견지에서 처분성이 인정될 수 없으므로 행정소송법상의 구제수단은 공법상의 당사자소송이며, 특히 그 중에서도 설치된 **건축물표지의 철거를 구하는 일반이행소송**이 될 것이다"고 하여 **당사자소송으로 해결**하려 함. 행정행위와 처분간의 관계에 대해서 실체법설을 취하고 있는 김남진, 김연태 교수님에 의하면 위반건축물표지설치를 권력적사실행위로 보지 않고 비권력적 사실행위로 보려는 입장인 것임.
- 홍정선 교수님은 권력적 사실행위로 보는 견해에 대해서 공표는 순수한 사실행위일 뿐 수인의무를 수반하는 권력적사실행위로 보기는 어렵다고 하면서 입법론상 사실행위인 명단공표를 사전에 금지하는 것을 가능하게 하는 예방적 부작위소송을 마련할 필요가 있다고 함.

4) 정하중 교수님은 공표결정통보가 선행되지 않는 경우 권력적 사실행위의 성격을 갖기 때문에 처분성이 인정된다고 하더라도 공표 그 자체가 일단 행하여진다면 대부분의 경우 소의 이익이 부인될 것이라고 함(정하중 508면).

5) 행정행위와 처분과의 관계에서 쟁송법상 처분개념설을 취하는 입장은 이렇게 해석하는 경향이 있음.

내용을 취소하는 내용의 기사를 게재하는 형식이 될 것이다. 일단 공표되면 권리구제에는 한계가 있으므로 예방적 부작위청구소송을 도입할 필요가 있다.

2. 손해배상청구

취소소송과 관련청구소송으로서 병합제기 가능(소송법 제10조②)하다.

3. 공법상 결과제거청구

공표철회, 정정요구 등 시정조치를 구하는 이행소송을 공법상 당사자소송으로 제기할 수 있다. 다만 아직 판례에 의해 공법상 결과제거청구소송이 인정된 바는 없다.

4. 민법 764조

공표행위가 공행정작용이라는 점에서 민법 제764조가 준용될 수 있는지가 문제된다. 민사법원이 행정청에 취소를 명하는 내용의 판결을 내리는 것은 그 **재판권의 범위를 벗어나는 것**이라는 **부정설**과 국가배상법에 따른 국가의 배상책임은 불법행위책임의 한 유형에 불과한 것이며, 불법행위에 따른 손해배상책임의 한 유형을 정하고 있는 **민법 제764조는 국가배상법 제8조의 규정에 따라 국가의 배상책임의 경우에도 준용**된다는 **긍정설이 대립**한다.[6]

5. 공무원에 대해 형법상 명예훼손죄(형법 제307조), 피의사실공표죄(형법 제126조)

6) 공법상 결과제거청구권을 긍정한다면 민법 제764조에 의한 구제의 필요성이 반감되지만, 결과제거청구권이 이론적으로만 논의되고 실정법상 인정되고 있는 것은 아니므로, 현행법하에서는 제764조에 근거하여 민사소송으로 명예회복에 적당한 처분을 청구할 수 있을 것이다.

71 공급거부

Ⅰ. 의 의

행정법상 의무의 위반·불이행이 있는 경우 행정상 일정한 재화나 서비스의 공급을 거부하는 행정작용으로써, 간접적 의무이행 확보수단의 하나이다.

Ⅱ. 법적 근거

급부행정영역에서 행하여지며, 부담적 행정작용이므로 법률의 근거를 필요로 한다(구 건축법 제69조2항1)).

Ⅲ. 한 계

공급거부는 국민의 기본적인 생존배려나 복리배려와 관련된다는 특성 때문에 이를 쉽게 허용하여서는 안 된다는 한계가 있다. 따라서 개별법이 정하는 바에 따르는 외에 행정법의 일반원칙이 적용된다(비례, 부당결부금지원칙). 구 건축법 제69조의 공급거부가 부당결부금지위반으로 위헌이라는 논의가 있었으나 현행법에서는 삭제되었다.

Ⅳ. 법적 성질 및 권리구제

1. 행정쟁송

(1) 공급거부

급부의 형식이 공법적인지 사법적인지에 따라 행정상 또는 민사상의 구제수단을 취할 수 있다. 판례는 건물의 무단변경을 이유로 한 단수처분을 행정처분으로 본 바 있다.

(2) 공급거부요청

판례는 권고적 성격의 행위에 불과하다고 하여 처분성을 부정하였다.

학설은 요청행위는 의사표시를 요소로 하는 법적 행위는 아니므로 처분성을 부정하는 견해(홍정선)도 있고, 단수 등의 조치를 요청받은 자는 특별한 이유가 없는 한 이에 응하여야 하므로(구건축법 제69조3항) 공급자나 특정인의 법률상지위에 직접적인 변동을 가져오는 것으로 처분에 해당한다는 견해(박균성, 김남진·김연태)가 대립한다. 처분성 긍정설 중에서는 공급주체가 사인인 경우 행정청의 공급거부요청에 대하여 처분성을 긍정하는 견해(박정훈)도 있다.

판례 1 건축법 제69조2항, 3항의 규정에 비추어 보면, 행정청이 위법 건축물에 대한 시정명령을 하고 나서 위반자가 이를 이행하지 아니하여 전기·전화의 공급자에게 그 위법 건축물에 대한 전기·전화공급을 하지 말아 줄 것을 요청한 행위는 권고적 성격의 행위에 불과한 것으로서 전기·전화공급자나 특정인의 법률상 지위에 직접적인 변동을 가져오는 것은 아니므로 이를 항고소송의 대상이 되는 행정처분이라고 볼 수 없다(대판 1996.3.22, 96누433).

판례 2 건축법 제69조2항, 3항의 규정 취지에 비추어 보면, 이 사건 회신은 한전에 대하여 원고에 대한 전기공급을 하지 말아 줄 것을 요청하는 권고적 성격의 행위에 불과한 것으로서 한전이나 특정인의 법률상 지위에 직접적인 법률적 변동을 가져오는 것은 아니므로 이를 가리켜 항고소송의 대상이 되는 행정처분이라고 볼 수는 없다(대판 1995.11.21, 95누9099).

2. 손해배상

1) 구 건축법 제69조(위반건축물등에 대한 조치등) ② 허가권자는 1항의 규정에 의하여 허가 또는 승인이 취소된 건축물 또는 1항의 규정에 의한 시정명령을 받고 이행하지 아니한 건축물에 대하여는 전기·전화·수도의 공급자, 도시가스사업자 또는 관계행정기관의 장에게 전기·전화·수도 또는 도시가스공급시설의 설치 또는 공급의 중지를 … 요청할 수 있다. 다만, 허가권자가 기간을 정하여 그 사용 또는 영업 기타 행위를 허용한 주택과 대통령령이 정하는 경우에는 그러하지 아니하다(* 공급거부에 관한 부분만 2005년 개정되어 삭제).
③ 제2항의 규정에 의한 요청을 받은 자는 특별한 이유가 없는 한 이에 응하여야 한다.

72 관허사업제한

Ⅰ. 의 의

행정법상의 **의무를 위반하거나 불이행한 자에게 인허가를 거부**할 수 있게 하거나, 기왕에 주어진 **인허가를 철회하거나 정지**함으로써 행정법상 의무의 준수 또는 이행을 확보하는 간접적 강제수단이다.

Ⅱ. 종 류

1. 의무 위반사항과 관련이 있는 사업에 대한 것

(1) 건축법 제79조2항의 위법건축물을 이용한 영업의 제한[1)]

건축법을 위한 대형건축물의 경우 대집행으로 철거하는 것이 막대한 경제적 손실을 초래하는 점을 고려하여 도입하였다. 사후적 제재수단이면서 동시에 사전예방수단으로서 기능한다.

(2) 질서위반행위규제법 제52조의 과태료체납자에 대한 관허사업제한[2)]

2. 의무 위반사항과 직접 관련이 없는 사업 일반에 대한 것

국세징수법 제7조의 국세체납자에 대한 일반적 관허사업의 제한이 그 예이다. 체납처분 같은 강제집행수단은 납세자의 저항유발 등 부작용이 있어, 체납자의 사업수행 자체를 불허하여 납세의무의 이행을 확보하려는 것이다.

Ⅲ. 법적 근거

권력적 행위이므로 법률의 근거가 있어야 한다.

Ⅳ. 관허사업 제한의 요청

처분성 인정 여부에 대해서는 공급거부 요청과 같은 맥락에서 파악하면 된다.

Ⅴ. 문제점

국세체납자에 대한 일반적 관허사업의 제한은 체납처분보다 당사자에게 미치는 효과 면에서 더 불리하게 작용(국민의 기본적 생업 자체를 위협)할 수 있어 비례의 원칙에 반한다는 문제가 있으며, 그 외에 부당결부금지원칙 위배 여부도 문제된다(특히 국세징수법 제7조 등).

---

1) ***건축법 제79조** (위반 건축물 등에 대한 조치 등) ② 허가권자는 제1항에 따라 **허가나 승인이 취소된 건축물** 또는 제1항에 따른 **시정명령을 받고 이행하지 아니한 건축물**에 대하여는 **다른 법령에 따른 영업이나 그 밖의 행위를 허가하지 아니하도록 요청**할 수 있다. 다만, 허가권자가 기간을 정하여 그 사용 또는 영업, 그 밖의 행위를 허용한 주택과 대통령령으로 정하는 경우에는 그러하지 아니하다.
③ 제2항에 따른 요청을 받은 자는 특별한 이유가 없으면 요청에 따라야 한다.

2) ***질서위반행위규제법** 제52조 (관허사업의 제한) ① 행정청은 **허가 · 인가 · 면허 · 등록 및 갱신(이하 '허가 등'이라 한다)을 요하는 사업을 경영하는 자로서 다음 각 호의 사유에 모두 해당하는 체납자**에 대하여는 **사업의 정지 또는 허가등의 취소**를 할 수 있다.
1. **해당 사업과 관련**된 질서위반행위로 부과받은 과태료를 3회 이상 체납하고 있고, 체납발생일부터 각 1년이 경과하였으며, 체납금액의 합계가 500만원 이상인 체납자 중 대통령령으로 정하는 횟수와 금액 이상을 체납한 자
2. 천재지변이나 그 밖의 중대한 재난 등 대통령령으로 정하는 특별한 사유 없이 과태료를 체납한 자
② 허가등을 요하는 사업의 주무관청이 따로 있는 경우에는 행정청은 **당해 주무관청에 대하여 사업의 정지 또는 허가등의 취소를 요구**할 수 있다.
③ 행정청은 제1항 또는 제2항에 따라 사업의 정지 또는 허가등을 취소하거나 주무관청에 대하여 그 요구를 한 후 당해 과태료를 징수한 때에는 지체 없이 사업의 정지 또는 허가등의 취소나 그 요구를 철회하여야 한다.
④ 제2항에 따른 행정청의 요구가 있는 때에는 당해 주무관청은 정당한 사유가 없는 한 이에 응하여야 한다.

기출 사례 국세체납과 관허사업제한(00년 행시)

甲은 식품위생업에 종사하는 자로서 영업부진으로 말미암아 재정상태가 심히 궁박하게 되어 소득세를 비롯한 국세를 3회 이상 체납하였다. 이에 관할세무서장은 국세징수법이 정하는 바에 따라 세금납부를 독촉하였으나 甲은 이에 응하지 않았다. 관할 세무서장은 甲에 대해 강제징수절차를 개시하려고 하였으나 甲의 명의로 된 재산이 존재하지 않아 강제징수절차를 진행할 수 없었다. 이리하여 관할 세무서장은 국세징수법 제7조2항[3]의 규정에 의거하여 주무행정청에 甲에 대한 영업허가의 취소를 요구하였고 이에 따라 甲의 영업허가는 취소되었다. 다음의 질문에 답하시오.

(1) 甲에 대한 영업허가의 취소는 정당한가?

(2) 甲은 국세체납을 이유로 한 영업허가의 취소를 규정하고 있는 국세징수법 제7조2항의 규정은 위헌이며 그에 근거한 영업허가취소처분은 무효라고 주장하면서 영업허가취소처분의 무효확인을 구하는 소송을 제기하였다. 甲의 주장의 당부를 논하시오[4]

➡ 영업허가취소처분은 관허사업의 제한에 해당

- 관허사업의 제한은 '행정법상의 의무를 위반하거나 불이행한 자에 대하여 각종 인허가를 거부할 수 있게 함으로써 행정법상 의무의 준수 또는 이행을 확보하는 간접적 강제수단'을 말함.

- 허가취소처분의 위법성은 국세징수법 제7조2항의 합헌성 여부에 의존

- 국세징수법의 위헌여부는 부당결부금지의 원칙에 반하지 않는다는 견해도 가능하고 위헌이라는 주장도 가능.

1. **합헌이라는 입장**

- 합헌이라는 입장도 두 가지로 분류할 수 있는데,

- 실질적 관련성은 없으나 국가재정의 확보를 통한 국가존립의 이익이 부당결부금지원칙이 갖는 이익보다 우선하여야 하므로 합헌이라는 견해(홍정선)와

- 실질적 관련성이 없어 부당결부금지원칙에는 반하나, 부당결부금지원칙은 법률적 효력을 갖는 것이므로 국세징수법에 근거하여 취소하는 한 적법한 것으로 볼 수밖에 없다는 견해로 나뉠 수 있음.

- 어느 경우에도 영업허가 취소가 비례의 원칙에 반하지 않는 한 정당.

- 합헌 입장에서는 설문(2)의 경우는 원천적으로 타당 ×.

2. **위헌이라는 입장**

- 부당결부금지원칙은 헌법적 효력을 갖는 것으로 전제함.

- 영업허가취소는 부당결부금지원칙에 반하는 법률에 근거한 것임.

- 결국 위헌법률에 근거한 처분의 효력이 문제.

- 중대명백설에 의하면 취소사유에 해당. 취소소송을 제기하여야 하며, 무효확인소송을 제기하는 것은 정당하지 않음.

- 그러나 명백성보충요건설에 따르면 무효이므로 무효확인소송을 제기한 것은 정당.

---

3) **국세징수법 제7조** (관허사업의 제한) ① 세무서장은 납세자가 대통령령이 정하는 사유 없이 **국세를 체납**한 때에는 허가·인가·면허 및 등록과 그 갱신(이하 '허가 등'이라 한다)을 요하는 사업의 주무관서에 당해 납세자에 대하여 그 **허가 등을 하지 아니할 것을 요구**할 수 있다.
② 세무서장은 제1항의 **허가등을 받아 사업을 경영하는 자가 국세를 3회이상 체납한 때**에는 대통령령이 정하는 경우를 제외하고 그 **주무관서에 사업의 정지 또는 허가등의 취소를 요구할 수 있다**.
③ 세무서장은 제1항 또는 제2항의 요구를 한 후 당해 국세를 징수하였을 때에는 지체없이 그 요구를 철회하여야 한다.
④ 제1항 또는 제2항의 규정에 의한 **세무서장의 요구가 있을 때에는 당해주무관서는 정당한 사유가 없는 한 이에 응하여야 한다.**

4) 기출문제는 출제의도가 설문(1)은 부당결부금지원칙 위반여부를, 설문(2)는 위헌인 법률에 근거한 처분의 효력을 묻는 것 같으나, 영업허가 취소의 정당성은 부당결부금지원칙에 반하는가의 문제뿐만 아니라, 부당결부금지원칙이 헌법적 효력을 갖는가에 따라서도 결론이 달라질 수 도 있기 때문에 설문(1)(2)를 나누어서 답안을 작성하는 것이 자연스럽지 않아, 전체적인 시각에서 답안을 작성했음. 실제 답안에서는 부당결부금지원칙 위반, 비례의 원칙 위반이 설문(1)에서는 많이 부각되어야 할 것임.
- 국세징수법 제7조의 합헌성을 주장하시는 홍정선 교수님은 설문(1)은 국제징수법 제7조에 부합한 조치이므로 적법하며, 설문(2)는 국세징수법 제7조가 비례의 원칙에 반하지 않는 한, 부당결부금지원칙에 위반되지 않으므로 합헌이므로 甲의 주장은 정당하지 않다고 풀이.

73 행정절차법 개관

행정절차는 행정청이 행정작용을 함에 있어 거치는 일련의 절차를 의미한다. 좁은 의미로는 사전절차를 의미한다. 행정절차는 행정의 민주화, 행정작용의 적정화, 사전적 권리구제, 행정작용의 능률화의 기능을 수행한다. 행정절차의 헌법적 근거에 대해 헌법재판소는 헌법 제12조1항의 적법절차조항에서 찾고 있다.

행정절차법은 행정절차에 관한 일반법이다(행정절차법 제3조1항). 1998년부터 시행되었다. 민원사무처리에 관한 법률과 같이 특별법이 있는 경우는 특별법이 우선 적용된다. 행정절차법은 행정절차에 관한 규정 외에 행정실체법에 해당하는 신의성실의 원칙(제4조 1항), 신뢰보호의 원칙(제4조 2항), 투명성의 원칙(제5조)을 규정하고 있다.

행정절차법은 모든 행정작용에 대해 적용되지는 않고 **처분 · 신고 · 행정상 입법예고 · 행정예고 · 행정지도의 절차에 관해서 규정**하고 있다. 처분절차가 행정절차법의 중심이 되고 있는데, 행정절차법은 처분에 공통되는 절차와 불이익처분에 관한 절차를 구분하여 규정하고 있다. **향후 공법상 계약, 행정계획의 수립절차에 대해서도 규율할 필요**가 있다.

<행정절차법 체계>

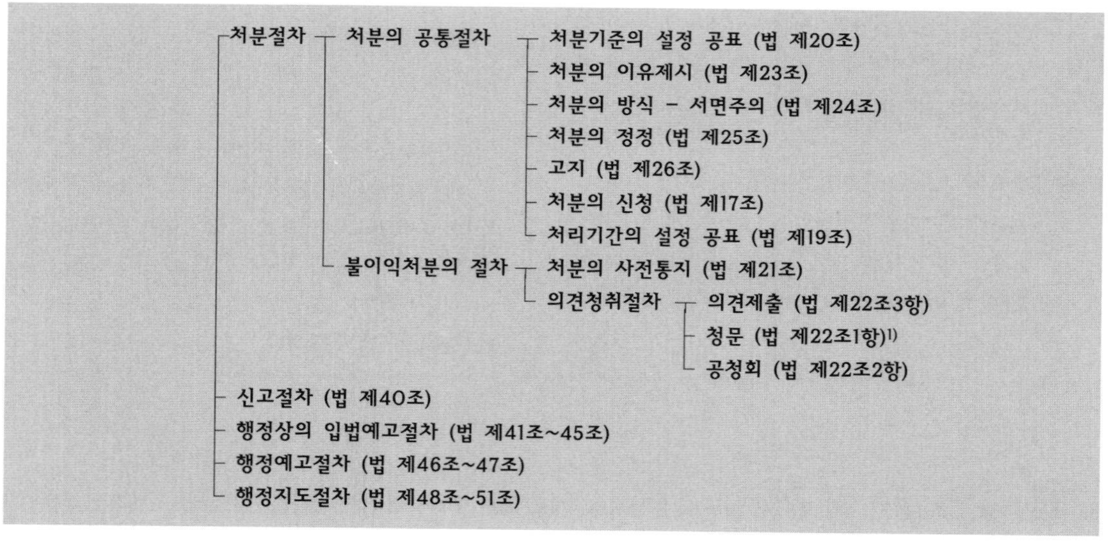

1) 청문과 공청회는 행정절차법상 그 대상이 불이익처분이 아니라 "처분"이라고 규정되어 있지만 실제로 대부분은 불이익처분절차에서 의의가 있으므로 교수님들이 불이익처분절차로 분류하고 있음. 그러나 수익적 처분 절차에서도 활용이 불가능한 것은 아님.

74 이유제시(이유부기)

Ⅰ. 의 의

행정청이 **처분을 함에 있어 처분의 기초가 된 근거와 이유를 제시**하는 것이다. 행정청으로 하여금 자의적 결정이 이루어질 수 있는 여지를 배제하는 **자기통제**기능, 처분의 상대방 및 이해관계인으로 하여금 행정구제절차에서 대처할 수 있도록 쟁송제기의 편의를 제공하는 **권리보호**기능, 처분의 상대방이 처분의 정당성을 받아들이도록 하는 **설득 기능** 등을 수행한다. 처분을 하면서 동시에 제시한다는 점에서, 처분 후 불복소송 도중 처분의 적법성을 유지하기 위하여 **처분사유 추가·변경과 구별**된다.

Ⅱ. 법적 근거

행정절차법 제23조1항은 처분을 함에 있어 이유제시를 필수적 절차로 규정하고 있으며, 민원사무와 관련해서는 **민원사무처리에관한법률 제15조 2문**이 있다. **행정절차법이 제정되기 전에도 판례**는 허가의 취소처분에 **개별법상 명문의 규정이 없어도** 행정청의 이유부기를 의무로 보아 **이유부기를 결여한 처분은 위법**한 것으로 보았다.

Ⅲ. 대상, 방식, 정도, 시기

1. 대 상

모든 처분에 적용된다. 즉 불이익한 처분에 제한되지 않는다. **단 신청내용을 모두 그대로 인정**하는 처분, **단순·반복적인 처분 또는 경미한 처분**으로서 당사자가 그 이유를 명백히 알 수 있는 경우, **긴급을 요하는 경우**는 이유제시를 **하지 않아도 된다**(절차법 제23조1항).

2. 방 식

원칙적으로 **문서**에 의한다(절차법 제24조1항).

3. 정 도

행정절차법에는 규정이 없으나, 이유제시의 취지에 비추어 적어도 처분의 상대방 등이 **불복여부를 판단하는데 도움**이 되고, 행정쟁송에서 행정심판기관이나 법원이 **처분의 근거가 된 법적·사실적 관점을 검토하여 적법타당성을 판단**할 수 있을 정도로 **구체적**이어야 한다. 그 **정도와 범위는 개별법 영역의 특수성과 구체적 상황에 따라 차이**가 있다.

판례 1 일반적으로 당사자가 근거규정 등을 명시하여 신청하는 인·허가 등을 **거부하는 처분**을 함에 있어서 **당사자가 그 근거를 알 수 있을 정도로 상당한 이유를 제시한 경우**에는 **당해 처분의 근거 및 이유를 구체적 조항 및 내용까지 명시하지 않았더라도** 그로 말미암아 그 처분이 **위법한 것이 된다고 할 수는 없다**(대판 2002.5.27, 2000두8912).

판례 2 폐기물처리업 허가와 관련된 법령들의 체제 또는 문언을 살펴보면 이들 규정들은 폐기물처리업 허가를 받기 위한 최소한도의 요건을 규정해 두고는 있으나, 사업계획 적정 여부에 대하여는 일률적으로 확정하여 규정하는 형식을 취하지 아니하여 그 사업의 적정 여부에 대하여 재량의 여지를 남겨 두고 있다 할 것이고, 이러한 경우 사업계획 적정 여부 통보를 위하여 필요한 기준을 정하는 것도 역시 행정청의 재량에 속하는 것이므로, 그 설정된 기준이 객관적으로 합리적이 아니라거나 타당하지 않다고 볼 만한 다른 특별한 사정이 없는 이상 행정청의 의사는 가능한 한 존중되어야 할 것이나, 그 설정된 기준이 객관적으로 합리적이 아니라거나 타당하지 않다고 보이는 경우 또는 그러한 기준을 설정하지 않은 채 **구체적이고 합리적인 이유의 제시 없이 사업계획의 부적정 통보를 하거나 사업계획서를 반려**하는 경우에까지 단지 행정청의 재량에 속하는 사항이라는 이유만으로 그 행정청의 의사를 존중하여야 하는 것은 아니고, 이러한 경우의 처분은 **재량권을 남용하거나 그 범위를 일탈**한 조치로서 위법하다(대판 2004.5.28, 2004두961).

4. 시 기

처분과 동시에 하여야 한다. 처분 후에 한 경우 하자의 치유가능성은 별론으로 하고 하자 있는 처분이 된다.

Ⅳ. 이유제시의 하자가 있는 경우 행정처분의 위법성(#80)

이유제시가 결여된 경우 이는 절차의 하자이다. 절차의 하자를 독자적 위법사유로 보지 않는 견해도 있으나, 위법사유로 봄이 타당하다(다수설, 판례).

위법성의 정도에 관하여 학설은 이유제시가 전혀 없거나 없는 것과 같은 정도로 불충분한 경우에는 무효사유로, 이유제시가 불충분한 경우는 취소사유로 보는 경향이 있는 것으로 보이나 어느 경우나 취소사유로 보는 견해(정하중)도 있다. **판례**는 일관되게 **이유부기제시가 없어도 취소**대상이 된다고 봄.

판례 1 **과세처분에 과세표준, 세율 등 그 산출근거가 명시되지 아니하였을 경우에 그 과세처분은 무효가 되는 것이 아니라 취소할 수 있는 사유**에 해당된다(대판 1985.2.8, 84누84).

판례 2 **국세징수법 제9조1항**[1]은 단순히 **세무행정상의 편의를 위한 훈시규정이 아니라** 조세행정에 있어 자의를 배제하고 신중하고 합리적인 처분을 행하게 함으로써 공정을 기함과 동시에 납세의무자에게 부과처분의 내용을 상세히 알려 **불복여부의 결정과 불복신청에 편의를 제공**하려는 데서 나온 **강행규정**이므로 **세액의 산출근거가 기재되지 아니한** 물품세 **납세고지서에 의한 부과처분**은 위법한 것으로서 **취소의 대상**이 된다(대판 1984.5.9, 84누116).

Ⅴ. 하자의 치유(#50)

1. 치유가능성

(1) 학 설

① **행정절차의 독자적 의미** 강조하여 치유를 부정하는 **소극설**, ② **무용한 행정행위 반복 방지 및 법적 안정성의 보장**을 근거로 하는 **적극설**, ③ 법치주의의 관점에서 원칙적으로 치유를 불허하지만 당해 처분의 형식 또는 절차의 본질적 의의를 손상하지 않는 범위 내에서는 치유를 인정하는 **제한적 긍정설**이 대립한다.

(2) 판례 - 제한적 긍정설

판 례 하자있는 행정행위의 **치유나 전환은 행정행위의 성질이나 법치주의의 관점에서 볼 때 원칙적으로 허용될 수 없는 것이지만, 행정행위의 무용한 반복을 피하고 당사자의 법적 안정성을 위해 이를 허용하는 때에도 국민의 권리와 이익을 침해하지 않는 범위에서 구체적 사정에 따라 합목적적으로 인정**해야 할 것이다(대판 1983.7.26, 82누420).

(3) 검토

시민의 권리보호이념과 행정의 능률적 수행이념의 조화라는 관점에서 **제한적 긍정설이 타당**하다.

2. 무효인 행위에서는 치유는 인정되지 않는다(반대견해 있음).

3. 치유의 시간적 한계

판 례 과세처분시 납세고지서에 과세표준, 세율, 세액의 산출근거 등이 누락된 경우에는 늦어도 **과세처분에 대한 불복여부의 결정 및 불복신청에 편의를 줄 수 있는 상당한 기간내에 보정행위를 하여야 그 하자가 치유**된다 할 것이므로, 과세처분이 있은 지 4년이 지나서 그 취소소송이 제기된 때에 보정된 납세고지서를 송달하였다는 사실이나 오랜 기간(4년)의 경과로써 과세처분의 하자가 치유되었다고 볼 수는 없다(대판 1983.7.26, 82누420).

1) 국세를 징수하고자 할 때에 납세자에게 국세의 과세연도·세목·세액 및 산출근거·납부기한과 납부장소를 명시한 고지서를 발부하여야 한다는 규정.

Ⅵ. 취소판결의 기속력과 관계(#123)

재처분시 종전처분과 다른 이유를 제시한다면, 판결의 기속력에 위반하는 것이 아니다.

판 례 행정소송법 제30조2항에 의하면, 행정청의 거부처분을 취소하는 판결이 확정된 경우에는 그 처분을 행한 행정청은 판결의 취지에 따라 이전의 신청에 대하여 재처분할 의무가 있고, 이 경우 **확정판결의 당사자인 처분 행정청은 그 행정소송의 사실심 변론종결 이후 발생한 새로운 사유를 내세워 다시 이전의 신청에 대하여 거부처분을 할 수 있으며, 그러한 처분도 이 조항에 규정된 재처분에 해당**한다 …(대판 1999.12.28, 98두1895).

관련 판례 **이유부기의 정도**(대판 1990.9.11, 90누1786)

1. 사실관계

관할세무서장 乙은 甲에게 무면허 주류판매업자에게 주류를 판매한 때에는 면허를 취소할 수도 있다는 취소권유보부관을 설정하고 일반주류도매업면허를 함. 甲은 영업을 하던 중 乙로부터 "상기 주류도매장은 무면허 주류판매업자에게 주류를 판매하여 주세법 제11조 및 주세사무처리규정 제26조에 의거 지정조건위반으로 주류판매면허를 취소합니다"라는 내용을 통지서를 받음. 甲은 거래상대방이 많기는 했으나 누구를 상대로 어떠한 거래행위로 인해 이러한 면허취소처분이 내려졌는지는 알고 있었음. 甲은 면허취소처분이 실체법상 하자가 없음에도 취소소송을 제기.

2. 판결요지

면허의 취소처분에는 그 근거가 되는 법령이나 취소권 유보의 부관 등을 명시하여야 함은 물론 처분을 받은 자가 어떠한 위반사실에 대하여 당해 처분이 있었는지를 알 수 있을 정도로 사실을 적시할 것을 요하며, 이와 같은 취소처분의 근거와 위반사실의 적시를 빠뜨린 하자는 피처분자가 처분 당시 그 취지를 알고 있었다거나 그후 알게 되었다 하여도 치유될 수 없다고 할 것인바, 세무서장인 피고가 주류도매업자인 원고에 대하여 한 이 사건 일반주류도매업면허취소통지에 "상기 주류도매장은 무면허 주류 판매업자에게 주류를 판매하여 주세법 제11조 및 국세법사무처리규정 제26조에 의거 지정조건위반으로 주류판매면허를 취소합니다"라고만 되어 있어서 원고의 영업기간과 거래상대방 등에 비추어 원고가 어떠한 거래행위로 인하여 이 사건 처분을 받았는지 알 수 없게 되어 있다면 이 사건 면허취소처분은 위법하다.

3. 해 설

1) 이유제시는 절차법 시행 전에는 불문법 원리로 인정되었으며, 현재는 절차법 제23조에 의해 예외사유에 해당하지 않는 한 필수적으로 요구됨. 사안은 **이유부기를 생략할 예외에 해당하지 않음.**
2) 이유부기의 정도는 처분의 근거와 이유를 상대방이 알 수 있을 정도로 구체적 기재를 요하므로, 사안처럼 **"상기 주류도매장은 무면허 주류 판매업자에게 주류를 판매하여 주세법 제11조 및 국세법사무처리규정 제26조에 의거 지정조건위반으로 주류판매면허를 취소합니다"라고만 되어 있다면 하자있는 이유부기**에 해당.
3) 절차하자의 치유에 대해 통설, 판례는 제한적 긍정설을 취하고 있지만 사안에서 **주류도매업면허취소처분의 이유를 알고 있었다는 사실만으로는 하자가 치유되지 않음.**
4) 통설, 판례는 **이유부기 하자의 독자적 위법성을 긍정**하고, 하자의 정도에 대해 학설은 대립하나 **판례는 취소사유**에 해당한다고 함.
5) **甲에 대한 면허취소처분은 취소사유**에 해당하는 하자가 있음.

기출 사례 **공물의 시효취득 가부와 대집행 요건 및 절차** (12년 행시 - 재경)

甲은 乙로부터 면적 300㎡인 토지에 건축면적 100㎡인 가옥과 담장을 1980.12.31일자로 매수하여 등기한 후 소유하고 있었다. 甲은 그 동안 해당 부동산에 대한 세금을 성실히 납부하였다. 그러나 토지가 소재하고 있는 지방자치단체 A市는 2012.6.1일자로 甲에게 도로를 침범하고 있는 담장을 철거하라는 통지서를 발부하였다. 철거통지서에는 甲이 점유하고 있는 토지의 30㎡는 A市 소유의 도로로 현재 甲은 이를 불법점유하고 있으므로 2012.7.31일까지 위 담장을 철거하라고 기재되어 있었다. (총 40점)

(1) 甲은 아무런 하자 없이 乙로부터 토지와 가옥을 매수하여 소유권이전등기를 마쳐 평온히 소유하여 왔으나, 30여년이 지난 시점에서 A市는 토지의 일부가 A市소유의 도로인 토지라고 주장하고 있다. 甲은 어떻게 항

변할 수 있겠는가? (15점)

(2) A市는 담장의 철거를 강제집행할 수 있겠는가? (10점)

(3) 철거통지서에는 철거 이유에 대한 구체적인 적시 없이 불법점유 상태이므로 철거하라고만 기재되어 있었다면, 甲은 이를 근거로 위 철거명령의 취소를 주장할 수 있겠는가? (15점)

Ⅰ. 공물의 시효취득 가부 - 설문(1)

1. 문제의 소재

- 甲의 시효취득 주장 가부

2. A시 소유 도로의 법적 성격(#147. 각주 1)

- 공물 중 공공용물로서 인공공물에 해당.

- A시 소유의 도로가 甲의 담장 내에 위치하여 도로로서의 형체적 요소는 소멸하였는 바, 공물로서 소멸하였는지 문제됨. 공용폐지행위가 필요한지 여부에 대해 견해대립 있으나 판례는 필요설. 이에 의하면 사안은 공용폐지행위가 없으므로 여전히 도로로서 공물에 해당됨.

3. 공물의 시효취득 가능성(#148)

- 학설, 판례 견해대립이 있음.

- 공유재산법은 행정재산은 시효취득을 명문으로 부정.

4. 사안의 경우

- 甲으로서는 묵시적인 공용폐지가 있어 도로가 더 이상 공물로서의 성질을 가지고 있지 않아 시효취득의 대상이 된다고 항변할 수 있으나 판례는 단지 본래 용도로 사용하고 있지 않다는 점만으로는 묵시적 공용폐지를 인정하지 않아 갑의 항변이 받아들여지지는 않을 것.

- 달리 행정청의 철거명령을 권리 남용이라고 볼 만한 사정도 없음.

Ⅱ. A시의 담장철거에 대한 강제집행의 가능성 - 설문(2)

1. 문제의 소재

- 사법관계와 달리 공법관계에서는 하명위반에 대한 행정청의 자력집행이 법적 근거가 있는 경우에는 가능.

- 담장철거에 대한 강제집행 수단으로서 대집행과 직접강제를 고려할 수 있으나 대집행이 가능할 때에는 비례의 원칙상 직접강제는 불가한 것으로 보는 것이 타당하므로 대집행요건을 구비했는지 여부를 검토.

2. 대집행의 의의(#62)

3. 대집행 요건 및 절차(제3조)

4. 사안의 경우

- 담장철거의무는 공법상 의무로서 대체적 작위의무에 해당. 나머지 요건도 충족하므로 대집행 가능.

Ⅲ. 이유제시의 하자를 이유로 한 철거명령의 위법성 - 설문(3)

1. 문제의 소재 - 행정처분의 이유제시

- 이유제시의 구체성의 정도와 관련하여 이유제시의 하자는 있는지, 이유제시의 하자가 있다면 절차하자의 독자적 위법성이 인정되는지가 문제됨.

2. 이유제시의 하자

(1) 이유제시의 의의(행정절차법 제23조)

(2) 이유제시의 구체성의 정도

(3) 사안의 경우

- 이유제시는 처분을 함에 있어서 의무인데 사안의 경우 이유제시는 하였으나 이유제시의 정도에 있어 문제가 있음. 철거 이유에 대한 구체적인 적시 없이 불법점유 상태라고만 기재한 것은 철거명령의 본질적인 근거와 이유가 제시되지 않아 甲이 불복여부를 판단하는데 법적·사실적 관점을 검토할 수 있을 정도로 구체적이라고 할 수 없음.
- 이유제시의 하자가 존재. 달리 하자가 치유되었다는 사정도 보이지 않음.

3. 이유부기 하자와 처분의 위법성

(1) 절차하자의 독자적 위법사유 인정여부

- 견해 대립 있으나 통설·판례는 긍정.

(2) 위법성의 정도

- 이유제시가 있었는데 불충분하다는 점에서 취소사유에 해당. 판례는 이유제시를 아예 결여한 경우도 취소사유로 봄.

(3) 사안의 경우

- 甲은 이유제시의 하자만으로 철거명령의 취소를 주장할 수 있음.

75 처분기준의 설정 · 공표

Ⅰ. 의 의

행정청이 처분을 함에 있어서 적용할 **객관적 · 구체적인 기준을 미리 설정**하고, 이를 **외부적으로 공표**하는 것을 말한다. 행정청의 **자의적 권한행사를 방지**하고 **행정의 통일성**을 기하며, 처분의 상대방에게 **예측가능성을 부여**하는 기능을 수행한다.

Ⅱ. 처분기준의 설정 · 공표의무

1. 의 무

행정절차법 제20조1항이 규정하고 있으며, 법령 혹은 행정규칙으로 이를 정할 수 있다. 기준은 처분의 공정성과 합리성을 보장하고 당사자 등에게 예측가능성을 보장할 정도로 **구체적**으로 규정하여야 한다.

2. 예 외

기준의 공표가 당해 처분의 성질상 현저히 곤란하거나 공공의 안전 또는 복리를 현저히 해하는 것으로 인정될 만한 상당한 이유가 있는 경우에는 공표하지 아니할 수 있다(절차법 제20조2항).

Ⅲ. 공표의무 위반의 효과

처분기준을 설정하지 않거나 처분기준이 구체적이지 못한 경우 그 하자가 행정처분의 독립된 취소사유가 될 것인가의 논의가 있다. 처분기준 공표의무를 단순한 **노력의무**로 보는 **부정설**이 있으나, 처분의 상대방이 된 자나 이해관계인이 처분기준의 **설정 · 공표를 요구하였으나 이에 응하지 않고 처분을 강행**하는 경우처럼 구체적 사안에서 문제된 처분의 성질과의 관련 하에서 처분기준의 설정 · 공표의무를 위반했고 그 **위반이 처분의 상대방 등의 행태나 그 밖의 처분과정에 영향**을 주었다는 사실이 객관적으로 확인될 수 있는 경우는 **독립된 취소사유로 인정하여야 하므로 긍정설이 타당**하다.

Ⅳ. 처분기준에 대한 해석 · 설명요청권(행정절차법 제20조3항)

Ⅴ. 처분기준의 구속력 - 처분기준 위반한 행정처분의 위법성

처분기준의 구속력은 처분기준을 설정한 규범의 형식에 따라 달라진다. 법규명령의 형식으로 규정하였으면 법규명령의 효력의 문제가 된다. 처분기준은 재량권 행사의 기준을 정하는 재량준칙인 경우가 많기 때문에, 처분기준의 구속력은 통상적으로 **행정규칙(재량준칙)의 구속력 문제로서 자기구속의 법리**에 따라 대외적 구속력을 가지게 된다. 행정청이 합리적 근거 없이 **공표된 처분과 다른 기준에 의해 처분한 경우에는 재량권을 일탈**한 위법한 처분이 된다. 설령 자기구속의 법리가 인정되지 않는 경우에도, 행정기준을 신뢰한 국민의 신뢰는 보호되어야 한다(**신뢰보호원칙**).

76 처리기간 설정 · 공표

Ⅰ. 의 의

신청인의 편의를 위하여 공표된 처분의 처리기간을 말한다(행정절차법 제19조1항). 처분의 처리지연을 방지하는 기능을 수행한다.

Ⅱ. 내 용

행정청은 신청인의 편의를 위하여 처분의 처리기간을 종류별로 정하여 공표하여야 한다(절차법 제19조1항). 부득이한 사유로 공표된 처리기간 내에 처리하기 곤란한 경우에는 당해 기간의 범위에서 1회에 한하여 그 기간을 연장할 수 있으며(제19조2항), 이 경우 그 연장사유와 처리예정기간을 지체없이 신청인에게 통지하여야 한다(제3항). 행정청이 처리기간 내에 처리하지 아니한 대에는 신청인은 당해 행정청이나 그 감독청에 대하여 신속한 처리를 요청할 수 있다(제4항).

Ⅲ. 처리기간의 위반

처리기간을 위반한 처분으로 인해 신속한 처분을 받을 권리(제19조4항)를 침해당하더라도, 기간경과 그 자체를 처분의 취소사유로 보기는 어렵다는 것이 일반적인 견해이다.

Ⅴ. 처리기간이 경과하도록 무응답(부작위)인 경우의 권리구제(#128. Ⅱ.(2))

무응답에 대한 구제수단은 현행법상 의무이행심판과 부작위위법확인소송이 있다. '부작위'의 판단과 관련하여 '상당한 기간'[1] 이라는 요건은 사회통념에 따라 소요되는 객관적 기준에 따라 판단하는데, 상당한 기간이 '처리기간'과 반드시 일치하는 것은 아니지만 중요한 판단자료가 된다. 따라서 처리기간이 경과하도록 부작위를 하면 통상적으로는 상당한 기간이 경과한 것으로 보아야 한다. 그러나 설정한 처리기간이 부당히 긴 경우에는 처리기간이 경과하지 않았다 하더라도 신청으로부터 합리적인 기간이 지난 후에 처분이 없으면 부작위가 된다고 보아야 할 것이다.

1) 행정소송법 제2조2호, 행정심판법 제2조2호는 부작위의 성립에 있어 '상당한 기간의 경과'를 요구(#128.Ⅱ관련).

77 청문절차의 위반[1]

Ⅰ. 청문의 의의

청문은 **행정청이 어떠한 처분을 하기에 앞서 당사자등의 의견을 직접 듣고 증거를 조사하는 절차**(행정절차법 제2조5호)를 말한다. 행정절차법은 의견청취 절차로서 청문, 공청회, 의견제출 절차를 규정하고 있는데 청문이 핵심적 절차이다. 청문은 당사자등에게 진술기회만을 부여하는데 그치지 않고 적극적인 공격과 방어를 통한 실체적 진실의 발견을 목적으로 하고 있다. 행정절차법은 청문을 **불이익처분**에 있어서 언제나 필수적인 절차로 규정하지 않고 **법령에 청문의 실시를 규정하고 있거나 행정청이 필요하다고 인정하는 경우에 한하여 청문을 실시하도록** 규정하고 있다(제22조1항).

Ⅱ. 법령상 요구되는 청문절차 결여

독자적 위법사유 인정여부에 대한 논의가 있으나, 통설・판례인 긍정설에 의하면 법령상 요구되는 청문절차를 결여한 행정행위는 **하자있는 행정행위**가 된다. **판례는 청문을 결여한 절차 하자를 취소사유**로 본다.

판 례 청문제도는 **행정처분의 사유에 대하여 당사자에게 변명과 유리한 자료를 제출할 기회를 부여함으로써 위법사유의 시정 가능성을 고려하고 처분의 신중과 적정을 기하려는 데 그 취지**가 있음에 비추어 볼 때, 행정청이 침해적 행정처분을 함에 즈음하여 **청문을 실시하지 않아도 되는 예외적인 경우에 해당하지 않는 한 반드시 청문을 실시하여야 하고, 그 절차를 결여한 처분은 위법한 처분으로서 취소사유**에 해당한다(대판 2004.7.8, 2002두8350).

Ⅲ. 훈령상 요구되거나 개별법령상 청문절차의 요구가 없는 경우 청문절차 결여 (청문의 불문법적 원리 인정여부)

(1) 문제점

행정절차법 제22조1항은 **개별법상 규정**이 있는 경우 **외에는 여전히 청문절차를 재량**으로 규정하되, 3항은 **불이익처분시 의견제출기회**(약식청문)**를 반드시 부여**하도록 하고 있다. 따라서 개별법상 명문규정 있는 경우는 거치지 않으면 위법하다. 다만 **개별법상 명문규정이 없는 경우에 청문을 결여한 것이 위법한지** 문제된다.

(2) 학 설

① **개별법령의 청문절차가 행정절차법상의 청문절차보다 엄격한 한도 내**에서는 **개별법령의 청문절차가 우선적으로 적용**되지만 **그렇지 않은 경우에는 행정절차법에 따라 청문이 행해져야 한다는 견해**와 ② **헌법으로부터 요청되는 행정절차의 내용은 입법자에 의하여 구체화**된다는 점에서 법적 근거가 결여된 경우 청문을 결여한 처분은 **위법하다고 할 수 없다는 견해**가 대립한다.

(3) 검 토

현행 행정절차법 제22조3항을 고려할 때 명시적 규정이 **개별법령에 없다면 당연히 의견제출절차**(약식청문)**는 거쳐야** 하므로, 종래와 같은 불문법원리의 논의는 더 이상 의미를 갖지 않으므로 **후설이 타당**하다.

---

1) 청문절차와 관련된 논점 중에서 청문절차가 의무인지에 대하여만 한정해서 소개.
- 청문이든 다른 절차이든 **절차하자가 문제되는 사례**의 풀이와 관련해서는
1. 사안의 **절차가 필요적인지?** 필요적이라면 **설문에서 결여된 것인지? 절차를 거치지 않아도 되는 예외에 해당되는 경우는 아닌지?**
2. 절차하자가 있더라도 **하자가 치유되는 사례는 아닌지?** 하자의 치유는 **언제까지 가능한지?**
3. 절차하자가 행정행위의 **독자적 위법사유가 되는지?**
4. 독자적 위법사유를 긍정했을 때 행정행위의 **위법성의 정도는 무효인지? 취소인지?**
5. **절차하자를 이유로 취소했을 때 절차를 거쳐서 다시 동일한 처분을 할 수 있는지?**(기속력)를 검토하는 것이 필요. 이와 같은 논점이 청문절차에서도 역시 문제가 됨.

관련 판례 1) 청문서의 반송(대판 2001.4.13, 2000두3337)

1. 사실관계

甲 시장은 乙의 이용업허가를 취소하면서 乙의 영업소 및 주소지에 2회에 걸쳐 청문통지서를 발송. 통지서가 수취인 부재 및 미거주로 반송되자, 청문통지서를 공시송달하였다. 乙이 청문일에 결국 출석하지 않자, 甲 시장은 청문을 실시하지 아니하고 이용업허가처분을 취소함. 乙은 청문절차상 하자가 있음을 이유로 취소소송을 제기.

[참조조문]

*** (구) 공중위생법**

제24조 [청문] 보건복지부 장관, 시도 지사, 또는 시장 군수 구청장은 다음 각호의 1에 해당하는 처분을 하고자 하는 경우에는 청문을 실시하여야 한다.

1. 제23조1항 또는 제39조2항의 규정에 의한 영업허가의 취소 또는 폐쇄명령

2. 판시사항 및 판결요지

[1] **청문절차를 결여한 구 공중위생법상의 유기장업허가취소처분의 적법 여부**(한정 소극)

구 공중위생법 제24조1호, 행정절차법 제22조1항1호, 4항, 제21조4항 및 제28조, 제31조, 제34조, 제35조의 각 규정을 종합하면, 행정청이 유기장업허가를 취소하기 위하여는 청문을 실시하여야 하고, 다만 행정절차법 제22조4항, 제21조4항에서 정한 예외 사유에 해당하는 경우에는 청문을 실시하지 아니할 수 있으며, 행정청이 선정한 청문주재자는 청문을 주재하고, 당사자 등의 출석 여부, 진술의 요지 및 제출된 증거, 청문주재자의 의견 등을 기재한 청문조서를 작성하여 청문을 마친 후 지체 없이 청문조서 등을 행정청에 제출하며, 행정청은 제출받은 청문조서 등을 검토하고 상당한 이유가 있다고 인정하는 경우에는 청문결과를 적극 반영하여 행정처분을 하여야 하는바, 이러한 청문절차에 관한 각 규정과 행정처분의 사유에 대하여 당해 영업자에게 변명과 유리한 자료를 제출할 기회를 부여함으로써 **위법사유의 시정 가능성을 고려하고 처분의 신중과 적정을 기하려는 청문제도의 취지**에 비추어 볼 때, 행정청이 침해적 행정처분을 함에 즈음하여 **청문을 실시하지 않아도 되는 예외적인 경우에 해당하지 않는 한 반드시 청문을 실시하여야 하고, 그 절차를 결여한 처분은 위법한 처분으로서 취소 사유**에 해당한다.

[2] **침해적 행정처분을 할 경우 청문을 실시하지 않을 수 있는 사유인 행정절차법 제21조4항3호 소정의 '의견청취가 현저히 곤란하거나 명백히 불필요하다고 인정될 만한 상당한 이유가 있는지 여부'의 판단 기준 및 행정처분의 상대방에 대한 청문통지서가 반송되었다거나, 행정처분의 상대방이 청문일시에 불출석하였다는 이유로 청문을 실시하지 아니하고 한 침해적 행정처분의 적법 여부**(소극)

행정절차법 제21조4항3호는 침해적 행정처분을 할 경우 청문을 실시하지 않을 수 있는 사유로서 "당해 처분의 성질상 의견청취가 현저히 곤란하거나 명백히 불필요하다고 인정될 만한 상당한 이유가 있는 경우"를 규정하고 있으나, 여기에서 말하는 '의견청취가 현저히 곤란하거나 명백히 불필요하다고 인정될 만한 상당한 이유가 있는지 여부'는 **당해 행정처분의 성질에 비추어 판단**하여야 하는 것이지, **청문통지서의 반송 여부, 청문통지의 방법 등에 의하여 판단할 것은 아니며**, 또한 행정처분의 상대방이 통지된 청문일시에 **불출석하였다는 이유만으로** 행정청이 관계 법령상 그 실시가 요구되는 **청문을 실시하지 아니한 채 침해적 행정처분을 할 수는 없을 것**이므로, 행정처분의 상대방에 대한 청문통지서가 반송되었다거나, 행정처분의 상대방이 청문일시에 불출석하였다는 이유로 청문을 실시하지 아니하고 한 침해적 행정처분은 위법하다.

[3] **구 공중위생법상 유기장업허가취소처분을 함에 있어서 두 차례에 걸쳐 발송한 청문통지서가 모두 반송되어 온 경우, 행정절차법 제21조4항3호에 정한 청문을 실시하지 않아도 되는 예외 사유에 해당한다고 단정하여 당사자가 청문일시에 불출석하였다는 이유로 청문을 거치지 않고 이루어진 위 처분이 위법하지 않다고 판단한 원심판결을 파기한 사례**

3. 해 설

1) 절차법상 청문이 의무적인 것은 아니지만, 공중위생법에서 청문을 의무적으로 규정하고 있으므로 청문은 필수적임. 청문절차는 절차법의 적용을 받는바, 청문을 실시하지 않아도 되는 예외적인 경우에 해당하면 청문을 실시하지 않을 수 있으나 예외에 해당하지 않는 한 반드시 실시하여야 하고 청문 결여시 위법한 처분으로서 취소 사유에 해당.

2) 사안에서는 행정절차법의 해석상 청문을 거치지 않아도 되는 예외사유의 인정범위가 문제됨. 구체적으로는 사안이 행정절차법 제21조 4항 3호의 '의견청취가 명백히 불필요하다고 인정될 만한 상당한 이유가 있는 경우'에 해당되는지 여부에 관한 것.

3) 사안의 원심은 청문통지서가 도달하였음에도 乙이 청문장소에 출석하지 않은 경우 청문을 실시하지 않아도 되는 예외사유에 해당한다고 판시.

4) 그러나 대법원은 "'의견청취가 현저히 곤란하거나 명백히 불필요하다고 인정될 만한 상당한 이유가 있는지 여부'는

당해 행정처분의 성질에 비추어 판단하여야 하는 것이므로 행정처분의 상대방에 대한 청문통지서가 반송되었다거나, 행정처분의 상대방이 청문일시에 불출석하였다는 이유로 청문을 실시하지 아니하고 한 침해적 행정처분은 위법하다"고 판시함.

5) 이러한 대법원의 입장은 청문제도의 취지가 처분의 상대방에 대해 방어의 기회를 보장함으로써 위법사유의 시정 가능성을 제고하고 처분의 신중과 적정성을 기하려는데 있다는 점을 고려할 때, 긍정적으로 평가할 수 있음.

관련 판례 2 **청문의 흠결과 하자의 치유** (대판 1992.10.23, 92누2844)

1. 사실관계

구청장 乙은 관할구역 내에서 일반 음식점을 운영하는 甲에게 영업허취소처분을 하고, 식품위생법이 정한 청문절차를 거치기 위해 청문서를 발송. 시행령 제37조1항에 따르면 청문서는 7일전에 도달되어야 하나, 실제로 5일전에야 도달됨. 甲은 이의를 제기하지 아니한 채 청문일에 출석하여 의견을 진술하는 등의 방어기회를 가졌으나 청문서 도달기간을 준수하지 못한 절차상의 하자를 이유로 영업정지취소소송을 제기. 구청장 乙은 하자의 치유를 주장하고 있음.

2. 판결요지

행정청이 식품위생법상의 청문절차를 이행함에 있어 소정의 청문서 도달기간을 지키지 아니하였다면 이는 청문의 절차적 요건을 준수하지 아니한 것이므로 이를 바탕으로 한 행정처분은 일단 위법하다고 보아야 할 것이지만 이러한 청문제도의 취지는 처분으로 말미암아 받게 될 영업자에게 미리 변명과 유리한 자료를 제출할 기회를 부여함으로써 부당한 권리침해를 예방하려는 데에 있는 것임을 고려하여 볼 때, 가령 **행정청이 청문서 도달기간을 다소 어겼다하더라도 영업자가 이에 대하여 이의하지 아니한 채 스스로 청문일에 출석하여 그 의견을 진술하고 변명하는 등 방어의 기회를 충분히 가졌다면 청문서 도달기간을 준수하지 아니한 하자는 치유되었다**고 봄이 상당하다.

3. 해 설

1) 7일전에 도달되어야 할 청문서가 5일전에야 도달되었다면 청문은 식품위생법시행령 제37조1항에 반하는 위법한 청문에 해당

2) 통설과 판례는 행정의 법률적합성 원칙과 국민의 권리구제의 견지에서 원칙적으로 절차 하자의 치유를 인정하지 않으나, 행정경제를 추구할 수 있는 경우에는 예외적으로 치유를 긍정. 이러한 입장에서는 청문서 도달기간에 대해 이의를 제기하지 아니한 채, 청문일에 출석하여 의견을 진술하는 등으로 방어의 기회를 충분히 보장받았다면, 청문서 도달기간의 하자는 치유된 것으로 볼 수 있음.

3) 통설과 판례는 기속행위와 재량행위 모두 청문 절차 하자의 독자적 위법성을 긍정하므로 청문절차상의 하자만으로도 영업정지처분은 위법. 청문절차를 비롯한 절차의 하자에 대해서 판례는 취소사유로 보고 있음.

관련 판례 3 **사인과 협약으로 법령상 요구되는 청문의 배제여부**(대판 2004.7.8, 2002두8350)

1. 사실관계

甲은 건설업자로서 乙시가 발주한 도시계획사업시행자로 지정됨. 甲과 乙 사이에 도시계획사업을 위한 실시협약을 체결하면서 乙은 향후 계약이 체결된 후 사정변경이 있어 사업자지정을 취소하고 실시협약을 해제하는 경우의 번거로움을 피하기 위해 '국토의 계획 및 이용에 관한 법률' 등 관련법규에 의하여 규정된 청문절차 등을 거치지 않는다는 내용을 甲에게 요구하여 실시협약에 포함되었는데 실시협약이 체결된 후 乙은 甲에 대한 사업시행자 지정을 취소함. 甲은 乙의 지정행위취소처분은 법에 규정된 절차를 거치지 않은 것으로 위법하다며 취소소송을 제기함.

2. 판결요지[2)]

행정청이 당사자와 사이에 도시계획사업의 시행과 관련한 협약을 체결하면서 관계 법령 및 행정절차법에 규정된 청문의 실시 등 의견청취절차를 배제하는 조항을 두었다고 하더라도, 국민의 행정참여를 도모함으로써 행정의 공정성·투명성 및 신뢰성을 확보하고 국민의 권익을 보호한다는 **행정절차법의 목적 및 청문제도의 취지 등에 비추어** 볼 때, 위와 같은 협약의 체결로 청문의 실시에 관한 규정의 적용을 배제할 수 있다고 볼 만한 **법령상의 규정이 없는 한**, 이러한 협약이 체결되었다고 하여 **청문의 실시에 관한 규정의 적용이 배제된다거나 청문을 실시하지 않아도 되는 예외적인 경우에 해당한다고 할 수 없다.**

3. 평석

(1) 김성수(행정법판례평론, 328면)

- "행정절차는 양 당사자의 합의로서 그 적용을 배제할 수 있는 임의규정인가?"
- 오늘날 **행정절차는 일종의 강행규정이며, 실체적 기본권 실현을 위한 전제조건**임.
- 사업자와 행정청이 이미 협약을 통해 청문 등의 적용배

제를 합의하였다면 절차법 제22조4항의 규정 때문에 행정절차법에 위반하지 않은 것으로 볼 소지도 있음. 따라서 행정절차법의 해석이나 당사자간의 협약내용을 검토하여 보면 원심판결의 이유도 일응 타당한 측면이 있으며, 원심판결의 이유를 반박하는 대법원의 논지가 명백하게 부각되지 못하는 점도 발견할 수 있음. 그런데, 실체법도 아닌 행정절차법과 같은 절차법에서 "당사자간의 합의로 청문을 실시하지 않을 수 있다" 등의 규정을 두는 것은 매우 이례적인 것임. 따라서 협약의 효력을 배제하는 것은 명문의 법규범이라기보다는 청문과 같은 행정절차가 가지는 강행규범성 등 법규범의 성격과 기능을 기준으로 판단해야 할 것.

- **행정절차법이 정한 예외사유는 매우 엄격하게 해석**되어야 하며 비록 상대방이 행정청과 사전에 행정절차의 적용을 배제하는 협의를 한 경우에도 마찬가지. 행정청과 사업시행자 간에 청문 등의 적용배제를 한 경우에도 이를 **'행정절차법의 영구적이고 일반적인 적용배제'로 해석할 수 없으며 '개별적이고 잠정적인 적용배제'로 이해하는 것이 옳음**.
- **행정절차법 제22조4항의 "의견진술의 기회를 포기한다"는 의미는 당해 사안에서 청문을 하지 않겠다는 의사표시이지 사전에 협약 등을 통하여 일반적으로 자신의 의견제출의 기회를 미리 포기하는 것으로 해석할 수는 없을 것**.

(2) **홍정선**(15판 387면 인용)

- 행정절차는 실체적인 권리관계에 영향을 미치지 아니하는 한 생략될 수 있으며, 강제적인 방법이 동원되지 않는 이상 청문을 배제하는 협의는 가능한 것으로 당사자들은 합의에 의한 청문의 배제에 구속된다는 견해와
- 청문은 헌법상의 적법절차를 행정에 구현한 것이고, 청문절차를 통하여 행정청이 적정한 판단을 할 수 있도록 하는 기회를 마련하여 동시에 이해관계인의 참여에 의한 민주적인 정당성을 확보하기 위한 것이므로 협약으로 배제할 수 없다는 견해가 대립.
- 판례는 당사자 간에 협약이 있었다 하더라도 청문의 실시에 관한 규정의 적용이 배제된다거나 청문을 실시하지 않아도 되는 예외적인 경우에 해당한다고 볼 수 없다고 함.
- **청문절차는 공법적인 성질을 가진 강제적**인 것이므로 협약으로 배제할 수 없고, 행정처분을 하면서 계약을 체결하여 행정절차법상의 청문 등을 배제할 수 있도록 한다면 행정청은 자신의 우월한 지위를 이용하여 상대방의 의사에 반하여 여러 절차를 배제하는 내용의 계약을 강제함으로써 **행정절차법의 취지를 잠탈할 우려**가 있는 바 **협약으로 청문을 배제할 수 없다는 견해(하명호)가 타당**함.

2) **원심**은 협약서가 지정취소 사유의 발생 통지 및 시정기회의 부여 없이 곧바로 위 협약을 해지하고 사업시행자 지정을 취소할 수 있도록 규정하고 있어 **행정절차법 제22조4항 소정의 '당사자가 의견진술의 기회를 포기한다는 뜻을 명백히 표시한 경우'에도 해당**한다고 하여 행정절차법 제22조4항의 규정에 의하여 청문의 실시 등 의견진술의 기회를 부여할 필요가 없다고 하였음.

78 사전통지 및 의견제출

Ⅰ. 사전통지 · 의견제출의 의의

1. 사전통지

행정처분 등을 하기 전에 상대방 또는 이해관계인에게 처분의 내용과 청문의 일시 · 장소 등을 알리는 행위로서, 앞으로 있을 의견청취절차에서 권리주장, 증거 및 자료제출 등을 미리 준비할 수 있도록 하기 위하여 인정되는 의견진술의 전치절차이다. 행정절차법은 의무를 부과하거나 권익을 제한하는 처분(불이익처분)을 하는 경우의 사전통지의 대상, 방식, 예외사유 등에 대하여 규정하고 있다(제21조).

2. 의견제출

행정청이 어떠한 행정작용을 하기에 앞서 당사자 등이 의견을 제시하는 절차로서 청문이나 공청회에 해당하지 아니하는 절차이다(제2조7호). 행정절차법은 의견청취절차(넓은 의미의 청문절차)를 청문 · 공청회 · 의견제출 절차를 구분하면서, 의무를 부과하거나 권익을 제한하는 불이익처분에 대해 청문이나 공청회를 실시하는 경우를 제외하고는 필수적으로 의견제출의 기회를 부여하도록 규정하였다(제22조3항).

Ⅱ. 신청에 대한 거부처분에 행정절차법상의 사전통지, 의견제출절차 적용여부

1. 문제점

수익적 처분의 신청에 대한 거부처분이 '당사자에게 의무를 부과하거나 권익을 제한'하는 경우에 해당하여 사전통지 대상이 되는지 문제된다.

2. 학 설

(1) 부정설

① 당사자에게 아직 권익이 부여되지 아니하였으므로 권익을 제한하는 처분이 아니며, ② 신청에 의한 것이므로 성질상 이미 의견진술의 기회를 준 것으로 보아 사전통지를 요하지 않는다고 본다.

(2) 긍정설

① 당사자는 신청에 따라 긍정적인 처분이 이루어질 것을 기대하며, ② 행정절차법은 사전통지 대상으로 적극적 침익처분과 거부처분을 구별하고 있지 않고, ③ 당사자가 알지 못하는 사실을 근거로 거부처분시 의견진술 기회 부여하였다고 할 수 없다는 점을 근거로 한다.

(3) 제한적 긍정설

원칙적으로 부정설을 취하면서 갱신허가거부의 경우는 권익을 제한하는 처분으로 보아 사전통지의 대상이 된다는 견해이다(박균성).

3. 판례 – 부정설

판 례 행정절차법 제21조1항은 행정청은 당사자에게 의무를 과하거나 권익을 제한하는 처분을 하는 경우에는 미리 처분의 제목, 당사자의 성명 또는 명칭과 주소, 처분하고자 하는 원인이 되는 사실과 처분의 내용 및 법적 근거, 그에 대하여 의견을 제출할 수 있다는 뜻과 의견을 제출하지 아니하는 경우의 처리방법, 의견제출기관의 명칭과 주소, 의견제출기한 등을 당사자 등에게 통지하도록 하고 있는바, 신청에 따른 처분이 이루어지지 아니한 경우에는 아직 당사자에게 권익이 부과되지 아니하였으므로 특별한 사정이 없는 한 신청에 대한 거부처분이라고 하더라도 직접 당사자의 권익을 제한하는 것은 아니어서 신청에 대한 거부처분을 여기에서 말하는 '당사자의 권익을 제한하는 처분'에 해당한다고 할 수 없는 것이어서 처분의 사전통지대상이 된다고 할 수 없다(대판 2003.11.28, 2003두674).

4. 검 토

급부행정국가에서 상대방의 신청을 거부하는 처분은 침익적 처분 못지않게 상대방의 권익을 침해하고 있는 현실을 고려할 때 긍정하는 것이 **국민의 권익보호에 보다 실질적**인 것이 되며, 긍정설을 취할 때 **행정청에 발생할 수 있는 과중한 부담은 행정절차법 21조 4항 3호의 활용을 통해 완화**할 수 있다. 또한 신청권을 근거로 처분성이 인정되면 신청을 했다가 거부당한 자는 별도의 판단 없이 행정소송법 제12조의 법률상이익이 있는 것으로 보아 원고적격을 인정하는 것이 판례인데 그러한 판례에 비추어 보더라도 거부처분의 권익제한성을 긍정하는 것이 타당하다. **긍정설이 타당**하다.[3)]

Ⅲ. 구체적인 판례사안

1. 행정절차법 적용 제외 대상 여부

판 례 행정청이 **침해적 행정처분을 하면서** 당사자에게 **행정절차법상의 사전통지를 하거나 의견제출의 기회를 주지 않고, 그 처분의 근거와 이유를 제시하지 아니하였다면, 그러한 절차를 거치지 않아도 되는 예외적인 경우에 해당하지 아니하는 한 그 처분은 위법**하다.

행정의 공정성·투명성 및 신뢰성을 확보하고 국민의 권익 보호를 목적으로 하는 **행정절차법은 다른 법률에 특정한 규정이 있는 경우이거나 제3조 제2항 각 호에 해당하는 사항을 제외하고는 처분·신고·행정상 입법예고·행정예고 및 행정지도의 절차에 적용된다. 행정절차법 적용 예외 사유로 행정절차법 제3조 제2항 제9호**는 "병역법에 의한 징집·소집, 외국인의 출입국·난민인정·귀화, **공무원 인사관계법령에 의한 징계기타 처분** 또는 이해조정을 목적으로 법령에 의한 알선·조정·중재·재정 기타 처분 등 당해 **행정작용의 성질상 행정절차를 거치기 곤란하거나 불필요하다고 인정되는 사항과 행정절차에 준하는 절차를 거친 사항으로서 대통령령으로 정하는 사항"을 규정**하고 있다. 위 위임 조항에 따라 행정절차법 **시행령 제2조는** 행정절차법 제3조 제2항 제9호에서 '대통령령으로 정하는 사항'으로, 병역법 등에 따른 징집 등에 관한 사항(제1호), 외국인의 출입국 등에 관한 사항(제2호), **공무원 인사관계법령에 의한 징계 기타 처분에 관한 사항(제3호),** 이해조정을 목적으로 법령에 의한 알선 등 처분에 관한 사항(제4호), 조세의 부과·징수에 관한 사항(제5호), 공정거래위원회의 의결·결정을 거쳐 행하는 사항(제6호), 국가배상법 등에 따른 재결·결정에 관한 사항(제7호), 교육·훈련의 목적을 달성하기 위하여 학생·연수생 등을 대상으로 행하는 사항(제8호), 시험·검정의 결과에 따라 행하는 사항(제9호), 배타적 경제수역에서의 외국인어업 등에 대한 주권적 권리의 행사에 관한 법률에 따라 행하는 사항(제10호), 특허법 등에 따른 사정·결정 등 처분에 관한 사항(제11호)을 **열거하여 규정**하고 있다.

대통령의 한국방송공사 사장의 해임 절차에 관하여 방송법이나 관련 법령에도 별도의 규정을 두지 않고 있고, 행정절차법의 입법 목적과 행정절차법 제3조 제2항 제9호와 관련 시행령의 규정 내용 등에 비추어 보면, 이 사건 해임처분이 행정절차법과 그 시행령에서 열거적으로 규정한 예외 사유에 해당한다고 볼 수 없으므로 이 사건 해임처분에도 행정절차법이 적용된다고 할 것이다(대판 2012.2.23, 2011두5001).

2. 공무원에 대한 직권면직은 사전통지의 대상

판 례 구 행정절차법(2012. 10. 22. 법률 제11498호로 개정되기 전의 것) 제3조 제2항 제9호, 구 행정절차법 시행령(2011. 12. 21. 대통령령 제23383호로 개정되기 전의 것) 제2조 제3호의 내용을 **행정의 공정성, 투명성 및 신뢰성을 확보하고 국민의 권익을 보호함을 목적으로 하는 행정절차법의 입법 목적에 비추어**보면, **공무원 인사관계 법령에 의한 처분에 관한 사항이라 하더라도 전부에 대하여 행정절차법의 적용이 배제되는 것이 아니라, 성질상 행정절차를 거치기 곤란하거나 불필요하다고 인정되는 처분이나 행정절차에 준하는 절차를 거치도록 하고 있는 처분의 경우에만 행정절차법의 적용이 배제**되는 것으로 보아야 하고, **이러한 법리는 '공무원 인사관계 법령에 의한 처분'에 해당하는 별정직 공무원에 대한 직권면직 처분의 경우에도 마찬가지로 적용**된다(대판 2013.1.16, 2011두30687).

---

3) 부정설로 검토하고자 할 때에는 국민의 권익보호를 위해 입법론으로는 타당하나 해석론으로는 부정한다고 서술.

3. 직위해제는 사전통지의 대상 아님.

판 례 직위해제[4]는 일반적으로 공무원이 직무수행능력이 부족하거나 근무성적이 극히 불량한 경우, 공무원에 대한 징계절차가 진행 중인 경우, 공무원이 형사사건으로 기소된 경우 등에 있어서 당해 공무원이 장래에 있어서 계속 직무를 담당하게 될 경우 예상되는 업무상의 장애, 공무집행 및 행정의 공정성과 그에 대한 국민의 신뢰저해 등을 예방하기 위하여 일시적인 인사조치로서 당해 공무원에게 직위를 부여하지 아니함으로써 직무에 종사하지 못하도록 하는 잠정적이고 가처분적인 성격을 가진 조치이다. 따라서 그 성격상 과거공무원의 비위행위에 대한 공직질서 유지를 목적으로 행하여지는 징벌적 제재로서의 징계 등에서 요구되는 것과 같은 동일한 절차적 보장을 요구할 수는 없는 바(대법원 2003. 10. 10. 선고 2003두5945 판결, 대법원 2013. 5. 9. 선고 2012다64833 판결, 헌법재판소 2006. 5. 25. 선고 2004헌바12 전원재판부 결정 등 참조), 직위해제에 관한 법 제73조의3 제1항 제2호 및 제3항은 임용권자는 직무수행 능력이 부족하거나 근무성적이 극히 나쁜 자에게 직위해제 처분을 할 수 있고, 직위해제된 자에게는 3개월의 범위에서 대기를 명한다고 규정하면서, 법 제75조 및 제76조 제1항에서 공무원에 대하여 직위해제를 할 때에는 그 처분권자 또는 처분제청권자는 처분사유를 적은 설명서를 교부하도록 하고, 처분사유 설명서를 받은 공무원이 그 처분에 불복할 때에는 그 설명서를 받은 날부터 30일 이내에 소청심사청구를 할 수 있도록 함으로써 임용권자가 직위해제처분을 행함에 있어서 구체적이고도 명확한 사실의 적시가 요구되는 처분사유 설명서를 반드시 교부하도록 하여 해당 공무원에게 방어의 준비 및 불복의 기회를 보장하고 임용권자의 판단에 신중함과 합리성을 담보하게 하고 있고, 직위해제처분을 받은 공무원은 사후적으로 소청이나 행정소송을 통하여 충분한 의견진술 및 자료제출의 기회를 보장하고 있다. 그리고 위와 같이 대기명령을 받은 자가 그 기간에 능력 또는 근무성적의 향상을 기대하기 어렵다고 인정되면 법 제70조 제1항 제5호에 의해 직권면직 처분을 받을 수 있지만 이 경우에는 같은 조 제2항 단서에 의하여 징계위원회의 동의를 받도록 하고 있어 절차적 보장이 강화되어 있다.
그렇다면 국가공무원법상 직위해제처분은 구 행정절차법(2012. 10. 22. 법률 제11498호로 개정되기 전의 것) 제3조 제2항 제9호, 구 행정절차법 시행령(2011. 12. 21. 대통령령 제23383호로 개정되기 전의 것) 제2조 제3호에 의하여 당해 행정작용의 성질상 행정절차를 거치기 곤란하거나 불필요하다고 인정되는 사항 또는 행정절차에 준하는 절차를 거친 사항에 해당하므로, 처분의 사전통지 및 의견청취 등에 관한 행정절차법의 규정이 별도로 적용되지 않는다(대판 2014.5.16, 2012두26180).

4. 고시에 의한 처분은 사전통지의 대상이 아님

판 례 고시의 방법으로 불특정 다수인을 상대로 의무를 부과하거나 권익을 제한하는 처분은 성질상 의견제출의 기회를 주어야 하는 상대방을 특정할 수 없으므로, 이와 같은 처분에 있어서까지 구 행정절차법 제22조 제3항에 의하여 그 상대방에게 의견제출의 기회를 주어야 한다고 해석할 것은 아니다(대판 2014.10.27, 2012두7745).

5. 지위승계신고 수리처분 시 종전 영업자에 대한 사전통지 필요

판 례 행정절차법 제21조 제1항, 제22조 제3항 및 제2조 제4호의 각 규정에 의하면, 행정청이 당사자에게 의무를 과하거나 권익을 제한하는 처분을 함에 있어서는 당사자 등에게 처분의 사전통지를 하고 의견제출의 기회를 주어야 하며, 여기서 당사자라 함은 행정청의 처분에 대하여 직접 그 상대가 되는 자를 의미한다 할 것이고, 한편 구 식품위생법(2002.1.26. 법률 제6627호로 개정되기 전의 것) 제25조 제2항, 제3항의 각 규정에 의하면, 지방세법에 의한 압류재산 매각절차에 따라 영업시설의 전부를 인수함으로써 그 영업자의 지위를 승계한 자가 관계 행정청에 이를 신고하여 행정청이 이를 수리하는 경우에는 종전의 영업자에 대한 영업허가 등은 그 효력을 잃는다 할 것인데, 위 규정들을 종합하면 위 행정청이 구 식품위생법 규정에 의하여 영업자지위승계신고를 수리하는 처분은 종전의 영업자의 권익을 제한하는 처분이라 할 것이고 따라서 종전의 영업자는 그 처분에 대하여 직접 그 상대가 되는 자에 해당한다고 봄이 상당하므로, 행정청으로서는 위 신고를 수리하는 처분을 함에 있어서 행정절차법 규정 소정의 당사자에 해당하는 종전의 영업자에 대하여 위 규정 소정의 행정절차를 실시하고 처분을 하여야 한다(대판 2003.2.14, 2001두7015).

---

4) #145 참조

기출 사례 의견제출절차 결여(96년 사시)

A지방경찰청장은 운전을 업으로 하는 자인 甲이 음주운전을 하였을 뿐만 아니라 음주측정을 거부하였다는 이유로 의견청취절차를 밟지 아니하고 도로교통법 제78조에 의하여 6월의 운전면허정지처분을 하였다. 甲은 위 처분의 취소를 구하는 소를 제기하려고 한다. 甲이 어떤 주장을 할 수 있을 것인가를 제시하고 그 주장의 인용가능성에 관해 논술하시오. 다만 도로교통법 제78조1항에 따른 행정자치부령인 처분기준의 성질은 논외로 한다.

1. 의견제출 절차하자

- 행정절차법상 의무사항 → 결여시 위법
- 절차하자의 독자적 위법사유 논의
- 면허정지처분은 위법. 절차하자는 판례에 의할 때 취소사유(무효설 有)
- 의견제출 결여를 이유로 위법하다는 주장은 타당.

2. 재량일탈 · 남용 여부

- 비례의 원칙 위반이 문제
- 음주운전에 대한 교화라는 목적 달성에 기여하므로 적합성의 원칙 충족
- 면허정지처분보다 경미한 수단이 없으므로 필요성의 원칙 충족
- 음주운전의 방지라는 공익을 능가할 甲의 사익이 보이지 않음. 상당성의 원칙에도 부합.
- 비례의 원칙에 반하여 재량권의 한계를 벗어났다는 甲의 주장은 타당 ×.

기출 사례 사전통지, 이유제시의 하자(13년 행시 - 재경)

甲은 A시에서 공동주택을 건축하기 위하여 주택건설사업계획승인신청을 하였는데, A시장은 해당지역이 용도변경을 추진 중에 있고 일반 여론에서도 보존의 목소리가 높은 지역이라는 이유로 거부처분을 하였다. 이에 甲은 A시장의 거부처분에 있어서 사전통지가 없었으며 이유제시 또한 미흡하다는 이유로 그 거부처분의 무효를 주장한다. 이러한 甲의 주장의 타당 여부를 검토하시오. (30점)

Ⅰ. 쟁점의 정리

Ⅱ. 사전통지 결여의 하자

1. 사전통지의 의의

2. 거부처분의 경우 사전통지의 대상인지 여부

- 견해대립 소개후 긍정설로 검토할 경우 행정절차법상 의무사항 → 결여시 위법.

Ⅲ. 이유제시 결여의 하자

1. 이유제시의 의의

2. 거부처분의 경우 이유제시의 정도

- 거부처분은 침익적 처분의 경우보다 이유제시의 밀도가 완화될 수 있으며 판례도 "당사자가 근거를 알 수 있을 정도로 상당한 이유를 제시한 경우에는 당해 처분의 근거 및 이유를 구체적 조항 및 내용까지 명시하지 않았더라도 그로 말미암아 그 처분이 위법한 것이 된다고 할 수 없다"고 함(#74의 2000두8912판례).
- 설문의 경우 해당지역이 용도변경을 추진 중에 있고 일반 여론에서도 보존의 목소리가 높은 지역이라는 이유를 제시한 것은 당사자가 근거를 알 수 있을 정도로 상당한 이유를 제시한 것이라고 볼 수 있음. 따라서 이유제시가의 하자는 존재하지 않음.

Ⅳ. 독자적 위법성 인정여부

- 사전통지 결여의 하자가 존재하는데 절차하자만으로 위법하다고 할 수 있는지 논의가 있음. 통설 · 판례는 긍정.

Ⅴ. 위법성의 정도

- 사전통지를 결여한 절차하자에 대해서는 무효설도 있으나 판례는 취소사유로 봄.

Ⅵ. 결 론

- 사전통지의 결여에 대한 갑의 주장은 타당하나 이유제시 미흡에 대한 주장은 타당하지 않음. 그러나 갑은 위법성의 정도가 무효라고 주장하나 취소사유에 불과하므로 이 부분 주장은 타당하지 않음.

79 인 · 허가 의제제도

Ⅰ. 의 의

하나의 인 · 허가를 받으면 다른 법률에서 규정하고 있는 허가, 인가, 특허, 신고 또는 등록을 받은 것으로 보는 제도로서 **독일법상의 집중효에 상응**하는 제도이다.

하나의 민원 목적을 실현하기 위하여 관계 법령 등에 의하여 다수의 관계기관의 허가 · 인가 · 승인 · 협의 등을 받아야 하는 **복합민원**의 경우에 이들 인허가를 모두 각각 받도록 하는 것은 민원인에게 불편을 초래하므로, 관련 **행정절차를 간소화**하여 **신속하고 편리한 사무처리를 도모**하려는 취지에서 도입되었다. **반면** 하나의 인허가의 요건만 충족하지 못하여도 다른 모든 적법한 인허가의 발급이 이루어지지 않으므로 **신청인의 법적 지위가 지나치게 불안정**하게 될 우려가 있으며, 지나친 **행정사무의 집중화로 인한 사무처리의 부실화가 초래**될 수 있는 문제점이 있다.

Ⅱ. 인 · 허가의제의 근거 및 대상

행정기관의 **권한에 변경**을 가져오므로 법률에 **명시적인 근거가 있어야** 하며 인 · 허가가 **의제되는 범위도 법률에 명시**되어야 한다(예: 건축법 제11조는 건축허가를 받은 경우 국토의계획및이용에관한법률 제56조의 규정에 의한 개발행위허가, 농지법 제34조1항의 규정에 의한 농지전용허가를 포함하여 21개의 인 · 허가 등을 받은 것으로 의제).

Ⅲ. 인 · 허가 등의 신청 및 절차

1. 절 차

민원인은 **하나의 인허가 신청만 하면 되며**, 다만 다른 인허가 신청 시에 필요한 첨부서류도 명문의 규정이 없는 한 주무인허가기관에 제출해야 하며, **주무행정청은** 주된 인허가 발급에 앞서 **관계행정기관과의 협의**를 거치는 것이 일반적이다(건축법 제11조6항). 명문의 규정이 없는 경우에도 집중화된 사무처리의 폐해의 방지를 위해 협의를 거치는 것이 타당하다.

2. 협의의 의미

① 주무행정청은 관계행정기관의 협의의견을 고려하여 독자적으로 판단할 수 있다는 **협의설**과 ② 협의는 동의로 보아 관계행정기관의 협의에 기속된다는 **동의설**이 대립한다. 생각건대 협의는 **단순히 의제대상 인 · 허가관청의 의견을 듣는데 그치는 것이 아니라, 의제대상 인 · 허가의 요건의 준수를 보장하기 위한 목적**을 가지고 있으므로 **동의를 구하는 절차로 보는 것이 타당**하다. 주무행정청은 의제되는 인 · 허가업무 담당기관의 협의의견에 구속된다.

Ⅳ. 집중효의 정도

1. 절차 집중

(1) 문제점

주무행정청이 집중효의 대상이 되는 다른 행정청에 의한 인허가의 절차적 요건에 구속되는지, 즉 **의제되는 행위에서 요구되는 절차를 거쳐야 하는가**의 문제이다.

(2) 학 설

주된 인 · 허가에 요구되는 절차만 거치면 되고 의제되는 인·허가의 절차를 거칠 필요가 없다는 **절차집중설**과 의제되는 인 · 허가의 모든 절차를 거칠 필요는 없으나 이해관계인의 권익보호와 같은 중요한 절차는 주된 인'·허가의 통합된 절차에서 준수하는 것이 바람직하다는 **제한적 절차집중설**이 대립한다.

(3) 판례 - 절차집중설

판 례 건설부장관이 구 주택건설촉진법 제33조에 따라 관계기관의 장과의 협의를 거쳐 사업계획승인을 한 이상 같은 조 제4항의 허가·인가·결정·승인이 있는 것으로 볼 것이고, 그 절차와 별도로 도시계획법 제12조 등 소정의 중앙도시계획위원회의 의결이나 주민의 의견청취 등 절차를 거칠 필요는 없다(대판 1992.11.10, 92누1162).

(4) 검토

인·허가 의제 제도의 취지가 절차간소화에 있는 것을 고려하면 의제되는 인·허가에서 요구되는 절차를 모두 거치는 것은 부당하다. 그러나 이해관계 있는 제3자의 권익보호라는 측면에서 의제되는 인허가의 관계법률이 정하는 이해관계인의 권익보호절차를 준수하는 것이 바람직하므로 제한적 절차집중설이 타당하다.

2. 실체 집중

(1) 문제점

주무행정청이 집중효의 대상이 되는 인·허가의 실체적 요건에 합치되는지 여부를 심사하여야 하는지 문제된다. 주무행정청의 의제되는 인·허가 요건의 심리범위와 관련한 문제이다.

(2) 학설

의제되는 인·허가의 실체적 요건에 엄밀히 구속되지 않으며, 단지 이익형량의 요소로 종합적으로 고려하면 족하다는 제한적 실체집중설과 의제되는 인·허가의 요건에 엄격히 기속되어 의제되는 인·허가의 요건이 모두 충족되어야 주된 인·허가를 할 수 있다는 실체집중부정설이 대립한다.

(3) 판례

판례는 의제되는 행위인 공유수면점용허가의 거부사유를 들어 주된 인·허가인 채광계획인가를 거부할 수 있다고 하여 실체집중부정설의 입장이다.

판 례 채광계획이 중대한 공익에 배치된다고 할 때에는 인가를 거부할 수 있고, 채광계획을 불인가 하는 경우에는 정당한 사유가 제시되어야 하며 자의적으로 불인가를 하여서는 아니 될 것이므로 채광계획인가는 기속재량행위에 속하는 것으로 보아야 할 것이나, 구 광업법(1999.2.8. 법률 제5893호로 개정되기 전의 것) 제47조의2 제5호에 의하여 채광계획인가를 받으면 공유수면점용허가를 받은 것으로 의제되고, 이 공유수면 점용허가는 공유수면 관리청이 공공 위해의 예방 경감과 공공 복리의 증진에 기여함에 적당하다고 인정하는 경우에 그 자유재량에 의하여 허가의 여부를 결정하여야 할 것이므로, 공유수면 점용허가를 필요로 하는 채광계획 인가신청에 대하여도, 공유수면 관리청이 재량적 판단에 의하여 공유수면 점용을 허가 여부를 결정할 수 있고, 그 결과 공유수면 점용을 허용하지 않기로 결정하였다면, 채광계획 인가관청은 이를 사유로 하여 채광계획을 인가하지 아니할 수 있는 것이다(대판 2002.10.11, 2001두151).

4. 검 토

인·허가 의제 제도의 취지가 절차간소화에 있다 하더라도 의제되는 인·허가의 요건에 관한 일체의 심사를 배제하려는 것은 아니며, 법치행정의 원칙상 의제되는 인·허가의 실체적 요건에 관한 심사는 필요하므로 제한적절차집중설이 타당하다.

V. 인·허가 의제의 효과

주무행정기관의 하나의 인·허가가 있게 되면 의제되는 인·허가 등을 받은 것으로 본다. 인·허가 의제의 효력은 주된 사업을 시행하는 데 필요한 범위 내에서만 효력이 유지된다. 주된 인·허가에 관한 사항을 규정하고 있는 어떠한 법률에서 주된 인·허가가 있으면 다른 법률에 의한 인·허가를 받은 것으로 의제한다는 규정을 둔 경우에는, 주된 인·허가가 있으면 다른 법률에 의한 인·허가가 있는 것으로 보는 데 그치는 것이고, 거기에서 더 나아가 다른 법률에 의하여 인·허가를 받았음을 전제로 한 다른 법률의 모든 규정들까지 적용되는 것은 아니다.

판 례 구 택지개발촉진법(2002. 2. 4. 법률 제6655호로 개정되기 전의 것) 제11조1항9호에서는 사업시행자가 택지개발사업 실시계획승인을 받은 때 도로법에 의한 도로공사시행허가 및 도로점용허가를 받은 것으로 본다고 규정하고 있는바, 이러한 인허가 의제제도는 목적사업의 원활한 수행을 위해 행정절차를 간소화하고자 하는 데 그 취지가 있는 것이므로 위와 같은 **실시계획승인에 의해 의제되는 도로공사시행허가 및 도로점용허가는 원칙적으로 당해 택지개발사업을 시행하는 데 필요한 범위 내에서만 그 효력이 유지**된다고 보아야 한다. 따라서 원고가 이 사건 택지개발사업과 관련하여 그 사업시행의 일환으로 이 사건 도로예정지 또는 도로에 전력관을 매설하였다고 하더라도 **사업시행완료 후 이를 계속 유지·관리하기 위해 도로를 점용하는 것에 대한 도로점용허가까지 그 실시계획 승인에 의해 의제된다고 볼 수는 없다**(대판 2010.4.29, 2009두18547).

Ⅵ. 민원인 또는 제3자의 불복

신청된 인·허가가 거부된 경우, 민원인은 항상 당해 거부처분을 다투어야 한다. 설령 신청된 인·허가를 거부하는 근거가 의제되는 인·허가의 거부사유인 경우에도, 거부처분의 상대방은 **신청에 대한 거부처분을 대상으로 소송을 제기하면서 의제되는 인·허가의 거부사유를 다투어야** 한다. 한편 신청에 대한 인·허가로 권익을 침해당한 **제3자**도 당해 인·허가 처분을 대상으로 하면서 **의제되는 인·허가의 위법사유를 주장**하여야 한다.

판 례 구 건축법(1999.2.8. 법률 제5895호로 개정되기 전의 것) 제8조1항, 3항, 5항[1]에 의하면, 건축허가를 받은 경우에는 도시계획법 제4조에 의한 토지의 형질변경허가나 농지법 제36조에 의한 농지전용허가 등을 받은 것으로 보며, 한편 건축허가권자가 건축허가를 하고자 하는 경우 당해 용도·규모 또는 형태의 건축물을 그 건축하고자 하는 대지에 건축하는 것이 건축법 관련 규정이나 도시계획법 제4조, 농지법 제36조 등 관계 법령의 규정에 적합한지의 여부를 검토하여야 하는 것일 뿐, **건축불허가처분을 하면서 그 처분사유로 건축불허가 사유뿐만 아니라 형질변경불허가 사유나 농지전용불허가 사유를 들고 있다고 하여 그 건축불허가처분 외에 별개로 형질변경불허가처분이나 농지전용불허가처분이 존재하는 것이 아니다. 따라서 그 건축불허가처분을 받은 사람은 그 건축불허가처분에 관한 쟁송에서 건축법상의 건축불허가 사유뿐만 아니라 도시계획법상의 형질변경불허가 사유나 농지법상의 농지전용불허가 사유에 관하여도 다툴 수 있는 것이지, 그 건축불허가처분에 관한 쟁송과는 별개로 형질변경불허가처분이나 농지전용불허가처분에 관한 쟁송을 제기하여 이를 다투어야 하는 것은 아니며, 그러한 쟁송을 제기하지 아니하였어도 형질변경불허가 사유나 농지전용불허가 사유에 관하여 불가쟁력이 생기지 아니한다**(대판 2001.1.16, 99두10988).

Ⅶ. 선승인 후협의제 및 부분 인·허가 의제

1. 의 의

선승인 후협의제는 의제대상 인·허가에 대한 **관계 행정기관과의 모든 협의가 완료되기 전이라도, 공익상 긴급한 필요가 있고 사업시행을 위한 중요한 사항에 대한 협의가 있는 경우**에는 **협의가 완료되지 않은 인·허가에 대한 협의를 완료할 것을 조건**으로 **각종 공사 또는 사업의 시행승인이나 시행인가를 할 수 있도록** 하는 제도를 말한다. 2009년 도시 및 주거환경정비법 및 **주한미군 공여구역 주변지역등 지원특별법** 등 법률에 도입되어 있고 확대가 추진중이다. **부분 인·허가 의제**는 주된 인·허가로 **협의가 완료된 인·허가만 부분적으로 의제**되는 것을 말한다. 선승인 후협의제를 협의의 선승인 후협의제와 부분 인·허가 의제로 구분하기도 한다.

2. 법적 효과

(1) 선승인 후협의제

협의가 완료될 것을 조건으로 협의가 완료되지 않은 인·허가를 포함하여 법률에 의해 의제되는 모든 인·허가가 의제되나, 완료되지 않은 협의를 완료하여야 하며 협의가 이루어지지 않는 경우에는 주된 인·허가의 철회사유가 된다.

(2) 부분 인·허가의제 제도

주된 인·허가로 **협의가 완료된 인·허가만 의제**되고 **협의 완료에 따라 순차적으로** 해당 인·허가가 **의제**된다.

---

1) 현행 건축법 제11조6항.

3. 법적 근거

선승인후협의제는 반드시 명문의 법적 근거가 필요하지만, 부분인·허가의제는 명문의 법적 근거 없이도 인정된다고 본다. 현행 주한미군 공여구역주변지역등 지원에 관한 법률에서는 양자 모두 도입하였다.[2)]

4. 판 례

최근 사업시행승인 전에 반드시 사업 관련 모든 인 허가의제·사항에 관하여 관계 행정기관의 장과 협의를 거쳐야 한다고 해석하게 되면 일부의 인·허가의제 효력만을 먼저 얻고자 하는 사업시행승인 신청인의 의사와 부합하지 않을 뿐만 아니라 사업시행승인 신청을 하기까지 상당한 시간이 소요되어 그 취지에 반하는 점을 들어 사업시행승인 후 인·허가의제 사항에 관하여 협의를 거치면 그 때 해당 인·허가가 의제된다고 판시하여 부분 인·허가의제 제도에 대해서 긍정한 바 있다.[3)]

판 례 구 주한미군 공여구역주변지역 등 지원 특별법(2008. 3. 28. 법률 제9000호로 개정되기 전의 것, 이하 '구 지원특별법'이라 한다) 제11조1항 본문은 "사업을 시행하고 자 하는 자(제10조1항1호 내지 4호호에 규정된 자를 제외한다)는 관할 시장·군수·구청장의 승인을 얻어야 한다"고 규정하고, 제29조1항은 "제11조의 규정에 의한 사업시행승인이 있은 때에는 다음 각 호의 허가·인가·지정·승인·협의·신고·해제·결정·동의 등(이하 '인·허가등'이라 한다)을 받은 것으로 본다"고 규정하면서 제1호 내지 제28호에서 국토의 계획 및 이용에 관한 법률 제30조에 의한 도시관리계획의 결정 등 관계법령에 의한 인·허가의제 사항을 들고 있으며, 제29조2항은 "제1항에 해당하는 사업의 승인을 하는 때에는 관계 중앙행정기관의 장 및 지방자치단체의 장과 미리 협의하여야 한다. 이 경우 관계 행정기관의 장은 당해 법률에서 규정한 허가 등의 기준에 위반하여 협의에 응하여서는 아니 되고, 협의요청을 받은 날부터 30일 이내에 의견을 제출하여야 한다"고 규정하고 있다.

구 지원특별법 제29조의 인·허가의제 조항은 목적사업의 원활한 수행을 위해 행정절차를 간소화하고자 하는 데 그 입법취지가 있다 할 것인데, 만일 사업시행승인 전에 반드시 사업 관련 모든 인 허가의제·사항에 관하여 관계 행정기관의 장과 협의를 거쳐야 한다고 해석하게 되면 일부의 인·허가의제 효력만을 먼저 얻고자 하는 사업시행승인 신청인의 의사와 부합하지 않을 뿐만 아니라 사업시행승인 신청을 하기까지 상당한 시간이 소요되어 그 취지에 반하는 점, 주한미군 공여구역주변지역 등 지원 특별법이 2009. 12. 29. 법률 제9843호로 개정되면서 제29조1항에서 "제11조의 규정에 의한 사업시행승인이 있은 때에는 다음 각 호의 허가·인가·지정·승인·협의·신고·해제·결정·동의 등(이하 "인·허가등"이라 한다) 중 2항에 따라 관계 중앙행정기관의 장 및 지방자치단체의 장과 미리 협의한 사항에 대하여는 그 인·허가등을 받은 것으로 본다"고 규정함으로써 인·허가의제 사항 중 일부만에 대하여도 관계 행정기관의 장과 협의를 거치면 인·허가의제 효력이 발생할 수 있음을 명확히 하고 있는 점 등 위 각 규정의 내용, 형식 및 취지 등에 비추어 보면, 구 지원특별법 제11조에 의한 사업시행승인을 함에 있어 같은 법 제29조1항에 규정된 사업 관련 모든 인·허가의제 사항에 관하여 관계 행정기관의 장과 일괄하여 사전 협의를 거칠 것을 그 요건으로 하는 것은 아니라 할 것이고, 사업시행승인 후 인·허가의제 사항에 관하여 관계 행정기관의 장과 협의를 거치면 그때 해당 인·허가가 의제된다고 봄이 상당하다(대판 2012.2.9, 2009두16305).

2) 제29조 (인·허가등의 의제) ① 제11조의 규정에 의한 사업 시행승인이 있은 때에는 다음 각 호의 허가·인가·지정·승인·협의·신고·해제·결정·동의 등(이하 "인·허가등"이라 한다) 중 제2항에 따라 관계 중앙행정기관의 장 및 지방자치단체의 장과 미리 협의한 사항에 대하여는 그 인·허가등을 받은 것으로 본다. ☞ 부분 인·허가 의제
1.-28. (생략)
② 제1항에 해당하는 사업의 승인을 하는 때에는 관계 중앙행정기관의 장 및 지방자치단체의 장과 미리 협의하여야 한다. 이 경우 관계 행정기관의 장은 당해 법률에서 규정한 허가 등의 기준에 위반하여 협의에 응하여서는 아니 되고, 협의요청을 받은 날부터 30일 이내에 의견을 제출하여야 한다.
③ 제2항에도 불구하고 「공익사업을 위한 토지 등의 취득 및 보상에 관한 법률」 제4조에 따른 공익사업을 시급하게 시행할 필요가 있고, 1항 각 호의 사항 중 사업시행을 위한 중요한 사항에 대한 협의가 있은 경우에는 필요한 모든 사항에 대한 협의가 끝나지 아니하더라도 그 필요한 협의가 완료될 것을 조건으로 제11조4항에 따른 사업의 시행승인을 할 수 있다. ☞ 협의의 선승인 후협의제

3) 대판 2012.2.9, 2009두16305. 판례 사안은 2009년 특별법 제29조1항, 3항이 도입되기 이전의 사안이지만, 부분 인·허가 의제의 효과를 인정하고 있는데 이를 고려하면 부분 인허가 의제는 명문의 근거가 없어도 인정할 수 있다고 볼 수 있을 것. 판시 내용 중에는 재판 도중 2009년 특별법이 개정되면서 이를 명확히 하고 있다는 점도 언급하고 있음.

80 절차 하자의 독자적 위법사유

Ⅰ. 의 의

행정행위에 **실체상의 하자는 없고 절차상의 하자가 있는 경우** 개별법에 그 효과에 관한 규정을 둔 경우(국가공무원법 제13조2항)도 있지만 이러한 규정이 없을 때 **절차상의 하자가 독자적 위법사유가 되는지** 문제된다. 절차는 그 자체가 목적은 아니며 행정결정의 법률적합성, 합목적성의 보장을 확보하고 행정절차에 관계하는 자들의 권리를 보장하는 의미를 갖는다는 특성이 있으므로 **행정절차상의 하자에 실체법상의 하자와 동일한 의미를 부여하기는 곤란**하기 때문에 제기되는 문제이다.

Ⅱ. 학 설

1. 소극설

절차규정은 실체법적으로 **적절한 행정결정하기 위한 수단**일 뿐이며, 법원이 취소해도 하자를 치유하여 동일한 내용의 처분을 할 수 있으므로 **행정경제 및 소송경제**에 반한다는 점을 근거로 한다.

2. 적극설

절차규정은 실체적 결정의 적정성을 확보하기 위한 것이며, 다시 처분하더라도 **반드시 동일한 결론**에 도달한다는 보장이 없음을 근거로 한다.

3. 절충설

절차의 하자가 행정청의 **실체적 결정에 영향을 미칠 수 있는 경우에 한하여** 독립의 위법사유가 된다(**독일**, 프랑스).

Ⅲ. 판례 - 적극설(재량, 기속 불문)

판례 1 소정의 **청문절차**를 **전혀 거치지 아니하거나 거쳤다고 하여도 그 절차적 요건을 제대로 준수하지 아니한 경우**에는 가사 영업정지사유 등 위 법 제58조 등 소정 사유가 인정된다고 하더라도 그 처분은 **위법**하여 취소를 면할 수 없다(대판 1991.7.9, 91누971).

판례 2 [1] 국세징수법 제9조, 식품위생법 제64조, 같은법 시행령 제37조1항 1항은 단순히 **세무행정상의 편의를 위한 훈시규정이 아니라** 조세행정에 있어 **자의를 배제하고 신중하고 합리적인 처분을 행하게 함으로써 공정**을 기함과 동시에 납세의무자에게 부과처분의 내용을 상세히 알려 **불복여부의 결정과 불복신청에 편의를 제공**하려는데서 나온 **강행규정**이므로 세액의 **산출근거가 기재되지 아니한** 물품세 납세고지서에 의한 **부과처분은 위법**한 것으로서 **취소의 대상**이 된다.
[3] **부과처분의 실체가 적법한 이상 납세고지서의 기재사항 누락이라는 경미한 형식상의 하자 때문에 부과처분을 취소한다면 소득이 있는데 세금을 부과하지 못하는 불공평이 생긴다거나**, 다시 납세부과처분이나 보완통지를 하는 등 **무용한 처분을 되풀이 한다 하더라도** 이로 인하여 경제적, 시간적, 정신적인 낭비만 초래하게 된다는 사정만으로는 **과세처분을 취소하는 것이** 행정소송법 제12조에서 말하는 **현저히 공공복리에 적합하지 않거나 납세의무자에게 실익이 전혀 없다고 할 수 없다**(대판 1984.5.9, 84누116).

Ⅳ. 검 토

절충설은 독일과 같은 **명문의 규정이 없다**는 점에서 채택하기 어렵고, **소극설**을 취할 경우 **절차적 규제가 유명무실**해질 우려가 있다. **행정소송법 제30조3항**은 "신청에 따른 처분이 절차의 위법을 이유로 취소되는 경우"를 규정하고 있다는 점을 고려할 때 **적극설이 타당**하다.

81 정보공개와 관련한 불복절차

Ⅰ. 정보공개제도 개관

정보공개제도란 개인이 행정주체가 보유하고 있는 정보에 접근하여 이용할 수 있도록 정보공개를 청구할 수 있는 권리를 보장하고 행정주체에 대하여 정보공개 의무를 부여하는 제도를 말한다. 국민의 알권리 충족, 민주주의의 실현, 국민의 권익보호, 행정운영의 투명성 확보라는 기능을 수행한다.

정보공개청구권의 **헌법적 근거**로 **헌법재판소**는 헌법 제21조에 규정된 표현의 자유와 자유민주주의적 기본질서를 천명하고 있는 헌법전문, 제1조, 제4조의 해석상 국민의 정부에 대한 일반적 정보공개를 구할 권리로서 인정되는 **알 권리**의 내용으로서 정보공개를 구할 권리를 인정하고 있다. 청주시의회가 제정한 청주시행정정보공개조례가 정보공개제도의 효시였고, 헌법이 보장하는 알권리를 확실하게 실현하기 위하여 **공공기관의 정보공개에 관한 법률**이 제정되었다. 동법은 **정보공개에 관한 일반법**이며 **정보공개를 원칙**으로 **비공개를 예외**로 하고 있으며 정보공개청구권자, 공개의무자, 공개절차, 비공개대상정보, 공개거부 및 공개결정에 대한 불복절차 등에 대해 규율하고 있다.

Ⅱ. 비공개결정에 대한 청구인의 불복절차

1. 이의신청(정보공개법 제18조)

비공개 또는 부분공개결정에 대하여 결정통지를 받는 날부터 30일 이내에 당해 공공기관에 이의신청을 할 수 있다.

2. 행정심판(정보공개법 제19조)

행정심판법이 따라 행정심판을 청구할 수 있는데 이의신청절차를 거칠 것은 요하지 아니한다.

(1) 공개거부처분에 대해 행정심판을 제기한 경우 인용재결의 형식 및 효력

1) 취소심판 - 취소재결(행정심판법 43조 3항)

2) 의무이행심판

의무이행심판에서는 **처분재결과 처분명령재결이 심판법상 가능하지만**(행심법 43조 5항), **처분재결은 성질상 불가능**하다(행정심판위원회가 공개대상정보를 보유하지 않고 있기 때문).

(2) 권리구제의 한계[1]

1) 취소재결

거부처분 취소심판에서 취소재결이 있는 경우 재처분의무에 대한 규정이 없다. **재처분의무의 인정여부**에 대해 **견해 대립**(#102.5)이 있는데 **부정설을 취할 경우 한계**가 있게 된다. **긍정설을 취하더라도 간접강제가 인정되지 않아** 권리구제에 한계가 있다.

2) 처분명령재결

정보공개처분은 성질상 처분재결이 불가능한데 처분명령재결에 대해서 **처분청이 따르지 않을 경우 직접처분도 성질상 불가능**하다.

3. 행정소송(정보공개법 제20조)

(1) 소송요건 단계

1) 소송형태와 관련하여 **구정보공개법 제11조5항**은 정보공개를 청구한 날부터 20일 이내에 공공기관이 공개여부를 결정하지 아니한 때에는 비공개의 결정이 있는 것으로 보아(간주거부) 공공기관의 부작위가 있더라도 **부작위위법**

---

1) 행정심판의 재결이 정보공개와 관련해서는 권리구제의 한계가 있는데 후술하는 행시 2011년 기출문제 참조.

확인소송은 불가했으며 거부처분취소소송을 제기하여야만 했었다. 그러나 2013년 법 개정으로 제11조5항의 간주 거부조항이 삭제되어 현재는 20일이 경과하더라도 무응답인 경우 부작위위법확인소송을 제기하여야 한다.

2) 거부처분취소소송을 제기하는 경우 신청권을 요구하는 판례의 입장을 따른다 하더라도 정보공개법에 의해서 신청권이 인정된다.

3) 정보공개법 제5조1항에 의해 모든 국민은 정보공개청구권을 가지므로 원고적격도 인정된다. 직접적인 이해관계가 없는 자의 원고적격도 인정된다. 지방자치단체가 정보공개청구권자에 해당될 수 있는지에 대해 하급심판례는 부정하고 있다.

판 례 공공기관의정보공개에관한법률 제6조1항은 "모든 국민은 정보의 공개를 청구할 권리를 가진다"고 규정하고 있는데, 여기에서 말하는 국민에는 자연인은 물론 법인, 권리능력 없는 사단 · 재단도 포함되고, 법인, 권리능력 없는 사단 · 재단 등의 경우에는 설립목적을 불문하며, 한편 정보공개청구권은 법률상 보호되는 구체적인 권리이므로 청구인이 공공기관에 대하여 정보공개를 청구하였다가 거부처분을 받은 것 자체가 법률상 이익의 침해에 해당한다(대판 2003.12.12, 2003두8050).

하급심판례 알권리는 기본적으로 정신적 자유 영역인 표현의 자유 내지는 인간의 존엄성, 행복추구권 등에서 도출된 권리인 점, 정보공개청구제도는 국민이 국가 · 지방자치단체 등이 보유한 정보에 접근하여 그 정보의 공개를 청구할 수 있는 권리로서 이로 인하여 국정에 대한 국민의 참여를 보장하기 위한 제도인 점, 지방자치단체에게 이러한 정보공개청구권이 인정되지 아니한다고 하더라도 헌법상 보장되는 행정자치권 등이 침해된다고 보기는 어려운 점, 오히려 지방자치단체는 공권력기관으로서 이러한 국민의 알권리를 보호할 위치에 있다고 보아야 하는 점 등에 비추어 보면, 지방자치단체에게는 알권리로서의 정보공개청구권이 인정된다고 보기는 어렵고, 나아가 공공기관의 정보공개에 관한 법률 제4조, 제5조, 제6조의 각 규정의 취지를 종합하면, 공공기관의 정보공개에 관한 법률은 국민을 정보공개청구권자로, 지방자치단체를 국민에 대응하는 정보공개의무자로 상정하고 있다고 할 것이므로, 지방자치단체는 공공기관의 정보공개에 관한 법률 제5조에서 정한 정보공개청구권자인 '국민'에 해당되지 아니한다(서울행법 2005.10.2, 2005구합10484).

4) 다만 행정기관이 보유하고 있는 정보인지에 따라서 소의 이익 여부가 달라질 수 있다.

판 례 정보공개제도는 공공기관이 보유 · 관리하는 정보를 그 상태대로 공개하는 제도라는 점에 비추어 정보공개청구를 거부하는 처분이 있은 후 대상 정보가 폐기되었다든가 하여 공공기관이 그 정보를 보유 · 관리하지 않게 된 경우에는 특별한 사정이 없는 한 정보공개거부처분의 취소를 구할 법률상의 이익이 없다(대판 2003.4.25, 2000두7087).

5) 정보공개법 제3조에 의해 공공기관은 공개의무를 지므로 정보공개청구소송의 피고는 공공기관이다. 제2조 3호의 공공기관에 해당되는지 여부가 문제된다. 행정기관이 아닌 경우에도(예: 공사, 사립학교) 공공기관에 포함되어 피고로 될 수 있다. 대통령령으로 정하는 기관 중에는 각급학교도 규정되어 있지만 '교육관련기관의 정보공개에 관한 특례법'이 2008년 제정되어 특례법이 적용된다.

판 례 [1] 공공기관의 정보공개에 관한 법률 제2조 제3호 등에 따라 정보를 공개할 의무가 있는 '특별법에 의하여 설립된 특수법인'에 해당하는지 여부의 판단 기준

- 어느 법인이 공공기관의 정보공개에 관한 법률 제2조 제3호 등에 따라 정보를 공개할 의무가 있는 '특별법에 의하여 설립된 특수법인'에 해당하는가는, 국민의 알권리를 보장하고 국정에 대한 국민의 참여와 국정운영의 투명성을 확보하고자 하는 위 법의 입법 목적을 염두에 두고, 당해 법인에게 부여된 업무가 국가행정업무이거나, 이에 해당하지 않더라도 그 업무 수행으로써 추구하는 이익이 당해 법인 내부의 이익에 그치지 않고 공동체 전체의 이익에 해당하는 공익적 성격을 갖는지 여부를 중심으로 개별적으로 판단하되, 당해 법인의 설립근거가 되는 법률이 법인의 조직구성과 활동에 대한 행정적 관리 · 감독 등에서 민법이나 상법 등에 의하여 설립된 일반 법인과 달리 규율한 취지, 국가나 지방자치단체의 당해 법인에 대한 재정적 지원 · 보조의 유무와 그 정도, 당해 법인의 공공적 업무와 관련하여 국가기관 · 지방자치단체 등 다른 공공기관에 대한 정보공개청구와는 별도로 당해 법인에 대하여 직접 정보공개청구를 구할 필요성이 있는지 여부 등을 종합적으로 고려하여야 한다.

[2] '한국증권업협회'는 증권회사 상호간의 업무질서를 유지하고 유가증권의 공정한 매매거래 및 투자자보호를 위하여 일정 규

모 이상인 증권회사 등으로 구성된 회원조직으로서, 증권거래법 또는 그 법에 의한 명령에 대하여 특별한 규정이 있는 것을 제외하고는 민법 중 사단법인에 관한 규정을 준용 받는 점, 그 업무가 국가기관 등에 준할 정도로 공동체 전체의 이익에 중요한 역할이나 기능에 해당하는 공공성을 갖는다고 볼 수 없는 점 등에 비추어, 공공기관의 정보공개에 관한 법률 시행령 제2조 제4호의 '특별법에 의하여 설립된 특수법인'에 해당한다고 보기 어렵다(대판 2010.4.29, 2008두5643).

(2) 가구제

공개거부결정시 거부처분에 대해 집행정지, 가처분이 가능한지 문제되는데 판례는 부정하고 있다(#115,116).

(3) 본 안

비공개대상정보인지 여부가 관건[2]이다.

판례 1 공공기관의 정보공개에 관한 법률 제1조, 제3조, 헌법 제37조의 각 취지와 행정입법으로는 법률이 구체적으로 범위를 정하여 위임한 범위 안에서만 국민의 자유와 권리에 관련된 규율을 정할 수 있는 점 등을 고려할 때, 공공기관의 정보공개에 관한 법률 제9조 제1항 제1호 소정의 '법률에 의한 명령'은 법률의 위임규정에 의하여 제정된 대통령령, 총리령, 부령 전부를 의미한다기보다는 정보의 공개에 관하여 법률의 구체적인 위임 아래 제정된 법규명령(위임명령)을 의미한다(대판 2003.12.11, 2003두8395).

판례 2 공공기관의 정보공개에 관한 법률 제9조 제1항 제4호에서 비공개대상으로 규정한 '형의 집행, 교정에 관한 사항으로서 공개될 경우 그 직무수행을 현저히 곤란하게 하는 정보'라 함은 당해 정보가 공개될 경우 재소자들의 관리 및 질서유지, 수용시설의 안전, 재소자들에 대한 적정한 처우 및 교정·교화에 관한 직무의 공정하고 효율적인 수행에 직접적이고 구체적으로 장애를 줄 고도의 개연성이 있고, 그 정도가 현저한 경우를 의미한다고 할 것이며, 여기에 해당하는지 여부는 비공개에 의하여 보호되는 업무수행의 공정성 등의 이익과 공개에 의하여 보호되는 국민의 알권리의 보장과 국정에 대한 국민의 참여 및 국정운영의 투명성 확보 등의 이익을 비교·교량하여 구체적인 사안에 따라 개별적으로 판단되어야 한다(대판 2004.12.9, 2003두12707).

판례 3 정보공개법의 입법 목적, 정보공개의 원칙, 위 비공개대상정보의 규정 형식과 취지 등을 고려하면, 법원 이외의 공공기관이 위 규정이 정한 '진행 중인 재판에 관련된 정보'에 해당한다는 사유로 정보공개를 거부하기 위하여는 반드시 그 정보가 진행 중인 재판의 소송기록 그 자체에 포함된 내용의 정보일 필요는 없으나, 재판에 관련된 일체의 정보가 그에 해당하는 것은 아니고 진행 중인 재판의 심리 또는 재판결과에 구체적으로 영향을 미칠 위험이 있는 정보에 한정된다고 할 것이다(대판 2012.4.12, 2010두24913).

판례 4 지방자치단체의 도시공원에 관한 조례에서 규정된 도시공원위원회의 심의사항에 관하여 위 위원회의 심의를 거친 후 시장이나 구청장이 위 사항들에 대한 결정을 대외적으로 공표하기 전에 위 위원회의 회의관련자료 및 회의록이 공개된다면 업무의 공정한 수행에 현저한 지장을 초래한다고 할 것이므로, 위 위원회의 심의 후 그 심의사항들에 대한 시장 등의 결정의 대외적 공표행위가 있기 전까지는 위 위원회의 회의관련자료 및 회의록은 공공기관의 정보공개에 관한 법률 제7조 제1항 제5호에서 규정하는 비공개대상정보에 해당한다고 할 것이고, 다만 시장 등의 결정의 대외적 공표행위가 있은 후에는 이를 의사결정과정이나 내부검토과정에 있는 사항이라고 할 수 없고 위 위원회의 회의관련자료 및 회의록을 공개하더라도 업무의 공정한 수행에 지장을 초래할 염려가 없으므로, 시장 등의 결정의 대외적 공표행위가 있은 후에는 위 위원회의 회의관련자료 및 회의록은 같은 법 제7조 제2항에 의하여 공개대상이 된다고 할 것인바, 지방자치단체의 도시공원에 관한 조례안에서 공개시기 등에 관한 아무런 제한 규정 없이 위 위원회의 회의관련자료 및 회의록은 공개하여야 한다고 규정하였다면 이는 같은 법 제7조 제1항 제5호에 위반된다고 할 것이다(대판 2008.9.25, 2008두8680). ➡ 회의록은 의사결정중에는 비공개대상정보이나, 공개결정 후에는 공개대상정보.

판례 5 [1] 공공기관의 정보공개에 관한 법률상 비공개대상정보의 입법 취지에 비추어 살펴보면, 같은 법 제9조 제1항 제5호에서의 「감사·감독·검사·시험·규제·입찰계약·기술개발·인사관리·의사결정과정 또는 내부검토과정에 있는 사항」은 비공개대상정보를 예시적으로 열거한 것이라고 할 것이므로 의사결정과정에 제공된 회의관련자료나 의사결정과정이 기록된 회의

2) 정보공개법 제9조 몇 호에 해당되는 여부를 잘 포섭해야 하며, 해당된다고 하더라도 단서에서 다시 예외를 인정하고 있는 경우도 있음을 주의! 이익형량의 관점 필요.

록 등은 의사가 결정되거나 의사가 집행된 경우에는 더 이상 의사결정과정에 있는 사항 그 자체라고는 할 수 없으나, 의사결정과정에 있는 사항에 준하는 사항으로서 비공개대상정보에 포함될 수 있다.

[2] 학교환경위생구역 내 금지행위(숙박시설) 해제결정에 관한 학교환경위생정화위원회의 회의록에 기재된 발언내용에 대한 해당 발언자의 인적사항 부분에 관한 정보는 공공기관의 정보공개에 관한 법률 제7조 제1항 제5호 소정의 비공개대상에 해당한다(대판 2003.8.22, 2002두12946). ➡ 의사가 결정된 후에는 회의록이 비공개대상이 아니지만 이 경우에도 발언자의 인적사항에 관한 부분은 의사결정과정에 준하는 사항으로 비공개대상정보에 해당.

판례 6 [3] 공공기관의 정보공개에 관한 법률 제9조 제1항 제5호에서 규정하고 있는 '공개될 경우 업무의 공정한 수행에 현저한 지장을 초래한다고 인정할 만한 상당한 이유가 있는 경우'란, 공공기관의 정보공개에 관한 법률 제1조의 정보공개제도의 목적 및 공공기관의 정보공개에 관한 법률 제9조 제1항 제5호의 규정에 의한 비공개대상정보의 입법 취지에 비추어 볼 때 공개될 경우 업무의 공정한 수행이 객관적으로 현저하게 지장을 받을 것이라는 고도의 개연성이 존재하는 경우를 의미한다고 할 것이고, 여기에 해당하는지 여부는 비공개에 의하여 보호되는 업무수행의 공정성 등의 이익과 공개에 의하여 보호되는 국민의 알권리의 보장과 국정에 대한 국민의 참여 및 국정운영의 투명성 확보 등의 이익을 비교·교량하여 구체적인 사안에 따라 신중하게 판단되어야 한다.

[4] 학교폭력대책자치위원회에서의 자유롭고 활발한 심의 · 의결이 보장되기 위해서는 위원회가 종료된 후라도 심의·의결 과정에서 개개 위원들이 한 발언 내용이 외부에 공개되지 않는다는 것이 철저히 보장되어야 한다는 점, 학교폭력예방 및 대책에 관한 법률 제21조 제3항이 학교폭력대책자치위원회의 회의를 공개하지 못하도록 명문으로 규정하고 있는 것은, 회의록 공개를 통한 알권리 보장과 학교폭력대책자치위원회 운영의 투명성 확보 요청을 다소 후퇴시켜서라도 초등학교 · 중학교 · 고등학교 · 특수학교 내외에서 학생들 사이에서 발생한 학교폭력의 예방 및 대책에 관련된 사항을 심의하는 학교폭력대책자치위원회 업무수행의 공정성을 최대한 확보하기 위한 것으로 보이는 점 등을 고려하면, 학교폭력대책자치위원회의 회의록은 공공기관의 정보공개에 관한 법률 제9조 제1항 제5호의 '공개될 경우 업무의 공정한 수행에 현저한 지장을 초래한다고 인정할 만한 상당한 이유가 있는 정보'에 해당한다고 한 사례(대판 2010.6.10, 2010두2913).

판례 7 정보공개법 제9조 제1항 제7호 소정의 '법인 등의 경영 · 영업상 비밀'은 '타인에게 알려지지 아니함이 유리한 사업활동에 관한 일체의 정보' 또는 '사업활동에 관한 일체의 비밀사항'을 의미하는 것이고 그 공개 여부는 이를 공개하는 것이 법인 등의 정당한 이익을 현저히 해할 우려가 있는지 여부에 따라 결정하여야 하는데, 그러한 정당한 이익을 현저히 해할 우려가 있는지 여부는 정보공개법의 입법 취지에 비추어 이를 엄격하게 판단하여야 한다(대판 2011.11.24, 2009두19021)(대판 2003.4.25, 2000두7087).

정보공개청구가 권리남용에 해당하는 경우는 허용되지 않는다.

판례 국민의 정보공개청구는 정보공개법 제9조에 정한 비공개 대상 정보에 해당하지 아니하는 한 원칙적으로 폭넓게 허용되어야 하지만, 실제로는 해당 정보를 취득 또는 활용할 의사가 전혀 없이 정보공개 제도를 이용하여 사회통념상 용인될 수 없는 부당한 이득을 얻으려 하거나, 오로지 공공기관의 담당공무원을 괴롭힐 목적으로 정보공개청구를 하는 경우처럼 권리의 남용에 해당하는 것이 명백한 경우에는 정보공개청구권의 행사를 허용하지 아니하는 것이 옳다.

교도소에 복역 중인 甲이 지방검찰청 검사장에게 자신에 대한 불기소사건 수사기록 중 타인의 개인정보를 제외한 부분의 공개를 청구하였으나 검사장이 구 공공기관의 정보공개에 관한 법률(2013. 8. 6. 법률 제11991호로 개정되기 전의 것) 제9조 제1항 등에 규정된 비공개 대상 정보에 해당한다는 이유로 비공개 결정을 한 사안에, 甲은 위 정보에 접근하는 것을 목적으로 정보공개를 청구한 것이 아니라, 청구가 거부되면 거부처분의 취소를 구하는 소송에서 승소한 뒤 소송비용 확정절차를 통해 자신이 그 소송에서 실제 지출한 소송비용보다 다액을 소송비용으로 지급받아 금전적 이득을 취하거나, 수감 중 변론기일에 출정하여 강제노역을 회피하는 것 등을 목적으로 정보공개를 청구하였다고 볼 여지가 큰 점 등에 비추어 甲의 정보공개청구는 권리를 남용하는 행위로서 허용되지 않는다(대판 2014.12.24, 2014두9349).

설령 비공개대상정보로 판명되어도 부분공개가 가능한지 여부도 검토해야 한다. 부분공개가 가능하다면 일부취소판결이 가능하다(제14조).

판 례 법원이 행정기관의 정보공개거부처분의 위법 여부를 심리한 결과 **공개를 거부한 정보에 비공개대상 정보에 해당하는 부분과 공개가 가능한 부분이 혼합되어 있고 공개청구의 취지에 어긋나지 아니하는 범위 안에서 두 부분을 분리할 수 있음을 인정**할 수 있을 때에는 청구취지의 변경이 없더라도 공개가 가능한 정보에 관한 부분만의 **일부취소를 명할 수 있다** 할 것이고, 공개청구의 취지에 어긋나지 아니하는 범위 안에서 비공개대상 정보에 해당하는 부분과 공개가 가능한 부분을 분리할 수 있다고 함은, 이 두 부분이 **물리적으로 분리가능한 경우를 의미하는 것이 아니고 당해 정보의 공개방법 및 절차에 비추어 당해 정보에서 비공개대상 정보에 관련된 기술 등을 제외 내지 삭제하고 그 나머지 정보만을 공개하는 것이 가능하고 나머지 부분의 정보만으로도 공개의 가치가 있는 경우를 의미**한다고 해석하여야 한다(대판 2004.12.9, 2003두12707).

증명책임과 관련, 판례는 공개를 구하는 정보를 **공공기관이 보유·관리하고 있을 상당한 개연성**이 있다는 점에 대한 **증명책임의 소재는 공개청구자**에게, 그 정보를 더 이상 **보유·관리하고 있지 아니하다는 점**에 대한 증명책임의 소재는 **공공기관에게** 있다고 한다(대판 2006.1.13, 2003두9459). 정보공개법 **제9조 각호의 사유간의 처분사유 추가·변경에 대해 판례는 부정**하고 있다.

판 례 법 제7조 제1항 제2호, 제4호, 제6호와 제1호를 비공개대상 정보로 한 **근거와 입법취지가 다를 뿐 아니라 그 내용과 범위 및 요건이 다른 점** 등 여러 사정을 합목적적으로 고려하여 보면, 피고가 처분사유로 추가한 **법 제7조 제1항 제1호에서 주장하는 사유는 당초의 처분사유인 같은 항 제2호, 제4호, 제6호에서 주장하는 사유와는 기본적 사실관계가 동일하다고 할 수 없다**고 할 것이고, 추가로 주장하는 위 제1호에서 규정하고 있는 사유가 이 사건 처분 후에 새로 발생한 사실을 토대로 한 것이 아니라 당초의 처분 당시에 이미 존재한 사실에 기초한 것이라 하여 달리 볼 것은 아니라 할 것이다(대판 2006.1.13, 2004두12629).

(4) 공개거부처분 취소소송 인용판결의 실효성 확보

현행 행정소송법상 **간접강제제도**에 의해 공개지연기간에 따라 일정한 배상을 할 것을 명하거나 즉시 손해배상을 할 것을 명할 수 있다.

Ⅲ. 제3자의 불복절차

(1) 공개청구된 사실의 통보 및 비공개요청권

공공기관은 공개청구된 대상정보의 전부 또는 일부가 제3자와 관련이 있다고 인정되는 때에는 그 사실을 제3자에게 지체없이 통지하여야 하며(제11조3항), 이를 통지받은 **제3자는 자신과 관련된 정보의 비공개를 요청**할 수 있다(제21조1항). 비공개요청에도 불구하고 공공기관이 공개결정을 한 경우에는 그 이유와 공개실시일을 명시하여 지체없이 문서로 통지하여야 한다(제21조2항).

판 례 정보공개법 **제21조 제1항**이 "제11조 제3항의 규정에 의하여 공개청구된 사실을 통지받은 제3자는 통지받은 날부터 3일 이내에 당해 공공기관에 대하여 자신과 관련된 정보를 공개하지 아니할 것을 요청할 수 있다"고 **규정**하고 있다고 하더라도, 이는 공공기관이 보유·관리하고 있는 정보가 **제3자와 관련이 있는 경우 그 정보공개여부를 결정함에 있어 공공기관이 제3자와의 관계에서 거쳐야 할 절차를 규정한 것에 불과**할 뿐, 제3자의 **비공개요청이 있다는 사유만으로 정보공개법상 정보의 비공개사유에 해당한다고 볼 수 없다**(대판 2008.9.25, 2008두8680).

(2) 이의신청, 행정심판, 행정소송

공개결정에 대해 제3자는 문서로 이의신청을 할 수 있다(제21조2항). 나아가 정보공개결정은 항고쟁송의 대상이 되는 처분에 해당하여 행정쟁송을 제기할 수도 있다. 한편 취소심판, 취소소송을 제기하면서 **집행정지**신청이 가능하지만, 인용될 가능성은 낮다. 입법론으로서는 **집행부정지원칙에 대한 예외**로서 **집행정지에 관한 명시적 규정**을 두는 것이 **바람직**하다. **보다 실효적**인 소송형식은 **예방적 금지소송**이 될 것이나 **판례**는 현재 이러한 소송형태를 **인정하지 않고 있다**.

(3) 제3자의 소송참가

제3자에 관한 정보의 공개가 거부되어 정보공개청구자가 공개거부취소소송을 제기할 경우, 이해관계 있는 제3자는 소송참가를 할 수 있다(행정소송법 제16조).

기출 사례 **비공개결정 적법성 및 비공개대상정보 해당 여부 (09년 행시 - 일반행정)**

A고등학교 교장인 甲은 소속 교사인 乙의 행실이 못마땅하고, 그 소속 단체인 교사 연구회에 대하여도 반감을 가지고 있던 중에 乙이 신청한 A학교시설의 개방 및 그 이용을 거부하였다. 그러자 평소 甲의 학교운영에 불만을 품고 있던 乙은 학교장 甲의 업무추진비 세부항목별 집행내역 및 그에 관한 증빙서류에 대하여 정보공개를 청구하였다. 이에 甲은 청구된 정보의 내용중에는 개인의 사생활의 비밀 또는 자유를 침해할 우려가 있는 정보가 포함되어 있다는 것을 이유로 乙의 청구에 대하여 비공개 결정하였다. (총 30점)

1) 甲의 비공개결정의 적법성 여부에 대하여 검토하시오. (15점)
2) 甲의 비공개결정에 대하여 乙이 취소소송을 제기하여 다투고 있던 중, 甲은 위 사유 이외에 학교장의 업무추진비에 관한 정보 중에는 법인·단체의 경영상의 비밀이 포함되어 있다는 것을 비공개결정 사유로 추가하려고 한다. 그 허용 여부에 대하여 검토하시오. (15점)

Ⅰ. 비공개결정의 적법성-설문(1)

1. 문제의 소재

- 甲의 비공개결정의 적법성 여부는 학교장 甲의 업무추진비 세부항목별 집행내역 및 그에 관한 증빙서류가 공공기관의정보공개에관한법률(이하 정보공개법) 제9조1항6호의 비공개대상정보에 해당하는지 여부에 따라 좌우됨.

2. 정보공개청구권의 의의 및 청구권자(정보공개법 제5조)

3. 甲의 비공개결정의 적법성 여부

(1) 乙이 청구한 정보가 교육관련기관이 보유하고 있는 정보에 해당되는지?

- '교육관련기관의 정보공개에 관한 특례법'[3]은 교육관련기관의 정보공개에 관해 정보공개법의 특례를 규정하고 있는데, 정보공개법에서 '공공기관'의 정보공개를 규정한 것처럼 특례법에서는 '교육관련기관'의 정보공개를 규정.
- 동법 제2조4호는 '교육관련기관'에 학교를 포함시키고 있으며 동법 제2조5호에서 '학교'란 '초·중등교육법' '고등교육법'에 따라 설치된 각급학교, 그 밖에 다른 법률에 따라 설치된 각급학교를 말한다고 규정.
- 따라서 A고등학교는 특례법상의 교육관련기관에 해당하므로 乙이 청구한 정보는 교육관련기관이 직무상 작성 또는 취득하여 관리하고 있는 문서에 해당(동법 제2조1호)

(2) 비공개대상정보해당 여부

- 특례법은 비공개대상정보에 대해서는 규정하고 있지 않으나, 동법에 규정된 내용 외에는 정보공개법을 적용하므로(동법 제4조) 정보공개법 제9조의 비공개대상정보 규정이 적용됨.
- 당해정보에 포함되어 있는 이름 주민등록번호 등 개인에 관한 사항으로서 공개될 경우 개인의 사생활 비밀 또는 자유를 침해할 우려가 있다고 인정되는 정보로서 정보공개법 제9조1항6호 해당여부 및 6호 단서의 예외 해당 여부를 검토
- 판례는 공개여부에 따른 공·사익 비교교량을 통해 구체적 사안마다 신중히 판단함.
- 사안의 경우 업무추진비가 사적인 용도에 집행되거나 낭비되고 있을지도 모른다는 의혹해소나 알권리라는 공익과 개인의 사생활보호라는 공익을 비교해 볼 때 집행절차의 투명성 제고와 예산집행의 합법성 확보라는 측면에서 공개하는 것이 타당.

(3) 부분공개 여부(정보공개법 제14조)

- 업무추진비에 관한 공개대상정보와 프라이버시에 관한 비공개대상정보가 혼재되어 있는 경우 공개청구 취지에 어긋나지 않는 범위 내에서 부분공개 가능함.

(4) 소 결

- 학교행정의 투명성과 집행절차의 적법성보장을 위해서 공개하는 것이 타당하므로 甲의 비공개결정은 위법

Ⅱ. 비공개결정 취소소송중 처분 사유 추가 - 설문(2)

1. 처분사유의 추가·변경 의의

2. 처분사유의 추가, 변경 인정여부(#119)

- 학설대립 있으며 통설, 판례는 제한적 긍정설

3. 허용범위 및 한계

(1) 사물적 한계 - 기본적 사실관계의 동일성

(2) 시간적 한계 - 처분시에 존재했던 사유

(3) 사안의 경우

- 시간적 한계는 문제되지 않으나,
- 학교장의 업무추진비에 관한 정보 중에 법인 단체의 경영상의 비밀이 포함되어 있다는 비공개결정사유(**제9조1항7호**)와 개인의 사생활비밀 또는 자유를 침해할 우려가 있다는 정보가 포함되어 있다는 사유(**제9조1항6호**)는 법률적으로 평가하기 이전에 구체적 사실에 착안하여 그 기초가 되는 **사회적 사실관계가 기본적인 면에서 동일하다고 볼 수 없고** 당초의 처분사유를 구체화하는 것이라고도 볼 수 없으므로 **처분사유의 추가·변경은 허용될 수 없음**.

4. 소 결

기출 사례 정보공개와 재결소송(11년 행시 - 일반행정)

서울특별시 X구에 위치한 대학입학전문상담사로 근무하는 갑은 과학적이고 체계적인 학생입학지도를 위해 '공공기관의 정보공개에 관한 법률'에 따라 교육과학기술부장관을에게 학교별 성적분포도를 포함하여 서울지역 2010년 대학수학능력시험평가 원데이터에 대한 정보(수능시험정보)의 공개를 청구하였다. 이에 대해 을은 갑의 청구대로 응할 경우 학교의 서열화를 야기할 뿐만 아니라 업무의 공정한 수행에 현저한 지장을 초래한다는 이유로 비공개결정을 하였다. 갑의 권리구제와 관련하여 다음의 질문에 답하시오.(단, 무효확인심판과 무효확인소송은 제외한다.) (총50점)

1) 갑이 현행 행정쟁송법상 권리구제와 수단으로 선택할 수 있는 방식에 대하여 기술하시오.(10점)

2) 을이 비공개결정을 한 이유의 타당성을 검토하시오.(10점)

3) 만약 갑이 행정심판을 제기한 경우에 행정심판위원회는 어떠한 재결을 할 수 있는지 행정심판 유형에 따라 기술하고 이때 행정심판법상 갑의 권리구제수단의 한계에 대해서도 검토하시오.(20점)

4) 만약 갑이 취소소송을 제기하여 인용판결이 확정되었음에도 불구하고 을이 계속 정보를 공개하지 않을 경우 갑의 권리구제를 위한 행정소송법상 실효성 확보수단과 그 요건 및 성질에 대해 기술하시오.(10점)

Ⅰ. 비공개결정에 대한 "쟁송법상"의 구제수단 - 설문1)

1. 취소소송

- 비공개결정은 공개신청에 대한 거부처분이므로 거부처분취소소송이 가능.
- 정보공개법 5조가 일반적 정보공개청구권을 인정하고 있으므로 정보공개처분을 받은 것 자체가 법률상 이익의 침해이며 원고적격 인정. 정보공개법 제5조에 의해 신청권도 인정됨.

2. 의무이행소송

- 인정여부에 관한 논의 있음. 판례는 부정(#107).

3. 집행정지 및 가처분

- 거부처분에 대한 집행정지(#115)/가처분 인정여부(#116)
- 판례는 모두 부정

4. 행정심판

- 취소심판 가능.
- 소송과는 달리 의무이행심판도 인정됨.
- 개정 행정심판법에 의한 임시처분(제31조)도 가능하나 정보의 속성상 인용될 가능성은 낮음.

Ⅱ. 비공개결정의 재량의 하자 유무 - 설문2)

- 정보공개법 제9조1항5호의 비공개대상정보에 해당되는지 여부가 핵심.
- 제9조1항 각호에 해당한다고 하더라도 공개여부에는 재량이 인정되는데 비공개여부의 판단기준을 판례에 입각해 서술하고 최종적으로 공개여부를 검토하면 됨.
- 수능시험에 학교별 성적분포표는 비공개 대상 정보이나, 대학수학능력시험 평가 원데이타에 대한 정보는 비공개 대상 정보가 아님.

판 례 [1] 공공기관의 정보공개에 관한 법률 **제9조1항5호**에서 정한 '공개될 경우 업무의 공정한 수행에 현저한 지장을 초래한다고 인정할 만한 상당한 이유가 있는 경우'의 의미

- 공공기관의 정보공개에 관한 법률 제9조1항5호는 시험

3) 2008년 제정된 법으로 교육관련기관의 정보공개에 관한 특례를 규정. 동법에 규정된 내용 외에는 정보공개법을 적용(동법 제4조).

에 관한 사항으로서 공개될 경우 업무의 공정한 수행에 현저한 지장을 초래한다고 인정할 만한 상당한 이유가 있는 정보는 공개하지 아니한다고 규정하고 있는바, 여기에서 규정하고 있는 **'공개될 경우 업무의 공정한 수행에 현저한 지장을 초래한다고 인정할 만한 상당한 이유가 있는 경우' 란 공개될 경우 업무의 공정한 수행이 객관적으로 현저하게 지장을 받을 것이라는 고도의 개연성이 존재하는 경우를 의미**한다.

[2] 학교교육에서의 시험에 관한 정보로서 '공개될 경우 업무의 공정한 수행에 현저한 지장을 초래하는지 여부'의 판단 기준

- **알 권리와 학생의 학습권, 부모의 자녀교육권의 성격 등에 비추어** 볼 때, 학교교육에서의 시험에 관한 정보로서 공개될 경우 업무의 공정한 수행에 현저한 지장을 초래하는지 여부는 공공기관의 정보공개에 관한 법률의 목적 및 시험정보를 공개하지 아니할 수 있도록 하고 있는 입법 취지, 당해 시험 및 그에 대한 평가행위의 성격과 내용, 공개의 내용과 공개로 인한 업무의 증가, 공개로 인한 파급효과 등을 종합하여, **비공개에 의하여 보호되는 업무수행의 공정성 등의 이익과 공개에 의하여 보호되는 국민의 알 권리와 학생의 학습권 및 부모의 자녀교육권의 보장, 학교교육에 대한 국민의 참여 및 교육행정의 투명성 확보 등의 이익을 비교·교량**하여 **구체적인 사안에 따라 신중하게 판단**하여야 한다.

[3] **2002년도 및 2003년도 국가 수준 학업성취도평가 자료'는 표본조사 방식**으로 이루어졌을 뿐만 아니라 **학교식별 정보 등도 포함**되어 있어서 그 원자료 전부가 **그대로 공개될 경우 학업성취도평가 업무의 공정한 수행이 객관적으로 현저하게 지장을 받을 것이라는 고도의 개연성이 존재**한다고 볼 여지가 있어 공공기관의 정보공개에 관한 법률 제9조1항 **제5호에서 정한 비공개대상정보에 해당**하는 부분이 있으나, **'2002학년도부터 2005학년도까지의 대학수학능력시험 원데이터'는 연구 목적으로 그 정보의 공개를 청구하는 경우, 공개로 인하여 초래될 부작용이 공개로 얻을 수 있는 이익보다 더 클 것이라고 단정하기 어려우므로** 그 공개로 대학수학능력시험 업무의 공정한 수행이 객관적으로 현저하게 지장을 받을 것이라는 고도의 개연성이 존재한다고 볼 수 없어 위 조항의 **비공개대상정보에 해당하지 않는다**고 한 사례(대판 2010.2.25, 2007두9877).

Ⅲ. 재결의 형태와 권리구제상의 한계 - 설문3)

1. 행정심판 제기시 취소심판, 의무이행 심판 모두 가능

2. 취소심판

- 취소재결(형성재결)의 형태만 가능. 취소명령재결은 심판법 개정으로 삭제됨(심판법 제43조3항).
- 행정소송법 제30조2항과 달리 심판법 제49조는 재처분의무를 규정하고 있지 않아 취소재결에 기속력의 내용으로 재처분의무가 인정되는지 견해대립(#102.6)이 있는데 부정설을 취할 때 권리구제수단으로서 한계가 있고, 긍정설을 취하더라도 의무의 불이행에 대한 강제 방법이 없어 한계 有.

3. 의무이행심판

- 처분재결(형성재결)과 처분명령재결(이행재결)의 형태 가능(제43조5항).
- 처분재결 역시 성질상 곤란하고 처분명령재결은 가능.
- 처분명령재결이 있으면 행정청은 처분의무가 생김(제49조2항).
- 처분의무를 이행하지 않을 경우에는 기간을 정하여 시정명령을 하고 기간 내에 이행하지 않으면 직접처분이 가능한데(제50조), 직접처분의 요건을 모두 충족하고 있다 하더라도 해당 처분의 성질이나 그 밖의 불가피한 사유로 행정심판위원회가 직접처분을 할 수 없는 경우에는 직접처분을 아니할 수 있는데(제50조 단서) 사안은 여기에 해당됨. 따라서 의무이행심판의 경우도 권리구제수단으로서 한계 有.

Ⅳ. 취소인용판결의 기속력 확보수단 - 설문4)(#124)

1. 인용판결 후 공개거부시 실효성 확보수단

- 기속력의 내용으로 재처분의무 (행소법 제30조2항)
- 재처분의무 불이행에 대한 실효성 확보수단은 간접강제 (행소법 제34조)

2. 간접강제의 요건

① 취소판결의 확정 ② 재처분의무의 불이행

3. 간접강제의 성질

- 재처분의 지연에 대한 제재나 손해배상이 아니고 재처분의 이행에 관한 심리적 강제수단에 불과.
- 일종의 이행강제금에 유사(민사집행법상의 간접강제의 성격)

기출 사례 **정보공개청구의 방법, 비공개대상사유**(15년 행시)

甲은 행정청 乙이 지출한 업무추진비의 예산집행내역과 지출증빙서 등에 관하여 乙에게 정보공개청구를 하였다. 다음 물음에 답하시오. (총 30점)

1) 甲은 정보의 사본 또는 출력물의 교부의 방법으로 정보를 공개해 줄 것을 요구하였다. 이에 반해 乙은 열람의 방법에 의한 공개를 선택할 수 있는가? (10점)

2) 공개 청구된 정보 중에는 乙이 주최한 간담회·연찬회 등 각종 행사 관련 지출 증빙에 행사참석자(공무원도 일부 참석함)를 식별할 수 있는 개인정보가 포함되어 있다. 乙은 이를 이유로 정보공개를 거부할 수 있는가? (20점)

Ⅰ. 공공기관의 정보공개방법 선택 여부 - 설문(1)

1. 문제의 소재

- 정보공개청구인이 정보공개방법을 정보의 사본 또는 출력물 교부의 방법으로 특정한 경우 공공기관이 공개방법에 대한 재량이 인정되어 열람의 방법을 선택할 수 있는지 문제됨.

2. 청구인의 정보공개 청구방법

- 정보공개법 제10조 1항

3. 공공기관의 정보공개결정시 공개방법

(1) 정보공개법 규정 - 정보공개법 제13조

(2) 공공기관의 공개방법 선택 가능성

- 비공개대상정보에 해당되어서 공개를 하지 않는 경우가 아니라 공개결정을 하는 경우에는 정보공개법 제13조2항에 의한 제한은 있더라도 열람의 방법에 의한 공개방법을 선택할 수는 없음.

판 례 공공기관의 정보공개에 관한 법률 제2조 제2항, 제3조, 제5조, 제8조 제1항, 같은법 시행령 제14조, 같은법 시행규칙 제2조 [별지 제1호 서식] 등의 각 규정을 종합하면, **정보공개를 청구하는 자가 공공기관에 대해 정보의 사본 또는 출력물의 교부의 방법으로 공개방법을 선택하여 정보공개청구를 한 경우**에 공개청구를 받은 **공공기관으로서는 같은 법 제8조 제2항(현행 제13조2항 유사)에서 규정한 정보의 사본 또는 복제물의 교부를 제한할 수 있는 사유에 해당하지 않는 한 정보공개청구자가 선택한 공개방법에 따라 정보를 공개하여야** 하므로 그 **공개방법을 선택할 재량권이 없다**(대판 2003.12.12, 2003두8050).

Ⅱ. 甲이 청구한 정보의 비공개대상정보 해당 여부 - 설문(2)

1. 문제의 소재

- 정보공개법 제9조 1항 6호의 개인의 사생활의 비밀 또는 자유를 침해할 우려가 있다고 인정되는 정보에 해당되는지 문제됨.

2. 정보공개의 원칙(제3조)

3. 비공개대상정보

- 정보공개법은 제9조에서 비공개할 수 있는 사유를 규정.

- 사안은 제9조 6호에 해당되는지 문제됨.

판 례 법 제9조 제1항 **제6호**는 **비공개대상정보의 하나로 '당해 정보에 포함되어 있는 이름·주민등록번호 등에 의하여 특정인을 식별할 수 있는 개인에 관한 정보'**(이하 '개인식별정보'라 한다)**를 규정**하면서, 같은 호 단서 (다)목으로 **'공공기관이 작성하거나 취득한 정보로서 공개하는 것이 공익 또는 개인의 권리구제를 위하여 필요하다고 인정되는 정보'는 제외**된다고 규정하고 있는바, 여기에서 **'공개하는 것이 공익을 위하여 필요하다고 인정되는 정보'에 해당하는지 여부는 비공개에 의하여 보호되는 개인의 사생활 보호 등의 이익과 공개에 의하여 보호되는 국민의 알권리의 보장과 국정에 대한 국민의 참여 및 국정운영의 투명성 확보 등의 공익을 비교·교량**하여 구체적 사안에 따라 개별적으로 판단하여야 한다(대판 2004.8.20, 2003두8302).

4. 사안의 해결

- 乙이 주최한 간담회·연찬회 등 각종 행사 관련 지출 증빙에 포함된 행사참석자를 식별할 수 있는 개인에 관한 정보에 해당되어 乙은 이를 이유로 정보공개를 거부할 수 있음.

- 그런데, 개인이 공무원인 경우는 공무원이 직무와 관련하여 행사에 참석한 경우의 정보는, '공개하는 것이 공익을 위하여 필요하다고 인정되는 정보'에 해당하고, 따라서 乙이 정보의 공개를 거부한 것은 위법하다고 할 수 있음.

- 그러나 공무원의 주민등록번호와 공무원이 직무와 관련 없이 개인적인 자격 등으로 행사에 참석한 경우의 정보는 공무원의 사생활 보호라는 관점에서 보더라도 정보가 공개되는 것은 바람직하지 않으며 정보의 비공개에 의하여 보호되는 이익보다 공개에 의하여 보호되는 이익이 우월하다고 할 수도 없으므로 이는 '공개하는 것이 공익을 위하여 필요하다고 인정되는 정보'에 해당하지 않음.

82 국가배상책임의 성질과 공무원의 책임[1]

Ⅰ. 국가배상책임의 성질

1. 학 설

(1) 대위책임설

본래 공무원의 책임인 것을 국가가 대신하여 지는 것으로 본다. 국가는 대신 배상한 후 공무원에게 구상 가능하다. 국배법 제2조가 경과실의 경우 구상권을 인정하지 않은 것은 입법정책적 고려라고 한다.

(2) 자기책임설

기관의 행위라는 형식을 통하여 국가가 직접 부담하는 자기책임이라고 본다. 공무원의 구상책임은 행정내부적 변상책임으로서, 구상권은 채무불이행에 근거한 손해배상청구권에 유사한 것으로 이해한다.

(3) 중간설

경과실인 경우 자기책임, 고의·중과실인 경우 대위책임이라고 본다.

(4) 절충설

공무원은 국가기관의 지위에서 행하는 것이므로 손해가 발생한 경우 기관의 행위로서 국가가 배상책임을 지되, 고의·중과실에 의한 경우 당해 행위는 기관행위로서의 지위를 상실하여 공무원 개인의 책임만이 문제되나 직무행위로서의 외형을 가지고 있다면 피해자 구제에 만전을 기하기 위해서 피해자와의 관계에서는 국가는 피해자에 대하여 일종의 자기책임을 지는 것으로 본다.

2. 검 토

현행 국가배상법 제2조의 구조로 보건대, 공무원 개인의 주관적 책임요건으로 고의·과실을 요구하고 있고, 국가의 공무원에 대한 구상권 규정을 두고 있는 점 등을 고려할 때 대위책임설에 입각한 구조라고 보는 것이 타당하다. 대위책임설에 의하더라도 헌법 제29조1항 단서의 "공무원 자신의 책임"이 대내적인 구상책임에 한정되는 것이라고 할 수는 없으며, 후술하는 바와 같이 국가배상책임의 법적 성질과 가해공무원의 대외적 책임은 논리필연적인 것은 아니다. 판례의 입장은 명확치 않으며, 일부 견해는 판례가 중간설 또는 절충설을 취하였다고 평가하고 있다.

Ⅱ. 가해 공무원의 대외적 책임(피해자의 선택적 청구권)

1. 문제의 소재

국가배상책임이 성립한 경우 국가,지방자치단체의 국가배상책임과 별도로 가해공무원이 직접 피해자에게 불법행위 책임(민법상)을 져야 하는지의 문제이다. 국가배상책임의 법적 성질과 관련하여 논의되고 있지만 논리필연적인 것은 아니며, 헌법 제29조1항 단서 및 국가배상법 제2조의 해석과 관련된 문제이다.

2. 학 설

(1) 긍정설

자기책임설 중 다수가 주장하는 견해이다. 헌법 제29조1항 단서의 '면제되지 않는 공무원의 책임'은 민사책임을 포함하고, 공무원 개인의 손해배상은 위법행위의 억제기능을 가지며, 피해자의 입장에서 선택적으로 청구권을 행사할 수 있어 피해자의 권리구제에 만전을 기할 수 있음을 근거로 한다.

---

1) 국가배상책임의 성립을 전제로 했을 때 공무원이 민법상 불법행위책임을 지는가의 문제.

(2) 부정설

대위책임설의 다수가 주장하는 견해이다. 헌법 제29조1항 단서의 공무원의 책임은 **내부적인 구상책임**을 의미하는 것이고, **경제적 부담능력이 있는 국가가 배상책임을 지면 피해자의 구제는 완전**히 이루어지는 것이며, 공무원의 배상책임을 인정하면 **공무원의 직무집행을 위축시킬 우려**가 있음을 근거로 한다.

(3) 절충설

경과실의 경우에는 통상 예기할 수 있는 흠으로 **국가의 행위**로 보아 국가만이 책임을 지나, **고의·중과실**의 경우는 기관으로서의 품격을 상실한 것으로서 **공무원 개인의 불법행위이기 때문에 공무원이 손해배상책임**을 지되, 이 경우에도 **피해자의 두터운 보호**를 위해 **국가 등도 중첩적으로 배상책임**을 지는 것으로 본다.

Ⅲ. 판례 - 절충설

전원합의체 판례의 다수의견은 **경과실**의 경우에는 공무원의 책임을 **부정**하고 **고의·중과실**의 경우에는 **긍정**하여 절충설의 입장이이다.

판례 1 공무원이 직무수행 중 불법행위로 타인에게 손해를 입힌 경우, 공무원 개인의 손해배상책임 유무(=제한적 긍정설)

[다수의견] 공무원이 직무수행 중 불법행위로 타인에게 손해를 입힌 경우에 국가 등이 국가배상책임을 부담하는 외에 공무원 개인도 **고의 또는 중과실**이 있는 경우에는 **불법행위로 인한 손해배상책임**을 진다고 할 것이지만, 공무원에게 **경과실**뿐인 경우에는 공무원 개인은 **손해배상책임을 부담하지 아니한다**고 해석하는 것이 **헌법 제29조1항 본문과 단서 및 국가배상법 제2조의 입법취지에 조화**되는 올바른 해석이다.

[별개의견] 공무원의 직무상 **경과실로 인한 불법행위의 경우에도 공무원 개인의 피해자에 대한 손해배상책임은 면제되지 아니한다**고 해석하는 것이, 우리 헌법의 관계 규정의 연혁에 비추어 그 명문에 충실한 것일 뿐만 아니라 **헌법의 기본권보장 정신과 법치주의의 이념**에도 부응하는 해석이다.

[반대의견] 공무원이 직무상 불법행위를 한 경우에 국가 또는 공공단체만이 피해자에 대하여 국가배상법에 의한 손해배상책임을 부담할 뿐, 공무원 개인은 **고의 또는 중과실이 있는 경우에도 피해자에 대하여 손해배상책임을 부담하지 않는 것**으로 보아야 한다(대판(전) 1996.2.15, 95다38677).

판례 2 공무원의 **중과실**이란 공무원에게 **통상 요구되는 정도의 상당한 주의를 하지 않더라도 약간의 주의를 한다면 손쉽게 위법·유해한 결과를 예견할 수 있는 경우임에도 만연히 이를 간과함과 같은 거의 고의에 가까운 현저한 주의를 결여한 상태**를 의미한다(대판 2011.9.8, 2011다34521).

판례 3 **경과실이 있는 공무원이 피해자에 대하여 손해배상책임을 부담하지 아니함에도 피해자에게 손해를 배상하였다면 그것은 채무자 아닌 사람이 타인의 채무를 변제한 경우에 해당**하고, 이는 **민법 제469조의 '제3자의 변제' 또는 민법 제744조의 '도의관념에 적합한 비채변제'에 해당하여 피해자는 공무원에 대하여 이를 반환할 의무가 없고**, 그에 따라 피해자의 국가에 대한 손해배상청구권이 소멸하여 국가는 자신의 출연 없이 채무를 면하게 되므로, **피해자에게 손해를 직접 배상한 경과실이 있는 공무원은 특별한 사정이 없는 한 국가에 대하여 국가의 피해자에 대한 손해배상책임의 범위 내에서 공무원이 변제한 금액에 관하여 구상권을 취득**한다(대판 2014.8.20, 2012다54478).

Ⅳ. 검토 - 절충설

국가배상책임의 성질과 선택적 청구의 인정여부는 **논리적 연관성이 없는 입법정책의 문제**[2])로서 헌법 29조1항 단서 및 국가배상법 2조의 해석과 관련되어 해결되어야 한다.

헌법규정상의 공무원의 책임의 내용이 불명확한 가운데 헌법을 구체화하고 있는 **국가배상법은 '구상'의 형태로만**

2) 박균성 교수님도 논리필연적인 관계가 아니라고 하고 있으며, 정하중 교수님도 불가분의 관계가 있는 것은 아니라고 하는 데 정하중 교수님은 자기책임설이 타당하다고 하면서도 공무원에 대한 선택적 청구권은 부인하고 있음.

책임을 질 뿐, 직접 피해자에 대하여 책임을 지는지에 대해서는 명확하게 규정하고 있지 않다. 그러나 다른 한편 헌법상 공무원의 책임을 구체화하고 있는 규정으로 민법 750조도 포함되는 것으로 해석하면 국가배상법은 공무원의 내부적 책임만 규정하고 있을 뿐, 외부적 책임에 대해서는 규정한 바가 없으므로 민법 750조에 의해 외부적 책임을 진다고 볼 수 있다. 그러나 입법정책적으로 경과실의 경우까지 공무원이 배상책임을 져야 한다고 한다면 공무집행의 위축이 있을 우려가 있으므로 경과실의 경우는 배상책임을 면제하는 것이 바람직하므로 절충설이 타당하다.

관련 판례 공무원의 대외적 책임에 관한 판례(대판(전) 1996. 2.15, 95다38677)

[다수의견]

[1] 헌법 제29조1항 단서의 취지

- 헌법 제29조1항 단서는 공무원이 한 직무상 불법행위로 인하여 국가 등이 배상책임을 진다고 할지라도 그 때문에 공무원 자신의 민·형사책임이나 징계책임이 면제되지 아니한다는 원칙을 규정한 것이나, 그 조항 자체로 공무원 개인의 구체적인 손해배상책임의 범위까지 규정한 것으로 보기는 어렵다.

[2] 국가배상법 제2조1항 본문 및 2항의 입법 취지

- 국가배상법 제2조1항 본문 및 2항의 입법 취지는 공무원의 직무상 위법행위로 타인에게 손해를 끼친 경우에는 변제자력이 충분한 국가 등에게 선임감독상 과실 여부에 불구하고 손해배상책임을 부담시켜 국민의 재산권을 보장하되, 공무원이 직무를 수행함에 있어 경과실로 타인에게 손해를 입힌 경우에는 그 직무수행상 통상 예기할 수 있는 흠이 있는 것에 불과하므로, 이러한 공무원의 행위는 여전히 국가 등의 기관의 행위로 보아 그로 인하여 발생한 손해에 대한 배상책임도 전적으로 국가 등에만 귀속시키고 공무원 개인에게는 그로 인한 책임을 부담시키지 아니하여 공무원의 공무집행의 안정성을 확보하고, 반면에 공무원의 위법행위가 고의·중과실에 기한 경우에는 비록 그 행위가 그의 직무와 관련된 것이라고 하더라도 그와 같은 행위는 그 본질에 있어서 기관행위로서의 품격을 상실하여 국가 등에게 그 책임을 귀속시킬 수 없으므로 공무원 개인에게 불법행위로 인한 손해배상책임을 부담시키되, 다만 이러한 경우에도 그 행위의 외관을 객관적으로 관찰하여 공무원의 직무집행으로 보여질 때에는 피해자인 국민을 두텁게 보호하기 위하여 국가 등이 공무원 개인과 중첩적으로 배상책임을 부담하되 국가 등이 배상책임을 지는 경우에는 공무원 개인에게 구상할 수 있도록 함으로써 궁극적으로 그 책임이 공무원 개인에게 귀속되도록 하려는 것이라고 봄이 합당하다.

[3] 공무원이 직무수행 중 불법행위로 타인에게 손해를 입힌 경우, 공무원 개인의 손해배상책임 유무(=제한적 긍정설)

- 공무원이 직무수행 중 불법행위로 타인에게 손해를 입힌 경우에 국가 등이 국가배상책임을 부담하는 외에 공무원 개인도 고의 또는 중과실이 있는 경우에는 불법행위로 인한 손해배상책임을 진다고 할 것이지만, 공무원에게 경과실뿐인 경우에는 공무원 개인은 손해배상책임을 부담하지 아니한다고 해석하는 것이 헌법 제29조1항 본문과 단서 및 국가배상법 제2조의 입법취지에 조화되는 올바른 해석이다.

[4] 경과실에 의한 공무원의 직무상 위법행위에 대하여 공무원 개인의 손해배상책임을 인정하지 않는 것이 헌법 제23조에 위배되는지 여부

- 공무원의 직무상 위법행위가 경과실에 의한 경우에는 국가배상책임만 인정하고 공무원 개인의 손해배상책임을 인정하지 아니하는 것이 피해자인 국민의 입장에서 보면 헌법 제23조가 보장하고 있는 재산권에 대한 제한이 될 것이지만, 이는 공무수행의 안정성이란 공공의 이익을 위한 것이라는 점과 공무원 개인책임이 인정되지 아니하더라도 충분한 자력이 있는 국가에 의한 배상책임이 인정되고 국가배상책임의 인정 요건도 민법상 사용자책임에 비하여 완화하고 있는 점 등에 비추어 볼 때, 헌법 제37조2항이 허용하는 기본권 제한 범위에 속하는 것이라고 할 것이다.

[5] [3]항의 법리는 피해자가 군인 등 헌법 제29조2항, 국가배상법 제2조1항 단서 소정의 공무원의 경우에는 달리 보아야 하는지 여부

- [3]항의 법리는 피해자가 헌법 제29조2항, 국가배상법 제2조1항 단서 소정의 공무원으로서 위 단서 조항에 의하여 법률에 정해진 보상 외에는 국가배상법에 의한 배상을 청구할 수 없는 경우라고 하여 달리 볼 것은 아니다. 왜냐하면 헌법 제29조2항은 군인, 군무원, 경찰공무원, 기타 법률이 정한 공무원의 경우 전투, 훈련 등 직무집행과 관련하여

받은 손해에 대하여 법률이 정하는 보상 외에 국가 등에 대하여 공무원의 직무상 불법행위로 인한 배상을 청구할 수 없도록 규정하고 있고 국가배상법 제2조1항 단서도 이를 이어 받아 이를 구체화하고 있지만, 이는 군인 등이 전투, 훈련 등과 관련하여 받는 손해에 한하여는 국가의 손해배상을 인정하지 아니하고 법률이 정한 보상만을 인정함이 타당하다는 헌법적 결단에 의한 것이기 때문이다.

[별개의견]

[1] 헌법 제29조1항 단서의 취지

- 헌법 제29조1항 단서의 공무원 개인책임은 그 본문과 연관하여 보면 이는 직무상 불법행위를 한 그 공무원 개인의 불법행위 책임임이 분명하며, 여기에서 말하는 불법행위의 개념은 법적인 일반개념으로서, 그것은 고의 또는 과실로 인한 위법행위로 타인에게 손해를 가한 것을 의미하고, 이 때의 과실은 중과실과 경과실을 구별하지 않는다는 일반론에 의문을 제기할 여지가 없어 보인다.

[2] 국가배상법 제2조1항 본문 및 제2항의 입법 취지

- 국가배상법 제2조2항의 입법취지가 공무원의 직무집행의 안정성 내지 효율성의 확보에 있음은 의문이 없는 바이나, 위 법 조항은 어디까지나 국가 등과 공무원 사이의 대내적 구상관계만을 규정함으로써, 즉 경과실의 경우에는 공무원에 대한 구상책임을 면제하는 것만으로써 공무집행의 안정성을 확보하려는 것이고, 대외적 관계 즉 피해자(국민)와 불법행위자(공무원) 본인 사이의 책임관계를 규율하는 취지로 볼 수는 없다. 그것은 국가배상법의 목적이 그 제1조가 밝히고 있는 바와 같이 국가 등의 손해배상책임과 그 배상절차 즉 국가 등과 피해자인 국민간의 관계를 규정함에 있고 가해자인 공무원과 피해자인 국민간의 관계를 규정함에 있는 것이 아닌 점에 비추어 보아도 명백하다.

[3] 공무원이 직무수행 중 불법행위로 타인에게 손해를 입힌 경우, 공무원 개인의 손해배상책임 유무

- 공무원의 직무상 경과실로 인한 불법행위의 경우에도 공무원 개인의 피해자에 대한 손해배상책임은 면제되지 아니한다고 해석하는 것이, 우리 헌법의 관계 규정의 연혁에 비추어 그 명문에 충실한 것일 뿐만 아니라 헌법의 기본권 보장 정신과 법치주의의 이념에도 부응하는 해석이다.

[4] 경과실에 의한 공무원의 직무상 위법행위에 대하여 공무원 개인의 손해배상책임을 인정하지 않는 것이 헌법 제23조에 위배되는지 여부

- 아무리 공무집행의 안정성이 공공의 이익에 속한다고 하더라도 그것은 어디까지나 공무집행이 적법하여야만 공공의 이익으로 되는 것이고 위법한 공무집행의 안정성이 공공의 이익에 부합될 수 없으며, 위법한 공무집행으로 손해를 입은 피해자에게 그 손해를 감수하라고 하는 것은 명분이 서지 않는다. 반대로 위법행위의 억제 기능이 느슨해져서 국가의 재정 부담이 증가하면 그것이 공공의 이익에 반하는 결과가 될 것이다. 뿐만 아니라 공공복리를 위하여 필요한 경우에도 국민의 기본권 제한은 반드시 법률로써 하여야 할 것인데, 그러한 법률이 없는데도 해석으로 이를 제한하는 것은 경계할 일이다.

[반대의견]

[1] 헌법 제29조1항 단서의 취지

- 헌법 제29조1항 단서의 규정은 직무상 불법행위를 한 공무원 개인의 손해배상책임이 면제되지 아니한다는 것을 규정한 것으로 볼 수는 없고, 이는 다만 직무상 불법행위를 한 공무원의 국가 또는 공공단체에 대한 내부적 책임 등이 면제되지 아니한다는 취지를 규정한 것으로 보아야 한다.

[2] 국가배상법 제2조1항 본문 및 2항의 입법 취지

- 헌법 제29조1항 및 국가배상법 제2조1항의 규정이 공무원의 직무상 불법행위에 대하여 자기의 행위에 대한 책임에서와 같이 국가 또는 공공단체의 무조건적인 배상책임을 규정한 것은, 오로지 변제자력이 충분한 국가 또는 공공단체로 하여금 배상하게 함으로써 피해자 구제에 만전을 기한다는 것에 그치는 것이 아니라, 더 나아가 국민 전체에 대한 봉사자인 공무원들로 하여금 보다 적극적이고 능동적으로 공무를 수행하게 하기 위하여 공무원 개인의 배상책임을 면제한다는 것에 초점이 있는 것으로 보아야 한다.

[3] 공무원이 직무수행 중 불법행위로 타인에게 손해를 입힌 경우, 공무원 개인의 손해배상책임 유무

- 공무원이 직무상 불법행위를 한 경우에 국가 또는 공공단체만이 피해자에 대하여 국가배상법에 의한 손해배상책임을 부담할 뿐, 공무원 개인은 고의 또는 중과실이 있는 경우에도 피해자에 대하여 손해배상책임을 부담하지 않는 것으로 보아야 한다.

기출 사례 경찰상 즉시강제, 유가족의 국가배상청구, 가해 공무원의 국가에 대한 구상청구(16년 사시)

甲과 乙은 丙 소유의 집에 동거 중이다. 甲은 乙의 외도를 의심하여 식칼로 乙을 수차례 위협하였다. 이를 말리던 乙의 모(母) 丁이 112에 긴급신고함에 따라 출동한 경찰관 X는 신고현장에 진입하고자 대문개방을 요구하였다. 甲이 대문개방을 거절하자 경찰관 X가 시건장치를 강제적으로 해제하고 집 안으로 진입하였고, 그 순간에 甲은 乙의 왼팔을 칼로 찔러 경미한 상처를 입혔다. 경찰관 X는 현행범으로 체포된 甲이 경찰관 X의 요구에 순순히 응하였기 때문에, 甲에게 수갑을 채우지 않았고 신체나 소지품에 대한 수색도 제대로 하지 않은 채 지구대로 연행하였다. 그 후 乙이 피해자 진술을 하기 위해 지구대에 도착하자마자 甲은 경찰관 X의 감시소홀을 틈타 가지고 있던 접이식 칼로 乙의 가슴부위를 찔러 사망하게 하였다.

1. 경찰관 X의 강제적 시건장치 해제의 법적 성격은 무엇인가? 또한 대문의 파손에 대한 丙의 행정법상 권익구제방법은 무엇인가? (10점)
2. 사망한 乙의 유일한 유가족인 丁은 국가배상을 청구할 수 있는가? 경찰관 X가 배상금 전액을 丁에게 지급한 경우 경찰관 X는 국가에게 구상할 수 있는가? (15점)

※ 丙은 甲, 乙과 가족관계에 있지 않음

Ⅰ. 강제적 시건장치 해제의 법적 성격, 대문 파손에 대한 丙의 행정법상 권익구제방법 - 설문 1

1. 시건장치 해제의 법적 성격

⑴ 경찰상 즉시강제(행정상 즉시강제)

⑵ 권력적 사실행위

2. 대문의 파손에 대한 병의 행정법상 권익구제방법

⑴ 항고소송(취소소송 또는 무효확인소송)

1) 대상적격 - 처분성 여부(#28,58)

- 처분에 관한 일반론(개념, 행정행위와 처분과의 관계)
- 권력적 사실행위의 처분성이 문제되는데 쟁송법상 처분개념설에서는 인정에 문제 없고, 실체법상 처분개념설에서도 수인하명과 집행행위라는 사실행위의 합성행위로 이해하여 처분성을 긍정하는 것이 일반적

2) 원고적격(#110)

- 병은 자신의 재산권이 침해되었으므로 인정

3) 권리보호의 필요- 협의의 소의 이익(#111)

- 집행이 종료된 경우 권리보호의 필요가 없는 것이 원칙. 사안은 시건장치가 해제되고 집 안으로 진입하여 갑을 체포한 상태이므로 취소를 구할 권리보호의 필요가 없음.

⑵ 행정심판 - 항고소송과 동일한 논의

⑶ 손해전보

- 시건장치 해제가 위법한 행위라면 국가배상청구가 가능하고, 적법한 행위라면 손실보상청구가 가능.
- 긴급신고에 따라 출동한 경찰관에게 대문개방을 거절한 상태에서 식칼로 위협하는 행위를 진압하기 위해서 시건장치의 강제적 해제는 불가피한 것이므로 위법하다고 평가할 수는 없음. 따라서 적법한 행위로 丙이 특별희생을 받은 경우로 보아 보상이 가능. 경찰관직무집행법 제11조의2에 의한 보상청구가 가능.

⑷ 결과제거청구소송

- 대문 파손행위가 위법하다면 위법한 행위로 인해 야기된 위법상태의 제거를 구할 수 있는데 위에서 검토한 바와 같이 적법한 행위로 볼 경우 결과제거청구소송은 불가.

Ⅱ. 유가족의 국가배상청구 및 가해공무원의 국가에 대한 구상청구 - 설문 2

1. 유가족 丁의 국가배상청구

- 국가배상법 제2조 요건 구비 여부가 문제됨. 요건충족.

2. 경찰관 X의 국가에 대한 구상청구(#82)

⑴ 경찰관 X의 대외적 책임

- 긍정설/부정설/제한적 긍정설의 대립이 있지만 고의·중과실인 경우에만 책임을 진다는 제한적 긍정설이 판례.
- 사안은 경찰관 X가 甲이 乙을 칼로 찌른 범행 현장에서 수갑을 채우지 않고 신체나 소지품에 대한 수색을 제대로 하지 않은 것에 과실을 인정할 수 있으나 갑이 경찰관의 요구에 순순히 응한 점을 감안하면 중과실을 인정하기는 곤란. 경과실이 인정되어 X는 피해자에게 배상책임이 없음.

⑵ 경찰관 X의 국가에 대한 구상청구

- 국가나 지방자치단체가 국가배상책임을 진 경우, 가해공무원이 고의·중과실이 있는 경우 구상청구를 할 수 있다는 규정만 있음(국배법 제2조 2항). 가해 공무원이 피해자에게 배상한 후에 국가에 구상청구할 수 있는지가 문제됨.
- 경과실이 있는 공무원이 배상한 경우에는 국가의 피해자에 대한 손해배상책임의 범위 내에서 공무원이 변제한 금액에 관하여 구상권을 취득함(2012다54478). 사안은 경과실이 있는 경우로서 국가에 대해 구상청구를 할 수 없음.

83 국가배상법 제2조 책임의 요건

Ⅰ. 공무원

기능적 의미의 공무원을 말한다(광의). 국가공무원법이나 지방공무원법에 의하여 공무원으로서의 신분을 가진 자에 국한하지 않고, 널리 공무를 위탁받아 실질적으로 공무에 종사하고 있는 일체의 자를 포함한다. 판례도 이러한 취지에서 통장, 교통할아버지, 소집중인 향토예비군 등을 공무원에 포함시키고 있다. 2009년에는 '공무를 위탁받은 사인'도 공무원에 포함되는 것으로 국가배상법이 개정되었다.

Ⅱ. 직무행위

1. 직무행위의 범위

(1) 학 설

① 공법상의 권력작용 즉 명령과 강제작용만 의미한다는 협의설, ② 권력작용 외에 관리작용 등 모든 공행정작용까지 포함한다는 광의설, ③ 국가 등의 공행정작용에 더하여 사경제적 작용까지도 포함한다는 최광의설의 대립이 있다.

(2) 판례 - 광의설

판 례 국가배상법 제2조 소정의 '공무원'이라 함은 국가공무원법이나 지방공무원법에 의하여 공무원으로서의 신분을 가진 자에 국한하지 않고, 널리 공무를 위탁받아 실질적으로 공무에 종사하고 있는 일체의 자를 가리키는 것으로서, 공무의 위탁이 일시적이고 한정적인 사항에 관한 활동을 위한 것이어도 달리 볼 것은 아니다(대판 2001.1.5, 98다39060).

(3) 검 토

① 헌법 제29조 및 국가배상법은 공행정작용으로 인한 손해에 대한 국가배상 책임을 인정한다는 데에 의의가 있으며, ② 같은 법률관계는 같은 법에 의해 규율되어야 한다는 점에 비추어 광의설이 타당하다.

2. 입법행위

(1) 법률에 의거한 행정청의 구체적 처분에 의한 개인의 권익 침해

처분의 근거법이 위헌·무효로 판정된 경우 위법성은 인정되지만 과실을 인정하기는 어렵다. 행정기관은 법률의 위헌 여부를 심사할 권한이 없기 때문이다.

(2) 법률에 의하여 직접적으로 개인의 권익 침해

처분적 법률의 경우 헌법재판소에서 위헌으로 결정하였다면 위법성 인정은 문제 없으나, 역시 입법과정상 과실을 인정하기 어렵다. 대법원도 제한적으로 인정하고 있다. 서울민사지방법원은 국가보위입법회의법 부칙 제4항에 근거하여 면직당한 국회사무처 및 국회도서관직원에게 입법상 불법에 의한 국가배상청구권을 인정한 바 있다.

판 례 우리 헌법이 채택하고 있는 의회민주주의하에서 국회는 다원적 의견이나 갖가지 이익을 반영시킨 토론과정을 거쳐 다수결의 원리에 따라 통일적인 국가의사를 형성하는 역할을 담당하는 국가기관으로서 그 과정에 참여한 국회의원은 입법에 관하여 원칙적으로 국민 전체에 대한 관계에서 정치적 책임을 질 뿐 국민 개개인의 권리에 대응하여 법적 의무를 지는 것은 아니므로, 국회의원의 입법행위는 그 입법 내용이 헌법의 문언에 명백히 위반됨에도 불구하고 국회가 굳이 당해 입법을 한 것과 같은 특수한 경우가 아닌 한 국가배상법 제2조1항 소정의 위법행위에 해당된다고 볼 수 없다(대판 1997.6.13, 96다56115).[1)]

(3) 입법부작위

이 경우 역시 국회의 과실을 인정하기는 어려울 것이며 대법원도 제한적으로 불법행위의 성립을 인정하고 있다.

1) 판례 사안이 처분적 법률인 경우는 아니며, 구사회안전법으로 인하여 손해를 입었다고 하여 국가배상을 청구한 사례임.

판 례 국가가 일정한 사항에 관하여 헌법에 의하여 부과되는 구체적인 입법의무를 부담하고 있음에도 불구하고 그 입법에 필요한 상당한 기간이 경과하도록 고의 또는 과실로 이러한 입법의무를 이행하지 아니하는 등 극히 예외적인 사정이 인정되는 사안에 한정하여 국가배상법 소정의 배상책임이 인정될 수 있으며, 위와 같은 구체적인 입법의무 자체가 인정되지 않는 경우에는 애당초 부작위로 인한 불법행위가 성립할 여지가 없다(대판 2008.5.29, 2004다33469).

3. 사법(司法)행위

법관의 재판작용에 대해서 국가배상책임이 인정되는지에 대하여 ① **재판상 독립을 저해**하고 확정판결의 **기판력에 반하는 문제**가 있다는 부정설, ② **법관도 공무원**에 해당하고 **재판행위는 법관의 직무**이므로 위법한 판결에 대해서는 인정할 수 있다는 긍정설, ③ **기판력이 발생하는 재판작용은 부정**하고 **기판력이 발생하지 않는 재판작용은 긍정**하는 제한적 긍정설이 대립한다. 재판상 독립을 이유로 부정하는 것은 **법치국가 원리**에 합치되지 않고 **확정된 재판과 그 판결을 이유로 하는 국가배상소송은 별개**이므로 **긍정설이 타당**하다.

그러나 무제한적으로 인정한다면 기판력을 통하여 확보하려는 법적 안정성 측면에서 문제가 있으므로 **위법과 과실의 인정을 엄격**히 해야 한다. 기판력이 발생하지 않는 재판작용은 제한 없이 적용되어야 함은 물론이다.

판례는 기판력을 배상책임의 제한의 근거로 들고 있지는 않지만 법관의 재판작용에 대한 불법행위의 성립을 **제한적으로 인정**하고 있다. 판례는 **법관이 그에게 부여된 권한의 취지에 명백히 어긋나게 이를 행사하였다고 인정할 만한 특별한 사정이 있는 경우에 한하여** 배상책임을 **제한적으로 인정**하고 있으며(판례1), **심급제도의 존재를 국가배상책임의 제한 근거**로 들기도 한다(판례2).

판례 1 법관의 재판에 법령의 규정을 따르지 아니한 잘못이 있다 하더라도 이로써 바로 그 재판상 직무행위가 국가배상법 제2조1항에서 말하는 위법한 행위로 되어 국가의 손해배상책임이 발생하는 것은 아니고, 그 국가배상책임이 인정되려면 당해 법관이 위법 또는 부당한 목적을 가지고 재판을 하였다거나 법이 법관의 직무수행상 준수할 것을 요구하고 있는 기준을 현저하게 위반하는 등 법관이 그에게 부여된 권한의 취지에 명백히 어긋나게 이를 행사하였다고 인정할 만한 특별한 사정이 있어야 한다(대판 2003.7.11, 99다24218).

판례 2 재판에 대하여 따로 불복절차 또는 시정절차가 마련되어 있는 경우에는 재판의 결과로 불이익 내지 손해를 입었다고 여기는 사람은 그 절차에 따라 자신의 권리 내지 이익을 회복하도록 함이 법이 예정하는 바이므로, 불복에 의한 시정을 구할 수 없었던 것 자체가 법관이나 다른 공무원의 귀책사유로 인한 것이라거나 그와 같은 시정을 구할 수 없었던 부득이한 사정이 있었다는 등의 특별한 사정이 없는 한, 스스로 그와 같은 시정을 구하지 아니한 결과 권리 내지 이익을 회복하지 못한 사람은 원칙적으로 국가배상에 의한 권리구제를 받을 수 없다고 봄이 상당하다고 하겠으나, 재판에 대하여 불복절차 내지 시정절차 자체가 없는 경우에는 부당한 재판으로 인하여 불이익 내지 손해를 입은 사람은 국가배상 이외의 방법으로는 자신의 권리 내지 이익을 회복할 방법이 없으므로, 이와 같은 경우에는 배상책임의 요건이 충족되는 한 국가배상책임을 인정하지 않을 수 없다(대판 2003.7.11, 99다24218).

Ⅲ. 직무를 집행하면서(직무행위의 판단기준)

직무집행에 해당하는지는 실제 **직무집행행위뿐만 아니라, 널리 외형상으로 직무집행과 관련있는 행위를 포함**한다는 **외형설이 통설, 판례**이다.

판 례 국가배상법 제2조1항의 '직무를 집행함에 당하여'라 함은 직접 공무원의 직무집행행위이거나 그와 밀접한 관련이 있는 행위를 포함하고, 이를 판단함에 있어서는 행위 자체의 외관을 객관적으로 관찰하여 공무원의 직무행위로 보여질 때에는 비록 그것이 실질적으로 직무행위가 아니거나 또는 행위자로서는 주관적으로 공무집행의 의사가 없었다고 하더라도 그 행위는 공무원이 '직무를 집행함에 당하여' 한 것으로 보아야 한다(대판 2005.1.14, 2004다26805).

Ⅳ. 법령에 위반하여

1. 위법성 판단의 대상 및 기준(국가배상법상 위법개념)

(1) 학 설

① 가해행위의 결과인 **손해의 불법**을 의미한다는 **결과불법설**, ② 행위 자체의 적법·위법뿐 아니라 피침해이익의 성격과 침해의 정도 및 가해행위의 태양 등을 종합적 고려하여 행위가 **객관적으로 정당성을 결여**한 경우를 의미한다는 **상대적 위법성설**, ③ **행위의 '법규범' 위반을 의미한다는 행위위법설**이 대립한다. 행위위법설은 다시 국가배상법상의 위법을 **항고소송에서의 위법과 동일**하게 보아 국가작용 자체의 **법규범 위반**으로 이해하는 **협의의 행위위법설**과 항고소송의 위법보다 넓게 파악하여 행위 자체의 위법 뿐만 아니라 **피해자와의 관계에서의 손해방지 의무위반도 포함**하는 **광의의 행위위법설**이 있다. 광의의 행위위법설 중에는 공서양속, 인권존중, 신의성실, 권력남용금지 등의 위반도 포함하는 견해도 있다.

(2) 판 례

주류적인 입장은 행위위법설이나, 상대적 위법성설의 입장을 취한 것으로 평가되는 판례(판례 3)도 있다.

판례 1 [1] 국가배상책임은 공무원의 직무집행이 법령에 위반한 것임을 요건으로 하는 것으로서, **공무원의 직무집행이 법령이 정한 요건과 절차에 따라 이루어진 것이라면 특별한 사정이 없는 한 이는 법령에 적합한 것이고 그 과정에서 개인의 권리가 침해되는 일이 생긴다고 하여 그 법령적합성이 곧바로 부정되는 것은 아니다.**

[2] 경찰관은 수상한 거동 기타 주위의 사정을 합리적으로 판단하여 어떠한 죄를 범하였거나 범하려 하고 있다고 의심할 만한 상당한 이유가 있는 자 또는 이미 행하여진 범죄나 행하여지려고 하는 범죄행위에 관하여 그 사실을 안다고 인정되는 자를 정지시켜 질문할 수 있고, 또 범죄를 실행중이거나 실행 직후인 자는 현행범인으로, 누구임을 물음에 대하여 도망하려 하는 자는 준현행범인으로 각 체포할 수 있으며, 이와 같은 정지 조치나 질문 또는 체포 직무의 수행을 위하여 필요한 경우에는 대상자를 추적할 수도 있으므로, 경찰관이 교통법규 등을 위반하고 도주하는 차량을 순찰차로 추적하는 직무를 집행하는 중에 그 도주차량의 주행에 의하여 제3자가 손해를 입었다고 하더라도 그 추적이 당해 직무 목적을 수행하는 데에 불필요하다거나 또는 도주차량의 도주의 태양 및 도로교통상황 등으로부터 예측되는 피해발생의 구체적 위험성의 유무 및 내용에 비추어 **추적의 개시·계속 혹은 추적의 방법이 상당하지 않다는 등의 특별한 사정이 없는 한 그 추적행위를 위법하다고 할 수는 없다**(대판 2000.11.10, 2000다26807·26814).

판례 2 국가배상책임에 있어서 공무원의 가해행위는 '법령에 위반한' 것이어야 하고, 법령 위반이라 함은 **엄격한 의미의 법령 위반뿐만 아니라 인권존중, 권력남용금지, 신의성실, 공서양속 등의 위반도 포함**하여 **널리 그 행위가 객관적인 정당성을 결여**하고 있음을 의미한다고 할 것이다(대판 2002.5.17, 2000다22607).

판례 3 어떠한 행정처분이 후에 **항고소송에서 취소되었다고 할지라도** 그 기판력에 의하여 당해 행정처분이 곧바로 **공무원의 고의 또는 과실로 인한 것으로서 불법행위를 구성한다고 단정할 수는 없는 것**이고, 그 행정처분의 **담당공무원이 보통 일반의 공무원을 표준으로 하여 볼 때 객관적 주의의무를 결하여 그 행정처분이 객관적 정당성을 상실하였다고 인정될 정도에 이른 경우에 국가배상법 제2조 소정의 국가배상책임의 요건을 충족**하였다고 봄이 상당할 것이며, 이때에 **객관적 정당성을 상실하였는지 여부는 피침해이익의 종류 및 성질, 침해행위가 되는 행정처분의 태양 및 그 원인, 행정처분의 발동에 대한 피해자측의 관여의 유무, 정도 및 손해의 정도 등 제반 사정을 종합하여 손해의 전보책임을 국가 또는 지방자치단체에게 부담시켜야 할 실질적인 이유가 있는지 여부에 의하여 판단**하여야 한다(대판 2000.5.12, 99다70600).

(3) 검 토

국가배상법이 법치주의의 요청에 따라 법규범을 위반한 직무행위에 의한 손해배상을 위하여 제정된 점 및 국가배상은 **국가행위의 위법성 판단 자체가 아니라 손해전보수단으로서의 의미**가 큰 점을 고려할 때, 권리구제의 실효성 보장을 위해 **광의의 행위위법설이 타당**하다.

2. 부작위의 위법성

(1) 조리상 작위의무(개괄적 위험배제의무)의 인정 여부

1) 학설로는 ① **법률에 의한 행정의 원칙**에 비추어 법률상의 근거를 결하는 작위의무는 인정할 수 없다는 **부정설**과 ② 국가배상책임을 **민법상 불법행위책임과 성질을 같이** 하는 것으로 보아 **공서양속 · 조리 · 건전한 사회통념상에 근거**하여 작위의무를 인정할 수 있다는 **긍정설**이 대립한다.

2) **판례**는 **형식적 의미의 법령에 명시적**으로 공무원의 작위의무가 **규정되어 있지 않은 경우**에도, 일정한 경우에 **위험방지의무를 인정**한다.

판례 공무원의 부작위로 인한 국가배상책임을 인정하기 위하여는 공무원의 작위로 인한 국가배상책임을 인정하는 경우와 마찬가지로 '공무원이 그 직무를 집행함에 당하여 고의 또는 과실로 법령에 위반하여 타인에게 손해를 가한 때'라고 하는 국가배상법 제2조1항의 요건이 충족되어야 할 것인바, 여기서 '법령에 위반하여'라고 하는 것이 엄격하게 형식적 의미의 법령에 명시적으로 공무원의 작위의무가 규정되어 있는데도 이를 위반하는 경우만을 의미하는 것은 아니고, **국민의 생명, 신체, 재산 등에 대하여 절박하고 중대한 위험상태가 발생하였거나 발생할 우려가 있어서 국민의 생명, 신체, 재산 등을 보호하는 것을 본래적 사명으로 하는 국가가 초법규적, 일차적으로 그 위험 배제에 나서지 아니하면 국민의 생명, 신체, 재산 등을 보호할 수 없는 경우**에는 **형식적 의미의 법령에 근거가 없더라도 국가나 관련 공무원에 대하여 그러한 위험을 배제할 작위의무를 인정**할 수 있을 것이지만, 그와 같은 절박하고 중대한 위험상태가 발생하였거나 발생할 우려가 있는 경우가 아니라면 원칙적으로 공무원이 관련 법령을 준수하여 직무를 수행하였다면 그와 같은 공무원의 부작위를 가지고 '고의 또는 과실로 법령에 위반'하였다고 할 수는 없을 것이므로, 공무원의 부작위로 인한 국가배상책임을 인정할 것인지 여부가 문제되는 경우에 관련 공무원에 대하여 **작위의무를 명하는 법령의 규정이 없다면 공무원의 부작위로 인하여 침해된 국민의 법익 또는 국민에게 발생한 손해가 어느 정도 심각하고 절박한 것인지, 관련 공무원이 그와 같은 결과를 예견하여 그 결과를 회피하기 위한 조치를 취할 수 있는 가능성이 있는지 등을 종합적으로 고려**하여 판단하여야 할 것이다(대판 1998.10.13, 98다18520).

3) 생각건대, **피해자의 구제를 목적**으로 하는 국가배상에 있어서 법률에 의한 행정의 원리에 치우치는 것은 타당하지 않으며, **생명과 재산을 보호하여야 하는 국가의 기본권보호의무**에 비추어 **긍정설이 타당**하다.

(2) 직무상 작위의무의 사익보호성

판례는 공무원의 직무상 의무위반(특히 부작위)이 문제된 일련의 판례에서 공무원에게 부과된 **직무상 의무의 내용**이 **전적으로 또는 부수적으로 사회구성원 개인의 안전과 이익을 보호하기 위하여 설정된 것이라면,** 공무원이 그와 같은 **직무상 의무를 위반함으로 인하여 피해자가 입은 손해에 대하여는 상당인과관계가 인정되는 범위 내**에서 국가배상책임을 지는 것이라고 하여 **상당인과관계의 문제**로서 사익보호성을 요구한다.

판례 [1] 공무원에게 부과된 **직무상 의무의 내용**이 단순히 공공 일반의 이익을 위한 것이거나 행정기관 내부의 질서를 규율하기 위한 것이 아니고 **전적으로 또는 부수적으로 사회구성원 개인의 안전과 이익을 보호하기 위하여 설정**된 것이라면, 공무원이 그와 같은 **직무상 의무를 위반함으로 인하여 피해자가 입은 손해에 대하여는 상당인과관계가 인정되는 범위 내에서 국가가 배상책임**을 지는 것이고, 이때 **상당인과관계의 유무를 판단함에 있어서는 일반적인 결과발생의 개연성은 물론 직무상 의무를 부과하는 법령 기타 행동규범의 목적이나 가해행위의 태양 및 피해의 정도 등을 종합적으로 고려**하여야 할 것이다.
[2] 선박안전법이나 유선 및 도선업법의 각 규정은 공공의 안전 외에 일반인의 인명과 재화의 안전보장도 그 목적으로 하는 것이라고 할 것이므로 국가소속 선박검사관이나 시 소속 공무원들이 직무상 의무를 위반하여 시설이 불량한 선박에 대하여 선박중간검사에 합격하였다 하여 선박검사증서를 발급하고, 해당 법규에 규정된 조치를 취함이 없이 계속 운항하게 함으로써 화재사고가 발생한 것이라면, **화재사고와 공무원들의 직무상 의무위반행위와의 사이에는 상당인과관계가 있다**(대판 1993.2.12, 91다43466).

학설은 ① 사익보호성을 **위법성(법령위반)의 문제**로 보아 객관적인 위법성 외에도 의무가 사익보호성이 인정될 것을 요구하는 견해, ② 반사적 이익에 대한 침해는 국가배상법상 손해가 아니라고 하면서 **손해의 문제**로 보는 견해, ③ 국가배상법상 직무를 사익을 보호하기 위한 것이어야 한다는 **직무의 문제**로 보는 견해가 대립한다.

생각건대, 반사적 이익이 침해된 때에는 국가배상의 필요성을 인정하기 어렵기 때문에 국가배상에서도 사익보호성의 검토는 필요하며, 법령의 사익보호성이 인정되지 않는 경우에는 피해자인 사인과의 관계에서 위법하다고 보기 어려우므로 위법성의 문제로 보는 것이 타당하다.

(3) 재량행위의 위법

재량행위의 경우 행정청은 권한 행사 여부에 대한 독자적 판단권이 있으므로 부작위는 원칙적으로 위법하지 않으나, 재량이 영으로 수축되어 권한의 행사만이 의무에 합당한 경우는 부작위는 위법하다. 판례도 권한의 불행사가 객관적 정당성을 상실하여 현저하게 합리성을 잃어 사회적 타당성을 잃은 경우에는 국가배상청구를 인정한다.

판례 1 범죄의 예방·진압 및 수사는 경찰관의 직무에 해당하며 그 직무행위의 구체적 내용이나 방법 등이 경찰관의 전문적 판단에 기한 합리적인 재량에 위임되어 있으므로, 경찰관이 구체적 상황 하에서 그 인적·물적 능력의 범위 내에서의 적절한 조치라는 판단에 따라 범죄의 진압 및 수사에 관한 직무를 수행한 경우, 경찰관에게 그와 같은 권한을 부여한 취지와 목적, 경찰관이 다른 조치를 취하지 아니함으로 인하여 침해된 국민의 법익 또는 국민에게 발생한 손해의 심각성 내지 그 절박한 정도, 경찰관이 그와 같은 결과를 예견하여 그 결과를 회피하기 위한 조치를 취할 수 있는 가능성이 있는지 여부 등을 종합적으로 고려하여 볼 때, 그것이 객관적 정당성을 상실하여 현저하게 불합리하다고 인정되지 않는다면 그와 다른 조치를 취하지 아니한 부작위를 내세워 국가배상책임의 요건인 법령 위반에 해당한다고 할 수 없다(대판 2008.4.24, 2006다32132).

판례 2 [1] 구 도시계획법(2000.1.28. 법률 제6243호로 전문 개정되기 전의 것), 구 도시계획법시행령(2000.7.1. 대통령령 제16891호로 전문 개정되기 전의 것), 토지의형질변경등행위허가기준등에관한규칙 등의 관련 규정의 취지를 종합하여 보면, 시장 등은 토지형질변경허가를 함에 있어 허가지의 인근 지역에 토사붕괴나 낙석 등으로 인한 피해가 발생하지 않도록 허가를 받은 자에게 옹벽이나 방책을 설치하게 하거나 그가 이를 이행하지 아니할 때에는 스스로 필요한 조치를 취하는 직무상 의무를 진다고 해석되고, 이러한 의무의 내용은 단순히 공공 일반의 이익을 위한 것이 아니라 전적으로 또는 부수적으로 사회구성원 개인의 안전과 이익을 보호하기 위하여 설정된 것이라 할 것이므로, 지방자치단체의 공무원이 그와 같은 위험관리의무를 다하지 아니한 경우 그 의무위반이 직무에 충실한 보통 일반의 공무원을 표준으로 할 때 객관적 정당성을 상실하였다고 인정될 정도에 이른 경우에는 국가배상법 제2조에서 말하는 위법의 요건을 충족하였다고 봄이 상당하고, 허가를 받은 자가 위 규칙에 기하여 부가된 허가조건을 위배한 경우 시장 등이 공사중지를 명하거나 허가를 취소할 수 있는 등 형식상 허가권자에게 재량에 의한 직무수행권한을 부여한 것처럼 되어 있더라도 시장 등에게 그러한 권한을 부여한 취지와 목적에 비추어 볼 때 구체적인 사정에 따라 시장 등이 그 권한을 행사하여 필요한 조치를 취하지 아니하는 것이 현저하게 불합리하다고 인정되는 경우에는 그러한 권한의 불행사는 직무상의 의무를 위반하는 것이 되어 위법하게 된다(대판 2001.3.9, 99다64278).

4. 국가배상법상 위법개념과 항고소송상 위법개념(#126. Ⅴ)

위법개념이 동일한지에 논란이 있다. 이는 취소소송의 소송물이 처분 등의 위법여부임을 전제로 한 것으로서, 취소소송의 기판력이 후소인 국가배상청구소송에 미치는지의 문제와 관련된다.

일원설(협의의 행위위법설)은 취소소송의 기판력이 국가배상청구소송에도 미친다고 한다. 이원설은 다시 결과불법설과 상대적 위법성설은 위법개념이 다르다고 보아 취소소송 판결의 기판력이 당연히 미치는 것은 아니며, 광의의 행위위법설은 행위 자체의 위법이 문제된 경우에는 기판력이 미치지만, 공무원의 직무상 손해방지의무 위반으로서의 위법 즉 행위의 태양의 위법이 문제되는 경우에는 항고소송상의 위법과 판단의 대상을 달리하므로 기판력이 미치지 않는다고 한다.

5. 행정규칙에 따르지 않은 경우에도 위법한지

1) 학설은 이 문제를 ① 행정규칙의 법규성의 문제 및 대외적 효력의 문제와 연결시켜 행정규칙은 법규가 아니므로 행정규칙 위반은 국가배상법상 위법하지 않다는 견해와 ② 일정한 경우 행정규칙 위반도 법령위반에 포함될 수 있다는 견해가 대립한다. 후자는 다시 ① 행정규칙의 법규성을 인정하지 않더라도 국가배상법상의 위법개념을 넓게 인정하는 입장에서는 행정규칙 위반을 법령위반으로 보는 견해(김동희), ② 행정규칙 위반이 객관적으로 피해자

와의 관계에서 부당한 것이라면 국가배상법상 위법으로 볼 수 있다는 견해(김도창) 등이 제시되고 있다.

2) **판례**의 입장은 명확하지 않은데 국가배상법상의 법령위반은 **단순한 행정규칙인 내부규칙 위반은 포함하지 않는다**고 판시한 바도 있고(판례 1), **국민의 신체 및 재산의 안전을 위하여 공무원에게 직무의무를 부과하는 행정규칙에 위배**하여 발생한 손해에 대하여 **배상책임을 인정**한 바도 있다(판례 2).

판례 1 국가배상법 제2조에 이른바 법령에 위반하여라 함은 일반적으로 위법행위를 함을 말하는 것이고, **단순한 행정적인 내부규칙에 위배하는 것을 포함하지 아니한다**(대판 1973.1.30, 72다2062).

판례 2 태풍경보가 발령되는 등으로 기상 상태가 악화되었으나 시 산하기관인 오동도 관리사무소 당직근무자가 재해시를 대비하여 마련되어 있는 지침에 따른 조치를 취하지 아니하고 방치하다가 상급기관의 지적을 받고서야 비로소 오동도 내로 들어오는 사람 및 차량의 통행은 금지시켰으나, 오동도 안에서 밖으로 나가려는 사람 및 차량의 통행을 금지시키지 아니한 채 만연히 철수하라는 방송만을 함으로써, 피해자들이 차량을 타고 진행하다가 파도가 차량을 덮치는 바람에 바닷물로 추락하여 사망한 사안에서, 오동도 관리사무소의 **'95재해대책업무세부추진실천계획'은 국민의 신체 및 재산의 안전을 위하여 공무원에게 직무의무를 부과하는 행동규범임이 명백**하고, 그 계획이 단순히 훈시규정에 불과하다거나 시 재해대책본부의 '95재해대책업무지침'에 규정한 내용보다 강화된 내용을 담고 있다고 하여 이를 무효라고 볼 수 없으며, **당직근무자가 위 계획에 위배하여 차량의 통제를 하지 아니한 과실과 사고 사이에는 상당인과관계**가 있다(대판 1997.9.9, 97다12907).

3) 생각건대, 원칙상 행정규칙 위반만으로 가해행위가 위법하다고 할 수는 없으나 **손해방지를 위한 안전성 확보의무를 정하는 행정규칙을 위반**한 가해행위는 **위법**하다고 보는 것이 타당하다.

Ⅴ. 고의, 과실[2)]

1. 행정규칙에 따른 처분

처분발령 후에 그 처분이 재량권을 일탈한 위법한 처분임이 판명된 경우에도 행정규칙은 **대내적 구속력**이 있어 공무원은 따를 수 밖에 없으므로 일반적으로 **과실이 있다고 보기는 어렵다**(판례).

2. 법령해석의 하자와 과실 인정 여부

판례는 **법령해석이 확립되었는지 여부에 따라** 달리 판단한다.

판 례 행정청이 관계 **법령의 해석이 확립되기 전**에 **어느 한 견해를 취하여 업무를 처리한 것이 결과적으로 위법**하게 되어 그 법령의 부당집행이라는 결과를 빚었다고 하더라도 **처분 당시 그와 같은 처리방법 이상의 것을 성실한 평균적 공무원에게 기대하기 어려웠던 경우라면** 특별한 사정이 없는 한 이를 두고 공무원의 **과실로 인한 것이라고 볼 수는 없다** 할 것이지만, 대법원의 판단으로 관계 법령의 해석이 확립되고 이어 상급 행정기관 내지 유관 행정부서로부터 시달된 업무지침이나 업무연락 등을 통하여 이를 충분히 인식할 수 있게 된 상태에서, **확립된 법령의 해석에 어긋나는 견해를 고집하여 계속하여 위법한 행정처분을 하거나 이에 준하는 행위로 평가될 수 있는 불이익을 처분상대방에게 주게 된다면**, 이는 그 공무원의 **고의 또는 과실로 인한 것**이 되어 그 손해를 배상할 책임이 있다(대판 2007.5.10, 2005다31828).

3. 법령개정과 과실 인정 여부

판 례 [1] 법령의 개정에서 입법자의 광범위한 재량이 인정되는 경우라 하더라도 구 법령의 존속에 대한 당사자의 신뢰가 합리적이고도 정당하며 법령의 개정으로 야기되는 당사자의 손해가 극심하여 새로운 법령으로 달성하고자 하는 공익적 목적이 그러한 신뢰의 파괴를 정당화할 수 없다면 입법자는 경과규정을 두는 등 당사자의 신뢰를 보호할 적절한 조치를 하여야 하며 이와 같은 적절한 조치 없이 새 법령을 그대로 시행하거나 적용하는 것은 허용될 수 없는바, 이는 헌법의 기본원리인 법치주의 원리에서 도출되는 신뢰보호의 원칙에 위배되기 때문이다. 그러나 **입법자가 이러한 신뢰보호 조치가 필요한지를 판단하기 위하여는 관련 당사자의 신뢰의 정도, 신뢰이익의 보호가치와 새 법령을 통해 실현하고자 하는 공익적 목적 등을 종합적으로 비교·형량**

2) · **고의 - 자신의 행위로 일정한 결과의 발생을 인식하면서 그 결과의 발생을 용인하고 행위를 하는 상태.**
· **과실 - 공무원이 직무를 수행함에 있어 당해 직무를 담당하는 평균인이 통상 갖추어야 할 주의의무를 게을리 하는 것.**

하여야 하는데, 이러한 비교 · 형량에 관하여는 여러 견해가 있을 수 있으므로, 행정입법에 관여한 공무원이 입법 당시의 상황에서 다양한 요소를 고려하여 나름대로 합리적인 근거를 찾아 어느 하나의 견해에 따라 경과규정을 두는 등의 조치 없이 새 법령을 그대로 시행하거나 적용하였다면, 그와 같은 공무원의 판단이 나중에 대법원이 내린 판단과 같지 아니하여 결과적으로 시행령 등이 신뢰보호의 원칙 등에 위배되는 결과가 되었다고 하더라도, 이러한 경우에까지 국가배상법 제2조 제1항에서 정한 국가배상책임의 성립요건인 공무원의 과실이 있다고 할 수는 없다.

[2] 2002. 3. 25. 대통령령 제17551호로 개정된 변리사법 시행령 제4조 제1항이 변리사 제1차 시험을 '절대평가제'에서 '상대평가제'로 변경함에 따라 2002. 5. 26. 상대평가제로 실시된 시험에서 불합격처분을 받았다가 그 후 위 시행령 부칙 중 위 조항을 공포 즉시 시행하도록 한 부분이 헌법에 위배되어 무효라는 대법원판결이 내려져 추가합격처분을 받은 갑 등이 국가배상책임을 묻은 사안에서, 제반 사정에 비추어 위 시행령과 부칙의 입법에 관여한 공무원들은 입법 당시 상황에서 다양한 요소를 고려하여 나름대로 합리적인 근거를 찾아 어느 하나의 견해에 따라 위 시행령을 경과규정 등의 조치 없이 그대로 시행한 것이므로, 비록 대법원판결에서 위 시행령 부칙 중 위 조항을 즉시 시행하도록 한 부분이 헌법에 위배된다고 판단하여 결과적으로 부칙 제정행위가 위법한 것으로 되고 그에 따른 불합격처분 역시 위법하게 되어 위법한 법령의 제정 및 법령의 부당집행이라는 결과를 가져오게 되었더라도, 이러한 경우에까지 국가배상책임의 성립요건인 공무원의 과실이 있다고 단정할 수 없다는 이유로, 이와 달리 보아 국가배상책임을 인정한 원심판결에는 국가배상책임에서 공무원의 직무상 과실에 관한 법리오해 등 위법이 있다(대판 2013.4.26, 2011다14428).

4. 행정처분이 항고소송에서 취소된 경우

행정처분이 후에 항고소송에서 취소되었다고 할지라도 그 기판력에 의하여 당해 행정처분이 곧바로 공무원의 고의 또는 과실로 인한 것으로서 불법행위를 구성한다고 단정할 수는 없다는 것이 판례이다(Ⅳ.1.(2).[판례 3]).

5. 과실의 객관화경향

국가배상에서의 고의, 과실의 의미를 민법상 불법행위책임과 같이 주관적 과실책임주의로 파악하는 경우, ① 가해공무원을 특정하지 못하면 현실적으로 고의, 과실의 입증이 불가능하고, ② 피해자의 입장에서 주관적 요소인 과실여부를 현실적으로 입증하기가 어려워, 공무원의 직무행위가 위법함에도 배상책임이 부정될 수 있는 문제가 발생한다. 이러한 문제점을 해결하기 위해 과실을 주관적 심리상태로 보지 않고, 고도화된 객관적 주의의무 위반으로 파악하여 당해 공무원이 아닌 동일 직종의 평균적 공무원의 주의력을 표준으로 하는 시도가 나오고 있다. 이러한 시각에서는 과실개념을 '공무원의 위법행위로 인한 국가작용의 흠' 정도로 완화하여 해석하며, 가해공무원을 특정할 필요는 없고 공무원의 행위이기만 하면 된다는 입장도 이러한 시도에 속한다.

6. 입증책임의 완화

불법행위에서의 고의 · 과실은 원고인 피해자가 증명책임을 지는 것이 원칙이다. 민사소송법에서의 일응의 추정 혹은 간접반증의 법리를 원용하자는 견해도 주장되고 있다.

Ⅵ. 타인의 손해발생 및 인과관계

1. 타 인

가해공무원, 가담자 외의 모든 사람을 의미한다.

2. 손 해

법익침해의 결과로서 나타난 불이익으로서, 재산적 · 신체적 · 정신적 · 소극적인 모든 손해를 포함한다.

3. 가해행위와 손해사이의 인과관계

부작위에 의한 침해에서도 인과관계는 역시 필요하다.

판 례 공무원에게 부과된 직무상 의무의 내용이 단순히 공공 일반의 이익을 위한 것이거나 행정기관 내부의 질서를 규율하기 위한 것이 아니고 전적으로 또는 부수적으로 사회구성원 개인의 안전과 이익을 보호하기 위하여 설정된 것이라면, 공무원이 그와 같은 **직무상 의무를 위반함으로 인하여 피해자가 입은 손해에 대하여는 상당인과관계가 인정되는 범위 내에서 국가가 배상책임**을 지는 것이고, 이 때 **상당인과관계의 유무를 판단함에 있어서는 일반적인 결과발생의 개연성은 물론 직무상 의무를 부과하는 법령 기타 행동규범의 목적, 그 수행하는 직무의 목적 내지 기능으로부터 예견가능한 행위 후의 사정, 가해행위의 태양 및 피해의 정도 등을 종합적으로 고려**하여야 한다(대판 2003.4.25, 2001다59842).

기출 사례 국립대 부속병원의 진료상 과오와 배상책임(94년 사시)

甲은 지병인 안면경련증을 치료하기 위해 A국립대 부속병원에 입원하여 신경외과 의사인 乙의 수술을 받았다. 그러나 수술 후 안면경련증은 호전되었으나, 다리에 부전마비 증세가 생겨, 수술 잘못으로 인하여 생긴 것이 아닌가 문의하였으나, 병원 당국은 수술과 무관하다고 주장하다가 후에 치료과정에서 투약상 문제가 있었음을 시인하였다. 甲의 구제책을 논하라.

➡ 진정, 청원 등을 고려할 수 있으나 국가배상이 가장 적절한 구제수단
- 국립대부속병원의 조직형태가

(1) 국립대의 부속기관인 경우
- 국배법 제2조의 요건 구비(乙은 공무원에 해당)
- 甲은 국가에 대해 손해배상청구권 가짐. 소송형태는 판례는 민사소송, 학설은 당사자소송
- 乙이 중과실 있는 경우 가해공무원의 대외적 책임에 대해서 절충설을 취하는 판례에 의하면 乙에 대해서도 민사상 손해배상청구 가능

(2) 영조물법인인 경우
- 영조물법인은 국가배상법상 배상책임자가 아니므로 민법에 의함. 국립대부속병원의 의사 乙은 민법 제750조에 의해 손해배상책임을 지고, 국립대학부속병원은 사용자로서 배상책임(민법 제756조)을 짐(해설은 홍정선- 홍교수님은 부속병원의 조직형태를 나누었으나 부속기관이라는 통상적으로 법인이 아닌 경우를 의미함).

기출 사례 법령해석 하자와 국가배상법 2조의 과실(04년 사시)

담당공무원이 법령의 적용과정에서 법령해석을 그르쳐 행정처분을 함으로써 특정인에게 손해를 입힌 경우에 국가배상책임의 인정여부를 논하시오(20점).

Ⅰ. 국가배상책임 요건과 법령해석 하자

- 국가배상법 2조의 국가배상책임요건
- 사안처럼 담당공무원이 법령의 적용과정에서 법령해석을 그르쳐 행정처분을 함으로써 특정인에게 손해를 입힌 경우에는 다른 요건은 크게 문제되지 않고 고의, 과실의 인정여부가 주로 문제될 것인데 판례는 이와 관련해 법령해석이 확립된 경우와 미확립된 경우로 나누어 판단함.

Ⅱ. 판례의 입장

1. 법령해석이 확립된 경우 - 과실 긍정

2. 법령해석이 미확립된 경우 - 과실 부정

Ⅲ. 검 토

1. 행정처분시 공무원의 주의의무

- 공무원은 법치주의원리에 따라 처분의 근거법규와 각종 예규, 지침등을 잘 살펴 처분을 하여 국민의 법익을 부당하게 침해하지 않도록 해야 하는 주의의무가 있고 이러한 주의의무를 위반하였는지가 결정적인 과실판단의 기준이 됨. 따라서 단순히 법령해석 및 실무 취급례가 확립이 안 되었다고 무조건 위와 같은 주의의무가 부정되는 것은 아님.

2. 판례의 태도의 문제점 - 위법한 관행에 대한 책임부재

- 법령의 해석에 대한 위법한 관행에 대한 책임을 묻기가 힘들어짐. 즉, 대법원판례나 실무 취급례가 없어 위법한 관행으로 특정한 행정처분이 반복해서 내려지는 경우 국민의 법익이 침해되었음에도 그 책임을 물을 방법이 없게 됨. 이는 과실을 평균적 공무원을 기준으로 개인공무원의 신중한 처분노력 유무만을 주로 보고 판단하기 때문으로 보임.

3. 결 론

기출 사례 조리상 작위의무 인정여부(09년 사시)

A군(郡) 소유의 임야에 25가구가 주택을 지어 살고 있다. 이 주택가 내에는 어린이들의 놀이터로 사용되어 온 약 10여 평 정도의 공터가 있고 공터의 뒤편에는 암벽이 있는데, 이 암벽은 높이가 약 3미터로서 그 상층부가 하단부보다 약 1미터가량 앞으로 튀어나와 있다. 지역 주민들은 이 암벽이 붕괴 위험이 있으므로 이를 보수해달라는 민원을 수차례 제기하였으나, A군은 아무런 조치를 취하지 않았다. 그런데 해빙기에 얼었던 암벽이 녹아 균열이 생기면서 상층부의 암벽이 붕괴되어 이 공터에서 놀던 어린이 3명이 사망하였다. 사고 후 사망한 어린이의 부모 甲등은 A군을 상대로 국가배상청구소송을 제기하였다.
이 경우 A군에 대하여 국가배상법 제2조의 배상책임요건 중 위법·과실을 인정할 수 있는 것인가(※지방자치단체가 붕괴 위험이 있는 암벽에 대한 안전관리조치를 취하여야 한다는 법령규정은 존재하지 않는다)? (20점)

Ⅰ. 문제의 소재

Ⅱ. 위법성 인정여부

1. 문제의 소재

- 부작위에 의해 손해가 발생한 경우 명문으로 안전관리의무가 규정되어 있지 않은 경우 종래 행정편의주의적 입장에서 작위의무를 대체적으로 인정하지 않았으나, 오늘날 약품피해사건, 환경사건 등으로 대표되는 **다면적 행정법관계의 영역에서 행정기관이 권한을 적절하게 행사하지 아니하여 지역주민의 생명·신체에 피해가 발생한 경우**가 늘고 있고 이러한 경우 작위의무 인정여부가 문제됨.

2. 조리상 작위의무 인정여부

(1) 학설 - 부정설, 긍정설

(2) 판례 - 긍정

- 형식적 의미의 법령에 명시적으로 작위의무가 규정되어 있지 않는 경우에도 일정한 경우에는 개괄적인 위험배제의무를 인정

판 례 국민의 생명, 신체, 재산 등에 대하여 절박하고 중대한 위험상태가 발생하였거나 발생할 우려가 있어서 국민의 생명, 신체, 재산 등을 보호하는 것을 본래적 사명으로 하는 국가가 **초법규적, 일차적으로 그 위험 배제에 나서지 아니하면 국민의 생명, 신체, 재산 등을 보호할 수 없는 경우**에는 **형식적 의미의 법령에 근거가 없더라도 국가나 관련 공무원에 대하여 그러한 위험을 배제할 작위의무를 인정**할 수 있을 것이다(대판 1998.10.13, 98다18520).

(3) 검 토

- **피해자의 구제, 법치행정의 목적인 인권보장, 국가의 기본권보호의무**에 비추어 **긍정설**이 타당.

3. 조리에 의한 작위의무 판단기준

(1) 판례의 판단기준

- 공무원의 **부작위로 인하여 침해된 국민의 법익 또는 국민에게 발생한 손해가 어느 정도 심각하고 절박**한 것인지, **관련 공무원이 그와 같은 결과를 예견하여 그 결과를 회피하기 위한 조치를 취할 수 있는 가능성**이 있는지 등을 **종합적**으로 고려(대판 1998.10.13, 98다18520).

(2) 사안의 경우

- 공터 뒤 쪽의 암벽의 형태가 붕괴 위험에 있다고 객관적으로 보이며 공무원이 필요한 조치를 취하지 않으면 놀이터를 이용하는 어린이들의 생명, 신체에 위해를 가져올 수 있음이 명백한 경우로 보이므로 관련 공무원의 개입의무를 인정할 수 있음.

Ⅲ. 과실의 인정여부

1. 문제의 소재

- 작위의무가 인정되고 위법성이 인정된다고 국가배상책임이 인정되는 것은 아니며 고의·과실 요건의 충족도 필요. 사안은 고의는 문제되지 않고 과실의 인정여부가 문제.

2. 과실의 의의

- 과실의 개념 - **자기의 행위로 일정한 결과가 발생할 것을 인식할 수 있었음에도 불구하고 부주의로 결과발생을 인식하지 못하고 그 행위를 하는 심리상태**
- **추상적 과실**(**평균인**에게 요구되는 주의의무를 게을리 한 경우에 인정)의 의미.
- **과실의 객관화** 경향

3. 사안의 경우

- **객관적으로 붕괴사고가 예견**되고 붕괴로 인하여 인근 주택가에 손해를 입힐 위험이 인정되며, 암벽을 **보수해달라는 민원이 수차례 제기되었음에도** 민원 담당 공무원 내지는 관련 공무원이 **아무 조치를 취하지 않은 것은 평균적 공무원들에게 요구되는 주의의무를 게을리 한 과실**이 인정됨.
- 과실의 객관화 경향을 주장하는 견해에 입각하면 공무원의 주관적 과실을 고려하지 않으므로 용이하게 인정될 것.

기출 사례 **부작위에 의한 국가배상책임**(11년 행시 - 재경)

A 시 소재의 유흥주점에서 여종업원 갑이 화재로 인하여 질식·사망하였다. 화재가 발생한 유흥주점은 관할 행정청의 허가를 득하지 아니하고 용도가 변경되었고, 시설기준을 위반하여 개축되었다. 특히 화재 발생시 비상구가 확보되어 있지 않았다. (총 30점)

1) A 시 담당공무원 을이 식품위생법상 유흥주점의 관리·감독과 관련하여 시정명령 등을 취하여야 할 직무상 조치를 해태한 사실이 밝혀진 경우, A시의 배상책임이 인정되는가?(15점)

2) 만약 화재발생 1주일 전에 실시한 점검에서 유흥주점이 관련법령에 위반되었음을 인지하고서도 담당 공무원 을이 '이상없음'이라는 보고서를 작성하고 시정조치를 취하지 아니한 경우, 을의 배상책임에 대해 검토하시오.(15점)

Ⅰ. A시의 배상책임 인정여부 - 설문1)

1. 문제의 소재

- 국가배상법 제2조의 요건 충족여부가 문제됨.
- 특히 사안은 부작위에 의한 경우로서 작위의무가 도출되는지? 사익보호성의 문제를 고려해야 하는지가 문제됨.

2. 국가배상법 제2조의 요건 충족여부

(1) 공무원 (2) 직무관련 (3) 고의,과실

(4) 법령위반

1) 작위의무의 인정

- 사안은 식품위생법상 유흥주점의 관리·감독과 관련하여 시정명령 등을 취하여야 할 작위의무가 명문으로 존재.
- 식품위생법상 시정명령 등의 발령이 재량행위라 하더라도 화재발생시 비상구가 확보되어 있지 않았다는 점을 고려하면 화재발생시 사망에 이를 수 있다는 담당공무원의 예견가능성이 인정되고 사망의 발생을 회피할 수 있으므로 시정조치 등 직무상조치를 반드시 취했어야 할 사안임.

2) 사익보호성 여부

- 국가배상책임에 반사적 이익론의 도입여부에 대한 논의
- 사안의 시정명령 등 직무상 조치는 화재예방 등 사회공공의 이익은 물론 건물 출입자 개개인의 안전과 이익도 보호하기 위한 것으로서 사익보호성이 인정됨.

(5) 타인에게 손해/ 상당인과관계

3. 소결

- A시의 배상책임 인정.[3)]
- 만약 유흥주점 관리사무가 국가의 사무로서 A시장에게 위임된 기관위임사무라면 A시는 국배법 제6조1항에 의한 비용부담자로서 책임을 지게 됨(#85).[4)]

Ⅱ. 乙의 배상책임 - 설문2) (#82)

1. 국가배상책임의 법적 성질

2. 공무원의 피해자에 대한 민법상 손해배상책임

- 절충설인 판례에 의하더라도 사안에서의 을은 유흥주점의 법령위반을 인지하였음에도 허위의 보고서를 작성하고 시정조치를 취하지 아니하였으므로, 고의 내지는 중과실이 인정되어 피해자에 대해 직접적인 배상책임이 인정됨.

3. 공무원의 A시에 대한 구상책임

- 담당 공무원 乙은 고의, 중과실이 있으므로 A시에 대해 구상책임을 짐(국배법 제2조2항).

[**참고판례**] [1] 공무원에게 부과된 직무상 의무의 내용이 단순히 공공 일반의 이익을 위한 것이거나 행정기관 내부의 질서를 규율하기 위한 것이 아니고 전적으로 또는 부수적으로 사회구성원 개인의 안전과 이익을 보호하기 위하여 설정된 것이라면, 공무원이 그와 같은 직무상 의무를 위반함으로 인하여 피해자가 입은 손해에 대하여는 상당인과관계가 인정되는 범위 내에서 국가가 배상책임을 지는 것이고, 이때 상당인과관계의 유무를 판단함에 있어서는 일반적인 결과 발생의 개연성은 물론 직무상 의무를 부과하는 법령 기타 행동규범의 목적이나 가해행위의 태양 및 피해의 정도 등을 종합적으로 고려하여야 하며, 이는 지방자치단체와 그 소속 공무원에 대하여도 마찬가지이다.
[2] 유흥주점에 감금된 채 윤락을 강요받으며 생활하던 여종업원들이 유흥주점에 화재가 났을 때 미처 피신하지 못하고 유독가스에 질식해 사망한 사안에서, **지방자치단체의 담당 공무원이 위 유흥주점의 용도변경, 무허가 영업 및 시설기준에 위배된 개축에 대하여 시정명령 등 식품위생법상 취하여야 할 조치를 게을리 한 직무상 의무위반행위와 위 종업원들의 사망 사이에 상당인과관계가 존재하지 않는다.**
[3] 구 소방법(2003.5.29. 법률 제6893호 소방기본법 부칙 제2조로 폐지)은 화재를 예방·경계·진압하고 재난·재해 및 그 밖의 위급한 상황에서의 구조·구급활동을 통하여 국민의 생명·신체 및 재산을 보호함으로써 공공의 안녕질서의 유지와 복리증진에 이바지함을 목적으로 하여 제정된

법으로서, 소방법의 규정들은 단순히 전체로서의 공공 일반의 안전을 도모하기 위한 것에서 더 나아가 국민 개개인의 인명과 재화의 안전보장을 목적으로 하여 둔 것이므로, 소방공무원이 소방법 규정에서 정하여진 직무상의 의무를 게을리 한 경우 그 의무 위반이 직무에 충실한 보통 일반의 공무원을 표준으로 할 때 객관적 정당성을 상실하였다고 인정될 정도에 이른 경우에는 국가배상법 제2조에서 말하는 위법의 요건을 충족하게 된다. 그리고 소방공무원의 행정권한 행사가 관계 법률의 규정 형식상 소방공무원의 재량에 맡겨져 있다고 하더라도 소방공무원에게 그러한 권한을 부여한 취지와 목적에 비추어 볼 때 구체적인 상황 아래에서 소방공무원이 그 권한을 행사하지 않은 것이 현저하게 합리성을 잃어 사회적 타당성이 없는 경우에는 소방공무원의 직무상 의무를 위반한 것으로서 위법하게 된다.

[4] 유흥주점에 감금된 채 윤락을 강요받으며 생활하던 여종업원들이 유흥주점에 화재가 났을 때 미처 피신하지 못하고 유독가스에 질식해 사망한 사안에서, 소방공무원이 위 유흥주점에 대하여 화재 발생 전 실시한 소방점검 등에서 구 소방법상 방염 규정 위반에 대한 시정조치 및 화재 발생시 대피에 장애가 되는 잠금장치의 제거 등 시정조치를 명하지 않은 직무상 의무 위반은 현저히 불합리한 경우에 해당하여 위법하고, 이러한 직무상 의무 위반과 위 사망의 결과 사이에 상당인과관계가 존재한다고 한 사례(대판 2008.4.10, 2005다48994).

기출 사례 사전통지와 의견제출, 선결문제, 국가배상 (11년 변시 모의)

건설업자 甲은 국가로부터 건축공사를 도급받아 공사를 수행하던 중 담당공무원에게 공사대금의 조기 지급 등 편의를 봐 달라고 부탁을 하면서 200만원을 주었다. 위 사실이 수사기관에 적발되어 甲은 뇌물공여 혐의로 기소유예처분을 받았다. 관할 행정청은 사전통지와 의견제출 기회부여를 하지 아니하고 '국가를 당사자로 하는 계약에 관한 법률' 제27조1항 및 동법 시행령 제76조1항10호에 의거하여 甲에 대하여 6월의 입찰참가자격 제한을 하였다. 이에 甲은 서울행정법원에 절차상 하자를 이유로 위 입찰참가자격 제한을 다투는 취소소송을 제기하였다.

1. 서울행정법원은 甲이 제기한 취소소송에 대하여, 甲은 수사과정에서 이미 뇌물공여 사실에 관하여 충분히 해명할 기회를 받았을 뿐만 아니라, 검사가 뇌물공여 사실을 인정하여 기소유예처분을 하였으므로 처분의 원인이 되는 사실이 객관적으로 증명되었기 때문에 사전통지 및 의견제출 기회부여의 필요성이 없어 위 입찰참가자격 제한이 적법하다는 이유로 기각판결을 하였다. 사전통지 및 의견제출 기회부여의 필요성과 관련하여 이 판결의 타당성 여부를 검토하시오. (30점)

2. 甲은 위와 같은 기각판결을 받고 자포자기 상태로 항소기간을 도과한 후, 이 사건으로 인해 자신이 중대한 재산상의 손해를 입었다는 이유로 국가배상 청구소송을 제기하면서, ① 행정청이 사전통지 및 의견제출 기회부여를 하지 아니한 채로 위와 같이 입찰참가자격 제한을 함으로써 손해를 입었다는 주장과 ② 법원의 담당 판사들이 명백한 오판으로 위와 같은 기각판결을 함으로써 손해를 입었다는 주장을 하였다(인과관계 있는 손해가 발생한 것으로 전제함).

(1) 행정행위의 효력 및 확정된 기각판결의 효력, 그리고 국가배상의 성립요건 중 위법성과 관련하여 위 ① 주장의 당부를 검토하시오. (30점)

(2) 국가배상의 성립요건 중 공무원의 직무행위 및 위법성과 관련하여 위 ② 주장의 당부를 검토하시오. (15점)

[참조조문]

***국가를 당사자로 하는 계약에 관한 법률**

제27조(부정당업자의 입찰참가자격 제한) ① 각 중앙관서의 장은 경쟁의 공정한 집행 또는 계약의 적정한 이행을 해칠 염려가 있거나 기타 입찰에 참가시키는 것이 부적합하다고 인정되는 자에 대하여서는 2년 이내의 범위에서 대통령령이 정하는 바에 따라

3) 후술하는 참고판례에 의하면 사안의 경우 소방공무원의 직무상 의무위반에 대해서는 국가배상책임을 인정하나, 시 소속 공무원의 식품위생법상 직무해태와 관련해서는 상당인과관계를 부정하여 국가배상책임을 부정함. 판례의 결론대로라면 사안의 경우 국가배상책임을 부정해야 하나, 출제의도 및 설문 (2)와의 관련성을 고려할 때 상당인과관계를 인정하여 국가배상책임을 긍정한 것임. 이 정도의 사안이라면 긍정하는 것이 무방.

4) 언급 안 해도 되고 언급하더라도 아주 간단히 언급하면 족한 논점.

입찰참가자격을 제한하여야 하며, 이를 즉시 다른 중앙관서의 장에게 통보하여야 한다. 이 경우 통보를 받은 다른 중앙관서의 장은 대통령령이 정하는 바에 의하여 해당자의 입찰참가자격을 제한하여야 한다.

②~③ (생략)

* 입찰참가자격 제한의 경우 청문 및 공청회에 관한 규정은 없음.

***국가를 당사자로 하는 계약에 관한 법률 시행령**

제76조 (부정당업자의 입찰참가자격 제한) ① 각 중앙관서의 장은 계약상대자, 입찰자 또는 제30조2항에 따라 지정정보처리장치를 이용하여 견적서를 제출하는 자(이하 이 항에서 "계약상대자등"이라 한다) 또는 계약상대자등의 대리인·지배인, 그 밖의 사용인이 다음 각 호의 어느 하나에 해당하는 경우에는 법 제27조에 따라 해당 사실이 있은 후 지체 없이 1개월 이상 2년 이하의 범위에서 계약상대자등의 입찰참가자격을 제한하여야 한다. 다만, 계약상대자등의 사용인의 행위로 인하여 입찰참가자격의 제한사유가 발생한 경우로서 계약상대자등이 그 사용인의 행위를 방지하기 위하여 상당한 주의와 감독을 게을리 하지 아니한 경우에는 그러하지 아니하다.

1.~9. (생략)

10. 입찰·낙찰 또는 계약의 체결·이행과 관련하여 관계공무원(법 제29조1항에 따른 국제계약분쟁조정위원회, 이 영 제42조7항에 따른 입찰금액적정성심사위원회, 제43조8항에 따른 제안서평가위원회, 제94조1항에 따른 계약심의위원회, 건설기술관리법에 의한 중앙건설기술심의위원회·특별건설기술심의위원회 및 설계자문위원회의 위원을 포함한다)에게 뇌물을 준 자

11~18. (생략)

②~⑪ (생략)

◆

Ⅰ. 甲에 대한 기각판결의 타당성 - 설문 1

1. 문제의 소재

- 입찰참가자격 제한조치가 사전통지와 의견제출의 대상인지, 대상이 되더라도 사안이 예외적으로 생략할 수 있는 경우에 해당하는지 문제됨.

2. 사전통지 및 의견제출 절차(#78)

- 의의 및 내용 소개(예외사유까지)

3. 사안의 경우

- 입찰자격 제한조치는 甲의 권익을 제한하는 불이익처분에 해당하므로 사전통지 및 의견제출의 대상이며 기소유예처분이 있다는 사정만으로는 의견청취가 명백히 불필요하다고 볼 상당한 이유가 인정되지 않으므로(대판 2004.3.12, 2002두7517) 제21조4항에 의한 예외 사유도 없음. 따라서 절차를 결여한 하자가 존재. 법원의 판결은 타당하지 않음.

Ⅱ. 국가배상청구 소송에서 甲의 주장의 당부-설문 2

1. 문제의 소재

2. 국가배상책임요건(제2조)

3. 절차하자와 국가배상청구 - 설문(1)

(1) **공정력 및 구성요건적 효력과 선결문제(#44. Ⅴ.2))**

- 국가배상청구소송의 수소법원이 입찰참가자격제한처분의 위법성을 심리하는 것이 공정력 내지는 구성요건적 효력에 반하는지 문제됨.

- 통설·판례는 긍정. 이에 의할 경우 절차상의 하자의 위법을 심리하여 이를 전제로 국가배상책임을 명하는 판결이 가능. 그러나 실체에 하자가 없고 절차하자만 있는 경우 이를 이유로 국가배상을 인정하기는 쉽지 않을 것.

(2) **취소소송의 기판력이 국가배상청구에 미치는지 여부(#126. Ⅴ)**

- 견해 대립.

- 국가배상법상 위법개념과 취소소송에서의 위법개념이 같다는 견해를 취할 경우 기각판결의 기판력은 국가배상청구소송에 미치므로 국가배상청구소송에서 처분이 위법하다는 갑의 주장은 타당하지 않음. 그러나 국가배상법상 위법개념에 관한 광의의 행위위법설, 상대적위법성설, 결과불법설에서는 취소소송에서 기각판결이 나왔다고 하더라도 국가배상법상 위법을 주장할 수 있음.

4. 법원의 재판에 대한 국가배상청구

(1) **국가배상법 제2조 요건 중 직무에 재판작용의 포함 여부**

- 포함

(2) **재판작용에 대한 위법성 인정 가부**

- 기판력과의 관계, 법관의 재판상 독립등에 대한 고려가 필요.

- 판례는 법관이 위법 또는 부당한 목적을 가지고 재판을 하였다거나 법이 법관의 직무수행상 준수할 것을 요구하고 있는 기준을 현저하게 위반하는 등 법관이 그에게 부여된 권한의 취지에 명백히 어긋나게 이를 행사하였다고 인정할 만한 특별한 사정이 있는 경우에만 제한적으로 인정하는데 사안은 국가배상책임을 인정하기 곤란.

84 국가배상법 제5조 책임의 요건

Ⅰ. 공공의 영조물

강학상 영조물이 아니라 행정주체가 직접 공적 목적을 달성하기 위하여 제공한 물건인 강학상 공물을 의미한다. 개개의 물건 뿐만 아니라 물건의 집합체인 공공시설도 포함된다.

판 례 국가배상법 제5조1항 소정의 '공공의 영조물'이라 함은 국가 또는 지방자치단체에 의하여 특정 공공의 목적에 공여된 유체물 내지 물적 설비를 말하며, 국가 또는 지방자치단체가 소유권, 임차권 그 밖의 권한에 기하여 관리하고 있는 경우뿐만 아니라 사실상의 관리를 하고 있는 경우도 포함된다(대판 1998.10.23, 98다17381).

Ⅱ. 설치 · 관리의 하자

1. 설치 · 관리의 하자의 의미

(1) 문제점

영조물의 설치 · 관리란 영조물의 설계 · 축조와 그 후의 유지 · 수선 및 보관작용을 뜻한다. 영조물의 설치 · 관리의 하자란 "공물이 통상적으로 갖추어야 할 안정성을 결여"한 것을 의미하는데 이를 판단함에 있어 설치 · 관리자의 귀책사유를 고려해야 하는지 문제된다. 배상책임의 인정에서 갈등관계에 있을 수밖에 없는 피해자의 권리구제의 확대와 국가의 배상책임의 적정한 한정이라는 두 관점의 조화의 문제이다(류지태).

(2) 학 설

1) 객관설

설치나 관리의 하자를 공물 자체가 항상 갖추어야 할 객관적인 안전성의 결여로 이해하여, 관리자의 고의 · 과실은 문제 삼지 않는 견해이다. 제5조의 책임을 일종의 위험책임인 무과실책임으로 이해하고 있으나 제5조는 설치나 관리상의 하자를 요건으로 하고 있다는 점에서 순수한 위험책임이라고 하기는 어렵다는 비판이 있다.

2) 주관설

관리자의 영조물에 대한 안전관리의무위반 내지 사고방지의무위반에 기인한 물적 위험상태로 이해하여 관리자의 주관적 귀책사유를 요하는 견해이다. 피해자구제의 관점에서 바람직하지 못하다는 비판을 받으나, 주의위무를 고도화 · 객관화된 의무로 파악할 경우 문제점을 실질적으로 해소할 수 있다고 한다.

3) 절충설

객관적 하자뿐 아니라 관리자의 의무위반이라는 주관적 요소도 아울러 고려하는 견해이다.

4) 위법 · 무과실책임설(안전의무위반설)

영조물의 물적 상태에 초점을 두는 객관설과는 달리 제5조의 책임을 행위책임으로 보고 안전의무를 위반함으로서 발생한 손해에 대한 행정주체의 위법 · 무과실 책임이라는 견해이다. 안전의무는 국가의 법적 의무로서 제5조의 책임은 공무원 개인의 과실여부를 불문하고 공물의 관리주체가 지는 책임이라고 한다. 그 근거로 ① 제2조가 '고의 · 과실'을 요건으로 하고 있는데 반하여 제5조는 요건으로 하지 않으며, ② 제5조가 '영조물의 하자'로 표기하지 않고 '영조물의 설치 · 관리의 하자'라고 하여 순전한 '물적 상태책임'으로 볼 수 없다는 점을 든다.

(3) 판 례

제5조의 하자를 "영조물 자체가 통상 갖추어야 할 안전성을 갖추지 못한 상태"라고 하여 객관설의 입장을 견지하면서도(판례 1), 사안에 따라서는 주관적 요소를 고려하는 주관설 또는 절충설의 입장으로 이해될 수 있는 판시를

하고 있다(판례 2).

판례 1 국가배상법 제5조 소정의 영조물의 설치·관리상의 하자라 함은 영조물의 설치 및 관리에 불완전한 점이 있어 이 때문에 **영조물 자체가 통상 갖추어야 할 안전성을 갖추지 못한 상태**에 있는 것을 말하는 것이다(대판 1994.11.22, 94다32924).

판례 2 국가배상법 제5조1항에 정해진 영조물의 설치 또는 관리의 하자라 함은 영조물이 그 용도에 따라 통상 갖추어야 할 안전성을 갖추지 못한 상태에 있음을 말하는 것이며, 다만 영조물이 완전무결한 상태에 있지 아니하고 그 기능상 어떠한 결함이 있다는 것만으로 영조물의 설치 또는 관리에 하자가 있다고 할 수 없는 것이고, 위와 같은 안전성의 구비 여부를 판단함에 있어서는 당해 영조물의 용도, 그 설치장소의 현황 및 이용 상황 등 제반 사정을 종합적으로 고려하여 **설치·관리자가** 그 영조물의 위험성에 비례하여 **사회통념상 일반적으로 요구되는 정도의 방호조치의무를 다하였는지 여부를 그 기준으**로 삼아야 하며, 만일 객관적으로 보아 시간적·장소적으로 영조물의 기능상 결함으로 인한 **손해발생의 예견가능성과 회피가능성이 없는 경우 즉 그 영조물의 결함이 영조물의 설치·관리자의 관리행위가 미칠 수 없는 상황 아래에 있는 경우임이 입증되는 경우라면 영조물의 설치·관리상의 하자를 인정할 수 없다**(대판 2001.7.27, 2000다56822).

(4) 검 토

주관설은 고의·과실을 요구하지 않는 법문언에 반할 뿐만 아니라 피해자 구제범위가 제한되는 문제가 있으며, **물적인 결함과 아무 관계없이 순수하게 관리자의 의무위반으로 인하여 발생된 손해는 제2조에 의하여 충분히 전보** 받을 수 있으므로 **절충설도 문제**가 있으므로 **객관설이 타당**하다. 다만, 구체적인 사안에서 **면책사유를 인정하여 공물의 관리주체의 책임범위를 조정하는 것으로 구체적 타당성** 꾀하여야 할 것이다. 그러한 점에서 객관설도 절대적인 물적 상태책임을 주장하는 것은 아니며, 주관설도 의무위반의 범위를 객관화하려는 경향을 보이고 있는 점을 감안하면 실제로 구체적인 사안에서 차이는 크지 않다고 본다.

2. 하자의 판단기준(안전의무의 내용과 범위)

1) 이를 일률적으로 정하기는 어려우며 **완전무결한 상태를 유지할 정도의 고도의 안정성 확보는 사실상 불가능**하다. **공작물의 위험성에 비례**하여 **사회통념상 일반적으로 요구되는 정도**를 의미하며, **구체적인 상황을 고려하여 공물의 이용상황·이용목적·장소적 환경 등을 종합하여 개별적으로 판단**하여야 한다.

2) **자연공물**의 경우 인공공물과는 달리 **특별한 고찰이 요구**된다. 학설은 하천의 설치·관리의 하자의 판단에 있어 **계획고수량(계획홍수위)**[1]의 개념을 제시하고 있으며 **판례도** 이를 받아들이고 있다(관련판례).

3) 나아가 **최근의 판례**에서는 영조물에 물적 하자가 있는 경우뿐만 아니라, **영조물이 그 목적에 따른 이용으로 위해를 발생시키는 경우도 영조물의 설치·관리의 하자로 파악**하고 있다. 즉 **영조물의 통상적인 용법에 따라 제3자(인근거주자)에 손해를 발생시킨 경우에도 영조물이 안전성을 결하여 기능적 하자**가 있는 것으로 보게 되었다. 기능상 하자론에 대해서는 엄밀한 의미에서 위와 같은 하자는 영조물의 설치 또는 관리의 하자라고 할 수 없고, **영조물의 이용상 어쩔 수 없이 발생하는 것을 국가배상으로 구제하는 것은 타당하지 않으며, 적법한 손해인 이상 수용적 침해 또는 간접보상으로 구제해야 한다는 비판**(박균성)이 있다.

판 례 국가배상법 제5조1항에 정하여진 '영조물의 설치 또는 관리의 하자'라 함은 공공의 목적에 공여된 영조물이 그 용도에 따라 갖추어야 할 안전성을 갖추지 못한 상태에 있음을 말하고, 안전성을 갖추지 못한 상태, 즉 타인에게 위해를 끼칠 위험성이 있는 상태라 함은 당해 **영조물을 구성하는 물적 시설 그 자체에 있는 물리적·외형적 흠결이나 불비로 인하여 그 이용자에게 위해를 끼칠 위험성이 있는 경우**[2] 뿐만 아니라, 그 **영조물이 공공의 목적에 이용됨에 있어 그 이용상태 및 정도가 일정한 한도를 초과하여 제3자에게 사회통념상 수인할 것이 기대되는 한도를 넘는 피해를 입히는 경우까지 포함**[3] 된다고 보아야 한다. '영조물

---

1) 계획고수량이 과학적으로 정당하게 산정되었는지 또한 제방이 계획고수량에 상응된 높이와 안전성을 갖추었는지 여부에 따라 하자를 판단하는데, 예컨대 **하천정비기본계획에 따른 계획고수량이 정당하게 산정되었고 계획고수량 내에서의 홍수로 인하여 제방이 파괴되거나 범람한 경우 하천의 설치·관리의 하자**가 있는 것으로 봄.

2) 종래의 영조물하자의 개념.

설치 또는 하자'에 관한 제3자의 수인한도의 기준을 결정함에 있어서는 일반적으로 침해되는 권리나 이익의 성질과 침해의 정도뿐만 아니라 침해행위가 갖는 공공성의 내용과 정도, 그 지역환경의 특수성, 공법적인 규제에 의하여 확보하려는 환경기준, 침해를 방지 또는 경감시키거나 손해를 회피할 방안의 유무 및 그 난이 정도 등 여러 사정을 종합적으로 고려하여 구체적 사건에 따라 개별적으로 결정하여야 한다. 소음 등을 포함한 공해 등의 위험지역으로 이주하여 들어가서 거주하는 경우와 같이 위험의 존재를 인식하면서 그로 인한 피해를 용인하며 접근한 것으로 볼 수 있는 경우에, 그 피해가 직접 생명이나 신체에 관련된 것이 아니라 정신적 고통이나 생활방해의 정도에 그치고 그 침해행위에 고도의 공공성이 인정되는 때에는, 위험에 접근한 후 실제로 입은 피해 정도가 위험에 접근할 당시에 인식하고 있었던 위험의 정도를 초과하는 것이거나 위험에 접근한 후에 그 위험이 특별히 증대하였다는 등의 특별한 사정이 없는 한 가해자의 면책을 인정하여야 하는 경우도 있을 수 있을 것이나, 일반인이 공해 등의 위험지역으로 이주하여 거주하는 경우라고 하더라도 위험에 접근할 당시에 그러한 위험이 존재하는 사실을 정확하게 알 수 없는 경우가 많고, 그 밖에 위험에 접근하게 된 경위와 동기 등의 여러 가지 사정을 종합하여 그와 같은 위험의 존재를 인식하면서 굳이 위험으로 인한 피해를 용인하였다고 볼 수 없는 경우에는 손해배상액의 산정에 있어 형평의 원칙상 과실상계에 준하여 감액사유로 고려하는 것이 상당하다(대판 2005.1.27, 2003다49566). ➡ 김포공항에서 발생하는 소음 등으로 인근 주민들이 입은 피해는 사회통념상 수인한도를 넘는 것으로서 김포공항의 설치·관리에 하자가 있다고 본 사례

Ⅲ. 타인에게 손해발생

이때 영조물의 하자와 손해사이에는 상당인과관계를 요한다.

Ⅳ. 면책사유

1. 불가항력

통상적으로 갖추어야 할 객관적 안전성을 갖추었음에도 손해가 발생한 경우에는 불가항력에 의한 면책이 인정될 수 있다. 판례는 50년만의 집중호우 사실만으로는 불가항력을 부정하였으나(대판 2000.5.26. 99다53247). 100년 발생빈도의 강우량을 기준으로 책정된 계획홍수위를 초과하여 600년 또는 1000년 발생빈도의 강우량에 의한 하천의 범람은 예측가능성 및 회피가능성이 없는 불가항력적인 재해로서 영조물의 관리청에 책임을 물을 수 없다고 하였다(대판 2003.10.23. 2001다48057).

2. 예산부족

학설은 일반적으로 예산부족을 면책사유로 인정하지 않으며, 판례도 이를 안정성을 판단하는데 참작사유에는 해당될지언정 안전성을 결정지을 절대적 요건은 아니라고 본다.

Ⅴ. 하자의 입증책임

판례는 하자(또는 안정성의 결여 또는 관리의무 위반)의 입증책임을 피해자에게 지우고 있으며, 다만 관리주체에게 관리가능성(손해발생의 예견가능성과 회피가능성)이 없었다는 것은 관리주체가 입증해야 한다는 입장이다. 일설은 일응추정의 법리를 원용하여 피해자가 영조물로 인하여 손해가 발생하였음을 입증하면 하자의 존재가 추정된다고 주장하나 실무에서는 채택되지 않고 있다.

Ⅵ. 국가배상법 제2조와의 관계

영조물하자와 공무원의 위법한 직무집행행위가 경합하는 경우(예: 신호등 고장과 방치한 공무원의 과실이 경합) 피해자는 제2조와 제5조 어느 규정에 의해서도 배상청구할 수 있다(#85.관련판례5).

3) 기능적 하자의 관념.

관련 판례 **하천관리상 하자의 판단기준(안양천 수해사건)**
(대판 2007.9.21, 2005다65678)

1. 판결요지

[1] 국가배상법 제5조1항 소정의 영조물의 설치 또는 관리의 하자라 함은 영조물이 그 용도에 따라 통상 갖추어야 할 안전성을 갖추지 못한 상태에 있음을 말하는 것으로서, 영조물이 완전무결한 상태에 있지 아니하고 그 기능상 어떠한 결함이 있다는 것만으로 영조물의 설치 또는 관리에 하자가 있다고 할 수 없는 것이고, 위와 같은 안전성의 구비 여부를 판단함에 있어서는 당해 영조물의 용도, 그 설치 장소의 현황 및 이용 상황 등 제반 사정을 종합적으로 고려하여 설치 관리자가 그 영조물의 위험성에 비례하여 사회통념상 일반적으로 요구되는 정도의 방호조치의무를 다하였는지 여부를 그 기준으로 삼아야 할 것이며, 객관적으로 보아 시간적·장소적으로 영조물의 기능상 결함으로 인한 손해발생의 예견가능성과 회피가능성이 없는 경우, 즉 그 영조물의 결함이 영조물의 설치관리자의 관리행위가 미칠 수 없는 상황 아래에 있는 경우에는 영조물의 설치·관리상의 하자를 인정할 수 없다.

[2] **자연영조물로서의 하천은** 원래 이를 설치할 것인지 여부에 대한 선택의 여지가 없고, **위험을 내포한 상태에서 자연적으로 존재**하고 있으며, 간단한 방법으로 위험상태를 제거할 수 없는 경우가 많고, 유수라고 하는 자연현상을 대상으로 하면서도 그 유수의 원천인 강우의 규모, 범위, 발생시기 등의 예측이나 홍수의 발생 작용 등의 **예측이 곤란**하고, 실제로 홍수가 어떤 작용을 하는지는 실험에 의한 파악이 거의 불가능하고 실제 홍수에 의하여 파악할 수밖에 없어 결국 **과거의 홍수 경험을 토대로 하천관리**를 할 수밖에 없는 **특질**이 있고, 또 국가나 하천관리청이 목표로 하는 하천의 개수작업을 완성함에 있어서는 **막대한 예산을 필요**로 하고, 대규모 공사가 되어 이를 완공하는 데 **장기간이 소요**되며, 치수의 수단은 강우의 특성과 하천 유역의 특성에 의하여 정해지는 것이므로 그 특성에 맞는 방법을 찾아내는 것은 오랜 경험이 필요하고 또 기상의 변화에 따라 **최신의 과학기술에 의한 방법이 효용이 없을 수도 있는 등 그 관리상의 특수성**도 있으므로, 하천관리의 하자 유무는, **과거에 발생한 수해의 규모·발생의 빈도·발생원인·피해의 성질·강우상황·유역의 지형 기타 자연적 조건, 토지의 이용상황 기타 사회적 조건, 개수를 요하는 긴급성의 유무 및 그 정도 등 제반 사정을 종합적으로 고려**하고, 하천관리에 있어서의 위와 같은 **재정적·시간적·기술적 제약하에서 같은 종류, 같은 규모 하천에 대한 하천관리의 일반수준 및 사회통념에 비추어 시인될 수 있는 안전성을 구비하고 있다고 인정할 수 있는지 여부를 기준**으로 하여 판단해야 한다.

[3] 관리청이 하천법 등 관련 규정에 의해 책정한 하천정비기본계획 등에 따라 개수를 완료한 하천 또는 아직 개수 중이라 하더라도 개수를 완료한 부분에 있어서는, 위 하천정비기본계획 등에서 정한 **계획홍수량 및 계획홍수위를 충족하여 하천이 관리되고 있다면 당초부터 계획홍수량 및 계획홍수위를 잘못 책정하였다거나 그 후 이를 시급히 변경해야 할 사정이 생겼음에도 불구하고 이를 해태하였다는 등의 특별한 사정이 없는 한**, 그 하천은 용도에 따라 **통상 갖추어야 할 안전성을 갖추고 있다**고 봄이 상당하다.

2. 해 설

하천의 경우 **방재시설 그 자체**에 통상적으로 요구되는 **안전성에 결함**이 있어 수해가 발생되는 경우(**파제형(破堤型)의 수해)에는** 배상책임이 인정되나, **제방의 높이가 낮아 물이 넘쳐 발생**되는 수해의 경우(**일제형(溢堤型)수해)**에는 하자판단에 있어서 어려운 문제가 제기되는데

- **학설은 판단기준으로 계획고수량(계획홍수위)의 개념을 제시.** 즉 **계획고수량이 과학적으로 정당하게 산정되었는지, 제방이 계획고수량에 상응된 높이와 안정성을 갖추었는지 여부**에 따라 판단하며 **판례도 계획홍수위를 고려**하고 있음.

기출 사례 **국가배상법 제5조 및 제2조의 책임과 피해자에 대한 배상책임자**(01년 사시)

A시의 산악도로는 낙석의 위험이 많고 사고가 자주 일어나는 곳이다. A시는 사고의 예방조치로서 '낙석주의'라는 경고문을 도로변에 세우고 철조망을 쳐놓았으나 보수를 제대로 하지 못해 허술한 상태였다. 그러던 중 해빙기에 낙석이 도로 안으로 굴러 들어왔고 이 도로에서 자동차를 운전하던 운전자 B가 낙석과 충돌하여 중상을 입었다. 이 경우 B의 구제수단을 논하시오. (50점)

[참조조문]

***도로법**

제20조(도로관리청)

1. 도로의 관리청은 국도에 있어서는 건설교통부장관, 국가지원지방도에 있어서는 도지사(특별시, 광역시안의 구간은 당해 시장) 기타의 도로에 있어서는 그 노선을 인정한 행정청이 된다.
2. 특별시, 광역시 또는 시 관할구역안의 상급도로(고속국도와 읍, 면지역의 일반국도 및 지방도를 제외한다)는 제1항의 규정에도 불구하고 특별시장, 광역시장 또는 시장이 관리청으로 된다.

제67조(비용부담의 원칙)

도로에 관한 비용은 이 법 또는 다른 법률에 특별한 규정이 있는 경우를 제외하고는 건설교통부장관이 관리하는 도로에 관한 것은 국고의, 기타의 도로에 관한 것은 관리청이 속하는 지방자치단체의 부담으로 한다. 다만, 제24조1항 단서의 경우에 있어서 필요한 비용은 국고의 부담으로 한다.

Ⅰ. 쟁점의 정리

- 국가배상법 제5조의 책임과 관련 도로의 설치·관리상 하자가 있는지가 문제
- 국가배상법 제2조의 책임요건과 관련하여 담당공무원의 과실이 인정될 수 있는가가 문제되며
- 제5조, 제2조 양 청구가 모두 인정될 경우 경합여부가 문제됨.
- 피해자에 대한 배상책임자를 검토하기 위해서는 산악도로의 관리주체, 비용부담주체가 누구인지 확정되어야 하며 산악도로의 관리사무가 기관위임사무인지 단체위임사무인지와 관련되는 문제임. 관리주체와 비용부담주체가 다른 경우에 국가배상법 제6조1항의 의미를 살펴봄.

Ⅱ. 국가배상법 제5조의 책임 인정여부

1. 공공의 영조물

- 도로는 강학상 공물에 해당하므로 제5조의 영조물에 해당.

2. 설치·관리상 하자(#84)

(1) 학설, 판례

(2) 검토 및 사안의 경우

- 객관설이 타당. A시의 산악도로는 낙석의 위험이 많고 사고가 자주 일어나는 곳으로서 사고예방조치로서 '낙석주의'라는 경고문을 도로변에 세우고 철조망을 쳐놓았으나 보수를 제대로 하지 않아 언제든지 사고가 발생할 수 있는 개연성이 높고 결국 해빙기에 낙석이 도로 안으로 굴러들어온 경우 통상 갖추어야 할 안정성이 결여되어 있음.

3. 타인에게 손해발생

4. 소 결

- 국가배상법 제5조의 배상책임요건을 모두 충족

Ⅲ. 국가배상법 제2조의 책임 인정여부

1. 국가배상법 제2조 책임성립요건 충족여부

- A시의 산악도로 담당공무원이 낙석으로 인하여 사고가 자주 일어나는 곳임을 알면서도 보수를 제대로 하지 않아 허술한 상태에서 발생한 사고이므로 과실이 인정되며 담당공무원의 부작위는 도로관리의무에 반하여 위법할 뿐 아니라 이러한 과실로 인해 발생한 B의 손해에 대해서도 인과관계가 인정되므로 국가배상법 제2조의 책임을 짐.

2. 국가배상법 제5조와의 관계(#84)

- 영조물하자와 공무원의 위법한 직무집행행위가 경합하는 경우 피해자는 제2조와 제5조 어느 규정에 의해서도 배상청구가능.
- 운전자B는 어느 규정에 의해서도 배상책임을 주장할 수 있지만 입증측면에서 무과실책임인 제5조를 주장하는 것이 유리

Ⅳ. 피해자 B에 대한 배상책임자

1. 문제점

- 주어진 설문으로는 A시의 산악도로의 성격이 불분명한데 먼저 A시의 산악도로가 A시의 '시도'라면 A시는 관리주체이면서 동시에 비용부담자로서 배상책임자가 됨.
- 그러나 A시의 산악도로가 상급도로로서 A시를 경유하는 경우라면 국가배상법 제6조1항의 비용부담자문제가 논의됨.

2. 상급도로로서 A시를 경유하는 경우

(1) 산악도로 보수사무의 성질

- 학설은 기관위임사무설, 단체위임사무설, 자치사무설등이 있으나 판례는 상급도로가 도로법 제20조(현행 제23조) 2항에 의해 당해 관할구역의 지방자치단체장에게 위임된 기관위임사무로 보고 있음.

(2) 관리주체로서 배상책임자

- 판례처럼 기관위임사무로 보는 경우에는 위임한 국가 또는 상급지방자치단체가 배상책임을 짐.

(3) 비용부담주체로서 배상책임자(#85)

- 학설, 판례
- 병존설 입장에서 A시는 비용부담자로서 책임을 지게 됨.

3. 소 결

- 피해자 B는 국가 및 상급자치단체에게는 관리주체로서 제2조 및 제5조책임을, A시에 대해서는 비용부담주체로서 국가배상법 제6조1항에 의해 책임을 물을 수 있음.

Ⅴ. 사안의 해결

기출 사례 **영조물책임**(10년 사시)

甲은 공휴일을 맞아 가족과 함께 C시가 관리하는 하천으로 야유회를 갔다. 甲은 낚시를 하였고 甲의 자녀들은 물놀이를 하였다. 그 전에도 甲의 가족은 이 하천에 물놀이를 수차례 한 바 있다. 그런데 최근 하천 준설공사로 인하여 수심이 이전보다 매우 깊어져 있던 관계로 甲의 아들 乙이 수영 중 익사하고 말았다. 하천에는 위험을 알리는 표지판이나 사람의 출입을 금하는 철망 등의 시설도 없었다. 그리고 준설공사 이전에는 홍수 때가 아니면 어린이가 익사할 만큼 깊지도 않았다. 甲이 C시를 상대로 「국가배상법」 제5조에 근거하여 배상을 청구하는 경우 제기될 수 있는 법적 쟁점을 설명하시오.(20점)

Ⅰ. 쟁점의 정리

Ⅱ. 국가배상청구소송의 관할

- 국가배상청구권이 공권인지 사권인지 견해대립하며 이에 따라 당사자소송, 민사소송 여부가 결정
- 학설은 당사자소송이 다수설이나 판례는 민사소송
- 학설에 의하면 행정법원, 판례에 의하면 민사법원

Ⅲ. 국가배상법 제5조의 요건 충족 여부

1. 공공의 영조물

2. 설치 또는 관리의 하자

- 하자의 의미에 대한 견해 대립 및 판례 서술
- 객관설이 타당.

3. 타인에게 손해가 발생/ 인과관계

4. 면책사유

- 불가항력이 존재하는지 문제.
- 하천 준설공사로 인하여 수심이 깊어진 것이므로 C시로서는 그로 인한 위험성을 예견할 수 있다고 보아야 하므로 불가항력도 존재하지 않음. 면책사유는 인정되지 않는다.

5. 입증책임

6. 사안의 경우

- 준설공사로 수심이 이전보다 매우 깊어져 익사의 위험이 있는 것은 통상 갖추어야 할 안전성을 결여한 것이므로 영조물의 관리상의 하자가 존재. 위험발생의 예견가능성, 회피가능성이 존재하지 않는 사정이 보이지도 않음.
- 을이 익사한 것은 갑에게 손해가 발생한 것이며 하자와 손해발생 사이에 상당인과관계가 인정되며 갑은 이를 입증하여 손해배상청구가능.

Ⅳ. 국가배상법 제5조와 제2조의 경합

- 하천의 관리상의 하자와 공무원이 위험을 알리는 표지판이나 출입을 금하는 철망 등의 시설을 설치하지 않은 직무상 불법행위가 경합하므로 제5조 외에 제2조의 책임 여부도 문제됨.
- 제5조의 설치·관리의 하자를 객관설로 이해하고 제2조, 제5조 책임이 경합한다고 보는 것이 타당.
- 그러나 피해자의 입장에서는 입증책임 면에서 제5조 책임을 묻는 것이 유리.

Ⅴ. 배상책임자

- 사안의 하천이 국유하천인 경우에는 C시의 하천 관리는 국가로부터 위임받은 기관위임사무가 되는데, 이 경우 甲은 국배법 제6조1항에 따라 C시를 상대로 배상청구하는 것도 가능
- 지방하천이라면 그 관리는 C시의 자치사무에 해당하므로, 甲은 C시를 상대로 배상청구 가능.

Ⅵ. 결 론

85 국가배상법 제6조1항 비용부담자

Ⅰ. 의 의

국가배상법상의 배상책임은 사무의 귀속주체가 지는 것이 원칙이다. 그러나 공무원의 선임 · 감독자와 비용부담자 또는 영조물의 설치 · 관리자와 그 비용부담자가 다른 경우에는 당해 행정작용과 관련하여 발생한 손해의 배상책임자가 누가 될 것인지 불분명하여, 피해자가 과연 누구를 손해배상청구의 상대방으로 할 것인지의 문제가 있다.

Ⅱ. 국배법 제6조1항의 선임 · 감독자와 설치 · 관리자

사무 또는 영조물의 관리주체(사무귀속주체)를 의미한다. 관리주체란 당해 사무 또는 영조물의 관리기관이 속해 있는 법인격 있는 조직체를 말한다.

Ⅲ. 국배법 제6조1항의 비용부담자의 의미

1. 학 설

① 비용의 실질적 · 종국적 부담자를 의미한다는 실질적 비용부담자설, ② 외관상 대외적으로 비용을 지출하는 자라고 보는 형식적 비용부담자설, ③ 피해자의 잘못된 피고선택의 위험을 배제하기 위해 두 비용부담자를 모두 포함한다는 병존설(다수설)이 대립한다.

2. 판 례

국가사무인 감차처분사무가 천안시장에게 기관위임된 경우에, 경비의 실질적 · 궁극적 부담자는 국가라고 하더라도 천안시는 국가로부터 내부적으로 교부된 금원으로 그 사무에 필요한 경비를 대외적으로 지출하는 자이므로, 제6조1항 소정의 비용부담자에 해당된다고 보았다(관련판례 1).. 또한 자치사무인 교통신호등 설치 · 관리사무를 국가기관인 경찰기관에게 위탁한 경우에 국가가 제6조의 비용부담자로서의 책임을 진다(관련판례 5).고 하여 형식적 비용부담자를 포함하는 해석을 하고 있는데 일반적으로 병존설로 평가되고 있다.

3. 검 토 – 병존설

사무수행비용이 어떻게 내부적으로 조달되는가의 문제는 외부의 피해자로서는 보통 알 수 없는 것이 통상적인데 내부적인 사정에 의하여 피해자의 권리구제가 어려워지는 것은 문제가 있으므로 실질적 비용부담자설은 타당하지 않다. 피해자 보호 측면에서는 형식적 비용부담자설보다는 병존설이 타당하다. 행정실무상 기관위임사무를 수행하는 당해 지방자치단체는 예상외의 피해를 부담하게 될 수도 있지만 이는 구상권의 행사로 해결하여야 한다.

관련 판례 1 **천안시감차처분사건**(대판 1994.12.9, 94다38137)

1. 사실관계

천안시장은 甲에 대해 완전직영으로 경영할 것을 조건으로 25대의 차량에 대하여 자동차운송사업면허를 함. 천안시장은 甲이 乙등 20여명으로부터 차량을 지입받아 동인들에게 자동차운송사업을 경영하도록 하여 위 면허의 조건에 위반하였다는 이유로 25대의 차량 중에서 지입차량 20대에 대하여 자동차운송사업면허취소(감차처분)를 하고 위 乙등에 대하여 각 지입차량에 관한 개별운송사업면허처분을 함.

그러나 甲은 乙등 종전의 지입차주들로 하여금 甲의 주식을 인수하게 하고, 각 차량에 대한 지입차주들의 권리를 모두 포기시켜 1987.1.1.부터는 완전직영체제로 운영해왔음에도 천안시장이 청문절차등 관계 법규에서 규정한 적법한 절차를 거치지도 아니한 채 19대에 대하여 감차처분을 함과 동시에 甲의 주주 乙 등에게 개별운송면허처분을 함으로써 손해를 입었다고 주장하면서 천안시에 손해배상을 청구 (관련법에 의하면 감차처분의 권한은 구교통부장관(현국토해양부장관)의 권한으로 되어 있으며, 법령에 따른 적법한 절차를 거쳐 충남도지사에게 위임된 후, 다시 천안시장에게 재위임되었음).

2. 판시사항 및 판결요지

[1] **국가배상법 제6조1항 소정 '공무원의 봉급·급여 기타의 비용을 부담하는 자'의 의미**

- 국가배상법 제6조1항 소정의 '공무원의 봉급·급여 기타의 비용'이란 공무원의 인건비만을 가리키는 것이 아니라 당해사무에 필요한 일체의 경비를 의미한다고 할 것이고, 적어도 대외적으로 그러한 경비를 지출하는 자는 경비의 실질적·궁극적 부담자가 아니더라도 그러한 경비를 부담하는 자에 포함된다.

[2] **지방자치단체의 장이 기관위임된 국가행정사무를 처리하는 경우, 그 지방자치단체가 같은 법 제6조1항 소정의 비용부담자로서 배상책임을 지는지 여부**

- 구 지방자치법(1988.4.6. 법률 제4004호로 전문 개정되기 전의 것) 제131조(현행 제141조), 구 지방재정법(1988.4.6. 법률 제4006호로 전문 개정되기 전의 것) 제16조2항(현행 제21조)의 규정상, 지방자치단체의 장이 기관위임된 국가행정사무를 처리하는 경우 그에 소요되는 경비의 실질적·궁극적 부담자는 국가라고 하더라도 당해 지방자치단체는 국가로부터 내부적으로 교부된 금원으로 그 사무에 필요한 경비를 대외적으로 지출하는 자이므로, 이러한 경우 지방자치단체는 국가배상법 제6조1항 소정의 비용부담자로서 공무원의 불법행위로 인한 같은 법에 의한 손해를 배상할 책임이 있다.

3. 해 설

1) 자동차운수사업면허 및 그 취소의 권한은 교통부장관(현 국토해양부장관)의 권한으로 규정되어 있으므로 국가사무인데, 이 권한이 도지사를 거쳐 천안시장에게 재위임된 것이므로 이는 기관위임사무이다.
2) 국가사무를 기관위임한 경우 국가는 사무귀속의 주체이며, 지방재정법 제21조, 지방자치법 제141조1항 단서에 의해 실질적 비용부담자이며, 천안시는 국가로부터 내부적으로 교부된 금원으로 그 사무에 필요한 경비를 대외적으로 지출하는 자로서 형식적 비용부담자이다.
3) 국가배상법 제6조1항은 사무귀속의 주체뿐만 아니라 비용부담자도 대외적으로 책임을 지도록 하고 있는데, 비용부담자의 의미에 대해서는 ① 형식적 비용부담자설, ② 실질적 비용부담자설의 대립이 있으나 통설은 ③ 병합설의 입장이다. 사안에서 천안시는 국가배상법 제6조1항 소정의 형식적 비용부담자로서 공무원의 불법행위로 인한 같은 법에 의한 손해를 배상할 책임이 있다.

관련 판례 2 **도지사가 군수에게 기관위임한 사건**
(대판 1994.1.11, 92다29528)

[1] 도지사가 그의 권한에 속하는 사무를 소속 시장 또는 군수에게 위임하여 시장, 군수로 하여금 그 사무를 처리하게 하는 소위 기관위임의 경우에는, 지방자치단체장인 시장, 군수는 도 산하 행정기관의 지위에서 그 사무를 처리하는 것이므로, 시장, 군수 또는 그들을 보조하는 시, 군 소속 공무원이 그 위임받은 사무를 집행함에 있어 고의 또는 과실로 타인에게 손해를 가하였다면 그 사무의 귀속 주체인 도가 손해배상책임을 진다.

[2] 구 지방자치에관한임시조치법(1988.4.6. 법률 제4004호로 폐지) 제5조의2, 경상북도사무위임조례 제2조, 경상북도하천·공유수면점용료및사용징수조례·시행규칙 제7조의 각 규정내용 및 지방천은 수개 시·군을 흐르는 것이 보통이므로 이에 대한 관리는 각 시·군에 전적으로 맡겨 둘 수 없고 도 전체의 통일적인 관리가 필요하다는 점 등에 비추어 보면, 경상북도지사로부터 안동군수로의 지방천에 대한 허가 및 채취료징수사무의 위임은 기관위임이다.

[3] 군수가 도지사로부터 사무를 기관위임받은 경우 사무를 처리하는 담당공무원이 군 소속이라고 하여도 군에게는 원칙적으로 국가배상책임이 없지만, 위 담당공무원이 군 소속 공무원으로서 군이 이들에 대한 봉급을 부담한다면 군도 국가배상법 제6조 소정의 비용부담자로서 국가배상책임이 있다.

관련 판례 3 **서귀포시사건**(대판 1993.1.26, 92다2684)

[1] 도로법 제22조(현행 제23조) 2항에 의하여 지방자치단체의 장인 시장이 국도의 관리청이 되었다 하더라도 이는 시장이 국가로부터 관리업무를 위임받아 국가행정기관의 지위에서 집행하는 것이므로 국가는 도로관리상 하자로 인한 손해배상책임을 면할 수 없다.

[2] 시가 국도의 관리상 비용부담자로서 책임을 지는 것은 국가배상법이 정한 자신의 고유한 배상책임이므로 도로의 하자로 인한 손해에 대하여 시는 부진정 연대채무자인 공동불법행위자와의 내부관계에서 배상책임을 분담하는 관계에 있으며 국가배상법 제6조2항의 규정은 도로의 관리주체인 국가와 그 비용을 부담하는 경제주체인 시 상호간에 내부적으로 구상의 범위를 정하는데 적용될 뿐 이를 들어 구상권자인 공동불법행위자에게 대항할 수 없다.

관련 판례 4 **여의도광장사건**(대판 1995.2.24, 94다57671)

여의도광장의 관리는 광장의 관리에 관한 별도의 법령이나 규정이 없으므로 서울특별시는 여의도광장을 도로법

제2조2항 소정의 '도로와 일체가 되어 그 효용을 다하게 하는 시설'로 보고 같은 법의 규정을 적용하여 관리하고 있으며, 그 관리사무 중 일부를 영등포구청장에게 권한위임하고 있어, **여의도광장의 관리청이 본래 서울특별시장이라 하더라도 그 관리사무의 일부가 영등포구청장에게 위임되었다면, 그 위임된 관리사무에 관한 한 여의도광장의 관리청은 영등포구청장이 되고, 같은 법 제56조(현행 제85조)에 의하면 도로에 관한 비용은 건설부장관이 관리하는 도로 이외의 도로에 관한 것은 관리청이 속하는 지방자치단체의 부담으로 하도록 되어 있어 여의도광장의 관리비용부담자는 그 위임된 관리사무에 관한 한 관리를 위임받은 영등포구청장이 속한 영등포구**가 되므로, 영등포구는 여의도광장에서 차량진입으로 일어난 인신사고에 관하여 국가배상법 제6조 소정의 비용부담자로서의 손해배상책임이 있다.

관련 판례 5 자치단체장이 국가기관에 위임한 경우
(대판 1999.6.25, 99다11120)

1. 사실관계

대전광역시장은 대전시내 도로에 횡단보도와 신호기를 설치하였고, 충남지방경찰청장은 도로교통법 시행령에 의하여 신호기의 관리권한을 위임받아 관리업무를 담당해 옴. 그런데 위 신호기의 고장으로 보행자 신호기와 차량 신호기에 동시에 녹색등이 표시되게 되었는데 이러한 고장 사실이 다음날까지 3차례에 걸쳐 신고되었음에도 불구하고 신호기가 고장난 채 방치되어 있던 중 신호기의 녹색등을 보고 주행하던 승용차가 보행자 신호기의 녹색등을 보고 횡단보도를 건너던 乙을 충격하여 상해를 입히는 교통사고가 발생.

2. 판결요지

도로교통법 제3조1항은 특별시장·광역시장 또는 시장·군수(광역시의 군수를 제외)는 도로에서의 위험을 방지하고 교통의 안전과 원활한 소통을 확보하기 위하여 필요하다고 인정하는 때에는 신호기 및 안전표지를 설치하고 이를 관리하여야 하도록 규정하고, 도로교통법시행령 제71조의2 1항1호는 특별시장·광역시장이 위 법률규정에 의한 신호기 및 안전표지의 설치·관리에 관한 권한을 지방경찰청장에게 위임하는 것으로 규정하고 있는바, 이와 같이 **행정권한이 기관위임된 경우 권한을 위임받은 기관은 권한을 위임한 기관이 속하는 지방자치단체의 산하 행정기관의 지위에서 그 사무를 처리하는 것이므로 사무귀속의 주체가 달라진다고 할 수 없고**, 따라서 권한을 **위임받은 기관 소속의 공무원이 위임사무처리**에 있어 고의 또는 과실로 타인에게 손해를 가하였거나 위임사무로 설치·관리하는 영조물의 하자로 타인에게 손해를 발생하게 한 경우에는 권한을 **위임한 관청이 소속된 지방자치단체가 국가배상법 제2조 또는 제5조에 의한 배상책임을 부담**하고, **권한을 위임받은 관청이 속하는 지방자치단체 또는 국가가 국가배상법 제2조 또는 제5조에 의한 배상책임을 부담하는 것이 아니므로**, 지방자치단체장이 교통신호기를 설치하여 그 관리권한이 도로교통법 제71조의2 1항의 규정에 의하여 관할 지방경찰청장에게 위임되어 지방자치단체 소속 공무원과 지방경찰청 소속 공무원이 합동근무하는 교통종합관제센터에서 그 관리업무를 담당하던 중 위 신호기가 고장난 채 방치되어 교통사고가 발생한 경우, **국가배상법 제2조 또는 제5조에 의한 배상책임을 부담하는 것은 지방경찰청장이 소속된 국가가 아니라, 그 권한을 위임한 지방자치단체장이 소속된 지방자치단체라고 할 것이나**, 한편 국가배상법 제6조1항은 같은 법 제2조, 제3조 및 제5조의 규정에 의하여 국가 또는 지방자치단체가 손해를 배상할 책임이 있는 경우에 공무원의 선임·감독 또는 영조물의 설치·관리를 맡은 자와 공무원의 봉급·급여 기타의 비용 또는 영조물의 설치·관리의 비용을 부담하는 자가 동일하지 아니한 경우에는 그 비용을 부담하는 자도 손해를 배상하여야 한다고 규정하고 있으므로 **교통신호기를 관리하는 지방경찰청장 산하 경찰관들에 대한 봉급을 부담하는 국가도 국가배상법 제6조1항에 의한 배상책임을 부담한다.**

3. 해 설

1) 지방자치단체장의 교통신호기에 관한 관리권한이 도로교통법시행령 제71조의2 제1항의 규정에 의하여 관할 경찰서장에게 위임되어 처리하는 경우 기관위임사무에 해당. **지방자치단체장의 권한이 국가기관에 위임**된 사례임
2) 경찰서 소속 공무원이 그 관리업무를 담당하던 중 교통신호기가 고장난 채 방치되어 교통사고가 발생한 경우, 국가배상법 **제2조 또는 제5조**에 의한 배상책임을 부담하는 것은 경찰서장이 소속된 국가가 아니라, 그 **권한을 위임한 지방자치단체장이 소속된 지방자치단체.**
3) 국가배상법 **제6조1항**은 사무귀속의 주체뿐만 아니라 비용부담자도 대외적으로 책임을 지도록 하고 있는데, 비용부담자의 의미에 대해서는 ① 형식적 비용부담자설, ② 실질적 비용부담자설의 대립이 있으나 다수설은 ③ 병존설의 입장. 사안에서 지방경찰청장에 대한 관리권한의 위임은 기관위임이므로 권한을 위임한 관청이 소속된 지방자치단체가 사무의 귀속주체로서 배상책임을 지고, 교통신호기를 관리하는 지방경찰청장 산하 경찰관들에 대한 봉급

을 부담하는 국가도 비용부담자로서 배상책임을 진다는 것이 판례의 입장.

4) 국가가 비용부담자로서 피해자에게 국가배상법 6조1항의 책임을 진 경우 국가가 대전광역시를 상대로 구상권을 행사할 수 있는가도 쟁점이 되는데 국가배상법 6조 2항상 최종적 배상책임자의 문제임. 이에 대해서는 학설상으로는 ① 관리주체설(종래 통설), ② 비용부담설, ③ 기여도설(박균성)의 대립이 있다. 유사한 사안에서 판례는 지방자치단체는 사무의 귀속주체로서 뿐만 아니라 또한 지방자치법 제141조 단서에 의해 실질적 비용부담자의 지위도 있지만, 대한민국은 소속 경찰공무원에게 봉급만을 지급하고 있으므로 궁극적 책임은 지방자치단체에게 있다고 판시(#86. 관련판례 2)하고 있음. 사안에서는 대전광역시가 최종적인 책임을 지게 되므로 국가의 대전광역시에 대한 구상청구소송은 인용될 것.

[도로법 관련조문]4)

제2조(정의)

이 법에서 사용하는 용어의 뜻은 다음과 같다.

1. "도로"란 차도, 보도(步道), 자전거도로, 측도(側道), 터널, 교량, 육교 등 대통령령으로 정하는 시설로 구성된 것으로서 제10조에 열거된 것을 말하며, 도로의 부속물을 포함한다.

5. "도로관리청"이란 도로에 관한 계획, 건설, 관리의 주체가 되는 기관으로서 도로의 구분에 따라 제23조에서 규정하는 다음 각 목의 어느 하나에 해당하는 기관을 말한다.
가. 국토교통부장관
나. 특별시장·광역시장·특별자치시장·도지사·특별자치도지사·시장·군수 또는 자치구의 구청장(이하 "행정청"이라 한다)

제8조(11)(도로의 종류와 등급)

도로의 종류는 다음 각 호와 같고, 그 등급은 다음 각 호에 열거한 순서와 같다.

1. 고속국도 2. 일반국도 3. 특별시·광역시도
4. 지방도 5. 시도 6. 군도 7. 구도

제11조(고속국도의 지정·고시)

국토교통부장관은 도로교통망의 중요한 축(軸)을 이루며 주요 도시를 연결하는 도로로서 자동차(「자동차관리법」 제2조제1호에 따른 자동차와 「건설기계관리법」 제2조제1항제1호에 따른 건설기계 중 대통령령으로 정하는 것을 말한다. 이하 제47조, 제113조 및 제115조제1호에서 같다) 전용의 고속교통에 사용되는 도로 노선을 정하여 고속국도를 지정·고시한다.

제12조(일반국도의 지정·고시)

① 국토교통부장관은 주요 도시, 지정항만(「항만법」 제3조에 따라 해양수산부장관이 지정한 항만을 말한다), 주요 공항, 국가산업단지 또는 관광지 등을 연결하여 고속국도와 함께 국가간선도로망을 이루는 도로 노선을 정하여 일반국도를 지정·고시한다.

제14조(특별시도·광역시도의 지정·고시)

특별시장 또는 광역시장은 해당 특별시 또는 광역시의 관할구역에 있는 도로 중 다음 각 호의 어느 하나에 해당하는 도로노선을 정하여 특별시도·광역시도를 지정·고시한다.

1. 해당 특별시·광역시의 주요 도로망을 형성하는 도로
2. - 3. (생략)

제15조(지방도의 지정·고시)

① 도지사 또는 특별자치도지사는 도(道) 또는 특별자치도의 관할구역에 있는 도로 중 해당 지역의 간선도로망을 이루는 다음 각 호의 어느 하나에 해당하는 도로 노선을 정하여 지방도를 지정·고시한다.

1. 도청 소재지에서 시청 또는 군청 소재지에 이르는 도로
2. 시청 또는 군청 소재지를 연결하는 도로
3. - 5. (생략)

제17조(도로 노선의 지정·고시 방법 등)

① 제11조부터 제13조까지 및 제15조제2항에 따른 고속국도, 일반국도, 지선 및 국가지원지방도의 노선 지정·고시는 관보에 하고, 제14조, 제15조제1항 및 제16조부터 제18조까지의 규정에 따른 특별시도·광역시도, 지방도, 시도, 군도 및 구도의 노선 지정·고시는 해당 지방자치단체의 공보에 하여야 한다.

② 제1항에 따른 도로 노선의 지정·고시에는 다음 각 호의 사항을 포함하여야 한다.

1. 노선번호 2. 노선명 3. 기점, 종점
4. 주요 통과지 5. 그 밖에 필요한 사항

제21조(도로 노선의 폐지와 변경)

① 국토교통부장관 또는 행정청은 제11조부터 제18조까지 및 제20조에 따라 지정한 도로 노선을 변경하거나 그 노선의 전부 또는 일부를 폐지할 수 있다.

4) 도로법은 2014년 5월 전면 개정되어 2014.7.15부터 시행됨. 판례들은 구 도로법으로 인용되어 있으므로 주의.

② 행정청이 도로 노선을 지정·변경 또는 폐지하려면 국토교통부령으로 정하는 바에 따라 특별시도·광역시도, 지방도, 시도(특별자치시장이 노선을 지정한 것으로 한정한다)에 관하여는 국토교통부장관, 시도(특별자치시장이 노선을 지정한 것은 제외한다)·군도 또는 구도에 관하여는 특별시장·광역시장 또는 도지사의 승인을 받아야 한다.

제23조(도로관리청)

① 도로관리청은 다음 각 호의 구분에 따른다.

1. 제11조 및 제12조에 따른 고속국도와 일반국도: 국토교통부장관
2. 제15조제2항에 따른 국가지원지방도(이하 "국가지원지방도"라 한다): 도지사·특별자치도지사(특별시, 광역시 또는 특별자치시 관할구역에 있는 구간은 해당 특별시장, 광역시장 또는 특별자치시장)
3. 그 밖의 도로: 해당 도로 노선을 지정한 행정청

② 제1항에도 불구하고 특별시·광역시·특별자치시·특별자치도 또는 시의 관할구역에 있는 일반국도(우회국도 및 지정국도는 제외한다. 이하 이 조에서 같다)와 지방도는 각각 다음 각 호의 구분에 따라 해당 시·도지사 또는 시장이 도로관리청이 된다.

1. 특별시·광역시·특별자치시·특별자치도 관할구역의 동(洞) 지역에 있는 일반국도: 해당 특별시장·광역시장·특별자치시장·특별자치도지사
2. 특별자치시 관할구역의 동 지역에 있는 지방도: 해당 특별자치시장
3. 시 관할구역의 동 지역에 있는 일반국도 및 지방도: 해당 시장

제25조(도로구역의 결정)

① 도로관리청은 도로 노선의 지정·변경 또는 폐지의 고시가 있으면 지체 없이 해당 도로의 도로구역을 결정·변경 또는 폐지하여야 한다.

제31조(도로공사와 도로의 유지·관리 등)

① 도로공사와 도로의 유지·관리는 이 법이나 다른 법률에 특별한 규정이 있는 경우를 제외하고는 해당 도로의 도로관리청이 수행한다.

② 제1항에도 불구하고 국토교통부장관은 일반국도의 일부 구간에 대한 도로공사와 도로의 유지·관리에 관한 업무를 대통령령으로 정하는 바에 따라 도지사 또는 특별자치도지사가 수행하도록 할 수 있다. 이 경우 국토교통부장관은 미리 도지사 또는 특별자치도지사와 협의하여야 한다.

제32조(상급도로관청의 도로공사대행)

① 국토교통부장관은 필요하다고 인정하면 대통령령으로 정하는 바에 따라 관계 행정청이 하여야 하는 도로공사를 스스로 시행할 수 있다. 다만, 시도·군도 및 구도에 대한 도로공사는 제외한다.

② 특별시장·광역시장 또는 도지사는 필요하다고 인정하면 대통령령으로 정하는 바에 따라 관할구역의 시장·군수 또는 구청장이 하여야 하는 도로공사를 스스로 시행할 수 있다.

③ 국토교통부장관, 특별시장·광역시장 또는 도지사는 제1항 및 제2항에 따라 도로공사를 시행하는 경우 대통령령으로 정하는 바에 따라 해당 도로관리청의 권한을 대행할 수 있다.

제61조(도로의 점용허가)

① 공작물·물건, 그 밖의 시설을 신설·개축·변경 또는 제거하거나 그 밖의 사유로 도로(도로구역을 포함한다. 이하 이 장에서 같다)를 점용하려는 자는 도로관리청의 허가를 받아야 한다. 허가받은 기간을 연장하거나 허가받은 사항을 변경(허가받은 사항 외에 도로 구조나 교통안전에 위험이 되는 물건을 새로 설치하는 행위를 포함한다)하려는 때에도 같다.

제85조(비용부담의 원칙)

① 도로에 관한 비용은 이 법 또는 다른 법률에 특별한 규정이 있는 경우 외에는 도로관리청이 국토교통부장관인 도로에 관한 것은 국가가 부담하고, 그 밖의 도로에 관한 것은 해당 도로의 도로관리청이 속해 있는 지방자치단체가 부담한다. 이 경우 제31조제2항에 따라 국토교통부장관이 도지사 또는 특별자치도지사에게 일반국도의 일부 구간에 대한 도로공사와 도로의 유지·관리에 관한 업무를 수행하게 한 경우에 그 비용은 국가가 부담한다.

② 제1항에도 불구하고 제20조에 따라 노선이 지정된 도로나 행정구역의 경계에 있는 도로에 관한 비용은 관계 지방자치단체가 협의하여 부담 금액과 분담 방법을 정할 수 있다.

제88조(도로공사의 대행비용 등)

① 국토교통부장관이 제32조제1항에 따라 도로공사를 시행하는 경우에 필요한 비용은 국가가 부담하며, 특별시장·광역시장 또는 도지사가 제32조제2항에 따라 도로공사를 시행하는 경우에 필요한 비용은 해당 특별시·광역시 또는 도가 부담한다.

② 국토교통부장관, 특별시장·광역시장 또는 도지사는 제1항에 따른 비용의 일부를 대통령령으로 정하는 바에 따라 해당 도로의 도로관리청이 속해 있는 지방자치단체에 부담시킬 수 있다.

➡ 32조, 88조는 광주광역시국도사건판례(#86)의 이해에 도움이 되는 조문.

86 국가배상법 제6조2항 최종적 책임자(대내적 구상책임)

1. 개 설

제6조2항은 궁극적인 배상책임자에 대한 구상 문제를 규정하지만 **궁극적인 배상책임자가 누구인지 명확하지 않아서 사무의 관리주체와 비용부담자가 다른 경우 '내부관계에서 손해배상의 책임이 있는 자'가 누구인지** 견해 대립이 있다.

2. 학 설

(1) 관리주체설(사무귀속자설) - 관리책임의 주체

책임의 원칙에 비추어 **관리주체가 손해를 방지할 수 있는 지위**에 있으므로, 사무로 인하여 이익을 보는 자는 그로 인해 발생하는 비용도 부담하여야 한다고 한다.

(2) 비용부담주체설 - 당해 사무의 비용을 부담하는 자

관리비용에는 손해배상금도 포함되므로 당해 사무의 비용을 부담하는 자가 최종적인 책임을 진다. 다만 실질적 비용부담자와 형식적 비용부담자가 다른 경우에는 실질적 비용부담자가 최종책임자라고 본다.

(3) 기여도설

실제 손해발생에 기여한 자가 손해발생의 기여도에 따라 기여한 만큼 배상책임을 진다는 견해이다.

3. 판 례

사고발생의 경위, 사무수행에 소요된 비용의 부담비율 등 구체적인 사안에 따라 해결하는 입장을 취하고 있다.

판 례 원래 광역시가 점유 관리하던 일반국도 중 일부 구간의 포장공사를 국가가 대행하여 광역시에 도로의 관리를 이관하기 전에 교통사고가 발생한 경우, **광역시는 그 도로의 점유자 및 관리자, 도로법 제56조(현행 제85조), 제55조, 도로법시행령 제30조에 의한 도로관리비용 등의 부담자로서의 책임이 있고, 국가는 그 도로의 점유자 및 관리자, 관리사무귀속자, 포장공사비용 부담자로서의 책임이 있다**고 할 것이며, 이와 같이 광역시와 국가 모두가 도로의 점유자 및 관리자, 비용부담자로서의 **책임을 중첩적으로 지는 경우에는, 광역시와 국가 모두가 국가배상법 제6조2항 소정의 궁극적으로 손해를 배상할 책임이 있는 자라고 할 것이고, 결국 광역시와 국가의 내부적인 부담 부분은, 그 도로의 인계·인수 경위, 사고의 발생 경위, 광역시와 국가의 그 도로에 관한 분담비용 등 제반 사정을 종합하여 결정**함이 상당하다(대판 1998.7.10, 96다42819). ➡ 관련판례 1

4. 검 토

배상책임은 손해발생에 원인을 제공한 자가 져야 하고, **공동의 불법행위가 있는 경우에는 손해발생에 기여한 정도에 따라** 배상책임을 져야 하므로 **기여도설이 타당**하다. 제6조2항의 종국적 비용부담자의 개념을 관리자 또는 비용부담자의 어느 한 유형으로 한정할 필요는 없으며, **판례의 입장처럼 개별적인 사정을 반영하여(손해발생의 기여도, 비용부담의 비용등을 모두 고려) 구체적인 타당성을 도모하는 것이 타당**(류지태·박종수)하다.

관련 판례 1 **광주광역시국도사건**(대판 1998.7.10, 96다42819)

1. **사실관계**

甲은 화물자동차를 운전하여 광주 소재 국도를 진행하던 중 위 도로의 진행차선 절반 정도까지에 걸쳐 쌓여져 있는 폐아스콘더미를 피하기 위하여 중앙선을 침범하여 진행하다가 마침 반대차선에서 마주 오던 자동차를 충격하여 그 운전자 乙이 사망하게 됨. 한편 위 교통사고 당시 위 도로상에 위의 페아스콘과 같은 장애물이 있음을 알리는 경고판이나 위험표지판 등은 세워져 있지 아니함. 한편 사고가 발생한 도로구간은 광주광역시가 점유관리하던 국도로서 사고가 난 도로를 포함한 일부구간의 포장공사를 건설교

통부 국토관리청이 시행하고 이를 준공한 후 광주광역시에 이관하려 하였으나 서류미비 기타 사유로 이관이 이루어지지 않던 중 당해 사고가 발생한 것.

甲의 화물자동차의 보험자인 보험회사는 위 乙의 유족들에게 손해배상금을 지급한 후 광주광역시와 대한민국을 상대로 구상금소송을 제기하여 승소하였고, 광주광역시는 보험회사에 손해배상금을 지급한 후, 대한민국에 대해 다시 구상금청구소송을 제기.

2. 판시사항 및 판결요지

[1] 도로법 제32조에 의한 상급관청의 공사 대행으로 도로관리청이 변경되는지 여부(소극)

- 도로법상 일반국도의 관리청은 원칙적으로 건설교통부장관으로 되어 있고 제22조1항(현행 제23조), 광역시 관할구역 안에 있는 일반국도의 경우에는 그 관리청이 광역시장으로 되어 있으며 제22조2항(현행 제23조), 도로의 신설, 개축 및 수선에 관한 공사와 그 유지는 법률에 특별한 규정이 없는 한 당해 도로의 관리청이 이를 행하도록 되어 있고 제24조(현행 제31조), 도로에 관한 비용도 법률에 특별한 규정이 없는 한 관리청이 속하는 지방자치단체가 부담하는 것으로 되어 있으나 제56조(현행 제85조), 다만 상급관청은 특히 필요하다고 인정할 때에 대통령령이 정하는 바에 의하여 관계 행정청이 관리하는 도로공사를 대행할 수 있는데, 이 경우 위 공사의 대행에 의하여 도로관리청이 변경되는 것이 아니고 상급관청이 관리청의 권한 중의 일부를 대행하는 것에 불과하다.

[2] 도로법 제27조(현행 제32조)에 의한 상급관청의 공사 대행 개시시부터 이관시까지 도로 관리상의 하자로 교통사고가 발생한 경우, 손해배상책임의 주체

- 원래 광역시가 점유 관리하던 일반국도 중 일부 구간의 포장공사를 건설교통부 국토관리청이 시행하고 이를 준공한 후 광역시에 이관하려 하였으나 서류의 미비 기타의 사유로 이관이 이루어지지 않고 있던 중 도로의 관리상의 하자로 인한 교통사고가 발생하였다면 광역시와 국가가 함께 그 도로의 점유자 및 관리자로서 손해배상책임을 부담한다.

[3] 국가배상법 제6조 소정의 사무귀속자와 비용부담자로서의 지위가 두 행정주체 모두에 중첩된 경우, 내부적 부담 부분의 결정 기준

- 원래 광역시가 점유 관리하던 일반국도 중 일부 구간의 포장공사를 국가가 대행하여 광역시에 도로의 관리를 이관하기 전에 교통사고가 발생한 경우, 광역시는 그 도로의 점유자 및 관리자, 도로법 제56조(현행 제85조), 제55조(현행 제84조), 도로법시행령 제30조에 의한 도로관리비용 등의 부담자로서의 책임이 있고, 국가는 그 도로의 점유자 및 관리자, 관리사무귀속자, 포장공사비용 부담자로서의 책임이 있다고 할 것이며, 이와 같이 광역시와 국가 모두가 도로의 점유자 및 관리자, 비용부담자로서의 책임을 중첩적으로 지는 경우에는, 광역시와 국가 모두가 국가배상법 제6조2항 소정의 궁극적으로 손해를 배상할 책임이 있는 자라고 할 것이고, 결국 광역시와 국가의 내부적인 부담 부분은, 그 도로의 인계·인수 경위, 사고의 발생 경위, 광역시와 국가의 그 도로에 관한 분담비용 등 제반 사정을 종합하여 결정함이 상당하다.

[참조조문]

*** 지방재정법**

제21조 (부담금과 교부금)

① 지방자치단체 또는 그 기관이 법령에 의하여 처리하여야 할 사무로서 국가와 지방자치단체 상호간에 이해관계가 있는 경우에, 그 원활한 사무처리를 위하여 국가에서 부담하지 아니하면 아니될 경비는 국가가 그 전부 또는 일부를 부담한다.

② 국가가 스스로 행하여야 할 사무를 지방자치단체 또는 그 기관에 위임하여 수행하는 경우에, 그 소요되는 경비는 국가가 그 전부를 당해 지방자치단체에 교부하여야 한다.

3. 해 설

1) 국가배상의 대외적 책임은 사무의 귀속주체뿐만 아니라 비용부담자도 부담(국가배상법 제6조1항).

2) 국도가 도로법 제22조2항(현행 제23조)에 의해 광역시 시장이 국도의 관리청이 된 경우 이는 기관위임사무라는 것이 판례의 태도.[1] 따라서 사안에서는 광주광역시 소재 국도

1) 도로법 제23조에 의한 시관할구역 내의 상급도로에 대한 관리사무의 성질에 대해서 논의가 있음.
- 관리대상이 국도이며 관리청을 지방자치단체의 장으로 규정하고 있어 기관위임이라는 견해(다수설, 판례)
- 해당 시에게 이해관계가 더 크고 도로법 제85조가 관리비용을 지자체가 부담하는 것으로 규정하고 있으며 도로법은 국토해양부장관을 관리청으로 규정하지 않고 직접 시장을 관리청으로 규정한 것에 비추어 단체위임사무라는 견해(박균성)
- 도로법 제23조2항은 권한의 위임규정이 아니라 국가와 지방자치단체 사이의 권한배분에 관한 규정으로서 자치사무라는 견해(홍정선)가 대립
- 지방자치법 제11조4호는 일반국도를 국가사무로 규정하고 있으며 기관위임사무로 보는 것이 국가에게도 책임을 물을 수 있어 피해자보호의 측면에서도 유리하므로 기관위임설이 타당.

의 사무귀속주체는 대한민국임.

3) 국가배상법 제6조1항의 비용부담자가 누구인지 ① 형식적 비용부담자설 ② 실질적 비용부담자설 ③ 병합설의 대립이 있으며, 판례는 병존설(병합설)의 입장이라고 평가됨. 병존설의 입장에서는 도로법 제56조의 성질에 대한 학설대립은 별론으로 하고 광주시는 비용부담자로 책임을 지게 됨.

4) 따라서 대한민국과 광주광역시 모두 국가배상법상 손해배상책임의 주체가 됨. 판례 역시 "광역시는 그 도로의 점유자 및 관리자, 도로법 제56조(현행 제85조), 제55조, 도로법시행령 제30조에 의한 도로관리비용 등의 부담자로서의 책임이 있고, 국가는 그 도로의 점유자 및 관리자, 관리사무귀속자, 포장공사비용 부담자로서의 책임이 있다"라고 하고 있음.

5) 광주광역시가 대한민국을 상대로 구상할 수 있는가의 문제는 국가배상법 제6조2항 '내부관계에서 그 손해를 배상할 책임 있는 자'가 누구인지에 관한 것임.

6) 학설상으로는 ① 관리주체설(종래 통설) ② 비용부담설 ③ 기여도설의 대립이 있는데,

7) 판례는 "광역시와 국가 모두가 도로의 점유자 및 관리자, 비용부담자로서의 책임을 중첩적으로 지는 경우에는, 광역시와 국가 모두가 국가배상법 제6조2항 소정의 궁극적으로 손해를 배상할 책임이 있는 자라고 할 것이고, 결국 광역시와 국가의 내부적인 부담 부분은, 그 도로의 인계·인수 경위, 사고의 발생 경위, 광역시와 국가의 그 도로에 관한 분담비용 등 제반 사정을 종합하여 결정함이 상당하다"고 하여 종합적으로 판단하고 있다.

관련 판례 2 지방자치단체장이 경찰서장에게 교통신호기 설치·관리권한을 위임한 경우 종국적인 손해배상책임자
(대판 2001.9.25, 2001다41865)

1. 사실관계

甲은 화물차운전자인데 보행자신호등이 고장난 횡단보도를 건너오던 乙을 화물차로 들이받아 상해를 입힘. 사고 당시 횡단보도 위쪽에 설치되어 있던 차량신호등은 녹색등이었고, 보행자신호등은 고장으로 작동되지 않은 상태로 방치되어 있었음. 신호기는 원래 안산시장이 설치·관리하여야 할 것을 도로교통법 및 시행령에 의하여 설치·관리에 관한 권한을 안산경찰서장에게 위임함에 따라 안산경찰서장이 안산시의 비용부담 아래 이를 설치·관리중임.

안산시는 피해자 乙의 부모들의 손해배상청구에 따라 손해금을 배상한 사고 화물차의 소유자인 주식회사 A의 구상금청구에 의하여 1억 7,000만원을 지급한 후 국가를 상대로 구상청구를 함.

2. 판결이유 중

지방자치법 제9조2항4호 파목은 '주차장·교통표지 등 교통편의시설의 설치 및 관리'를 지방자치단체 사무의 하나로 열거하고 있고, 도로교통법 제3조1항은, 특별시장·광역시장 또는 시장·군수는 도로에서의 위험을 방지하고 교통의 안전과 원활한 소통을 확보하기 위하여 필요하다고 인정하는 때에는 신호기 및 안전표지를 설치하고 이를 관리하여야 한다고 규정하며, 같은 법 제104조1항은, 특별시장·광역시장 또는 시장·군수는 이 법에 의한 권한의 일부를 대통령령이 정하는 바에 의하여 지방경찰청장 또는 경찰서장에게 위임 또는 위탁할 수 있다고 규정하고, 같은 법 시행령 제71조의2 1항1호는 시장·군수가 신호기 및 안전표지의 설치·관리에 관한 권한을 경찰서장에게 위탁하는 것으로 규정하며, 지방자치법 제132조 단서는 지방자치단체의 사무를 위임한 경우 지방자치단체에서 그 경비를 부담하도록 규정하고 있다.이와 같이 행정 권한이 기관위임된 경우 권한을 위임받은 기관은 권한을 위임한 기관이 속하는 지방자치단체의 산하 행정기관의 지위에서 그 사무를 처리하는 것으로서 사무귀속의 주체가 달라지지 아니하고, 따라서 권한을 위임받은 기관 소속의 공무원이 그 위임사무처리에 관하여 고의 또는 과실로 타인에게 손해를 가하거나, 위임사무로 설치·관리하는 영조물의 하자로 타인에게 손해를 발생하게 한 경우에는 권한을 위임한 관청이 소속된 지방자치단체가 국가배상법 제2조 또는 제5조에 의한 배상책임을 부담하고, 권한을 위임받은 관청이 속하는 지방자치단체 또는 국가가 국가배상법 제2조 또는 제5조에 의한 배상책임을 부담하는 것이 아니므로, 지방자치단체장의 교통신호기에 관한 관리권한이 도로교통법 시행령 제71조의2 1항의 규정에 의하여 관할 경찰서장에게 위임되어 경찰서 소속 공무원이 그 관리업무를 담당하던 중 교통신호기가 고장난 채 방치되어 교통사고가 발생한 경우, 국가배상법 제2조 또는 제5조에 의한 배상책임을 부담하는 것은 경찰서장이 소속된 국가가 아니라, 그 권한을 위임한 지방자치단체장이 소속된 지방자치단체이다(대판 1999.6.25, 99다11120 참조).

한편, 국가배상법 제6조에서 공무원의 선임·감독자 또는 영조물의 설치·관리를 맡은 자와 비용부담자가 다를 경우 비용부담자도 배상책임을 지도록 하고 내부관계에서 구상할 수 있도록 규정한 취지는, 배상책임자가 불분명하여 피해자가 과연 누구를 손해배상청구의 상대방으로 할 것인지를 알 수 없는 경우에 비용부담자도 배상책임을 지

는 것으로 함으로써 피해자의 상대방 선택의 부담을 완화하여 피해구제를 용이하게 하고, 그 내부관계에서는 실질적인 책임이 있는 자가 최종적으로 책임을 지게 하려는 데 있는 것으로 풀이되는바, 원심이 확정한 바와 같이 이 사건 교통신호기의 관리사무는 원고가 안산경찰서장에게 그 권한을 기관위임한 사무로서 피고 소속 경찰공무원들은 원고의 사무를 처리하는 지위에 있으므로, 원고가 그 사무에 관하여 선임·감독자에 해당하고, 그 교통신호기 시설은 지방자치법 제132조(현141조) 단서의 규정에 따라 원고의 비용으로 설치·관리되고 있으므로, 그 신호기의 설치, 관리의 비용을 실질적으로 부담하는 비용부담자의 지위도 아울러 지니고 있는 반면, 피고는 단지 그 소속 경찰공무원에게 봉급만을 지급하고 있을 뿐이므로, 원고와 피고 사이에서 이 사건 손해배상의 궁극적인 책임은 전적으로 원고에게 있다고 봄이 상당하다.

그렇다면 같은 취지에서 원고의 구상청구를 배척한 원심의 조치는 정당하고, 거기에 심리를 다하지 아니하거나, 국가배상법 제6조2항에 관한 법리를 오해한 위법이 있다고 할 수 없다.

3. 해 설

- **홍정선, 장태주** 교수님은 국가배상법 6조2항의 최종적 배상책임자의 논의에서 당해 판례를 **사무귀속자설을 취했다고 볼 수 있는 판례로 소개**하고 있음.
- 제6조2항의 논의는 사무의 귀속주체(관리주체와) 비용부담자가 다를 경우 누가 최종적인 책임을 부담하는가의 문제인데, 학설 중 비용부담자설은 실질적 비용부담을 의미하는 것으로 본다면, 당해 판례는 **안산시가 사무의 귀속주체이면서도 동시에 실질적 비용부담자이기 때문에 당연히 안산시가 최종적인 책임을 져야 하는 내용의 판시**를 한 것이지 **사무의 귀속주체와 실질적 비용부담자가 다른 경우에 사무의 귀속주체가 최종적인 책임을 져야 한다고 판시한 것으로 볼 수는 없다는 것이 강사의 사견**. 광주광역시 국도사건에서는 광주광역시가 도로법상의 실질적 비용부담도 지고 있지만(현행 도로법 제85조에 의한 부담), 안산시 교통신호등 사건에서는 수임청이 속한 대한민국은 실질적 비용부담을 하지 않는 사안(도로법이 적용되지 않고 전형적인 기관위임의 법리에 의해 해결)임을 유념할 것.

87 이중배상금지

Ⅰ. 의의 및 인정 취지

헌법 제29조2항 및 국가배상법 제2조1항 단서에 의해, 군인 등 위험성이 높은 직무종사자에게는 사회보장적 보상 제도를 별도로 마련하고, 그와 경합되는 이중배상청구를 배제하는 제도이다.

Ⅱ. 위헌 여부

사회보장적 보상과 불법행위로 인한 배상은 그 성질을 달리하는 것이라는 점에서 이론적으로는 이중배상의 문제가 반드시 제기되는 것은 아니며, 다른 공무원에 비해 형평성 및 기본권 침해라는 비판이 제기되었다. 이러한 국가배상청구권 제한은 헌법 제11조의 평등원칙에 반한다고 하는 견해(위헌설)와, 이 제한을 헌법에 규정하고 있는 한 위헌이 아니라는 견해(합헌설)가 대립한다. 헌법재판소는 합헌이라고 판시하였다.

판례 국가배상법 제2조1항 단서는 헌법 제29조1항에 의하여 보장되는 국가배상청구권을 헌법 내재적으로 제한하는 헌법 제29조2항에 직접 근거하고, 실질적으로 그 내용을 같이하는 것이므로 헌법에 위반되지 아니한다(헌재결 2001.2.22, 2000헌바38).

Ⅲ. 적용요건

1. 피해자가 군인, 군무원, 경찰공무원 또는 향토예비군대원

판례는 현역병으로 입대하였으나 교도소 경비교도대원으로 된 자나 공익근무요원은 해당하지 않는다고 한 반면, 전투경찰순경은 해당한다고 한다. 엄격하게 제한적으로 해석하여 이중배상금지의 인정범위를 좁히려는 취지이다.

2. 전투·훈련 등 직무집행과 관련하여 전사·순직 또는 공상을 입은 경우

1) 종전 국가배상법 제2조1항 단서에서 "전투·훈련 기타 직무집행과 관련하거나 국방 또는 치안유지의 목적상 사용하는 시설 및 자동차, 함선, 항공기 기타 운반기구 안에서 전사, 순직 또는 공상을 입은 경우"로 규정하였으나, 개정 법률은 전투·훈련과 관련하거나 국방의 목적에 관련된 경우로 제한하여, 일반적 직무행위에 의하여 손해를 입은 경우에는 국가배상청구를 가능하게 하였다. 이는 그동안 배상대상에서 제외되어 다른 공무원에 비하여 불합리한 차별을 받아오던 경찰공무원의 보상체계를 부분적으로 개선하려는 취지이다.

2) 그러나 대법원은 법개정에도 불구하고 '일반적 직무행위'에 관하여 여전히 국가나 지방자치단체의 배상책임을 제한하는 해석을 하고 있는데, 국가배상법 개정취지를 고려하면 문제가 있다. 이중배상금지에 대해 위헌론이 제기되고 있는 실정임을 감안할 때 그 적용범위는 최소화해야 하며, 일반적 직무행위의 경우는 적용범위에서 제외되어야 한다.

판례 원심은 헌법 제29조2항의 규정, 구 국가배상법(2005. 7. 13.개 전의 것) 제2조1항 단서(이하 '종전 면책조항')의 규정 및 그 합헌 여부나 의미에 대한 대법원과 헌법재판소의 판단(특히 대판 2001.2.15, 96다42420 등은 전투·훈련 또는 이에 준하는 직무집행뿐만 아니라 일반의 직무집행에 관하여도 종전 면책조항의 적용을 긍정하였다), 종전 면책조항의 이 사건 면책조항으로의 개정 경과, 그리고 '국가유공자 등 예우 및 지원에 관한 법률' 제9조에 의하여 소외인의 부모인 원고들에게 지급되는 보훈급여금의 내용 등을 살펴본 다음, ① 종전 면책조항에 대하여 대법원과 헌법재판소가 헌법 제29조2항과 실질적으로 내용을 같이하는 규정이라고 해석하여 왔는데, 이 사건 면책조항은 "전투·훈련 등 직무집행"이라고 규정하여 헌법 제29조2항과 동일한 표현으로 개정이 이루어졌으므로 그 개정에도 불구하고 그 실질적 내용은 동일한 것으로 보이는 점, ② 이 사건 면책조항이 종전의 '전투·훈련 기타'에서 '전투·훈련 등'으로 개정되었는데 통상적으로 '기타'와 '등'은 같은 의미로 이해되고 이 경우에 다르게 볼 특수한 사정이 엿보이지 않는 점, ③ 위 개정 과정에서 국가 등의 면책을 종전보다 제한하려는 내용의 당초 개정안이 헌법의 규정에 반한다는 등의 이유로 이 사건 면책조항으로 수정이 이루어져 국회를 통과한 점, ④ 이 사건 면책조항은 군인연금법이나'국가유공자 등 예우에 관한 법률'등의 특별법에 의한 보상을 지급받을 수 있는 경우에 한하여 국가나 지방자치단체의 배상책임을 제한하는데, '국가유공자 등 예우에 관한 법률'에 의한 보훈급여금 등은 사회보장적 성격을 가질 뿐만 아니라 국가를 위한 공헌이나 희생에 대한 응분의 예우를 베푸는 것으로서, 불법행위로 인한 손해를 전보하는 데 목적이 있는 손해배상제도와는 그 취지나 목적을 달리하지만, 실질적으로는 사고를 당한 피해자 또는 유족의 금전적 손실을 메꾼다는 점에서 배상과 유사한 기능을 수행하는 측면이 있음을 부인할 수 없다는 사정 등을 고려하면 이 사건 면책조항이 국민의 기본권을 과도하게 침해한다고도 할 수 없다는 점 등을 종합하여, 이 사건 면책조항은 종전 면책조항과 마찬가지로 전투·훈련 또는 이에 준하는 직무집행뿐만 아니라 일반 직무집행에 관하여도 국가나 지방자치단체의 배상책임을 제한하는 것이라고 해석하였다. 그리하여 원심은 피고의 위 면책 주장을 받아들여 원고들의 이 사건 청구를 기각하였다. 살피건대, 이 사건 면책조항에 관한 위와 같은 원심의 해석 및 판단은 정당하다 (대판 2011.3.10, 2010다85942).

3. 본인 또는 그 유족이 다른 법령의 규정에 의하여 재해보상금, 유족연금, 상이연금 등의 보상을 지급받을 수 있을 것 보상을 받을 경우 배상청구를 부정한다. 그러나 최근 판례는 배상을 먼저 받은 경우에는 보상을 허용하고 있다.

판 례 헌법 제29조 제2항 및 국가배상법 제2조 제1항 단서의 취지는, 국가 또는 공공단체가 위험한 직무를 집행하는 군인 등에 대한 피해보상제도를 운영하여, 직무집행과 관련하여 피해를 입은 군인 등이 간편한 보상절차에 의하여 자신의 과실 유무나 그 정도와 관계없이 무자력의 위험부담이 없는 확실하고 통일된 피해보상을 받을 수 있도록 보장하는 대신 피해 군인 등이 국가 등에 대하여 공무원의 직무상 불법행위로 인한 손해배상을 청구할 수 없게 함으로써, 군인 등의 동일한 피해에 대하여 국가 등의 보상과 배상이 모두 이루어짐으로 인하여 발생할 수 있는 과다한 재정지출과 피해 군인 등 사이의 불균형을 방지하기 위한 것이다(대법원 2002. 5. 10. 선고 2000다39735 판결 등 참조). 그런데 구 국가유공자법 제12조가 정한 공상군경 등에 대한 보상금의 액수는 해당 군인 등의 과실을 묻지 아니하고 상이등급별로 구분하여 정해지고, 그 지급수준도 가계조사통계의 전국가구 가계소비지출액 등을 고려하여 국가유공자의 희생과 공헌의 정도에 상응하게 결정되며, 이와 같이 정하여진 보상금은 매월 사망시점까지 지급되는 반면, 국가배상법에 따른 손해배상에서는 완치 후 장해가 있는 경우에도 그 장해로 인한 노동력 상실 정도에 따라 피해를 입은 당시의 월급액이나 월실수입액 또는 평균임금에 장래의 취업가능기간을 곱한 금액의 장해배상만을 받을 수 있고, 해당 군인 등의 과실이 있는 경우에는 그 과실의 정도에 따라 책임이 제한되므로, 대부분의 경우 구 국가유공자법에 따른 보상금 등 보훈급여금의 규모가 국가배상법상 손해배상금을 상회할 것으로 보인다.

이와 같은 국가배상법 제2조 제1항 단서의 입법취지, 구 국가유공자법이 정한 보상과 국가배상법이 정한 손해배상의 목적과 산정방식의 차이 등을 고려하면, 구 국가배상법 제2조 제1항 단서가 구 국가유공자법 등에 의한 보상을 받을 수 있는 경우 추가로 국가배상법에 따른 손해배상청구를 하지 못한다는 것을 넘어 국가배상법상 손해배상금을 받은 경우 일률적으로 구 국가유공자법상 보상금 등 보훈급여금의 지급을 금지하는 취지로까지 해석하기는 어렵다(대판 2017.2.13., 2014두40012).

Ⅳ. 적용범위 - 공동불법행위

1. 문제의 소재

사인과 공무원이 공동으로 불법행위를 한 경우, 군인 등이나 그 유족에 대하여 손해를 배상할 책임이 있는 일반국민(국가와 공동불법행위책임이 있는 자)이 그 군인 등이나 유족에게 손해배상을 하였음을 이유로 국가에 대하여 구상권을 행사할 수 있는지의 문제이다.

2. 판 례

종전의 대법원 판례는 국가에 대한 구상권 행사를 부정했으나(판례 1) 헌법재판소는 사인이 구상권을 행사하는 것을 허용하지 않는다고 해석한다면 국가배상법 제2조1항 단서부분이 위헌이라는 한정위헌결정을 하여 구상권 행사를 긍정하였다(판례 2). 대법원은 이후 전원합의체 판결을 통하여 종래의 입장을 변경하여, 공동불법행위의 일반적인 경우와 달리 사인이 "자신의 부담부분에 한하여" 손해배상의무를 부담하면 되고 국가 등의 귀책부분에 대하여 배상한 후 국가 등에 대하여 구상청구할 수 없다고 하였다(판례 3).

판례 1 국가배상법 제2조1항 단서에 의하면 군인, 군무원 등이 직무집행과 관련하는 행위 등으로 인하여 전사 순직 또는 공상을 입은 경우에 다른 법령의 규정에 의하여 재해보상금, 유족연금, 상이연금 등의 보상을 지급받을 수 있을 때에는 국가배상법 또는 민법의 규정에 의한 손해배상청구를 할 수 없도록 규정하고 있으므로 이들이 직접 국가에 대하여 손해배상청구권을 행사할 수 없음은 물론 **국가와 공동불법행위의 책임이 있는 자가 그 배상채무를 이행하였음을 이유로 국가에 대하여 구상권을 행사하는 것도 허용되지 않는다**(대판 1993.10.8, 93다14691).

판례 2 국가배상법 제2조1항 단서 중 군인에 관련되는 부분을, 일반국민이 직무집행 중인 군인과의 공동불법행위로 직무집행 중인 다른 군인에게 공상을 입혀 그 피해자에게 공동의 불법행위로 인한 손해를 배상한 다음 공동불법행위자인 군인의 부담부분에 관하여 **국가에 대하여 구상권을 행사하는 것을 허용하지 않는다고 해석한다면**, 이는 위 단서 규정의 헌법상 근거규정인 **헌법 제29조가 구상권의 행사를 배제하지 아니하는데도 이를 배제하는 것으로 해석**하는 것으로서 **합리적인 이유 없이 일반국민을 국가에 대하여 지나치게 차별**하는 경우에 해당하므로 **헌법 제11조, 제29조에 위반**되며, 또한 국가에 대한 **구상권은 헌법 제23조1항에 의하여 보장되는 재산권**이고 위와 같은 해석은 그러한 재산권의 제한에 해당하며 재산권의 제한은 헌법 제37조2항에 의한 기본권제한의 한계 내에서만 가능한데, 위와 같은 해석은 헌법 제37조2항에 의하여 기본권을 제한할 때 요구되는 **비례의 원칙에 위배하여 일반국민의 재산권을 과잉제한**하는 경우에 해당하여 **헌법 제23조1항 및 제37조2항에도 위반**된다(헌재결 1994.12.29, 93헌바21).

판례 3 [**다수의견**] 헌법 제29조2항, 국가배상법 제2조1항 단서의 입법 취지를 관철하기 위하여는, 국가배상법 제2조1항 단서가 적용되는 공무원의 직무상 불법행위로 인하여 직무집행과 관련하여 피해를 입은 군인 등에 대하여 위 불법행위에 관련된 일반국민(법인을 포함한다. 이하 '민간인'이라 한다)이 공동불법행위책임, 사용자책임, 자동차운행자책임 등에 의하여 그 손해를 자신의 귀책부분을 넘어서 배상한 경우에도, 국가 등은 피해 군인 등에 대한 국가배상책임을 면할 뿐만 아니라, 나아가 민간인에 대한 국가의 귀책비율에 따른 구상의무도 부담하지 않는다고 하여야 할 것이다. 그러나 위와 같은 경우, 민간인은 여전히 공동불법행위자 등이라는 이유로 피해 군인 등의 손해 전부를 배상할 책임을 부담하도록 하면서 국가 등에 대하여는 귀책비율에 따른 구상을 청구할 수 없도록 한다면, 공무원의 직무활동으로 빚어지는 이익의 귀속주체인 국가 등과 민간인과의 관계에서 원래는 국가 등이 부담하여야 할 손해까지 민간인이 부담하는 부당한 결과가 될 것이고(가해 공무원에게 경과실이 있는 경우에는 그 공무원은 손해배상책임을 부담하지 아니하므로 민간인으로서는 자신이 손해발생에 기여한 귀책부분을 넘는 손해까지 종국적으로 부담하는 불이익을 받게 될 것이고, 가해 공무원에게 고의 또는 중과실이 있는 경우에도 그 무자력 위험을 사용관계에 있는 국가 등이 부담하는 것이 아니라 오히려 민간인이 감수하게 되는 결과가 된다), 이는 위 헌법과 국가배상법의 규정에 의하여도 정당화될 수 없다고 할 것이다. 이러한 부당한 결과를 방지하면서 위 헌법 및 국가배상법 규정의 입법 취지를 관철하기 위하여는 (중략) 위와 같은 경우에는 **공동불법행위자 등이 부진정 연대채무자로서 각자 피해자의 손해 전부를 배상할 의무를 부담하는 공동불법행위의 일반적인 경우와 달리 예외적으로 민간인은 피해 군인 등에 대하여 그 손해 중 국가 등이 민간인에 대한 구상의무를 부담한다면 그 내부적인 관계에서 부담하여야 할 부분을 제외한 나머지 자신의 부담부분에 한하여 손해배상의무를 부담하고, 한편 국가 등에 대하여는 그 귀책부분의 구상을 청구할 수 없다**고 해석함이 상당하다 할 것이고, 이러한 해석이 손해의 공평・타당한 부담을 그 지도원리로 하는 손해배상제도의 이상에도 맞는다 할 것이다(대판(전) 2001.2.15, 96다42420).

3. 검 토

종전 대법원 판례처럼 구상권 행사를 부정하는 것은 **공동불법행위자인 사인으로서는 피해자의 신분이라는 우연한 사정에 따라 책임부분이 달라지므로 법적 안정성과 일관성을 해치는** 문제점이 있고, **변경된 판례** 역시 **공동불법행위자들의 책임이론에 대하여 아무런 근거없이 예외를 인정**한다는 점은 문제이다. 현행법상으로는 구상권 행사를 인정하는 **헌법재판소의 태도가 타당**하며, 입법론으로서는 헌법 제29조2항을 삭제하는 것이 바람직하다.

88 국가와 지방자치단체의 자동차손해배상책임

(홍정선 15판 537면 이하 요약)

Ⅰ. 입법상황(법적 근거)

국가배상법 제2조1항 본문 후단에 의해, 국가 등이 자동차의 운행자로서 배상책임을 지는 경우 그 책임의 **성립요건은 자동차손해배상보장법**이 정하는 바에 따르고, 손해배상책임의 **절차나 손해배상액은 국가배상법**이 정하는 바에 따르게 된다. 이는 **자배법상의 책임이** 일반적인 **국가배상책임의 성립보다 용이**하고, **배상책임의 내용은 국가배상법**에 의하므로 **피해자의 구제**에 있어서 더 **효과적**인 점을 근거로 한다.

Ⅱ. 자동차손해배상보장법에 의한 국가배상책임의 성립요건

1. 규정내용

공무원의 차량사고로 인한 손해발생의 경우 **국가 등이 자배법상의 책임성립요건을 갖추면, 국배법에 의하여 손해배상책임**을 진다. 즉 **책임성립요건은 자배법이 우선** 적용된다. 여기서 '자기를 위하여'라는 자배법 제3조의 표현에 비추어, 자동차운행은 '국가나 지방자치단체를 위하여' 이루어진 것이어야 한다.

2. 국가 또는 지방자치단체의 '운행자성'

⑴ 운행자성의 요소

자배법상의 '자기를 위하여 자동차를 운행하는 자'에게 책임이 성립하는데, 운행자성이란 '운행이익'과 '운행지배'를 요건으로 한다.

⑵ 국가 또는 지자체의 운행자성의 구체적 판단

1) 공무원이 관용차를 운행한 경우

① 공무를 위해 운행 - 국가 또는 지방자치단체가 자배법상 배상책임을 진다.

판 례 자동차손해배상보장법 제3조 소정의 '자기를 위하여 자동차를 운행하는 자'라고 함은 자동차에 대한 운행을 지배하여 그 이익을 향수하는 책임주체로서의 지위에 있는 자를 뜻하는 것인바, 공무원이 그 **직무를 집행**하기 위하여 국가 또는 지방자치단체 소유의 **공용차**를 운행하는 경우, 그 자동차에 대한 **운행지배나 운행이익은 그 공무원이 소속한 국가 또는 지방자치단체에 귀속**된다고 할 것이고 그 공무원 자신이 개인적으로 그 자동차에 대한 운행지배나 운행이익을 가지는 것이라고는 볼 수 없으므로, 그 공무원이 자기를 위하여 공용차를 운행하는 자로서 같은 법조 소정의 손해배상책임의 주체가 될 수는 없다(대판 1994.12.27, 94다31860).

② 사적 용무로 무단사용 - 운행자성을 상실하는지 여부에 따라 달리 판단된다. 즉 무단운전에도 불구하고 운행자성을 인정할 사정이 있는 경우에는 자배법상 책임을 지나(판례 1), 운행자성을 상실하였다고 인정되는 경우에는 자배법상 책임이 성립하지 않는다(판례 2).

판례 1 국가소속 공무원이 관리권자의 허락을 받지 아니한 채 국가소유의 오토바이를 **무단으로 사용**하다가 교통사고가 발생한 경우에 있어 국가가 그 오토바이와 시동열쇠를 무단운전이 가능한 상태로 잘못 보관하였고 위 공무원으로서도 국가와의 고용관계에 비추어 위 오토바이를 잠시 운전하다가 본래의 위치에 갖다 놓았을 것이 예상되는 한편 피해자들도 위 무단운전의 점을 알지 못하고 또한 알 수도 없었던 일반 제3자인 점에 비추어 보면 **국가가 위 공무원의 무단운전에도 불구하고 위 오토바이에 대한 객관적, 외형적인 운행지배 및 운행이익을 계속 가지고 있었다**고 봄이 상당하다(대판 1988.1.19, 87다카2202).

판례 2 군소속 차량의 운전수가 일과시간 후에 피해자의 적극적인 요청에 따라 동인의 **개인적인 용무를 위하여 상사의 허락없이 무단으로 위차를 운행**하다가 사고가 일어났다면 **군은** 자동차손해배상보장법 제3조소정의 자기를 위하여 **자동차를 운행하는**

자에 해당되지도 아니하며 위 사고가 위 운전수의 직무집행중의 과실에 기인된 것도 아니므로 군에 대하여 국가배상법상의 책임도 물을 수 없다(대판 1981.2.10, 80다2720).

2) 공무원이 공무를 위해 자기소유의 자동차를 운행

판례는 이 경우 국가 또는 지자체의 운행자성을 부인하며, 공무원이 운행자성을 갖추면 자배법상의 책임을 진다.

판 례 공무원이 자기 소유의 자동차로 공무수행 중 사고를 일으킨 경우에는 그 손해배상책임은 자동차손해배상보장법이 정한 바에 의하게 되어, 그 사고가 자동차를 운전한 공무원의 경과실에 의한 것인지 중과실 또는 고의에 의한 것인지를 가리지 않고 그 공무원이 자동차손해배상보장법 제3조소정의 '자기를 위하여 자동차를 운행하는 자'에 해당하는 한 손해배상책임을 부담한다(대판 1996.5.31, 94다15271).

(3) 국가 등의 운행자성이 부정되는 경우의 국가배상

이 때는 일반론으로 돌아가 국가배상법이 적용된다.

3. 기타의 요건

인적 손해가 발생하여야 하고, 자배법상의 면책요건이 없어야 한다.

Ⅲ. 자배법에 의하여 성립된 책임의 범위와 절차

국가배상법에 의하여 손해를 배상하여야 한다(국배법 제2조 후문). 배상책임의 범위와 절차에 특례를 인정한 것이며, 이 경우에도 이중배상금지규정의 적용이 있다.

Ⅳ. 국가배상법 제5조와의 관계

자동차도 국배법 제5조의 공물에 해당되어 제2조와 제5조의 경합이 문제될 수 있다. 그러나 국배법 제2조1항 본문 후단이 자배법의 특례로 규정되고 있으므로 이 경우에는 국배법 제5조는 적용되지 않는다.

Ⅴ. 배상책임의 범위와 절차

1. 국가 등의 자배법상 책임이 인정되는 경우

배상책임의 내용은 국가배상법에 의하므로, 공무원의 대외적 책임 즉 민사상 책임도 국가배상법의 이론이 그대로 적용된다. 따라서 판례에 의하면 공무원은 고의 또는 중과실이 있는 경우에 민사상 책임을 지게 될 것이다.

2. 국가 등의 자배법상 책임이 부정되는 경우

이 때는 공무원에게 자배법상의 운행자성이 인정되면 공무원의 민사책임에 관하여도 자배법이 우선하여 적용된다(무과실책임). 판례는 경과실에 의한 사고의 경우에도 가해 공무원에게 자배법상 책임을 인정한 바 있다.

판 례 자동차손해배상보장법의 입법취지에 비추어 볼 때, 같은 법 제3조는 자동차의 운행이 사적인 용무를 위한 것이건 국가 등의 공무를 위한 것이건 구별하지 아니하고 민법이나 국가배상법에 우선하여 적용된다고 보아야 한다. 따라서, 일반적으로 공무원의 공무집행상의 위법행위로 인한 공무원 개인 책임의 내용과 범위는 민법과 국가배상법의 규정과 해석에 따라 정하여 질 것이지만, 자동차의 운행으로 말미암아 다른 사람을 사망하게 하거나 부상하게 함으로써 발생한 손해에 대한 공무원의 손해배상책임의 내용과 범위는 이와는 달리 자동차손해배상보장법이 정하는 바에 의할 것이므로, 공무원이 직무상 자동차를 운전하다가 사고를 일으켜 다른 사람에게 손해를 입힌 경우에는 그 사고가 자동차를 운전한 공무원의 경과실에 의한 것인지 중과실 또는 고의에 의한 것인지를 가리지 않고, 그 공무원이 자동차손해배상보장법 제3조소정의 '자기를 위하여 자동차를 운행하는 자'에 해당하는 한 자동차손해배상보장법상의 손해배상책임을 부담한다(대판 1996.3.8, 94다23876).

89 손실보상의 요건

Ⅰ. 공공필요

공공필요란 공공의 이익을 위한 공익사업을 실현시키거나 공익목적 달성을 위해 재산권의 제한이 불가피한 경우를 말하며, 이는 수용의 사유이자 한계이다. 구체적으로 공공필요의 판단은 공용침해를 통하여 달성하려는 공익과 재산권자의 재산권보유에 따르는 이익으로서의 사익간의 이익형량을 통해서 결정되는데(비례의 원칙), 공용침해는 재산권보장원칙에 대한 예외를 이루는 것인 만큼 구체적인 경우에 있어 공공필요의 내용은 엄격히 해석해야 할 것이다. 예컨대 순수한 국고목적의 경우는 공공필요가 인정되지 않는다.

사인도 공익사업의 주체가 될 수 있다(판례3). 그러나 사업시행자가 사인인 경우에는 사업 시행으로 획득할 수 있는 공익이 현저히 해태되지 않도록 보장하는 제도적 규율도 갖추어져 있어야 하며, 공익적 필요성이 인정되기 어려운 민간개발자의 사업을 위해서까지 공공수용을 허용할 수는 없다(판례4).

판례 1 공용수용은 공익사업을 위하여 특정의 재산권을 법률에 의하여 강제적으로 취득하는 것을 내용으로 하므로 그 공익사업을 위한 필요가 있어야 하고, 그 필요가 있는지에 대하여는 수용에 따른 상대방의 재산권침해를 정당화할 만한 공익의 존재가 쌍방의 이익의 비교형량의 결과로 입증되어야 하며, 그 입증책임은 사업시행자에게 있다(대판 2005.11.10, 2003두7507).

판례 2 워커힐관광, 서비스 제공사업을 한국전쟁에서 전사한 고 워커 장군을 추모하고 외국인을 대상으로 하여 교통부 소관사업으로 행하기로 하는 정부방침 아래 교통부 장관이 토지수용법 제3조1항3호 소정의 문화시설에 해당하는 공익사업으로 인정하고 스스로 기업자가 되어 본건 토지수용의 재결신청을 하여 중앙토지수용위원회의 재결을 얻어 보상금을 지급한 사실을 인정하였음은 정당하고, 사실관계가 이렇다면 본건 수용재결은 적법 · 유효한 것이다(대판 1971.10.22, 71다1716). ➡ 동 판례에 대해서 자산증식이나 외화획득은 수용을 위한 공공필요에 해당하지 않는다는 비판이 있음(김남진, 홍정선).

판례 3 헌법 제23조 제3항은 정당한 보상을 전제로 하여 재산권의 수용 등에 관한 가능성을 규정하고 있지만, 재산권 수용의 주체를 한정하지 않고 있다. 위 헌법조항의 핵심은 당해 수용이 공공필요에 부합하는가, 정당한 보상이 지급되고 있는가 여부 등에 있는 것이지, 그 수용의 주체가 국가인지 민간기업인지 여부에 달려 있다고 볼 수 없다. 또한 국가 등의 공적 기관이 직접 수용의 주체가 되는 것이든 그러한 공적 기관의 최종적인 허부판단과 승인결정하에 민간기업이 수용의 주체가 되는 것이든, 양자 사이에 공공필요에 대한 판단과 수용의 범위에 있어서 본질적인 차이를 가져올 것으로 보이지 않는다. 따라서 위 수용 등의 주체를 국가 등의 공적 기관에 한정하여 해석할 이유가 없다(헌재 2009.9.24, 2007헌바114).

판례 4 헌법 제23조 제3항에서 규정하고 있는 '공공필요'는 국민의 재산권을 그 의사에 반하여 강제적으로라도 취득해야 할 공익적 필요성으로서, '공공필요'의 개념은 '공익성'과 '필요성'이라는 요소로 구성되어 있다. '공익성'의 정도를 판단함에 있어서는 공용수용을 허용하고 있는 개별법의 입법목적, 사업내용, 사업이 입법목적에 이바지 하는 정도는 물론, 특히 그 사업이 대중을 상대로 하는 영업인 경우에는 그 사업 시설에 대한 대중의 이용·접근가능성도 아울러 고려하여야 한다. 그리고 '필요성'이 인정되기 위해서는 공용수용을 통하여 달성하려는 공익과 그로 인하여 재산권을 침해당하는 사인의 이익 사이의 형량에서 사인의 재산권침해를 정당화할 정도로 공익의 우월성이 인정되어야 하며, 사업시행자가 사인인 경우에는 그 사업 시행으로 획득할 수 있는 공익이 현저히 해태되지 않도록 보장하는 제도적 규율도 갖추어져 있어야 한다. 그런데 이 사건에서 문제된 지구개발사업의 하나인 '관광휴양지 조성사업' 중에는 고급골프장, 고급리조트 등(이하 '고급골프장 등'이라 한다)의 사업과 같이 입법목적에 대한 기여도가 낮을 뿐만 아니라, 대중의 이용·접근가능성이 작아 공익성이 낮은 사업도 있다. 또한 고급골프장 등 사업은 그 특성상 사업 운영 과정에서 발생하는 지방세수 확보와 지역경제 활성화는 부수적인 공익일 뿐이고, 이 정도의 공익이 그 사업으로 인하여 강제수용 당하는 주민들의 기본권침해를 정당화할 정도로 우월하다고 볼 수는 없다. 따라서 이 사건 법률조항은 공익적 필요성이 인정되기 어려운 민간개발자의 지구개발사업을 위해서까지 공공수용이 허용될 수 있는 가능성을 열어두고 있어 헌법 제23조 제3항에 위반된다(헌재결 2014.10.30, 2011헌바129).

Ⅱ. '재산권'에 대한 침해

재산권이란 **법에 의해 보호되는 모든 재산적 가치 있는 권리**를 말하며,[1] 그 권원이 사법인지 공법인지를 가리지 않는다. 여기의 재산권은 구체적으로 개인에게 현존하는 재산적 가치 있는 것을 의미하며, 단순한 기대이익이나 재화획득에 대한 기회 등은 포함되지 않는다.

Ⅲ. 공권적 침해

재산권에 대한 수용(재산권의 박탈), **사용**(박탈에 이르지 않는 일시적인 사용), **제한**(수용에는 이르지 않되 소유자 등에 의한 사용, 수익을 제한하는 것)을 말한다. **종래 이러한 침해는** 공권력 주체에 의해 **직접적으로 의도**된 것이어야 한다는 것이 다수 견해였으나, 이에 의하면 **간접적으로 발생한 손실은 포함되지 못하는 문제**가 있다. 간접손실도 적법한 공권력 행사가 원인이 되어 발생한 손실인 이상 손실보상의 대상이 되는 것으로 보는 것이 타당하므로, **침해의 형태는 사업손실보상(간접보상)에서 보는 바와 같이 반드시 의도적인 침해를 요구하지 않는다고 보는 것이 타당**하다. **판례**도 **간접손실을 헌법 제23조3항에 규정한 손실보상의 대상**이 된다고 보고 있다.[2]

Ⅳ. 침해의 적법성

침해가 법률에 근거한 것이어야 하며 법률에 위반하지 말아야 한다.[3] 법률의 근거가 없거나 법률에 위반하여 행하여지는 경우에는 국가배상의 원인이 된다.

Ⅴ. 특별한 희생의 존재 – 사회적 제약을 넘어서는 손실

1. 판단기준

특별한 희생의 유무는 헌법 제23조1·2항의 사회적 제약과 동조 3항의 공용침해(수용·사용·제한)를 구별하는 기준이 되는 바 판단기준에 대해 견해대립이 있다.

(1) 학 설[4]

1) 형식적 기준설

침해가 일반적인지 개별적인 것인지 여부로 구분하는 견해로서, 특정인 또는 한정된 범위의 사람에 대한 침해만을 '특별한 희생'이라고 한다.

2) 실질적 기준설 : 피해자의 침해상태, 강도 등 실질적 요소에 초점을 두는 견해이다. ① 사인이 수인할 수 없는 경우에 특별희생이라는 수인한도설, ② 보호가치 있는 재산권에 대한 침해가 특별희생이라는 **보호가치설**, ③ 종래 인정되어 온 재산권의 이용목적에 위배되는 경우를 의미한다는 **목적위배설**, ④ 재산권의 사적 효용을 본질적으로 침해하는 경우를 의미한다는 **사적효용설**, ⑤ 재산권이 처한 특수한 상황에 비추어 예상할 수 없는 재산권에 대한 침해가 있는 경우 특별희생이라는 **상황구속설** 등이 대립한다. - 보. 수. 목. 사. 상

(2) 판 례

구도시계획법상 **개발제한구역지정**으로 인한 토지소유자의 재산권행사의 제한에 대해 **대법원은 사회적 제한**이라고 보았으나, **헌법재판소**는 **사회적 제약을 넘는 가혹한 부담을 가져오는 예외적인 경우**에는 **보상규정을 두지 않은 것이 비례원칙에 위반되어 위헌**이라고 헌법불합치결정을 한 바 있다.

---

1) 비재산적 권리를 대상으로 하는 희생보상청구권과 비교.
2) 대판 1999.10.8, 99다27231
3) 위법한 침해를 대상으로 하는 수용유사적 침해와 비교.
4) 학설은 경계이론을 취하는가 분리이론을 취하는가에 따라 역할이 달라지게 됨. 경계이론에서는 경계를 확정하는 기준으로 활용되고, 분리이론에서는 '보상이 필요 없는 재산권 내용규정'과 '보상의무 있는 재산권 내용규정'을 구분하는 기준으로서 여전히 유용(김철용)

판 례 도시계획법 제21조1항, 2항의 규정에 의하여 개발제한구역 안에 있는 토지의 소유자는 재산상의 권리행사에 많은 제한을 받게 되고 그 한도 내에서 일반 토지소유자에 비하여 불이익을 받게 되었음은 명백하지만 "도시의 무질서한 확산을 방지하고 도시주변의 자연환경을 보전하여 건전한 생활환경을 확보하기 위하여, 또는 국방부장관의 요청이 있어 보안상 도시의 개발을 제한할 필요가 있다고 인정되는 때"에 한하여 가하여지는 위와 같은 제한은 **공공복리에 적합한 합리적인 제한**이라고 볼 것이고, 그 제한으로 인한 토지소유자의 불이익은 **공공의 복리를 위하여 감수하지 아니하면 안 될 정도의 것**이라고 인정되므로 이에 대하여 **손실보상의 규정을 하지 아니하였다 하여** 도시계획법 제21조1항, 2항의 규정을 **헌법 제23조3항이나 제37조2항에 위배되는 것이라고 할 수 없다**(대결 1990.5.8, 89부2).

헌재결정 개발제한구역 지정으로 인하여 토지를 종래의 목적으로도 사용할 수 없거나 또는 더 이상 법적으로 허용된 토지이용의 방법이 없기 때문에 실질적으로 토지의 사용·수익의 길이 없는 경우에는 토지소유자가 수인해야 하는 사회적 제약의 한계를 넘는 것으로 보아야 한다.
개발제한구역의 지정으로 인한 개발가능성의 소멸과 그에 따른 지가의 하락이나 지가상승률의 상대적 감소는 토지소유자가 감수해야 하는 사회적 제약의 범주에 속하는 것으로 보아야 한다. 자신의 토지를 장래에 건축이나 개발목적으로 사용할 수 있으리라는 기대가능성이나 신뢰 및 이에 따른 지가상승의 기회는 원칙적으로 재산권의 보호범위에 속하지 않는다. 구역지정 당시의 상태대로 토지를 사용·수익·처분할 수 있는 이상, 구역지정에 따른 단순한 토지이용의 제한은 원칙적으로 재산권에 내재하는 사회적 제약의 범주를 넘지 않는다.
도시계획법 제21조에 의한 재산권의 제한은 개발제한구역으로 지정된 토지를 원칙적으로 **지정 당시의 지목과 토지현황에 의한 이용방법에 따라 사용할 수 있는 한, 재산권에 내재하는 사회적 제약을 비례의 원칙에 합치하게 합헌적으로 구체화한 것**이라고 할 것이나, **종래의 지목과 토지현황에 의한 이용방법에 따른 토지의 사용도 할 수 없거나 실질적으로 사용·수익을 전혀 할 수 없는 예외적인 경우에도 아무런 보상없이 이를 감수하도록 하고 있는 한, 비례의 원칙에 위반**되어 **당해 토지소유자의 재산권을 과도하게 침해하는 것으로서 헌법에 위반**된다.
도시계획법 제21조에 규정된 **개발제한구역제도 그 자체는 원칙적으로 합헌적인 규정**인데, **다만** 개발제한구역의 지정으로 말미암아 일부 토지소유자에게 **사회적 제약의 범위를 넘는 가혹한 부담이 발생하는 예외적인 경우에 대하여 보상규정을 두지 않은 것에 위헌성**이 있는 것이고, **보상의 구체적 기준과 방법은 헌법재판소가 결정할 성질의 것이 아니라 광범위한 입법형성권을 가진 입법자가 입법정책적으로 정할 사항**이므로, 입법자가 보상입법을 마련함으로써 위헌적인 상태를 제거할 때까지 위 조항을 형식적으로 존속케 하기 위하여 **헌법불합치결정**을 하는 것인바, 입법자는 되도록 빠른 시일 내에 보상입법을 하여 위헌적 상태를 제거할 의무가 있고, **행정청은 보상입법이 마련되기 전에는 새로 개발제한구역을 지정하여서는 아니되며, 토지소유자는 보상입법을 기다려 그에 따른 권리행사를 할 수 있을 뿐 개발제한구역의 지정이나 그에 따른 토지재산권의 제한 그 자체의 효력을 다투거나 위 조항에 위반하여 행한 자신들의 행위의 정당성을 주장할 수는 없다.**
입법자가 도시계획법 제21조를 통하여 국민의 재산권을 비례의 원칙에 부합하게 합헌적으로 제한하기 위해서는, **수인의 한계를 넘어 가혹한 부담이 발생하는 예외적인 경우에는 이를 완화하는 보상규정을 두어야 한다.** 이러한 보상규정은 입법자가 헌법 제23조1항 및 2항에 의하여 재산권의 내용을 구체적으로 형성하고 공공의 이익을 위하여 재산권을 제한하는 과정에서 이를 합헌적으로 규율하기 위하여 두어야 하는 규정이다. 재산권의 침해와 공익간의 비례성을 다시 회복하기 위한 방법은 **헌법상 반드시 금전보상만을 해야 하는 것은 아니다. 입법자는 지정의 해제 또는 토지매수청구권 제도와 같이 금전보상에 갈음하거나 기타 손실을 완화할 수 있는 제도를 보완하는 등 여러 가지 다른 방법을 사용할 수 있다**(헌재결 1998.12.24, 89헌마214·90헌바16·97헌바78).

(3) 결 론

형식적 기준설과 각 실질적 기준설은 일면의 타당성만 가지므로 어떠한 절대적인 기준은 없으며, **구체적인 상황에 따라 형식적 기준설과 실질적 기준설을 종합**하여 판단할 수밖에 없다.

Ⅵ. 보상규정의 존재

보상규정이 존재하지 않는 경우의 손실보상에 대해서는 견해가 대립한다. 후술한다(#93).

90 손실보상청구권의 법적 성질

1. 문제점

손실보상청구권이 공권인지 사권인지 문제된다. 법적 성질에 따라 손실보상청구소송의 형태가 달라지게 된다.

2. 학 설

① **손실보상의 원인이 되는 공용침해행위는 공행정작용이지만 손실보상청구권은 공용침해행위와는 별개**의 권리로서 기본적으로 금전지급청구권이라는 사법상의 청구권으로 보는 **사권설**과 ② **침해가 공권력 행사인 공용침해로 인하여 발생**한 이상 공법상의 청구권으로 보는 **공권설**이 대립한다. 사권설에 의하면 손실보상청구소송은 **민사소송**에 의하게 되지만, 공권설에 의하면 공법상의 **당사자소송**에 의하게 된다.

3. 판 례

실무상 그동안 사권으로 보고 민사소송으로 처리해 왔으나, **최근 하천구역 편입토지에 대한 손실보상청구권의 법적 성질을 공법상 권리로 보면서 당사자소송**으로 다투어야 한다고 판시한 바 있다.

판 례 개정 하천법 등이 하천구역으로 편입된 토지에 대하여 손실보상청구권을 규정한 것은 헌법 제23조3항이 선언하고 있는 손실보상청구권을 하천법에서 구체화한 것으로서, 하천법 그 자체에 의하여 직접 사유지를 국유로 하는 이른바 **입법적 수용이라는 국가의 공권력 행사로 인한 토지소유자의 손실을 보상하기 위한 것**이므로 **하천구역 편입토지에 대한 손실보상청구권은 공법상의 권리**임이 분명하고, 따라서 그 손실보상을 둘러싼 쟁송은 **사인간의 분쟁을 대상으로 하는 민사소송이 아니라 공법상의 법률관계를 대상으로 하는 행정소송 절차**에 의하여야 할 것이다.
개정 하천법 부칙 제2조와 특별조치법 제2조, 제6조의 각 규정들을 종합하면, 위 규정들에 의한 **손실보상청구권은 1984. 12. 31. 전에 토지가 하천구역으로 된 경우에는 당연히 발생되는 것**이지, **관리청의 보상금지급결정에 의하여 비로소 발생하는 것은 아니므로**, 위 규정들에 의한 **손실보상금의 지급을 구하거나 손실보상청구권의 확인을 구하는 소송은 행정소송법 제3조2호 소정의 당사자소송**에 의하여야 할 것이다(대판 2006.5.18, 2004다6207).

4. 검 토

현행 실정법 체계가 **공사법이원체계**를 취하고 있으며 공행정작용으로 인한 손실에 대한 보상이므로 **공권설이 타당**하다.

91 정당한 보상의 의미

1. 문제점

헌법 제23조는 정당한 보상의 원칙을 선언하고 있는데 **손실보상의 범위를 결정**함에 있어 **정당한 보상이 무엇인지** 문제된다.

2. 학 설

(1) 완전보상설(판례)

공용침해로 발생한 객관적 손실의 전부를 보상하여야 하는 것이라고 한다. **피침해재산의 객관적 가치**의 보상과 함께 **부대적 손실**의 보상도 **포함**한다는 것이다.

(2) 상당보상설

침해행위의 공공성을 고려하여 보상이 행해질 당시의 **사회통념에 비추어 사회적 정의의 관점에서 객관적으로 타당하다고 여겨지는 보상**을 의미한다고 본다.

3. 검 토

재산권보장의 관점에서 **완전보상설이 타당**하다. **다만** 오늘날에는 **생활보상도 완전보상의 범주에 포함**시켜, 공용침해가 일어나기 전의 생활과 유사한 생활수준을 회복하도록 하는 보상으로 이해하는 견해도 제시되고 있다.

92 채권보상

1. 의 의

공토법은 금전보상을 원칙으로 하면서도(제63조1항) 예외적으로 채권보상을 인정하는바, 이는 보상을 위한 재정부족 문제를 해결하여 공익사업의 원활한 수행을 도모하고, 대규모 보상에 따른 토지투기를 막기 위해 활용된다.

2. 종류 및 요건

(1) 임의적 채권보상 - 제63조7항

(2) 의무적 채권보상 - 제63조8항

3. 채권보상의 방법

채권의 상환기간은 5년 이내여야 하며, 그 이율은 동조 8항 이하에서 규정하고 있다(제63조9항).

4. 위헌성

채권보상에 대해 환가나 수익률 면에서 현금보상보다 불리하므로 **평등원칙에 반**한다는 위헌설이 있으나, **부재부동산소유자의 토지는 재산증식수단으로 이용**되고 있어 **달리 취급할 합리적인 사유**가 있으므로 합헌설**이 타당**하다. 다만 강제적인 채권보상은 필요한 최소한도로 제한되어야 하며 남용되어서는 안 될 것이다.

92-1 간접손실보상

Ⅰ. 의 의

간접손실보상은 **공익사업의 실시 또는 완성 후에 간접적으로 당해 공익사업지 밖의 재산권 등에 미치는 손실에 대한 보상**을 말한다. **사업손실보상**이라고도 한다.

간접손실보상의 유형은 공사중의 **소음**이나 완성된 시설에 의한 일조권 침해와 같은 넓은 의미의 공해에 해당하는 **물리적 내지 기술적 손실**과 공익사업의 시행으로 인한 **생산체계 또는 지역경제의 변화**를 통해 개인에 미치는 간접적인 피해를 의미하는 **경제적 내지는 사회적 손실**이 있다.

Ⅱ. 법적 근거

헌법은 명시적으로 간접손실보상을 규정하고 있지는 않지만 **판례는 헌법 제23조 3항에 규정한 손실보상의 대상**이 된다고 한다.

공익사업법 제79조는 **간접손실인 공사비의 보상**(제79조 1항) 및 **공익사업 시행지 밖의 토지 등에 대한 보상**(제79조2항)에 대해서 **규정**하고, **그 외**의 공익사업의 시행으로 인하여 발생하는 손실의 보상 등에 대해 **국토교통부령에 위임**하고 있다(제79조4항). 공익사업법 **시행규칙**은 제59조 이하에서 **공익사업 시행지 밖의 토지·건축물에 대한 보상, 소수잔존자에 대한 보상, 어업의 피해에 대하 보상, 영업손실에 대한 보상, 농업의 손실에 대한 보상** 등에 대해서 구체적으로 규정하고 있다.

Ⅲ. 간접손실보상의 요건 - 밖. 예. 특. 특

간접손실보상이 인정되기 위해서는 ① **공익사업의 사업지구 밖의 제3자가 입은 손실**이어야 하며, ② 공익사업의 시행으로 인하여 **사업지구 밖에서 간접손실이 발생하리라는 것을 쉽게 예견**할 수 있고 ③ **손실의 범위도 구체적으로 특정**할 수 있는 경우이어야 한다. 또한 ④ 발생한 손실이 **특별한 희생에 해당**되어야 한다.

Ⅳ. 명문의 규정이 없는 경우의 보상

현행법상 **보상규정을 두고 있지 않은 경우**가 많은 바, **독일**에서는 **수용적 침해이론을 통하여 보상**을 하여 왔으며, **우리 판례는 관련규정의 유추적용**을 통하여 보상을 하고 있다.

판 례 공공용지의 취득 및 손실보상에 관한 특례법 제3조 제1항이 "공공사업을 위한 토지 등의 취득 또는 사용으로 인하여 토지 등의 소유자가 입은 손실은 사업시행자가 이를 보상하여야 한다"고 규정하고 같은법 시행규칙 제23조의5에서 공공사업시행지구 밖에 위치한 영업에 대한 간접손실에 대하여도 일정한 요건을 갖춘 경우 이를 보상하도록 규정하고 있는 점에 비추어, 공공사업의 시행으로 인하여 **사업지구 밖**에서 수산제조업에 대한 **간접손실이 발생하리라는 것을 쉽게 예견할 수 있고 그 손실의 범위도 구체적으로 특정할 수 있는 경우**라면, 그 손실의 보상에 관하여 같은법 시행규칙의 **간접보상 규정을 유추적용**할 수 있다 (대판 1999.12.24, 98다57419·57426).

기출 사례 **행정절차 / 정보공개 / 손실보상(06년 사시)**

산업자원부장관은 중·저준위방사성폐기물 처분시설(이하 '처분시설'이라 한다)이 설치될 지역을 관할하는 지방자치단체의 지역(이하 '유치지역'이라 한다)에 대한 지원계획 및 유치지역지원시행계획을 수립한 후, 처분시설의 유치지역을 선정하고자 하였다. 이에 A시와 A시로부터 20킬로미터 밖에 위치한 B군, C군 등 3개 지역이 처분시설의 유치를 신청하였다. 산업자원부장관은 B군과 C군에 대하여는 '중·저준위방사성폐기물 처분시설의 유치지역지원에 관한 특별법' 제7조3항에 따른 설명회를 개최하였으나, A시에 대하여는 주민반대를 이유로 설명회나 토론회를 개최하지 아니하였다. 그 뒤 위 3개 지역에 대하여 주민투표를 실시한 결과 A시가 81.35%, B군이 55.24%, C군이 61.17%의 찬성을 얻게 되자, 산업자원부장관은 부지선정위원회의 자문을 거쳐 A시를 최종 유치지역으로 선정하였다.

(1) A시 주민 甲은 유치지역선정과 관련하여 해당지역 주민들을 대상으로 설명회나 토론회를 개최하지 않아 행정절차의 하자(흠)가 있다고 주장한다. 이러한 甲의 주장은 타당한가?(10점)

(2) 유치지역선정에 반대하는 A시 주민 甲과 B군 주민 乙이 유치지역선정의 위법성을 소송상 다투고자 하는 경우 원고적격이 인정되는가?(15점)

(3) B군 주민 乙이 부지선정위원회의 선정기준, 선정과정에 관한 회의록 및 각 위원의 자문의견에 대한 정보공개를 요구하는 경우 이를 공개하여야 하는가?(10점)

(4) 처분시설이 건설·운영된 이후 처분시설로 통하는 진입도로에 연접(連接)한 곳에서 그 이전부터 활어횟집을 영위하여 온 A시 주민 丙이 고객의 급감으로 더 이상 영업을 계속할 수 없다고 주장하면서 처분시설의 건설·운영자에 대하여 손실보상을 청구하는 경우 이를 인정할 수 있는가?(15점)

[참조조문]

*** 중·저준위방사성폐기물 처분시설의 유치지역지원에 관한 특별법**

제1조(목적)
이 법은 중·저준위방사성폐기물 처분시설을 유치한 지역에 대한 지원체계를 마련하여 유치지역의 발전 및 주민의 생활향상에 기여함을 목적으로 한다.

제7조(유치지역의 선정 등)
① 산업자원부장관은 「주민투표법」제8조의 규칙에 의한 주민투표를 거쳐 유치지역을 선정하여야 한다.
② 산업자원부장관은 유치지역 선정계획, 부지조사 결과, 선정과정 등을 공개적이고 투명하게 진행하여야 한다.
③ 산업자원부장관은 유치지역의 선정과 관련하여 해당지역 주민을 대상으로 한 설명회 또는 토론회를 실시하여야 한다.

제8조(유치지역특별지원금 지원)
① 산업자원부장관은 「전기사업법」 제12조1항3호의 규정에 따른 원자력발전사업자로 하여금 유치지역을 위한 특별지원금(이하 '지원금'이라 한다)을 관할지방자치단체에 지원하게 할 수 있다. 다만, 대통령령이 정하는 바에 따라 설치지역의 5킬로미터 이내의 위치하는 곳으로써 다른 시·군·구의 읍·면·동에 대하여도 지원금을 지원하게 할 수 있다.

제14조(지역주민의 우선 고용 및 참여)
처분시설의 설치 및 운영과 지원을 위하여 시행하는 사업에는 유치지역의 주민을 우선하여 고용 또는 참여시킬 수 있다.

*** 주민투표법**

제8조(국가정책에 관한 주민투표)
① 중앙행정기관의 장은 지방자치단체의 폐치·분합 또는 구역변경, 주요시설의 설치 등 국가정책의 수립에 관하여 주민의 의견을 듣기 위하여 필요하다고 인정하는 때에는 주민투표의 실시구역을 정하여 관계 지방자치단체의 장에게 주민투표의 실시를 요구할 수 있다. 이 경우 중앙행정기관의 장은 미리 행정자치부장관과 협의하여야 한다.

Ⅰ. 절차하자에 대한 甲의 주장의 타당성 - 설문(1)

1. 유치지역선정행위의 법적 성질

- 선정된 일정지역주민들에게 일정한 부담을 수인해야할 의무가 발생함과 동시에 특별법이 정하는 바에 따라 일정한 이익이 발생하므로 일정한 지역주민들의 법률상지위에 변동을 가져오는 행정청의 공권력 행사라 할 수 있어 처분에 해당.
- 산업자원부장관은 유치지역선정계획, 부지조사결과, 선정과정 등을 거쳐 독자적 판단에 따라 선정행위를 할 수 있는 것이므로(특별법 제7조2항) 재량행위.

2. 절차하자의 유무

(1) 절차하자의 유무

- 특별법 제7조3항의 설명회 또는 토론회를 개최하지 아니하였으므로 절차규정 위반한 하자가 존재.

(2) 절차하자의 독자적 위법성 여부

- 학설, 판례 소개하고 긍정설로 검토.

(3) 절차하자의 위법성의 정도

- 하자가 중대하기는 하나, 주민반대가 있었고 주민투표실시에 응했다는 점에서 일반인의 관점에서 명백하다고 보기 어렵다는 점에서 취소사유에 해당.

(4) 절차하자의 치유가능성

- 치유가능성에 관한 학설, 판례 소개 후 제한적 긍정설로 검토
- 주민투표가 81.35%의 찬성을 얻었다 하더라도 설명회나 토론회를 통한 올바른 정보의 제공이 결여된 상태에서 주민투표가 실시되었다는 점, 특별법 제7조에서 3항의 설명회 또는 토론회와 1항의 주민투표를 별개로 규정하고 있는 점 등을 고려하면 하자가 치유되었다고 볼 수 없음.

Ⅱ. 甲과 乙의 원고적격 - 설문(2)

1. 원고적격(법률상 이익) 및 제3자의 원고적격 일반론

2. 甲의 원고적격

- 특별법 제1조, 제7,조, 제8조, 제14조를 고려할 때 유치지역으로 선정된 A시의 주민인 甲의 사업시행 전과 비교하여 환경피해를 받지 아니하고 쾌적한 환경에서 생활할 수 있는 개별적인 이익까지도 보호하려는 데에 있다고 해석되므로 원고적격 인정.

3. 乙의 원고적격

- 특별법은 처분시설의 유치지역지원을 목적으로 하고 있고, 특별지원금 지원은 적어도 설치지역의 5킬로미터 이내에 위치하는 곳이어야 한다는 점을 고려할 때 처분의 근거법이나 관련법이 乙의 개별적인 이익까지 보호하고 있다고 해석하기는 곤란.
- 乙은 처분전과 비교하여 수인한도를 넘는 환경피해를 받거나 받을 우려가 있음을 증명하지 않는 한 원고적격을 인정할 수 없음. 판례에 의할 때 乙이 헌법상의 환경권에 근거하여 원고적격을 인정받을 수는 없음.

Ⅲ. 乙의 정보공개 요구의 타당성 - 설문(3)

1. 정보공개법 제5조에 따라 乙에게 정보공개청구권이 인정

2. 비공개대상정보인지 여부

- 선정기준, 회의록, 자문의견은 공개법 제9조1항의 비공개대상정보에 해당하지 않음.
- 자문의견 중 발언자의 인적 사항에 관한 부분은 제9조1항5호의 비공개대상정보에 해당(판례는 의사결정과정에 준하는 사항에 해당한다고 봄 - #81.관련판례 3)
- 공개가 가능한 부분과 비공개대상이 혼합되어 있는 경우 부분공개(제14조)하여야 함.

Ⅳ. 丙의 손실보상청구 - 설문(4)

1. 간접손실보상

- 의의 : 공익사업의 실시 또는 완성 후에 간접적으로 당해 공익사업지 밖의 재산권 등에 미치는 손실에 대한 보상
- 근거 : 공토법 제79조
- 현행법상 보상규정을 두고 있지 않은 경우가 많은 바, 독일에서는 수용적 침해이론을 통하여 보상을 하여 왔으며, 우리 판례는 관련규정의 유추적용을 통하여 보상을 하고 있음.

2. 간접손실보상청구권의 성립요건

- 공익사업의 사업지구 밖의 제3자가 입은 손실이 특별희생에 해당될 것.
- 손실발생의 예견가능성과 손실범위의 특정가능성 有.

3. 사안의 경우

- 특별법에 간접손실보상에 관한 규정이 없음.
- 사안의 경우 사업지구 밖의 제3자가 입은 손실에는 해당되지만, 활어양식업과는 달리 활어를 공급받아 횟집을 경영하는 경우에는 고객이 급감하리라 쉽게 예견가능하다고 볼 수 없고 그 손실의 범위도 구체적으로 특정할 수 있는 경우라고 속단할 수 없으므로 간접손실을 인정하기 곤란.[5)]

---

5) 김향기 교수님은 이렇게 포섭했으나 간접손실을 긍정하는 것으로 검토할 수도 있음.
- 박균성 교수님은 방폐장의 건설로 배후지의 3분의 2 이상이 상실되어 丙이 횟집을 계속할 수 없는 경우에는 공토법 시행규칙 제45조의 규정(공익사업의 시행으로 인하여 배후지의 3분의 2이상이 상실되어 종전의 영업을 계속할 수 없는 경우의 손실보상규정)에 의해 보상될 수 있으며, 배후지의 3분의 2 이상이 상실되지 않았음에도 丙이 횟집을 계속할 수 없는 경우에는 명문의 보상규정이 없으므로 보상규정이 결여된 간접보상을 논하여야 한다고 하면서 헌법 제23조3항과 공토법 시행규칙의 간접보상규정을 유추적용하여 보상하여 주는 것이 타당하다고 함(행정법연습3판 20면).

93 손실보상규정 없는 경우의 권리구제

Ⅰ. 문제의 소재

헌법 제23조3항은 특별한 희생이 발생된 경우 정당한 보상을 하도록 입법자에게 의무를 부과하고 있으나, **재산권의 사회적 기속과 특별희생의 구별에 관한 절대적 기준의 결여**로 인해 많은 경우에 **보상규정이 결여**되어 있다. 개별 법률에 손실보상 규정이 없는 경우에 헌법규정만으로 손실보상을 청구할 수 있는지가 문제된다.

Ⅱ. 학 설

① 헌법 제23조3항은 단지 공용침해에 대한 보상의 원칙을 정한 입법지침에 지나지 않는다는 **방침규정설**과 ② **직접 헌법 제23조3항에 근거하여 보상을 청구**할 수 있다는 **직접효력설**, ③ 독일의 수용유사침해이론에 입각하여 헌법 제23조1항 및 제11조에 근거하여 **제23조3항 및 관계규정을 유추적용**할 수 있다는 **유추적용설**, ④ 보상규정이 결여된 경우 **당해 법률은 위헌**이 되고, **위헌법률에 근거한 공용침해행위는 위법**하게 되어 **행정쟁송의 제기 또는 국가배상법에 의한 손해배상청구**가 가능하다는 **위헌무효설**, ⑤ 공용침해규정 자체는 위헌이 되는 것은 아니며 **손실보상을 규정하지 않은 입법부작위가 위헌**이며 보상입법부작위에 대한 **헌법소원**에 따른 위헌결정과 그에 따른 입법조치에 의하여 비로소 구제받을 수 있다는 **보상입법부작위위헌설**이 대립한다.

Ⅲ. 판 례

1. 대법원

3공화국 당시의 판례[1]는 직접적 효력이 있는 규정이라고 보았으나, 4공화국 당시의 판례[2]에서는 직접적 효력을 부정했다. 현행 헌법에서는 직접적 효력을 인정한 판례는 나오지 않고 있으며, **관련보상규정을 유추적용하여 보상하려는 경향**을 보이고 있다.

판례 1 하천법(1971.1.19 법률 제2292호로 개정된 것) 제2조1항2호, 제3조에 의하면 제외지는 하천구역에 속하는 토지로서 법률의 규정에 의하여 당연히 그 소유권이 국가에 귀속된다고 할 것인바 한편 동법에서는 위 법의 시행으로 인하여 국유화가 된 제외지의 소유자에 대하여 그 **손실을 보상한다는 직접적인 보상규정을 둔 바가 없으나 동법 제74조의 손실보상요건에 관한 규정은 보상사유를 제한적으로 열거한 것이라기보다는 예시적으로 열거**하고 있으므로 국유로 된 제외지의 소유자에 대하여는 **위 법조를 유추적용**하여 관리청은 그 손실을 보상하여야 한다(대판 1987.7.21, 84누126).

판례 2 정당한 어업허가를 받고 공유수면매립사업지구 내에서 허가어업에 종사하고 있던 어민들에 대하여 **손실보상을 할 의무가 있는 사업시행자가 손실보상의무를 이행하지 아니한 채 공유수면매립공사를 시행**함으로써 실질적이고 현실적인 침해를 가한 때에는 **불법행위를 구성**하는 것이고, 이 경우 허가어업자들이 입게 되는 손해는 그 손실보상금 상당액이다(대판 1999.11.23, 98다11529).
➡ **관계규정의 유추적용에 의하여 보상의무를 인정하고, 보상의무를 이행하지 않고 공용침해 행위를 한 것이 불법행위**라는 사안.

2. 헌법재판소

헌법재판소는 개발제한구역제도 그 자체는 합헌이지만, 개발제한구역의 지정으로 토지소유자에게 **사회적 제약의 범위를 넘는 가혹한 부담이 발생하는 예외적인 경우에도 보상규정을 두지 않은 것은 위헌**성이 있는 것이고, **보상의 구체적 기준과 방법**은 광범위한 입법형성권을 가진 입법자가 **입법정책적으로 정할 사항**이라고 결정한 바 있다. 이러한 입장은 위헌무효설을 취한 것으로 평가되기도 한다.

---

1) 3공화국 헌법은 "공공필요에 의한 재산권의 수용, 사용 또는 제한은 법률로써 하되 **정당한 보상을 지급하여야 한다**"고 규정하여 현행헌법과 구조를 달리함. 동조문의 해석과 관련하여 **학설과 판례는 직접효력설을 지지**했었음.
2) 4공화국 헌법은 "공공필요에 의한 재산권의 수용, 사용 또는 제한 및 그 보상의 기준과 방법은 법률로 정한다"고 규정.

Ⅳ. 검 토

판례가 인정하고 있는 관계규정의 유추적용은 엄밀한 의미에서는 보상규정이 존재하는 것이라고 볼 수 있으므로 유추적용할 수 있는 보상규정이 없는 경우에 보상규정의 결여가 실제로 문제될 것이다.

입법방침설은 **자유주의 법치국가**에서 용인될 수 없다. 유추적용설은 우리나라에서는 독일과 같이 수용유사침해이론의 근거가 되는 **관습법상 희생보상청구제도가 존재하지 않는다**는 점에서 인정하기 어렵다. 위헌무효설은 **과실을 인정하기 어려워** 국가배상으로 권리구제가 곤란하다는 점에서 문제가 있다. 보상입법부작위위헌설은 헌법소원 및 헌법재판소의 위헌결정과 그에 따른 입법조치에 의하여 비로소 구제받을 수 있으므로 **권리구제가 우회적**이라는 점에서 문제가 있다.

헌법 제23조3항의 정당보상은 원칙적으로 완전보상을 의미하는데, **법원이 보상의 일반법리에 따라 보상액을 결정할 수 있다**고 해석하는 것이 가능하며, **법원에게 예외적인 경우에 입법공백의 영역에 대해 이를 보충할 권한이 부여**되어 있다고도 할 수 있으므로 **직접효력설이 타당**하다.[3][4] 국민은 법원에 직접 손실보상청구소송을 제기하여 권리구제를 받을 수 있다.

---

3) 직접효력설은 문리해석에 반하며, **법원이 구체적 기준을 마련하기도 곤란**하며, 법원이 입법권의 권한을 대신 행사하여 권력분립원칙에 반하는 문제가 있다는 비판을 받는다.

4) 위헌무효설의 입장에서 검토하려면 직접효력설은 문리해석에 반하며, 법원이 구체적 기준을 마련하기도 곤란하며, 법원이 입법권의 권한을 대신 행사하여 권력분립원칙에 반하는 문제가 있다는 논거로 비판하면 된다.

94 경계이론과 분리이론

1. 경계이론

재산권의 내용과 공용침해는 **별개의 제도가 아니며** 양자 간에는 **정도의 차이가 있을 뿐**이라는 이론이다. **사회적 제약을 벗어나는 침해에 의한 희생이 특별한 희생**이며 이에 대해서는 보상이 따라야한다는 이론이다.

2. 분리이론

1) 입법자의 의사에 따라 **공용침해와 재산권의 내용, 한계의 설정이 분리**된다는 이론으로서, 양자는 재산권 제약의 질적인 정도에 의해 구분되는 것이 아니라 **입법의 형식과 그 목적에 따라 구분**된다고 본다. 따라서 입법자가 공용침해가 아니라 재산권의 내용을 규정한 경우, 그 규정이 일정한 한계를 벗어나면 보상의 문제를 가져오는 것이 아니라 위헌의 문제를 가져온다고 한다.

2) 분리이론에서는 재산권의 **내용규정**은 "입법자가 **장래**에 있어서 재산권자의 권리와 의무를 **일반적, 추상적 형식**으로 확정하는 것"으로(예: 개발제한구역 지정), **공용침해**는 "국가가 구체적인 공적 과제의 이행을 위하여 **이미 형성된 구체적인 재산권적 지위를 전면적 또는 부분적으로 박탈**하는 것"(예: 토지보상법)으로 정의한다. 이에 따라 **보상을 요하는 수용과 보상의무가 없는 내용규정 사이에 제3의 범주**가 있다고 한다.

3. 분리이론에 대한 비판

분리이론에 대해서는 사회적 제약과 공용침해가 과연 **일반 · 추상 및 개별 · 구체의 기준으로 명확히 구분될 수 있는지 의심스러우며,** 내용규정과 수용규정이 입법자의 결정에 따라 형식적으로 결정된다고 하나 복잡한 정책환경의 변화를 고려할 때 **재산권 제한이 수용적 효과를 초래할지를 입법단계에서 예견하기 어렵다는 비판**이 있다. 독일기본법 제14조는 공용침해의 태양으로 '수용'만 규정하고 있어 사용과 제한의 경우 그 보상의 근거를 도출하기 어렵다는 점에서 분리이론이 설득력이 있으나, **우리 헌법은 사용과 제한의 경우까지 규정**하고 있어 도입의 실익이 적다.

4. 소 결

독일기본법은 공용침해의 태양으로서 '수용'만 규정하고 있지만 우리나라의 경우는 **헌법 제23조3항이 명시적으로 수용 · 사용 · 제한을 포함**하고 있다. 분리이론은 이러한 근본적인 차이를 간과한 이론으로 **경계이론이 타당**하다.

95 생활보상

Ⅰ. 의 의

대규모 공익사업으로 인한 개인의 생활기반의 침해에 대해서 **종전의 생활상태의 재건을 목적**으로 **생존권 보장의 이념에 기초**하여 행하여지는 일련의 보상을 말한다.

오늘날 댐·공업단지등 공공사업이 대규모화되어 감에 따라 한 개 마을 내지는 수 개의 마을이 그 대상이 되면서 경우에 따라서는 **객관적 교환가치의 보상(재산권 보상)뿐만 아니라 삶의 기본 터전도 마련해 주어야만 보상이 의미 있는 경우**가 나타나게 되었다. 이 경우 **대물적 보상의 한계를 극복**하기 위해 등장한 개념이 생활보상이다. 생활보상은 **수용 전 상태로의 회복이라는 의미에서는 원상회복의 의미**를 갖는다.

Ⅱ. 근 거

1. 헌법적 근거

(1) 학 설

① 헌법 제23조의 정당한 보상이 완전보상이라는 견해에 입각하여, 완전보상을 수용이 행해지기 전의 상태와 유사한 생활상태를 실현하는 보상으로 이해하여 생활보상도 **완전보상의 하나**로 보는 **정당보상설**(제23조설), ② 인간다운 생활을 할 권리를 규정한 헌법 제34조가 생활보상의 추상적 근거가 될 수 있다는 **생존권설**(제34조설), ③ 헌법 제23조의 재산권은 **단순한 재산적 가치권이 아니라 생존권적 기본권을 기초로 한 재산권**으로 보아야 한다고 하면서 헌법 제23조3항의 해석에 있어 헌법 제34조의 생존권적 기본권과 관련하여 통일적으로 보아야한다는 **통일설**(제23조, 제34조 통일설)이 있다.

(2) 판례 - 제34조설

헌법재판소와 **대법원**은 생활보상의 하나인 **이주대책**은 **제34조에서 근거**를 찾고 있다. 최근 생활대책용지의 공급과 같이 **공익사업 시행 이전과 같은 경제수준을 유지**할 수 있도록 하는 내용의 **생활대책**에 대해서는 **헌법 제23조3항의 정당한 보상에 포함**된다고 한 바 있다.

헌재결정 이주대책은 헌법 **제23조3항에 규정된 정당한 보상에 포함되는 것이라기보다는** 이에 부가하여 이주자들에게 종전의 생활상태를 회복시키기 위한 **생활보상의 일환으로서 국가의 정책적인 배려**에 의하여 마련된 제도라고 볼 것이다. 따라서 이주대책의 실시 여부는 **입법자의 입법정책적 재량**의 영역에 속하므로 공익사업을 위한 토지등의 취득 및 보상에 관한 법률 시행령 제40조 3항 3호가 **이주대책의 대상자에서 세입자를 제외하고 있는 것이 세입자의 재산권을 침해하는 것이라 볼 수 없다**(헌재결 2006.2.23, 2004헌마19).

판례 1 **[다수의견]** 공공용지의 취득 및 손실보상에 관한 특례법상의 **이주대책**은 공공사업의 시행에 필요한 토지 등을 제공함으로 인하여 생활의 근거를 상실하게 되는 이주자들을 위하여 사업시행자가 기본적인 생활시설이 포함된 택지를 조성하거나 그 지상에 주택을 건설하여 이주자들에게 이를 그 투입비용 원가만의 부담하에 개별 공급하는 것으로서, 그 본래의 취지에 있어 **이주자들에 대하여 종전의 생활상태를 원상으로 회복시키면서 동시에 인간다운 생활을 보장**하여 주기 위한 이른바 **생활보상의 일환으로 국가의 적극적이고 정책적인 배려**에 의하여 마련된 제도이다.

[반대의견에 대한 보충의견] 공공용지의 취득 및 손실보상에 관한 특례법 제8조1항의 이주대책은 사업시행자가 **이주자에 대한 은혜적인 배려에서 임의적으로 수립 시행해 주는 것이 아니라** 이주자에 대하여 **종전의 재산상태가 아닌 생활상태로 원상회복시켜 주기 위한 생활보상의 일환**으로 마련된 제도로서, **헌법 제23조3항이 규정하는 손실보상의 한 형태**라고 보아야 한다(대판(전) 1994.5.24, 92다35783).

판례 2 [1] 공익사업을 위한 토지 등의 취득 및 보상에 관한 법률은 제78조1항에서 "사업시행자는 공익사업의 시행으로 인하여 주거용 건축물을 제공함에 따라 생활의 근거를 상실하게 되는 자(이하 '이주대책대상자'라 한다)를 위하여 대통령령으로 정하는 바에 따라 이주대책을 수립·실시하거나 이주정착금을 지급하여야 한다."고 규정하고 있을 뿐, **생활대책용지의 공급과 같이 공익사업 시행 이전과 같은 경제수준을 유지**할 수 있도록 하는 내용의 **생활대책에 관한 분명한 근거 규정을 두고 있지는 않으나, 사업시행자 스스로 공익사업의 원활한 시행을 위하여 필요하다고 인정**함으로써 **생활대책을 수립·실시할 수 있도록 하는 내부규정을 두고 있고 내부규정에 따라 생활대책대상자 선정기준을 마련하여 생활대책을 수립·실시하는 경우**에는, 이러한 **생활대책 역시** "공공필요에 의한 재산권의 수용·사용 또는 제한 및 그에 대한 보상은 법률로써 하되, 정당한 보상을 지급하여야 한다."고 규정하고 있는 **헌법 제23조3항에 따른 정당한 보상에 포함**되는 것으로 보아야 한다. 따라서 이러한 **생활대책대상자 선정기준에 해당하는 자는 사업시행자에게 생활대책대상자 선정 여부의 확인·결정을 신청할 수 있는 권리를 가지는 것**이어서, 만일 사업시행자가 그러한 자를 **생활대책대상자에서 제외하거나 선정을 거부하면, 이러한 생활대책대상자 선정기준에 해당하는 자는 사업시행자를 상대로 항고소송을 제기**할 수 있다고 보는 것이 타당하다(대판 2011.10.13, 2008두17905).

(3) 검 토

헌법 제23조는 정당한 보상의 내용에 포함되는 생활보상의 **기본적인 법적 근거**가 되나, 이 조항은 원래 수용목적물인 재산권에 대한 보상과 이와 관련된 부대적 손실의 보상을 대상으로 하는 것이므로 **생활보상을 직접적인 대상으로 포함하지 못하는 면**이 있다. 이러한 내용의 보상은 **사회국가적 원리에 따라 생존배려적인 측면에서 인정될 필요**가 있으며 이의 근거규정으로 제34조를 들 수 있으므로 **제23조, 제34조 모두에서 근거를 찾는 견해가 타당**하다.

2. 법률적 근거

생활보상을 구체화한 공익사업을 위한 토지등의 취득 및 보상에 관한 법률 제78조 등이 있다.

Ⅲ. 내용(공토법)

1. 생활보상의 의미

① **협의설은 생활보상의 개념을** 현재 당해 장소에서 현실적으로 누리고 있는 **생활이익의 상실로서 재산권보상으로 메워지지 아니한 손실에 대한 보상**으로 파악하고, ② **광의설**은 **수용 전과 같은 생활상태의 보장**으로 파악한다. **광의설**이 **다수설, 판례**의 태도이다.

판 례 사업시행자의 **이주대책 수립·실시의무를 정하고 있는 같은 법 제78조 제1항은 물론 이주대책의 내용에 관하여 규정하고 있는 같은 조 제4항 본문 역시 당사자의 합의 또는 사업시행자의 재량에 의하여 적용을 배제할 수 없는 강행법규**이다(대판2011.6.23, 2007다63089).

2. 이주대책

(1) 이주대책의 의의

판 례 공공용지의 취득 및 손실보상에 관한 특례법상의 이주대책은 **공공사업의 시행에 필요한 토지 등을 제공함으로 인하여 생활의 근거를 상실하게 되는 이주자들을 위하여 사업시행자가 기본적인 생활시설이 포함된 택지를 조성하거나 그 지상에 주택을 건설하여 이주자들에게 이를 그 투입비용 원가만의 부담 하에 개별 공급하는 것**으로서, 그 본래의 취지에 있어 **이주자들에 대하여 종전의 생활상태를 원상으로 회복시키면서 동시에 인간다운 생활을 보장하여 주기 위한 이른바 생활보상의 일환으로 국가의 적극적이고 정책적인 배려에 의하여 마련**된 제도이다(대판(전) 1994.5.24, 92다35783).

(2) 이주대책 수립자 및 이주대책 대상자

이주대책은 사업시행자가 수립한다. 사인이 사업시행자인 경우 공무수탁사인에 해당한다. **법령에서 이주대책 수립 실시의무를 정하고 있는 경우 사업시행자는 이주대책 수립 의무**가 있다. 사업시행자의 이주대책 의무를 규정한 공익사업법 제78조1항과 이주대책의 내용에 관하여 규정한 공익사업법 제78조는 당사자의 합의 또는 사업시행자의 재량에 의해 적용을 배제할 수 없는 **강행법규**이다(대판 201.6.23. 2007다63096). 법에 정해진 것을 제외하고는 사업시행자가 이주대책의 내용을 정할 수 있다. 사업시행자는 **이주대책의 내용(특별공급주택의 수량, 공급대상자의 선정 등)에 있어서는 재량**을 가진다(대판 2007.2.22. 2004다7481).

판 례 사업시행자의 **이주대책 수립·실시의무를 정하고 있는 같은 법 제78조 제1항은 물론 이주대책의 내용에 관하여 규정하고 있는 같은 조 제4항 본문 역시 당사자의 합의 또는 사업시행자의 재량에 의하여 적용을 배제할 수 없는 강행법규**이다(대판2011.6.23, 2007다63089).

(3) 이주자의 법적 지위

이주자는 **수분양권**(이주대책상 택지분양권이나 아파트 입주권 등을 받을 수 있는 권리) 등 이주대책상의 권리를 취득하는데, 이 권리를 **언제 취득하는가**에 대하여 견해 대립이 있다. **판례의 다수의견**은 이주자가 이주대책대상자 선정신청을 하고 사업시행자가 이를 받아들여 **이주대책대상자로 확인 결정하여야 비로소 수분양권이 발생**하는 것으로 보았으며, 반면 동 판례의 **반대의견**은 **구 공특법 제8조로부터 이주대책 대상자는 실체법상의 권리**를 갖는다고 보았다.

판 례 **[다수의견]** [1] 공공용지의 취득 및 손실보상에 관한 특례법상의 이주대책은 공공사업의 시행에 필요한 토지 등을 제공함으로 인하여 생활의 근거를 상실하게 되는 이주자들을 위하여 사업시행자가 기본적인 생활시설이 포함된 택지를 조성하거나 그 지상에 주택을 건설하여 이주자들에게 이를 그 투입비용 원가만의 부담하에 개별 공급하는 것으로서, 그 본래의 취지에 있어 이주자들에 대하여 종전의 생활상태를 원상으로 회복시키면서 동시에 인간다운 생활을 보장하여 주기 위한 이른바 생활보상의 일환으로 국가의 적극적이고 정책적인 배려에 의하여 마련된 제도이다.
[2] 같은 법 제8조1항이 사업시행자에게 **이주대책의 수립·실시의무**를 부과하고 있다고 하여 그 **규정 자체만에 의하여** 이주자에게 사업시행자가 수립한 **이주대책상의 택지분양권이나 아파트 입주권 등을 받을 수 있는 구체적인 권리(수분양권)가 직접 발생하는 것이라고는 도저히 볼 수 없으며**, 사업시행자가 이주대책에 관한 구체적인 계획을 수립하여 이를 해당자에게 통지 내지 공고한 후, **이주자가** 수분양권을 취득하기를 희망하여 이주대책에 정한 절차에 따라 사업시행자에게 **이주대책대상자 선정신청을 하고 사업시행자가 이를 받아들여 이주대책대상자로 확인·결정하여야만 비로소 구체적인 수분양권이 발생**하게 된다.
[3] (1) 위와 같은 **사업시행자가 하는 확인·결정은 곧 구체적인 이주대책상의 수분양권을 취득하기 위한 요건이 되는 행정작용으로서의 처분**인 것이지, 결코 이를 단순히 절차상의 필요에 따른 사실행위에 불과한 것으로 평가할 수는 없다. 따라서 수분양권의 취득을 희망하는 이주자가 소정의 절차에 따라 이주대책대상자 선정신청을 한 데 대하여 **사업시행자가 이주대책대상자가 아니라고 하여 위 확인·결정 등의 처분을 하지 않고 이를 제외시키거나 또는 거부조치한 경우**에는, 이주자로서는 당연히 사업시행자를 상대로 **항고소송에 의하여 그 제외처분 또는 거부처분의 취소를 구할 수 있다**고 보아야 한다.
(2) 사업시행자가 국가 또는 지방자치단체와 같은 행정기관이 아니고 이와는 독립하여 법률에 의하여 특수한 존립목적을 부여받아 국가의 특별감독하에 그 존립목적인 공공사무를 행하는 공법인이 관계법령에 따라 공공사업을 시행하면서 그에 따른 이주대책을 실시하는 경우에도, 그 이주대책에 관한 처분은 법률상 부여받은 행정작용권한을 행사하는 것으로서 항고소송의 대상이 되는 공법상 처분이 되므로, 그 처분이 위법부당한 것이라면 사업시행자인 당해 공법인을 상대로 그 취소소송을 제기할 수 있다.
[4] 이러한 수분양권은 위와 같이 이주자가 이주대책을 수립·실시하는 사업시행자로부터 이주대책대상자로 확인·결정을 받음으로써 취득하게 되는 택지나 아파트 등을 분양받을 수 있는 공법상의 권리라고 할 것이므로, 이주자가 **사업시행자에 대한 이주대책대상자 선정신청 및 이에 따른 확인·결정 등 절차를 밟지 아니하여 구체적인 수분양권을 아직 취득하지도 못한 상태에서 곧바로 분양의무의 주체를 상대방으로 하여 민사소송이나 공법상 당사자소송으로 이주대책상의 수분양권의 확인 등을 구하는 것은 허용될 수 없고**, 나아가 그 **공급대상인 택지나 아파트 등의 특정부분에 관하여 그 수분양권의 확인을 소구하는 것은 더더욱 불가능**하다고 보아야 한다(대판(전) 1994.5.24, 92다35783).

96 손실보상에 대한 불복

Ⅰ. 개 관

손실보상에 대한 불복유형은 ① **개별법에서 특별히 규정**하고 있으면 개별법이 공익사업을 위한 토지등의 취득 및 보상에 관한 법률(이하 공토법)에 우선해서 적용되고, ② 개별법에서 **공토법을 준용**하고 있으면 공토법이 적용되고, ③ 개별법에서 공토법 **준용규정도 없으며 행정청 또는 토지수용위원회가 보상금을 결정하도록 규정하고 특별한 불복절차가 규정되어 있지 않는 경우**에는 **보상금의 결정은 처분**이므로 행정심판, 항고소송의 대상이 되며, ④ **개별법에서 손실보상의 원칙만**을 규정하고 보상금결정기관에 관한 규정 등 **보상에 관한 규정이 전혀 존재하지 않는 경우**에는 **당사자소송을 통해 직접 보상금지급청구소송**을 제기할 수 있다. 대법원은 실무상 민사소송의 방법에 의하였으나 최근에는 하천법상 손실보상청구소송 등에서 민사소송이 아니라 당사자소송의 대상이 된다고 하여 당사자소송에 의하는 경향에 있다.

공토법이 적용되는 경우에 보상액의 결정은 일차적으로 **당사자 간의 협의**에 의하여 결정되는 것이 원칙이고, **협의가 이루어지지 않은 경우에는 토지수용위원회가 수용재결의** 형식으로 보상금을 결정한다. 이때 관계인은 이의신청에 따른 행정심판과 직접 행정소송을 제기하여 불복할 수 있는데 이에 대해 살펴보기로 한다.

Ⅱ. 이의신청(공토법 제83조1, 2항)

토지수용위원회(이하 토수위)의 재결[1]에 대해 중앙토수위에 이의신청할 수 있고, 중앙토수위는 원재결이 위법 또는 부당한 때에는 **원재결의 전부 또는 일부를 취소하거나 손실보상액을 증감**할 수 있다. 구토지수용법 하에서의 판례는 이러한 이의신청을 필요적 전치절차로 해석했으나, **현행 공토법은 이의신청을 임의적 절차**로 규정하고 있다. 이의신청에는 집행정지의 효력은 없다(제88조).

Ⅲ. 행정소송(공토법 제85조)

1. 취소소송

1) 대 상

보상금의 증감에 관한 것이 아닌 경우 수용재결을 대상으로 제기하는 소송이다. **구토지수용법** 제75조의2 1항 본문은 "이의신청의 재결에 대하여 불복이 있을 때에는 재결서가 송달된 날로부터 1월 이내에 행정소송을 제기할 수 있다"고 규정하고 있었고, 이 규정이 재결주의를 의미하는 것인지 논의가 있었으나(**당시 판례는 재결주의**로 파악했으며 명문의 근거 없이 재결주의로 해석할 수 없다는 비판이 있었음), **현행 공토법은 이의신청을 임의적 절차로 규정**하여 현행법 하에서는 **원처분중심주의가 적용**된다고 할 것이다.[2]

판 례 **공익사업을 위한 토지 등의 취득 및 보상에 관한 법률** 제85조1항 전문의 문언내용과 같은 법 제83조, 제85조가 **중앙토지수용위원회에 대한 이의신청을 임의적 절차**로 규정하고 있는 점, **행정소송법 제19조 단서**가 행정심판에 대한 재결은 **재결 자체에 고유한 위법이 있음을 이유로 하는 경우에 한하여 취소소송의 대상**으로 삼을 수 있도록 규정하고 있는 점 등을 종합하여 보면, **수용재결에 불복하여 취소소송을 제기**하는 때에는 **이의신청을 거친 경우에도 수용재결을 한 중앙토지수용위원회 또는 지방토지수용위원회를 피고**로 하여 수용재결의 취소를 구하여야 하고, 다만 **이의신청에 대한 재결 자체에 고유한 위법이 있음을 이유로 하는 경우에는 그 이의재결을 한 중앙토지수용위원회를 피고**로 하여 이의재결의 취소를 구할 수 있다(대판 2010.1.28, 2008두19987).

---

1) 토수위의 재결은 **수용재결부분(토지 등을 수용한다는 결정부분)과 보상재결부분(보상액을 결정하는 부분)**으로 분리될 수 있는데, 수용재결부분과 보상재결부분중 한 부분만에 대하여 불복이 있는 경우에도 토수위의 재결 자체가 이의신청의 대상이 됨.
2) 재결주의는 그 논리적 전제로서 필요적 전치주의가 요구된다.

2) 제소기간(제85조1항)

행정소송법에서보다 단기로 규정하고 있다.

판례 가. 관할토지수용위원회의 원재결에 대하여 불복이 있으면 그 재결서의 송달이 있은 날로부터 1월 이내(현행법은 60일)에 중앙토지수용위원회에 이의를 신청하여야 하고, **중앙토지수용위원회의 이의신청에 대한 재결에도 불복**이 있으면 그 **재결서의 송달이 있은 날로부터 1월 이내에 그 이의재결의 취소를 구하는 행정소송**을 제기하여야 하며, 이 경우에는 **행정심판법 제18조, 행정소송법 제20조의 규정은 적용될 수 없다.**

나. 수용재결(원재결)에 대한 이의신청기간과 이의재결에 대한 행정소송제기기간을 그 일반법인 **행정심판법 제18조1항의 행정심판청구기간(60일)과 행정소송법 제20조1항의 행정소송의 제소기간(60일)보다 짧게 규정**한 것은 **토지수용과 관련한 공공사업을 신속히 수행하여야 할 그 특수성과 전문성을 살리기 위한 필요**에서 된 것으로 이해되므로 이를 **행정심판법 제43조, 제42조에 어긋나거나 헌법 제27조에 어긋나는 위헌규정이라 할 수 없다**(대판 1992.8.18, 91누9312). ➡ 필요적 전치주의이고 재결주의로 보았던 시기의 판례이며 **심판청구기간과 제소기간이 현재는 90일**로 개정됨.

2. 보상금증감청구소송

(1) 의 의

공토법은 **수용재결 자체에 대해서는 다투지 않고 다만 보상금 액수에 불복**이 있는 경우에 **이해당사자(토지소유자와 사업시행자) 간의 소송**을 인정하고 있다. **수용재결을 다투는 방식으로 보상액을 다시 결정하는 것은 우회적** 절차이므로 **법률관계의 조속한 확정**을 위하여 인정한 것이다.

(2) 피 고

소송제기자가 토지소유자 또는 관계인인 경우(증액청구)에는 **사업시행자**를, 소송제기자가 사업시행자인 경우(감액청구)에는 **토지소유자 또는 관계인**을 피고로 하여 제기하여야 한다(제85조2항).

판례 보상금증감소송에서 **실질적인 이해관계인은 피수용자와 사업시행자일 뿐 재결청은 이해관계가 없으므로**, 이 사건 법률조항은 **실질적인 당사자들 사이에서만 소송이 이루어지도록 합리적으로 조정하고, 절차의 반복 없이 분쟁을 신속하게 종결하여 소송경제를 도모**하며, **항고소송의 형태를 취할 경우 발생할 수 있는 수용처분의 취소로 인한 공익사업절차의 중단을 최소화**하기 위하여, 소송당사자에서 **재결청을 제외하고 사업시행자만을 상대로 다투도록 피고적격을 규정**한 것이다(헌재결 2012.7.17, 2012헌바23).

(3) 형식적 당사자소송(#129. Ⅳ)

구 토지수용법하에서는 행정청인 토지수용위원회도 피고로 규정하고 있어 소송의 법적 성격에 대하여 논란이 있었으나, 현행 공토법은 법률관계의 당사자인 **토지소유자와 사업시행자를 각각 원·피고**로 하여 당사자 소송의 형식으로 하고 있다. **당사자가 직접 다투는 것은 보상금에 관한 법률관계의 내용이고 그 전제로서 재결의 효력이 심판의 대상**이 되는 것이므로 형식적 당사자소송으로 보는 것이 타당하다.

(4) 형성소송, 확인소송, 이행소송 여부

① 보상금의 결정은 행정결정(재결)에 의해 행해지는 것이므로 구체적 보상청구권은 재결에 의해 형성되는 것이고, 보상금증감청구소송에서 **법원이 재결을 취소하고 정당한 보상액을 확정하는 것도 구체적인 손실보상청구권을 형성**하는 것으로 보는 **형성소송설**과 ② **정당한 보상이란 법원이 객관적으로 확인할 수 있는 것**이므로 법원이 손실보상액을 결정하는 것은 손실보상청구권의 형성이 아니라 확인에 불과하다는 **확인소송설**이 주장되나 ③ 손실보상금**증액청구**소송은 보상액을 확인하고 그 이행을 명하는 점에서 **이행소송**(급부소송)의 성질을 가지고, **감액청구**소송은 보상액을 확인하는 점에서 **확인소송**의 성질을 가진다고 보아야 할 것이다.

(5) 입증책임

판례는 **원고**가 입증책임을 진다고 본다(대판 1997.11.28, 96누2255).

3. 청구의 병합

수용 자체에 불복이 있을 뿐만 아니라 보상금액에도 불복이 있는 경우에는 취소소송과 보상금증액청구소송을 별도로 제기할 수 있으나, **우선 수용 자체를 다투고 이것이 받아들여지지 않는 경우 보상금액의 증액을 청구할 필요**가 있는 경우에는 **예비적으로 보상금증액청구**(민사소송법 제70조는 주관적 예비적 병합 인정)도 가능하다.

Ⅱ. 구체적인 판례사안

1. 세입자의 주거이전비 보상지급청구소송

판 례 [1] 구 공익사업을 위한 토지 등의 취득 및 보상에 관한 법률(2007.10.17. 법률 제8665호로 개정되기 전의 것) 제2조, 제78조에 의하면, **세입자는 사업시행자가 취득 또는 사용할 토지에 관하여 임대차 등에 의한 권리를 가진 관계인으로서, 같은 법 시행규칙 제54조 제2항 본문에 해당하는 경우에는 주거이전에 필요한 비용을 보상받을 권리**가 있다. 그런데 이러한 **주거이전비는 당해 공익사업 시행지구 안에 거주하는 세입자들의 조기이주를 장려하여 사업추진을 원활하게 하려는 정책적인 목적과 주거이전으로 인하여 특별한 어려움을 겪게 될 세입자들을 대상으로 하는 사회보장적인 차원에서 지급되는 금원의 성격**을 가지므로, 적법하게 시행된 공익사업으로 인하여 이주하게 된 **주거용 건축물 세입자의 주거이전비 보상청구권은 공법상의 권리이고, 따라서 그 보상을 둘러싼 쟁송은 민사소송이 아니라 공법상의 법률관계를 대상으로 하는 행정소송**에 의하여야 한다.
[2] 구 공익사업을 위한 토지 등의 취득 및 보상에 관한 **법률 제78조 제5항, 제7항, 같은 법 시행규칙 제54조 제2항 본문, 제3항**의 각 조문을 **종합**하여 보면, **세입자의 주거이전비 보상청구권은 그 요건을 충족하는 경우에 당연히 발생**하는 것이므로, **주거이전비 보상청구소송은 행정소송법 제3조 제2호에 규정된 당사자소송**에 의하여야 한다. **다만,** 구 도시 및 주거환경정비법(2007.12.21. 법률 제8785호로 개정되기 전의 것) 제40조 제1항에 의하여 준용되는 구 공익사업을 위한 토지 등의 취득 및 보상에 관한 법률 제2조, 제50조, 제78조, 제85조 등의 각 조문을 종합하여 보면, **세입자의 주거이전비 보상에 관하여 재결이 이루어진 다음 세입자가 보상금의 증감 부분을 다투는 경우**에는 같은 법 **제85조 제2항에 규정된 행정소송에 따라, 보상금의 증감 이외의 부분을 다투는 경우에는 같은 조 제1항에 규정된 행정소송에 따라 권리구제**를 받을 수 있다(대판 2008.5.29, 2007다8129).

2. 영업손실보상청구

판 례 [1] 공익사업으로 인하여 영업을 폐지하거나 휴업하는 자가 사업시행자에게서 구 공익사업법 **제77조 제1항에 따라 영업손실에 대한 보상**을 받기 위해서는 구 공익사업법 **제34조,제50조 등에 규정된 재결절차를 거친 다음 재결에 대하여 불복이 있는 때에 비로소 구 공익사업법 제83조 내지 제85조에 따라 권리구제를 받을 수 있을 뿐, 이러한 재결절차를 거치지 않은 채 곧바로 사업시행자를 상대로 손실보상을 청구하는 것은 허용되지 않는다**고 보는 것이 타당하다.
[2] **행정소송법 제44조, 제10조에 의한 관련청구소송 병합은 본래의 당사자소송이 적법할 것을 요건**으로 하는 것이어서 **본래의 당사자소송이 부적법하여 각하되면 그에 병합된 관련청구소송도 소송요건을 흠결하여 부적합하므로 각하되어야** 한다(대판 2011.9.29, 2009두10963).

3. 잔여지 및 잔여건축물의 손실보상청구

판 례 구 공익사업을 위한 토지 등의 취득 및 보상에 관한 법률 제73조, 제75조의2와 같은 법 제34조, 제50조, 제61조, 제83조 내지 제85조의 규정 내용 및 입법 취지 등을 종합하면, 토지소유자가 사업시행자로부터 **공익사업법 제73조, 제75조의2에 따른 잔여지 또는 잔여 건축물 가격감소 등으로 인한 손실보상을 받기 위해서는 공익사업법 제34조, 제50조 등에 규정된 재결절차를 거친 다음 그 재결에 대하여 불복할 때 비로소 공익사업법 제83조 내지 제85조에 따라 권리구제를 받을 수 있을 뿐**이며, **특별한 사정이 없는 한 이러한 재결절차를 거치지 않은 채 곧바로 사업시행자를 상대로 손실보상을 청구하는 것은 허용되지 않는다** 할 것이고, 이는 **잔여지 또는 잔여 건축물 수용청구에 대한 재결절차를 거친 경우라고 하여 달리 볼 것은 아니다**(대판 2014.9.25, 2012두24092).

4. 잔여지의 수용청구

판 례 구 '공익사업을 위한 토지 등의 취득 및 보상에 관한 법률' **제74조 제1항에 규정되어 있는 잔여지 수용청구권은 손실보**

상의 일환으로 토지소유자에게 부여되는 권리로서 그 요건을 구비한 때에는 잔여지를 수용하는 토지수용위원회의 재결이 없더라도 그 청구에 의하여 수용의 효과가 발생하는 형성권적 성질을 가지므로, 잔여지 수용청구를 받아들이지 않은 토지수용위원회의 재결에 대하여 토지소유자가 불복하여 제기하는 소송은 위 법 제85조 제2항에 규정되어 있는 '보상금의 증감에 관한 소송'에 해당하여 사업시행자를 피고로 하여야 한다(대판 2010.8.19, 2008두822). ➡ 공익사업법 제72조의 수용청구권

5. 사용하는 토지의 매수청구 및 잔여지의 수용청구

판 례 공익사업을 위한 토지 등의 취득 및 보상에 관한 법률(이하'토지보상법'이라고 한다) 제72조의 문언, 연혁 및 취지 등에 비추어 보면, 위 규정이 정한 수용청구권은 토지보상법 제74조 제1항이 정한 잔여지 수용청구권과 같이 손실보상의 일환으로 토지소유자에게 부여되는 권리로서 그 청구에 의하여 수용효과가 생기는 형성권의 성질을 지니므로, 토지소유자의 토지수용청구를 받아들이지 아니한 토지수용위원회의 재결에 대하여 토지소유자가 불복하여 제기하는 소송은 토지보상법 제85조 제2항에 규정되어 있는 '보상금의 증감에 관한 소송'에 해당하고, 피고는 토지수용위원회가 아니라 사업시행자로 하여야 한다(대판 2015.4.9, 2014두46669).

기출 사례 **수용의 요건/이주대책 수립/수용에 대한 불복 (07년 사시)**

A시는 10여 년 전까지 석탄 산업으로 번창하던 도시였으나, 최근 석탄 산업의 쇠퇴로 현저하게 인구가 줄어들고 있다. 건설교통부장관은 관광레저형 기업도시를 건설하려는 민간기업인 주식회사 甲과 지역 개발을 위해 이를 유치하려는 A시장의 공동 제안에 따라 A시 외곽 지역에 개발구역을 지정·고시하고, 甲을 개발사업의 시행자로 지정하였다. 그 후 甲은 개발사업의 시행을 위해 필요한 토지 면적의 55%를 확보한 후, 해당 지역의 나머지 토지에 대한 소유권을 취득하기 위하여 토지소유자 乙, 丙 등과 협의하였으나 협의가 성립되지 않자 중앙토지수용위원회에 수용재결을 신청하였고, 동 위원회는 수용재결을 하였다.

(1) 甲이 추진하는 관광레저형 기업도시를 건설하기 위한 토지수용에 있어서 '공공필요'를 검토하시오. (10점)

(2) 乙은 甲에게 생활대책에 필요한 대체용지의 공급을 포함하는 이주대책의 수립을 신청하였지만 상당한 기간이 경과했는데도 甲은 이주대책을 수립하지 않고 있다. 이에 乙은 이주 대책의 수립을 구하는 의무이행심판을 청구하였다. 심판청구의 인용가능성 유무와 재결의 형식을 검토하시오. (20점)

(3) 丙은 자신의 토지가 위 개발사업에 필요한 토지가 아니므로 수용재결이 위법하다고 주장한다. 丙이 자신의 토지를 수용당하지 않기 위하여 제기할 수 있는 불복방법을 논하시오. (20점)

[참조조문]

***기업도시개발 특별법**

제1조 (목적)
이 법은 민간기업이 산업·연구·관광·레저분야 등에 걸쳐 계획적·주도적으로 자족적인 도시를 개발·운영하는데 필요한 사항을 규정하여 국토의 계획적인 개발과 민간기업의 투자를 촉진함으로써 공공복리를 증진하고 국민경제와 국가균형발전에 기여함을 목적으로 한다.

제2조 (정의)
이 법에서 사용하는 용어의 정의는 다음과 같다.
1. '기업도시'라 함은 산업입지와 경제활동을 위하여 민간기업(법인에 한하며, 제48조2항의 규정에 의하여 대체지정된 시행자를 포함한다)이 산업·연구·관광·레저·업무 등의 주된 기능과 주거·교육·의료·문화 등의 자족적 복합기능을 고루 갖추도록 개발하는 도시를 말하며, 다음과 같이 구분한다.
다. 관광레저형 기업도시 : 관광·레저·문화 위주의 기업도시

제4조 (개발구역 지정의 제안)
① 제10조3항의 기준에 적합한 민간기업 및 다음 각호에 해당되는 자(민간기업과 협의된 경우에 한한다)는 관할 광역시장·시장 또는 군수(광역시 관할 구역에 있는 군의 군수를 제외하며, 이하 '시장·군수'라 한다)와 공동으로 건설교통부장관에게 개발구역의 지정을 제안할 수 있다. (단서 및 각호 생략)

제10조 (개발사업의 시행자 지정 등)
① 건설교통부장관은 제4조의 규정에 의하여 개발구역의 지정을 제안한 민간기업 등을 개발사업의 시행자로 지정한다.

제14조 (토지 등의 수용·사용)
① 시행자는 개발구역 안에서 개발사업의 시행을 위하여 필요한 때에는 공익사업을 위한 토지등의 취득 및 보상에 관한 법률 제3조의 규정에 의한 토지·물건 또는 권리(이하 '토지 등'이라 한다)를 수용 또는 사용(이하 '수용 등'이라 한다)할 수 있다.
③ 공익사업을 위한 토지등의 취득 및 보상에 관한 법률 제28조

의 규정에 의한 재결의 신청은 개발구역 토지면적의 50퍼센트 이상에 해당하는 토지를 확보(토지소유권을 취득하거나 토지소유자로부터 사용동의를 얻은 것을 말한다) 후에 이를 할 수 있다. 다만, 제10조2항의 규정에 의하여 공동으로 개발사업을 시행하는 경우에는 그러하지 아니하다.
⑤ 제1항의 규정에 의한 토지등의 수용등에 관한 재결의 관할 토지수용위원회는 중앙토지수용위원회가 된다.
⑥ 시행자는 공익사업을 위한 토지등의 취득 및 보상에 관한 법률이 정하는 바에 따라 개발사업의 시행에 필요한 토지등을 제공함으로 인하여 생활의 근거를 상실하게 되는 자에 대하여 주거단지 등을 조성·공급하는 등 이주대책을 수립·시행하여야 한다.
⑦ 제6항의 규정에 의하여 수립하는 이주대책에는 이주대상주민과 협의하여 당초 토지등의 소유상황과 생업 등을 감안하여 생활대책에 필요한 용지를 대체하여 공급하는 등 대통령령이 정하는 사항을 포함하여야 한다.
⑩ 제1항의 규정에 의한 토지등의 수용등에 관하여 이 법에 특별한 규정이 있는 경우를 제외하고는 공익사업을 위한 토지등의 취득 및 보상에 관한 법률을 준용한다.

Ⅰ. 기업도시 건설에 있어서 공공필요 - 설문(1)

- 공공필요의 내용은 #89. 1.
- 비교형량이 핵심. 민간기업의 영리추구를 목적으로 하기도 하지만, 지역경제 활성화 차원에서 추진되는 점을 감안할 때 공공필요에 해당. 특별법 제1조의 목적에서 공익의 내용을 포섭.
- 사인에게 수용권을 설정해 줄 수 있는지가 핵심
- 결국 공토법 제4조7호에 의한 공익사업에 해당됨.

Ⅱ. 乙의 의무이행심판청구의 인용가능성과 재결형식 - 설문(2)

1. 심판청구의 적법요건

⑴ 부작위의 존재(대상적격)

- 이주대책은 구속적 행정계획(정하중)으로서 공권력의 행사
- 특별법 제14조6항에 의하면 신청권 존재.
- 신청 후 상당한 기간이 도과하도록 아무런 조치가 없음.

⑵ 청구인적격

- 乙은 자신의 생활대책에 필요한 대체용지의 공급을 포함하는 이주대책의 수립을 구할 법률상 이익(행정심판법 제13조3항), 즉 신청권이 있기 때문에 청구인적격이 인정.

⑶ 피청구인적격

- 甲은 기업도시개발특별법 제4조, 제10조에 의해 토지수용권을 부여받은 공무수탁사인(기업자)으로서 기능적 의미의 행정청 해당.

2. 본안에서의 인용가능성

- 특별법 제14조6항은 이주대책의 수립·시행을 사업시행자의 의무로 규정. 乙이 기업도시개발로 인하여 실제로 생활의 근거지를 상실하여 특별법상의 요건을 구비했다면 乙의 청구는 인용될 것.

3. 재결형식

- 행정심판위원회의 기능을 수행하는 중앙토지수용위원회는 처분재결(형성재결) 및 처분명령재결(이행재결)을 할 수 있으나 사업시행자가 민간기업이며, 이주대책의 성질상 중앙토지수용위원회가 처분재결을 하는 것은 타당하지 않음. 처분명령재결이 타당.

Ⅲ. 丙의 불복방법

- 특별법(제14조10항)이 공토법 준용하므로 공토법 조문인용 필수

1. 이의신청(공토법 제83조1, 2항)

2. 행정소송(공토법 제85조)

- 원처분주의(행정소송법 제19조)
- 집행부정지(공토법 제88조)
- 보상금증액청구소송은 丙이 토지를 수용당하지 않기 위하여 제기할 수 있는 불복방법은 아님을 주의!

기출 사례 수용재결에 대한 불복/토지인도의무에 대한 대집행/공정력과 선결문제/기판력(10년 사시)

A시는 택지개발사업을 위해 관련 법령에 따른 절차를 거쳐 甲 소유의 토지 등을 취득하고자 甲과 보상에 관하여 협의하였으나 협의가 성립되지 않았다. 이에 A시는 관할 토지수용위원회에 재결을 신청하여 "A시는 甲의 토지를 수용하고, 甲은 그 지상 공작물을 이전한다. A시는 甲에게 보상금으로 1억원을 지급한다"라는 취지의 재결을 받았다. 그러나 甲은 보상금이 너무 적다는 이유로 보상금 수령을 거절하였다. 그러자 A시는 보상금을 공탁하였고, A시장은 甲에게 보상 절차가 완료되었음을 이유로 위 토지상의 공

작물을 이전하고 토지를 인도하라고 명하였다.

1. 甲이 토지수용위원회의 재결에 불복할 경우 적절한 구제 수단은? (20점)
2. 甲이 공작물이전명령 및 토지인도명령에 응하지 않을 경우 A시장은 이를 대집행할 수 있는가? (8점)
3. 만약 A 시장이 대집행했을 때, 甲이 "위법한 명령에 기초한 대집행으로 말미암아 손해를 입었다"라고 주장하면서 관할 민사법원에 국가배상청구소송을 제기한다면 민사법원은 위 명령의 위법성을 스스로 심사할 수 있는가? (12점)
4. 甲이 위 명령에 대해 관할 행정법원에 취소소송을 제기하여 청구기각판결을 받아 그 판결이 확정되었더라도 甲은 후소인 국가배상청구소송에서 위 명령의 위법을 주장할 수 있는가? (10점)

Ⅰ. 수용재결에 대한 甲의 불복수단 - 설문(1)

1. 문제의 소재

공익사업을 위한 토지 등의 취득 및 보상에 관한 법률(이하'토지보상법')제50조에 의하면 토지수용위원회는 보상액을 재결의 형식으로 수용 등과 함께 결정하는데 수용재결은 행정심판의 재결이 아니라 원행정행위의 성질을 갖는데 토지보상법은 특별한 불복절차를 규정

2. 이의신청

(1) 이의신청(토지보상법 제83조)

(2) 이의재결

이의신청을 받은 중앙토지수용위원회는 원재결이 위법 또는 부당한 때에는 재결의 전부 또는 일부를 취소하거나 보상액을 변경할 수 있다.

제85조1항의 규정에 의한 기간 이내에 소송이 제기되지 아니하거나 그 밖의 사유로 이의신청에 대한 재결이 확정된 때에는 민사소송법상의 확정판결이 있은 것으로 보며, 재결서 정본은 집행력 있는 판결의 정본과 동일한 효력을 가진다(제86조1항).

(3) 사안의 경우

甲은 수용재결을 취소해 달라는 이의신청을 할 수도 있지만 보상금이 너무 적으므로 보상금을 증액해 달라는 이의신청을 제기하여 권리구제를 강구할 수 있다. 재결서 정본을 송달받은 날부터 30일 이내에 중앙토지수용위원회에 이의신청을 하여야 한다.

3. 행정소송

(1) 토지보상법상 행정소송

사업시행자·토지소유자 또는 관계인은 수용재결에 대하여 불복이 있는 때에는 재결서를 받은 날부터 60일 이내에, 이의신청을 거친 때에는 이의신청에 대한 재결서를 받은 날부터 30일 이내에 각각 행정소송을 제기할 수 있다(제85조1항).

불복 내용이 수용 자체를 다투는 것인 때에는 재결에 대하여 취소소송 또는 무효확인소송을 제기하고, 보상금의 증감을 청구하는 것인 때에는 보상액의 증감을 청구하는 소송을 제기하여야 한다(제85조2항).

이의신청을 거쳐 항고소송을 제기할 경우에 원처분인 수용재결이 소송의 대상이 되고 이의재결은 재결에 고유한 위법이 있는 경우에만 소송의 대상이 된다(원처분중심주의).

사안에서 같은 수용재결을 취소해달라는 항고소송을 제기할 수도 있겠으나 단지 보상액이 너무 적다는 것을 이유로 행정소송을 제기하는 것이므로 수용자체를 다투는 재결에 대한 항고소송보다는 보상액의 증액청구소송이 문제될 것이다.

(2) 보상금증액청구소송

1) 의의

2) 피고

2) 형식적 당사자소송

3) 형성소송, 확인소송, 이행소송 여부

(3) 사안의 경우

甲은 수용재결서를 받은 날부터 60일 이내에, 이의신청을 제기한 경우는 이의재결서를 송달받는 날부터 30일 이내에 사업시행자를 피고로 하여 보상금증액청구소송을 제기할 수 있음.

4. 소 결

甲은 토지수용위원회의 재결에 대하여 이의신청을 하고 이의재결에 대해서도 불복이 있는 경우 보상금증액청구소송을 제기할 수 있고, 이의신청을 하지 않고 바로 보상금증액청구소송을 제기할 수도 있음.

Ⅱ. 공작물이전명령 및 토지인도명령에 대한 대집행의 가능성 - 설문(2)(#62.Ⅳ, #152.Ⅱ.4.)

1. 문제의 소재

- 대집행은 대체적 작위의무(타인이 대신하여 행할 수 있는 의무)의 불이행이 있는 경우 당해 행정청이 불이행된 의무

를 스스로 행하거나 제3자로 하여금 이행하게 하고, 그 비용을 의무자로부터 징수하는 것을 말함(행정대집행법 제2조).

- A시장의 대집행이 인정되기 위해서는 ① 법령 또는 법령에 의거한 행정청의 명령에 의한 공법상 의무가 있어야 하며 ② 대체적 작위의무의 불이행이 있고 ③ 다른 수단으로는 그 이행을 확보하기 곤란하고 ④ 그 불이행을 방치함이 심히 공익을 해할 것으로 인정되어야 하는데, 사안의 경우 A시장이 토지보상법에 의거하여 甲에게 보상 절차가 완료되었음을 이유로 토지상의 공작물을 이전하고 토지를 인도하라고 명하였으므로 법령에 의거한 행정청의 명령에 의한 공법상 의무는 존재한다. 문제는 공작물 이전 및 토지인도의무가 대체적 작위의무에 해당되어서 대체적 작위의무의 불이행이 있는지가 문제됨.

2. 공작물 이전 및 토지인도의무가 대체적 작위의무에 해당되는지 여부

- 토지 및 건물의 인도 내지는 명도의무는 대체적 작위의무에 해당하지 않는다는 것이 학설·판례의 입장.

- A시장이 甲에게 보상 절차가 완료되었음을 이유로 토지상의 공작물을 이전하고 토지를 인도하라고 명한 것은 그 주된 목적이 갑이 설치한 공작물 자체의 이전이 아니라, 토지에 대한 점유자의 점유를 배제하고 그 점유이전을 받는데 있다고 할 것인데, 이러한 의무는 그것을 강제적으로 실현함에 있어 직접적인 실력행사가 필요한 것이지 대체적 작위의무에 해당하는 것은 아니어서 직접강제의 방법에 의하는 것은 별론으로 하고 행정대집행법에 의한 대집행의 대상이 되는 것은 아님. 따라서 A시장은 행정대집행법에 의한 대집행을 할 수 없으며 판례도 이러한 입장.

- 공작물 내에 존치된 물건의 이전의무는 대체적 작위의무라고 볼 여지도 있으나 공작물의 인도의무의 이행에 수반되는 필요적인 행위이며 그 자체가 독립적인 의무의 내용을 이루는 것으로 보기는 어려움.

3. 토지보상법상의 대집행의 가능성

- 토지보상법 제89조는 토지보상법 또는 동법에 의한 처분으로 인한 의무를 이행하여야 할 자가 그 정하여진 기간 이내에 의무를 이행하지 아니하는 경우 행정대집행법이 정하는 바에 따라 대집행을 할 수 있도록 규정하고 있으므로 토지 및 건물의 인도 의무는 대체적 작위의무가 아니라는 일반적인 이론에도 불구하고 대집행이 가능한 것은 아닌지 문제됨.

- 토지보상법이 명문으로 대집행을 인정한 점에 비추어 대집행이 가능하다고 보는 견해[3]도 있으나 토지보상법의 규정은 대집행에 관한 개별적인 근거 규정을 마련함과 동시에 행정대집행법상의 대집행 요건 및 절차에 관한 일부 규정만을 준용한다는 취지에 그치는 것이고, 그것이 대체적 작위의무에 속하지 아니하여 원칙적으로 대집행의 대상이 될 수 없는 다른 종류의 의무에 대하여서까지 강제집행을 허용하는 취지는 아니라고 보는 것이 타당.

4. 소 결

- A시장의 갑의 의무불이행에 대한 대집행은 불가.

Ⅲ. 국가배상청구소송에서 민사법원이 명령의 위법성을 심사할 수 있는지 여부 - 설문(3)(#44. V, #45)

1. 문제의 소재

- 국가배상청구소송의 수소법원은 국가배상청구권의 존부를 판단하는데 선결문제로서 공작물 이전 및 토지인도명령의 위법성을 심리하는 것이 공정력 내지는 구성요건적 효력에 반하는 것은 아닌지 문제됨.

- 국가배상청구소송이 민사소송인지 당사자소송인지 논의가 있으나 설문의 경우 관할민사법원에 제기하였다고 하므로 국가배상청구권이 사권임을 전제로 민사소송의 제기가 적법한 것을 전제로 논의.

2. 공정력 및 구성요건적 효력

- 일반론 서술

- A시장의 공작물 이전 및 토지인도명령이 당연무효사유가 있는 하자가 있다면 공정력 및 구성요건적 효력은 존재하지 않으나 취소사유에 불과한 하자가 있는 경우에는 공정력 및 구성요건적 효력이 존재.

3. 공정력 및 구성요건적 효력과 선결문제

(1) 문제점

- 선결문제란 특정한 소송사건에 관하여 그 판결을 하기 위한 전제로서 우선 결정을 요하는 문제를 말하는데 행정행위의 적법여부 또는 유효여부를 항고소송의 관할법원의 결정 없이 항고소송의 관할법원 이외의 법원이 스스로 심리·판단할 수 있는가의 문제임.

- 행정행위의 하자가 무효인 경우에는 행정소송법 11조에 의하여 선결문제로 심리할 수 있는데 취소사유인 경우에는 공정력과 선결문제로서 견해대립이 있음. 공정력과 구성요건적 효력을 구분하는 견해는 구성요건적 효력의 문제로 봄.

(2) 학 설

1) 부정설

2) 긍정설

(3) 판례 - 긍정설

4. 검토 및 사안의 해결

행정행위의 위법을 이유로 한 국가배상청구소송의 경우에는 행정행위의 효력의 문제가 아니라 단순히 위법성 심사에 그치는 것. 따라서 국가배상청구소송의 수소법원인 관할 민사법원은 그 전제가 된 공작물 이전 및 토지인도의무 처분의 위법성을 심리할 수 있음. 국가배상청구의 다른 요건들이 충족되었다면 甲의 청구는 인용될 수 있음.

Ⅳ. 취소소송의 기판력이 국가배상청구소송에 미치는지 여부 - 설문(4)(#126)

1. 문제의 소재

- 후소인 국가배상청구소송에서 갑에 대한 명령의 위법을 주장할 수 있는가는 취소소송의 기판력이 후소인 국가배상청구소송에 미치는지의 문제로서 취소소송의 소송물, 국가배상법 제2조 요건의 '위법'의 의미, 항고소송의 위법과 국가배상법상의 위법의 관계 등과 관련됨.
- 취소소송의 소송물이 위법성 일반이라는 것이 다수설·판례인 바 이를 전제로 논의.

2. 국가배상 요건으로서의 위법성 판단기준

- 국가배상법 제2조의 '법령을 위반하여'의 의미에 대해서 ① 행위위법설 ② 결과불법설 ③ 상대적 위법성설 등의 대립.
- 판례는 원칙상 행위위법설을 취하고 있는 것으로 보이나 상대적위법성설을 취한 판례라고 평가되는 판례도 존재.
- 결과불법설과 상대적 위법성설은 위법성개념을 지나치게 확대할 우려가 있어 위법행위로 인한 손해배상제도와 적법행위로 인한 손실보상제도를 구분하고 있는 현행 법체계에서 볼 때 무리가 있으며, 법질서의 통일성을 고려할 때 법령의 명문규정은 물론 조리에 의한 제한을 받는 행위위법설이 타당.

3. 항고소송의 위법과 국가배상청구소송에서의 위법의 관계

- 결과불법설, 상대적 위법성설의 입장에서는 국가배상소송은 위법한 행정작용에 의한 경제적 손실의 전보를 목적으로 하며, 항고소송은 이미 행해진 행정처분의 효력을 부정하는 것을 목적으로 하므로 위법성을 달리 파악하나(이원설)
- 협의의 행위위법설의 입장에서는 양 소송의 위법성은 모두 객관적 법규범의 위반으로 법질서통일성의 차원에서 양자는 동일하다고 보는 것이 타당(일원설).

4. 항고소송의 기판력이 국가배상소송에 미치는지 여부

- 위법성개념이 다르다는 입장에서 항고소송의 기판력이 국가배상소송에 미치지 않는다는 부정설, 국가배상소송의 위법성을 항고소송의 위법성보다 넓게 보는 입장에서 인용판결의 기판력은 국가배상소송에 미치지만 기각판결의 기판력은 국가배상소송에 미치지 않는다는 제한적 긍정설이 있으나, 행위위법설을 취하면서 항고소송의 위법과 국가배상소송의 위법이 동일하다고 보게 되면 항고소송의 기판력은 국가배상소송의 고의·과실의 요건을 제외한 위법성 자체의 판단에는 미친다는 기판력긍정설이 타당. 취소소송에서 판결이 확정된 경우 주문에서 발생한 위법, 적법 여부가 후소인 국가배상청구소송에서 선결관계로 작동하는 국면이 됨.
- 긍정설에 의하면 갑이 제기한 취소소송에서 청구기각판결이 확정되면 명령이 적법하다는 데에 기판력이 발생하고 후소인 국가배상청구소송에 미치므로 甲은 국가배상청구소송에서 명령이 위법하다는 주장을 할 수 없게 됨.
- 국가배상에서의 위법개념을 달리 보는 기판력 부정설에 의하면 甲은 국가배상청구소송에서 기각판결과 관계 없이 명령이 위법하다는 주장을 할 수 있게 됨.

5. 소 결

- 항고소송의 기판력이 후소인 국가배상청구소송에 미치므로 甲은 명령이 위법하다는 주장을 할 수 없음.

---

3) 박균성 1181면. 박교수님은 이 경우 대집행의 실질이 직접강제라고 함.

97 수용유사침해이론

Ⅰ. 서 설

1. 의 의

'위법'한 행위에 의해 재산권이 직접 침해된 경우, **수용에 준하여 손실보상**을 하여야 한다는 법이론이다.

2. 구별개념

① 행정청의 행위가 위법함을 전제로 한다는 점에서 **적법**한 행위에 대한 **본래의 공용침해보상(손실보상)과 구별**되고 ② 재산권 침해에 대한 보상이라는 점에서 **비재산권 침해**를 전제로 하는 **희생보상**과 구별되며, ③ 그 침해가 의도적으로 발생한다는 점에서 **비의도적 침해**인 **수용적 침해**와 구별된다.

Ⅱ. 인정 여부

본래 독일에서 논의된 수용유사침해 이론을 도입할 것인지에 대해 긍정설과 부정설이 대립한다. **판례**는 이른바 MBC주식 강제 국가귀속조치사안에서 **수용유사침해의 법리를 언급하였지만 명시적 판단은 유보하고 당해 사안에서 적용을 부정**한 바 있다.

대법원 **수용유사적 침해**의 이론은 국가 기타 공권력의 주체가 **위법하게 공권력을 행사하여 국민의 재산권을 침해**하였고 그 **효과가 실제에 있어서 수용과 다름없을 때에는 적법한 수용이 있는 것과 마찬가지**로 국민이 그로 인한 **손실의 보상을 청구**할 수 있다는 것인데, **우리 법제하에서 그와 같은 이론을 채택할 수 있는 것인가는 별론**으로 하더라도 1980.6.말경의 비상계엄 당시 국군보안사령부 정보처장이 **언론통폐합조치의 일환으로 사인 소유의 방송사 주식을 강압적으로 국가에 증여**하게 한 것이 위 **수용유사행위에 해당되지 않는다**(대판 1993.10.26, 93다6409).

수용유사침해이론은 독일의 관습법인 희생보상청구권에 근거하여 인정되는 것인데, 이러한 제도를 두고 있지 않은 우리나라에서 이를 도입하는 것은 타당하지 않다. 결국 피해자는 현행법상 위법한 행정작용에 대하여 취소소송을 제기하여 재산권 회복을 도모할 수 있을 것이다. 다만 수용유사침해이론을 인정할 경우 그 요건은 아래와 같다.

Ⅲ. 요 건

공공필요에 의하여 재산권에 대한 **위법**한 공용침해가 있어 특별희생이 있어야 한다. 수용유사 침해제도의 **초기** 형태는 공용침해로 **특별희생이 야기되었으나 보상규정을 두지 않은 경우**에 보상규정을 두지 않은 것이 **불가분조항에 반하는 위법한 것으로서 보상**을 하는 것이었으나, **변형**된 수용유사 침해의 형태는 위법한 공권력 행사에 의해 재산권의 직접적인 침해가 있으면 **위법행위로 인한 손해 그 자체가 특별희생**이라고 보아 특별희생이 발생되었는지 여부는 검토하지 않고 단순히 **침해의 위법성만을 이유로 보상**을 하게 되었고 위법성이 보상규정의 결여에 기인하건, 여타의 실정법규정 위반에 기인하건 불문하였다.

Ⅳ. 효 과

손실보상의 일반원리가 그대로 적용되어 보상을 청구할 수 있으며, 국가배상청구권과는 경합한다.

98 수용적 침해이론

Ⅰ. 서 설

적법한 공행정작용의 **비전형적, 비의도적 효과**로서 발생한 개인의 재산권에 대한 침해에 대해 손실보상을 인정하려는 이론이다(예: 지하철 공사의 장기화로 인해 인근 상가의 매출이 감소한 경우). 독일에서는 수용유사침해이론에서와 마찬가지로 희생보상청구권에 근거하여 주장되고 있다.

Ⅱ. 인정 여부(우리나라에의 수용 여부)

1. 학 설

① **도입긍정설**은 의도되지 않은 재산권제약행위에 대해서도 **헌법 제23조3항을 유추적용**하여 헌법규정에 의한 손실보상이 인정된다고 한다. ② **도입부정설**은 **헌법 제23조3항을 직접적인 근거**로 손실보상청구를 할 수 있다는 견해(**손실보상설**)와 헌법규정(제23조3항)상 법률에 근거를 두지 않는 한 수용적 침해이론에 의한 보상청구는 어려우며 **입법적으로 해결해야** 한다는 견해(**보상부정설**)가 있다.

2. 검 토

수용유사침해에서의 논의와 마찬가지로 **독일과 같은 희생보상사상이 형성되어 있지 않은 우리 법제**에서는 인정할 근거가 없으며, **수용적 침해가 논의되는 상황**은 당해 행정작용에 의해 사전에 예정되고 의도된 손실발생이 아닌 경우이므로 **처음부터 헌법 제23조3항이 적용될 수 없는 경우**에 해당. 따라서 헌법 제23조3항을 직접적용 또는 유추적용하여 논리를 구성하는 입장은 타당하지 않으며 **입법적으로 별도의 보상규정을 마련**하는 것이 **타당**.

Ⅲ. 요 건(인정할 경우)

공공필요에 의하여 재산권에 대한 공용침해가 있어 특별희생이 있어야 한다. 공용침해는 적법한 공권력 행사에 의해 직접 가해진 재산권 침해이되, **의도되지 않은 침해**를 말한다.

Ⅳ. 효 과

수용적 침해개념을 인정할 경우 **보상규정이 없어**도 특별한 희생에 대해서는 **보상청구를 인정**할 수 있다. 그러나 침해행위가 원칙적으로 사실행위에 의한 것이고 비의도적이라는 점에서 보상규정이 없더라도 위헌은 아니며, 따라서 국가배상법상의 손해배상청구는 인정되기 어려울 것이다.

99 희생보상청구권

Ⅰ. 서 설

공공필요에 의하여 사인의 비재산적인 법익에 특별한 희생을 가져오는 공법상 직접적인 침해에 대한 보상청구권을 말한다. 수용보상이나 수용유사침해보상이 재산상 손실에 대한 보상인 점과 구별된다.

Ⅱ. 법적 근거

1. 독 일

프로이센일반란트법 제74·75조에서 비롯하여 판례상 발전한 헌법적 효력의 관습법으로 인정받고 있다.

2. 우리나라 – 일반적인 근거는 없음

⑴ 문제점

전염병예방법 제54조의2(예방접종으로 인한 피해에 대한 국가보상), 소방기본법 제34조의2(소방활동에 종사한 자의 사망, 부상시 보상) 등 개별법에서 규정을 두고 있는데, 이러한 명문규정 없이도 희생보상청구권을 인정할 수 있는지 문제가 된다.

⑵ 학 설

1) 부정설은 희생보상제도는 독일에서 관습법적 근거를 갖는 제도로서 인정되는 것으로 우리나라에서는 인정하기에 무리가 있으며, 또한 헌법 제23조3항의 의미를 중시하는 한 법률의 규정 없이 바로 희생보상청구권에 의해 손실보상청구를 허용할 수 없다는 것을 논거로 한다.

2) 긍정설은 다시 ① 헌법상 기본권조항(제10조, 제12조), 평등조항(제11조), 헌법 제37조1항, 2항을 직접 근거로 청구할 수 있다는 견해, ② 기본권 규정과 평등조항의 정신에서 간접적으로 도출할 수 있다는 견해, ③ 헌법 제23조3항의 직접효력설에 입각하여 물론해석에 따라 재산권보다 더 가치있는 생명신체의 침해의 경우 당연히 보상해야 한다는 견해 등이 있다.

3) 검 토

일반적으로 재산권보다 생명, 신체에 관한 기본권이 우월하다고 볼 수 있는데, 그렇다면 재산권에 대해서는 헌법상 명문규정에 의해 보상을 인정하면서 비재산권에 관해서는 보상을 인정하지 않는 것은 부당하며, 평등원칙에도 위반될 소지가 있다. 나아가 비재산권에 대한 침해를 규정한 법률이 아무런 보상규정을 두지 않는다면 이는 헌법 제37조2항에 규정한 기본권의 본질내용침해금지라는 한계를 위반한 것이 되므로 헌법 조항을 직접 근거로 청구할 수 있다는 견해가 타당하다.

Ⅲ. 요 건

1. 공공의 필요

2. 적법한 공권력행사

3. '비재산적' 법익에 대한 침해

4. 특별한 희생

Ⅳ. 효과(보상의 내용)

비재산적 침해에 따른 재산적 손해(예: 치료비, 일실이익)만 보상하며, 정신적 피해를 이유로 한 위자료 청구는 인정되지 않는다.

100 결과제거청구권

Ⅰ. 의 의

위법한 공행정작용으로 인해 자기의 권리가 침해되고 또한 그 위법침해로 인해 야기된 상태가 계속되는 경우, 행정주체에 대하여 침해 이전의 상태로 다시 회복시켜 줄 것을 요구할 수 있는 청구권이다. 공법상 원상회복청구권이라고도 한다. 기존의 손해배상(금전배상원칙) 및 행정행위의 취소소송제도(청구 인용되어도 원상회복적 효과 갖지 못하는 경우)로는 권익구제가 미흡한 경우에 그 의의가 있다.

결과제거청구권은 원상회복을 목적으로 하고 결과제거는 공행정작용의 직접적인 결과만을 대상으로 한다는 점에서, 금전에 의한 배상을 목적으로 하고 가해행위와 상당인과관계 있는 손해를 대상으로 하는 국가배상과 구별된다.

Ⅱ. 성 질

1. 물권적 청구권 여부

물권적 청구권이라는 견해도 있으나, 명예훼손발언과 같은 비재산적 침해의 경우에도 적용될 수 있으므로 물권적 청구권으로 한정하는 것은 타당하지 않다(다수설).

2. 공권 여부

법적 권원 없는 행위로 야기된 물권적 침해 상태의 제거를 도모하는 권리이므로 사인 상호간의 법률관계와 같이 취급하는 것이 타당하다는 사권설이 있으나, 행정주체의 공행정작용을 원인으로 한 침해상태를 제거함을 목적으로 하는 점에서 공권으로 보는 것이 타당하다.

Ⅲ. 근 거

헌법상 법치주의 내지 법률에 의한 행정의 원리 및 기본권 규정과 민법상 소유권에 기한 방해배제청구권 규정에서 유추적용 할 수 있고 소송법적 근거로 관련청구의 이송 및 병합규정(행소법 제10조), 판결의 기속력에 관한 규정(행소법 제30조1항)이 있다.

Ⅳ. 요 건 - 공. 법(권). 위. 기. 가

1. 공행정작용으로 인한 위법한 침해

공행정작용은 법적인 행위로서 행정행위 뿐만 아니라 사실행위(예: 공표)도 포함한다. 권력작용뿐만 아니라 미권력작용도 포함되나 사경제작용은 제외된다.

2. 법률상 이익(권리)의 침해

반사적 이익의 침해는 성립하지 않는다. 재산상 가치 있는 권리에 한정하지 않고 명예·신용 등 비재산적 이익도 포함된다.

3. 위법한 상태의 계속(침해의 계속성)

침해가 위법해야 한다. 위법상태는 처음부터 위법한 것일 수도 있고, 적법한 행정작용의 효력상실에 의해 사후적으로 발생할 수도 있다. 위법상태의 존부는 사실심변론종결시를 기준으로 한다. 위법한 행정행위로 인한 침해는 행정행위에 취소사유가 있는 경우에는 취소쟁송이 선행되어야 한다. 행정행위의 공정력으로 인하여 위법상태가 정당화될 수 있기 때문이다.

4. 결과제거의 가능성

원상회복이 사실상·법률상 가능하여야 한다.

5. 원상회복의 기대가능성

행정주체가 원상회복을 해 줄 수 있음을 기대할 수 있어야 한다. 예컨대 원상회복에 지나치게 많은 비용이 필요하거나, 그 원상회복이 우월한 공익에 반하는 경우에는 기대가능성이 존재하지 않는다.

판 례 대지소유자가 그 소유권에 기하여 그 대지의 불법점유자인 시에 대하여 권원 없이 그 대지의 지하에 매설한 상수도관의 철거를 구하는 경우에 **공익사업으로서 공중의 편의를 위하여 매설한 상수도관을 철거할 수 없다거나** 이를 **이설할 만한 마땅한 다른 장소가 없다는 이유만으로써는** 대지소유자의 위 철거청구가 오로지 타인을 해하기 위한 것으로서 **권리남용에 해당한다고 할 수는 없다**(대판 1987.7.7, 85다카1383).

Ⅴ. 효과(내용)

1. 원상회복의무의 발생

원상회복이란 **공행정작용에 의한 직접적인 결과의 제거만을 목적**으로 하며, 따라서 원래 상태로의 완전한 회복에 미달할 수도 있음(예: 행정청이 위법하게 무주택자로 하여금 특정개인의 주택에 입주하도록 한 경우에 당해 주택의 소유자는 행정청에게 당해 무주택자를 주택으로부터 퇴거시킬 것을 청구할 수 있을 뿐 무주택자가 손상시킨 부분의 원상회복을 청구할 수는 없음).[1)]

2. 과실상계의 문제

피해자에게도 과실이 있는 경우에는 민법의 과실상계 규정이 유추적용된다.

3. 손해배상

원상회복을 통하여 피해가 충분히 구제되지 않는 경우에는 손해배상청구권도 행사할 수 있다.

Ⅵ. 쟁송절차

1) 결과제거청구권을 공권으로 본다면 그 **이행소송은 당사자소송의 형태로 구제**받을 수 있으며, 이미 행정행위에 대한 **취소소송이 제기되어 있다면 당사자소송을 관련청구소송으로 병합** 제기할 수 있다(행정소송법 제10조).

2) 그러나 현재 **판례는 공법상 위법상태의 제거를 구하는 당사자소송(이행소송)을 인정한 바는 없다.**

3) 판례와 같이 공법상 결과제거청구권을 **명시적으로 인정하지 않는 경우에도 일정한 한도 내에서 위법한 결과의 제거가 가능**하다(박균성).

① 위법한 처분에 의해 발생한 위법한 결과는 **취소판결의 기속력인 원상회복의무에 의해** 제거 가능하다.

② **개별법에서 결과제거청구권이 인정**되고 있는 경우(인신보호법상 불법구금의 해제를 구하는 청구소송)에는 **공법상 당사자소송**으로 제기 가능하다.

③ 처분이 무효인 경우 또는 적법한 행정작용의 효력 상실로 위법한 결과가 사후적으로 발생한 경우에 행정청이 권원 없이 물건을 점유하고 있거나 소유권을 방해하는 경우에는 **민법상의 소유물반환청구권(민법 제213조) 또는 소유물방해제거청구권(민법 제214조)에 근거하여 민사소송**으로 **물건의 반환 또는 방해의 제거 청구**가 가능하다.

1) 교과서상에 일반적으로 소개되는 예임. 홍정선 교수님은 다음과 같은 예를 들기도 함. "막힌 골목길을 무단으로 공사하여 차도로 연결함으로서 그 골목길의 주민의 권리가 침해를 받는 경우 결과제거청구권은 복원공사가 아니라 무단으로 연결된 도로의 폐쇄처분을 내용으로 한다"(홍정선 599면.Ⅳ.2)

101 행정심판법 개관[1]

Ⅰ. 행정심판의 의의

행정심판은 **행정상 법률관계에 관한 분쟁을 행정기관이 심리·판정하는 쟁송절차**를 말한다. **헌법 제107조3항**은 "재판의 전심절차로서 행정심판을 할 수 있다. 행정심판의 절차는 법률로 정하되 사법절차가 준용되어야 한다"고 하여 헌법적 근거를 마련하고 있다. 행정심판은 분쟁에 대한 **심판작용으로서의 성격을 갖는 동시에 행정작용**으로서의 성격을 갖는다. 행정심판의 존재이유는 자율적 행정통제, 행정능률의 보장, 행정의 전문지식의 활용과 사법기능의 보완, 소송경제의 확보 등이라고 수 있다.

Ⅱ. 행정소송과 구별

행정심판과 행정소송은 쟁송이라는 점에서는 동일하지만 심리기관, 심판의 대상, 심리절차 등에 있어서 차이가 있다. 행정심판은 **행정기관이 심리기관**이며, 소송과 달리 **위법한 행위 뿐만 아니라 부당한 행위도 심판의 대상**이 되며, 소송이 구두변론주의를 원칙으로 하는 것과 달리 **서면심리주의와 구술심리주의가 병행적용**된다. 행정소송법은 행정소송을 항고, 당사자, 민중, 기관소송으로 분류하지만 **행정심판법은 항고심판의 성격을 갖는 취소심판,무효등 확인심판,의무이행심판만을 규정**하고 있다. **당사자심판은 개별법에서 인정하는 경우에 인정**된다. 행정심판법은 행정소송과는 달리 **의무이행심판을 인정**하고 있으며 **임시처분제도**(제31조)**를 도입**하고 있다는 것이 비교되는 특징이다.

임시처분은 행정청의 **처분이나 부작위 때문에 발생할 수 있는 당사자의 중대한 불이익이나 급박한 위험을 막기 위하여 당사자에게 임시지위를 부여**하는 것인데 **집행정지로 목적을 달성할 수 있는 경우에는 허용되지 않으므로** 결국 **거부처분이나 부작위**의 경우에 임시처분이 **가능**하다. **집행정지의 요건**도 행정소송에서는 "회복하기 어려운 손해"를 요구함에 비하여 심판에서는 **"중대한 손해"**로 요건이 완화되었다.

Ⅲ. 이의신청과 구별

이의신청은 **위법·부당한 행정작용으로 권리나 이익이 침해된 자가 행정청에 대하여 그러한 행위의 시정을 구하는 절차**를 말한다. **실무상 진정**으로 표현되기도 한다.

이의신청과 행정심판의 구별이 문제되는데 ① 행정심판은 원칙적으로 **처분청의 직근상급행정기관에 속한 행정심판위원회**에 제기하는 반면, 이의신청은 **처분청 자신**에 대하여 제기하는 것이며, ② 행정심판은 **사법절차가 준용**되는 반면(헌법 제107조 3항) 이의신청은 **사법절차가 준용되지 않는다.** 개별법상의 이의신청이 단순히 **진정의 성격을 갖는 경우도** 있으며(개별공시지가에 대한 이의신청, 민원사무처리에 관한 법률상의 이의신청, 정보공개거부결정에 대한 이의신청 등), **행정심판의 성격을 갖는 경우도** 있다(토지수용위원회의 수용재결에 대한 이의신청).

행정심판의 성격을 갖는 경우에는 **이의신청을 거친 후**에 처분에 대하여 **다시 행정심판을 청구할 수 없으며, 이의신청에 대한 결정**이 재결에 해당하므로 **재결자체에 고유한 위법이 있으면 취소소송의 대상**이 될 수 있다.

행정심판이 아닌 **진정의 성격을 가진 이의신청**에 해당한다면 **기각 결정**은 **종전의 처분을 유지함을 전제**로 한 것에 불과하여 **독립한 처분의 성질을 갖지 않으며** 처분에 대한 행정심판이나 행정소송의 제기에도 영향을 주지 못한다. 반면에 **이의신청의 대상이 된 처분을 취소하거나 변경하는 결정은 직권취소 내지는 종전의 처분을 대체하는 새로**

---

1) **행정심판법을 반드시 검토**해야 한다. **선택형 문제는 조문문제가 출제될 가능성도 높다.** 행정소송과 비교하면서 학습을 하되, 차이점 위주로 학습하면 된다.

운 처분으로서 취소소송의 대상이 된다.

판 례 민원사무처리에 관한 법률(이하 '민원사무처리법'이라 한다)제18조 제1항에서 정한 거부처분에 대한 이의신청(이하 '민원 이의신청'이라 한다)은 행정청의 위법 또는 부당한 처분이나 부작위로 침해된 국민의 권리 또는 이익을 구제함을 목적으로 하여 행정청과 별도의 행정심판기관에 대하여 불복할 수 있도록 한 절차인 행정심판과는 달리, 민원사무처리법에 의하여 민원사무처리를 거부한 처분청이 민원인의 신청 사항을 다시 심사하여 잘못이 있는 경우 스스로 시정하도록 한 절차이다. 이에 따라, 민원 이의신청을 받아들이는 경우에는 이의신청 대상인 거부처분을 취소하지 않고 바로 최초의 신청을 받아들이는 새로운 처분을 하여야 하지만, 이의신청을 받아들이지 않는 경우에는 다시 거부처분을 하지 않고 그 결과를 통지함에 그칠 뿐이다. 따라서 이의신청을 받아들이지 않는 취지의 기각 결정 내지는 그 취지의 통지는, 종전의 거부처분을 유지함을 전제로 한 것에 불과하고 또한 거부처분에 대한 행정심판이나 행정소송의 제기에도 영향을 주지 못하므로, 결국 민원 이의신청인의 권리·의무에 새로운 변동을 가져오는 공권력의 행사나 이에 준하는 행정작용이라고 할 수 없어, 독자적인 항고소송의 대상이 된다고 볼 수 없다고 봄이 타당하다(대판 2012. 11. 15. 2010두8676).

Ⅳ. 행정심판법상 행정심판의 종류

행정심판법 제5조는 처분에 대한 취소심판, 무효등확인심판과 거부처분이나 부작위에 대한 의무이행심판을 규정하고 있다. 항고소송에서는 의무이행소송이 인정되고 있지 않은 것과 달리 의무이행심판이 인정되고 있다는 특색이 있다. 법 제43조는 재결의 종류에 관해서 취소심판에서는 취소 · 변경 · 변경명령재결을, 무효등확인심판에서는 무효 · 유효 · 존재 · 부존재 확인재결을 인정하고(해석상 실효확인재결도 인정), 의무이행심판에서는 처분재결 · 처분명령재결을 인정하고 있다. 취소심판에서 형성재결 뿐만 아니라 변경명령재결과 같은 이행재결이 인정되고, 의무이행심판에서도 이행재결 뿐만 아니라 처분재결이라는 형성재결이 인정된다.

거부처분은 취소심판이나 무효등확인심판의 대상도 되지만 의무이행심판의 대상도 되는데, 거부처분에 대한 취소심판에서는 재처분의무의 인정여부에 대하여 논란이 있고 인정된다고 하더라도 불이행시 간접강제와 같은 강제수단이 없다(행정소송법과 달리 간접강제가 없음). 그러나 의무이행심판에서는 처분재결이 가능하며 이행재결의 기속력(제49조2항)이나 직접처분(제50조)규정을 고려하건대 의무이행심판이 거부처분에 대하여 더 효과적인 구제수단이 된다.

Ⅴ. 행정심판기관

행정심판기관은 행정심판청구를 수리하고 이를 심리 · 재결할 수 있는 권한을 가진 행정기관을 말한다. 종래에는 심리 · 의결기능은 행정심판위원회에 부여하고, 처분청의 직근상급행정기관인 재결청은 의결에 구속되어 형식적인 재결을 행하도록 하여 이원화되었으나 현행 행정심판법은 행정심판위원회가 심리 · 의결뿐만 아니라 재결까지 하도록 하여 절차를 일원화하고 있다.

행정심판법상 행정심판위원회의 종류는 처분행정청 소속의 행정심판위원회(제6조1항), 중앙행정심판위원회(제6조2항), 시 · 도지사 소속의 행정심판위원회(제6조3항), 직근 상급행정기관 소속의 행정심판위원회(제6조4항), 개별법에서 설치한 특별행정심판기관(소청심사위원회, 조세심판원 등)이 있다.

Ⅵ. 기 타

행정심판위원회는 심판청구의 대상이 되는 처분 또는 부작위 외의 사항에 대하여는 재결하지 못하며(불고불리의 원칙, 제47조1항), 심판청구의 대상이 되는 처분보다 청구인에게 불리한 재결을 하지 못한다(불이익변경금지원칙, 제47조2항).

판결에는 재심이 인정되는 것과 달리 재결에는 행정심판의 재청구는 금지된다(제51조). 재결이 있으면 그 재결 및 같은 처분 또는 부작위에 대하여 다시 행정심판을 청구할 수 없다.

102 재결 관련 논점

1. 재결의 의의

재결이란 행정심판절차의 최종적 산물로서, 심판청구에 대한 행정심판위원회의 종국적 판단을 담은 의사표시를 말한다. 행정심판법 제2조3호는 "행정심판의 청구에 대하여 법 제6조에 따른 행정심판위원회가 행하는 판단"이라고 정의하고 있다. 재결은 준사법적 행위로서 불가변력이 발생한다.

2. 취소심판의 인용재결중 처분의 변경재결에 있어 '변경'의 의미(행정심판법 제43조3항)

행정심판에서는 의무이행재결이 인정되며, 재결기관이 직근상급감독기관이라는 점에서 취소소송에서 '변경'의 의미와 달리 적극적 변경이 가능하다는 것이 통설이다.

3. 청구인이 변경재결(수정재결)[1]에 대하여도 불복하는 경우 원처분과 변경재결 중 어느 것을 대상으로 다투어야 하는지

이는 피고적격과도 결부되는 문제이다. 수정재결을 처분으로 보는 경우에는 행정심판위원회가 피고가 된다.

(1) 학 설

1) 변경재결설

행정심판위원회의 결정은 원처분을 대체하는 새로운 처분이므로, 행정심판위원회를 피고로 재결을 대상으로 해야 한다고 본다.

2) 변경된 원처분설

원처분청을 상대로 일부취소되고 남은 원처분이나 변경결정으로 변경된 원처분을 다투어야 한다고 본다.

3) 적극적 변경재결의 경우 재결이 대상이 된다는 견해(절충설)

일부취소의 경우에는 원처분청을 상대로 일부취소되고 남은 원처분을 대상으로 하여야 하지만, 적극적 변경결정의 경우에 있어서는 변경결정이 원처분을 대체하는 새로운 처분이고 당초의 원처분이 존재하지 않으므로 변경결정을 대상으로 행정심판위원회를 피고로 한다고 본다.

(2) 판례 - 변경된 원처분을 대상

감봉처분을 소청심사위원회가 견책처분으로 변경한 재결에 대한 취소소송에서 소청심사위원회의 재량권의 일탈이나 남용은 재결에 고유한 하자라고 볼 수 없다고 하여 변경재결에 대한 취소소송을 인정하지 않으며(대판 1997.1.14. 93누5673), 해임처분을 정직2월로 변경한 경우 원처분청을 상대로 정직2월의 처분에 대한 취소소송을 제기한 사건에서 본안판단을 한 바 있다(대판 1997.11.14. 97누7325).

(3) 검 토

재결자체에 고유한 위법이 없는 한 원처분을 다투어야 하는데, 상대방에게 보다 유리하게 변경된 경우에는 원처분이 변경한 내용대로 존재하는 것으로 보는 것이 타당하므로 변경된 원처분설이 타당하다.

4. 명령재결(이행재결)에 따른 행정청의 처분이 있는 경우 행정소송의 대상

1) 학설은 ① 명령하는 재결은 내부적 행위에 불과하여 재결에 따른 처분이 있어야 비로소 구체적 권리를 침해받게 되므로 재결에 따른 처분이 소의 대상이라는 견해와 ② 재결에 따른 처분은 재결의 기속력에 의한 부수적인 처분에 지나지 않으므로 재결이 소의 대상이라는 견해, 그리고 ③ 재결과 그에 따른 처분은 독립된 처분이므로 각각

---

1) 수정재결(변경재결)의 의미를 일부취소(예: 1억 과세처분 →5천만원)와 적극적변경(예: 파면 → 해임)을 포괄하는 의미로 사용하기도 하며, 후자만을 지칭하기도 하는데 정하중 교수님은 후자의 의미로 사용함을 주의(정하중 734면).

별도로 소송의 대상이 된다는 견해가 있다.

2) 판례는 "재결의 취지에 따른 취소처분이 위법한 경우 취소처분의 상대방이 이를 항고소송으로 다툴 수 없는 것은 아니다"고 하여, 재결에 따른 처분을 독자적인 항고소송의 대상으로 인정하고 있어 명령재결과 행정청의 처분 모두 대상이 된다는 입장이다.

5. 형성재결 있는 경우 처분청이 행하는 사인에 대한 재결결과 통보의 처분성 – 부정(#109. 관련판례 2)

취소재결 자체가 소의 대상이 된다.

판례 당해 의약품제조품목허가처분취소재결은 보건복지부장관이 재결청의 지위에서 스스로 제약회사에 대한 위 의약품제조품목허가처분을 취소한 이른바 형성재결임이 명백하므로, 위 회사에 대한 의약품제조품목허가처분은 당해 취소재결에 의하여 당연히 취소·소멸되었고, 그 이후에 다시 위 허가처분을 취소한 당해 처분은 당해 취소재결의 당사자가 아니어서 그 재결이 있었음을 모르고 있는 위 회사에게 위 허가처분이 취소·소멸되었음을 확인하여 알려주는 의미의 사실 또는 관념의 통지에 불과할 뿐 위 허가처분을 취소·소멸시키는 새로운 형성적 행위가 아니므로 항고소송의 대상이 되는 처분이라고 할 수 없다(대판 1995.6.13, 94누15592).

6. 재결의 기속력으로서의 재처분의무가 거부처분취소심판청구를 인용하는 재결에도 적용되는지 여부

(1) 문제점

행정소송법은 거부처분에 대한 취소판결이 확정되면 재처분의무를 인정하고 이를 부작위위법확인소송에도 준용하지만(제30조2항, 제38조1항), 행정심판법은 의무이행심판의 처분명령재결(심판법 제49조2항)에만 재결의 취지에 따른 처분의무를 인정하고 있어 거부처분에 대한 취소심판의 취소재결이 있는 경우에도 재처분의무를 인정할 수 있는지 문제된다.

(2) 학 설

① 재처분의무는 명문의 근거가 있어야 인정된다고 보아, 처분청은 의무이행심판에서의 처분명령재결의 경우에만 재결의 취지에 따른 재처분의무가 있다고 보는 부정설과 ② 심판법은 재결의 기속력에 관한 일반적 규정(제49조 1항)을 두고 있는바 재처분의무는 기속력의 일부를 이루는 것으로 보는 긍정설이 대립한다.

(3) 판례 - 긍정

판례 당사자의 신청을 거부하는 처분을 취소하는 재결이 있는 경우에는 행정청은 그 재결의 취지에 따라 이전의 신청에 대한 처분을 하여야 하는 것이므로 행정청이 그 재결의 취지에 따른 처분을 하지 아니하고 그 처분과는 양립할 수 없는 다른 처분을 하는 것은 위법한 것이라 할 것이고 이 경우 그 재결의 신청인은 위법한 다른 처분의 취소를 소구할 이익이 있다(대판 1998.12.13, 88누7880).

(4) 검 토

처분청은 재결의 취지에 따른 재처분의무를 진다고 보는 것이 관계규정의 적정한 해석이므로 긍정설이 타당하다.

7. 이행재결의 기속력의 확보수단으로서 직접처분

(1) 의 의

이행재결의 기속력에도 불구하고 관계행정청이 이에 따르지 않으면 관계인의 권리는 실효적으로 보장되지 못하게 되는데, 지방자치제도의 정착에 따라 의무이행재결의 이행을 거부하는 사례는 적지 않게 발생할 수 있다. 행정심판법은 이러한 경우 이행재결의 실효성을 담보하기 위해 직접처분을 인정하고 있다(제50조1항 단서). 다만 행정소송법에서와는 달리 간접강제는 인정하고 있지 않다.

판례 행정심판법 제37조2항(개정법 제50조1항), 같은법시행령 제27조의2 1항의 규정에 따라 재결청이 직접 처분을 하기 위하여는 처분의 이행을 명하는 재결이 있었음에도 당해 행정청이 아무런 처분을 하지 아니하였어야 하므로, 당해 행정청이 어떠한 처분을 하였다면 그 처분이 재결의 내용에 따르지 아니하였다고 하더라도 재결청이 직접 처분을 할 수는 없다(대판 2002.7.23, 2000두9151).

(2) 심판법 제43조5항과의 관계

직접처분 규정이 제43조5항의 처분재결과 중복된 것이라는 견해도 있으나, 행정심판위원회에서 형성력 있는 재결로서 허가를 하더라도 허가증 교부 등의 후속절차를 취하지 않음으로서 허가에 따른 권리를 완전하게 행사할 수 없는 경우도 있으므로 행정심판위원회의 직접처분 규정은 의의가 있다고 본다.

8. 행정심판위원회가 의무이행재결을 행함에 있어 처분재결을 할 수 있는가? 의무이행재결에서는 처분재결과 처분명령재결을 할 수 있는데 그 중 어떠한 재결을 하여야 하는가?

1) 학설로는 ① 어떤 형태의 재결을 할 것인지는 행정심판위원회가 전적으로 **재량권을 갖는다는 견해**와 ② **지방자치법상 관련규정(제169조의 시정명령, 취소정지권, 제170조의 직무이행명령)과의 조화로운 해석**을 위해 행정심판위원회는 처분재결보다는 **일차적으로 처분명령재결을 행하는 것이 바람직하다는 견해** 등이 있다.

2) 법문언상으로는 재량을 인정하는 것이 타당하지만, **처분청의 처분권 존중**을 고려하여 가급적 **처분명령재결을 하는 것이 바람직**하다.

9. 행정심판위원회의 인용재결에 대해 처분청이 행정소송을 제기할 수 있는지?

(1) 학 설

① 자치권은 지방자치단체의 주관적 공권이므로 **자치사무**에 속하는 처분에 대한 행정심판의 인용재결에 대하여는 **지방자치단체의 장이 행정소송을 제기**할 수 있다는 **제한적 긍정설**과 ② 피청구인인 행정청과 그 밖의 관계행정청까지 구속하는 **재결의 기속력**에 관한 행정심판법 제49조1항을 근거로 하는 **부정설**이 있다.

(2) 판례 - 부정설

판 례 **행정심판법 제37조(개정법 제49조) 1항**에 "재결은 피청구인인 행정청과 그 밖의 관계행정청을 기속한다"고 규정하고 있으므로, 이에 따라 **처분행정청은 인용재결에 기속되어 재결의 취지에 따른 처분의무를 부담**하게 되므로 **이에 불복하여 항고소송을 제기할 수 없다** 할 것이며, 이 규정이 지방자치의 내재적 제약의 범위를 일탈하여 **헌법상의 지방자치의 제도적 보장을 침해하는 것으로 볼 수 없다**(대판 1998.5.8, 97누15432).

헌재결정 가. 공권력의 행사자인 국가, 지방자치단체나 그 기관 또는 국가조직의 일부나 공법인은 기본권의 주체가 아니라 단지 국민의 기본권을 보호 내지 실현해야 할 책임과 의무를 지는 지위에 있을 뿐이므로, 지방자치단체의 장인 이 사건 청구인은 기본권의 주체가 될 수 없다.

나. 헌법 제101조 제1항과 제107조 제2항은 입법권 및 행정권으로부터 독립된 사법권의 권한과 심사범위를 규정한 것일 뿐이다. **헌법 제107조 제3항은 행정심판의 심리절차에서도 관계인의 충분한 의견진술 및 자료제출과 당사자의 자유로운 변론 보장 등과 같은 대심구조적 사법절차가 준용되어야 한다는 취지일 뿐, 사법절차의 심급제에 따른 불복할 권리까지 준용되어야 한다는 취지는 아니다.** 그러므로 이 사건 법률조항(행정심판법 제49조1항)은 헌법 제101조 제1항, 제107조 제2항 및 제3항에 위배되지 아니한다.

다. 이 사건 법률조항은 행정청의 자율적 통제와 국민 권리의 신속한 구제라는 행정심판의 취지에 맞게 행정청으로 하여금 행정심판을 통하여 스스로 내부적 판단을 종결시키고자 하는 것으로서 그 합리성이 인정되고, 반면 국민이 행정청의 행위를 법원에서 다툴 수 없도록 한다면 재판받을 권리를 제한하는 것이 되므로 국민은 행정심판의 재결에도 불구하고 행정소송을 제기할 수 있도록 한 것일 뿐이므로, 평등원칙에 위배되지 아니한다.

라. **행정심판제도가 행정통제기능을 수행하기 위해서는 중앙정부와 지방정부를 포함하여 행정청 내부에 어느 정도 그 판단기준의 통일성이 갖추어져야** 하고, **행정청이 가진 전문성을 활용하고 신속하게 문제를 해결하여 분쟁해결의 효과성과 효율성을 높이기 위해 사안에 따라 국가단위로 행정심판이 이루어지는 것이 더욱 바람직**할 수 있다. 이 사건 법률조항은 **다층적·다면적으로 설계된 현행 행정심판제도 속에서 각 행정심판기관의 인용재결의 기속력을 인정**한 것으로서, **이로 인하여 중앙행정기관이 지방행정기관을 통제하는 상황이 발생한다고 하여 그 자체로 지방자치제도의 본질적 부분을 훼손하는 정도에 이른다고 보기 어렵다.** 그러므로 이 사건 법률조항은 **지방자치제도의 본질적 부분을 침해하지 아니한다**(헌재결 2014.6.26. 2013헌바122).

(3) 검 토

항고소송의 목적은 위법한 행정청의 위법한 처분 등으로부터 **국민의 권리구제**에 있다는 점을 고려하고(행정소송법 **제1조 전문), 행정심판위원회는 준사법기관으로서 법판단기관**이라는 점에서 보통의 행정기관 내부의 상하관계와 다를 뿐만 아니라, **행정기관 상호간의 분쟁은 기관소송 또는 권한쟁의에 의한 길이 있다**는 점에서 **부정설이 타당**하다. 행정청에게 항고소송 제기의 **허용은 위법한 공권력에 의해 피해를 입은 국민의 권리구제를 무산시킬 우려**가 있다.

10. 재심청구의 가능성

행정심판법 제51조는 심판청구에 대한 재결이 있으면 **재결 및 재결의 대상이 되는 처분 또는 부작위에 대하여 다시 행정심판을 청구할 수 없다.**

103 의무이행심판관련 논점

1. 의 의

당사자의 신청에 대한 행정청의 위법 또는 부당한 **거부처분이나 부작위**에 대하여 일정한 처분을 하도록 하는 행정심판이다(행정심판법 제5조3호). 급부행정의 영역에서는 거부나 부작위 역시 침익적 행정작용 못지않게 권익침해의 가능성이 있어 이에 대응할 수 있는 심판을 마련한 것이다. 행정소송법에서는 의무이행소송이 인정되지 않고 **거부처분은 취소소송, 부작위는 부작위위법확인소송**의 대상이 되는 것과 달리, 행정심판법은 **거부나 부작위 모두 의무이행심판**의 대상으로 하여 차별적 취급을 하지 않고 있다.

2. 재결의 종류 및 성질(제43조5항)

처분재결(행정심판위원회가 스스로 처분을 하는 것)과 처분명령재결(처분청에게 처분을 명하는 재결)이 있다. **처분재결은 형성재결**이고, **처분명령재결은 이행재결**이다.

3. 재결의 위법 · 부당 판단 기준시기

거부처분 및 부작위의 위법 또는 부당을 판단하는 기준시기는 **재결시**이다.

4. 처분재결과 처분명령재결의 선택(#102. 8번 쟁점)

5. 재결의 기속력

(1) 내 용

심판청구를 인용하는 재결은 피청구인과 그 밖의 관계 행정청을 기속한다(심판법 제49조). **'신청에 따른 처분'을 행할 것을 명하는 재결**의 내용은 ① **기속행위**의 경우 청구인의 신청대로 처분을 할 것을 명하는 재결 즉 **특정행위의 이행재결**이 되지만, ② **재량행위**의 경우에는 어떠한 내용의 처분이든 신청을 방치하지 말고 지체없이 재량에 따른 처분을 하도록 명하는 재결, 즉 **재량행사명령재결**이 된다. 다만 이 경우에도 재량권이 영으로 수축되는 경우에는 기속행위와 동일한 내용의 재결이 된다.

(2) 이행재결의 기속력 확보수단으로서 직접처분(#102. 7번)

6. 재결에 대한 불복

심판청구인은 **부작위위법확인소송이나 거부처분취소소송**을 제기할 수 있다. 다만 현행법상 의무이행소송은 인정되지 않고 있다. 반면 처분청은 기속력 때문에 불복할 수 없다(판례). 그러나 자치사무가 문제된 경우의 인용재결에 대해서는 자치단체장의 이의제기를 인정해야 한다는 비판이 있다(#102. 9번).

104 행정심판법상 고지제도

Ⅰ. 의 의

처분을 서면으로 함에 있어서 상대방이나 이해관계인에게 처분에 관하여 행정심판을 제기할 수 있는지의 여부, 제기하는 경우의 행정심판위원회, 청구기간 등을 알리는 제도를 말한다. 고지제도는 **국민이 행정심판제도를 이용할 수 있도록 보장**하고 **행정청이 처분을 함에 있어 신중**을 기하도록 하며, 아울러 **행정의 민주화**를 도모하기 위해 인정된다.

Ⅱ. 성 질

구체적 사실에 대한 법집행으로서의 규율을 포함하지 않으므로 사실행위의 성질을 갖는다. 고지가 상대방에게 수인의무를 발생시키는 것은 아니므로 **비권력적 사실행위**에 해당되며 고지 그 자체는 쟁송의 대상이 아니다.

Ⅲ. 법적 근거

행정심판법 제58조, 행정절차법 제26조, 공공기관의 정보공개에 관한 법률 제11조3항 등에 규정되어 있다. 행정소송에 대한 고지가 행정소송법이 아니라 행정절차법에 규정되어 있는데, 입법상 정리가 필요한 부분이다.

Ⅳ. 내용(종류)

1. 직권에 의한 고지(심판법 제58조1항)

2. 신청에 의한 고지(심판법 제58조2항)

Ⅴ. 고지의무위반의 효과(불고지 또는 오고지의 효과)

고지의무를 위반한 경우 심판법 및 소송법은 경유절차 및 청구기간과 관련하여 일정한 제약을 가하고 있는데 (심판법 제23조2,3,4항, 제27조 5,6항, 소송법 제18조3항4호) 이는 불고지, 오고지라는 의사 그 자체의 흠결에서 나오는 것이 아니라 **행정심판법, 행정소송법이 고지제도의 실효성 확보를 위해서 특별히 부여**하는 힘이다.

고지제도의 취지는 처분의 상대방이나 이해관계인이 행정심판을 제기함에 있어 편의를 제공하는 데 있을 뿐, 행정처분의 성립과정을 규제하는 절차규정이라거나 처분의 형식을 규제하는 제도가 아니므로 **고지를 하지 아니하거나 잘못 하였다고 하더라도 처분의 주체 · 절차 · 형식상에 어떤 흠결을 가져오는 것은 아니다.** 또한 고지는 **이미 법규에 의해 정해진 불복의 가부나 불복의 절차를 알려주는 사실행위에 불과**하므로 **불고지 · 오고지가 있더라도 당해 처분이 국민의 권리의무에 영향을 미치는 데는 어떤 변동을 가져오지도 않으므로** 처분의 내용에 아무 하자가 없는 이상 **고지의 하자를 이유로 처분의 위법성을 주장할 수는 없다.**

판 례 고지절차에 관한 규정은 행정처분의 상대방이 그 처분에 대한 행정심판의 절차를 밟는데 있어 편의를 제공하려는데 있으며 처분청이 위 규정에 따른 **고지의무를 이행하지 아니하였다고 하더라도** 경우에 따라서는 **행정심판의 제기기간이 연장될 수 있는 것에 그치고** 이로 인하여 심판의 대상이 되는 **행정처분에 어떤 하자가 수반된다고 할 수 없다**(대판 1987.11.24, 87누529).

Ⅵ. 행정소송에의 적용 여부

행정심판법 27조 5항이 행정소송의 경우에 유추적용될 수 있는지 여부에 대하여 판례는 부정한다.

판 례 **행정심판법 제18조(개정법 제27조) 5항의 규정은 행정심판 제기에 관하여 적용되는 규정이지, 행정소송 제기에도 당연히 적용되는 규정이라고 할 수는 없다. 행정심판과 행정소송은 그 성질, 불복사유, 제기기간, 판단기관 등에서 본질적인 차이점**이 있고, 임의적 전치주의는 당사자가 행정심판과 행정소송의 유 · 불리를 스스로 판단하여 행정심판을 거칠지 여부를 선택할 수 있도록 한 취지에 불과하므로 어느 쟁송 형태를 취한 이상 그 쟁송에는 그에 관련된 법률 규정만이 적용될 것이지 두 쟁송 형태에 관련된 규정을 통틀어 당사자에게 유리한 규정만이 적용된다고 할 수는 없으며, **행정처분시나 그 이후 행정청으로부터 행정심판 제기기간에 관하여 법정 심판청구기간보다 긴 기간으로 잘못 통지받은 경우에 보호할 신뢰 이익은 그 통지받은 기간 내에 행정심판을 제기한 경우에 한하는 것이지 행정소송을 제기한 경우에까지 확대된다고 할 수 없으므로,** 당사자가 행정처분시나 그 이후 행정청으로부터 **행정심판 제기기간에 관하여 법정 심판청구기간보다 긴 기간으로 잘못 통지받아 행정소송법상 법정 제소기간을 도과하였다고 하더라도, 그것이 당사자가 책임질 수 없는 사유로 인한 것이라고 할 수는 없다**(대판 2001.5.8, 2000두6916).

또한 행정소송법 제20조1항의 오고지의 효과를 제소기간이 지나 불가쟁력이 발생한 후에 취소소송을 제기한 경우에는 적용하지 않고 있다.

판 례 행정소송법 제20조 제1항은 '취소소송은 처분 등이 있음을 안 날부터 90일 이내에 제기하여야 하나 행정청이 행정심판청구를 할 수 있다고 잘못 알린 경우에 행정심판청구가 있은 때의 기간은 재결서의 정본을 송달받은 날부터 기산한다'고 규정하고 있는데, 위 규정의 **취지는 불가쟁력이 발생하지 않아 적법하게 불복청구를 할 수 있었던 처분 상대방에 대하여 행정청이 법령상 행정심판청구가 허용되지 않음에도 행정심판청구를 할 수 있다고 잘못 알린 경우에, 잘못된 안내를 신뢰하여 부적법한 행정심판을 거치느라 본래 제소기간 내에 취소소송을 제기하지 못한 자를 구제**하려는 데에 있다. **이와 달리 이미 제소기간이 지남으로써 불가쟁력이 발생하여 불복청구를 할 수 없었던 경우라면 그 이후에 행정청이 행정심판청구를 할 수 있다고 잘못 알렸다고 하더라도 그 때문에 처분 상대방이 적법한 제소기간 내에 취소소송을 제기할 수 있는 기회를 상실하게 된 것은 아니므로** 이러한 경우에 **잘못된 안내에 따라 청구된 행정심판 재결서 정본을 송달받은 날부터 다시 취소소송의 제소기간이 기산되는 것은 아니다.** 불가쟁력이 발생하여 더 이상 불복청구를 할 수 없는 처분에 대하여 **행정청의 잘못된 안내가 있었다고 하여 처분 상대방의 불복청구 권리가 새로이 생겨나거나 부활한다고 볼 수는 없기 때문**이다(대판 2012.9.27, 2011두27247).

105 행정소송 개관

Ⅰ. 행정소송의 의의

행정소송은 **행정법상의 법률관계에 관한 분쟁에 대하여 법원이 정식소송절차에 의하여 행하는 재판**을 말한다. **정식절차**에 의한 재판이라는 점에서 약식절차에 의하는 **행정심판과 구별**된다. 행정소송의 기능은 행정구제 기능과 행정통제기능이 있는데 행정소송법상 **항고소송과 당사자소송**은 권리구제를 주된 목적으로 하는 **주관소송**에 해당되며 **기관소송과 민중소송**은 행정통제를 목적으로 하는 **객관소송**에 해당한다.

행정소송도 정식재판절차에 의한 심리·판단작용이라는 점에서 민사소송과 본질을 같이 하며 행정소송법도 동법에 특별히 규정한 경우를 제외하고는 **민사소송법을 준용**하고 있다(제8조 2항). 그러나 공익을 목적으로 하는 소송이라는 점에서 **민사소송과는 다른 여러 특수성**이 인정되고 있다.

헌법은 모든 국민의 재판청구권을 보장하고 있으며, 이를 구체화한 행정소송법은 행정소송사건에 대하여 **개괄주의**를 채택하여 위법한 공행정작용에 대한 국민의 권리구제를 널리 인정하고 있으나 **일정한 행정작용은 사법의 본질 및 권력분립에서 오는 행정소송의 한계**가 인정된다.

Ⅱ. 행정소송의 종류

1. 성질에 따른 분류

형성소송(행정법상의 법률관계를 발생·변경·소멸시키는 판결을 구하는 소송), **이행소송**(피고에 대하여 특정한 이행청구권의 존재를 주장하고 이에 근거하여 이행명령을 구하는 소송), **확인소송**(특정한 권리 또는 법률관계의 존부를 확인하는 판결을 구하는 소송)로 구분된다. **취소소송은 형성소송, 무효등확인소송 및 부작위위법확인소송은 확인소송**에 해당하며, 대부분의 **당사자소송은 이행소송이나 확인소송**의 형태로 제기된다.

2. 내용에 따른 분류

행정소송법 제3조는 **항고소송, 당사자소송, 민중소송, 기관소송**으로 분류하고 제4조는 항고소송을 다시 **취소소송, 무효등확인소송, 부작위위법확인소송**으로 분류하고 있다. 제4조의 해석과 관련하여 의무이행소송 등의 **무명항고소송의 인정여부**가 문제되고 있다.

Ⅲ. 취소소송

행정작용 중 행정행위가 가장 중요하고 행정행위의 하자는 통상적으로 취소사유에 해당되므로 실무는 **취소소송을 중심**으로 운영되고 있다. **취소소송의 소송물**은 처분의 개개의 위법사유라는 견해도 있으나 **처분의 위법성 일반**이라는 것이 다수설, 판례이다. **취소소송의 소송요건**으로 ① 관할, ② 대상적격, ③ 원고적격, ④ 협의의 소의 이익, ⑤ 피고적격, ⑥ 제소기간, ⑦ 필요적 전치주의인 경우 심판전치 등이 있다. **가구제**로서 **집행정지가 인정**되며 **거부처분**에 대하여 **집행정지 및 가처분이 인정될 수 있는지** 문제된다. **본안에서는 처분의 위법성**을 검토하는데 일반적으로 처분은 **주체, 내용, 절차, 형식요건 면에서 하자가 없고 효력발생요건을 구비한 경우 적법**하게 된다. 즉 처분은 정당한 권한 있는 행정기관의 행위여야 하고, 관계법 및 행정절차법 등의 형식과 절차에 관한 규정을 준수해야 하며, 내용적으로는 법률유보, 법률우위원칙 및 행정법상의 일반원칙을 준수하여야 하고 또한 그 내용이 명확하고 법률상 사실상으로 실현가능해야 한다. 그리고 당사자에게 통지되어야 한다. 취소소송의 판결에는 각하판결, 기각판결, 인용판결이 있으며 **특수한 기각판결인 사정판결**이 있다. 판결의 효력에는 기각, 인용 불문하고 인정되는 불가변력, 불가쟁력, 기판력 등이 있으며, **인용판결(취소판결)이 확정**된 경우에만 인정되는 **형성력과 기속력**이라는 효력이 인정된다.

106 법무부 행정소송법 개정안의 주요내용[1]

1. 의무이행소송의 도입

국민의 신청 등에 대해 행정청이 응답하지 않거나 거부처분하는 경우 법원에 의무이행을 명하는 판결을 구함으로써 분쟁을 일회적으로 해결하는 제도. 현행 권리구제절차(거부처분취소소송이나 부작위위법확인소송)의 불완전성 해소. ※ 기존 부작위위법확인소송은 그대로 존치하여 국민이 자유롭게 소송유형을 선택할 수 있는 기회 보장.

2 원고적격 확대

현행법은 행정소송의 원고가 될 수 있는 사람을 '법률'상 권리가 침해된 사람으로 한정하고 있어 행정소송을 이용할 수 있는 기회가 제한. 원고의 자격을 '법률상 이익'에서 '법적 이익'으로 개정하여 '법률은 물론 명령·규칙 등' 하위법령에서 보호되는 권리를 침해받은 사람도 행정소송을 제기할 수 있게 함.

3. 집행정지 요건 완화

현행법에서는 현역병 입영처분과 같이 신분 사항에 대해서만 회복하기 어려운 손해로 인정되어 집행정지가 가능하였으므로 금전상 손해는 중대하더라도 판결이 확정되기 전에는 사전구제 불가능. 집행정지의 요건을 '회복하기 어려운 손해'에서 '중대한 손해'로 완화하여 금전상 손해라도 손해가 중대한 경우에는 집행정지가 가능하도록 함.

4. 가처분제도 도입

현행법은 국민의 생계유지 등이 필요한 행정영역에서 불허처분이 있는 경우 일정 기간 수익자 지위를 인정받지 못하여 일시적으로 생계유지 수단이 상실되는 문제 발생. 가처분제도 도입을 통하여 소송결과가 나올 때까지 계속하여 지위를 유지할 필요성이 있는 경우 임시 지위를 인정하여 국민의 실질적 권리구제 흠결 보완.

5. 소의 변경 · 이송의 허용범위 확대

법률지식이 부족한 일반 국민의 입장에서 민사소송과 행정소송을 구분하지 못하거나 적절한 소송방법 선택 곤란. 행정소송과 민사소송 사이에 소의 변경이나 이송을 폭넓게 허용함.

6. 관할지정제도 도입

현행법에 따르면 국민이 어느 법원에 소송을 제기하여야 하는지 명확하지 않은 경우 관할법원 선택의 어려움 발생. 사건이 행정법원과 지방법원 중 어느 법원의 관할에 속하는지 명백하지 아니한 때 고등법원이 관할법원을 지정해 주는 제도를 신설하여 관할법원 선택의 위험 및 불편 해소.

7. 제3자 소제기 사실 통지제도 신설

현행법은 행정처분과 이해관계 있는 사람이더라도 소제기 사실을 알지 못하여 소송절차에 참여하지 못하는 문제 발생. 법원이 피고 외의 다른 행정청 및 이해관계가 있는 제3자에게 소제기 사실을 통지하도록 하여 일회의 소송절차로 분쟁 해결 가능.

8. 결과제거의무 규정 신설

현행법은 행정청이 취소소송 패소에 따른 위법한 결과를 자발적으로 제거하지 않는 경우 다시 소송을 제기하여야 하는 문제 발생. 이 경우 행정청에 대하여 위법한 결과를 제거할 의무를 부과함으로써 분쟁을 종국적으로 해결할 수 있도록 개정.

---

1) 2013년 입법예고된 내용으로 법무부 홈페이지에 게재된 내용임. 2007년 개정안에 비하여 예방적 부작위 청구소송이 제외되어 있음.

107 무명항고소송 인정여부

행정소송법 제4조의 법정항고소송 외에 다른 소송형태를 인정할 수 있는지가 문제되는데 행정소송의 한계[1] 중 권력분립적 한계로서 논의된다.

Ⅰ. 의무이행소송

1. 의 의

사인의 신청에 대하여 행정청이 거부처분 또는 부작위로 대응한 경우, 행정청에게 일정한 행정행위를 해줄 것을 청구하는 내용의 소송이다.

2. 인정여부

이러한 경우 현행 행정소송법은 우회적인 구제수단인 거부처분의 취소소송과 부작위위법확인소송만을 인정하고 있어, 보다 직접적인 구제수단으로서 의무이행소송을 인정할 수 있는지 문제된다.

⑴ 학 설

1) 적극설

행정소송법 제4조는 소송의 형태에 대한 예시적 규정이고, 동조 1호의 '변경'을 적극적인 의무이행소송도 인정할 수 있다는 의미로 해석한다. 권력분립원리를 기능분립으로 이해하며, 전통적인 법정항고소송만으로는 행정구제가 미흡하다는 점을 근거로 한다.

2) 소극설

제4조를 열거규정으로 해석하고, 제4조1호의 '변경'은 적극적인 변경이 아니라 일부취소라고 보는 견해이다. 권력분립원리를 형식적인 의미로 이해하여 법원은 위법한 처분을 취소하거나 무효확인할 수 있을 뿐이고 이행을 명할 수는 없다고 한다.

3) 절충설

행정청이 1차적 판단권을 행사하도록 기다릴 필요가 없을 정도로 관계법상의 처분요건이 일의적 · 구체적으로 규정되어 있고, 사전에 구제하지 않으면 회복하기 어려운 손해가 발생할 우려가 있으며, 다른 구제방법이 없을 것이라는 제한적 요건 하에 보충적으로 의무이행소송을 인정한다.

⑵ 판례 - 소극설

판례 1 현행 행정소송법상 행정청으로 하여금 일정한 행정처분을 하도록 명하는 이행판결을 구하는 소송이나 법원으로 하여금 행정청이 일정한 행정처분을 행한 것과 같은 효과가 있는 행정처분을 직접 행하도록 하는 형성판결을 구하는 소송은 허용되지 아니한다(대판 1997.9.30, 97누3200).

---

1) 헌법은 모든 국민의 재판청구권을 보장하고 있고(제27조1항), 행정소송법은 행정소송사건에 대하여 개괄주의를 채택하고 있지만 모든 위법한 공행정작용에 대하여 행정소송의 제기가 허용되는 것은 아니며 일정한 한계가 있다. 보통 교과서상으로 사법본질적 한계와 권력분립적 한계가 있다고 소개되고 있다.
- 사법본질적 한계는 법원조직법 제2조1항(법원은 헌법에 특별한 규정이 있는 경우를 제외한 일체의 법률상의 쟁송을 심판하고 이 법과 다른 법률에 의하여 법원에 속하는 권한을 가진다)에 의해서 법률상 쟁송만이 법원의 심판대상이 된다는 것이다. '법률상 쟁송은 "법령의 해석 · 적용에 의하여 해결할 수 있는 당사자 사이의 구체적인 권리·의무에 관한 분쟁"을 의미한다. 따라서 구체적 사건성을 결여한 사건(추상적인 법령의 효력 또는 해석에 관한 분쟁)이나 자신의 법률상 이익에 관한 분쟁이 아닌 사건(반사적 이익에 관한 분쟁이나 객관소송 · 단체소송)은 법률에 의해 특별히 인정된 경우를 제외하고는 행정소송의 대상이 되지 않는다.
- 권력분립적 한계로는 재량행위, 판단여지, 무명항고소송의 인정여부 등이 논의되고 있다.

판례 2 행정심판법 제3조(현 제5조)에 의하면 행정청의 위법 또는 부당한 거부처분이나 부작위에 대하여 의무이행 심판청구를 할 수 있으나 행정소송법 제4조에서는 행정심판법상의 의무이행심판청구에 대응하여 부작위위법확인소송만을 규정하고 있으므로 행정청의 부작위에 대한 의무이행소송은 현행법상 허용되지 않는다(대판 1989.9.12, 87누868).

(3) 검 토

헌법상 기본권보장의 원칙과 법치국가원리 그리고 행정소송법 제1조의 취지 및 헌법 제27조1항이 보장하는 재판청구권으로부터 도출되는 공백 없는 권리구제의 요구에 의해 행정소송법 **제4조는** 항고소송의 주된 유형을 **예시적**으로 열거한 으로 이해하는 것이 바람직하다. **그러나 현행 행정소송법**이 의무이행소송을 받아들이지 않고 **우회적인 부작위위법확인소송을 제도화**하면서 그 **실효성확보를 위한 간접강제제도를 강구**함으로써, 의무이행소송이 채택된 것과 다름없는 효과를 거두고자 한 점에 비추어 **해석론으로는 소극설이 타당**하다. 그러나 **입법론**으로는 실효적인 권리구제를 위해 **도입이 필요하며 행정소송법개정안은 도입**하고 있다.

Ⅱ. 작위의무확인소송

현재 일정한 행위를 하여야 할 의무가 있다는 확인을 구하는 소송으로서 **판례**는 **부정**한다(학설은 대립).

판 례 행정심판법 제4조3호가 의무이행심판청구를 인정하고 있고 항고소송의 제1심 관할법원이 행정청의 소재지를 관할하는 고등법원으로 되어 있다고 하더라도, **행정소송법상 행정청의 부작위에 대하여는 부작위위법확인소송만 인정되고 작위의무의 이행이나 확인을 구하는 행정소송은 허용될 수 없다**(대판 1992.11.10, 92누1629).

Ⅲ. 예방적 부작위청구소송(예방적금지소송)

1. 의 의

장래에 있을 특정 행정행위의 발동의 방지를 구하는 소송을 말한다. 의무이행소송과는 이행소송이라는 점에서는 같지만, 의무이행소송은 현상의 개선을 구하기 위하여 제기하는 소송임에 반하여 예방적 부작위소송은 현상의 악화를 막기 위하여 제기하는 소송인 점에서 차이가 있다.

2. 인정여부

(1) 문제점

독일과 일본은 예방적 금지소송을 명문으로 인정하고 있으나, 우리는 규정이 없어 인정 여부에 논란이 있다.

(2) 학 설

1) 부정설

행정소송법 제4조를 **열거규정**으로로 이해하고, 행정에 대한 1차적 판단권은 법원이 아니라 행정청이 가지므로 **행정작용 발동 여부의 판단은 행정청의 고유권한**이라는 점을 근거로 한다.

2) 긍정설

행정소송법 제4조를 **예시규정**으로 이해하고, 사인의 **실효적인 권리구제 필요성**을 근거로 한다.

3) 절충설(제한적긍정설)

행정청이 1차적 판단권을 행사하도록 기다릴 필요가 없을 정도로 관계법상의 처분요건이 일의적 · 구체적으로 규정되어 있고, **사전에 구제하지 않으면 회복하기 어려운 손해**가 발생할 우려가 있으며, **다른 구제방법이 없을 것**이라는 제한적 요건 하에 **보충적**으로 인정한다.

(3) 판례 - 부정설

판 례 건축건물의 **준공처분을 하여서는 아니된다는 내용의 부작위를 구하는 청구는 행정소송에서 허용되지 아니하는 것**이므로 부적법하다(대판 1987.3.24, 86누182).

(4) 검토 - 부정설

행정소송은 사후구제를 원칙으로 하는 제도이고, 행정권한 행사 여부는 행정청의 고유권한이므로 **법률의 근거 없이 법원이 이를 일차적으로 판단하는 것은 타당하지 않으므로 현행법상으로는 부정설이 타당**하다. 다만 실효적인 권리구제를 위해 입법론으로서는 도입이 필요하다. **2007년 행정소송법 개정안은 도입**하고 있었으나 **2013년 입법예고된 개정안에서는 제외**되었다.

기출 사례 **건축허가절차상 단계별 권리구제방법(02년 사시)**

甲은 건축법령상 고도제한으로 자기 소유의 대지상에 2층 건물밖에 지을 수 없다는 것을 알고 사위의 방법으로 고도기준선을 낮춰 잡아 관할 행정청에 3층 건물에 대한 건축허가를 신청하였다. 이에 위 대지의 바로 북쪽에 가옥을 소유하고 있는 乙은 위 건물이 완공될 경우 일조권이 침해되므로 위 건물에 대한 건축허가와 공사를 막고자 한다. 乙이 그 구제방법으로 생각할 수 있는 항고소송에는 어떤 것이 있으며 그러한 항고소송이 현행법상 허용되는지 여부를 아래 단계별로 논하시오.

가. 건축허가가 나오기 전 단계

나. 甲이 신청한 대로 건축허가가 나온 단계

다. 甲이 신청한 대로 건축허가가 나와 그에 따라 건축공사가 완료된 단계

1. 건축허가 전단계

- 무명항고소송으로서 **예방적 부작위소송 인정 논의**
- 제한적 긍정설에 따를 때에는 사안에서 건축허가가 발급되어 이에 대하여 을이 취소소송을 제기한다고 하더라도 을의 집행정지 신청이 받아들여질 가능성이 없는 경우에 고려될 것.
- 그러나 판례에 의하면 현행 행정소송법상으로는 허용되고 있지 않음.
- 부정설이 타당.

2. 건축허가가 나온 단계

- 제3자인 乙에게 **원고적격이 인정되는지의 문제**(인인소송).
- 건축법규정에 비추어 **일조권도 법률상 이익**에 해당.
- 乙은 북쪽에 거주하고 있으므로 일조권 침해를 받음(만약 乙이 남쪽에 거주하는 것이라면 결론이 다를 수 있음).
- 현행법상 乙은 甲의 위법한 허가신청에 근거한 관할 행정청의 건축허가에 대해 취소를 구하는 소송을 제기하면 승소 가능.

3. 건축공사가 완료된 단계

(1) 건축허가취소소송

- 허가가 취소되어도 원상회복이 불가능하므로 **권리보호의 필요(협의의 소의 이익)이 결여**됨[2)]

(2) 甲의 사용승인신청에 대하여 행정청이 거부처분을 할 것을 구하는 소송

- **예방적 의미의 거부처분을 구하는 소송**과 같은 논의
- 현행법상으로는 인정 ×.

(3) 행정청이 甲에 대해 시정명령(철거명령 등)을 내릴 것을 구하는 의무이행소송

- **의무이행소송 인정여부**에 관한 논의
- 현행법상으로는 인정 ×.

(4) 시정명령신청에 대하여 행정청이 거부하는 경우, 乙이 거부처분의 취소를 구하는 소송

- 시정명령은 재량행위
- 乙에게 시정명령을 요구할 수 있는 권리가 인정되지 않음. 재량이 영으로 수축되어 행정청이 시정명령을 내려야만 하는 의무가 발생한 상황이 아니므로 **乙에게 행정개입청구권이 인정되지 않음**.

---

2) [1] 위법한 행정처분의 취소를 구하는 소는 **위법한 처분에 의하여 발생한 위법상태를 배제하여 원상으로 회복시키고 그 처분으로 침해되거나 방해받은 권리와 이익을 보호 구제하고자 하는 소송**이므로 비록 그 위법한 처분을 **취소한다 하더라도 원상회복이 불가능한 경우에는 그 취소를 구할 이익이 없다.**

[2] **건축허가가** 건축법 소정의 이격거리를 두지 아니하고 건축물을 건축하도록 되어 있어 **위법하다 하더라도** 그 건축허가에 기하여 **건축공사가 완료되었다면** 그 건축허가를 받은 대지와 접한 대지의 소유자인 원고가 위 **건축허가처분의 취소를 받아 이격거리를 확보할 단계는 지났으며 민사소송으로 위 건축물 등의 철거를 구하는 데 있어서도 위 처분의 취소가 필요한 것이 아니므로** 원고로서는 위 처분의 **취소를 구할 법률상의 이익이 없다**고 한 사례(대판 1992.4.24, 91누11131).

108 취소소송의 대상 - 처분등

Ⅰ. 취소소송의 대상

취소소송을 제기하기 위해서는 **처분 등이 존재**해야 한다(행정소송법 제19조). 처분등은 **행정청이 행하는 구체적 사실에 관한 법집행으로서의 공권력의 행사 또는 그 거부와 그 밖에 이에 준하는 행정작용 및 행정심판의 재결**을 말한다(행소법 제2조 1항1호). 행정심판법상 처분의 개념에 재결을 추가하여 취소소송의 대상으로 하고 있다(재결은 #109).

Ⅱ. 처분개념의 분설

1. 행정청

강학상으로는 **행정주체의 의사를 외부적으로 결정 · 표시할 수 있는 권한을 가진 기관**을 말한다. 조직법상 의미와 반드시 일치하는 것은 아니며 **기능적 의미**로 파악하여 국회나 법원의 기관도 실질적 의미의 처분을 한 경우는 행정청에 해당된다. 행정소송법은 **위임 또는 위탁을 받은 행정기관이나 공공단체 및 그 기관 또는 사인을 포함**한다고 규정하고 있다(제2조 2항).

2. 구체적 사실에 관한 법집행으로서의 공권력의 행사

1) 구체적 사실에 관한 집행행위이어야 한다. **개별적 · 구체적 규율로**서 행정행위를 의미한다. 따라서 일반적·추상적 규율인 법규명령은 처분이 아니다. 다만 **일반적 · 구체적 규율**은 일반처분으로서 처분에 해당된다.

2) **외부에 대한 법적 행위**로서 **국민의 권리 · 의무에 직접적 영향**을 미치는 것이어야 한다. 따라서 행정기관의 내부적 행위이거나 법적 행위가 아닌 사실행위는 처분이 아니다.

3) **공권력의 행사**여야 한다. 행정청이 우월적 지위에서 일방적으로 행하는 작용이다. 따라서 공법상 계약이나 사법상의 행위는 처분이 아니다.

3. 공권력의 행사의 거부(거부처분)

4. 공권력의 행사 또는 그 거부에 준하는 행정작용

행정행위와 처분과의 관계에 대해서 쟁송법상 처분개념설과 실체법상 처분개념설의 대립이 있다(#28).

판례 1 항고소송의 대상이 되는 행정처분이라 함은 **행정청의 공법상의 행위로서 특정 사항에 대하여 법규에 의한 권리의 설정 또는 의무의 부담을 명하거나 기타 법률상 효과를 발생하게 하는 등 국민의 권리의무에 직접 관계**가 있는 행위를 가리키는 것이고, **행정권 내부에서의 행위나 알선, 권유, 사실상의 통지 등과 같이 상대방 또는 기타 관계자들의 법률상 지위에 직접적인 법률적 변동을 일으키지 아니하는 행위 등은** 항고소송의 대상이 되는 **행정처분이 아니다**(대판 1996.3.22, 96누433).

판례 2 행정청의 어떤 행위를 행정처분으로 볼 것이냐의 문제는 **추상적 일반적으로 결정할 수 없고, 구체적인 경우 행정처분은 행정청이 공권력의 주체로서 행하는 구체적 사실에 관한 법집행으로서 국민의 권리의무에 직접 영향을 미치는 행위라는 점을 고려하고 행정처분이 그 주체, 내용, 절차, 형식에 있어서 어느 정도 성립 내지 효력요건을 충족하느냐에 따라 개별적으로 결정**하여야 하며, 행정청의 어떤 행위가 법적 근거도 없이 객관적으로 국민에게 불이익을 주는 행정처분과 같은 외형을 갖추고 있고, 그 **행위의 상대방이 이를 행정처분으로 인식할 정도라면 그로 인하여 파생되는 국민의 불이익 내지 불안감을 제거시켜 주기 위한 구제수단이 필요한 점에 비추어 볼 때 행정청의 행위로 인하여 그 상대방이 입는 불이익 내지 불안이 있는지 여부도 그 당시에 있어서의 법치행정의 정도와 국민의 권리의식 수준 등은 물론 행위에 관련한 당해 행정청의 태도 등도 고려**하여 판단하여야 한다(대판 1993.12.10, 93누12619).

Ⅲ. 거부처분

1. 서 설

행정청이 국민으로부터 공권력의 행사를 신청받고도 그에 응하지 아니하고 형식적 요건 불비로 각하하거나 이유 없다고 하여, 신청된 내용의 행위를 하지 않을 뜻을 표시하는 행위이다. 소극적이기는 하나 행정청의 일정한 행위가 있다는 점에서 부작위와 구별되며, 다만 법령상 **간주거부** 규정이 있는 경우(구 정보공개법 제11조5항)나 **경원자관계**에 있어서 일방당사자에 대한 허가만 있고 타방당사자에 대한 부작위만 있는 경우의 부작위는 **묵시적인 거부**처분이 된다. 급부행정의 영역에서 수익적 행정행위거부에 대한 권리구제가 문제되고 있다.

2. 거부가 처분이 되기 위한 요건(판례에 의할 때)

(1) 판 례

1) 국민의 적극적 행위 신청에 대하여 행정청이 그 신청에 따른 행위를 하지 않겠다고 거부한 행위가 항고소송의 대상이 되는 행정처분에 해당하는 것이라고 하려면, ① 그 **신청한 행위가 공권력의 행사 또는 이에 준하는 행정작용**이어야 하고 ② 그 **거부행위가 신청인의 법률관계에 어떤 변동**을 일으키는 것이어야 하며 ③ 그 국민에게 그 **행위발동을 요구할 법규상 또는 조리상 신청권**이 있어야 한다고 한다(대판 2002.11.22. 2000두9229 등). 이 때 '신청인의 법률관계에 어떤 변동을 일으키는 것'이라는 의미는 신청인의 **실체상의 권리관계에 직접적인 변동**을 일으키는 것은 물론 그렇지 않다 하더라도 신청인이 **실체상의 권리자로서 권리를 행사함에 중대한 지장을 초래하는 것도 포함**한다고 하며(대판 2007.10.11. 2007두1316.), **신청권의 존부판단**은 **관계법령의 해석에 의해 추상적, 일반적**으로 결정된다고 한다.

판례 1 국민의 적극적 행위 신청에 대하여 행정청이 그 신청에 따른 행위를 하지 않겠다고 거부한 행위가 항고소송의 대상이 되는 행정처분에 해당하는 것이라고 하려면, 그 **신청한 행위가 공권력의 행사 또는 이에 준하는 행정작용**이어야 하고, 그 **거부행위가 신청인의 법률관계에 어떤 변동**을 일으키는 것이어야 하며, 그 **국민에게 그 행위발동을 요구할 법규상 또는 조리상의 신청권이 있어야** 하는바, 여기에서 **'신청인의 법률관계에 어떤 변동을 일으키는 것'이라는 의미**는 신청인의 **실체상의 권리관계에 직접적인 변동**을 일으키는 것은 물론, 그렇지 않다 하더라도 신청인이 **실체상의 권리자로서 권리를 행사함에 중대한 지장을 초래**하는 것도 포함한다(대판 2007.10.11, 2007두1316).

판례 2 거부처분의 처분성을 인정하기 위한 전제요건이 되는 신청권의 존부는 **구체적 사건에서 신청인이 누구인가를 고려하지 않고 관계 법규의 해석에 의하여 일반 국민에게 그러한 신청권을 인정하고 있는가를 살펴 추상적으로 결정되는 것**이고, 신청인이 그 **신청에 따른 단순한 응답을 받을 권리를 넘어서 신청의 인용이라는 만족적 결과를 얻을 권리를 의미하는 것은 아니다.** 따라서 국민이 어떤 신청을 한 경우에 그 신청의 근거가 된 조항의 해석상 행정발동에 대한 개인의 신청권을 인정하고 있다고 보여지면 그 거부행위는 항고소송의 대상이 되는 처분으로 보아야 할 것이고, **구체적으로 그 신청이 인용될 수 있는가 하는 점은 본안에서 판단하여야 할 사항**인 것이다(대판 1996.6.11, 95누12460).

판례 3 행정청의 어떤 행위를 **행정처분으로 볼 것이냐의 문제**는 **추상적, 일반적으로 결정할 수 없고, 구체적인 경우 행정처분은 행정청이 공권력의 주체로서 행하는 구체적 사실에 관한 법집행으로서 국민의 권리의무에 직접적으로 영향을 미치는 행위라는 점을 염두**에 두고, **관련 법령의 내용 및 취지와 그 행위가 주체·내용·형식·절차 등에 있어서 어느 정도로 행정처분으로서의 성립 내지 효력요건을 충족하고 있는지 여부**, 그 **행위와 상대방 등 이해관계인이 입는 불이익과의 실질적 견련성**, 그리고 **법치행정의 원리와 당해 행위에 관련한 행정청 및 이해관계인의 태도 등을 참작**하여 **개별적으로 결정**하여야 할 것이다. … (거부처분의 처분성 일반론 설시 및 사실관계 언급후) … 이 사건 반려처분은 **객관적으로 행정처분으로 인식할 정도의 외형을 갖추고 있고, 원고도 이를 행정처분으로 인식**하고 있는 점, 구 건축법 제4조1항은 건축법 및 조례의 시행에 관한 중요사항을 조사·심의하기 위하여 건축위원회를 설치하여야 한다고 규정하고 있는바, 이는 건축행정의 공정성·전문성을 도모하기 위하여 행정청으로 하여금 법령이 정하고 있는 건축물에 대한 건축허가 여부를 결정함에 있어서는 반드시 건축위원회의 심의를 거치도록 한 것으로 보이므로, 이러한 **건축계획심의를 거치지 아니한 상태에서는 비록 원고가 이 사건 건축물에 대한 건축허가를 받는다 하더라도 이는 하자 있는 행정행위**라 할 것이니, 원고로서는 피고의 이 사건 반려처분으로 인하여 적법한 건축허가를 받기 어려운 불안한 법적 지위에 놓이게 된 점, **피고는 건축위원회의 심의대상이 되는 건축물에 대한 건축허가를 신청하려는 사람으로 하여금 그 신청에 앞서 건축계획심의신청을 하도록 하고, 그 절차를 거치지 아니한 경우 건축허가를 접수하지 아니하고 있어 원고로서는 이 사건 건축물의 건축허가신청에 중대한 지장이 초래**된 점 등에 비추어 보면, 피고의 이 사건 반려처분은 **원고의 권리·의무나 법률관계에 직접 영향**을 미쳤다고 할 것이다. 나아가 위와 같은 사정에 **건축허가를 신청하려는 사람이 직접 건축위원회의 심의를 신청할 수 있음을 전제하고 있는 건축법 부칙의 규정과 건축허가를 신청하려는 사람으로 하여금 건축허가 신청 이전에 먼저 건축위원회의 심의를 신청하도록 규정하고 있는 일부 지방자치단체의 조례** 등을 더하여 보면, **법규상 내지 조리상으로 원고에게 건축계획심의를 신청할 권리도 있다**고 할 것이므로, **건축계획심의신청에 대한 반려처분은 항고소송의 대상**이 된다(대판 2007.10.11, 2007두1316).

2) 판례는 검사임용신청에 대한 거부, 기간제 임용된 국·공립대학 교수에 대한 재임용거부, 행정청이 행한 공사중지명령의 상대방이 명령 이후 원인사유가 소멸하였음을 들어 공사중지명령의 철회를 요구한 것에 대한 거부, 상수원 수질보전을 위하여 필요한 지역 내의 토지 매수신청에 대한 거부, 건축물대장의 작성신청에 대한 거부, 문화재보호구역 내의 토지소유자가 한 문화재보호구역의 지정해제신청에 대한 거부, 건축계획심의신청에 대한 반려 등의 경우 신청권을 **긍정**했고,

판례 1 구 교육공무원법(1999. 1. 29. 법률 제5717호로 개정되기 전의 것) 및 구 교육공무원임용령(1999. 9. 30. 대통령령 16564호로 개정되기 전의 것) 등 **관계 법령에 대학교원의 신규임용에 있어서의 심사단계나 심사방법 등에 관하여 아무런 규정을 두지 않았다고 하더라도, 대학 스스로 교원의 임용규정이나 신규채용업무시행지침 등을 제정하여 그에 따라 교원을 신규임용**하여 온 경우, 임용지원자가 당해 대학의 교원임용규정 등에 정한 **심사단계 중 중요한 대부분의 단계를 통과하여 다수의 임용지원자 중 유일한 면접심사 대상자로 선정**되는 등으로 **장차 나머지 일부의 심사단계를 거쳐 대학교원으로 임용될 것을 상당한 정도로 기대할 수 있는 지위**에 이르렀다면, 그러한 임용지원자는 **임용에 관한 법률상 이익을 가진 자로서 임용권자에 대하여 나머지 심사를 공정하게 진행하여 그 심사에서 통과되면 대학교원으로 임용해 줄 것을 신청할 조리상의 권리**가 있다고 보아야 할 것이고, 또한 유일한 면접심사 대상자로 선정된 임용지원자에 대한 교원신규채용업무를 중단하는 조치는 교원신규채용절차의 진행을 유보하였다가 다시 속개하기 위한 중간처분 또는 사무처리절차상 하나의 행위에 불과한 것이라고는 볼 수 없고, 유일한 면접심사 대상자로서 임용에 관한 법률상 이익을 가지는 임용지원자에 대한 신규임용을 사실상 거부하는 종국적인 조치에 해당하는 것이며, 임용지원자에게 직접 고지되지 않았다고 하더라도 임용지원자가 이를 알게 됨으로써 효력이 발생한 것으로 보아야 할 것이므로, 이는 임용지원자의 권리 내지 법률상 이익에 직접 관계되는 것으로서 항고소송의 대상이 되는 처분 등에 해당한다(대판 2004.6.11, 2001두7053).

판례 2 기간제로 임용되어 임용기간이 만료된 국·공립대학의 조교수는 교원으로서의 능력과 자질에 관하여 **합리적인 기준에 의한 공정한 심사를 받아 위 기준에 부합되면 특별한 사정이 없는 한 재임용되리라는 기대를 가지고 재임용 여부에 관하여 합리적인 기준에 의한 공정한 심사를 요구할 법규상 또는 조리상 신청권을 가진다**고 할 것이니, 임용권자가 임용기간이 만료된 조교수에 대하여 **재임용을 거부하는 취지로 한 임용기간만료의 통지는 위와 같은 대학교원의 법률관계에 영향**을 주는 것으로서 행정소송의 대상이 되는 처분에 해당한다(대판(전) 2004.4.22, 2000두7735). ➡ 종래 판례(대판 1997.6.27, 96누4305)는 **기간을 정하여 임용된 대학교원은 그 임용기간의 만료로 대학교원으로서의 신분관계는 당연히 종료**되고, 그 임용기간의 만료에 따른 **재임용의 기대권을 가진다고 할 수 없으며,** 기간이 만료된 때에 만약 재임용계약을 체결하지 못하면 재임용거부결정 등 **특별한 절차를 거치지 않아도 당연퇴직**되는 것이므로 임용권자가 **재임용 탈락 통지를 하더라도 이는 교원에 대하여 임기만료로 당연퇴직됨을 확인하고 알려주는 데 지나지 아니하여 행정처분이라고 할 수 없다**고 하였는데 판례를 변경하여 거부처분으로 본 것임.

3) 반면 국민이 행정청에 대하여 제3자에 대하여 건축허가와 준공검사의 취소 및 제3자에 대한 철거명령을 요구한 것에 대한 거부, 공유수면매립면허취소청구에 대한 거부 등에서는 신청권을 **부정**하였다.

(2) 학 설

판례가 신청권을 소송의 대상의 문제로 보고 있는 것에 대해 학설은 ① 신청권을 **거부행위의 요건**으로 보는 **판례에 찬성**하는 **대상적격설**, ② 원고가 신청권을 갖는지의 여부는 소송요건의 문제가 아니라 본안의 문제라는 **본안요건설**, ③ 신청권의 유무는 원고적격의 문제로 보아 거부행위가 처분에 해당하는가의 여부는 행정소송법 제2조1

항1호에서 정의한 '처분'에 해당하는가의 여부에 따라 판단해야 한다는 **원고적격설** 등이 있다.

(3) 검 토

신청권을 형식상의 **단순한 응답요구권의 의미로 이해**한다면 처분성의 문제로 보는 **대법원의 입장은 타당**하다.[1)]

3. 거부처분에 대한 쟁송

(1) 행정심판

취소(무효등확인)심판, 의무이행심판을 청구할 수 있다.

(2) 행정소송

거부처분에 대한 취소(무효등확인)소송을 제기할 수 있다. 그 외에 무명항고소송(의무이행소송)을 인정할 수 있는지에 대한 논의가 있으나 판례는 이를 부정한다.

4. 위법성 판단 기준시(#118)

논란이 있으나 판례는 원칙적으로 처분시를 기준으로 한다.

5. 입증책임(#120)

권한행사의 요건사실은 원고, 권한장애·소멸규정의 요건사실은 피고에게 입증책임이 있다(법률요건분류설).

6. 취소판결의 기속력(#123)

행정청은 거부처분 취소에 따른 **재처분의무**(행소법 제30조2항)를 지게 되며, **재처분의무의 실효성 확보를 위해 간접강제**(행소법 제34조)제도를 두고 있다. 다만 거부처분이 **형식상 위법(무권한, 형식 · 절차의 하자)을 이유로 취소된 경우에는 적법한 형식을 갖추어 신청에 따른 가부간의 처분을 할 수 있다.** 이 경우 **다시 거부처분을 하는 것도 가능**하다. 한편 **판례는 사정변경을 이유로 새로운 거부처분을 해도 재처분의무에 반하지 않는다**고 한다.

판 례 **건축불허가처분을 취소하는 판결이 확정된 후 국토이용관리법시행령이** 준농림지역 안에서의 행위제한에 관하여 지방자치단체의 조례로써 일정 지역에서 숙박업을 영위하기 위한 시설의 설치를 제한할 수 있도록 **개정된 경우**, 당해 지방자치 단체장이 위 처분 후에 **개정된 신법령에서 정한 사유를 들어 새로운 거부처분**을 한 것이 행정소송법 **제30조2항 소정의 확정판결의 취지에 따라 이전의 신청에 대한 처분을 한 경우에 해당**한다(대결 1998.1.7, 97두22).

7. 집행정지의 문제 – 가처분 제도의 도입 필요(#115, 116)

행정소송법은 집행정지결정에 대하여는 거부처분 취소판결의 기속력으로서 처분청의 재처분의무를 규정한 제30조2항을 준용하지 않고 있는바(제23조6항은 제30조1항만 준용), 거부처분이 집행정지의 대상이 되는 처분인지에 대한 논의가 있다. **판례**는 집행정지결정이 있어도 회복되는 원상이 없다는 점을 근거로 집행정지를 **부정**하고 있지만, 국민의 권리구제 측면에서 집행정지 신청의 이익이 있는 경우에는 **제한적으로 인정함이 타당**하다. **행정소송법개정안**은 가처분제도를 도입하고 있다.

---

1) * **판례에 찬성하는 입장을 취할 경우에는 원고적격은 다음과 같이 서술**하면 됨.

- **판례는 거부처분의 요소로 요구하는 신청권을 원고적격과 구분되는 것으로 보면서도 신청권이 인정되는 사안에서는 별도로 원고적격의 구비여부를 검토하지 않고 원고적격을 인정**하고 있다. 응답받을 권리인 형식적 신청권의 문제와 원고적격은 개념상 구분되는 문제이지만 **신청권이 인정되나 원고적격이 부정되는 사안은 현실적으로 상정하기 어려울 것**이므로 신청인이 거부처분의 상대방이면 원고적격은 인정될 것이다."

- 박균성 교수님도 "거부처분이나 부작위의 요소로서 신청권을 요구하는 입장에 서는 경우 거부처분이나 부작위가 있으면 신청권이 있는 자에게 원고적격이 당연하게 인정된다. 그 이유는 신청권을 갖는 자는 법률상 이익을 당연히 갖고 있고, 거부처분이나 부작위로 당연히 그 법률상 이익이 침해되었기 때문"이라고 서술하고 있음(박763)

* **판례를 비판하면서 원고적격설의 입장에서 검토**하려면 "**현행 행정소송법은 거부처분의 요소로서 신청권을 별도로 요구하고 있지 않으며, 신청권의 문제를 소송대상의 문제로 보면 처분개념을 부당하게 제한**하여 국민의 권리구제의 길을 부당히 축소시킨다는 점을 고려할 때 이는 원고적격의 문제로 보는 것이 타당하다."고 하면 된다.

8. 입법론 – 의무이행소송과의 관계

행정심판법상의 의무이행심판 및 판결에 의한 기속력의 내용인 재처분의무에 따라 어느 정도 권리구제가 이루어지지만, 그 절차가 우회적이므로 입법적으로는 의무이행소송을 인정하는 것이 바람직하다. 행정소송법개정안은 의무이행소송을 도입하고 있다.

Ⅳ. 재결(#109)

원처분주의에 의하면 재결은 재결에 고유한 위법이 있는 경우에 소송의 대상이 된다. 개별법에서 재결주의를 취하고 있는 경우는 재결에 고유한 위법이 없어도 원처분의 위법을 주장하면서 재결을 취소소송의 대상으로 할 수 있다.

기출 사례 재임용 탈락 통지(08년 사시)[2]

甲은 교육공무원법 제11조의3 및 교육공무원임용령 제5조의2 1항에 의하여 국립 A대학교 소속 단과대학 조교수로 4년의 기간을 정하여 임용되었다. 甲은 임용기간이 만료되기 4개월 전 임용기간의 만료 사실과 재임용 심사를 신청할 수 있음을 임용권자로부터 서면으로 통지받았다. 이에 따라 甲은 재임용 심사를 신청하였으나 임용권자는 국립 A대학교 본부인사위원회의 심의를 거쳐 "첫째, 피심사자 甲의 연구 실적이 '국립 A대학교 교원인사규정'상의 재임용 최소요건은 충족하지만 지도학생에 대한 면담을 실시하지 않는 등 학생지도실적이 미흡하다. 둘째, 甲이 국립 A대학교 총장의 비리와 관련된 기사를 신문에 게재하여 교원으로서의 품위 및 학교의 명예를 크게 손상시켰다"라는 이유로 사전통지를 하지 아니한 채 甲에게 임용기간 만료 2개월 전에 재임용 탈락의 통지를 하였다.

한편, 국립 A대학교 총장이 교육공무원법 제11조의3 5항 및 교육공무원임용령 제5조의2 3항에 따라 제정한 '국립 A대학교 교원인사규정'에 의하면 교육공무원법 제11조의3 5항 각호에서 규정하고 있는 사항 이외에 '교원으로서의 품위 및 학교 명예에 관한 사항'을 재임용 심사항목으로 규정하고 있다.

1. 재임용 심사의 세부적인 기준을 정한 '국립 A대학교 교원인사규정'의 법적성질과 그 효력은?(10점)
2. 甲에 대한 재임용 탈락통지의 법적성질은?(10점)
3. 임용권자가 행한 甲에 대한 재임용 탈락 통지는 적법한가?(15점)
4. 재임용 탈락 통지에 대한 甲의 행정쟁송상 권리구제 수단은?(15점)

[참조조문]

*** 교육공무원법**

제11조의3 (계약제 임용등)

① 대학의 교원은 대통령령이 정하는 바에 의하여 근무기간 · 급여 · 근무조건, 업적 및 성과약정등 계약조건을 정하여 임용할 수 있다.

② 제1항의 규정에 의하여 임용된 교원의 임용권자는 당해 교원의 임용기간이 만료되는 때에는 임용기간 만료일 4월전까지 임용기간이 만료된다는 사실과 재임용 심의를 신청할 수 있음을 당해 교원에게 통지(문서에 의한 통지를 말한다. 이하 이 조에서 같다)하여야 한다.

④ 제3항의 규정에 의한 재임용 심의를 신청받은 임용권자는 대학인사위원회의 재임용 심의를 거쳐 당해 교원에 대한 재임용 여부를 결정하고 그 사실을 임용기간 만료일 2월전까지 당해 교원에게 통지하여야 한다. 이 경우 당해 교원을 재임용하지 아니하기로 결정한 때에는 재임용하지 아니하겠다는 의사와 재임용 거부사유를 명시하여 통지하여야 한다.

⑤ 대학인사위원회가 제4항의 규정에 의하여 당해 교원에 대한 재임용 여부를 심의함에 있어서는 다음 각호의 사항에 관한 평가 등 객관적인 사유로서 학칙이 정하는 사유에 근거하여야 한다. 이 경우 심의과정에서 15일 이상의 기간을 정하여 당해 교원에게 지정된 기일에 대학인사위원회에 출석하여 의견을 진술하거나 서면에 의한 의견제출의 기회를 주어야 한다.

1. 학생교육에 관한 사항
2. 학문연구에 관한 사항
3. 학생지도에 관한 사항

*** 교육공무원임용령**

제5조의2 (대학교원의 계약제 임용 등)

① 법 제11조의3의 규정에 의한 대학교원의 임용은 다음 각호의 범위안에서 계약조건을 정하여 행한다.

2) 김용섭 교수님의 고시계 채점평(2008.12월호)을 근거로 해설작성.

4. 업적 및 성과
연구실적 · 논문지도 · 진로상담 및 학생지도 등에 관한 사항
③ 대학의 장은 대학인사위원회의 심의를 거쳐 제1항의 규정에 의한 계약조건에 관한 세부적인 기준을 정한다.

1. 교원인사규정의 법적 성질과 효력

(1) 법적 성질

- 교원인사규정은 '학칙'으로서 행정규칙의 형식
- 학칙의 법적 성질에 대해 ① 자치법규라는 견해, ② 법령보충적 규칙이라는 견해, ③ 특별명령이라는 견해가 대립.
- 판례는 자치규범으로서 구속력을 갖는다는 입장(대판 2015.6.24, 2013두26408)
- 자치법규로 보는 견해는 국립대학에 지방자치단체와 같이 독립적 법인격이 부여되지 않았음에도 자치법규로 볼 수 있는지가 문제되며, 특별명령은 일반적으로 인정되지 않음. 설문의 경우에 교육공무원임용령 제5조3항에 근거하여 제정된 것이므로 법령보충적 규칙으로 보는 것이 타당.

(2) 효 력

- 법령보충적 규칙의 법적 성질에 따라서 대외적 구속력 인정될 수 있음. 학설, 판례를 소개하고 법규명령의 효력을 가진다고 검토(#22 참조).

2. 甲에 대한 재임용 탈락통지의 법적 성질

(1) 거부처분 해당여부

- 탈락통지를 사실행위로서 통지에 해당되는지, 행정처분으로서 거부처분에 해당되는지의 문제
- 처분의 일반론을 간단히 언급하면서 거부처분의 요건 언급
- 판례의 태도 소개(종전 판례 및 변경 판례)
- 거부처분에 해당[3]

(2) 재량행위 여부

- 재량 · 기속 구별기준을 간단히 언급한 후
- 임용권자는 재임용심사기준에 따른 재임용요건을 갖춘 교원을 재임용할 의무가 있으므로 기속행위로 보아야 한다는 견해도 있으나
- 제11조의3 1항의 문언 등을 고려하여 재량행위로 검토.

판 례 대학교수 등의 임용 여부는 임용권자가 교육법상 대학교수 등에게 요구되는 고도의 전문적인 학식과 교수능력 및 인격 등의 사정을 고려하여 합목적적으로 판단할 자유재량에 속하는 것이다(대판 1998.1.23, 96누12641).

3. 재임용탈락통지의 적법성

(1) 주체, 형식면의 하자

- 문제 없음.

(2) 절차하자

1) 교육공무원법 위반 여부

- 교육공무원법 제11조의3조 5항은 재임용 여부 심의시 의견제출의 기회를 부여하도록 되어 있는데, 설문이 명확하지는 않지만 본부인사위원회의 심의를 거칠 때 의견제출의 기회를 부여하였다면 교육공무원법 위반은 없는 것.

2) 행정절차법 위반 여부

- 재임용 탈락통지를 하면서 처분의 내용과 근거에 대해서 행정절차법 제21조의 사전통지를 거치지 않았다는 점에서 거부처분의 사전통지 요부에 대한 서술을 해주고(긍정설, 절충설, 부정설(판례)이 대립 - #78) 판례에 의할 경우에는 사전통지를 결여했다고 하여도 하자는 없음.

(3) 내용상 하자

1) 학생지도실적 미흡을 이유로 한 것의 위법성

- 비례의 원칙 위반(반대 견해 가능)

2) 교원의 품위 및 학교의 명예를 훼손한 것을 이유로 한 것의 위법성

- 교육공무원법 제11조의3 5항이 재임용심의는 학생연구, 학문연구, 학생지도에 관한 사항 등 객관적인 사유로서 학칙이 정하는 사유에 근거하여야 한다고 하는데, 국립 A대학교 교원인사규정」에 의하면 교육공무원법 제11조의3 5항 각호에서 규정하고 있는 사항 이외에 '교원으로서의 품위 및 학교 명예에 관한 사항'을 규정하고 있어 위임입법의 한계를 벗어난 것이 아닌지 문제됨. 교육공무원법을 한정적 열거사항[4]으로 보게 되면 상위법령의 위임의 한계를 벗어난 것으로서 효력이 없게 되며 재임용탈락통지는 위법.

4. 재임용탈락통지에 대한 행정쟁송상 구제수단

(1) 소 청

- 교원소청심사위원회에 심사청구(필요적 전치주의)[5]

---

3) 계약제 교수임용을 공법상 계약으로 보는 견해도 있을 수 있으나 판례는 처분으로 보므로 재임용 탈락통지도 거부처분으로 봄.
4) 예시적 규정으로 본다면 교원인사규정은 효력이 있게 되며, 사안의 경우에 역시 비례의 원칙 위반여부를 검토하게 될 것.
5) 변별력을 고려하여 의도적으로 소청에 대해 규정하고 있는 교육공무원법 제11조6항을 배제했다고 함.

(2) 항고소송[6)]

- 거부처분취소소송, 의무이행소송

(3) 가구제

- 거부처분에 대한 집행정지의 가능성, 가처분 논의

(4) 기 타

- 항고소송에서 인사관리규정에 대한 구체적 규범통제
- 국가배상청구권을 공권으로 볼 경우 당사자소송으로 국가배상청구[7)]

기출 사례 개발행위허가의 법적성질, 예방적부작위청구, 거부처분과 관련한 권리구제(13년 사시)

甲은 개발제한구역 내에 위치한 지역에서 폐기물 처리시설의 설치를 위하여 관할 시장 A에게 개발행위허가를 신청하였다. 위 처리시설의 예정지역에 거주하는 주민 乙은 위 처리시설이 설치되면 주거생활에 심각한 침해를 받는다고 생각하여, 시장 A에게 위 신청을 반려할 것과 주민들의 광범위한 의견을 수렴한 후 다시 허가절차를 밟게 하라고 요구하였다. 그러나 시장 A는 위 처리시설이 필요하고, 개발제한구역이 아닌 지역에 입지하기가 곤란하다는 이유로 위 개발행위를 허가하였다. 다만 민원의 소지를 줄이기 위하여, 위 처리시설로 인하여 환경오염이 심각해질 경우 위 개발행위허가를 취소·변경할 수 있다는 내용의 부관을 붙였다. 그런데 위 처리시설이 가동된 지 얼마 지나지 않아 예상과 달리 폐기물 처리량이 대폭 증가하였다. 이에 주민 乙은 위 처리시설로 인하여 평온한 주거생활을 도저히 영위하기 어렵다고 여겨, 시장 A에게 위 부관을 근거로 위 개발행위허가를 취소·변경하여 줄 것을 요구하였다. 그런데 시장 A는 이를 거부하였다.

1. 위 개발행위허가의 법적 성질을 밝히고, 그 특징을 설명하시오.(15점)
2. 乙이 위 개발행위허가가 행해지기 전에 고려할 수 있는 행정소송상의 수단을 검토하시오.(10점)
3. 위 부관을 근거로 한 乙의 요구에 대한 시장 A의 거부행위와 관련하여, 乙이 자신의 권익보호를 국가배상청구소송과 행정소송에서 실현할 수 있는지 검토하시오.(25점)

*** 개발제한구역의 지정 및 관리에 관한 특별조치법**

제1조(목적) 이 법은 「국토의 계획 및 이용에 관한 법률」 제38조에 따른 개발제한구역의 지정과 개발제한구역에서의 행위 제한, 주민에 대한 지원, 토지 매수, 그 밖에 개발제한구역을 효율적으로 관리하는 데에 필요한 사항을 정함으로써 도시의 무질서한 확산을 방지하고 도시 주변의 자연환경을 보전하여 도시민의 건전한 생활환경을 확보하는 것을 목적으로 한다.

제12조(개발제한구역에서의 행위제한) ① 개발제한구역에서는 건축물의 건축 및 용도변경, 공작물의 설치, 토지의 형질변경, 죽목(竹木)의 벌채, 토지의 분할, 물건을 쌓아놓는 행위 또는 「국토의 계획 및 이용에 관한 법률」 제2조 제11호에 따른 도시·군계획사업(이하 "도시·군계획사업" 이라 한다)의 시행을 할 수 없다. 다만, 다음 각 호의 어느 하나에 해당하는 행위를 하려는 자는 특별자치시장·특별자치도지사·시장·군수 또는 구청장(이하 "시장·군수·구청장"이라 한다)의 허가를 받아 그 행위를 할 수 있다.

1. 다음 각 목의 어느 하나에 해당하는 건축물이나 공작물로서 대통령령으로 정하는 건축물의 건축 또는 공작물의 설치와 이에 따르는 토지의 형질변경

다. 개발제한구역이 아닌 지역에 입지가 곤란하여 개발제한구역내에 입지하여야만 그 기능과 목적이 달성되는 시설

* "대통령령으로 정하는 건축물 또는 공작물"에 폐기물 처리시설이 포함되어 있음.

Ⅰ. 갑에 대한 개발행위허가의 법적 성질 및 특징

1. 개발제한구역 내 개발행위허가의 법적성질(#34)

- 통상적인 개발행위허가는 강학상 허가에 해당하나 개발제한구역 내의 개발행위허가는 예외적 승인(허가)에 해당,
- 게다가 사안의 개발행위허가는 철회권의 유보 부관을 부가한 부관부행정행위에 해당.

2. 개발제한구역 내 개발행위허가의 특징

- 통상적인 허가가 예방적 금지의 해제라면, 예외적 승인은 억제적 금지의 해제를 의미.
- 통상적인 개발행위허가는 기속행위설, 재량행위설, 기속재량행위설 등의 견해대립이 있으나 개발제한구역 내의 개발행위허가는 재량행위에 해당.

Ⅱ. 개발행위허가 전에 취할 수 있는 을의 구제수단

- 무명항고소송으로서 예방적부작위소송(#107) 및 민사집

6) 계약제 교수임용을 공법상계약으로 볼 경우 본안소송은 당사자소송이, 가구제는 가처분이 됨.
7) 국가배상까지 쟁송상 구제수단으로 언급하는 분도 있고, 손해전보는 쟁송수단에서 배제하는 분도 있음.

행법상의 가처분(#116) 인정 논의

- 판례는 예방적 부작위소송을 부정하고 있으며, 가구제수단으로 민사집행법상의 가처분도 불가하다는 입장.
- 입법론으로는 도입필요성 있음. 2007년 개정안에 포함되어 있었으나 2013년 입법예고된 내용에는 누락됨.

Ⅲ. 시장A의 거부와 관련한 국가배상청구소송과 행정소송을 통한 권리실현가능성

1. 문제의 소재

A시장의 철회권 행사는 재량행위인데 을이 A시장에게 갑에 대한 개발행위허가의 취소·변경을 요구할 수 있는지 문제됨. 행정개입청구권의 인정여부 및 권리실현수단이 문제됨.

2. 행정개입청구권의 인정여부

- 재량이 0으로 수축된 경우에 인정.
- 사안의 철회권 행사는 재량행위에 해당. 폐기물 처리량이 대폭 증가하여 인군주민 乙이 처리시설로 인하여 평온한 주거생활을 도저히 영위하기 어려운 상황이라면 경우에 따라서는 A시장은 취소·변경하여야만 하는 상황이 존재할 수 있음.

2. 국가배상청구소송을 통한 권리실현가능성

- 국가배상청구소송에 선결문제로 처분의 위법성 심리 가능
- 재량행위라도 재량이 0으로 수축되어 A시장의 거부행위가 재량의 일탈,남용에 해당하면 국가배상법상 법령위반에 해당함. **관련 공무원이 손해발생 결과를 예견하여 결과를 회피하기 위한 조치를 취할 수 있는 가능성이 있었다면 과실도 인정할 수 있을 것.**

판 례 법령에 위반하여'라고 하는 것이 엄격하게 형식적 의미의 법령에 명시적으로 공무원의 작위의무가 규정되어 있는데도 이를 위반하는 경우만을 의미하는 것은 아니고, **국민의 생명, 신체, 재산 등에 대하여 절박하고 중대한 위험상태가 발생하였거나 발생할 우려가 있어서 국민의 생명, 신체, 재산 등을 보호하는 것을 본래적 사명으로 하는 국가가 초법규적, 일차적으로 그 위험 배제에 나서지 아니하면 국민의 생명, 신체, 재산 등을 보호할 수 없는 경우**에는 **형식적 의미의 법령에 근거가 없더라도 국가나 관련 공무원에 대하여 그러한 위험을 배제할 작위의무를 인정**할 수 있을 것이지만, 그와 같은 절박하고 중대한 위험상태가 발생하였거나 발생할 우려가 있는 경우가 아니라면 원칙적으로 공무원이 관련 법령을 준수하여 직무를 수행하였다면 그와 같은 공무원의 부작위를 가지고 '고의 또는 과실로 법령에 위반'하였다고 할 수는 없을 것이므로, 공무원의 부작위로 인한 국가배상책임을 인정할 것인지 여부가 문제되는 경우에 관련 공무원에 대하여 **작위의무를 명하는 법령의 규정이 없다면 공무원의 부작위로 인하여 침해된 국민의 법익 또는 국민에게 발생한 손해가 어느 정도 심각하고 절박한 것인지, 관련 공무원이 그와 같은 결과를 예견하여 그 결과를 회피하기 위한 조치를 취할 수 있는 가능성이 있는지 등을 종합적으로 고려**하여 판단하여야 할 것이다(대판 1998.10.13, 98다18520). ⇒ 부작위에 대한 판례이지만 작위에 대해서도 동일한 법리가 적용될 것.

3. 행정소송을 통한 권리실현가능성

- 갑은 거부처분에 대한 취소소송등의 항고소송을 제기하여야 함(의무이행소송은 인정여부에 대한 논의 있으나 판례는 부정).
- 판례는 신청에 대한 거부가 거부처분이기 위해 신청권을 요구하는 바, 사안은 인근주민의 보호를 위하여 철회권이 유보된 사정등을 감안할 때 예외적으로 조리상 신청권을 인정할 수 있음(철회권의 유보가 있다고 하더라도 A시장에게는 허가 취소·변경에 대한 권능만 인정된다는 반대견해 가능).
- 개입의무가 인정되므로 갑이 거부처분취소소송을 제기했다면 승소할 것(#12. 관련판례의 1심법원의 태도 참조).

109 원처분주의와 재결주의

Ⅰ. 서 설

1. 문제의 소재

원처분과 이에 대한 재결을 모두 항고소송의 대상으로 한다면 판결의 모순저촉 우려 및 소송경제 측면에서 문제가 있기 때문에, 입법론상 원처분주의를 취할 것인가 재결주의를 취할 것인가의 논의가 있다.

2. 개 념

(1) 원처분주의

원처분과 재결에 대하여 다같이 소를 제기할 수 있되, 원처분의 위법은 원처분의 항고소송에서만 주장할 수 있고, 재결에 대한 항고소송에 있어서는 원처분의 하자가 아닌 재결의 고유한 위법에 대해서만 주장할 수 있도록 하는 제도이다.

(2) 재결주의

원처분에 대해서는 제소 자체가 허용되지 않고 재결만 행정쟁송의 대상으로 인정하되, 재결 자체의 위법 뿐만 아니라 원처분의 위법도 재결항고소송에서 주장할 수 있도록 하는 제도이다.

3. 행정소송법의 태도 – 제19조, 제38조는 원처분주의를 채택

헌재결정 같은 법 제19조는 "취소소송은 처분 등을 대상으로 한다. 다만 재결취소소송의 경우에는 재결 자체에 고유한 위법이 있음을 이유로 하는 경우에 한한다"라고 하여, 위법한 처분에 불복하여 취소소송을 제기하기 전에 전심절차로서 행정심판을 거친 경우라도 위법한 처분 자체를 취소소송의 대상으로 삼아야 한다고 규정하고 이를 무효확인소송과 부작위위법확인소송에도 준용하고 있다(제38조). 행정심판에 대한 재결도 취소소송의 대상임이 명백하나(제2조1항1호), 원처분에 불복하여 행정심판의 재결을 거친 경우에 아무런 제한없이 위법한 원처분과 재결 모두를 소송의 대상으로 허용한다면 판결의 저촉이나 소송경제에 반하는 문제가 발생하므로 우리 행정소송법은 원처분에 대하여만 제소를 허용하고, 재결에 대하여는 예외적으로 재결 자체에 고유한 위법이 있는 경우에 한하여 제소를 허용하는 이른바 '원처분주의'를 입법화하고 있다(헌재결 2001.6.28, 2000헌바77).

Ⅱ. 원처분주의

1. 원처분중심주의

원처분이 정당한 것으로 인정되어 심판청구를 기각한 재결에 불복하는 소송에서도 원처분이 소송의 대상이다. 다만 재결에 고유한 위법이 있는 경우에는 원처분에 대해서 뿐만 아니라 재결에 대한 소제기도 인정한다. 재결소송도 중 원처분취소소송에서 취소판결이 나면 재결소송의 소의 이익이 없게 된다.

2. 재결소송

원처분에는 하자가 없고 재결에만 하자가 있는 경우 재결을 분쟁대상으로 하며, 그 외에 원처분을 다툴 필요가 없거나 다툴 수 없는 자도 재결로 인하여 비로소 불이익을 받게 되는 경우에는 재결소송을 인정할 필요성이 있다.

판 례 '재결 자체에 고유한 위법'이란 원처분에는 없고 재결에만 있는 재결청의 권한 또는 구성의 위법, 재결의 절차나 형식의 위법, 내용의 위법 등을 뜻하고, 그 중 내용의 위법에는 위법・부당하게 인용재결을 한 경우가 해당한다(대판 2001.5.29, 99두10292).

(1) 주체의 위법

행정심판위원회의 권한 또는 구성에 위법이 있는 경우이다.

(2) 절차의 위법

심판법상의 심판절차를 준수하지 않은 경우를 말한다.

(3) 형식상의 위법

심판법 제46조의 재결방식에 위반한 하자이다.

(4) 내용상의 위법

내용의 위법은 재결 자체에 고유한 위법이 아니라는 견해도 있으나, 다수설과 판례는 위법사유로 인정한다.

1) 각하재결 - 심판청구가 적법함에도 부적법 각하한 경우이다.

2) 기각재결 - 원처분과 동일한 이유의 기각재결은 재결자체에 고유한 하자는 아니지만, 불고불리원칙에 반하는 재결(행정심판법 제47조1항) · 원처분보다 불리한 재결(행정심판법 47조2항) · 사정재결의 경우에는 재결취소의 소 제기가 가능하다.

3) 인용재결

① 복효적 행정행위에 있어서 제3자 - 판례는 복효적 행정행위, 특히 제3자효를 수반하는 행정행위에 대한 행정심판청구에 있어서 그 청구를 인용하는 내용의 재결로 인하여 비로소 권리이익을 침해받게 되는 자는 그 인용재결에 대하여 다툴 필요가 있고, 그 인용재결은 원처분과 내용을 달리하는 것이므로 그 인용재결의 취소를 구하는 것은 원처분에는 없는 재결에 고유한 하자를 주장하는 셈이어서 당연히 항고소송의 대상이 된다고 한다(대판 2001.5.29, 99두10292).

② 형성재결의 경우 - 재결자체가 항고소송의 대상이 된다.

판 례 원처분의 상대방이 아닌 제3자가 행정심판을 청구하여 재결청이 원처분을 취소하는 형성재결을 한 경우에 그 원처분의 상대방은 그 재결에 대하여 항고소송을 제기할 수밖에 없고, 이 경우 재결은 원처분과 내용을 달리 하는 것이어서 재결의 취소를 구하는 것은 원처분에 없는 재결 고유의 위법을 주장하는 것이 된다(대판 1998.4.24, 97누17131).

③ 이행재결(명령 재결) - #102의 4번 쟁점.

④ 수정(변경)재결 - #102의 3번 쟁점

Ⅲ. 행정소송법 제19조 단서를 위반한 소송의 효과

제19조의 표제가 '취소소송의 대상'이라고 되어 제19조 단서를 소극적 소송요건으로 이해하는 각하설이 있으나, 통설 · 판례는 이를 이유제한의 형식으로 이해하여 소송요건이 아니라 본안판단사항으로 보는 기각설의 입장이다.

Ⅳ. 원처분주의에 대한 예외(재결주의)

1. 의 의

개별법에서 재결주의를 취한 경우, 원처분은 항고소송의 대상이 되지 못하고 재결만이 소송의 대상이 된다. 다만 판례는 당해처분이 당연무효인 경우에는 원처분 무효확인의 소가 가능하다고 한다.

헌재결정 위법한 원처분을 소송의 대상으로 하여 다투는 것보다는 행정심판에 대한 재결을 다투는 것이 당사자의 권리구제에 보다 효율적이고, 판결의 적정성을 더욱 보장할 수 있는 경우에는 행정심판에 대한 재결에 대하여만 제소하도록 하는 것이 국민의 재판청구권의 보장이라는 측면에서 더욱 바람직한 경우도 있으므로, 개별법률에서 이러한 취지를 정하는 때에는 원처분주의의 적용은 배제되고 재결에 대해서만 제소를 허용하는 이른바 '재결주의'가 인정된다(제8조1항) … 그런데, 개별법률에서 재결주의를 정하는 경우에는 재결에 대해서만 제소하는 것이 허용되므로 그 논리적인 전제로서 취소소송을 제기하기 전에 행정심판을 필요적으로 경유할 것이 요구되는 바 … (헌재결 2001.6.28, 2000헌바77).

2. 재결주의가 문제되는 예

1) 개별법상의 재결주의 규정 - 노동위원회의 처분에 대한 재심의 판정(노동위원회법 제26,27조), 감사원의 변상판정에 대한 재심

의 판정(감사원법 제30조 1항, 제40조2항) 및 특허심판원의 심결(특허법 제186,189조) 등이 그 예로서, 재결을 취소소송의 대상으로 하고 있다.

2) 교원소청심사위원회 결정

① **사립학교교원** - 교원지위향상을위한특별법 제10조3항은 소청심사위원회의 소청결정에 대하여 소송을 제기할 수 있다고 규정하고 있는바, 사립학교 교원의 경우는 **소청결정이 행정소송의 대상**이다. **학교법인의 징계처분은 행정소송법상 처분에 해당하지 않으므로** 이에 대한 소청결정은 원처분에 대한 재결은 아니며, 소청결정이 소송의 대상이 된다고 하더라도 **재결주의가 적용되는 경우가 아니다.**

② **국 · 공립학교교원** - 징계처분이 원처분이 되며, 소청결정은 행정심판의 재결에 해당한다. **원처분 중심주의**가 적용된다. 따라서 항고소송의 대상은 원처분인 징계처분이 되고, 소청심사위의 결정은 고유한 위법이 있을 때만 소송의 대상이 된다(판례).

관련 판례 1 재결에 고유한 위법 – 복효적 행정행위에 대한 인용재결(대판 2001.5.29, 99두10292)

[1] 구 체육시설의설치 · 이용에관한법률(1994.1.7. 법률 제4719호로 전문 개정되어 1999.1.18. 법률 제5636호로 개정되기 전의 것) 제16조, 제34조, 같은법시행령(1994.6.17. 대통령령 제14284호로 전문 개정되어 2000.1.28. 대통령령 제16701호로 개정되기 전의 것) 제16조의 규정을 종합하여 볼 때, 등록체육시설업에 대한 사업계획의 승인을 얻은 자는 규정된 기한 내에 사업시설의 착공계획서를 제출하고 그 수리 여부에 상관없이 설치공사에 착수하면 되는 것이지, 착공계획서가 수리되어야만 비로소 공사에 착수할 수 있다거나 그 밖에 착공계획서 제출 및 수리로 인하여 사업계획의 승인을 얻은 자에게 어떠한 권리를 설정하거나 의무를 부담케 하는 법률효과가 발생하는 것이 아니므로 행정청이 사업계획의 승인을 얻은 자의 **착공계획서를 수리[1]하고 이를 통보한 행위는 그 착공계획서 제출사실을 확인하는 행정행위[2]에 불과하고 그를 항고소송이나 행정심판의 대상이 되는 행정처분으로 볼 수 없다.**

[2] 이른바 **복효적 행정행위, 특히 제3자효를 수반하는 행정행위에 대한 행정심판청구[3]에 있어서 그 청구를 인용하는 내용의 재결로 인하여 비로소 권리이익을 침해받게 되는 자는 그 인용재결에 대하여 다툴 필요가 있고, 그 인용재결은 원처분과 내용을 달리하는 것이므로 그 인용재결의 취소를 구하는 것은 원처분에는 없는 재결에 고유한 하자를 주장하는 셈이어서 당연히 항고소송의 대상이 된다.**

[3] 행정청이 골프장 사업계획승인을 얻은 자의 사업시설 착공계획서를 수리한 것에 대하여 인근 주민들이 그 수리처분의 취소를 구하는 행정심판을 청구하자 재결청이 그 청구를 인용하여 수리처분을 취소하는 **형성적 재결**을 한 경우, 그 **수리처분 취소 심판청구는 행정심판의 대상이 되지 아니하여 부적법 각하하여야 함에도 위 재결은 그 청구를 인용하여 수리처분을 취소하였으므로 재결 자체에 고유한 하자가 있다**고 본 사례.

비교 판례 어업면허취소처분에 대한 취소재결처분 취소

(대판 1995.6.13, 94누15592)

[1] 이른바 복효적 행정행위, 특히 제3자효를 수반하는 행정행위에 대한 행정심판청구에 있어서 그 청구를 인용하는 내용의 재결로 인하여 비로소 권리이익을 침해받게 되는 자(예컨대, 제3자가 행정심판청구인인 경우의 행정처분 상대방 또는 행정처분 상대방이 행정심판청구인인 경우의 제3자)는 재결의 당사자가 아니라고 하더라도 그 인용재결의 취소를 구하는 소를 제기할 수 있으나, 그 인용재결로 인하여 새로이 어떠한 권리이익도 침해받지 아니하는 자인 경우에는 그 재결의 취소를 구할 소의 이익이 없다.

[2] **처분상대방이 아닌 제3자가 당초의 양식어업면허처분에 대하여는 아무런 불복조치를 취하지 않고 있다가 도지사가 그 어업면허를 취소하여 처분상대방인 면허권자가 그 어업면허취소처분의 취소를 구하는 행정심판을 제기하고 이에 재결기관인 수산청장이 그 심판청구를 인용하는 재결을 하자 비로소 그 제3자가 행정소송으로 그 인용재결을 다투고 있는 경우, 수산청장의 그 인용재결은 도지사의 어업면허취소로 인하여 상실된 면허권자의 어업면허권을 회복하여 주는 것에 불과할 뿐 인용재결로 인하여 제3자의 권리이익이 새로이 침해받는 것은 없고, 가사 그 인용재결로 인하여 그 면허권자의 어업면허가 회복됨으로써 그 제3자에 대하여 사실상 당초의 어업면허에 따른 효과**

1) 행정요건적 공법행위인 신청에 대한 인식의 표시인 강학상 수리가 아니라, 공법적 효과발생을 목적으로 행정청에 일정한 사실을 알리는 자체완성적 공법행위인 신고 내지 통지에 대한 단순한 사실인 접수행위에 해당(김향기).
2) 강학상 행정행위를 의미하는 것은 아니며 판례의 표현상 실수인 것으로 생각됨.
3) 판례를 사례화한다면 제3자의 청구인적격(법률상 이익)의 인정 여부도 논점이 됨.

와 같은 결과를 초래한다고 하더라도 이는 간접적이거나 사실적·경제적인 이해관계에 불과하므로, 그 제3자는 인용재결의 취소를 구할 소의 이익이 없다고 본 사례.

관련 판례 2) 취소재결(형성재결)후에 발령된 취소처분 (대판 1998.4.24, 97누17131)

1. 사실관계

보건복지부장관은 보령제약에 대하여 1996.3.21. 보령정로환당의정에 대한 의약품제조품목허가처분을 함. 동성제약 주식회사가 이미 자신에게 허가한 의약품과 동일·유사한 명칭을 사용하는 의약품에 대하여 허가를 한 것이어서 위법하다는 이유로 취소심판을 제기하자 위 허가에 관한 처분청 겸 재결청인 보건복지부장관은 국무총리행정심판위원회의 의결을 거쳐 1997.1.11. 위 허가처분을 취소한다는 내용의 이 사건 취소재결을 하였고, 이어서 1997.1.23. 보령제약에게 다시 위 허가처분을 취소하는 내용의 처분을 함.[4]

2. 판시사항 및 판결요지

[1] 형성적 재결의 효력

- 행정심판법 제32조(현43조)3항에 의하면 재결청은 취소심판의 청구가 이유 있다고 인정할 때에는 처분을 취소·변경하거나 처분청에게 취소[5]·변경할 것을 명한다고 규정하고 있으므로, 행정심판 재결의 내용이 처분청에게 처분의 취소를 명하는 것이 아니라 재결청이 스스로 처분을 취소하는 것일 때에는 그 재결의 형성력에 의하여 당해 처분은 별도의 행정처분을 기다릴 것 없이 당연히 취소되어 소멸되는 것이다.

[2] 원처분에 대한 형성적 취소재결이 확정된 후 처분청이 다시 원처분을 취소한 경우, 위 처분이 항고소송의 대상이 되는 처분인지 여부(소극)

- 당해 의약품제조품목허가처분취소재결은 보건복지부장관이 재결청의 지위에서 스스로 제약회사에 대한 위 의약품제조품목허가처분을 취소한 이른바 형성재결임이 명백하므로, 위 회사에 대한 의약품제조품목허가처분은 당해 취소재결에 의하여 당연히 취소·소멸되었고, 그 이후에 다시 위 허가처분을 취소한 당해 처분은 당해 취소재결의 당사자가 아니어서 그 재결이 있었음을 모르고 있는 위 회사에게 위 허가처분이 취소·소멸되었음을 확인하여 알려주는 의미의 사실 또는 관념의 통지에 불과할 뿐 위 허가처분을 취소·소멸시키는 새로운 형성적 행위가 아니므로 항고소송의 대상이 되는 처분이라고 할 수 없다.

[3] 원처분의 상대방이 아닌 제3자가 행정심판을 청구하여 재결청이 원처분을 취소하는 형성재결을 한 경우, 위 원처분의 상대방이 할 수 있는 불복방법 및 위 재결의 취소를 구하는 것이 원처분에 없는 재결 고유의 하자를 주장하는 것인지 여부(적극)

- 당해 사안에서와 같이 원처분의 상대방이 아닌 제3자가 행정심판을 청구하여 재결청이 원처분을 취소하는 형성재결을 한 경우에 그 원처분의 상대방은 그 재결에 대하여 항고소송을 제기할 수밖에 없고, 이 경우 재결은 원처분과 내용을 달리 하는 것이어서 재결의 취소를 구하는 것은 원처분에 없는 재결 고유의 위법을 주장하는 것이 된다.

관련 판례 3) 사립학교법인의 교원소청심사위원회의 결정에 대한 불복가능성(헌재결 2006.2.23, 2005헌가7)

1. 판시사항 및 결정요지

[2] 학교법인과 그 소속 교원의 법률관계 및 징계 등 불리한 처분의 법적 성격

- 사립학교 교원은 학교법인과의 사법상 고용계약에 의하여 임면되고, 학생을 교육하는 대가로서 학교법인으로부터 임금을 지급받으므로 학교법인과 교원의 관계는 원칙적으로 사법적 법률관계에 기초하고 있다. 비록 학교법인에 대하여 국가의 광범위한 감독 및 통제가 행해지고, 사립학교 교원의 자격, 복무 및 신분보장을 공무원인 국·공립학교 교원과 동일하게 보장하고 있지만, 이 역시 이들 사이의 법률관계가 사법관계임을 전제로 그 신분 등을 교육공무원의 그것과 동일하게 보장한다는 취지에 다름 아니다. 따라서 학교법인의 사립학교 교원에 대한 인사권의 행사로서 징계 등 불리한 처분 또한 사법적 법률행위로서의 성격을 가진다.

[3] 사립학교 교원이 당사자인 재심절차 및 재심결정의 법적 성격

- 행정심판이라 함은 행정청의 처분 등으로 인하여 침해된 국민의 기본권 등 권익을 구제하고, 행정의 자기통제 및 자기감독을 실현함으로써 행정의 적법성을 보장하는 권리구제절차이므로 학교법인과 그 소속 교원 사이의 사법적 고

---

4) 과거에는 행정심판기관이 재결기관과 의결기관이 분리되어 있었으며, 각부장관이 처분을 한 경우 각부장관이 재결청이고 국무총리행정심판위원회는 의결기관이었음. 사안에서 보건복지부장관은 처분청이면서 동시에 재결청이었던 것. 그러나 현행 행정심판법으로는 행정심판기관은 행정심판위원회로 일원화됨.

5) 현행 행정심판법은 취소명령재결이 삭제됨

용관계에 기초한 교원에 대한 징계 등 불리한 처분을 그 심판대상으로 삼을 수는 없는 것이다. 따라서 재심위원회를 교육인적자원부 산하의 행정기관으로 설치하는 등의 교원지위법 규정에도 불구하고 여전히 재심절차는 학교법인과 그 교원 사이의 사법적 분쟁을 해결하기 위한 간이분쟁해결절차로서의 성격을 갖는다고 할 것이므로, 재심결정은 특정한 법률관계에 대하여 의문이 있거나 다툼이 있는 경우에 행정청이 공적 권위를 가지고 판단·확정하는 행정처분에 해당한다고 봄이 상당하다.

[4] 재심결정에 대하여 교원에게만 행정소송을 제기할 수 있도록 하고 학교법인에게는 이를 금지한 교원지위향상을위한 특별법(2001.1.29. 법률 제6400호 및 2005.1.27. 법률 제7354호로 개정된 것, 이하 '교원지위법'이라 한다) 제10조3항(이하 양 조항을 '이 사건 법률조항'이라 한다)이 헌법에 위배되는지 여부(적극)

- 이 사건 법률조항은 국가의 학교법인에 대한 감독권 행사의 실효성을 보장하고, 재심결정에 불복하는 경우 사립학교 교원에게 행정소송을 제기할 수 있게 함으로써 사립학교 교원의 신분보장과 지위향상에 그 입법목적이 있다고 할 것이므로 그 정당성을 긍정할 수 있고, 재심절차에서 교원의 청구가 인용되는 경우 교원은 확정적·최종적으로 징계 등 불리한 처분에서 벗어나게 되므로 그 수단의 적절성도 인정된다. 그리고 교원이 그 선택에 따라 징계 등 불리한 처분의 효력유무를 다투는 민사소송을 제기하는 경우 학교법인은 이에 대하여 응소하거나 또는 그 소송의 피고로서 재판절차에 참여함으로써 자신의 침해된 권익을 구제받을 수 있고, 나아가 적극적으로 학교법인이 징계 등 처분이 유효함을 전제로 교원지위부존재확인 등 민사소송을 제기하는 방법으로 재심결정의 대상인 불리한 처분을 다툴 수도 있다.

그러나 교원이 제기한 민사소송에 대하여 응소하거나 피고로서 재판절차에 참여함으로써 자신의 권리를 주장하는 것은 어디까지나 상대방인 교원이 교원지위법이 정하는 재심절차와 행정소송절차를 포기하고 민사소송을 제기하는 경우에 비로소 가능한 것이므로 이를 들어 학교법인에게 자신의 침해된 권익을 구제받을 수 있는 실효적인 권리구제절차가 제공되었다고 볼 수 없고, 교원지위부존재확인 등 민사소송절차도 교원이 처분의 취소를 구하는 재심을 따로 청구하거나 또는 재심결정에 불복하여 행정소송을 제기하는 경우에는 민사소송의 판결과 재심결정 또는 행정소송의 판결이 서로 모순·저촉될 가능성이 상존하므로 이 역시 간접적이고 우회적인 권리구제수단에 불과하다. 그리고 학교법인에게 재심결정에 불복할 제소권한을 부여한다고 하여 이 사건 법률조항이 추구하는 사립학교 교원의 신분보장에 특별한 장애사유가 생긴다든가 그 권리구제에 공백이 발생하는 것도 아니므로 이 사건 법률조항은 분쟁의 당사자이자 재심절차의 피청구인인 학교법인의 재판청구권을 침해한다.

또한 학교법인은 그 소속 교원과 사법상의 고용계약관계에 있고 재심절차에서 그 결정의 효력을 받는 일방 당사자의 지위에 있음에도 불구하고 이 사건 법률조항은 합리적인 이유 없이 학교법인의 제소권한을 부인함으로써 헌법 제11조의 평등원칙에 위배되고, 사립학교 교원에 대한 징계 등 불리한 처분의 적법여부에 관하여 재심위원회의 재심결정이 최종적인 것이 되는 결과 일체의 법률적 쟁송에 대한 재판권능을 법원에 부여한 헌법 제101조1항에도 위배되며, 행정처분인 재심결정의 적법여부에 관하여 대법원을 최종심으로 하는 법원의 심사를 박탈함으로써 헌법 제107조2항에도 아울러 위배된다.

[5] 이 사건 법률조항의 위헌 여부에 관한 우리 재판소의 종전 견해를 변경한 사례

- 이 사건 법률조항은 헌법에 위반되므로, 우리 재판소가 종전의 헌재결 1998.7.16. 95헌바19[6]등 결정에서 이와 견해를 달리하여 이 사건 법률조항이 헌법에 위반되지 아니한다고 판시한 의견은 이를 변경하기로 한다.

기출 사례 형성재결의 효력, 수정재결이 있는 경우 소송의 및 피고(13년 사시)

X시 소속 공무원 甲은 다른 동료들과 함께 회식을 하던 중 옆자리에 앉아 있던 동료 丙과 시비가 붙어 그를 폭행하였다. 이러한 사실이 지역 언론을 통하여 크게 보도되자, X시의 시장 乙은 적법한 절차를 통해 甲에 대해 정직 3월의 징계처분을 하였다. 甲은 "해당 징계처분이 과도하기 때문에 위법이다."라고 주장하면서, X시 소청심사위원회에 소청을 제기하였다. 이에 대해 X시 소청심사위원회는 정직 3월을 정직 2월로 변경하는 결정을 내렸다.

6) 동판례의 다수의견은 재심결정을 행정심판의 재결에 유사한 것으로 보고, 감독수단의 마련은 입법정책적인 것이라고 하면서 평등권에 반하지 않는다고 판시했음(반대의견은 변경판례 유사).

1. 甲은 2월의 정직기간 만료 후에 위 소청결정에 따른 시장 乙의 별도 처분 없이 업무에 복귀하였다. 이와 관련하여 X시 소청심사위원회가 내린 위 결정의 효력에 대하여 설명하시오.(10점)

2. 甲은 2월의 정직기간 만료 전에 X시 소청심사위원회가 내린 정직 2월도 여전히 무겁다고 주장하면서 취소소송을 제기하려고 한다. 이 경우 취소소송의 피고 및 대상을 검토하시오.(20점)

Ⅰ. X시 소청심사위원회가 내린 변경결정의 효력

1. 변경결정의 성질

- 소청결정의 종류(국가공무원법 제14조 2항)
- 형성재결의 성격

2. 변경결정의 효력

1) 불가변력

- 성질상 소청심사위원회도 결정을 취소·변경할 수 없음.

2) 형성력

- 변경재결에 의해 행정청의 별도의 처분을 기다릴 것 없이 정직 3개월의 징계처분이 정직 2개월의 징계처분으로 당연히 변경됨.

3) 기속력(국가공무원법 제15조)

- X시장은 동일한 사유로 다시 정직 3개월의 처분을 하여서도 안 됨.

Ⅱ. 갑이 취소소송을 제기할 경우 피고 및 소송의 대상

1. 원처분중심주의

2. 변경재결이 있는 경우 소의 대상(#102.3)

- 수정된 원처분설, 수정재결설, 절충설의 견해대립이 있으나 수정된 원처분설이 통설, 판례.
- 이에 의하면 2개월로 변경되어 남아 있는 X시장이 행한 원래의 정직처분이 소송의 대상.

3. 취소소송의 피고

- 취소소송의 피고는 처분을 행한 행정청(행소법 제13조)
- 수정된 원처분이 소송의 대상이므로 X시장이 피고.

기출 사례 법규명령 형식의 행정규칙, 하자의 치유, 이행재결에 따른 처분이 있는 경우 소의 대상 및 제소기간, 비례·평등원칙, 사전통지 (14년 변시)

甲은 2013. 3. 15. 전 영업주인 乙로부터 등록 대상 석유판매업인 주유소의 사업 일체를 양수받고 잔금지급액에 다소 이견이 있는 상태에서, 2013. 3. 28. 석유 및 석유대체연료 사업법(이하 '법'이라 함) 제10조 제3항에 따라 관할 행정청인 A시장에게 성명, 주소 및 대표자 등의 변경등록을 한 후 2013. 4. 5.부터 '유정주유소'라는 상호로 석유판매업을 영위하고 있다.

그런데 A시장이 2013. 5. 7. 관할구역 내 주유소의 휘발유 시료를 채취하여 한국석유관리원에 위탁하여 검사한 결과 '유정주유소'와 인근 '상원주유소'에서 취급하는 휘발유에 경유가 1% 정도 혼합된 것으로 밝혀졌다.

한편, A시장은 취임과 동시에 "A시 관할구역 내에서 유사석유를 판매하다가 단속되는 주유소는 예외 없이 등록을 취소하여 주민들이 믿고 주유소를 이용하도록 만들겠다." 라고 공개적으로 밝힌 바 있다. 이에 A시장은 2013. 6. 7. 甲에 대하여 청문 절차를 거치지 아니한 채 법 제13조 제3항 제12호에 따라 석유판매업등록을 취소하는 처분(이하 '당초처분'이라 함)을 하였고, 甲은 그 다음 날 처분이 있음을 알게 되었다.

甲은 당초처분에 불복하여 2013. 8. 23. 행정심판을 청구하였으며, 행정심판위원회는 2013. 10. 4. 당초처분이 재량권의 범위를 일탈하거나 남용한 것이라는 이유로 당초처분을 사업정지 3개월로 변경하라는 내용의 변경명령재결을 하였고, 그 재결서는 그날 甲에게 송달되었다. 그렇게 되자, A시장은 청문 절차를 실시한 후 2013. 10. 25. 당초처분을 사업정지 3개월로 변경한다는 내용의 처분(이하 '변경처분'이라 함)을 하였고, 그 처분서는 다음날 甲에게 직접 송달되었다.

그런데 甲은 "유정주유소는 X정유사로부터 직접 석유제품을 공급받고, 공급받은 석유제품을 그대로 판매하였으며, 상원주유소도 자신과 마찬가지로 X정유사로부터 직접 석유제품을 구입하여 판매하였는데 그 규모와 판매량이 유사한데다가 甲과 동일하게 1회 위반임에도 상원주유소에 대하여는 사업정지 15일에 그치는 처분을 내렸다. 또한 2013. 5. 초순경에 주유소 지하에 있는 휘발유 저장탱크를 청소하면서 휘발유보다 값이 싼 경유를 사용하여 청소를 하였는데 그때 부주의하여 경유를 모두 제거하지 못하였고, 그러한 상태에서 휘발유를 공급받다 보니 휘발유에 경유가 조금 섞이게 된 것으로, 개업한 후 처음 겪는 일이고 위반의 정도가 경미하다."라고 주장하면서 행정소송을 제기하여 다투려고 한다.

한편, 법 제13조 제4항은 "위반행위별 처분기준은 산업통상자원부령으로 정한다."라고 되어 있고, 법 시행규칙 [별표 1] 행정처분의 기준 중 개별 기준 2. 다목은 "제29조 제1항 제1호를 위반하여 가짜석유제품을 제조·수입·저장·운송·보관 또는 판매한 경우"에 해당하면 '1회 위반 시 사업정지 1개월, 2회 위반 시 사업정지 3개월, 3회 위반 시 등록취소 또는 영업장 폐쇄'로 규정되어 있다고 가정한다.

1. 위 산업통상자원부령 [별표 1] 행정처분의 기준에 대한 법원의 사법적 통제 방법은? (25점)
2. 위 사안에서 청문 절차의 하자가 치유되었는가? (10점)
3. 甲은 변경처분에도 불구하고 취소소송을 제기하여 다투려고 한다. 이 경우 취소소송의 대상과 제소기간에 대하여 검토하시오. (25점)
4. 위 사안에서 밑줄 친 甲의 주장이 사실이라고 전제할 때, 甲이 본안에서 승소할 수 있는지 여부를 검토하시오(다만, 위 산업통상자원부령 [별표 1] 행정처분의 기준의 법적 성질에 관하여는 대법원 판례의 입장을 따르되, 절차적 위법성 및 소송요건의 구비 여부의 검토는 생략한다). (30점)
5. 乙은 甲에 대한 변경등록처분의 효력을 다투면서 "석유판매업자의 지위 승계에 따른 변경등록처분을 하기에 앞서 A시장이 乙에게 사전에 통지를 하지 않았으며 의견제출의 기회를 주지 않았다."라고 주장한다. 이러한 乙의 주장은 타당한가? (10점)

[참조조문]

*석유 및 석유대체연료 사업법

제7조 (석유정제업자의 지위 승계) ① 다음 각 호의 어느 하나 에 해당하는 자는 석유정제업자의 지위를 승계한다.
1. 석유정제업자가 그 사업의 전부를 양도한 경우 그 양수인
2. 석유정제업자가 사망한 경우 그 상속인
3. 법인인 석유정제업자가 합병한 경우 합병 후 존속하는 법인이나 합병으로 설립되는 법인

제10조 (석유판매업의 등록 등)

① 석유판매업을 하려는 자는 산업통상자원부령으로 정하는 바에 따라 특별시장·광역시장·도지사·특별자치도지사(이하 "시·도지사"라 한다) 또는 시장·군수·구청장(자치구의 구청장을 말한다. 이하 "시장·군수·구청장"이라 한다)에게 등록하여야 한다. 다만, 부산물인 석유제품을 생산하여 석유판매업을 하려는 자는 산업통상자원부장관에게 등록하여야 한다.

③ 제1항 및 제2항에 따른 등록 또는 신고를 한 자가 등록 또는 신고한 사항 중 시설 소재지 등 대통령령으로 정하는 사항을 변경하려는 경우에는 산업통상자원부령으로 정하는 바에 따라 등록 또는 신고를 한 산업통상자원부장관이나 시·도지사 또는 시장·군수·구청장에게 변경등록 또는 변경신고를 하여야 한다.

④ 제1항 및 제2항에 따라 시·도지사 또는 시장·군수·구청장에게 등록하거나 신고하여야 하는 석유판매업의 종류와 그 취급 석유제품 및 제1항에 따른 석유판매업의 시설기준 등 등록요건은 대통령령으로 정한다.

⑤ 석유판매업자의 결격사유, 지위 승계 및 처분 효과의 승계에 관하여는 제6조부터 제8조까지의 규정을 준용한다. 이 경우 제6조 각 호 외의 부분 중 "석유정제업"은 "석유판매업"으로 보고, 같은 조 제6호 중 "제13조 제1항"은 "제13조 제3항"으로, "석유정제업"은 "석유판매업"으로 보며, 제7조 중 "석유정제업자"는 "석유판매업자"로, "석유정제시설"은 "석유판매시설"로 보고, 제8조 중 "석유정제업자"는 "석유판매업자"로, "제13조 제1항"은 "제13조 제3항"으로 본다.

제13조 (등록의 취소 등)

③ 산업통상자원부장관, 시·도지사 또는 시장·군수·구청장은 석유판매업자가 다음 각 호의 어느 하나에 해당하면 그 석유판매업의 등록을 취소하거나 그 석유판매업자에게 영업장 폐쇄 또는 6개월 이내의 기간을 정하여 그 사업의 전부 또는 일부의 정지를 명할 수 있다. 다만, 제1호, 제4호부터 제6호까지 및 제9호의 어느 하나에 해당하는 경우에는 그 등록을 취소하거나 영업장 폐쇄를 명하여야 한다.

12. 제29조 제1항 제1호를 위반하여 가짜석유제품을 제조·수입·저장·운송·보관 또는 판매한 경우

④ 제1항부터 제3항까지의 규정에 따른 위반행위별 처분기준은 산업통상자원부령으로 정한다.

제29조 (가짜석유제품 제조 등의 금지)

① 누구든지 다음 각 호의 가짜석유제품 제조 등의 행위를 하여서는 아니 된다.

1. 가짜석유제품을 제조·수입·저장·운송·보관 또는 판매하는 행위

제40조 (청문)

산업통상자원부장관, 시·도지사 또는 시장·군수·구청장은 다음 각 호의 어느 하나에 해당하는 처분을 하려는 경우에는 청문을 하여야 한다.

1. 제13조 제1항부터 제3항까지, 같은 조 제5항 또는 제34조에 따른 등록 취소 또는 영업장 폐쇄

***석유 및 석유대체연료 사업법 시행령**

제13조 (등록 또는 신고 대상 석유판매업의 종류) 법 제10조 제1항 · 제2항 및 제4항에 따라 등록하거나 신고하여야 할 석유판매업의 종류와 그 취급 석유제품은 [별표 1]과 같다.

[별표1] 석유판매업 및 석유대체연료판매업의 종류 등

등록대상	주유소	○ 휘발유 · 등유 · 경유

제14조 (석유판매업의 변경등록 및 변경신고 대상) 법 제10조 제3항에서 "시설 소재지 등 대통령령으로 정하는 사항"이란 다음 각 호의 사항을 말한다.

1. 성명 또는 상호
2. 대표자(법인인 경우만 해당한다)
3. 주된 영업소의 소재지
4. 등록하거나 신고한 시설의 소재지 또는 규모

Ⅰ. [별표1]에 대한 사법적 통제 - 설문(1)

1. 문제의 소재

부령 형식의 법규명령 형식의 행정규칙에 대한 사법적 통제방법이 문제됨.

2. 법규명령 형식의 행정규칙의 법적성질(#21)

3. 사안의 해결

⑴ 법규명령으로 볼 경우

위헌 · 위법 명령 심사, 헌법소원, 처분적 명령인 경우 항고소송 등이 통제방안이나 사안은 직접 기본권을 침해하는 경우도 아니고, 처분적 명령도 아니므로 위헌 · 위법 명령 심사를 통해서 통제.

(2) 행정규칙으로 볼 경우

별표의 위헌 · 위법 여부가 사법심사의 대상이 되지 않으며 법원의 재판규범이 되지 않는다. 그러나 대법원은 제재적 처분기준이 현저히 부당하다고 인정할 만한 합리적인 이유가 없는 한 섣불리 처분기준에 따른 처분이 재량권의 범위를 일탈하였거나 재량권을 남용한 것이라고 판단해서는 안된다고 함.

Ⅱ. 하자의 치유 -설문(2)

1. 문제의 소재

석유 및 석유대체연료 사업법 제40조 1호는 등록취소시 청문을 필수적 절차로 규정.하고 있는데, 청문을 결여한 하자가 행정심판 청구 후 청문을 실시함으로서 하자의 치유가 되는지 문제.

2. 하자의 치유의 의의 및 시간적 한계(#50)

3. 사안의 해결

쟁송제기 전까지 가능하다는 입장에 의하면 A시장이 심판절차 도중에 청문을 실시한 것이므로 하자의 치유가 불가.

Ⅲ. 변경명령재결에 따른 변경처분이 있는 경우의 소의 대상 및 제소기간의 기산점 - 설문(3)

1. 문제의 소재

2. 변경명령재결에 따른 변경처분이 있는 경우 소의 대상

- 변경명령재결이 있고 이에 따른 변경처분이 있는 경우에도 유리하게 변경된 형성재결이 있는 경우와 마찬가지로 원처분이 유리하게 변경된 내용의 처분으로 존재하는 것으로 보아야 하므로 변경된 원처분설이 타당하며 3개월 사업정지처분으로 변경된 내용의 당초처분이 소송의 대상이 됨(#146. 09년 사시 기출문제 해설 참조).

3. 제소기간

제재처분이 유리하게 변경된 경우 변경된 원처분이 소송의 대상이 되며 제소기간도 변경된 내용의 당초처분을 기준으로 한다. 그러나 사안은 행정심판을 거친 경우이므로 갑에게 재결서 정본이 송달받은 날부터 90일 이내에 제기하면 됨.

Ⅳ. 갑의 승소가능성 - 설문(4)

1. 문제의 소재

[별표1]의 법적 성질에 관한 대법원의 입장은 행정규칙이므로 3개월 사업정지처분은 재량행위에 해당하므로 재량의 일탈 · 남용 여부가 문제됨. [별표1]의 처분기준을 행정규칙에 불과한 것으로 보더라도 판례는 제재처분기준을 특별한 사정이 없이 기준을 초과하는 과도한 처분을 하는 것을 재량의 일탈, 남용이 있는 것으로 판시하고 있음.

2. 자기구속 원칙 내지는 평등의 원칙 위반 여부(#5)

자기구속원칙의 요건으로 행정관행을 요구하면 사안은 관행의 존재를 인정할 수는 없으므로 자기구속원칙 위반이라고 할 수는 없으나 갑 운영의 유정주유소와 인근의 상원주유소를 비교하면 합리적 차별사유가 없는데도 달리 취급한 것으로 평등원칙 위반이라고 할 수 있음. [별표1]의 처분기준에 의하면 1회 위반시 사업정지 1개월인데 따르지 않을 만한 특별한 사정도 없는데 기준을 초과하는 과도한 3개월의 처분을 한 것은 평등의 원칙에 반한다.

자기구속원칙의 요건으로 행정관행을 요구하지 않고 선례가 존재하기만 하면 된다는 견해를 취하면 자기구속원칙 위반도 주장할 수 있음.

3. 비례의 원칙 위반 여부

적합성의 원칙에는 부합하나, 갑의 위반행위가 1회에 불과하고, 정유사로부터 직접 석유제품을 공급받아 판매한다는 사정 및 최근 경유를 사용하여 휘발유 저장탱크를 청소한 사정을 감안하면 3개월 사업정지가 아니라 인근 상원주유소와 동일한 15일의 영업정지처분으로도 목적을 달성할 수 있다는 점에서 필요성의 원칙에 반하고, 3개월 사업정지처분을 통해서 달성하려는 공익보다 침해되는 사익이 더 크므로 상당성의 원칙에도 반함.

V. 사전통지 및 의견제출 결여의 하자 - 설문(5)

1. 문제의 소재

지위승계에 따른 변경등록처분에 앞서 양도인에게 행정절차법 제21조의 사전통지와 제22조3항의 의견제출 절차는 거쳐야 하는지가 문제됨. 사전통지와 의견제출 절차는 불이익처분에 대해서 행해지는 것인데 양도인 을이 불이익처분의 상대방인지가 문제됨.

2. 사전통지 및 의견제출(#78)

3. 사안의 해결

변경등록처분은 지위승계신고에 대한 수리처분에 해당하는 것으로서 **양수자가 사업을 승계하였다는 사실의 신고를 접수하는 행위에 그치는 것이 아니라 실질에 있어서 양도자의 사업허가를 취소함과 아울러 양수자에게 적법히 사업을 할 수 있는 법규상 권리를 설정**하여 주는 행위로서 **양도인의 권익을 제한하는 처분**에 해당한다. 따라서 을도 변경등록처분의 직접 상대가 되는 자이고 을에게 사전통지 및 의견제출 등 행정절차법의 절차를 거쳐야 한다. 을의 주장은 타당하다.

판 례 행정청이 구관광진흥법 또는 구 체육시설법의 규정에 의하여 유원시설업자 또는 체육시설업자 **지위승계신고를 수리하는 처분은 종전 유원시설업자 또는 체육시설업자의 권익을 제한하는 처분이고, 종전 유원시설업자 또는 체육시설업자는 그 처분에 대하여 직접 그 상대가 되는 자에 해당**한다고 보는 것이 타당하므로, 행정청이 그 신고를 수리하는 처분을 할 때에는 **행정절차법 규정에서 정한 당사자에 해당하는 종전 유원시설업자 또는 체육시설업자에 대하여 위 규정에서 정한 행정절차를 실시하고 처분을 하여야 한다**(대판 2012.12.13, 2011두29144).

기출 사례 변경명령재결이 있는 경우 소송의 대상 및 피고적격(17년 변시)

甲과 乙은 A시에서 甲 의료기, 乙 의료기라는 상호로 의료기기 판매업을 하는 자들이다. 甲은 전립선 자극기 'J2V'를 공급받아 판매하기 위하여 "전립선에 특수한 효능, 효과로 남자의 자신감이 달라집니다."라는 문구를 사용하여 인터넷 광고를 하였다. 甲의 위 광고에 대하여 A시장은 2016. 7. 1. 甲에게 「의료기기에 관한 법률」(이하 '의료기기법'이라 함) 제24조 위반을 이유로 3개월 업무정지처분을 하였다. 甲은 2016. 7. 11. 위 업무정지처분에 대하여 관할 행정심판위원회에 행정심판을 청구하였고, 동 위원회는 2016. 8. 25. 3개월 업무정지처분을 과징금 500만 원 부과처분으로 변경할 것을 명령하는 재결을 하였으며, 위 재결서 정본은 2016. 8. 29. 甲에게 송달되었다. 그러자 A시장은 2016. 9. 12. 甲에 대한 3개월 업무정지처분을 과징금 500만 원 부과처분으로 변경하였다.

甲은 2016. 12. 5. 관할 행정심판위원회를 피고로 하여 과징금 500만 원 부과처분에 대하여 관할 법원에 취소소송을 제기하였다. 이 소송은 적법한가? (20점)

[참조조문]

「의료기기에 관한 법률」(법률 제 10000호)

제36조(허가 등의 취소와 업무의 정지) ① 의료기기 취급자가 제24조를 위반하여 의료기기를 광고한 경우, 의료기기의 제조업자·수입업자 및 수리업자에 대하여는 식품의약품안전처장이, 판매업자 및 임대업자에 대해여는 시장·군수 또는 구청장이 허가 또는 인증의 취소, 영업소의 폐쇄, 품목류 또는 품목의 제조·수입·판매의 금지 또는 1년의 범위에서 그 업무의 전부 또는 일부의 정지를 명할 수 있다.

② 식품의약품안전처장, 시장·군수 또는 구청장은 의료기기 취급자가 제1항의 규정에 해당하는 경우로서 업무정지처분이 의료기기를 이용하는 자에게 심한 불편을 주거나 그 밖에 특별한 사유가 인정되는 때에는 국민건강에 해를 끼치지 아니하는

범위 안에서 업무정지처분에 갈음하여 5천만 원 이하의 과징금을 부과할 수 있다.

Ⅰ. 문제의 소재

소송요건 중 대상적격, 피고적격 및 제소기간이 문제됨.

Ⅱ. 소송의 대상

1. 문제점

- 당초처분이 행정심판을 거쳐서 상대방에게 유리하게 변경된 경우 당사자가 변경된 내용에 대해서도 다투고자 할 때 소의 대상이 무엇인지.

2. 원처분중심주의

3. 변경명령재결에 따른 변경처분이 있는 경우 소의 대상

- 견해대립 있으나 변경된 원처분설로 검토

4. 사안의 경우

- 행정심판을 거쳐서 과징금 500만원으로 유리하게 변경된 2016.7.1.자 당초처분이 소송의 대상

Ⅲ. 피고적격

- 처분을 행한 행정청이 피고(행소법 제13조)

- 변경된 원처분설을 취하면 피고는 원처분을 행한 A시장이 되고, 변경재결설을 취하면 재결청인 관할 행정심판위원회가 피고가 됨.

- 변경된 원처분설의 입장을 취하므로 당초 처분을 행한 A시장이 피고.

Ⅳ. 제소기간

- 처분이 있음을 안 날부터 90일 이내에, 처분이 있은 날로부터 1년 이내에 제기해야 함(행소법 제20조)

- 甲은 2016. 7. 11. 과징금 500만원 부과처분을 대상으로 취소소송을 제기하여야 하는데 행정심판을 청구한 경우이므로 재결서 정본을 송달받은 날인 2016. 8. 29. 부터 90일 이내에 취소소송을 제기해야 한다(제20조1항). 그런데 甲은 2016. 12. 5. 취소소송을 제기하였으므로 갑이 제기한 소는 제소기간을 도과하여 부적법하다.

Ⅴ. 사안의 해결

- 甲은 A시장을 피고로 2016. 7. 11. 과징금 500만원 부과처분을 대상으로 재결서 정본을 송달받은 날인 2016.8.29부터 90일 이내에 취소소송을 제기해야 한다. 그런데 甲은 관할 행정심판위원회를 피고로 2016.12.5 취소소송을 제기하였으므로 갑이 제기한 소는 피고적격 및 제소기간의 흠결로 부적법하다.

109-1 재판관할, 관련청구소송의 이송 · 병합

Ⅰ. 취소소송의 재판관할

1. 사물관할

취소소송의 **제1심 관할법원은 행정법원**이다(행소법 제9조). **행정법원은 현재 서울에만 설치**되어 있고 **다른 지역은 지방법원 본원**에서 관할한다. 다만 **예외적으로 춘천지방법원 강릉지원**만이 행정사건을 관할하고 있다(법원조직법 부칙 제2조).

2. 토지관할

⑴ 일반관할

피고의 소재를 관할하는 행정법원이 관할법원이다(행소법 제9조1항). **다만, 중앙행정기관, 중앙행정기관의 부속기관과 합의제행정기관 또는 그 장 및 국가의 사무를 위임 또는 위탁받은 공공단체 또는 그 장이 피고**인 경우 **대법원소재지**를 관할하는 행정법원에 제기할 수 있다(행소법 제9조2항).

⑵ 특별관할

토지의 수용 기타 부동산 또는 특정의 장소에 관계되는 처분등에 대한 취소소송은 그 **부동산 또는 장소의 소재지를 관할하는 행정법원**에 이를 제기할 수 있다(행소법 제9조3항).

⑶ 토지관할의 성질

행정소송법은 항고소송이나 당사자소송의 전속관할을 규정하고 있지 않으므로 **전속관할이 아니다.** 따라서 민사소송법상의 합의관할 응소관할에 관한 규정이 준용될 수 있다.

3. 토지관할

⑴ 관할권이 없는 행정법원에 소송을 제기한 경우

법원은 결정으로 관할법원에 이송한다(행소법 제8조2항 민소법 제34조1항). 이는 **원고의 고의 또는 중대한 과실 없이 행정소송이 심급을 달리하는 법원에 잘못 제기된 경우에도 적용**한다(행소법 제7조).

⑵ 항고소송을 민사소송으로 제기한 경우

원고가 고의 또는 중대한 과실 없이 행정소송으로 제기하여야 할 사건을 민사소송으로 잘못 제기한 경우 **수소법원이 행정소송에 대한 관할도 동시에 가지고 있는 경우**라면, **행정소송으로서의 소송요건을 결하고 있음이 명백**하여 **행정소송으로 제기되었더라도 어차피 부적법하게 되는 경우가 아닌 이상**, 원고로 하여금 항고소송으로 **소 변경**을 하도록 하고(대판1999.11.26, 97다42250), 행정소송에 대한 **관할을 가지고 있지 아니하다면** 행정소송으로서의 소송요건을 결여되지 않는 한 각하할 것이 아니라 **관할 법원에 이송**하여야 한다는 것이 판례이다(대판 1997.5.30, 95다28960).

Ⅱ. 관련청구소송의 이송 · 병합

1. 제도의 취지

취소소송과 관련되는 수개의 청구를 병합하여 하나의 소송절차에서 심판하면 **심리의 중복이나 재판의 모순 · 저촉을 피하고 당사자나 법원의 부담을 경감**할 수 있어 행정소송법은 관련청구소송의 이송과 병합을 인정하고 있다.

2. 관련청구소송의 범위

⑴ 당해 처분등과 관련되는 손해배상 · 부당이득반환 · 원상회복등 청구소송

처분이나 재결이 원인이 되어 발생한 청구나 **처분등의 취소나 변경을 선결문제로 하는 청구**를 말한다.

(2) 당해 처분등과 관련되는 취소소송

① 처분에 대한 심판의 재결의 취소를 구하는 취소소송 ② 처분과 함께 하나의 절차를 구성하는 다른 처분에 대한 취소소송 ③ 처분이나 재결의 취소를 구하는 다른 사람의 취소소송 등을 말한다.

3. 관련청구소송의 이송

취소소송과 관련청구소송이 각각 다른 법원에 계속되고 있는 경우에 **관련청구소송이 계속된 법원이 상당하다고 인정**하는 때에는 **당사자의 신청 또는 직권**에 의하여 이를 **취소소송이 계속된 법원으로 이송**할 수 있다(행소법 제10조1항).

4. 관련청구소송의 병합

취소소송에는 **사실심의 변론종결시까지 관련청구소송을 병합**하거나 **피고외의 자를 상대로 한 관련청구소송을 취소소송이 계속된 법원에 병합**하여 제기할 수 있다(행소법 제10조2항). 취소소송과 관련하여 관련청구소송의 병합인 **객관적 병합**과 피고 이외의 자를 상대로 한 관련청구소송을 병합하는 것으로서의 **주관적 병합을 인정**하고 있는 것이다. **소송절차의 동종·이종을 불문**하고 **피고를 달리하는 소송까지 병합**할 수 있게 하는 것이 특징이다.

관련청구소송의 병합은 병합할 본체인 **취소소송이 소송요건을 구비하여 적법해야** 하며, **사실심 변론종결 이전에** 하면 된다. **원시적 병합이든 추가적 병합이든** 상관 없다.

행정소송법은 이외에도 병합의 형태로 **공동소송으로서 주관적 병합을 인정**하고 있다. **수인의 청구 또는 수인에 대한 청구가 처분등의 취소청구와 관련되는 청구**인 경우에 한하여 그 **수인은 공동소송인**이 될 수 있다(행소법 제15조).

110 취소소송의 원고적격[1]

Ⅰ. 의 의

구체적인 소송에서 원고로서 소송을 수행하여 본안판결을 받을 수 있는 자격을 말한다. 행정소송법 제12조1문은 이를 "취소를 구할 법률상 이익이 있는 자"로 규정하며, 법률상 이익이 있는 한 처분의 상대방이든 제3자이든 원고적격을 가진다. 원고적격 논의는 주로 제3자가 원고적격을 갖는지와 관련하여 문제된다.

판 례 행정처분에 대한 취소소송에서의 원고적격이 있는지 여부는 당해 처분의 상대방인지 여부에 따라 결정되는 것이 아니라 그 취소를 구할 법률상의 이익이 있는지 여부에 따라 결정되는 것이다(대판 2001.9.28, 99두8565).

Ⅱ. 법률상 이익의 의미

1. 문제점

행정소송법 제12조1문은 '권리'라고 규정하지 않고 '법률상 이익이 있는 자'로 규정하고 있어, 법률상 이익의 의미가 무엇인지가 취소소송의 목적·기능의 이해와 관련하여 논의된다.

2. 학 설

① 취소소송의 목적·기능을 위법한 처분에 의해 침해된 권리의 회복에 있다고 보는 권리구제설, ② 취소소송의 목적·기능을 법률이 보호하고 있는 이익을 침해한 위법한 처분에 대한 구제수단으로 보아 전통적인 의미의 권리뿐 아니라 법률에 의해 보호되는 이익이 있는 자도 취소소송 제기할 수 있다는 법률상 보호이익설(통설), ③ 침해되는 이익이 법질서 전체의 관점에서 소송법상으로 보호할 가치가 있는 이익이 있으면 소송을 제기할 수 있다는 보호가치 있는 이익설, ④ 취소소송의 목적·기능을 객관적인 처분의 적법성유지기능에서 찾아 당해 처분을 다투는 데 가장 적합한 이해관계를 갖는 자에게 원고적격을 인정하는 적법성보장설이 대립한다.

3. 판례 – 법률상 보호이익설 – 개. 직. 구/ 추. 평. 일. 반/ 간. 사. 경

---

1) 당사자적격과 당사자능력은 구별되어야 한다. 당사자능력이 소송의 주체가 될 수 있는 일반적 능력을 말하는 것인 반면 당사자적격은 구체적인 소송사건에서 당사자로서 소송을 수행하고 본안판단을 받을 적합한 자격을 말한다. 행정소송법은 당사자능력에 대해 규정하고 있지 않지만 제8조2항에 의하여 민사소송법 제51조, 제52조가 적용된다. 법인격 없는 사단이나 재단도 당사자능력이 인정되므로 이들은 행정소송에서도 법인격 없는 사단이나 재단의 이름으로 원고가 될 수 있다.
판례는 도롱뇽과 같은 자연물의 당사자능력을 부정한다. 또한 국립대학교 총장과 같은 행정기관의 당사자능력도 부정한다. 그런데 2013년 판례 중에는 행정기관(경기도선거관리위원장)의 당사자능력 및 원고적격을 인정한 판례가 있다. 동 판례가 행정기관의 당사자능력을 일반적으로 인정하였다고 보기는 어렵고 본래는 기관소송의 대상이 되어야 하나 기관소송법정주의 하에서 경기도선거관리위원장의 불복수단이 규정되어 있지는 않은 상태에서 행정기관의 구제수단이 필요한 현실적 측면에서 예외적인 판례가 나온 것이라고 볼 수 있다.
(판례) 《갑이 국민권익위원회에 부패방지 및 국민권익위원회의 설치와 운영에 관한 법률(이하 '국민권익위원회법'이라 한다)에 따른 신고와 신분보장조치를 요구하였고, 국민권익위원회가 갑의 소속기관 장인 을 시·도선거관리위원회 위원장에게 '갑에 대한 중징계요구를 취소하고 향후 신고로 인한 신분상 불이익처분 및 근무조건상의 차별을 하지 말 것을 요구'하는 내용의 조치요구를 한 사안》에서, 국가기관 일방의 조치요구에 불응한 상대방 국가기관에 국민권익위원회법상의 제재규정과 같은 중대한 불이익을 직접적으로 규정한 다른 법령의 사례를 찾아보기 어려운 점, 그럼에도 을이 국민권익위원회의 조치요구를 다툴 별다른 방법이 없는 점 등에 비추어 보면, 처분성이 인정되는 위 조치요구에 불복하고자 하는 을로서는 조치요구의 취소를 구하는 항고소송을 제기하는 것이 유효·적절한 수단이므로 비록 을이 국가기관이더라도 당사자능력 및 원고적격을 가진다고 보는 것이 타당하고, 을이 위 조치요구 후 갑을 파면하였다고 하더라도 조치요구가 곧바로 실효된다고 할 수 없고 을은 여전히 조치요구를 따라야 할 의무를 부담하므로 을에게는 위 조치요구의 취소를 구할 법률상 이익도 있다(대판 2013.7.25, 2011두1214).

판 례 행정처분의 **직접 상대방이 아닌 제3자라 하더라도** 당해 행정처분으로 인하여 법률상 보호되는 이익을 침해당한 경우에는 취소소송을 제기하여 그 당부의 판단을 받을 자격이 있다 할 것이나, 여기에서 말하는 **법률상 보호되는 이익**이라 함은 **당해 처분의 근거법규 및 관련법규**에 의하여 보호되는 **개별적 · 직접적 · 구체적 이익이 있는 경우를 말하고**, 다만 공익보호의 결과로 국민 일반이 공통적으로 가지는 **일반적 · 간접적 · 추상적 이익과 같이 사실적 · 경제적 이해관계를 가지는데 불과**한 경우는 여기에 **포함되지 아니한다**(대판 2004.8.16, 2003두2175).

4. 검 토

오늘날 **권리개념의 확장**과정에 비추어 권리보호설은 법률상 보호이익구제설과 본질적인 차이가 없고, 보호가치 있는 이익구제설은 객관적 기준이 존재하지 않는다는 문제가 있으며, 적법성보장설은 **주관소송을 견지하고 있는 우리나라**에서는 타당하지 않다고 본다. 결국 **현행법 해석상 법률상 보호이익설이 타당**하다.

Ⅲ. '법률'의 의미

1. 문제점

법률상 보호이익구제설에 따라 법률이 보호하는 개별적 · 직접적 · 구체적이라고 할 때 **법률의 범위를 어떻게 이해할 것인가에 따라 법률상 이익의 인정범위가 달라진다.**

2. 학 설

① 당해 처분의 **근거법규**에 의해 보호되는 이익에 제한된다는 견해와 ② 근거법규 외의 **관련법규**에 의한 보호이익도 포함된다는 견해, 그리고 ③ 헌법상의 **기본권규정**까지 고려하여야 한다는 견해가 있다.

3. 판 례

대법원은 법률상 이익이란 **근거법규 및 관계법규에 의해 보호되는 이익**이라고 하면서도, 그 인정범위를 넓혀 가는 경향에 있다. **제3자가 소송을 제기**하는 경우 **대법원**은 **헌법상의 기본권을 직접적으로 고려하지는 않는다.** 그러나 **헌법재판소**는 국세청장의 납세병마개제조자 지정처분에 대한 헌법소원사건에서 **기본권인 경쟁의 자유가 법률상 이익**이 된다고 결정한 바 있다.

판례 1 처분의 근거법규 및 관련법규에 의하여 보호되는 법률상 이익이라 함은 당해 처분의 **근거법규(근거법규가 다른 법규를 인용함으로 인하여 근거법규가 된 경우까지를 아울러 포함한다)의 명문규정에 의하여 보호**받는 법률상 이익, 당해 처분의 근거법규에 의하여 보호되지는 아니하나 **당해 처분의 행정목적을 달성하기 위한 일련의 단계적인 관련처분들의 근거법규(이하 관련법규라 한다)에 의하여 명시적으로 보호**받는 법률상 이익, 당해 처분의 근거법규 또는 관련법규에서 명시적으로 당해 이익을 보호하는 명문의 규정이 없더라도 **근거법규 및 관련법규의 합리적 해석상 그 법규에서 행정청을 제약하는 이유가 순수한 공익의 보호만이 아닌 개별적 · 직접적 · 구체적 이익을 보호하는 취지가 포함되어 있다고 해석되는 경우**까지를 말한다(대판 2004.8.16, 2003두2175).

판례 2 **헌법 제35조1항에서 정하고 있는 환경권에 관한 규정만으로는 그 권리의 주체 · 대상 · 내용 · 행사방법 등이 구체적으로 정립되어 있다고 볼 수 없고, 환경정책기본법 제6조도 그 규정 내용 등에 비추어 국민에게 구체적인 권리를 부여한 것으로 볼 수 없다**는 이유로, 환경영향평가 대상지역 밖에 거주하는 주민에게 헌법상의 환경권 또는 환경정책기본법에 근거하여 공유수면매립면허처분과 농지개량사업 시행인가처분의 무효확인을 구할 원고적격이 없다(대판(전) 2006.3.16, 2006두330).

헌재결정 설사 **국세청장의 지정행위의 근거규범인 이 사건 조항들이 단지 공익만을 추구할 뿐 청구인 개인의 이익을 보호하려는 것이 아니라는 이유로 청구인에게 취소소송을 제기할 법률상 이익을 부정한다고 하더라도**, 국세청장의 지정행위는 행정청이 병마개 제조업자들 사이에 특혜에 따른 차별을 통하여 **사경제 주체간의 경쟁조건에 영향을 미치고 이로써 기업의 경쟁의 자유를 제한하는 것임이 명백**한 경우에는 국세청장의 지정행위로 말미암아 기업의 경쟁의 자유를 제한받게 된 자들은 적어도 **보충적으로 기본권에 의한 보호가 필요**하다. 따라서 일반법규에서 **경쟁자를 보호하는 규정을 별도로 두고 있지 않은 경우에도 기본권인 경쟁의 자유가 바로 행정청의 지정행위의 취소를 구할 법률상의 이익**이 된다 할 것이다(헌재결 1998.4.30, 97헌마141).

Ⅳ. 제3자의 원고적격

1. 인인소송

행정청이 어떠한 시설의 설치를 허가하는 처분에 대하여 인근주민이 다투는 소송을 말한다. **판례**는 당해 허가처분의 **근거법규 및 관계법규가 공익뿐만 아니라 인근주민의 개인적 이익도 보호**하고 있다고 해석하는 경우에 인근주민들에게 원고적격을 **인정**한 바 있다(판례 1). 특히 처분의 근거 법규 또는 관련 법규에 그 처분으로써 이루어지는 행위나 사업으로 인하여 **환경상 이익의 침해를 받으리라고 예상되는 영향권의 범위가 규정**되어 있는 경우, 그 **영향권 내의 주민**들에 대해서는 환경상 이익의 침해 또는 침해 우려가 있는 것으로 **사실상 추정**하고, **영향권 밖의 주민**들은 그러한 침해 우려를 **입증함으로서** 원고적격이 **인정**될 수 있다고 한다(판례 2).

판례 1 도시계획구역 안에서의 주거지역이라는 것은 도시계획법 제17조에 의하여 **"거주의 안녕과 건전한 생활환경의 보호를 위하여 필요하다"고 인정**되어 지정된 지역이고, 이러한 **주거지역 안**에서는 도시계획법 제19조1항과 개정전 건축법 제32조1항에 의하여 **공익상 부득이 하다고 인정될 경우를 제외하고는 위와 같은 거주의 안녕과 건전한 생활환경의 보호를 해치는 모든 건축이 금지**되고 있으며 이와 같이 금지되는 건축물로서 건축법은 "원동기를 사용하는 공장으로서 작업장의 바닥 면적의 합계가 50평방미터를 초과하는 것"을 그 하나로 열거하고 있다(이 사건 공장이 위 제한을 초과하고 있음은 물론이다).
위와 같은 도시계획법과 건축법의 규정 취지에 비추어 볼 때 이 법률들이 **주거지역 내에서의 일정한 건축을 금지하고 또는 제한**하고 있는 것은 **도시계획법과 건축법이 추구하는 공공복리의 증진을 도모하고자 하는데 그 목적**이 있는 **동시**에 한편으로는 **주거지역내에 거주하는 사람의 '주거의 안녕과 생활환경을 보호'하고자 하는데도 그 목적**이 있는 것으로 해석이 된다.
그러므로 주거지역내에 거주하는 사람이 받는 위와 같은 보호이익은 단순한 반사적 이익이나 사실상의 이익이 아니라 바로 법률에 의하여 보호되는 이익이라고 할 것이다(대판 1975.5.13, 73누96·97). ➡ 연탄공장허가처분에 대하여 인접주민의 법률상 이익 긍정

판례 2 **행정처분의 근거 법규 또는 관련 법규에 그 처분으로써 이루어지는 행위나 사업으로 인하여 환경상 이익의 침해를 받으리라고 예상되는 영향권의 범위가 규정**되어 있는 경우에는, 그 **영향권 내의 주민들에 대하여는 당해 처분으로 인하여 직접적이고 중대한 환경피해가 발생할 수 있음을 예상**할 수 있고, 이와 같은 **환경상 이익은 주민 개개인에 대하여 개별적으로 보호되는 직접적·구체적 이익**으로서 그들에 대하여는 특단의 사정이 없는 한 **환경상 이익에 대한 침해 또는 침해 우려가 있는 것으로 사실상 추정**되어 원고적격이 인정되는 것이고, 그 **영향권 밖**의 주민들은 당해 처분으로 그 **처분 전과 비교하여 수인한도를 넘는 환경피해를 받거나 받을 우려가 있다는 자신의 환경상 이익에 대한 침해 또는 침해 우려가 있음을 입증하여야만** 비로소 원고적격이 인정되는 것이다(대판 2007.6.1, 2005두11500).

2. 경업자소송

새로운 경쟁자에 대하여 신규허가를 발급함으로써 기존업자가 제기하는 소송이다. 판례는 일반적으로 **기존업자가 특허업**인 경우에는 자신의 경영상 이익(법률상 이익)의 침해를 이유로 **경업자소송을 제기**할 수 있지만(판례 1), 기존업자가 **허가업**인 경우에는 자신의 경영상 이익(반사적 이익)의 침해를 이유로 경업자소송을 **제기할 수는 없다**고 한다(판례 2). 이는 **허가는 위험방지를 위한 예방적 금지의 해제 그 자체가 목적**으로서 허가업자의 **경영상 이익의 보호와 무관**하나, **특허**는 사업의 공공성으로 인하여 사업자에게 특별한 의무를 부과하는 한편 **독점적 경영권을 경영상 이익으로 보호**하는 것으로 보는 시각에 근거한 것이다. **다만 허가요건으로 거리제한 또는 영업허가구역 규정**이 있는 경우, 당해 규정이 기존허가업자의 **영업상 이익을 보호**하고 있는 것으로 볼 수 있으면 **원고적격을 인정**하기도 한다(판례 3).

판례 1 **면허나 인·허가 등의 수익적 행정처분의 근거가 되는 법률이 해당 업자들 사이의 과당경쟁으로 인한 경영의 불합리를 방지하는 것도 그 목적**으로 하고 있는 경우, **다른 업자에 대한 면허나 인·허가 등의 수익적 행정처분에 대하여** 미리 같은 종류의 면허나 인·허가 등의 처분을 받아 영업을 하고 있는 **기존의 업자는 경업자에 대하여 이루어진 면허나 인·허가 등 행정처분의 상대방이 아니라 하더라도 당해 행정처분의 취소를 구할 원고적격이 있다.**
갑 회사의 시외버스운송사업과 을 회사의 시외버스운송사업이 다 같이 운행계통을 정하여 여객을 운송하는 노선여객자동차 운

송사업에 속하고, 갑 회사에 대한 시외버스운송사업계획변경인가 처분으로 기존의 시외버스운송사업자인 을 회사의 노선 및 운행계통과 갑 회사의 노선 및 운행계통이 일부 같고, 기점 혹은 종점이 같거나 인근에 위치한 을 회사의 수익감소가 예상되므로, 기존의 시외버스운송사업자인 을 회사에 위 처분의 취소를 구할 법률상의 이익이 있다(대판 2010.6.10, 2009두10512).

판례 2 석탄수급조정에 관한 임시조치법 소정의 석탄가공업에 관한 허가는 사업경영의 권리를 설정하는 형성적 행정행위가 아니라 질서유지와 공공복리를 위한 금지를 해제하는 명령적 행정행위여서 그 허가를 받은 자는 영업자유를 회복하는데 불과하고 독점적 영업권을 부여받은 것이 아니기 때문에 기존허가를 받은 원고들이 신규허가로 인하여 영업상 이익이 감소된다 하더라도 이는 원고들의 반사적 이익을 침해하는 것에 지나지 아니하므로 원고들은 신규허가 처분에 대하여 행정소송을 제기할 법률상 이익이 없다(대판 1980.7.22, 80누33·34).

판례 3 원고가 구 약사법시행규칙(1969.8.13 보건사회부령 제344호)의 규정한 바에 따른 적법한 약종상 허가를 받아 그 판시 허가지역내에서 약종상영업을 경영하고 있음에도 불구하고 피고가 위 규칙을 위배하여 같은 약종상인 소외 김종복에게 동 소외인의 영업허가지역이 아닌 원고의 영업허가지역내로 영업소를 이전하도록 허가하였다면 원고로서는 이로 인하여 기존업자로서의 법률상 이익을 침해받았음이 분명하다(대판 1988.6.14, 87누873).

3. 경원자소송

경쟁관계에 있는 수인의 신청을 받아 **일부에 대하여만 인·허가를 할 수 밖에 없는 경우**, 인·허가를 받지 못한 자가 타방이 받은 인·허가에 대하여 제기하는 소송이다. 각 경원자에 대한 인·허가 등이 배타적 관계에 있으므로 자신의 권익을 구제하기 위하여는 타인에 대한 인·허가 등의 취소를 구할 법률상 이익이 있다. 이때 원고는 **타인에 대한 인·허가처분의 취소**를 구하거나 **자신에 대한 불허가처분의 취소**를 구할 수 있고, 양자를 **관련청구소송으로 병합**(행정소송법 제10조2항)하여 제기할 수도 있다.

판례 인·허가 등의 수익적 행정처분을 신청한 수인이 서로 경쟁관계에 있어서 일방에 대한 허가 등의 처분이 타방에 대한 불허가 등으로 귀결될 수밖에 없는 때 허가 등의 처분을 받지 못한 자는 비록 경원자에 대하여 이루어진 허가 등 처분의 상대방이 아니라 하더라도 당해 처분의 취소를 구할 원고 적격이 있다.[2] 다만, 명백한 법적 장애로 인하여 원고 자신의 신청이 인용될 가능성이 처음부터 배제되어 있는 경우에는 당해 처분의 취소를 구할 정당한 이익이 없다(대판 2009.12.10, 2009두8359).

관련 판례1 도로의 공용폐지와 문화재향유이익
(대판 1992.9.22, 91누13212)

1. 사실관계

甲은 자신이 거주하는 빌라 뒤편의 乙의 사유지와 연결된 좁은 도로를 산책로 등으로 이용하고 있었는데, 공주시장은 그 사유지에 ① 민영주택건설사업계획에 대해 승인처분을 하면서 ② 위 도로의 공용폐지처분을 함. 甲은 (a) 자신의 도로사용이익 (b) 공원경관에 대한 조망의 이익 (c) 문화재 매장가능성 및 문화재 발견에 의한 표창 가능성에 따른 문화재 보호의 이해관계를 침해하였다는 점을 이유로 주택건설사업계획승인처분취소와 국유도로 공용폐지처분 무효확인을 구하는 소를 제기.

2. 판시사항 및 판결요지

[1] 도로용도폐지처분의 취소를 구할 법률상 이익이 있는 자

- 일반적으로 도로는 국가나 지방자치단체가 직접 공중의 통행에 제공하는 것으로서 일반국민은 이를 자유로이 이용할 수 있는 것이기는 하나, 그렇다고 하여 그 이용관계로부터 당연히 그 도로에 관하여 특정한 권리나 법령에 의하여 보호되는 이익이 개인에게 부여되는 것이라고까지는 말할 수 없으므로, 일반적인 시민생활에 있어 도로를 이용만 하는 사람은 그 용도폐지를 다툴 법률상의 이익이 있다고 말할 수 없지만, 공공용재산이라고 하여도 당해 공공용재산의 성질상 특정개인의 생활에 개별성이 강한 직접적이고 구체적인 이익을 부여하고 있어서 그에게 그로 인한 이익을 가지게 하는 것이 법률적인 관점으로도 이유가 있다고 인정되는 특별한 사정이 있는 경우에는 그와 같은 이

2) 허가 등의 처분을 받지 못한 자가 비법인 사단일 경우 그 구성원에 불과한 자는 경원자에 대하여 이루어진 처분에 의하여 법률상 직접적이고 구체적인 이익을 침해당하였다 할 수 없으므로 당해 처분의 취소를 구할 당사자적격이 없다(대판 1996.6.28, 96누3630)

익은 법률상 보호되어야 할 것이고, 따라서 도로의 용도폐지처분에 관하여 이러한 직접적인 이해관계를 가지는 사람이 그와 같은 이익을 현실적으로 침해당한 경우에는 그 취소를 구할 법률상의 이익이 있다.

[3] 일반국민 또는 주민이 문화재를 향유할 이익이 구체적이고 법률적인 이익인지 여부(소극)

- 문화재는 문화재의 지정이나 그 보호구역으로 지정이 있음으로써 유적의 보존 관리 등이 법적으로 확보되어 지역주민이나 국민일반 또는 학술연구자가 이를 활용하고 그로 인한 이익을 얻는 것이지만, 그 지정은 문화재를 보존하여 이를 활용함으로써 국민의 문화적 향상을 도모함과 아울러 인류문화의 발전에 기여한다고 하는 목적을 위하여 행해지는 것이지, 그 이익이 일반 국민이나 인근주민의 문화재를 향유할 구체적이고도 법률적인 이익이라고 할 수는 없다.

3. 해 설

1) 오늘날 통설은 도로의 일반사용권을 '법률상 이익'으로 보고 있으며, 특히 인접주민에 대하여는 당해 공물에 대하여 일반인의 사용권을 넘어서는 '고양된 일반사용권' 즉 '인접주민권'을 인정(#150.Ⅱ. 1 관련).

2) 문제는 도로 사용의 자유권으로부터 당해 도로의 공용폐지를 다툴 수 있는 법률상 이익이 인정되는가인데, 대법원은 "일반사용권만으로는 그 용도폐지를 다툴 법률상의 이익이 없지만, 당해 공공용재산의 성질상 특정개인의 생활에 개별성이 강한 직접적이고 구체적인 이익을 부여하고 있어서 그에게 그로 인한 이익을 가지게 하는 것이 법률적인 관점으로도 이유가 있다고 인정되는 특별한 사정이 있는 경우에는 그와 같은 이익은 법률상 보호되는 이익"이라고 하면서 당해 사안에서 甲과 같이 도로를 산책로 등으로 가끔 이용만 하였던 정도의 이해관계만으로는 도로의 용도폐지처분을 다툴 법률상 이익이 인정되지 않는다고 판단하고 있음. 대법원의 입장은 타당하지만, 인접주민권의 요건과 기준이 불명확하다는 비판 有.

3) 그런데 甲이 주장하는 공원경관에 대한 조망이익이나, 문화재 매장 가능성, 문화재 발견에 의한 표창 가능성에 따른 이해관계는 직접적인 구체적인 이익이라 할 수 없으므로 甲에게는 이 사건 주택건설사업계획승인처분을 다툴 법률상 이익이 없으며 따라서 甲의 청구는 모두 각하될 것.

관련 판례 2 부산두구동공설화장장판례
(대판 1995.9.26, 94누14544)

1. 사실관계

- 부산직할시는 대체화장장을 설치하기 위하여 부산직할시가 소유하고 있는 공설묘지 일대를 화장장 부지로 선정함.

- 그러나 이 사건 토지는 ① 수도법 5조에 의하여 상수원보호구역으로 지정되어 있고, ② 도시계획법 제12조에 의해 묘지공원으로 도시계획시설지정이 되어 있는 곳인데, 도시계획법 등 관계법령에 의하면 화장장은 상수원보호구역이나 묘지공원 내에는 설치할 수 없게 되어 있었음. 이에따라 부산직할시는 제반오염 방지장치를 갖출 것을 전제조건으로 이 사건 토지를 상수원보호구역에서 제외하는 ① 상수원 보호구역 변경처분 및 이 사건 토지상에 ② 화장장을 설치하기로 하는 도시계획결정을 함.

- 이에 토지의 인근 주민들은 부산직할시장을 피고로 하여 수도법, 도시계획법 등에 의하여 오염되지 않은 양질의 급수를 받을 이익이 침해되었다며 ① '상수원 보호구역 변경처분'과 ② '도시계획결정'의 취소를 구하는 소를 제기함.

2. 관련법령

* 수도법 제5조 (상수원보호구역지정등) ① 환경처장관은 상수원의 확보와 수질보전상 필요하다고 인정되는 지역을 상수원보호를 위한 구역(이하 '상수원보호구역'이라 한다)으로 지정하거나 이를 변경할 수 있다.
③ 제1항 및 제2항의 규정에 의하여 지정·공고된 상수원 보호구역안에서는 다음 각호의 행위를 할 수 없다.
2. 기타 상수원을 오염시킬 명백한 위험이 있는 행위로서 대통령령으로 정하는 금지행위

* 수도법시행령 제7조 (상수원보호구역의 지정등) ① 환경처장관은 법 제5조제1항의 규정에 의하여 상수원보호구역을 지정 또는 변경하고자 하는 경우에는 취수원의 특성 및 지형여건과 수질오염 상황 등을 고려하여야 한다.

* 도시계획법 제12조 (도시계획의 결정) ① 도시계획은 건설부장관이 직권 또는 제11조의 규정에 의한 도시계획입안자의 신청에 의하여 대통령령이 정하는 사항에 관하여 관계지방의회의 의견을 듣고(신청인이 미리 해당 지방의회의 의견을 들어 신청한 경우를 제외한다) 중앙도시계획위원회의 의결을 거쳐 이를 결정한다. 결정된 도시계획을 변경할 때에도 또한 같다. 다만, 대통령령으로 정하는 경미한 사항의 변경에 있어서는 그러하지 아니하다.
③ 제1항의 규정에 의한 결정에 필요한 도시계획에 관한 중요한 기준 및 도시계획시설기준에 관하여는 건설부령으로 정한다.

* 도시계획시설기준에 관한 규칙 125조 [화장장의 설치기

준] ① 화장장의 구조 및 설치에 관하여는 매장 및 묘지등에 관한 법률이 정하는 바에 의한다.

* 매장 및 묘지등에 관한 법률 제7조 (공설묘지, 공설화장장 또는 공설납골당의 설치) ① 서울특별시·부산시 또는 시, 군은 시체의 처리를 위하여 공설묘지 또는 공설화장장을 설치하여야 한다.
③ 제1항 및 제2항의 규정에 의한 공설묘지·공설화장장과 공설납골당의 설치기준은 대통령령으로 정한다.

* 매장 및 묘지등에 관한 법률 시행령 제4조 (공설묘지의 설치기준) 서울특별시·부산시 또는 시·군이 매장및묘지등에관한법률(이하 '법'이라 한다) 제7조제1항 및 제2항의 규정에 의하여 공설묘지·공설화장장 또는 공설납골당을 설치하는 경우에는 다음 각호의 기준에 의하여야 한다.
2. 공설화장장

[4] 공설화장장은 도로·철도·하천 또는 그 예정지역으로부터 300미터이상, 20호이상의 인가가 밀접한 지역·학교 기타 공중이 수시 집합하는 시설 또는 장소로부터 1,000미터이상 떨어진 곳에 설치하여야 한다. 다만, 토지의 상황에 의하여 지장이 없는 경우에는 예외로 한다.

* 매장 및 묘지등에 관한 법률 시행령 제9조 (묘지등의 설치금지 지역) 다음 각호의 1에 해당하는 지역에 대하여는 공설묘지·공설화장장 또는 공설납골당을 설치하거나 사설묘지·사설화장장 또는 사설납골당의 설치허가를 하여서는 아니된다.
1. 국민보건상 위해를 끼칠 우려가 있는 지역
2. 국방부장관이 군작전상 필요하다고 인정하여 지정하는 지역
3. 도시계획법 제17조의 규정에 의한 주거지역·상업지역·공업지역 및 녹지지역안의 풍치지구와 수도법 제5조의 규정에 의한 상수원보호구역

3. 판결요지

[2] 상수원보호구역 설정의 근거가 되는 수도법 제5조1항 및 동 시행령 제7조1항이 보호하고자 하는 것은 상수원의 확보와 수질보전일 뿐이고, 그 상수원에서 급수를 받고 있는 지역주민들이 가지는 상수원의 오염을 막아 양질의 급수를 받을 이익은 직접적이고 구체적으로는 보호하고 있지 않음이 명백하여 위 지역주민들이 가지는 이익은 상수원의 확보와 수질보호라는 공공의 이익이 달성됨에 따라 반사적으로 얻게 되는 이익에 불과하므로 지역주민들에 불과한 원고들에게는 위 상수원보호구역변경처분의 취소를 구할 법률상의 이익이 없다.

[3] 도시계획법 제12조3항의 위임에 따라 제정된 도시계획시설기준에 관한 규칙 제125조1항이 화장장의 구조 및 설치에 관하여는 매장 및 묘지등에 관한 법률이 정하는 바에 의한다고 규정하고 있어, 도시계획의 내용이 화장장의 설치에 관한 것일 때에는 도시계획법 제12조 뿐만 아니라 매장 및 묘지등에 관한 법률 및 같은법 시행령 역시 그 근거 법률이 된다고 보아야 할 것이므로, 같은법 시행령 제4조2호가 공설화장장은 20호 이상의 인가가 밀집한 지역, 학교 또는 공중이 수시 집합하는 시설 또는 장소로부터 1,000m 이상 떨어진 곳에 설치하도록 제한을 가하고, 같은 법 시행령 제9조가 국민보건상 위해를 끼칠 우려가 있는 지역, 도시계획법 제17조의 규정에 의한 주거지역, 상업지역, 공업지역 및 녹지지역 안의 풍치지구 등에의 공설화장장 설치를 금지함에 의하여 보호되는 부근 주민들의 이익은 위 도시계획결정처분의 근거 법률에 의하여 보호되는 법률상 이익이다.

4. 해 설

1) 사안에서 판례는 ① '상수원보호구역변경처분'에 대해서는 근거 법률인 수도법으로부터 누리는 인근 주민의 이익은 반사적 이익에 불과하다 하여 원고적격을 부인. 이에 대해 헌법상 기본권인 환경권을 고려하지 않은 것이라는 비판이 있음. 그러나 대법원은 헌법상 환경권을 추상적 권리로 파악하고 있음.
2) 이에 반해 ② '공설화장장설치에 관한 도시계획결정'에 대해서는 도시계획법 제12조 뿐만 아니라 도시계획시설기준에 관한 규칙 제125조1항에 의하여 (구)매장 및 묘지등에 관한 법률 및 동법 시행령도 처분의 근거가 된다고 보면서, (구)매장 및 묘지에관한 법률 및 시행령이 화장장 설치를 금지하는 지역을 설정한 것은 그 지역의 주거의 안녕과 생활환경을 보호하기 위한 것으로 해석함. 따라서 이 지역 내의 주민이 받는 이익은 법률에 의해 보호되는 이익으로 위 도시계획결정을 다툴 원고적격이 있게 됨.

관련 판례 3 새만금사건(대판(전) 2006.3.16, 2006두330)

【판시사항 및 판결요지】

[2] 환경영향평가 대상지역 안의 주민에게 공유수면매립면허처분과 농지개량사업 시행인가처분의 무효확인을 구할 원고적격이 인정되는지 여부(적극) 및 환경영향평가 대상지역 밖의 주민에게 그 원고적격이 인정되기 위한 요건

- 공유수면매립면허처분과 농지개량사업 시행인가처분의 근거 법규 또는 관련 법규가 되는 구 공유수면매립법(1997.4.10. 법률 제5337호로 개정되기 전의 것), 구 농촌근대화촉진법(1994.12.22. 법률 제4823호로 개정되기 전의 것), 구 환경보전법(1990.8.1. 법률 제4257호로 폐지), 구 환경보전법 시행령(19

91.2.2. 대통령령 제13303호로 폐지), 구 환경정책기본법(1993.6.11. 법률 제4567호로 개정되기 전의 것), 구 환경정책기본법 시행령(1992.8.22. 대통령령 제13715호로 개정되기 전의 것)의 각 관련 규정의 취지는, 공유수면매립과 농지개량사업시행으로 인하여 직접적이고 중대한 환경피해를 입으리라고 예상되는 환경영향평가 대상지역 안의 주민들이 전과 비교하여 수인한도를 넘는 환경침해를 받지 아니하고 쾌적한 환경에서 생활할 수 있는 개별적 이익까지도 이를 보호하려는 데에 있다고 할 것이므로, 위 주민들이 공유수면매립면허처분 등과 관련하여 갖고 있는 위와 같은 환경상의 이익은 주민 개개인에 대하여 개별적으로 보호되는 직접·구체적 이익으로서 그들에 대하여는 특단의 사정이 없는 한 환경상의 이익에 대한 침해 또는 침해우려가 있는 것으로 사실상 추정되어 공유수면매립면허처분 등의 무효확인을 구할 원고적격이 인정된다. 한편, 환경영향평가 대상지역 밖의 주민이라 할지라도 공유수면매립면허처분 등으로 인하여 그 처분 전과 비교하여 수인한도를 넘는 환경피해를 받거나 받을 우려가 있는 경우에는, 공유수면매립면허처분 등으로 인하여 환경상 이익에 대한 침해 또는 침해우려가 있다는 것을 입증함으로써 그 처분 등의 무효확인을 구할 원고적격을 인정받을 수 있다.

[3] **환경영향평가 대상지역 밖에 거주하는 주민에게 헌법상의 환경권 또는 환경정책기본법에 근거하여 공유수면매립면허처분과 농지개량사업 시행인가처분의 무효확인을 구할 원고적격이 없다고 한 사례**

- 헌법 제35조1항에서 정하고 있는 환경권에 관한 규정만으로는 그 권리의 주체·대상·내용·행사방법 등이 구체적으로 정립되어 있다고 볼 수 없고, 환경정책기본법 제6조도 그 규정 내용 등에 비추어 국민에게 구체적인 권리를 부여한 것으로 볼 수 없다는 이유로, 환경영향평가 대상지역 밖에 거주하는 주민에게 헌법상의 환경권 또는 환경정책기본법에 근거하여 공유수면매립면허처분과 농지개량사업 시행인가처분의 무효확인을 구할 원고적격이 없다고 한 사례.

[6] **환경영향평가법령에서 정한 환경영향평가 절차를 거쳤으나 그 환경영향평가의 내용이 부실한 경우, 그 부실로 인하여 환경영향평가 대상사업에 대한 승인 등 처분이 위법하게 되는지 여부(한정 소극)**

- 환경영향평가법령에서 정한 환경영향평가를 거쳐야 할 대상사업에 대하여 그러한 환경영향평가를 거치지 아니하였음에도 승인 등 처분을 하였다면 그 처분은 위법하다 할 것이나, 그러한 절차를 거쳤다면, 비록 그 환경영향평가의 내용이 다소 부실하다 하더라도, 그 부실의 정도가 환경영향평가제도를 둔 입법 취지를 달성할 수 없을 정도이어서 환경영향평가를 하지 아니한 것과 다를 바 없는 정도의 것이 아닌 이상, 그 부실은 당해 승인 등 처분에 재량권 일탈·남용의 위법이 있는지 여부를 판단하는 하나의 요소로 됨에 그칠 뿐, 그 부실로 인하여 당연히 당해 승인 등 처분이 위법하게 되는 것이 아니다. ➡ #161 관련

[8] **새만금간척종합개발사업을 위한 공유수면매립면허처분 및 농지개량사업 시행인가처분의 하자인 사업의 경제성 결여, 사업의 필요성 결여, 적법한 환경영향평가의 결여, 담수호의 수질기준 및 사업목적 달성 불능 등의 사유가 새만금간척종합개발사업을 당연무효라고 할 만큼 중대·명백하다고 할 수 없다고 한 원심의 판단을 수긍한 사례**

- 새만금간척종합개발사업을 위한 공유수면매립면허처분 및 농지개량사업 시행인가처분의 하자인 사업의 경제성 결여, 사업의 필요성 결여, 적법한 환경영향평가의 결여, 담수호의 수질기준 및 사업목적 달성 불능 등의 사유가 새만금간척종합개발사업을 당연무효라고 할 만큼 중대·명백하다고 할 수 없다고 한 원심의 판단을 수긍한 사례.

[9] **공유수면매립면허의 취소 등의 사유를 규정한 구 공유수면매립법 제32조3호의 '사정변경'의 의미 및 그 증명책임**

- 구 공유수면매립법(2005.3.31. 법률 제7482호로 개정되기 전의 것) 제32조3호, 제40조, 같은 법 시행령(2005.9.30. 대통령령 제19080호로 개정되기 전의 것) 제40조4항, 1항의 규정을 종합하면, 구 농림수산부장관은 매립공사의 준공인가 전에 공유수면의 상황 변경 등 예상하지 못한 사정변경으로 인하여 공익상 특히 필요한 경우에는 같은 법에 의한 면허 또는 인가를 취소·변경할 수 있는바, 여기에서 사정변경이라 함은 공유수면매립면허처분을 할 당시에 고려하였거나 고려하였어야 할 제반 사정들에 대하여 각각 사정변경이 있고, 그러한 사정변경으로 인하여 그 처분을 유지하는 것이 현저히 공익에 반하는 경우라고 보아야 할 것이며, 위와 같은 사정변경이 생겼다는 점에 관하여는 그와 같은 사정변경을 주장하는 자에게 그 입증책임이 있다.

[10] **새만금간척종합개발사업을 위한 공유수면매립면허 및 사업시행인가처분의 취소신청에 대하여 처분청이 구 공유수면매립법 제32조3호에 의한 취소권의 행사를 거부한 경우, 그 사업목적상의 사정변경, 농지의 필요성에 대한 사정변경, 경제적 타당성에 대한 사정변경, 수질관리상의 사정변경, 해양환경상의 사정변경이 위 개발사업을 중단하여야 할 정**

도로 중대한 사정변경이나 공익상 필요가 있다고 인정하기에 부족하다고 본 원심의 판단을 수긍한 사례[3)]

[다수의견]

농업기반공사나 전라북도가 복합산업단지 개발을 검토하고 대통령이 공단과 국제항 조성에 관한 종합개발계획 추진안에 관한 발언을 하였다는 사정들만으로는 현재 농지조성과 농업용수 개발을 주목적으로 한 새만금간척종합개발사업의 토지이용계획이 복합산업단지 개발로 변경되었다고 볼 수 없다. 또한 향후 사업목적의 변경 가능성이 있다고 하여 현재의 사업목적 달성이 불가능하다거나 법률적으로 또는 실질적으로 사업목적이 변경되었다고 볼 수 없다. 쌀 공급과잉 현상으로 쌀 재배면적을 감소시킬 필요성이 있다고 하더라도 일정수준의 식량자급을 유지하기 위한 우량농지의 확보의 필요성이 줄어든 것은 아니므로, 필요 이상의 과다한 우량농지가 전용되고 있다는 사정만으로 농지의 필요성이 줄어들었다고 단정할 수 없다. 갯벌 내지는 환경 보전의 중요성을 참작한다고 하더라도 새만금간척종합개발사업을 통하여 이루려고 하는 국가의 발전이라는 실질적인 목적을 달성할 수 없을 정도로 과다한 비용과 희생이 요구되어 경제성 내지는 사업성이 없다고 인정하기에 부족하므로, 결국 **새만금간척종합개발사업의 경제적 타당성에 있어서 공유수면매립면허처분 등을 취소하여야 할 만큼 예상하지 못한 사정변경이 있다고 할 수 없다. 장차 형성될 새만금 담수호에서 농업용수로서의 수질을 유지하는 것이 사회통념상 불가능하다고 할 수 없으므로, 농림부장관의 수질개선대책 수립의 실현가능성이 불확실하다거나 그 수질개선대책을 시행하더라도 목표수질을 달성할 수 없는 사정변경이 생겼다고 할 수는 없다**. 또한 **농림부장관이 환경부의 수질관리에 관한 환경영향평가 협의내용을 지키지 아니하고 결과적으로 방조제를 우선 완공함으로써 협의내용을 위반하였다는 사유만으로는 수질관리에 예상하지 못한 사정변경이 발생하였다거나 그 사정변경이 공유수면매립면허처분 등을 취소할 정도로 중대하다고 할 수도 없다**. 방조제 축조로 인하여 생길 수 있는 자연적인 해안선의 변화나 물질순환의 차단, 퇴적환경이 달라지는 등의 **해양환경상의 영향은 새만금사업시행계획 당시부터 예상하였던 것으로서 이를 들어 예상하지 못한 사정변경이라고 할 수 없다**. 해류 순환의 변화는 당초 환경영향평가에서도 고려된 사정으로 보일 뿐 아니라, 그로 인하여 수질에 미치는 악영향을 새만금사업시행계획 당시 충분히 예상하지 못하였던 사정변경 사유로 본다고 하더라도, 그로 인해 발생할 수 있는 피해가 어느 정도인가에 관하여는 한국해양연구원의 조사연구 결과로도 명확하지 않고 달리 그 피해 정도를 인정할 만한 증거도 없다. 따라서 **새만금간척종합개발사업을 중단하여야 할 정도로 중대한 사정변경이나 공익상 필요가 있다고 인정하기에 부족**하다고 한 원심의 판단을 수긍한 사례.

[반대의견]

환경 변화를 수반하는 대규모 개발행위를 결정함에 있어, 물질문명의 편리함에 깊이 빠져든 오늘날의 사람들은 물질적 필요의 충족에 우선적 가치를 두고 당장 눈에 보이고 금전으로 계산이 가능한 경제적인 이해타산과 수치 비교만으로 개발행위에 나아가고 있다. **자연환경은 경제적 이익이나 금전적 가치와 동일한 평면에서 비교되고 대체될 수 있는 가치가 아니다**. 물론 환경 변화를 수반하는 대규모 개발행위를 결정함에 있어서 희생되는 환경의 가치를 포함한 손실과 개발로 인한 이득(편익)을 비교하여 결정하는 것이 부득이할 것이겠지만, 그 가치를 산정함에 있어서는 당시까지 밝혀진 환경의 기능과 효용 중 **금전으로 환산할 수 있는 가치만을 평가하여 그 손실보다 이득이 큰 경우에는 환경을 희생시키는 것으로 개발 여부를 결정하는 방식은 허용되어서는 아니 된다**. 환경의 가치 중 아직 밝혀지지 않은 부분이 많고 환경의 훼손이 인간의 생존에 심각한 영향을 미칠 수 있는 가능성이 항상 잠재하고 있다는 점을 고려하면, **환경의 변화나 훼손은 이를 감수하고서라도 반드시 확보하여야 할 필수불가결한 가치를 얻기 위한 것이거나 아니면 적어도 환경의 희생을 대가로 얻을 수 있는 가치가 월등히 큰 경우에만 허용될 수 있는 것**이며, **그 경우에도 필요한 최소한의 범위 내에서만 훼손이 가능**한 것으로 보아야 한다. 우리 헌법이나 환경 관련 법령에서도 인류 생존의 토대를 이루는 자연환경을 무분별한 개발과 이용으로부터 보호하여야 한다는 시대적 요청을 반영하여, 자연환경 보전의 가치가 개발에 따른 가치보다 우선적으로 보호되어야 할 가치임을 분명히 하고 있는 것으로 보아야 한다. 한편으로 자연환경을 보전할 필요성 못지않게 국민경제의 균형있는 발전을 위하여 개발사업을 추진할 필요성 또한 부인할 수 없는 것이므로, 개발사업을 추진할 것인지 여부는 당해 사업으로 얻을 수 있는 국민경제적인 가치와 이로 인하여 훼손되는 자연환경의 가치를 비교하여 결정할 수밖에 없고, 이러한 **가치비교를 위해서는 일단은 개발사업의 가치와 자연환경의 가치를 모두 경제적인 가치로 환산하여 비교·교량하는 방법을 따를 수밖에 없다.**

그런데 개발사업의 가치는 경제적 가치로 환산하여 평가하기가 용이한 반면, 자연환경의 가치에는 생물종의 다양성, 생태적 안정성의 유지 등과 같이 경제적인 가치로 평가하기 어려운 가치도 있고, 장래에 이용될 가능성은 있으나 현재로는 이용되지 않고 있는 가치나 현재의 환경에 대한 지식으로는 제대로 알 수 없는 가치와 같이 평가의 대상 자체에 포함시키기 어려운 가치도 있다. 따라서 훼손되는 자연환경의 가치를 경제적인 가치로 환산할 수 있는 부분만을 평가하여 개발사업의 가치와 비교・교량하는 것만으로 자연환경의 가치를 충분히 고려하였다고 할 수 없고, 개발사업의 국민경제적인 이득이 당해 사업에 소요되는 비용과 이로 인하여 훼손되는 자연환경 가치의 경제적 평가액 등의 손실을 합한 것보다 상당한 정도로 우월한 경우에 비로소 개발사업을 추진할 수 있는 당위성이 인정될 수 있다. 또한 개발사업을 취소하여야 할 정도의 사정변경이 생겼는지 여부를 판단함에 있어서도, 환경 변화로 인하여 나타날 구체적 위험성이나 훼손될 환경 가치의 중대성 등에 관하여 어느 정도의 가능성까지는 입증하였지만 정확하게 확인되는 정도까지는 이르지 못한 입증의 중간영역이 있을 때에, 그 사업이 대규모 사업으로서 환경 변화의 영향력이 미치는 범위가 아주 넓고 예측되는 환경 변화의 폐해가 심각한 것이어서 혹시라도 그 가능성이 현실화되는 것을 도저히 용인하기 어려운 사정이 있는 경우라면, 무조건 원고측이 그 사정변경과 취소의 필요성에 대하여 입증을 다하지 못한 것으로 보아 원고의 청구를 기각할 것이 아니라, 희생되는 환경의 가치나 환경 훼손으로 인한 폐해의 위험성과 관련하여 경제성이나 안전성이 확인되지 않은 것으로 보아 사업의 강행을 재고할 상황에 처한 것으로 판단하는 것이 더 합리적이다. 새만금간척종합개발사업과 같이 갯벌 등 생태계와 자연환경에 광범위하고도 심각한 영향을 미칠 대규모 개발사업에서, 당초 예상하지 못한 중대한 사정변경이 발생하였는지 여부 및 처분을 취소하여 사업을 중단하는 것이 공익상 특히 필요한지 여부를 판단함에 있어서도 위와 같은 관점과 기준에 따라 자연환경이 가지는 가치와 특수성을 우선적으로 배려하여 결정하여야 한다. 제반 사정에 비추어 보면, 새만금간척종합개발사업에는 농지의 필요성, 수질관리, 해양환경 및 경제적 타당성과 사업성 등의 측면에서 당초 예상하지 못한 사정변경이 생겼다고 할 것인데, 그와 같은 사정변경은 사업을 계속 시행하는 경우 과다한 비용과 희생이 요구됨으로써 사업을 통하여 달성하고자 하는 종국적인 목적을 실현할 수 없을 정도로 중대한 경우에 해당하고, 새만금간척종합개발사업을 위한 공유수면매립면허처분 및 농지개량사업 시행인가처분을 취소하여 새만금간척종합개발사업 자체를 중단하는 것 외에 다른 조치 또는 처분만으로 적절하게 대응하기 어렵다고 보이므로, 새만금간척종합개발사업을 취소할 공익상 필요가 있다고 봄이 상당하다. 따라서 구 농림수산부장관이 환경영향평가 대상지역 주민으로부터 위 공유수면매립면허처분 등을 취소해 달라는 신청을 받았음에도 필요한 처분을 하지 아니한 채 이를 거부한 것은 재량권을 일탈・남용한 것으로 위법하다.

[다수의견에 대한 보충의견]

환경이 헌법에 의하여 보호되어야 하는 가치이기는 하지만 개발 역시 소홀히 할 수 없는 헌법상의 가치라고 할 것이므로, 반대의견과 같이 자연환경보호의 가치가 언제나 개발에 따른 가치보다 우선적으로 보호되어야 한다고 할 수는 없다. ……(생략)……

기출 사례 제3자의 행정소송상 지위(11년 사시)

X 시장은 '개발제한구역의 지정 및 관리에 관한 특별조치법' 제12조1항1호 마목과 동법 시행령 및 동법 시행규칙의 관련 규정에 의거하여, 개발제한구역 내의 간선도로 중 특정 구간에 고시된 선정 기준에 따라 사업자 1인을 선정하여 자동차용 액화석유가스충전소 (이하 '가스충전소'라고 한다.) 건축을 허가하기로 하는 가스충전소의 배치 계획을 고시하였다. 이에 A와 B는 각자 자신이 고시된 선정 기준에 따른 우선 순위자임을 주장하며 가스 충전소의 건축을 허가해 줄 것을 신청하였다. 이에 X 시장은 각 신청 서류를 검토한 결과 B가 고시된 선정 기준에 따른 우선 순위자라고 인정하여 B에 대하여 가스충전소 건축을 허가하였다.

1. A는 우선 순위자 결정의 하자를 주장하면서 X 시장의 B에 대한 건축허가 결정을 다투려고 한다. 이 경우 A는 행정소송법상 원고적격이 있는가? (15점)
2. 만약 A가 X 시장의 B에 대한 건축허가처분 취소심판

3) #13. [관련판례]의 해설 참조

을 제기하여 인용재결이 된 경우, B는 인용재결에 대해 취소소송을 제기할 수 있는가? (10점)

3. A가 X 시장의 처분에 불복하여 소송을 제기하였을 경우, B는 이에 대응하여 행정소송법상 어떤 방법(B가 아무런 조치를 취하지 못하는 사이 A가 제기한 위 소송에서 A가 승소하여 그 판결이 확정된 경우를 포함한다.)을 강구할 수 있는가? (15점)

4. X 시장이 B에게 가스충전소 건축허가를 한 후 B가 허위, 기타 부정한 방법으로 건축허가 신청을 하였다는 것을 발견하고 건축허가를 취소하였다. 이에, B는 X 시장의 허가를 신뢰하여 가스충전소 신축공사계약 체결을 비롯한 새로운 법률관계를 형성하였기 때문에 취소할 수 없다고 주장한다. B의 주장은 타당성이 있는가? (10점)

Ⅰ. A의 원고적격 인정여부 - 설문(1)

1. 행정소송법 제12조1문의 법률상 이익의 의미

(1) 원고적격(법률상 이익)에 관한 일반론

(2) 사안의 경우

- A는 B와 경원자관계. A는 처분의 제3자이지만 원고적격 인정.

Ⅱ. B의 인용재결에 대한 취소소송 제기가능성 - 설문(2)

1. 원처분중심주의 (#109)

(1) 행정소송법 제19조 해석론

(2) 재결에 고유한 위법의 의미

(3) 인용재결의 재결에 고유한 위법 여부

- 판례는 인용재결의 경우 원칙적으로는 재결에 고유한 위법이 있는 것은 아니나 제3자효 행정행위에서 인용재결이 있는 경우 비로소 권리이익을 침해받게 되는 자는 그 인용재결에 대하여 다툴 필요가 있고 그 인용재결은 원처분과 내용을 달리하는 것으로 재결에 고유한 하자를 주장하는 셈이어서 재결에 고유한 위법에 해당되어 재결취소소송을 제기해야 한다고 함.

2. 사안의 경우

- 사안에서는 A와 B는 경원자 관계에 있는데, A의 취소심판 청구에 대한 인용재결에 의하여 비로소 B의 권리 침해가 문제됨.

- 따라서 B는 인용재결을 대상으로 취소소송 제기 가능.

Ⅲ. A의 소송에 대한 B의 행정소송법상 대응방안 - 설문(3)

1. 취소판결의 제3자효(행소법 제29조1항)

2. 제3자의 소송참가(행소법 제16조)(#112-1)

(1) 의의 및 취지

- 제3자효 행정행위와 같이 제3자가 당해 소송에 의하여 권익을 침해당할 우려가 있는 경우에 공격방어방법을 제출할 기회를 제공하여 권익을 보호하게 하고 적정한 심리와 재판을 실현함과 동시에 제3자에 의한 재심청구를 미연에 방지하기 위함.

(2) 요건(제16조1항 활용)

① 타인간의 소송계속 중 ② 소송의 결과에 따라 권리 또는 이익을 침해받은 제3자 ③ 침해되는 권리 또는 이익은 법률상 이익

(3) 사안의 경우

- B는 가스충전소 건축허가의 상대방으로서 원고인 A와 이해관계가 대립하는 자로서 취소판결이 나면 건축허가가 취소되는 불이익을 받게 되므로 소송참가 가능.

3. 재심 청구(행소법 제31조)

(1) 의의 및 취지

제3자가 자기에게 귀책사유없이 소송에 참가하지 못하여 판결의 결과에 영향을 미칠 공격방어방법을 제출하지 못한 때가 생길 수 있으므로 이러한 제3자를 보호하기 위하여 민사소송법상의 재심과는 별도로 인정

(2) 요 건

① 취소하는 종국판결이 확정된 경우 ② 취소판결에 의해 권리 또는 이익의 침해를 받은 제3자가 ③ 귀책사유 없는 사유로 소송에 참가하지 못하여 판결의 결과에 영향을 미칠 공격 또는 방어방법을 제출하지 못한 경우 ④ 확정판결이 있음을 안 날로부터 30일 이내, 판결이 확정된 날로부터 1년 이내에 제기하여야 함.

4. 사안의 경우

- B가 아무런 조치를 취하지 못한 사이에 A가 승소하여 판결이 확정된 경우에는 B가 자신의 귀책사유 없이 참가하지 못한 경우라면 재심청구기간 내에 제기 가능.

Ⅳ. 신뢰보호의 원칙-설문(4)

1. X시장의 건축허가취소의 법적 성질

- 애초의 허가가 B의 부정한 방법에 의해 이루어진 것이어

서, 원시적 하자를 이유로 하는 것이므로 직권취소.

2. 직권취소의 제한사유로서 신뢰보호의 원칙

- 직권취소의 제한에 관한 법리 간단히 소개 후(#52)
- 신뢰보호원칙에 관한 일반론 소개(#7).

3. 사안의 해결

- B는 허위, 기타 부정한 방법으로 건축허가를 신청하였으므로 신뢰보호원칙 요건 중에서 보호가치 있는 신뢰를 충족하지 못함. 갑으로서는 허가의 취소가능성도 예상할 수 있음.
- 가스충전소 신축공사계약 체결을 비롯한 새로운 법률관계를 형성되었다고 하더라도 B의 재산권 보호보다는 공익이 우선.
- B의 주장은 타당하지 않음.

기출 사례 인인소송에서 제3자의 원고적격(10년 행시 - 재경)

한국전력공사는 OO도 A군내 지역에 발전소를 건설하고자 「전원개발촉진법」에 근거하여 전원개발사업실시계획의 승인을 관계당국에 신청하였다. 그런데 발전소 건설사업은 환경영향평가 대상사업이다. 아래 관련 법조문을 참조하여 다음의 질문에 답하시오. (총 30점)

1) 전원개발사업실시계획의 법적 성질을 논하시오. (5점)
2) A군 내의 지역주민으로서 자신의 재산상, 환경상의 이익에 영향을 받는 자가 법률상 이익이 있는지 여부를 논하시오. (10점)
3) 발전소 건설예정지에 자주 출입하는 임산물채취업자, 환경보호단체 등의 원고적격 인정여부와 본안소송을 진행하기 위한 논거를 제시하시오. (15점)

[참조조문]

***전원개발촉진법**

제1조 (목적)

이 법은 전원개발사업(전원개발사업)을 효율적으로 추진함으로써 전력수급의 안정을 도모하고, 국민경제의 발전에 이바지함을 목적으로 한다.

제5조 (전원개발사업 실시계획의 승인)

① 전원개발사업자는 전원개발사업 실시계획(이하 '실시계획'이라 한다)을 수립하여 지식경제부장관의 승인을 받아야 한다. 다만, 대통령령으로 정하는 전원개발사업에 대하여는 그러하지 아니하다.

③ 실시계획에는 다음 각 호의 사항이 포함되어야 한다.

6. 국토자연환경 보전에 관한 사항

***환경영향평가법**

제1조(목적)

이 법은 환경영향평가 대상사업의 사업계획을 수립·시행할 때 미리 그 사업이 환경에 미칠 영향을 평가·검토하여 친환경적이고 지속가능한 개발이 되도록 함으로써 쾌적하고 안전한 국민생활을 도모함을 목적으로 한다.

제3조(국가 등의 책무)

① 국가와 지방자치단체는 정책이나 계획을 수립·시행하려면 환경영향을 고려하고 이에 대한 대책을 강구하여야 한다.

제14조(의견수렴 및 평가서초안의 작성)

① 사업자는 평가서를 작성하려는 때에는 대통령령으로 정하는 바에 따라 설명회나 공청회 등을 개최하여 환경영향평가대상사업의 시행으로 영향을 받게 되는 지역 주민(이하 '주민'이라 한다)의 의견을 듣고 이를 평가서의 내용에 포함시켜야 한다.

Ⅰ. 전원개발사업실시계획의 법적 성질 - 설문(1)

- 전원개발사업실시계획은 전원개발사업자가 작성한 것으로 행정청이 수립한 것은 아니나 행정계획의 성격을 가지고 있음. 그러나 실시계획에 대한 승인이 있기 전까지는 구속적 효과는 없으므로 일종의 행정계획안에 해당.
- 전원개발사업실시계획승인이 있으면 구속적 효과가 발생. 전원개발사업실시계획승인은 전원개발사업자에게 발전사업을 할 수 있는 권리를 설정해 주는 특허로서의 실질이 있음.

Ⅱ. A군 내 지역주민의 법률상 이익 여부 - 설문(2)

1. 원고적격(법률상 이익)에 관한 일반론

2. 사안의 경우

- 전원개발사업은 환경영향평가대상 사업에 해당하므로 환경영향평가법도 처분의 근거법률에 해당.
- 환경영향평가와 관련한 판례의 법리에 비추어 A군내의 지역주민이 환경영향평가 대상지역 안에 거주하고 있는지 여부에 따라 구별하여 판단.

Ⅲ. 임산물채취업자, 환경보호단체의 원고적격 인정여부 - 설문(3)

1. 원고적격 인정여부

- 발전소 건설예정지 내에 거주하지 않는 임산물채취업자

가 자주 출입한다는 것이 단순히 일시적으로 환경상 이익을 향유하는 것이라면 원고적격을 인정하기 곤란하나 임산물을 채취하고 있는 등 현실적으로 환경상 이익을 향유하는 경우라면 원고적격 인정

판 례 환경상 이익에 대한 침해 또는 침해 우려가 있는 것으로 사실상 추정되어 원고적격이 인정되는 사람에는 환경상 침해를 받으리라고 예상되는 영향권 내의 주민들을 비롯하여 그 영향권 내에서 농작물을 경작하는 등 현실적으로 환경상 이익을 향유하는 사람도 포함된다. 그러나 단지 그 영향권 내의 건물·토지를 소유하거나 환경상 이익을 일시적으로 향유하는 데 그치는 사람은 포함되지 않는다(대판 2009.9.24, 2009두2825).

- 환경보호단체의 경우는 단체소송이 인정되고 있지 않으며 판례는 헌법상의 환경권만으로는 원고적격을 부정

2. 본안소송을 진행하기 위한 논거

- 전원개발사업실시계획승인은 재량행위에 해당. 행정계획으로 보게 되면 계획재량이 존재
- 내용상으로는 재량 일탈·남용 혹은 형량의 하자 주장
- 절차상으로는 환경영향평가법 제14조1항의 설명회나 공청회 등을 거치지 않은 절차상 하자가 있어 위법하다는 점을 주장

기출 사례 경업자소송, 예방적 부작위청구, 부담(12년 변시)

A주식회사는 2000.3.경 안동시장으로부터 분뇨수집·운반업 허가를 받은 다음 그 무렵 안동시장과 사이에 분뇨수집·운반 대행계약을 맺은 후 통상 3년 단위로 계약을 연장해 왔는데 2009.3.18. 계약기간을 그 다음 날부터 2012.3.18.까지로 다시 연장하였다.

B주식회사는 안동시에서 분뇨수집·운반업을 영위하기 위하여 하수도법 및 같은 법 시행령 소정의 시설, 장비 등을 구비하고 2011.11.10. 안동시장에게 분뇨수집·운반업 허가를 신청하여 같은 해 12.1. 허가처분(이하 '이 사건 처분'이라 한다)을 받았다.

안동시장은 이 사건 처분 후 안동시 전역을 2개 구역으로 나누어 A, B주식회사에 한 구역씩을 책임구역으로 배정하고 각각 2014.12.31.까지를 대행기간으로 하는 새로운 대행계약을 체결하였다.

A주식회사는 과거 안동시 전역에서 단독으로 분뇨 관련 영업을 하던 기득권이 전혀 인정되지 않은데다가 수익성이 낮은 구역을 배정받은 데 불만을 품고, B주식회사에 대한 이 사건 처분은 허가기준에 위배되는 위법한 처분이라고 주장하면서 안동시장을 상대로 2011.12.20. 관할 법원에 그 취소를 구하는 행정소송을 제기하였다.

1. 위 소송에서 A주식회사에게 원고적격이 인정되는가? (30점)
2. 만약, 이 사건 처분의 절차가 진행 중인 상태에서 A주식회사가 안동시장을 상대로 "안동시장은 B주식회사에게 분뇨수집·운반업을 허가하여서는 아니 된다."라는 판결을 구하는 행정소송을 관할 법원에 제기하였다면 이러한 소송이 현행 행정소송법상 허용될 수 있는가?(10점)
3. 안동시장은 이 사건 처분을 함에 있어 분뇨수집·운반업 허가에 필요한 조건을 붙일 수 있다는 하수도법 제45조5항에 따라 B주식회사에게 안동시립박물관 건립기금 5억 원의 납부를 조건으로 부가하였다.
   (1) 위 조건의 법적 성질은?(7점)
   (2) 위 조건은 위법한가?(15점)
   (3) B주식회사는 위 조건만의 취소 또는 무효확인을 구하는 행정소송을 제기할 수 있는가?(8점)

[참조조문]

***하수도법**

제1조(목적) 이 법은 하수도의 설치 및 관리의 기준 등을 정함으로써 하수와 분뇨를 적정하게 처리하여 지역사회의 건전한 발전과 공중위생의 향상에 기여하고 공공수역의 수질을 보전함을 목적으로 한다.

제2조(정의) 이 법에서 사용하는 용어의 정의는 다음과 같다.
2. "분뇨"라 함은 수거식 화장실에서 수거되는 액체성 또는 고체성의 오염물질(개인하수처리시설의 청소과정에서 발생하는 찌꺼기를 포함한다)을 말한다.
10. "분뇨처리시설"이라 함은 분뇨를 침전·분해 등의 방법으로 처리하는 시설을 말한다.

제3조(국가 및 지방자치단체의 책무) ① 국가는 하수도의 설치·관리 및 관련 기술개발 등에 관한 기본정책을 수립하고, 지방자치단체가 제2항의 규정에 따른 책무를 성실하게 수행할 수 있도록 필요한 기술적·재정적 지원을 할 책무를 진다.

② 지방자치단체의 장은 공공하수도의 설치・관리를 통하여 관할구역 안에서 발생하는 하수 및 분뇨를 적정하게 처리하여야 할 책무를 진다.

제41조(분뇨처리 의무) ① 특별자치도지사・시장・군수・구청장은 관할구역 안에서 발생하는 분뇨를 수집・운반 및 처리하여야 한다. 이 경우 특별자치도지사・시장・군수・구청장은 당해 지방자치단체의 조례가 정하는 바에 따라 제45조의 규정에 따른 분뇨수집・운반업자로 하여금 그 수집・운반을 대행하게 할 수 있다.

제45조(분뇨수집・운반업) ① 분뇨를 수집(개인하수처리시설의 내부청소를 포함한다)・운반하는 영업(이하 "분뇨수집・운반업"이라 한다)을 하고자 하는 자는 대통령령이 정하는 기준에 따른 시설・장비 및 기술인력 등의 요건을 갖추어 특별자치도지사・시장・군수・구청장의 허가를 받아야 하며, 허가받은 사항 중 환경부령이 정하는 중요한 사항을 변경하고자 하는 때에는 특별자치도지사・시장・군수・구청장에게 변경신고를 하여야 한다.

⑤ 특별자치도지사・시장・군수・구청장은 관할구역 안에서 발생하는 분뇨를 효율적으로 수집・운반하기 위하여 필요한 때에는 제1항에 따른 허가를 함에 있어 관할 구역의 분뇨 발생량, 분뇨처리시설의 처리용량, 분뇨수집・운반업자의 지역적 분포 및 장비보유 현황, 분뇨를 발생시키는 발생원의 지역적 분포 및 수집・운반의 난이도 등을 고려하여 영업구역을 정하거나 필요한 조건을 붙일 수 있다.

부칙

이 법은 2000. 1. 1.부터 시행한다.

* 위 하수도법의 일부 조항은 가상의 것이며 현재 시행 중임을 전제로 할 것

◆

Ⅰ. A주식회사의 원고적격 - 설문(1)

1. 문제의 소재

2. 원고적격 일반론

3. 경업자소송에서의 원고적격

4. 사안의 경우

- A주식회사와 B주식회사는 경업자관계

- 안동시장의 구역 지정 및 B에 대한 신규허가는 하수도법 제3조2항 및 제45조5항에 근거한 것.

- 하수도법 제45조5항에서 허가권자는 관할 구역 안에서 발생하는 분뇨를 효율적으로 수집・운반하기 위하여 필요한 때에는 제1항에 따른 허가를 함에 있어 영업구역을 정하고 필요한 조건을 붙일 수 있도록 하고 있는데 이는 업자 간의 과당경쟁으로 인한 경영의 불합리를 미리 방지하자는 데 목적이 있음. 분뇨수집・운반업이 강학상 특허에 해당하며 근거법률이 업자간의 과당경쟁을 방지하는 것을 목적으로 하고 있는 경우임.

- A주식회사의 이익은 단순한 사실상의 반사적 이익이 아니고 하수도법에 의하여 보호되는 이익이므로 원고적격이 인정됨.

Ⅱ. 예방적 부작위청구소송의 인정여부 - 설문(2)

1. 문제의 소재

- 행정소송의 권력분립적 한계로서 무명항고소송의 인정여부

2. 예방적 부작위청구소송(예방적 금지소송)(#107)

(1) 의 의

(2) 인정여부

3. 사안의 경우

- 판례 및 현행법상 허용될 수 없음.

Ⅲ. 부관의 종류와 위법성, 쟁송형태 - 설문(3)

1. 조건의 법적 성질

(1) 부관의 의의 및 종류(#38)

(2) 사안의 경우

- 특히 부담과 조건의 구별 문제

- 박물관 건립기금과 분뇨수집업 허가의 요건과는 밀접한 관계가 보이지 않는바 부담에 해당.

2. 조건의 위법성

(1) 부관의 한계 일반론(#39)

(2) 부당결부금지원칙(#8)

(3) 사안의 경우

- 박물관 건립기금은 분뇨수집・운반업 허가는 실질적 관련성이 없음. 따라서 기금을 납부하라는 조건은 부당결부금지원칙에 반해서 위법.

- 위법성의 정도는 판례에 의하면 취소사유.

3. 조건의 독립쟁송가능성

(1) 부관의 독립쟁송가능성(#41)

(2) 사안의 경우

- 다수설・판례에 의하면 독립쟁송가능(진정일부취소소송).

111 협의의 소의 이익(권리보호의 필요)

Ⅰ. 의 의

소송에서 본안판단을 구할 정당한 이익 내지는 필요를 말한다. 법률상 소송요건으로서 규정되고 있지는 않으나, 소송경제와 소송법에도 적용되는 신의성실의 원칙(소권남용의 부인)에 근거하여 소송요건으로 인정되며 지나치게 제한적으로만 인정하면 재판청구권에 대한 침해가 될 수 있다. 행정소송법 제12조2문은 처분의 효력이 소멸한 경우의 소의 이익에 대한 예외적 규정만 두고, 일반적 규정이 없기 때문에 소익 유무는 구체적으로 판단함이 불가피하다.

판 례 행정소송에서 소의 이익이란 개념은 국가의 행정재판제도를 국민이 이용할 수 있는 한계를 구획하기 위하여 생겨난 것으로서 그 인정을 인색하게 하면 실질적으로는 재판의 거부와 같은 부작용을 낳게 될 것이다(대판(전) 1989.12.26, 87누308).

원고적격의 문제는 처분에 의하여 어떠한 이익이 침해되면 취소에 의하여 원고가 어떠한 이익을 얻게 되는가라는 주관적 측면에서의 고찰임에 비해, 소의 이익의 문제는 구체적 주위의 상황으로 보아 소를 제기하거나 혹은 유지할 이익이 있는지의 객관적 측면에서의 고찰이라는 차이가 있다.

Ⅱ. 행정소송법 제12조2문

1. 입법취지

취소소송에 있어서 처분의 효력이 소멸된 경우에는 그와 동시에 권리보호의 필요성이 소멸되는 것이 일반적이나, 예외적으로 원고에게 효력이 소멸된 처분의 효력취소를 통하여 회복되는 법률상 이익이 있는 때에 권리보호의 필요성을 인정한 것이다. 이는 취소소송의 목적을 처분 자체의 효력 배제만에 한정하지 않고, 처분을 원인으로 하여 발생한 불이익을 회복함을 그 목적에 포함시킴으로서 취소소송의 역할을 확장한 규정이다.

2. 원고적격에 관한 조항인지 협의의 소의 이익에 관한 조항인지의 문제

제12조2문을 협의의 소의 이익에 관한 조항으로 본다면 처분 등이 소멸된 뒤에 취소소송을 제기할 수 있는 원고적격에 관한 조항은 행정소송법에 없게 된다고 하면서 처분의 효력이 소멸된 경우의 원고적격에 관한 규정으로 보는 견해도 있으나, 다수설과 판례는 제12조 전문은 원고적격, 2문은 협의의 소의 이익에 관한 규정으로 이해한다.

3. 제12조2문에 의한 취소소송의 성질

처분은 이미 효력이 소멸되어 취소소송의 대상이 될 수 없는 것이어서 이를 취소하는 것은 이론상 불가능하므로, 비록 취소소송의 형식을 갖더라도 실질적으로는 독일법상의 계속적 확인소송에 상응하는 확인소송으로 보는 확인소송설과 처분의 효력은 소멸되었으나 외관이 존재하는 경우의 취소청구는 처분의 존재를 부인하는 것이므로 이 역시 형성소송으로의 성격을 가진다는 형성소송설이 대립한다.

Ⅲ. 소의 이익의 판단기준

1) 원고적격에서의 법률상 이익보다 넓은 개념으로서 부수적 이익도 포함한다고 보는 것이 다수견해이나, 부수적 이익에 어떠한 이익이 포함될 것인지에 관해서는 견해가 대립된다. 즉 명예, 신용의 이익은 포함되지 않는다는 견해와, 이러한 이익도 경우에 따라서는 포함된다는 견해가 있다.

2) 판례는 제12조2문의 법률상 이익을 전문의 법률상 이익과 동일하게 '처분의 근거 법률에 의하여 보호되고 있는 직접적이고 구체적인 개인적 이익'으로 파악한다. 판례는 명예・신용 등 인격적인 이익이 침해된 경우에는 소의

이익을 부정하는 경향이지만, 예외적으로 긍정하는 경우도 있다(Ⅳ.2. (3) 판례2).

판 례 자격정지처분의 취소청구에 있어 그 정지기간이 경과된 이상 그 처분의 취소를 구할 이익이 없고 설사 그 처분으로 인하여 명예, 신용 등 인격적인 이익이 침해되어 그 침해상태가 자격정지기간 경과 후까지 잔존하더라도 이와같은 불이익은 동 처분의 직접적인 효과라고 할 수 없다(대판 1978.5.23, 78누72).

3) 검토 - 권리보호의 필요는 넓게 인정하는 것이 국민의 **재판청구권 보장**에 적합하므로 **넓게 해석**하는 것이 타당하다. **최근 판례**도 **위법한 처분이 반복될 위험성이 있어 행정처분의 위법성 확인 내지 불분명한 법률문제에 대한 해명이 필요**하다고 판단되는 경우, 그리고 **선행처분과 후행처분이 단계적인 일련의 절차로 연속하여 행하여져 후행처분이 선행처분의 적법함을 전제로 이루어짐에 따라 선행처분의 하자가 후행처분에 승계**된다고 볼 수 있어 **이미 소를 제기하여 다투고 있는 선행처분의 위법성을 확인하여 줄 필요가 있는 경우**에 종전과 달리 소의 이익을 **긍정**하여 소의 이익을 넓히고 있다([관련판례 2]).

Ⅳ. 구체적 내용 - 취소소송에서 협의의 소의 이익의 유무

1. 인정되지 않는 경우 - 소. 원. 해

(1) 처분의 효력이 소멸된 경우

예를 들어 행정처분(영업정지)에 효력기간이 정하여져 있는데, 소송 도중 그 기간이 경과하였다면 소의 이익은 인정되지 않는다.

(2) 원상회복이 불가능한 경우

건물철거명령취소소송 도중 이미 건물이 철거된 경우가 그 예이다. 다만 공유수면매립면허를 다투는 과정에서 매립공사가 완료된 경우와 같이 경우에 따라서는 오히려 사정판결이 타당한 경우도 있을 수 있는데, 사정판결에서는 판결주문에서 당해처분의 위법성이 선언되고 그로 인한 손해의 정도, 방법 등이 고려되기 때문이다.

(3) 처분 후의 사정에 의해 이익침해가 해소된 경우

의사국가시험 불합격 후 새로 실시된 시험에서 합격한 경우가 이에 해당한다.

2. 인정되는 경우(판례)

(1) (처분의 효력이 소멸되어도) 불이익처분이 가중처분의 요건이 되는 경우

판례는 종래 가중요건(제재적 처분기준)이 법률이나 대통령령에 규정되어 있는 경우에는 소의 이익을 긍정한 반면, 부령형식에 규정된 제재적 처분기준을 행정명령에 불과한 것으로 보았기 때문에 소의 이익을 부정했었다. 이에 대해 **행정규칙이라 하더라도 그 내부적 구속력에 따라 관계공무원은 이를 준수할 의무**가 있으므로 제재적 처분을 받은 상대방이 장래 그 처분의 존재로 인하여 **가중처분을 받을 위험은 현실적**인 것이므로 실효적인 행정구제의 관점에서 소의 이익을 **긍정해야 한다는 비판**이 있었다.

최근 전원합의체 판례는 부령에 규정된 경우 견해를 변경하여, **제재적 행정처분의 가중사유나 전제요건에 관한 규정이 법령이 아니라 규칙**[1]**의 형식으로 되어 있는 경우에도 소의 이익을 긍정**하였다. 동 판례의 **별개의견**은 소의 이익을 긍정하는 결론에는 찬성하지만, 부령인 제재적 처분기준의 **법규성을 인정하는 이론적 기초 위에서 소의 이익을 긍정**하는 것이 법리적이라는 의견을 제시하였다.[2]

(2) 원상회복이 불가능한 경우라도 부가적(부수적) 이익이 있는 경우(이 역시 법률상 이익임을 전제로 함)

판례 1 파면처분 취소소송의 사실심변론 종결전에 동원고가 허위공문서등 작성죄로 징역 8월에 2년간 집행유예의 형을 선고받아 확정되었다면 원고는 지방공무원법 제61조의 규정에 따라 위 판결이 확정된 날 당연퇴직되어 그 공무원의 신분을 상실하

1) 동판례에서 규칙의 의미는 '부령형식으로 규정된 경우와 지방자치단체의 규칙'을 의미하는 것으로 사용됨.
2) 종래판례와 변경판례는 [관련판례 1] 필독 요망.

고, 당연퇴직이나 파면이 퇴직급여에 관한불이익의 점에 있어 동일하다 하더라도 최소한도 이 사건 **파면처분이 있은 때부터 위 법규정에 당연퇴직일자까지의 기간**에 있어서는 파면처분의 **취소를 구하여** 그로 인해 **박탈당한 이익의 회복을 구할 소의 이익**이 있다 할 것이다(대판 1985.6.25, 85누39).

판례 2 **지방자치법 제33조1항**은 지방의회 의원에게 지급하는 비용으로 의정활동비(제1호)와 여비(제2호) 외에 월정수당(제3호)을 규정하고 있는바, 이 규정의 입법연혁과 함께 특히 **월정수당(제3호)은 지방의회 의원의 직무활동에 대하여 매월 지급**되는 것으로서, **지방의회 의원이 전문성을 가지고 의정활동에 전념할 수 있도록 하는 기틀을 마련**하고자 하는 데에 그 **입법취지**가 있다는 점을 고려해 보면, 지방의회 의원에게 지급되는 비용 중 **적어도 월정수당(제3호)은 지방의회 의원의 직무활동에 대한 대가로 지급되는 보수의 일종**으로 봄이 상당하다.
제명의결 취소소송 계속 중 임기가 만료되어 제명의결의 취소로 지방의회 의원으로서의 지위를 회복할 수는 없다 할지라도, 그 취소로 인하여 최소한 **제명의결시부터 임기만료일까지의 기간에 대해 월정수당의 지급을 구할 수 있는 등 여전히 그 제명의결의 취소를 구할 법률상 이익**은 남아 있다(대판 2009.1.30, 2007두13487).
➡ 판례는 종래 지방의원이 **무보수명예직**인 경우에 임기만료된 지방의원이 지방의회를 상대로 의원제명처분 취소소송을 제기한 사안에서 군의원의 지위를 회복할 수 없다고 하여 **소의 이익을 부인**했으나(대판 1996.2.9, 95누14978), 무보수명예직이 아니라 **월정수당을 지급**하는 현재는 소의 이익을 **긍정**

(3) (원상회복이 불가능해도) 인격적 이익이 구제되는 경우는 사안에 따라 인정 가능

판례 1 자격정지처분의 취소청구에 있어 그 정지기간이 경과된 이상 그 처분의 취소를 구할 이익이 없고 설사 그 처분으로 인하여 명예, 신용 등 **인격적인 이익이 침해되어 그 침해상태가 자격정지기간 경과 후까지 잔존하더라도 이와같은 불이익은 동처분의 직접적인 효과라고 할 수 없다**(대판 1978.5.23, 78누72)(소의 이익 부정).

판례 2 고등학교졸업이 대학입학자격이나 학력인정으로서의 의미밖에 없다고 할 수 없으므로 고등학교졸업학력검정고시에 합격하였다 하여 **고등학교 학생으로서의 신분과 명예가 회복될 수 없는 것**이니 퇴학처분을 받은 자로서는 퇴학처분의 위법을 주장하여 그 취소를 구할 소송상의 이익이 있다(대판 1992.7.14, 91누4737)(소의 이익 긍정).

Ⅴ. 무효등확인소송에서의 소의 이익(#127)

무효확인소송의 보충성을 요한다는 것이 종래 판례의 입장이었으나 2008년 **불요설의 입장으로 변경**하였다.

Ⅵ. 부작위위법확인소송에서의 소의 이익

당사자의 신청이 있은 이후 당사자에게 생긴 사정의 변화로 인하여, 위 부작위가 위법하다는 확인을 받는다고 하더라도 종국적으로 침해되거나 방해받은 권리와 이익을 보호·구제받는 것이 불가능하게 되었다면 그 부작위가 위법하다는 확인을 구할 이익은 없다(대판 2002.6.28, 2000두4750). 소제기 전후를 통하여 판결시까지 행정청이 그 신청에 대하여 적극 또는 소극의 처분을 함으로써 **부작위상태가 해소된 때에는 소의 이익을 상실**하게 되어 당해 소는 각하를 면할 수가 없는 것이다(대판 1990.9.25, 89누4758).

관련 판례 1 **부령에 규정된 가중제재규정과 소의 이익**

1. **변경전판례(소의 이익 부정)**(대판(전) 1995.10.17, 94누14148)

[다수의견] 행정처분에 효력기간이 정하여져 있는 경우, 그 처분의 효력 또는 집행이 정지된 바 없다면 위 기간의 경과로 그 행정처분의 효력은 상실되므로 그 기간 경과 후에는 그 처분이 외형상 잔존함으로 인하여 어떠한 법률상 이익이 침해되고 있다고 볼 만한 별다른 사정이 없는 한 그 처분의 취소를 구할 법률상의 이익이 없고, **행정명령에 불과한 각종 규칙상의 행정처분 기준에 관한 규정에서 위반 횟수에 따라 가중처분하게 되어 있다 하여 법률상의 이익이 있는 것으로 볼 수는 없다.**

[반대의견] 과거에 제재적 행정처분을 받은 전력이 장래 동종의 행정처분을 받게 될 경우에 정상관계의 한 요소로 참작되는 것에 불과하다면 그 장래 받게 될 행정처분에 미치는 영향의 유무 및 정도가 명확하다고 할 수는 없으므로

이는 단순한 사실상의 불이익을 받는 것에 불과할 뿐 이를 법률상의 불이익이라고 할 수는 없으나, 제재적 행정처분을 받은 전력이 장래 동종의 처분을 받을 경우에 **가중요건으로 법령에 규정된 것은 아니더라도 부령인 시행규칙 또는 지방자치단체의 규칙 등으로 되어 있어** 그러한 규칙의 규정에 따라 실제로 가중된 제재처분을 받은 경우는 물론 그 **가중요건의 존재로 인하여 장래 가중된 제재처분을 받을 위험이 있는 경우 선행의 제재처분을 받은 당사자가 그 처분의 존재로 인하여 받았거나 장래에 받을 불이익은 직접적이고 구체적이며 현실적인 것으로서 결코 간접적이거나 사실적인 것이라고 할 수는 없으므로** 그 처분을 당한 국민에게는 그 처분의 취소소송을 통하여 불이익을 제거할 현실적 필요성이 존재한다. 또한, 행정소송법 제12조 후문이 규정하는 '처분의 취소로 인하여 회복되는 법률상 이익'의 유무는 원래 항고소송의 목적·기능을 어떻게 이해하며 국민의 권익신장을 위하여 어느 범위에서 재판청구권의 행사를 허용할 것인가의 문제와 관련된 것으로서 이를 위 조항에 대한 일의적·문리적·형식적 해석에 의하여 판별할 수는 없고, 구체적인 사안별로 관계 법령의 규정 및 그 취지를 살펴서 현실적으로 권리보호의 실익이 있느냐를 기준으로 판단되어야 할 것인바, 제재기간이 정하여져 있는 제재적 행정처분에 있어서는 그 처분의 전력을 내용으로 한 가중요건이 규칙으로 규정되어 있는 경우에도 제재기간이 지난 후에 그 처분의 취소를 구할 실질적 이익이 있다.

2. 변경 판례(소의 이익 긍정) (대판(전) 2006.6.22, 2003두1684)

(1) 사실관계

1) 경인지방환경청장은 甲회사에 대하여 2001.1.27. 환경영향평가서를 부실하게 작성하였다는 이유로 구 환경영향평가법 제13조1항6호 등의 규정에 의하여 **환경영향평가대행 업무정지 1개월의 처분**을 함.

2) 甲은 정지처분에 대하여 취소소송을 제기하면서 집행정지신청을 하였고 제1심 법원은 2001.2.8. 1심판결선고시까지 집행정지결정을 함.

- **제1심은 취소판결(원고승소)**이 났고 피고인 경인지방환경청장이 항소.
- **2심** 법원은 집행정지결정의 효력은 제1심 판결의 선고와 동시에 소멸하고 일시 정지되었던 원래의 처분의 효력이 되살아나는데, 제1심 판결 선고 후 **1개월의 영업정지기간이 이미 도과되어 영업정지처분은 효력을 상실하여 외형상 잔존함으로 인하여 원고에게 어떤 법률상 이익의 침해가 있다고 볼 수 없어 소가 부적법하다고 판결**함.

3) 한편 구환경·교통·재해 등에 관한 영향평가**법**은 제12조1항8호에서 평가대행자가 '이 법 또는 이 법에 의한 명령에 위반한 경우' 그 등록을 취소하거나 **6월 이내의 기간을 정하여 업무의 전부 또는 일부의 정지를 명할 수 있다**고 규정하고, 같은 조 제2항에서 제1항의 규정에 의한 **행정처분의 기준 기타 필요한 사항은 행정자치부·환경부 및 건설교통부의 공동부령으로 정한다**고 규정하며, 그 위임에 따라 평가대행자에 대한 행정처분의 기준을 정하고 있는 같은 법 **시행규칙** 제10조 [별표 2] 2. 개별기준 (11)에서 평가대행자가 업무정지처분기간 중 신규계약에 의하여 환경영향평가대행업무를 한 경우 **1차 위반시 업무정지 6월을, 2차 위반시 등록취소**를 각 명하는 것으로 규정하고 있는데, **甲은 업무정지기간 중 환경영향평가대행계약을 신규로 체결하고 그 대행업무**를 한 사실이 있음.

(2) 판결요지

[다수의견] 제재적 행정처분이 그 처분에서 정한 제재기간의 경과로 인하여 그 효과가 소멸되었으나, **부령인 시행규칙 또는 지방자치단체의 규칙**(이하 이들을 '규칙'이라고 한다)**의 형식으로 정한 처분기준**에서 제재적 행정처분(이하 '선행처분'이라고 한다)을 받은 것을 가중사유나 전제요건으로 삼아 장래의 제재적 행정처분(이하 '후행처분'이라고 한다)을 하도록 정하고 있는 경우, **제재적 행정처분의 가중사유나 전제요건에 관한 규정이 법령이 아니라 규칙의 형식으로 되어 있다고 하더라도, 그러한 규칙이 법령에 근거를 두고 있는 이상 그 법적 성질이 대외적·일반적 구속력을 갖는 법규명령인지 여부와는 상관없이, 관할 행정청이나 담당공무원은 이를 준수할 의무**가 있으므로 이들이 그 **규칙에 정해진 바에 따라 행정작용을 할 것이 당연히 예견**되고, 그 결과 행정작용의 상대방인 **국민으로서는 그 규칙의 영향**을 받을 수밖에 없다. 따라서 그러한 **규칙이 정한 바에 따라 선행처분을 받은 상대방이 그 처분의 존재로 인하여 장래에 받을 불이익, 즉 후행처분의 위험은 구체적이고 현실적**인 것이므로, 상대방에게는 **선행처분의 취소소송을 통하여 그 불이익을 제거할 필요**가 있다. 또한, **나중에 후행처분에 대한 취소소송에서 선행처분의 사실관계나 위법 등을 다툴 수 있는 여지가 남아 있다고 하더라도, 이러한 사정은 후행처분이 이루어지기 전에 이를 방지하기 위하여 직접 선행처분의 위법을 다투는 취소소송을 제기할 필요성을 부정할 이유가 되지 못한다.** 그러한 쟁송방법을 막는 것은 여러 가지 불합리한 결과를 초래하여 **권리구제의 실효성을 저해할 수 있기 때문**이다. **오히려** 앞서 본 바와 같이 행정청으로서는 선행처분이 적법함을 전제로 후행처

분을 할 것이 당연히 예견되므로, 이러한 선행처분으로 인한 불이익을 선행처분 자체에 대한 소송에서 사전에 제거할 수 있도록 해 주는 것이 상대방의 법률상 지위에 대한 불안을 해소하는 데 가장 유효적절한 수단이 된다고 할 것이고, 또한 그 소송을 통하여 선행처분의 사실관계 및 위법여부가 조속히 확정됨으로써 이와 관련된 장래의 행정작용의 적법성을 보장함과 동시에 국민생활의 안정을 도모할 수 있다. 이상의 여러 사정과 아울러, 국민의 재판청구권을 보장한 헌법 제27조1항의 취지와 행정처분으로 인한 권익침해를 효과적으로 구제하려는 행정소송법의 목적 등에 비추어 행정처분의 존재로 인하여 국민의 권익이 실제로 침해되고 있는 경우는 물론이고 권익침해의 구체적·현실적 위험이 있는 경우에도 이를 구제하는 소송이 허용되어야 한다는 요청을 고려하면, 규칙이 정한 바에 따라 선행처분을 가중사유 또는 전제요건으로 하는 후행처분을 받을 우려가 현실적으로 존재하는 경우에는, 선행처분을 받은 상대방은 비록 그 처분에서 정한 제재기간이 경과하였다 하더라도 그 처분의 취소소송을 통하여 그러한 불이익을 제거할 권리보호의 필요성이 충분히 인정된다고 할 것이므로, 선행처분의 취소를 구할 법률상 이익이 있다고 보아야 한다.

[대법관 이강국의 별개의견][3)]

가. 다수의견은, 제재적 행정처분(이하 '제재적 처분'이라고 한다)의 기준을 정한 부령인 시행규칙의 법적 성질에 대하여는 구체적인 논급을 하지 않은 채, 시행규칙에서 선행처분을 받은 것을 가중사유나 전제요건으로 하여 장래 후행처분을 하도록 규정하고 있는 경우, 선행처분의 상대방이 그 처분의 존재로 인하여 장래에 받을 불이익은 구체적이고 현실적이라는 이유로, 선행처분에서 정한 제재기간이 경과한 후에도 그 처분의 취소를 구할 법률상 이익이 있다고 보고 있는바, 다수의견이 위와 같은 경우 선행처분의 취소를 구할 법률상 이익을 긍정하는 결론에는 찬성하지만, 그 이유에 있어서는 다음과 같이 부령인 제재적 처분기준의 법규성을 인정하는 이론적 기초 위에서 그 법률상 이익을 긍정하는 것이 법리적으로는 더욱 합당하다고 생각한다.

나. 종래 법규명령과 행정규칙의 구별기준에 관하여는 형식설, 실질설 등의 견해의 대립이 계속되어 왔으나 이 사건에서는 부령에서 규정한 제재적 처분기준의 법적 성질부터 검토되어야 할 것이다.

대판 1997.12.26, 97누15418 등 종래 대법원 판례는 제재적 처분기준에 관하여 그 규정형식이 대통령령으로 규정되어 있으면 법규성을 인정하였으나(대판 1998.12.8, 98두14174; 대판 2001.3.9, 99두5207 등), 그 규정형식이 부령으로 규정된 경우에는, 그 처분기준은 행정청 내부의 사무처리준칙을 규정한 것에 불과하므로 대외적 구속력이 없어 재판규범이 되지 못하고 법원은 이에 구속될 필요가 없다는 입장을 확고히 견지하고 있다(대판 1990.1.25, 89누3564; 대판 1997.5.30, 96누5773; 대판 1998.3.27, 97누20236 등). 그러나 부령의 형식으로 규정된 제재적 처분기준에 관하여 법규성을 부정한 종전 판례의 입장은 다음과 같은 이유로 합당하지 아니하다.

첫째, 종래의 판례는 일정한 사항은 본질적으로 행정규칙의 고유한 규율대상이라는 점을 전제로 하고 있으나, 제재적 처분기준을 법규명령의 형식으로 제정할 것인지 또는 행정규칙으로 제정할 것인지는 입법정책의 문제일 뿐이다.

둘째, 대통령령과 부령은 모두 헌법 제75조와 제95조에서 정하고 있는 위임명령이고 다만 대통령령은 그 제정절차에 있어서 국무회의의 심의를 거친다는 점에서 차이가 있을 뿐인데 이 점을 가지고 그 법적 효력을 달리 볼만한 근거로 삼기는 부족하다. 따라서 대통령령 형식의 제재적 처분기준을 법규명령으로 본다면 부령으로 정한 처분기준도 법규명령으로 보는 것이 논리적 일관성이 있을 것이다.

셋째, 제재적 처분기준은 국민의 권리의무에 직접 영향을 미치는 것이기 때문에 이를 단순히 행정청 내부의 사무처리 기준에 불과하다고 볼 수는 없다.

넷째, 종래의 제재적 처분기준은 대개 명료하지 않거나 획일적으로 규정되어 있어 구체적 타당성이 부족하였고 따라서 거기에 법규성을 부여하게 되면 법원도 그에 기속될 수밖에 없게 되어 국민의 권익보호가 어려워지기 때문에 법규성을 부정해야 하는 실제적 필요성이 있었으나, 현재 대부분의 제재적 처분기준은 구체적 타당성을 확보하기 위하여 위반행위의 유형 및 정도를 구체적으로 세분하고 있고 더욱이 감경규정까지 두고 있어 구체적 타당성 있는 제재가 가능하게 되었다는 점도 주목할 필요가 있다.

다섯째, 법원이 구체적 사건에서 부령인 제재적 처분기준의 법규성을 부정한다고 하더라도 그로써 부령이 바로 무효가 되는 것도 아니고 관계 행정공무원은 판결에도 불구하고 법령준수의무에 따라 당해 부령상의 기준에 의하여 종전과 똑같은 처분을 계속 할 수밖에 없게 될 것이며, 이에 대하여 법원은 부령이 행정규칙에 불과함을 거듭 확인한 뒤 행정처분을 취소하게 될 것인바, 이는 결국 법적 안정성과 예측가능성을 크게 손상시키게 될 것이다. 그러므로 부령인 제재적 처분기준에 대하여 헌법합치적이거나 법률합치적인 해석에 의하여도 구체적이고 타당한 처분기준이 도출될 수 없는 경우에는 위임의 범위나 과잉 입법 등을 이유로 무효를 선언하여 그 효력을 배제하는 것이 오히려 더욱 바람직할 것이다.

결국, 이러한 점들을 종합하여 보면, 상위법령의 위임에 따라 제재적 처분기준을 정한 부령인 시행규칙은 헌법 제95조에서 규정하고 있는 위임명령에 해당하고, 그 내용도 실질적으로 국민의 권리의무에 직접 영향을 미치는 사항에 관한 것이므로, 단순히 행정기관 내부의 사무처리준칙에 지나지 않는 것이 아니라 대외적으로 국민이나 법원을 구속하는 법규명령에 해당한다고 보아야 할 것이다 …(중략)… 그런데, 앞서 본 바와 같이 부령에서 정한 제재적 처분기준은 법규명령으로서 대외적 구속력을 인정해야 한다는 입장에서 본다면, 가중적 제재사유가 부령에 규정되어 있는 경우에도 이는 대외적으로 국민이나 법원을 구속하는 법규명령으로 보아야 할 것이고, 따라서 가중적 제재사유가 법률 또는 대통령령에 규정되어 있는 경우와 마찬가지로, 그 제재기간 경과 후에도 선행처분의 취소를 구할 법률상의 이익이 있다고 보아야 할 것이다.

그리고 실제적인 면에서 보더라도, 처분의 상대방인 국민의 입장에서는 가중적 제재사유가 대통령령에 규정되어 있거나 부령에 규정되어 있거나 간에 그로 인한 불이익을 받게 될 우려가 있다는 점에서는 동일함에도 불구하고 가중적 제재사유를 규정한 법령 등의 규정형식에 따라서 제재기간 경과 후에 그 취소를 구할 법률상 이익의 유무가 달라진다고 하는 점은 쉽게 납득하기 어려울 것이다.

3. 판례해설

1) 부령형식의 행정규칙에 규정된 제재적 처분기준이 가중되어 있는 경우, 업무정지처분이 정지기간의 경과로 실효된 경우에 소의 이익이 인정되는지가 문제됨.
2) 종래 대법원 판례는 부령형식의 행정규칙의 법적 성질을 행정명령(행정규칙)으로 보고 가중요건의 존재로 인하여 장래 가중된 제재처분을 받을 위험은 간접적이거나 사실적인 것으로 보아 소의 이익을 부정했으나
3) 2006년 전합판례에서는 소의 이익을 긍정함. 판례는 그 논거로 ①행정규칙으로 보더라도 내부적 구속력에 따라서 가중적 처분을 받을 위험은 구체적이고 현실적이라는 점 ② 선행처분으로 인한 불이익을 선행처분에 대한 소송에서 사전에 제거하는 것이 유효적절한 권리구제수단이 된다는 점 ③ 재판청구권을 보장한 헌법 제27조의 취지와 행정소송법의 목적을 들고 있음.
4) 주의할 것은 판례의 다수의견은 법규명령 형식의 행정규칙의 법적 성질에 대해서 법규명령으로 판례변경한 것은 아님. 그러나 별개의견은 법규명령으로 보고 소의 이익을 긍정하고 있는데, 논리적으로는 별개의견이 타당.

관련 판례 2) 취소소송 제기후 임기만료된 사립학교임원의 소의 이익(대판(전) 2007.7.19, 2006두19297)

1. 사실관계

1) 甲 등은 학교법인 A학원의 이사, 감사들이었음. A학원이 운영하는 B대학교의 위법행위들이 있어 교육인적자원부장관은 감사를 실시한 후 거액의 교비자금의 법인회계로의 전출 등 여러 위법행위들이 있음을 지적하고 2004년 11월 1일까지 시정사항을 이행하지 않을 경우 임원취임 승인을 취소할 것임을 계고함.
2) 교육인적자원부장관은 2004년 12월 24일 A학원이 일부 시정 요구사항에 대하여는 이행하였지만 대부분의 시정요구사항이 이행되지 아니하였다는 이유로, 사립학교법 제20조의2에 의하여 甲 등에 대한 임원취임 승인을 취소하고, 사립학교법 제25조에 의하여 A학원의 임시이사를 임명함.
3) 甲 등은 장관의 시정요구는 부당하며, 설령 시정요구가 적법하더라도 시정요구를 가능한 범위 내에서 모두 성실히 이행하였으며, 교비회계의 불법집행은 甲 등이 아닌 총장에 의하여 이루어졌고, 甲 등은 가능한 범위 내에서 시정요구사항을 성실히 이행한 점 등을 고려할 때 임원취임승인취소처분에는 재량권을 일탈·남용한 위법이 있다고 주장하면서 임원취임취소처분 및 임시이사선임처분에 대하여 취소소송을 제기하였으나 1, 2심에서 기각판결을 받았고 대법원에 상고를 함.
4) 甲 등은 원심변론종결일 이전 또는 상고심에 이르러 모두 정식이사의 임기가 만료되었으며, 임시이사들 역시 원심변론종결일 이전에 임기가 만료되어 새로운 임시이사로 교체되었음.

2. 판결요지

[2] (가) 비록 취임승인이 취소된 학교법인의 정식이사들에 대하여 원래 정해져 있던 임기가 만료되고 구 사립학교법(2005.12.29. 법률 제7802호로 개정되기 전의 것) 제22조2호 소정의 임원결격사유기간마저 경과하였다 하더라도, 그 임원취임승인취소처분이 위법하다고 판명되고 나아가 임시이사들의 지위가 부정되어 직무권한이 상실되면, 그 정식이사들은 후임이사 선임시까지 민법 제691조의 유추적용에 의하여 직무수행에 관한 긴급처리권을 가지게 되고 이에 터잡아 후임 정식이사들을 선임할 수 있게 되는바, 이는 감사의 경우에도 마찬가지이다.

(나) 제소 당시에는 권리보호의 이익을 갖추었는데 제소 후

취소 대상 행정처분이 기간의 경과 등으로 그 효과가 소멸한 때, 동일한 소송 당사자 사이에서 동일한 사유로 위법한 처분이 반복될 위험성이 있어 행정처분의 위법성 확인 내지 불분명한 법률문제에 대한 해명이 필요하다고 판단되는 경우, 그리고 선행처분과 후행처분이 단계적인 일련의 절차로 연속하여 행하여져 후행처분이 선행처분의 적법함을 전제로 이루어짐에 따라 선행처분의 하자가 후행처분에 승계된다고 볼 수 있어 이미 소를 제기하여 다투고 있는 선행처분의 위법성을 확인하여 줄 필요가 있는 경우 등에는 행정의 적법성 확보와 그에 대한 사법통제, 국민의 권리구제의 확대 등의 측면에서 여전히 그 처분의 취소를 구할 법률상 이익이 있다.

(다) 임시이사 선임처분에 대하여 취소를 구하는 소송의 계속중 임기만료 등의 사유로 새로운 임시이사들로 교체된 경우, 선행 임시이사 선임처분의 효과가 소멸하였다는 이유로 그 취소를 구할 법률상 이익이 없다고 보게 되면, 원래의 정식이사들로서는 계속중인 소를 취하하고 후행 임시이사 선임처분을 별개의 소로 다툴 수밖에 없게 되며, 그 별소 진행 도중 다시 임시이사가 교체되면 또 새로운 별소를 제기하여야 하는 등 무익한 처분과 소송이 반복될 가능성이 있으므로, 이러한 경우 법원이 선행 임시이사 선임처분의 취소를 구할 법률상 이익을 긍정하여 그 위법성 내지 하자의 존재를 판결로 명확히 해명하고 확인하여 준다면 위와 같은 구체적인 침해의 반복 위험을 방지할 수 있을 뿐 아니라, 후행 임시이사 선임처분의 효력을 다투는 소송에서 기판력에 의하여 최초 내지 선행 임시이사 선임처분의 위법성을 다투지 못하게 함으로써 그 선임처분을 전제로 이루어진 후행 임시이사 선임처분의 효력을 쉽게 배제할 수 있어 국민의 권리구제에 도움이 된다.

(라) 그러므로 취임승인이 취소된 학교법인의 정식이사들로서는 그 취임승인취소처분 및 임시이사 선임처분에 대한 각 취소를 구할 법률상 이익이 있고, 나아가 선행 임시이사 선임처분의 취소를 구하는 소송 도중에 선행 임시이사가 후행 임시이사로 교체되었다고 하더라도 여전히 선행 임시이사 선임처분의 취소를 구할 법률상 이익이 있다.

3. 판례해설

1) 종래 대법원은 학교법인의 임원취임승인취소처분의 취소를 구하는 소송에서 이사의 임기가 만료된 경우에 취소를 구하는 소는 법률상 이익이 없다고 하였고,[4] 이사에 대한 취임승인이 취소되고 임시이사가 선임된 경우 임시이사의 재직기간이 지나 다시 임시이사가 선임되었다면 당초의 임시이사 선임처분의 취소를 구하는 것 역시 법률상 이익이 없다고 하였음.[5]

2) 그러나 당해 판례에서는 ① 동일한 소송 당사자 사이에서 동일한 사유로 위법한 처분이 반복될 위험성이 있어 행정처분의 위법성 확인 내지 불분명한 법률문제에 대한 해명이 필요한 경우, ② 선행처분과 후행처분이 단계적인 일련의 절차로 연속하여 행하여져 후행처분이 선행처분의 적법함을 전제로 이루어짐에 따라 선행처분의 하자가 후행처분에 승계된다고 볼 수 있어 이미 소를 제기하여 다투고 있는 선행처분의 위법성을 확인하여 줄 필요가 있는 경우에는 취소소송 제기 후에 임기만료된 사립학교임원의 소의 이익을 인정함.

3) 이러한 판례의 변화에 대해서 행정소송법 제12조 후단의 법률상 이익의 개념을 전단의 법률상 이익의 개념과 동일하게 보아 왔던 종전의 입장과 현저한 차이가 나는 것이라고 하면서 "반복될 위험성이 있어 행정처분의 위법성 확인 내지 불분명한 법률문제에 대한 해명이 필요하다고 판단되는 경우", "이미 소를 제기하여 다투고 있는 선행처분의 위법성을 확인하여 줄 필요가 있는 경우" 등에 소의 이익을 긍정한 것은 독일 행정법원법의 계속확인소송의 위법확인의 정당한 이익의 개념에 상당히 접근시키고 있다는 평석이 있음(정하중 714면).

관련 판례 2 경원자관계에서 거부처분에 대한 소의 이익
(대판 2015.10.29, 2013두27517)

인가·허가 등 수익적 행정처분을 신청한 여러 사람이 서로 경원관계에 있어서 한 사람에 대한 허가 등 처분이 다른 사람에 대한 불허가 등으로 귀결될 수밖에 없을 때 허가 등 처분을 받지 못한 사람은 그 신청에 대한 거부처분의 직접 상대방으로서 원칙적으로 자신에 대한 거부처분의 취소를 구할 원고적격이 있고, 그 취소판결이 확정되는 경우 그 판결의 직접적인 효과로 경원자에 대한 허가 등 처분이 취소되거나 그 효력이 소멸되는 것은 아니더라도 행정청은 취소판결의 기속력에 따라 그 판결에서 확인된 위법사유를 배제한 상태에서 취소판결의 원고와 경원자의 각 신청에 관하여 처분요건의 구비 여부와 우열을 다시 심사하여야 할 의무가 있으며, 그 재심사 결과 경원자에 대한 수익적 처분이 직권취소되고 취소판결의 원고에게 수익적 처분이 이루어질 가능성을 완전히 배제할 수는 없으므로, 특별한 사정이 없는 한 경원관계에서 허가 등 처분을 받지 못한 사람은 자신에 대한 거부처분의 취소를 구할 소의 이익이 있다고 보아야 할 것이다.

---

3) 별개의견은 법규명령 형식의 행정규칙에 관한 논의에서 법규명령설(형식설)의 논거로 활용할 수 있는 아주 좋은 판시여서 판결요지가 아닌 판결이유를 인용함.

4) 대판 1999.6.11, 96누10614

기출 사례 제명의결의 처분성과 협의의 소의 이익 (09년 행시 - 재경)

Y구 의회의원 甲은 평소 의원간담회나 각종 회의 때 동료 의원의 의견을 무시한 채 자기만의 독단적인 발언과 주장으로 회의분위기를 망치고, 'Y구 의회는 탄압의회'라고 적힌 현수막을 Y구 청사현관에 부착하고 홀로 철야농성을 하였으며, 만취한 상태에서 공무원의 멱살을 잡는 등 추태를 부려 의원으로서의 품위를 현저히 손상하였다. 이에 Y구의회는 甲을 의원직에서 제명하는 의결을 하였다.(총20점)

1) 甲은 위 제명의결에 대하여 행정소송을 제기할 수 있는가?(10점)
2) 만일 법원이 甲의 행정소송을 받아들여 소송의 계속 중 甲의 임기가 만료되었다면, 수소법원은 어떠한 판결을 하여야 하는가?(10점)

Ⅰ. 제명의결에 대한 행정소송제기 가능성 - 설문(1)

1. 문제의 소재

- 제명의결에 대한 행정소송의 제기 여부는 지방의원에 대한 제명의결에 대해서 사법심사가 가능한지, 항고소송의 제기가 가능하다고 할 경우 소송요건은 구비되었는지 여부가 문제됨. 제명의결이 처분인지가 특히 문제됨.

2. 제명의결에 대한 사법심사 가능성

- 지방의회의원의 경우에는 **국회의원과 같이 사법심사를 배제하는 특별한 규정이 없으므로 사법심사의 대상**이 된다고 보는 것이 국민의 재판청구권보장하고 있는 헌법 제27조의 해석에 부합.

3. 소송요건

(1) 제명의결의 처분성(대상적격)

- 판례는 "지방자치법 제78조 내지 제81조의 규정에 의거한 지방의회의 의원징계의결은 그로 인해 **의원의 권리에 직접 법률효과를 미치는 행정처분**의 일종으로서 행정소송의 대상이 된다"고 하여 대상적격을 긍정.

(2) 원고적격

- Y구 의회의원 甲은 제명의결에 의해 **자신의 법률상 이익이나 권리(헌법상 공무담임권)가 직접적 침해**받고 있다고 볼 수 있으므로 원고적격 인정.

(3) 피고적격

- **지방의회가 합의제 행정기관**으로서 피고가 됨.

4. 사안의 검토

- 나머지 소송요건의 인정도 문제없으므로 甲은 제명의결에 대해 행정소송 제기 가능.

Ⅱ. 소송계속중 임기만료시 수소법원의 판결 - 설문(2)

1. 문제의 소재

- 소송계속 중 甲의 임기가 만료되었다면 원칙적 협의의 소의 이익이 상실되어 원칙적 수소법원은 부적법 소각하 판결을 해야 하지만 법률상 지위는 회복할 수 없다 할지라도 예외적으로 제명결의를 취소를 구할 법률상 이익은 남아있는지 문제.

2. 협의의 소의 이익

(1) 협의의 소의 이익의 의의 및 행소법 12조 후문 해석에 관한 일반론

(2) 행정소송에서 협의의 소의 이익의 유무

- 행정소송에서 승소한다고 하더라도 원상회복이 불가능한 경우에는 소의 이익 부정하는 것이 원칙. 그러나 원고의 법률상 이익에 해당하는 부수적인 이익이 구제될 수 있는 경우에는 소의 이익을 인정.
- 판례는 "자격정지처분의 취소청구에서 정지기간이 경과한 이상 명예, 신용 등의 인격적인 이익의 침해상태가 자격정지기간 경과 후에 잔존하더라도 이와 같은 불이익은 처분의 직접적인 효과라고 할 수 없다"고 하면서 소의 이익을 부정하면서도 파면처분을 다투고 있는 중에 정년퇴직 연령에 도달한 경우 기본적인 권리인 공무원의 지위의 회복은 불가능하더라도 급여청구와의 관계에서 이익이 있는 이상 소의 이익이 있다고 함.

(3) 사안의 경우

- 甲이 제명의결에 대한 행정소송을 통해서 **회복하고자 하는 이익은 명예의 회복과 같은 인격적 이익과 제명의결시로부터 지급받지 못한 월정수당 등의 지급에 관한 이익**임.
- 최근에 소의 이익을 확대하는 판례의 경향에 비추어 보면 인정할 여지도 있지만 판례는 아직 인격적 이익에 대해서는 부정하는 경향.
- 종래 판례는 **지방의원이 무보수명예직인 시절**에 임기만료된 지방의원이 지방의회를 상대로 의원제명처분 취소소송을 제기한 사안에서 군의원의 지위를 회복할 수 없다고 하여 **소의 이익을 부인했으나, 최근 판례는 소의 이익을 긍정**함.
- **2006년 지방자치법 개정**으로 지방의원의 무보수명예직

조문이 삭제되고 지방의원에게 지급하는 비용 중에 '월정수당'을 지급하는 규정을 신설했는데 판례는 월정수당을 지방의회의원의 직무활동에 대한 대가로 지급되는 보수의 일종으로 보아 소의 이익을 긍정. 제명의결에 관한 행정소송에서 승소하면 행정소송 계속 중 임기가 만료되어 제명의결의 취소로 지방의회 의원으로서의 지위를 회복할 수는 없다 할지라도, 그 취소로 인하여 최소한 제명의결시부터 임기만료일까지의 기간에 대해 월정수당의 지급을 구할 수 있는 법률상 이익은 있다고 본 것.

- 제12조 후문의 소송을 독일의 계속확인소송과 유사한 소송의 성격을 갖는다고 보아 법률상 이익을 위법확인의 정당한 이익으로 보아 법으로 보호하는 이익뿐만 아니라 경제적 이익은 물론 반복되는 위험의 방지나 명예회복 등 모든 보호가치가 있는 이익을 포함시키는 입장에서는 월정수당의 지급을 구할 수 있다는 관점에서뿐만 아니라 갑의 명예회복의 필요성의 관점에서도 소의 이익을 인정할 수 있다고 함(정하중 720면)

- 만약 무효확인소송을 제기한 경우를 가정해 본다면 판례는 종래에는 무효확인소송의 보충성을 요구했기 때문에 월정수당에 대한 지급청구소송이 보다 유효적절한 구제수단이므로 무효확인소송의 제기는 부정했을 것이나 현재에는 더 이상 무효확인소송의 보충성을 요구하지 않으므로 제명의결의 무효확인소송을 제기한 경우에 임기가 만료된 경우에도 본안판단을 할 것임(#127).

3. 법원의 판단

- 소의 이익이 인정되므로 수소법원은 甲에 대한 제명처분을 본안에서 심리한 뒤 비례원칙 위반 여부 등 위법사유를 검토하여 인용판결 혹은 기각판결을 내릴 것임. 주어진 사실관계를 전제로 판단하면 지방자치법 제36조 품위유지의무 위반이 있어 동법 제86조의 징계사유에 해당. 비례의 원칙 위반에 해당되는지 문제될 수 있으나 위반으로 보기는 어려우므로 수소법원은 기각판결을 할 것.

기출 사례 법령보충적 규칙/협의의 소의 이익/국가배상 (15년 변시)

甲은 'X가든'이라는 상호로 일반음식점을 운영하는 자로서, 식품의약품안전처 고시인 「식품 등의 표시기준」에 따른 표시사항의 전부가 기재되지 아니한 'Y참기름'을 업소 내에서 보관·사용한 사실이 적발되었다. 관할 구청장 乙은 「식품위생법」 및 「동법 시행규칙」에 근거하여 甲에게 영업정지 1개월과 해당제품의 폐기를 명하였다.

甲은 표시사항의 전부가 기재되지 않은 제품을 보관·사용한 것은 사실이나, 표시사항이 전부 기재되지 아니한 것은 납품업체의 기계작동 상의 오류에 의한 것으로서 자신은 그 사실을 알지 못하였고, 이전에 납품받은 제품에는 위 고시에 따른 표시사항이 전부 기재되어 있었던 점, 인근 일반음식점에 대한 동일한 적발사례에서는 15일 영업정지처분과 폐기명령이 내려진 점 등을 고려할 때, 위 처분은 지나치게 과중하다고 주장하면서, 관할 구청장 乙을 상대로 영업정지 1개월과 해당제품 폐기명령의 취소를 구하는 소송을 제기하였다.

1. 가. 위 식품의약품안전처 고시인 「식품 등의 표시기준」의 법적 성질은? (10점)
   나. 「식품위생법」 제10조 제1항에서 '판매를 목적으로 하는 식품 또는 식품첨가물의 표시'(같은 항 제1호)에 관한 기준을 고시로 정하도록 위임하는 것은 헌법상 허용되는가? (10점)
2. 위 취소소송 계속중 해당제품이 폐기되었고, 1개월의 영업정지처분 기간도 도과되었다면 위 취소소송은 소의 이익이 있는가? (30점)
3. 만약 위 취소소송에서 원고 승소판결이 확정된 후에 甲이 영업정지처분으로 인한 손해에 대해 국가배상청구소송을 제기하는 경우, 甲의 청구는 인용될 수 있는가? (30점)

[참조조문]

***식품위생법**

제10조(표시기준) ① 식품의약품안전처장은 국민보건을 위하여 필요하면 다음 각 호의 어느 하나에 해당하는 표시에 관한 기준을 정하여 고시할 수 있다.
1. 판매를 목적으로 하는 식품 또는 식품첨가물의 표시
② 제1항에 따라 표시에 관한 기준이 정하여진 식품등은 그 기준에 맞는 표시가 없으면 판매하거나 판매할 목적으로 수입·진열·운반하거나 영업에 사용하여서는 아니 된다.

제72조(폐기처분 등) ① 식품의약품안전처장, 시·도지사 또는 시장·군수·구청장은 영업을 하는 자가 제4조부터 제6조까지, 제7조제4항, 제8조, 제9조제4항, 제10조제2항, 제12조의2제2항

5) 대판 2002.11.26, 2001두2874

또는 제13조를 위반한 경우에는 관계 공무원에게 그 식품등을 압류 또는 폐기하게 하거나 용도・처리방법 등을 정하여 영업자에게 위해를 없애는 조치를 하도록 명하여야 한다.

제75조(허가취소 등) ① 식품의약품안전처장 또는 특별자치도지사・시장・군수・구청장은 영업자가 다음 각 호의 어느 하나에 해당하는 경우에는 대통령령으로 정하는 바에 따라 영업허가 또는 등록을 취소하거나 6개월 이내의 기간을 정하여 그 영업의 전부 또는 일부를 정지하거나 영업소 폐쇄(제37조제4항에 따라 신고한 영업만 해당한다. 이하 이 조에서 같다)를 명할 수 있다.

1. 제4조부터 제6조까지, 제7조제4항, 제8조, 제9조제4항, 제10조제2항, 제11조제2항 또는 제12조의2제2항을 위반한 경우

④ 제1항 및 제2항에 따른 행정처분의 세부기준은 그 위반 행위의 유형과 위반 정도 등을 고려하여 총리령으로 정한다.

***식품위생법시행규칙」**

제89조(행정처분의 기준) 법 제71조, 법 제72조, 법 제74조부터 법 제76조까지 및 법 제80조에 따른 행정처분의 기준은 별표 23과 같다.

[별표23] 행정처분 기준(제89조 관련)

Ⅱ. 개별기준

3. 식품접객업

위반사항	근거법령	행정처분기준		
법 제10조 제2항을 위반하여 식품・식품첨가물의 표시사항 전부를 표시하지 아니한 것을 사용한 경우	법 제75조	1차위반	2차위반	3차위반
		영업정지 1개월과 해당 제품 폐기	영업정지 2개월과 해당 제품 폐기	영업정지 3개월과 해당 제품 폐기

***「식품등의 표시기준」(식품의약품안전처 고시)**

제1조(목적) 이 고시는 식품위생법 제10조의 규정에 따라 식품, 식품첨가물, 기구 또는 용기・포장(이하 "식품등"이라 한다)의 표시기준에 관한 사항 및 같은 법 제11조제1항의 규정에 따른 영양성분 표시대상 식품에 대한 영양표시에 관한 필요한 사항을 규정함으로써 식품등의 위생적인 취급을 도모하고 소비자에게 정확한 정보를 제공하며 공정한 거래의 확보를 목적으로 한다.

제3조(표시대상) 표시대상 식품등은 다음과 같다.

1. 식품 또는 식품첨가물

제4조(표시사항) 식품등의 표시사항은 다음과 같다.

1. 제품명(기구 또는 용기・포장은 제외한다)
2. 식품의 유형(따로 정하는 제품에 한한다)

3.~8. (생략)

9. 성분명 및 함량(성분표시를 하고자 하는 식품 및 성분명을 제품명 또는 제품명의 일부로 사용하는 경우에 한한다)
10. 영양성분(따로 정하는 제품에 한한다)
11. 기타 식품등의 세부표시기준에서 정하는 사항

Ⅰ. 「식품 등의 표시기준」의 법적 성질 : 설문 1-가

1. 문제의 소재

- 고시의 법적 성질을 일률적으로 판단할 것이 아니라 고시에 담겨진 내용에 따라 달리 보아야 함. 판례도 고시가 일반적・추상적 성격을 가질 때에는 법규명령 또는 행정규칙에 해당할 것이지만, 다른 집행행위의 매개 없이 그 자체로서 직접 국민의 구체적인 권리의무나 법률관계를 규율하는 성격을 가질 때에는 항고소송의 대상이 되는 처분에 해당된다고 함.

- 식품의약품안전처 고시인 식품 등의 표시기준은 일반적, 추상적 성격을 가짐. 그 형식은 행정규칙이나 내용의 실질이 식품등의 표시기준에 관한 사항을 규정한 것으로서 법령보충적 규칙에 해당함. 법령보충적 규칙의 법규명령성 여부에 대하여 견해가 대립한다.

2. 법령보충적 규칙의 의의(#22)

- 법률의 내용이 일반적이어서 구체화가 필요하여 법령의 위임을 받아 구체적인 내용을 훈령・고시 등의 행정규칙의 형식으로 정하는 경우를 말함.

3. 법령보충적 규칙의 법적 성질

- 법규명령설로 검토.

4. 사안의 해결

- 식품위생법 제10조1항은 국민보건을 위하여 필요한 식품 또는 식품첨가물의 표시기준에 대해 식품의약품안전처장이 고시할 수 있도록 위임하였고, 이에 근거하여 식품의약품안전처장은 표시기준을 고시하였는바, 동 고시는 법령보충적규칙으로서 법규명령에 해당함. 고시 그 자체의 효력으로서가 아니라 법률의 일부가 되어 법률과 결합하여 대외적 구속력을 가짐.

Ⅱ. 법령보충적규칙의 헌법상 허용 여부: 설문 1-나

1. 행정규칙에 대한 위임입법의 허용성(#22)

- 헌법재판소는 행정입법을 허용하게 된 동기가 기능적 권력분립론에 있으므로 국회입법에 의한 수권이 입법기관이 아닌 제2의 국가기관인 행정기관에게 법률 등으로 구체적인 범위를 정하여 위임한 사항에 관하여 법정립의 권한을 갖게 되고, 입법자가 규율의 형식을 선택할 수도 있다고 하며, 따라서 헌법이 인정하고 있는 위임입법의 형식은 예시

적인 것으로 보아야 하고, 법률이 행정규칙에 위임하더라도 그 행정규칙은 위임된 사항만을 규율할 수 있으므로 국회입법의 원칙과 상치되지도 않는다고 함.

- 다만, 헌법재판소도 형식의 선택에 있어서 규율의 밀도와 규율영역의 특성이 개별적으로 고찰되어야 한다고 하면서 입법자에게 상세한 규율이 불가능한 것으로 보이는 영역이라면 행정부에게 필요한 보충을 할 책임이 인정되고 극히 전문적인 식견에 좌우되는 영역에서는 행정기관에 의한 구체화의 우위가 불가피하게 있을 수 있으며 그러한 영역에서 행정규칙에 대한 위임입법이 제한적으로 인정될 수 있다고 함.

- 그러나 헌법재판소는 기본권을 제한하는 작용을 하는 법률이 입법위임을 할 때에는 '대통령령', '총리령', '부령' 등 법규명령에 위임함이 바람직하고, 고시와 같은 형식으로 입법위임을 할 때에는 적어도 행정규제기본법 제4조 제2항 단서에서 정한 바와 같이 법령이 전문적·기술적 사항이나 경미한 사항으로서 업무의 성질상 위임이 불가피한 사항에 한정된다 할 것이고, 그러한 사항이라 하더라도 포괄위임금지의 원칙상 법률의 위임은 반드시 구체적·개별적으로 한정된 사항에 대하여 행하여져야 한다고 함.

2. 사안의 해결

- 사안에서 표시대상 식품과 식품등의 표시사항이라는 것은 그 대상이 매우 다양하고, 세부적·기술적·가변적 사항으로서 어떠한 식품을 대상으로 하고 어떠한 내용을 식품등의 표시사항으로 정할지는 전문적·기술적 영역에 해당하며, 그 판단을 위해서는 고도의 전문지식이 필요하다는 점에서 이러한 내용을 법규명령에 위임하지 아니하고 식품의약품안전처 고시에 위임하는 것은 허용됨.

Ⅲ. 영업정지처분과 폐기명령처분 취소소송에서 협의의 소의 이익 - 설문 2

1. 문제의 소재

- 폐기명령에 대한 취소소송 중 해당제품이 폐기된 경우 및 1개월 영업정지처분에 대한 취소소송 도중 영업정지기간이 도과한 경우 원상회복이 불가능하므로 협의의 소의 이익이 있는지 문제됨. 후자의 경우는 식품위생법 시행규칙 [별표23]의 행정처분기준의 법적성격에 대한 논의와도 관련됨.

2. 협의의 소의 이익 - 일반론 소개

3. 폐기명령 취소소송에서의 협의의 소의 이익

- 위법한 행정처분의 취소를 구하는 소는 위법한 처분에 의하여 발생한 위법상태를 배제하여 원상으로 회복시키고 그 처분으로 침해되거나 방해받은 권리와 이익을 보호 구제하고자 하는 소송이므로 비록 위법한 처분을 취소한다 하더라도 원상회복이 불가능한 경우에는 취소를 구할 이익이 없음.

- 폐기명령 취소소송 도중에 해당제품이 폐기되었다면 폐기명령을 취소하더라도 원상회복이 불가능하므로 협의의 소의 이익은 없게 됨.

4. 영업정지처분 취소소송에서 협의의 소의 이익

(1) 문제점

- 영업정지기간이 정하여진 제재처분은 기간이 경과하면 처분을 취소하더라도 원상회복은 불가능하기 때문에 협의의 소의 이익이 없는 것이 원칙. 그러나 위반회수에 따라 제재의 정도가 가중되는 경우에는 영업정지기간이 경과한 경우라도 협의의 소의 이익을 인정할 수 있는지 견해대립이 있음.

- 설문에서는 가중적 제재처분 기준이 식품위생법 시행규칙 [별표23]에 규정되어 있는데 별표의 형식은 법규명령이나 실질이 재량준칙으로 법규명령 형식의 행정규칙과 관련되는 논의.

(2) 학설

① 가중요건을 정한 법규명령형식의 재량준칙을 행정규칙으로 보는 전제에서 행정청에 대해 법적 구속력이 없고 따라서 가중적인 제재처분을 받을 불이익은 직접적, 구체적, 현실적인 것이 아니므로 소의 이익을 부정하는 견해, ② 부령형식의 행정규칙을 행정규칙으로 보면서도 행정청은 통상 행정규칙에 따라 가중된 제재처분을 할 것이므로 구체적이고 현실적인 위험이 있다고 보아 상대방으로서는 선행처분을 취소하여 그 불이익을 제거할 현실적 필요가 있다는 견해, ③ 부령형식의 행정규칙을 법규명령으로 인정하는 이론적 기초 위에서 소의 이익을 긍정하는 견해가 대립.

(3) 판례

- 종래의 판례는 대통령령 형식으로 규정된 경우 법규성을 인정하여 소의 이익을 인정하나, 부령 형식의 경우에는 법규성을 부인하여 행정기관 내부의 사무처리준칙에 불과하다고 보아 그 법적 구속력을 부인하여 소의 이익을 부정.

- 그런데 최근전원합의체 판례에서는 행정규칙이 법령에 근거를 두고 있는 이상 법규명령인지 여부와 상관 없이 행정청은 이를 준수할 의무가 있으므로 장래에 받을 불이익

은 구체적이고 현실적인 것으로서 소의 이익을 인정하는 것으로 입장을 변경함. 한편 동판례에서는 법규명령으로 보는 전제하에 소의 이익을 긍정하는 별개의견이 제시되고 있음.

(4) 검토

- 생각건대, 가중요건이 행정규칙에 규정되어 있다고 하더라도 담당공무원은 이를 준수할 의무가 있으므로 처분전력이 2차위반시에 가중요건으로 되는 등 불이익한 요소로 남아있는 경우에는, 향후의 가중된 제재조치로 인하여 당해 업무를 행할 수 있는 법률상 지위에 대한 위험이나 불안을 제거하고 향후의 불이익을 사전에 막기 위하여 그 취소를 구할 소의 이익이 있으므로 판례의 입장은 일응 타당. 그러나, 위에서 검토한 바와 같이 법규명령 형식의 행정규칙이 부령형식이라도 법규명령으로 보는 것이 타당한 바, 법규명령으로서 대외적 구속력을 인정해야 한다는 전제에서 소의 이익을 인정해야 한다는 견해가 타당.

(5) 사안의 해결

- 甲은 식품의약품안전처 고시인 식품등의 표시기준에 따른 표시사항 전부를 표시하지 않아서 식품위생법 제10조2항을 위반한 것이며, 사항식품위생법 시행규칙 [별표23]에 의하면 이러한 경우에 1차위반시 영업정지1개월과 해당제품폐기처분을 하도록 되어 있어 처분에 이른 것.

- 그런데 시행규칙 [별표23]에 의하면 2차 위반시 또는 3차 위반시 영업정지기간을 가중하도록 되어 있으며, 시행규칙 [별표23]의 법적 성격은 법규명령 형식의 재량준칙으로서 총리령 형식에 해당하는데 법규명령에 해당. 따라서 영업정지 1개월의 기간이 경과했다고 하더라도 영업정지처분이 취소될 겨우 甲으로서는 장차 표시의무를 위반한 경우 영업정지 2개월 내지는 3개월의 가중적 제재처분을 받지 않을 실익이 있으므로 소의 이익을 인정.

Ⅳ. 취소판결 확정 후 국가배상청구소송의 인용여부 - 설문 3 (#83,126)

1. 문제의 소재

- 국가배상법 제2조의 요건이 구비되어야 하는바, 요건의 구비여부를 검토. 사안은 특히 영업정지처분에 대한 취소판결의 기판력이 국가배상청구소송에 미치는지, 공무원의 고의·과실이 존재하는지가 문제.

2. 공무원

- 처분권자인 관할 구청장 乙은 공무원에 해당.

3. 직무집행행위

- 영업정지처분은 권력작용으로서 직무집행행위에 해당.

4. 법령위반

(1) 국가배상법상 위법성 판단 - 법령위반의 의미

- 결과불법설/상대적위법성설/행위위법설 견해대립.

- 행위위법설 중에서 광의의 행위위법설이 타당.

(2) 취소소송의 기판력이 국가배상청구소송에 미치는지 여부

- 긍정설/부정설/제한적 긍정설

- 광의의 행위위법설에 의하면 제한적 긍정설이 타당

(3) 사안의 해결

- 영업정지처분 취소판결의 기판력은 처분이 위법하다는 점에 대해 발생. 사안은 영업정지처분의 행위 자체의 위법이 문제되는 경우로서 광의의 행위위법설에 의할 때 국가배상청구소송에도 미치므로 법령위반 요건은 충족.

5. 고의, 과실

- 구청장 乙은 식품위생법 시행규칙 [별표23]의 처분기준에 따라서 처분을 한 것인데 공무원의 경우 법규명령과 같은 법령심사권이 없으며 법령준수의무 때문에 처분기준을 따를 수 밖에 없으므로 고의, 과실을 인정하기는 곤란.

- 판례의 입장처럼 시행규칙의 처분기준을 행정규칙으로 보더라도 공무원의 복종의무에 의하여 공무원을 구속하므로 성실한 평균적 공무원으로서 관할 구청장에게 이와 달리 처리할 것을 기대하기는 어려우며, 그 밖에 고의 또는 과실이 있었다는 특별한 사정도 없음.

6. 타인의 손해발생

- 영업정지기간동안 영업을 하지 못함으로서 입게 된 손해의 산정이 가능하다면 상당인과관계 내의 손해를 인정할 수 있음.

7. 소결

- 국가배상법 제2조의 다른 요건은 충족하나 관할구청장의 고의·과실을 인정하기 어려운 이상 甲의 국가배상청구는 이유가 없으므로 인용될 수 없음.

기출 사례 실효된 처분에 대한 소의 이익, 기판력, 변경처분이 있는 경우 소송의 대상(13년 행시-일반행정)

일반음식점을 운영하는 업주 甲은 2012. 12. 25. 2명의 청소년에게 주류를 제공한 사실이 경찰의 연말연시 일제 단속에 적발되어 2013. 2. 15. 관할 구청장 乙로부터 영업정지 2개월의 처분을 통지 받았다.

甲은 자신의 업소가 대학가에 소재하고 있어서 주된 고객이 대학생인데, 고등학생이 오는 경우도 있어 신분증으로 나이를 확인하고 출입을 시키도록 종업원 A에게 철저히 교육을 하였다. 그런데 종업원 A는 사건 당일은 성탄절이라 점포 내 많은 손님들로 북적거려서 신분증을 일일이 확인하는 것은 어렵겠다고 판단하여 간헐적으로 신분증 확인을 하였고, 경찰의 단속에서 청소년이 발견된 것이다.

한편 甲은 평소 청소년 선도활동을 활발히 한 유공으로 표창을 받았을 뿐 아니라 지금까지 관계 법령 위반으로 인한 영업정지 등 행정처분과 행정벌을 받은 바가 전혀 없으며, 간암으로 투병중인 남편과 초등학생인 자식 2명을 부양하고 있다. (총 50점)

1) 남편에 대한 간병과 영업정지처분의 충격으로 경황이 없던 甲은 2013. 4. 25. 위 영업정지처분에 대한 취소소송을 제기하였다. 甲의 소송상 청구의 인용가능성을 설명하시오. (25점)
2) 만약, 위 1)의 소송에서 甲이 인용판결을 받아 확정되었고 이에 甲은 위법한 영업정지처분으로 인한 재산적·정신적 손해에 대한 국가배상청구소송을 제기한다면, 법원은 어떤 판결을 내려야 하는가? (15점)
3) 만약, 위 사례에서 영업정지 2개월의 처분에 대해 2013. 2. 20. 乙이 영업정지 1개월의 처분에 해당하는 과징금으로 변경하는 처분을 하였고 甲이 2013. 2. 23. 이 처분의 통지를 받았다면, 甲이 이에 대해 취소소송을 제기할 경우 취소소송의 기산점과 그 대상을 설명하시오. (10점)

[참조조문]

*** 식품위생법**

제44조(영업자 등의 준수사항)

② 식품접객영업자는 청소년 보호법 제2조에 따른 청소년(이하 이 항에서 "청소년" 이라 한다)에게 다음 각 호의 어느 하나에 해당하는 행위를 하여서는 아니 된다.

4. 청소년에게 주류(酒類)를 제공하는 행위

제75조(허가취소 등)

① 식품의약품안전처장 또는 특별자치도지사·시장·군수·구청장은 영업자가 다음 각 호의 어느 하나에 해당하는 경우에는 대통령령으로 정하는 바에 따라 영업허가 또는 등록을 취소하거나 6개월 이내의 기간을 정하여 그 영업의 전부 또는 일부를 정지하거나 영업소 폐쇄(제37조제4항에 따라 신고한 영업만 해당한다. 이하 이 조에서 같다)를 명할 수 있다.

13. 제44조제1항·제2항 및 제4항을 위반한 경우

제82조(영업정지 등의 처분에 갈음하여 부과하는 과징금 처분)

① 식품의약품안전처장, 시·도지사 또는 시장·군수·구청장은 영업자가 제75조 제1항 각 호 또는 제76조제1항 각 호의 어느 하나에 해당하는 경우에는 대통령령으로 정하는 바에 따라 영업정지, 품목 제조정지 또는 품목류 제조정지처분을 갈음하여 2억원 이하의 과징금을 부과할 수 있다. 다만, 제6조를 위반하여

제75조제1항에 해당하는 경우와 제4조, 제5조, 제7조, 제10조, 제12조의2, 제13조, 제37조 및 제42조부터 제44조까지의 규정을 위반하여 제75조제1항 또는 제76조 제1항에 해당하는 중대한 사항으로서 총리령으로 정하는 경우는 제외한다.

***식품위생법 시행규칙**

제89조(행정처분의 기준) 법 제71조, 법 제72조, 법 제74조부터 법 제76조까지 및 법 제80조에 따른 행정처분의 기준은 별표 23과 같다.

〈별표 23 〉

Ⅰ. 일반기준

15. 다음 각 목의 어느 하나에 해당하는 경우에는 행정처분의 기준이, 영업정지또는 품목·품목류 제조정지인 경우에는 정지처분 기간의 2분의 1 이하의 범위에서, 영업허가 취소 또는 영업장 폐쇄인 경우에는 영업정지 3개월 이상의 범위에서 각각 그 처분을 경감할 수 있다.

마. 위반사항 중 그 위반의 정도가 경미하거나 고의성이 없는 사소한 부주의로 인한 것인 경우

Ⅱ. 개별기준

3. 식품접객업

위반사항	근거법령	행정처분기준		
		1차 위반	2차 위반	3차 위반
11. 법 제44조 제2항을 위반한 경우 라. 청소년에게 주류를 제공하는 행위(출입하여 주류를 제공한 경우 포함)를 한 경우	법 제75조	영업정지 2개월	영업정지 3개월	영업허가·등록 취소 또는 영업소 폐쇄

Ⅰ. 甲의 소송상 청구의 인용가능성

1. 문제의 소재

- 청구가 인용되기 위해서는 소송요건이 구비되어야 하고

甲의 청구가 이유 있어야 한다. 소송요건은 정지기간의 경과로 실효된 처분이 협의의 소의 이익이 있는지 문제되고, 본안에서는 식품위생법 시행규칙 [별표]의 처분기준에 따른 영업정지처분이 적법한 것인지 문제됨.

2. 소송요건의 구비 여부

- 영업정지처분은 부작위하명으로서 처분에 해당하고, 甲은 불이익처분의 직접상대방으로서 원고적격이 있으며, 2013.2.15로부터 90일 이내에 소를 제기하였고, 필요적 전치가 적용되는 사안도 아니므로 심판전치는 문제되지 않음. 결국 협의의 소의 이익이 문제됨.

- 사안은 식품위생법 시행규칙 [별표23]에 의해서 실효된 제재처분이 가중적 제재처분의 요건이 되는 경우인데, 처분기준이 부령(출제 당시에는 부령이었으나 현재는 총리령)에 규정된 경우 소의 이익의 인정여부에 대해 견해대립이 있음.

- 법규명령으로 보면서 소의 이익을 긍정하는 것으로 검토. 결국 소송요건은 구비됨.

3. 본안판단 – 영업정지처분의 위법성

- 영업정지처분이 적법하기 위해서는 주체, 내용, 절차, 형식면에서 적법요건을 구비해야 하는데, 사안은 주체, 절차, 형식의 하자는 보이지 않고, 내용상 하자와 관련하여 시행규칙 [별표23]의 개별기준만 따르고 일반기준을 따르지 않은 것이 위법한지 문제된다.

- 영업정지처분은 재량행위로서 시행규칙 [별표23]의 제재처분기준의 법적성격이 법규명령인지 행정규칙인지 불문하고 재량의 일탈・남용 여부를 검토해야 함(법규명령으로 보더라도 일반기준에 의하여 여전히 재량의 여지가 있음).

- 사안에서는 비례의 원칙 위반 여부가 문제됨. 성탄절이라 많은 손님들이 북적거리는 상황에서 甲의 위반의 정도가 경미하거나 고의성이 없는 사소한 부주의로 인한 것이라고 볼 여지가 있으므로 일반기준에 의해 2분의 1 범위 내에서 감경할 여지가 있는데 구청장 乙이 전혀 감경하지 않은 것은 비례의 원칙 위반이라고 볼 수 있음. 2개월보다 경미한 정지처분을 할 수도 있고, 甲의 부양가족을 고려하건대 2개월 정지처분으로 달성하는 공익보다는 침해되는 사익이 훨씬 크다고 할 수 있음. 결국 甲의 청구는 인용될 것.

Ⅱ. 취소판결 확정후 국가배상청구소송의 인용여부

1. 국가배상청구요건(#83)

- 간단히 요건 분설한 후, 법령위반 요건과 관련하여 확정된 취소판결의 기판력이 미치는지 문제되고, 항고소송에서 취소되었다고 고의, 과실을 인정할 수 있는지가 문제됨을 부각.

2. 법령위반

- 영업정지처분 취소판결의 기판력은 처분이 위법하다는 점에 대해 발생. 사안은 영업정지처분의 행위 자체의 위법이 문제되는 경우로서 광의의 행위위법설에 의할 때 취소판결의 기판력이 국가배상청구소송에도 미치므로 법령위반 요건은 충족.

3. 고의, 과실

- 구청장은 시행규칙의 처분기준에 따라서 처분을 하였기 때문에 고의, 과실을 인정하기 곤란.

4. 결 론

- 법령위반을 인정하더라도 고의, 과실을 인정할 수 없어 기각될 것.

Ⅲ. 변경처분이 있는 경우 소송의 대상 및 제소기간

1. 변경처분이 있는 경우 소송의 대상

판례 **행정제재처분을 한 후** 그 처분을 영업자에게 **유리하게 변경하는 처분**을 한 경우(이하 처음의 처분을 '당초처분', 나중의 처분을 '변경처분'이라 한다), **변경처분에 의하여 당초처분은 소멸하는 것이 아니고 당초부터 유리하게 변경된 내용의 처분으로 존재**하는 것이므로, 변경처분에 의하여 유리하게 변경된 내용의 행정제재가 위법하다 하여 그 취소를 구하는 경우 그 **취소소송의 대상은 변경된 내용의 당초처분**이지 변경처분은 아니고, **제소기간의 준수 여부도 변경처분이 아닌 변경된 내용의 당초처분을 기준**으로 판단하여야 한다(대판 2007.4.27, 2004두9302).

- 당초의 2개월 영업정지처분이 2013.2.20 1개월의 처분에 해당하는 과징금으로 변경되었다고 하더라도 소송의 대상은 2013.2.15. 1개월의 처분에 해당하는 과징금이 됨.

2. 변경처분이 있는 경우 제소기간

- 처분이 있음을 안 날로부터 90일 이내에 제기하여야 하는데, 처분이 있음을 안 날은 처분이 있음을 현실적으로 안 날을 의미함.
- 사안에서는 당초의 처분에 대한 통지를 받은 2013.2.15을 제소기간의 기산점으로 삼아야 함.

112 피고적격

Ⅰ. 항고소송

1. 처분청

다른 법률에 특별한 규정이 없는 한 취소소송에서는 그 처분 등을 행한 행정청이 피고가 된다(행정소송법 제13조1항, 제38조). 논리적으로는 행정주체가 피고가 되어야 할 것이나, **행정소송수행의 편의상** 처분 등을 외부적으로 그의 명의로 행한 행정청을 피고로 규정한 것이다.

2. 문제되는 경우

⑴ **처분청이 합의제기관**(합의제 행정청)**인 경우**

이 때도 그 합의제 행정청이 피고적격이 있다. 토지수용위원회, 공정거래위원회 등이 그 예이다.

⑵ **지방의회 의결**(징계, 불신임의결, 의장선거)

지방의회가 피고가 된다.

⑶ **처분적 조례**

공포권자인 단체장(교육·학예에 관한 사무는 교육감)이 피고적격이 있다(관련판례 1).

⑷ **권한의 위임**(#133. Ⅵ)

수임청이 자신의 책임 하에 자신의 명의로 처분을 하므로 수임청이 피고적격이 있다.

⑸ **내부위임**(#134. Ⅵ)

수임청이 자신의 명의로 처분을 할 권한이 없고 위임청의 명의로 처분을 하므로 원칙적으로 위임청이 피고가 되어야 하나, 만약 수임청의 명의로 처분이 행해졌다면 수임청이 피고가 된다(관련판례 2).

⑹ **대 리**(#132. Ⅲ)

피대리관청이 피고이나, 대리관청 명의로 처분을 한 경우는 대리관청이 피고가 된다.

⑺ **다른 법률에 특별한 규정이 있는 경우**

처분청이 대통령인 경우에는 소속장관(국가공무원법 제16조2항), 국회의장·대법원장·헌법재판소장이 행한 처분이 문제된 경우에는 국회사무총장·법원행정처장·헌법재판소사무처장이 각각 피고가 된다.

⑻ **공공단체에게 권한이 위탁된 경우**

권한을 위탁받은 공사·공단이 피고가 된다.

⑼ **공무수탁사인에게 권한이 위탁된 경우**

공무수탁사인이 피고가 된다(행정소송법 제2조2항).

3. 권한의 승계 및 폐지

처분등이 있은 뒤에 그 처분등에 관계되는 권한이 다른 행정청에 승계된 때에는 이를 **승계한 행정청**을 피고로 하며(행정소송법 제13조1항 단서), 처분청이나 이를 **승계한 행정청이 없게 된 때**에는 그 처분등에 관한 **사무가 귀속되는 국가 또는 공공단체**를 피고로 한다(동조 2항).

Ⅱ. 당사자소송

법률관계의 당사자인 국가나 공공단체 그 밖의 권리주체가 피고가 된다(행소법 제39조). 다만, 국가가 피고가 되는 때에는 법무부장관이 국가를 대표한다(국가를당사자로하는 소송에관한법률 제2조).

Ⅲ. 객관소송

기관소송을 비롯한 객관소송에서는 객관소송 법정주의에 의해, 법률에서 규정된 자가 피고적격이 있다.

관련 판례 1 **처분적 조례의 피고적격**(대판 1996.9.20, 95누8003)1)

[1] 조례가 집행행위의 개입 없이도 그 자체로서 직접 국민의 구체적인 권리의무나 법적 이익에 영향을 미치는 등의 법률상 효과를 발생하는 경우 그 조례는 항고소송의 대상이 되는 행정처분에 해당하고, 이러한 조례에 대한 무효확인소송을 제기함에 있어서 행정소송법 제38조1항, 제13조에 의하여 피고적격이 있는 처분 등을 행한 행정청은, 행정주체인 지방자치단체 또는 지방자치단체의 내부적 의결기관으로서 지방자치단체의 의사를 외부에 표시한 권한이 없는 지방의회가 아니라, 구 지방자치법(1994.3.16. 법률 제4741호로 개정되기 전의 것) 제19조2항, 제92조에 의하여 지방자치단체의 집행기관으로서 조례로서의 효력을 발생시키는 공포권이 있는 지방자치단체의 장이다.

[2] 구 지방교육자치에관한법률(1995.7.26. 법률 제4951호로 개정되기 전의 것) 제14조5항, 제25조에 의하면 시·도의 교육·학예에 관한 사무의 집행기관은 시·도 교육감이고 시·도 교육감에게 지방교육에 관한 조례안의 공포권이 있다고 규정되어 있으므로, 교육에 관한 조례의 무효확인소송을 제기함에 있어서는 그 집행기관인 시·도 교육감을 피고로 하여야 한다.

관련 판례 2 **내부위임의 피고적격**(대판 1991.10.8, 91누520)

1. 사실관계

서울특별시장은 자신의 권한인 직위해제와 징계 등에 관한 권한을 동대문구청장에게 내부위임을 함. 동대문구청장은 공무원인 甲에게 직위해제발령통지서와 파면발령통지서를 보냄. 이 발령 통지서에는 서울특별시장명의로 된 처분의 발령서 부분과 동대문구청장 명의로 된 처분의 발령통지서 부분이 명백히 구분되어 있고 문서의 작성일자도 달랐으며 행정청 내부의 관계서류에도 위 서울특별시장의 발령이 동대문구청장의 징계요구에 의한 것으로 기재되어 있었음. 그럼에도 불구하고 甲은 자신에 대한 직위해제와 파면처분에 대해 서울특별시장이 아닌 동대문구청장을 피고로 하여 파면처분무효확인의 소를 제기하였다.

2. 판결요지

[1] 수임관청이 내부위임에 따라 위임관청의 이름으로 행한 처분의 취소나 무효확인을 구하는 소송의 피고적격(=위임관청)

- 행정관청이 특정한 권한을 법률에 따라 다른 행정관청에 이관한 경우와 달리 내부적인 사무처리의 편의를 도모하기 위하여 그의 보조기관 또는 하급행정관청으로 하여금 그의 권한을 사실상 행하도록 하는 내부위임의 경우에는 수임관청이 그 위임된 바에 따라 위임관청의 이름으로 권한을 행사하였다면 그 처분청은 위임관청이므로 그 처분의 취소나 무효확인을 구하는 소송의 피고는 위임관청으로 삼아야 한다.

[2] 구청장이 서울특별시장의 이름으로 한 직위해제 및 파면의 처분청은 서울특별시장이므로 구청장을 피고로 한 소를 각하한 원심의 판단이 정당하다고 한 사례

3. 해 설

1) 권한의 대리나 내부위임의 경우 피고 적격자는 처분권한을 가지고 있는 피대리관청이나 내부위임을 한 행정청이 됨. 사안의 경우 직위해제 및 파면의 처분청은 서울특별시장이므로 구청장을 피고로 한 소는 각하됨.

2) 그러나 대리나 내부위임임에도 대리관청이나 수임청이 자신의 명의로 처분을 한 경우 항고 소송의 피고적격자는 외부적으로 행위를 한 명의자가 되고, 그에게 실체법상 정당한 권한이 있는지 여부는 피고적격자 결정에 영향을 미치지 않음. 정당한 권한이 있는 자의 처분인지 여부는 처분의 위법성 판단과 관련한 본안의 문제인데, 권한없는 자에 의해 행해진 처분은 위법무효로 보고 있음. 사안에서 만약 구청장의 이름으로 처분을 했다면 피고적격은 구청장에게 있음(위법성의 정도는 #134.Ⅵ).

1) 경기도의회가 두밀분교폐지조례를 의결하고 교육감이 공포하자 경기도의회를 피고로 소송을 제기한 사례.
- 비교하여야 할 판례가 동일한 원고가 경기도교육감을 피고로 두밀분교폐교처분취소를 주위적 청구로 하고, 조례의 무효확인을 예비적 청구로 하여 항고소송을 제기한 사안인데, 판례는 주위적 청구에 대해서는 "공립초등학교 분교의 폐지는 지방의회가 이를 폐지하는 내용의 개정 조례를 의결하고 교육감이 이를 공포하여 그 효력이 발생함으로써 완결되고, 그 조례 공포 후 교육감이 하는 분교장의 폐쇄, 직원에 대한 인사이동 및 급식학교의 변경지정 등 일련의 행위는 분교의 폐지에 따르는 사후적인 사무처리에 불과할 뿐이므로, 이를 독립하여 항고소송의 대상이 되는 행정처분으로서의 폐교처분이라고 할 수 없다"고 하여 부적법각하하고, 예비적 청구에 대해서는 "조례는 재량권의 범위를 일탈한 것이라거나 분교 학생들의 교육을 받을 권리 또는 의무교육을 받을 권리를 침해한 것이라고 볼 수 없다"고 하여 청구기각함(대판 1996.9.20, 95누7994).

112-1 공동소송 및 소송참가

Ⅰ. 공동소송

수인의 청구 또는 수인에 대한 청구가 처분등의 취소청구와 관련되는 청구인 경우에 한하여 그 수인은 공동소송인이 될 수 있다(행소법 제15조). 관련청구소송에 관하여 주관적 병합을 인정한 것이다. 예를 들어 동종의 과세처분을 다투는 수인의 수개의 취소소송, 또는 처분청을 상대로 하는 취소소송과 그와 관련하여 국가를 상대로 하는 손해배상청구소송에서 관계되는 수인의 원고 또는 피고는 공동소송인이 될 수 있다.

Ⅱ. 소송참가

소송참가는 소송계속 중 당사자가 아닌 제3자가 타인 사이의 소송의 결과에 따라 자신의 법률상 지위에 영향을 미치게 될 경우 자신의 이익을 위하여 소송절차에 참가하는 것을 의미한다.

1. 제3자의 소송참가

(1) 의의

법원은 소송의 결과에 따라 권리 또는 이익의 침해를 받을 제3자가 있는 경우에는 당사자 또는 제3자의 신청 또는 직권에 의하여 결정으로써 그 제3자를 소송에 참가시킬 수 있다(행소법 제16조1항).

취소소송은 소송의 대상인 처분 등이 다수인의 권익에 관계되는 경우가 많고, 제3자효행정행위와 같이 제3자가 당해 소송에 의하여 권익을 침해당할 우려가 있어 소송참가의 필요성이 크다. 특히 행정소송법은 취소판결의 제3자효를 규정하고 있는바(행소법 제29조1항) 제3자의 소송참가는 판결의 효력을 받는 제3자에게 공격방어방법을 제출할 기회를 제공하여 권익을 보호하고 적정한 심리와 재판을 실현함과 동시에 제3자에 의한 재심청구를 미연에 방지하기 위해서 인정되고 있다.

(2) 요 건

제3자의 소송참가가 인정되기 위해서는 ① 타인간의 소송이 계속 중이어야 하고 ② 소송의 결과에 따라 권리 또는 이익의 침해를 받을 제3자이어야 한다(행소법 제16조1항). 타인의 취소소송이 적법하게 계속 중이면 어느 심급에 있는가는 불문한다. '권리 또는 이익의 침해를 받을 자'란 법률상 이익의 침해를 받게 될 자를 의미하는데 소송의 결과에 따라 권리 또는 이익의 침해를 받는다는 것은 판결의 형성력에 의해 권리 또는 이익을 박탈당하는 경우뿐만 아니라 판결의 행정청에 대한 기속력에 따른 행정청의 새로운 처분에 의해 권리 또는 이익의 침해를 받는 경우도 포함한다.[1] 그리고 참가의 시기에 관한 제한은 받지 않는다. 따라서 제소기간이 경과한 제3자도 활용할 수 있다.

(3) 절 차

법원은 소송의 당사자 또는 제3자의 신청 또는 직권에 의하여 참가결정을 하며(행소법 제16조1항), 미리 당사자 및 제3자의 의견을 들어야 한다(행소법 제16조2항). 제3자는 각하 결정에 대해 즉시항고할 수 있다(행소법 제16조3항).

(4) 참가인의 지위

법원의 참가결정이 있으면 제3자는 참가인의 지위를 획득한다. 참가인에게는 민사소송법 제67조를 준용하므로 참가인의 지위는 필수적 공동소송에서 공동소송인에 준하는 지위를 가지게 된다(행소법 제16조1항). 제3자는 참가인으로서 독자적인 청구를 하지 못한다는 점에서 공동소송적 보조참가인과 유사한 지위를 가진다는 것이 일반적인 견해다.

1) 하나의 허가만이 가능한데 갑, 을이 허가신청을 하였으나 을에게만 허가가 나온 경우(경원자관계) 허가를 받지 못한 갑이 자신에 대한 거부처분에 대해 취소판결을 받은 경우, 기속력에 의해 행정청은 경원자 관계에 있는 갑의 허가처분을 취소할 수 있기 때문에 허가처분을 받은 을도 소송참가할 수 있다.

소송행위 중 참가인과 피참가인에게 유리한 행위는 1인이 하여도 전원에 대하여 효력이 생기는 반면 불리한 행위는 전원이 함께 하지 않는 한 효력이 없다. 참가인은 현실적으로 소송행위를 하였는지 여부에 관계없이 판결의 효력을 받는다.[2)]

2. 행정청의 소송참가

(1) 의 의

법원은 다른 행정청을 소송에 참가시킬 필요가 있다고 인정할 때에는 당사자 또는 당해 행정청의 신청 또는 직권에 의하여 결정으로써 그 행정청을 소송에 참가시킬 수 있다(행소법 제17조1항). **처분청 또는 재결청 외의 관계되는 행정청을 소송에 참여시켜 공격 · 방어방법을 제출할 수 있도록 하여 적정한 심리 · 재판을 도모**하기 위해서 인정된다.

(2) 요 건

참가요건으로 ① **타인의 취소소송이 계속 중**이어야 하며 ② **처분등과 관계있는 다른 행정청**이어야 하며 ③ **참가의 필요성**이 있어야 한다(행소법 제17조1항). 다른 행정청은 계쟁대상인 처분등과 관계 있는 행정청에 한정된다. 참가의 필요성은 관계행정청을 소송에 끌어들여 공격 · 방어에 참가시켜 사건의 적정한 심리·재판을 실현하기 위하여 필요한 경우를 의미한다.

(3) 절 차

법원의 직권, 당사자 또는 당해 행정청의 신청에 의한다(행소법 제17조1항), 법원은 참가 여부를 결정하기 전에 **당사자 및 행정청의 의견을 들어야** 한다(행소법 제17조2항). 다른 행정청은 **피고인 행정청측에만 참가**할 수 있다고 해석해야 한다.

(4) 참가인의 지위

참가결정이 있으면 참가인은 **민사소송법 제76조가 준용**되므로 **보조참가인에 준하는 지위**에서 소송을 수행할 수 있다(행소법 제17조1항). 참가행정청은 **일체의 소송행위를 할 수 있지만 피참가인의 소송행위와 저촉되는 소송행위를 할 수 없다.**

---

2) **행정소송법 제31조**에서는 제3자가 자기에게 귀책사유 없이 소송에 참가하지 못하여 판결의 결과에 영향을 미칠 공격방어방법을 제출하지 못한 때가 생길 수 있으므로 이러한 **제3자를 보호**하기 위하여 **민사소송법상의 재심과는 별도로 재심청구를 인정**하고 있다. 제3자의 입장에서는 **소송계속 중에는 소송참가를 통하여, 소송의 종국판결이 확정된 후에는 재심청구를 통해 권리구제**를 도모할 수 있다.

- 제3자의 재심청구가 가능하기 위한 요건으로는 ① **취소하는 종국판결이 확정**된 경우이어야 하며 ② **취소판결에 의해 권리 또는 이익의 침해를 받은 제3자**가 ③ **귀책사유 없는 사유로 소송에 참가하지 못하여 판결의 결과에 영향을 미칠 공격 또는 방어방법을 제출하지 못한 경우** ④ **확정판결이 있음을 안 날로부터 30일 이내, 판결이 확정된 날로부터 1년이내**에 제기하여야 한다.

113 제소기간

Ⅰ. 의 의

소송의 제기가 허용되는 기간을 말한다. 행정소송법은 공법관계의 조속한 안정을 위해 민사소송의 경우와는 달리 제소기간에 관한 규정을 두고 있으며(행소법 제20조, 제38조2항, 제41조), 다만 개별법에서 이를 규정한 경우에는 그 개별법 규정이 우선적용된다. 제소기간은 기본적으로 입법정책의 문제이나 행정의 안정성과 국민의 권리구제를 조화하는 선에서 결정되어야 한다. 제소기간이 경과하면 불가쟁력이 발생한다.

Ⅱ. 취소소송의 제소기간

1. 처분등이 있음을 안 날 또는 재결서 정본 송달일(행정심판을 거친 경우)로부터 90일 이내(제20조1항)

(1) 불변기간(제20조3항)

(2) '처분이 있음을 안 날'의 의미

'당해 처분의 존재를 현실적으로 안 날'을 말한다.

판 례 행정소송법 제20조 제1항이 정한 제소기간의 기산점인 '처분 등이 있음을 안 날'이란 통지, 공고 기타의 방법에 의하여 당해 처분 등이 있었다는 사실을 현실적으로 안 날을 의미한다. 상대방이 있는 행정처분의 경우에는 특별한 규정이 없는 한 의사표시의 일반적 법리에 따라 행정처분이 상대방에게 고지되어야 효력을 발생하게 되므로, 행정처분이 상대방에게 고지되어 상대방이 이러한 사실을 인식함으로써 행정처분이 있다는 사실을 현실적으로 알았을 때 행정소송법 제20조 제1항이 정한 제소기간이 진행한다(대판 2014.9.25, 2014두8254).

고시·공고에 의하여 처분을 하는 경우의 기산일에 대해서, 판례는 고시·공고 등이 있음을 현실로 알았는지 여부를 불문하고 고시·공고의 효력이 발생하는 날에 처분이 있음을 알았다고 보아 그 날이 기산점이 된다고 한다.

판례 1 [1] 구 청소년보호법(2001.5.24. 법률 제6479호로 개정되기 전의 것)에 따른 청소년유해매체물 결정 및 고시처분은 당해 유해매체물의 소유자 등 특정인만을 대상으로 한 행정처분이 아니라 일반 불특정 다수인을 상대방으로 하여 일률적으로 표시의무, 포장의무, 청소년에 대한 판매·대여 등의 금지의무 등 각종 의무를 발생시키는 행정처분으로서, 정보통신윤리위원회가 특정 인터넷 웹사이트를 청소년유해매체물로 결정하고 청소년보호위원회가 효력발생시기를 명시하여 고시함으로써 그 명시된 시점에 효력이 발생하였다고 봄이 상당하고, 정보통신윤리위원회와 청소년보호위원회가 위 처분이 있었음을 위 웹사이트 운영자에게 제대로 통지하지 아니하였다고 하여 그 효력 자체가 발생하지 아니한 것으로 볼 수는 없다.
[4] 통상 고시 또는 공고에 의하여 행정처분을 하는 경우에는 그 처분의 상대방이 불특정 다수인이고 그 처분의 효력이 불특정 다수인에게 일률적으로 적용되는 것이므로, 그 행정처분에 이해관계를 갖는 자가 고시 또는 공고가 있었다는 사실을 현실적으로 알았는지 여부에 관계없이 고시가 효력을 발생하는 날 행정처분이 있음을 알았다고 보아야 한다(대판 2007.6.14, 2004두619).

판례 2 고시·공고 등 행정기관이 일정한 사항을 일반에 알리기 위한 공고문서의 경우에는 그 문서에 특별한 규정이 있는 경우를 제외하고는 그 고시 또는 공고가 있은 후 5일이 경과한 날부터 효력을 발생한다(사무관리규정 제7조 제3호, 제8조 제2항 단서). 기록에 의하면, 피고는 2008. 7. 30. 골프장 설치를 내용으로 하는 도시관리계획결정을 하고 2008. 7. 31. 그 결정을 고시하였는데, 위 도시관리계획결정의 취소를 구하는 이 사건 소는 위 고시의 효력발생일로부터 90일이 경과한 2008. 11. 20. 제기된 사실을 알 수 있고, 달리 행정소송법 제20조 제1항 단서에 규정된 특별한 사정이 있음을 인정할 자료가 없으므로, 이 사건 소는 제소기간 도과로 부적법하다(대판 2013.3.14, 2010두2623).

그러나 개별토지가격결정의 경우와 같이 처분의 효력이 각 상대방에 대해 개별적으로 발생하는 경우와 특정인에 대한 행정처분을 주소불명 등의 이유로 송달할 수 없어 행정절차법상 공고를 한 경우에는 알았다고 의제할 수 없고 상대방이 처분이 있음을 안 날은 현실적으로 안 날을 의미한다고 한다.

판례 1 개별토지가격결정에 있어서는 그 처분의 고지방법에 있어 개별토지가격합동조사지침(국무총리훈령 제248호)의 규정에 의하여 행정편의상 일단의 각 개별토지에 대한 가격결정을 일괄하여 읍·면·동의 게시판에 공고하는 것일 뿐 그 처분의 효력은 각각의 토지 또는 각각의 소유자에 대하여 각별로 효력을 발생하는 것이므로 개별토지가격결정의 공고는 공고일로부터 그 효력을 발생하지만 처분 상대방인 토지소유자 및 이해관계인이 공고일에 개별토지가격결정처분이 있음을 알았다고까지 의제할 수는 없어 결국 개별토지가격결정에 대한 재조사 또는 행정심판의 청구기간은 처분 상대방이 실제로 처분이 있음을 안 날로부터 기산하여야 할 것이나, 시장, 군수 또는 구청장이 개별토지가격결정을 처분 상대방에 대하여 별도의 고지절차를 취하지 않는 이상 토지소유자 및 이해관계인이 위 처분이 있음을 알았다고 볼 경우는 그리 흔치 않을 것이므로, 특별히 위 처분을 알았다고 볼만한 사정이 없는 한 개별토지가격결정에 대한 재조사청구 또는 행정심판청구는 행정심판법 제18조(현 제27조)3항 소정의 처분이 있은 날로부터 180일 이내에 이를 제기하면 된다(대판 1993.12.24, 92누17204).

판례 2 특정인에 대한 행정처분을 주소불명 등의 이유로 송달할 수 없어 관보·공보·게시판·일간신문 등에 공고한 경우에는, 공고가 효력을 발생하는 날에 상대방이 그 행정처분이 있음을 알았다고 볼 수는 없고, 상대방이 당해 처분이 있었다는 사실을 현실적으로 안 날에 그 처분이 있음을 알았다고 보아야 한다(대판 2006.4.28, 2005두14851).

2. 처분 등이 있은 날로부터 또는 재결이 있는 날(행정심판을 거친 경우)로부터 1년(제20조2항).

(1) '처분이 있은 날'의 의미

판례 '처분이 있은 날'이라 함은 상대방이 있는 행정처분의 경우는 특별한 규정이 없는 한 의사표시의 일반적 법리에 따라 그 행정처분이 상대방에게 고지되어 효력이 발생한 날을 말한다고 할 것이다(대판 1990.7.13, 90누2284).

(2) 정당한 사유가 있으면 1년을 경과한 후에도 소제기 가능

1) 정당한 사유의 의미

판례 행정소송법 제20조2항 소정의 '정당한 사유'란 불확정 개념으로서 그 존부는 사안에 따라 개별적, 구체적으로 판단하여야 하나 민사소송법 제160조(현173조)의 '당사자가 그 책임을 질 수 없는 사유'나 행정심판법 제27조2항 소정의 '천재지변, 전쟁, 사변 그 밖에 불가항력적인 사유'보다는 넓은 개념이라고 풀이되므로, 제소기간 도과의 원인 등 여러 사정을 종합하여 지연된 제소를 허용하는 것이 사회통념상 상당하다고 할 수 있는가에 의하여 판단하여야 한다(대판 1991.6.28, 90누6521).

2) 제3자효 행정행위의 경우

판례 행정처분의 직접상대방이 아닌 제3자는 행정처분이 있음을 곧 알 수 없는 처지이므로 행정심판법 제18조3항 소정의 심판청구의 제척기간 내에 처분이 있음을 알았다는 특별한 사정이 없는 한 그 제척기간의 적용을 배제할 같은 조항 단서 소정의 정당한 사유가 있는 때에 해당한다(대판 1989.5.9, 88누5150).

(3) 제20조1항과 제20조2항의 관계

선택적이 아니라 경합적으로 진행되어서 두 기간 중 어느 하나의 기간이 경과하면 제소기간은 경과된 것이 된다.

3. 무효선언을 구하는 취소소송

취소소송에서와 같이 제소기간의 제한이 있다(판례).

4. 개별법상의 특칙

조세소송(국세기본법 제56조3항), 공정거래위원회의 처분에 대한 소송(독점규제및공정거래에 관한법률 제54조1항), 수용재결에 대한 소송(공익사업을위한토지 등의취득및보상에 관한법률 제85조), 교원소청심사위원회의 결정에 대한 소송(교원지위향상을위한 특별법 제10조3항) 등에서 제소기간에 대한 규정을 두고 있다.

5. 소의 변경과 제소기간

청구취지를 변경하여 구소가 취하되고 새로운 소가 제기된 것으로 변경되었을 때에, 새로운 소에 대한 제소기간의 준수 등은 원칙적으로 소의 변경이 있은 때를 기준으로 한다(판례). 반면 피고경정허가를 하는 경우(행소법 제14조4항)와 무효등확인소송·부작위위법확인소송·당사자소송을 취소소송으로 변경하는 경우에는 전소의 제기 당시를 기준으

로 한다(제21조4항, 제37조, 제42조).

판 례 하자 있는 행정처분을 놓고 이를 무효로 볼 것인지 아니면 단순히 취소할 수 있는 처분으로 볼 것인지는 동일한 사실관계를 토대로 한 법률적 평가의 문제에 불과하고, 행정처분의 무효확인을 구하는 소에는 특단의 사정이 없는 한 그 취소를 구하는 취지도 포함되어 있다고 보아야 하는 점 등에 비추어 볼 때, 동일한 행정처분에 대하여 무효확인의 소를 제기하였다가 그 후 그 처분의 취소를 구하는 소를 추가적으로 병합한 경우, 주된 청구인 무효확인의 소가 적법한 제소기간 내에 제기되었다면 추가로 병합된 취소청구의 소도 적법하게 제기된 것으로 봄이 상당하다(대판 2005.12.23, 2005두3554).

6. 위헌결정으로 제소할 수 있게 된 경우

판 례 행정소송법 제20조가 제소기간을 규정하면서 '처분 등이 있은 날' 또는 '처분 등이 있음을 안 날'을 각 제소기간의 기산점으로 삼은 것은 그때 비로소 적법한 취소소송을 제기할 객관적 또는 주관적 여지가 발생하기 때문이므로, 처분 당시에는 취소소송의 제기가 법제상 허용되지 않아 소송을 제기할 수 없다가 위헌결정으로 인하여 비로소 취소소송을 제기할 수 있게 된 경우, 객관적으로는 '위헌결정이 있은 날', 주관적으로는 '위헌결정이 있음을 안 날' 비로소 취소소송을 제기할 수 있게 되어 이때를 제소기간의 기산점으로 삼아야 한다(대판 2008.2.1, 2007두20997). ➡ #109.[관련판례 3]과 관련됨.

Ⅲ. 기타 소송

1. 무효확인소송

성질상 제소기간의 제한이 없다. 제38조1항이 제20조를 준용하지 않고 있다.

2. 부작위위법확인소송

⑴ 조문구조

행정소송법 제38조2항은 제20조를 준용하여, 부작위위법확인소송 역시 제소기간의 제한을 받을 수 있다. 다만 부작위의 특성상 의무이행심판과 관련하여 문제가 있다.

⑵ 의무이행심판을 거치지 않고 부작위위법확인소송을 제기한 때

당사자의 신청에 대하여 처분의무가 있는 상당한 기간이 경과한 이후부터 제소기간이 진행된다는 견해가 있으나, 부작위가 계속되고 있는 상태이므로 제소기간의 제한은 있을 수 없다는 것이 다수설이다.

⑶ 의무이행심판을 거쳐 부작위위법확인소송을 제기하는 경우 제소기간의 제한이 적용될 것인지

1) 계속적 성질을 갖는 부작위의 특성상 행정심판을 거친 경우에도 제소기간의 제한이 없다는 견해가 있으나, 다수견해는 이 경우 재결서의 정본을 송달받은 날로부터 90일, 재결이 있은 날부터 1년을 경과하면 제기하지 못하는 것으로 해석한다. 판례도 행정심판을 거친 경우에는 제소기간의 제한이 있는 것으로 해석한다.

판 례 부작위위법확인의 소는 부작위상태가 계속되는 한 그 위법의 확인을 구할 이익이 있다고 보아야 하므로 원칙적으로 제소기간의 제한을 받지 않는다. 그러나 행정소송법 제38조 제2항이 제소기간을 규정한 같은 법 제20조를 부작위위법확인소송에 준용하고 있는 점에 비추어 보면, 행정심판 등 전심절차를 거친 경우에는 행정소송법 제20조가 정한 제소기간 내에 부작위위법확인의 소를 제기하여야 한다(대판 2009.7.23, 2008두10560).

3. 당사자소송

개별법령에 별도로 제소기간이 정하여져 있으면 그 기간은 불변기간이다(행소법 제41조). 다만 행정소송법상의 제한은 없으므로 원칙적으로 제소기간의 제한은 없으며, 공법사아 권리가 시효 등에 의해 소멸되지 않는 한 당사자소송을 제기할 수 있다.

4. 객관소송

객관소송 법정주의에 의해, 제소기간 역시 각 개별법률의 규정에 의한다.

114 행정심판전치주의[1]

Ⅰ. 의 의

사인이 법원에의 행정소송 제기 이전에 행정심판을 거치도록 하는 것을 말한다. 전심절차로서 행정심판은 행정청에 자율적 통제기회를 주고, 행정청의 전문지식을 활용할 수 있다는 장점이 있다. 반면 행정기관이 심판을 맡는다는 점에서 그 결정의 공정성이 문제될 수 있으며, 이런 이유로 행정심판절차의 준사법화가 요구되어 왔다. 과거 행정소송법은 필요적 전치주의를 취하고 있었으나, 1998년 임의적 절차로 개정되었다(행소법 제18조).

Ⅱ. 임의적 전치주의(원칙)

임의적임에도 심판을 거칠 경우의 실익은 ① 행정심판에서는 처분의 위법 뿐만 아니라 부당도 심판할 수 있다는 점, ② 단기에 저렴한 비용으로 권리구제를 도모할 수 있다는 점, ③ 이후 행정소송과정에서 간편하게 소송자료를 수집할 수 있다는 점(행소법 제25조)을 들 수 있다.

Ⅲ. 필요적 전치주의

1. 취 지

대량으로 행해진 처분이나 전문・기술적인 성질을 가진 처분 또는 재결 등에 대하여 소송에 앞서 행정심판의 기회를 거치도록 함으로써, 행정청에게 스스로 시정할 기회를 마련하여 주고 법원의 부담 경감을 도모하려는 것이다.

2. 법적 근거 요부

명시적 근거를 요한다. 따라서 각 개별법률에서 정한 경우에만 행정심판전치주의가 인정된다.

3. 현행법상 종류

공무원에 대한 불이익처분에 대한 불복(국가공무원법 제16조), 국세부과처분에 대한 불복(국세기본법 제56조), 도로교통법상의 처분에 대한 불복(도로교통법 제142조) 등을 들 수 있다.

4. 적용범위

(1) 무효확인소송

적용되지 않는다(행소법 제38조1항이 제18조를 준용하지 않는다).

(2) 무효선언을 구하는 취소소송에의 적용 여부

처분이 무효인 이상 행정심판전치주의를 요하지 않는다는 소극설이 있으나, 다수설과 판례는 이 경우도 전치절차 등 취소소송의 제소요건을 갖추어야 한다는 입장이다.

(3) 복효적 행정행위에서 제3자의 취소소송 제기시 적용 여부

통설・판례는 적용을 긍정한다. 복효적 행정행위에서는 행정심판청구기간의 연장에 특수성을 인정해주는 것으로 족하고(행정심판법 제27조3항 단서의 심판청구기간 180일을 지킬 수 없었던 정당한 사유가 있는 경우로 보는 등), 행정심판전치주의 자체는 적용된다고 보는 것이 타당하다.

판 례 [1] 행정소송법 제20조2항은 행정심판을 제기하지 아니하거나 그 재결을 거치지 아니하는 사건을 적용대상으로 한 것임이 규정자체에 의하여 명백하고, 행정처분의 상대방이 아닌 제3자가 제기하는 사건은 같은 법 제18조3항 소정의 행정심판을 제기하지 아니하고 제소할 수 있는 사건에 포함되어 있지 않으므로 같은 법 제20조2항 단서를 적용하여 제소에 관한 제척기간의

1) 행정심판전치주의는 취소소송 제기의 요건이므로 교과서 편제상으로는 행정소송편에서 다루고 있음.

규정을 배제할 수는 없다.

[2] 행정처분의 직접상대방이 아닌 **제3자는 행정처분이 있음을 곧 알 수 없는 처지**이므로 **행정심판법 제18조(개정법 제27조) 3항 소정의 심판청구의 제척기간내에 처분이 있음을 알았다는 특별한 사정이 없는 한** 그 제척기간의 적용을 배제할 같은 조항 단서 소정의 **정당한 사유가 있는 때에 해당**한다(대판 1989.5.9, 88누5150).[2)]

5. 내 용

(1) 소송요건

(2) 심판청구적법성과 필요적 전치주의 충족여부

1) **부적법한 심판청구**를 각하하지 않고 **본안에 대한 재결**을 하면 통설·판례는 전치요건이 **충족되지 않은 것**으로 본다.

2) **적법한 심판청구**가 부적법한 것으로 **각하**된 경우 통설·판례는 전치요건을 **충족**한 것으로 본다.

(3) 2단계 이상의 행정심판절차가 규정된 경우

하나의 처분에 대하여 법령이 이의신청과 행정심판 등 둘 이상의 행정심판절차를 규정한 경우에, 그 모두를 거치지 않으면 행정소송을 제기할 수 없는지의 문제이다. 법령이 이들 **절차를 모두 거치도록 규정**한 경우에는 **그에 따를 것이지만,** 그러한 **규정이 없다면** 국민의 권리구제를 조속히 실현하기 위해 그 절차 중 **하나만 거치면 된다**고 본다. 국세기본법은 명문으로 하나의 절차만 거치면 된다고 규정하고 있다(국세기본법 제56조 2항).

(4) 심판과 소송의 관련도

1) **인적 관련성**

행정심판청구인과 행정소송의 원고는 원칙적으로 동일인이어야 한다. 다만 취소소송의 원고가 행정심판의 청구인과 동일한 지위에 있거나 그 지위를 실질적으로 승계한 경우에는 원고 자신이 행정심판을 거치지 아니한 경우에도 그 소는 적법하고, 또한 공동의 법률적 이해관계를 갖는 다수인에 대한 동일한 행정처분에 대하여 그 다수인 중 한 사람이 적법한 행정심판을 거친 경우 다른 사람은 행정심판을 청구함이 없이 바로 소송 제기가 가능하다. 한편 행정소송법은 제18조3항1호에 필요적 전치의 예외로서, 동종사건에 관하여 이미 행정심판의 기각재결이 있은 때에는 행정심판 제기 없이 바로 취소소송을 제기할 수 있다고 하였다.

2) **사물적 관련성**

심판의 대상으로서의 처분과 소송의 대상으로서의 처분은 원칙적으로 동일한 것이어야 한다. 다만, 서로 내용상 관련되는 처분 또는 같은 목적을 위하여 단계적으로 진행되는 처분중 어느 하나가 이미 행정심판의 재결을 거친 때에는 행정심판 제기 없이 바로 취소소송을 제기할 수 있다(행소법 제18조3항2호).

3) **주장의 공통여부**(주장사유의 관련성)

양자의 주장이 전혀 별개의 것이 아닌 한 반드시 일치하여야 하는 것은 아니므로, 행정심판에서 주장하지 않은 사항도 기본적인 점에서 부합되는 것이면 행정소송에서 주장가능하다(판례).

6. 예 외

(1) 심판의 재결 거치지 않고 제소할 수 있는 경우(행소법 제18조2항)

(2) 행정심판을 제기함이 없이 바로 제소할 수 있는 경우(행소법 제18조3항)

---

2) 행정소송법이 임의적 전치주의로 개정되기 전에 필요적 전치주의를 원칙으로 하던 시기의 판례이며, 소송법 제20조2항은 현행법과는 다른 내용임을 주의. 개정 전 제20조1항은 행정심판 전치절차를 거친 경우의 제소기간을, 제20조2항은 전치주의가 적용되지 아니하는 경우의 제소기간에 대한 규정임을 염두에 두고 판례를 이해할 것.

115 집행정지

Ⅰ. 의 의

가구제란 **본안판결의 실효성을 확보**하기 위하여, 분쟁있는 행정작용이나 공법상의 권리관계에 관하여 잠정적인 효력관계나 지위를 정함으로써 본안판결이 확정될 때까지 **잠정적으로 권리구제를 도모**하는 것을 말한다. 행정소송은 종결시까지 상당한 시일이 소요되고, 경우에 따라서는 승소판결이 있더라도 계쟁처분이 집행되는 등 원고의 권리구제가 곤란한 경우가 있을 수 있게 되므로 판결이 있기 전이라도 가구제를 도모할 필요가 있다.

행정소송법은 **취소소송과 무효확인소송에 집행정지제도를 인정**(행소법 제23조, 38조1항)하고 있는데 **"취소소송의 제기는 처분 등의 효력이나 그 집행 또는 절차의 속행에 영향을 주지 아니한다**(행소법 제23조1항)**고 하여 집행부정지의 원칙**을 택하면서 행정운용의 확보와 개인의 권리보호의 확보라는 요청을 조화시키기 위해 **일정한 요건 하에 집행정지**의 길을 열어두고 있다. 집행정지는 ① **사법작용**(사법절차에 의한 구제조치), ② **잠정적인 보전처분**(잠정성, 긴급성, 본안소송에의 부종성), ③ 소**극적 가처분(적극적으로 임시의 지위를 정하는 것이 아니라 현상유지적)의 성격**을 가지고 있다.

Ⅱ. 집행부정지 원칙의 이론적 근거

처분의 공정력 내지 자력집행에서 구하는 견해 있으나 공정력의 필연적 귀결은 아니고 기본적으로 **입법정책의 문제(남소의 폐단방지, 행정의 신속성과 효율성)**라는 것이 통설이다. 독일은 집행정지를 원칙으로 하고 있다.

Ⅲ. 절 차

본안이 계속된 법원이 관할하며(행소법 제23조2항), 당사자의 신청 또는 직권에 의하여 개시된다. 집행정지의 **적극적 요건은 신청인이**, 중대한 공공복리에의 배치 및 본안청구의 이유 없음이라는 **소극적 요건**은 **피신청인이 소명**하여야 한다(행소법 제23조4항).

Ⅳ. 요 건[1)] - 처. 본. 회(꽤). 긴. 공. 명.

1. 처분등의 존재

⑴ 거부처분의 경우의 논의

1) 문제점

거부처분도 집행정지의 대상이 되는 처분에 개념상 포함되지만, 거부처분에 대하여 집행정지를 인정할 필요성이 있는지의 논의가 있다. 행정소송법은 집행정지결정에 대하여 거부처분 취소판결의 기속력으로서의 처분청의 **재처분의무를 규정하고 있는 제30조2항을 준용하고 있지 않아서 문제된다(제23조6항은 제30조1항만 준용).**

2) 학 설

① **긍정설**은 집행정지가 **허용된다면 행정청에 사실상의 구속력**을 갖게 되어 권리구제의 실효성을 확보할 수 있다고 하며, ② **부정설**은 집행정지는 **행정처분이 없었던 것과 같은 상태를 만드는 것을 의미**하며 그 이상으로 행정청에게 처분을 명하는 등 적극적인 상태를 만드는 것은 그 내용이 될 수 없으므로, 집행정지를 **인정한다 하여도 신청인의 지위는 거부처분이 없는 상태로 돌아가는 것에 불과하다는 점**을 근거로 한다. **행정소송법 제23조6항이 30조1항만 준용하고 2항을 준용하고 있지 않으므로** 행정청에게 재처분의무가 생기지 않는다는 점도 실정법적 논거이다. ③ **제한적 긍정설**은 **원칙적으로 부정**하나 **사안에 따라서는 거부처분이 행하여지지 아니한 상태로 복귀됨에 따라**

---

1) 1~4번 요건은 적극적 요건에 해당, 5, 6번은 소극적 요건

신청인에게 어떠한 법적 이익이 있다고 인정되는 경우 있을 수 있으므로 그러한 경우에 한해 집행정지를 인정할 수 있다고 한다.

3) 판 례

집행정지결정이 있어도 회복되는 원상이 없으므로 거부처분에 대한 집행정지를 **부정**한다. 다만 **하급심 판례** 중에는 예외적으로 **인정한 예들**이 있다.

판례 1 **허가신청에 대한 거부처분은 그 효력이 정지되더라도 그 처분이 없었던 것과 같은 상태를 만드는 것에 지나지 아니하는 것이고 그 이상으로 행정청에 대하여 어떠한 처분을 명하는 등 적극적인 상태를 만들어 내는 경우를 포함하지 아니하는 것**이므로, 교도소장이 접견을 불허한 처분에 대하여 효력정지를 한다 하여도 이로 인하여 위 교도소장에게 접견의 허가를 명하는 것이 되는 것도 아니고 또 당연히 접견이 되는 것도 아니어서 접견허가거부처분에 의하여 생길 **회복할 수 없는 손해를 피하는 데 아무런 보탬도 되지 아니하니** 접견허가거부처분의 **효력을 정지할 필요성이 없다**(대결 1991.5.2, 91두15).

판례 2 [1] 신청에 대한 거부처분의 효력을 정지하더라도 거부처분이 없었던 것과 같은 상태 즉 거부처분이 있기 전의 **신청시의 상태로 되돌아가는 데에 불과하고 행정청에게 신청에 따른 처분을 하여야 할 의무가 생기는 것이 아니므로**, 거부처분의 효력정지는 그 거부처분으로 인하여 신청인에게 생길 **손해를 방지하는 데에 아무런 소용이 없어** 그 **효력정지를 구할 이익이 없다.**
[2] 투전기업소허가갱신신청을 거부한 불허처분의 효력을 정지하더라도 이로 인하여 신청인에게 허가의 효력이 회복되거나 또는 행정청에게 허가를 갱신할 의무가 생기는 것은 아니므로 불허처분의 효력정지로서는 신청인이 입게 될 손해를 피하는 데에 아무런 보탬이 되지 아니하여 그 불허처분의 효력정지를 구할 이익이 없다는 이유로 그 신청을 각하한 사례(대결 1992.2.13, 91두47).

하급심판례 1 본안(한국보건의료인국가시험원을 상대로 한 반려처분 취소소송)에서 이 사건 반려처분의 적법성이 부정될 개연성을 배제할 수 없는데, 이 **반려처분의 효력이 제1회 한약사국가시험시행시까지 유지된다면**, 그 동안 시험을 준비해왔고 시험에 합격할 가능성이 있는 **신청인들의 응시기회가 부당히 박탈**될 수 있으므로 반려처분의 효력을 정지한다(서울행법 2000아120).

하급심판례 2 (서울대학교 수능점수 소수점 평가관련 사안)위 불합격처분의 효력이 2단계 전형의 실시때까지 그대로 유지된다면 **신청인의 응시기회가 부당하게 박탈됨에 따라 신청인이 회복하기 어려운 손해**를 입게 될 것이므로, 이를 예방하기 위하여 위 불합격처분의 효력을 정지할 긴급한 필요가 있다고 인정되고, 달리 효력정지로 인하여 공공복리에 중대한 영향을 미칠 우려가 있는 때에 해당한다고 인정할 자료도 없으므로 (생략) 2003년도 서울대학교 신입생 정시모집 1단계 전형불합격처분의 효력을 정지한다(서울행법 2003아957).

평석 - 백윤기 다단계 행정절차의 경우에 종국적인 거부처분이 아닌 그 전단계, 가령 1단계에서의 거부처분의 경우 이를 단순히 거부처분으로 보지 않고 앞으로 더 참여할 수 있는 행정절차 단계에 대한 배제로 보아 이를 침익적 처분으로 해석하면 침익적 처분에 대한 집행정지는 널리 인정되고 있으므로 집행정지 가능.

4) 검 토

거부처분 자체의 효력이나 거부처분에 따른 절차의 속행으로 중대한 손해가 발생하는 경우가 있을 수 있으므로 **예외적으로 집행정지를 인정할 필요성**이 있고, **국민의 권리구제 측면에서 현행 집행정지제도가 갖고 있는 기능적 한계를 극복**한다는 측면에서 **제한적 긍정설이 타당**하다. **행정소송법개정안**은 **가처분제도를 도입**하고 있다.
제한적 긍정설에 의할 때 집행정지신청의 이익이 있는 경우로 i) 연장허가신청에 대한 **거부처분이 있을 때까지 권리가 존속**한다고 **법에 특별한 규정**이 있는 경우 ii) 인허가 등에 붙여진 기간이 **갱신기간**이라고 볼 수 있는 경우 iii) **1차시험 불합격처분**(하급심판결) iv) **외국인의 체류기간갱신허가의 거부처분**(불허가처분의 효력정지는 신청인이 체류기간이 경과한 후에도 불법체류자로서 문책당하지 않게 되며 당장 추방되지는 않으므로 집행정지의 요건 충족) 등을 들 수 있다.

(2) 제3자효 행정행위의 경우 - 제3자의 신청 가능

이는 행정행위의 수익자와 침익자에 해당하는 사인간의 **이익형량** 문제이다. 새만금사업과 관련하여 서울행정법원이 공유수면매립면허처분에 대하여 집행정지를 인정한 사례가 있다.

2. 본안소송이 적법하게 계속 중

민사소송에서의 가처분과 달리 본안소송은 소송요건을 갖춘 적법한 것이어야 한다.

판 례 행정처분의 효력정지나 집행정지를 구하는 신청사건에 있어서는 행정처분 자체의 적법 여부는 궁극적으로 본안재판에서 심리를 거쳐 판단할 성질의 것이므로 원칙적으로 판단할 것이 아니고, 그 행정처분의 효력이나 집행을 정지할 것인가에 관한 행정소송법 제23조2항 소정의 요건의 존부만이 판단의 대상이 된다고 할 것이지만, 나아가 집행정지는 행정처분의 집행부정지원칙의 예외로서 인정되는 것이고 또 본안에서 원고가 승소할 수 있는 가능성을 전제로 한 권리보호수단이라는 점에 비추어 보면 집행정지사건 자체에 의하여도 신청인의 본안청구가 적법한 것이어야 한다는 것을 집행정지의 요건에 포함시켜야 할 것이다(대판 1995.2.28, 94두36).

3. 회복하기 어려운 손해발생의 가능성

판 례 '회복하기 어려운 손해'라 함은 특별한 사정이 없는 한 금전으로 보상할 수 없는 손해로서 이는 금전보상이 불능인 경우 내지는 금전보상으로는 사회관념상 행정처분을 받은 당사자가 참고 견딜수 없거나 또는 참고 견디기가 현저히 곤란한 경우의 유형, 무형의 손해를 일컫는다할 것이고, '처분등이나 그 집행 또는 절차의 속행으로 인하여 생길 회복하기 어려운 손해를 예방하기 위하여 긴급한 필요'가 있는지 여부는 처분의 성질과 태양 및 내용, 처분상대방이 입는 손해의 성질 · 내용 및 정도, 원상회복 · 금전배상의 방법 및 난이 등은 물론 본안 청구의 승소가능성의 정도 등을 종합적으로 고려하여 구체적 · 개별적으로 판단하여야 한다(대결 2004.5.17, 2004무6).

판례의 예로는 현역병입영처분집행정지신청. 시의원제명의결에 대한 효력정지신청 등이 있다. 최근에는 과세처분, 과징금납부명령도 "사업자체를 계속할 수 없거나 중대한 경영상 위기를 맞게 될 것으로 보이는 사정"이 있는 경우에는 회복하기 어려운 손해로 본 바 있다. 행정소송법 개정안은 "중대한 손해"로 요건을 완화하고 있다.[2)]

4. 긴급한 필요의 존재

손해발생 가능성이 절박하여 본안판결을 기다릴 시간적 여유가 없는 경우여야 한다.

5. 공공복리에 중대한 영향을 미칠 우려가 없을 것(행소법 제23조 3항)

이는 비례의 원칙에 의하여 집행정지가 공공복리에 미치는 영향과 집행부정지를 통하여 신청인이 입는 손해를 비교형량하여야 한다.

판례 1 집행정지의 장애사유로서의 '공공복리에 중대한 영향을 미칠 우려'라 함은 일반적 · 추상적인 공익에 대한 침해의 가능성이 아니라 당해 처분의 집행과 관련된 구체적 · 개별적인 공익에 중대한 해를 입힐 개연성을 말하는 것으로서 이러한 집행정지의 소극적 요건에 대한 주장 · 소명책임은 행정청에게 있다(대결 2004.5.17, 2004무6).

판례 2 [2] 행정소송법 제23조3항이 집행정지의 요건으로 '공공복리에 중대한 영향을 미칠 우려가 없을 것'을 규정하고 있는 취지는, 집행정지 여부를 결정하는 경우 신청인의 손해뿐만 아니라 공공복리에 미칠 영향을 아울러 고려하여야 한다는데 있고, 따라서 공공복리에 미칠 영향이 중대한지의 여부는 절대적 기준에 의하여 판단할 것이 아니라, 신청인의 '회복하기 어려운 손해'와 '공공복리'양자를 비교 · 교량하여, 전자를 희생하더라도 후자를 옹호하여야 할 필요가 있는지 여부에 따라 상대적 · 개별적으로 판단하여야 한다.

[3] 한국문화예술위원회 위원장이 자신의 해임처분의 무효확인을 구하는 소송을 제기한 후 다시 해임처분의 집행정지 신청을 한 사안에서, 해임처분의 경과 및 그 성질과 내용,처분상대방인 신청인이 그로 인하여 입는 손해의 성질 · 내용 및 정도, 효력정지 이외의 구제수단으로 상정될 수 있는 원상회복 · 금전배상의 방법 및 난이, 해임처분의 효력이 정지되면 신청인이 위원장의 지위를 회복하게 됨에 따라 새로 임명된 위원장과 신청인 중 어느 사람이 위 위원회를 대표하고 그 업무를 총괄하여야 할 것인지 현실적으로 해결하기 어려운 문제가 야기됨으로써 위 위원회의 대내외적 법률관계에서 예측가능성과 법적 안정성을 확보할 수 없게 되고, 그 결과 위 위원회가 목적사업을 원활하게 수행하는 데 지장을 초래할 가능성이 큰 점 등에 비추어, 해임처분으로 신청인에게 회복하기 어려운 손해가 발생할 우려가 있어 이를 예방하기 위하여 긴급한 필요가 있다고 인정되지 않을 뿐 아니라

2) 행정심판법은 개정을 통하여 "중대한 손해"로 요건을 완화하였다(제30조2항).

위 해임처분의 효력을 정지할 경우 공공복리에 중대한 영향을 미칠 우려가 있다는 이유로,위 효력정지 신청을 기각한 원심의 판단을 긍정한 사례(대판 2010.5.14, 2010무48).

6. 본안소송의 승소가능성(명문의 규정은 없음)

집행정지결정을 할 때 본안소송의 승소가능성을 고려하여야 하는지 견해대립이 있다. 집행정지는 **잠정적 권리보전절차**이므로 집행정지 단계서 본안에 관한 이유유무 판단은 허용될 수 없으므로 **집행정지의 요건이 아니라는 견해도 있으나, 다수설·판례는 승소가능성이 전혀 없음에도 집행정지신청을 인용**하는 것은 **제도의 취지에 어긋난다는 이유에서 집행정지의 소극적 요건**으로 인정한다.

판 례 [1] 행정처분의 효력정지나 집행정지를 구하는 신청사건에서 행정**처분 자체의 적법 여부는 궁극적으로 본안재판에서 심리를 거쳐 판단할 성질의 것이므로 원칙적으로는 판단할 것이 아니고** 그 행정처분의 효력이나 집행을 정지할 것인가에 대한 행정소송법 **제23조2항, 3항에 정해진 요건의 존부만이 판단의 대상이 된다고 할 것이지만,** 효력정지나 집행정지는 신청인이 본안소송에서 승소판결을 받을 때까지 그 지위를 보호함과 동시에 후에 받을 승소판결을 무의미하게 하는 것을 방지하려는 것이어서 **본안소송에서 처분의 취소가능성이 없음에도 처분의 효력이나 집행의 정지를 인정한다는 것은 제도의 취지에 반하므로 효력정지나 집행정지사건 자체에 의하여도 신청인의 본안청구가 이유 없음이 명백하지 않아야 한다는 것도 효력정지나 집행정지의 요건에 포함시켜야** 한다.
[2] 교육위원회의 정기회에서 … 의장불신임동의안이 제출되었고 출석의원 전원의 찬성에 의해 안건으로 채택되어 이의 없이 만장일치로 가결되자 불신임 대상인 의장이 당해 의장불신임결의의 효력정지를 신청한 사안에서, 그 **불신임결의에 절차적·실체적 위법사유가 있다는 주장이 효력정지사건 자체에 의하여도 이유 없음이 명백**하다는 이유로, 그 불신임결의 효력정지신청은 효력정지사건 자체에 의하여도 본안청구가 이유 없음이 명백하지 않아야 한다는 **효력정지의 요건을 갖추지 못한 것**으로서 행정소송법 제23조2항, 3항에 규정된 요건을 갖추었는지의 여부는 그 결과에 영향이 없다고 본 사례(대결 1997.4.28, 96두75).

V. 집행정지결정의 내용

1. 처분의 효력정지

처분의 효력정지는 처분등의 집행 또는 절차의 속행을 정지함으로써 목적을 달성할 수 있는 경우에는 허용되지 아니한다(행소법 제23조2항). 즉 효력정지는 **집행 또는 절차의 속행 정지에 대하여 보충적**이다.

판 례 산업기능요원 편입 당시 지정업체의 해당 분야에 종사하지 아니하였음을 이유로 **산업기능요원의 편입이 취소**된 사람은 편입되기 전의 신분으로 복귀하여 현역병으로 입영하게 하거나 공익근무요원으로 소집하여야 하는 것으로 되어 있는데, 그 취소처분에 의하여 생기는 손해로서 **그 동안의 근무실적이 산업기능요원으로서 종사한 것으로 인정받지 못하게 된 손해 부분**은 본안소송에서 그 처분이 위법하다고 하여 취소하게 되면 그 **취소판결의 소급효만으로 그대로 소멸**되게 되므로, 그 부분은 그 처분으로 인하여 생기는 **회복할 수 없는 손해에 해당한다고 할 수가 없고,** 결국 그 취소처분으로 인하여 입게 될 **회복할 수 없는 손해는 그 처분에 의하여 산업기능요원 편입이 취소됨으로써 편입 이전의 신분으로 복귀하여 현역병으로 입영하게 되거나 혹은 공익근무요원으로 소집되는 부분**이라고 할 것이며, 이러한 손해에 대한 예방은 그 처분의 **효력을 정지하지 아니하더라도 그 후속절차로 이루어지는 현역병 입영처분이나 공익근무요원 소집처분 절차의 속행을 정지함으로써 달성할 수가 있으므로,** 산업기능요원 편입취소처분에 대한 집행정지로서는 그 **후속절차의 속행정지만이 가능**하고 그 **처분 자체에 대한 효력정지는 허용되지 아니한다**(대결 2000.1.8, 2000무35).

2. 처분의 집행정지

예컨대 강제퇴거명령 받은 자에 대한 강제퇴거조치를 정지하는 것이다.

3. 절차의 속행정지

예컨대 토지수용절차에 있어 사업인정에 따른 후속조치를 정지하는 것이다.

Ⅵ. 효 과

집행정지의 효력은 결정주문에서 따로 정한 경우를 제외하고는 본안소송의 판결확정시까지만 존속한다.

판 례 [1] 행정소송법 제23조에 정해져 있는 처분에 대한 집행정지는 행정처분의 집행으로 인하여 회복하기 어려운 손해를 예방하기 위하여 긴급한 필요가 있고 달리 공공복리에 중대한 영향을 미치지 아니할 것을 요건으로 하여 본안판결이 있을 때까지 당해 행정처분의 집행을 잠정적으로 정지함으로써 위와 같은 손해를 예방하고자 함에 그 취지가 있고, 그 **집행정지의 효력 또한 당해 결정의 주문에 표시된 시기까지 존속하다가 그 시기의 도래와 동시에 당연히 소멸**한다.

[2] 일정한 납부기한을 정한 과징금부과처분에 대하여 '회복하기 어려운 손해'를 예방하기 위하여 긴급한 필요가 있고 달리 공공복리에 중대한 영향을 미치지 아니한다는 이유로 집행정지결정이 내려졌다면 그 **집행정지기간 동안은 과징금부과처분에서 정한 과징금의 납부기간은 더 이상 진행되지 아니하고 집행정지결정이** 당해 결정의 주문에 표시된 시기의 도래로 인하여 **실효되면 그 때부터 당초의 과징금부과처분에서 정한 기간(집행정지결정 당시 이미 일부 진행되었다면 그 나머지 기간)이 다시 진행**하는 것으로 보아야 한다(대판 2003.7.11, 2002다48023).

집행정지의 결정이 있으면 정지된 처분은 집행정지의 내용의 범위 내에서는 없는 것과 마찬가지의 상태가 되므로 그 범위에서는 **형성력**이 있어 **신청인 및 피신청인에게 효력**이 미치며, **제3자에게도** 효력이 미친다(행소법 제29조2항). 또한 집행정지결정은 취소판결의 효력에 준하여 당사자인 **행정청 뿐만 아니라 관계행정청도 기속**하며(행소법 제23조6항), **집행정지결정에 위배되는 행정처분은 당연무효**가 된다.

Ⅶ. 집행정지의 불복과 취소

1. 불 복

집행정지의 결정 또는 기각의 결정에 대하여는 **즉시항고**할 수 있으며, 다만 집행정지의 결정에 대한 즉시항고에는 결정의 집행을 정지하는 효력이 없다(행소법 제23조5항).

2. 집행정지결정의 취소

집행정지의 결정이 확정된 후 집행정지가 공공복리에 중대한 영향을 미치거나 그 정지사유가 없어진 때에는 당사자의 신청 또는 직권에 의하여 결정으로써 집행정지의 결정을 취소할 수 있다(행소법 제24조1항). 보통은 피신청인인 행정청이 취소를 신청할 것이다. 집행정지결정이 취소되면 처분의 원래 효과가 발생한다.

판 례 행정소송법 **제24조1항**에서 규정하고 있는 **집행정지 결정의 취소사유**는 특별한 사정이 없는 한 **집행정지 결정이 확정된 이후에 발생**한 것이어야 하고, 그 중 **'집행정지가 공공복리에 중대한 영향을 미치는 때'라 함은 일반적·추상적인 공익에 대한 침해의 가능성이 아니라 당해 집행정지 결정과 관련된 구체적·개별적인 공익에 중대한 해를 입힐 개연성**을 말하는 것이다(대결 2005.7.15, 2005무16)

---

3. 제3자효 행정행위에서 행정행위의 상대방의 즉시항고 및 집행정지결정의 취소신청 여부

제3자효 행정행위에 대해 집행정지결정이 난 경우, 처분으로 인하여 수익적 효과를 받는 **처분의 상대방이 소송참가를 한 경우**에 행소법 제23조 5항에 의한 즉시항고 또는 제24조의 집행정지결정의 취소를 구할 수 있는지 문제된다. 행정소송법상 집행정지신청을 한 '당사자'는 즉시항고 및 취소신청이 가능하나 제3자효 행정행위에서 처분의 상대방은 명문의 규정이 없다. 처분의 상대방은 보조참가인에 불과하고 **소송당사자가 아니라는** 부정설도 있으나 행소법 제16조의 참가를 한 경우에는 **공동소송적 보조참가인**의 지위에서 **당사자에 준하는 지위**를 가지므로 **긍정설이 타당**하다(박균성 206면.4).

기출 사례 경업자소송과 집행정지(97년 사시)

甲은 A시와 B시간의 시외버스 운송사업을 하면서 그럭저럭 수지를 맞추고 있었다. 그런데 관할 행정청은 乙에게 동일한 구간에 대해서 새로운 운송사업면허를 부여하였다.

(1) 甲은 이에 대해 행정소송을 제기하였는데 이 경우 법원은 어떠한 결정을 내려야 하는가?

(2) 만약 甲이 영업상 피해를 보고 있다면 긴급히 이를 구제할 수 있는 수단 및 가능성을 논하시오.

1. 시외버스운송사업면허의 법적 성질

- 특허, 재량행위

2. 甲의 소송제기에 대한 법원의 결정

(1) 소송요건과 관련

- 원고적격이 문제. 甲은 처분의 상대방이 아닌 제3자이지만 법률상 이익(독점적 경영권)을 침해받았으므로 원고적격을 가짐.

(2) 본안(위법성)

- 운송사업면허는 재량행위로서 재량권 일탈·남용이 있는지 문제

- 甲이 그럭저럭 수지를 맞추고 있는 상황에서 동일노선에 대한 면허는 재량을 일탈(사업계획이 "당해 노선의 수송수요의 수송력공급에 적합할 것"이라는 면허기준에 위반)한 것임.

- 위법성의 정도는 중대명백설에 의할 때 취소사유.

- 甲이 취소소송을 제기했다면 법원은 청구인용판결을 하여야 함.

- 甲이 무효확인소송을 제기하였다면 취소소송제기요건을 갖추지 못한 경우라면 기각판결을, 취소소송제기요건을 갖춘 경우라면 법원은 석명권을 행사하여 취소소송으로 변경한 후에 취소판결을 해야 함(소변경 없이 취소판결을 할 수 있다는 견해도 있음).

3. 가구제

(1) 집행정지의 가능성

- 집행정지요건 중 회복하기 어려운 손해가 문제됨.

- 금전으로 회복될 수 있는 손해이므로 회복하기 어려운 손해에 해당되지 않으며 집행정지는 인용되기 어려움(경영상 어려움 등이 있는 경우 반대의 포섭 가능).

(2) 가처분 인정여부[3]

- 학설대립하며 판례는 부정. 판례에 의하면 甲은 가처분을 활용할 수 없음.

기출 사례 거부처분의 집행정지 인정여부(04년 사시)

사행행위 영업의 하나인 투전기영업허가를 받은 甲은 3년의 허가유효기간이 얼마 남지 아니하여 허가관청에 대하여 허가갱신신청을 하였으나 거부당하였다. 이에 甲은 허가갱신거부처분 취소소송을 제기함과 동시에 허가갱신거부처분의 집행정지결정을 신청하였다. 甲의 집행정지 주장의 당부와 그 논거를 제시하시오.(30점)

[참조조문]

***사해행위등 규제 및 처벌 특례법**

제7조(허가의 유효기간)

1. 허가의 유효기간은 영업의 종류별로 대통령령으로 정하되 3년을 과할 수 없다.
2. 제1항의 규정에 의한 허가의 유효기간이 지난 후 계속하여 영업을 하고자 하는 자는 행정안전부령이 정하는 바에 의하여 다시 허가를 받아야 한다.

Ⅰ. 쟁점의 정리

- 거부처분에 대한 집행정지신청이 가능한지의 문제인 바 설문의 처분이 갱신신청에 대한 거부처분이라는 점에서 집행정지의 대상이 될 수 있는지 문제되며 기타 요건의 충족여부도 검토하고 그 전제로서 허가갱신 거부처분의 법적 성질을 검토.

Ⅱ. 甲에 대한 투전기 갱신신청허가 거부처분의 법적 성질

1. 투전기 영업허가와 기간경과에 따른 영업허가의 효력

- 투전기 영업허가는 강학상 예외적 승인에 해당하며 재량행위

- 甲이 받은 투전기 영업허가에 대한 3년의 유효기간이 투전기 허가의 성질상 부당하게 짧은 기한을 정한 경우라면

3) 수익적 처분의 신청에 대한 거부의 경우가 아니고, 갑에게는 침익적(제3자효)이므로 가처분에 대한 논의는 언급하지 않아도 무방하며, 문제의 제기 부분에서 간단히 가처분보다는 집행정지가 문제된다는 식으로 언급만 해도 족함.

조건의 존속기간을 정한 것이며 그 기한이 도래함으로써 그 조건의 개정을 고려한다는 갱신기간에 해당될 것이나 사안은 그러한 경우에 해당되지 않음.[4)]

2. 허가갱신신청 거부의 처분성 여부

- 판례에 의하면 거부가 처분성이 인정되기 위해서는 법규상, 조리상 신청권이 있어야 하는데, 사안에서는 법령의 규정상 허가신청할 것을 전제로 하고 있으므로 법규상신청권이 인정되므로 갱신신청거부는 거부처분에 해당.

Ⅲ. 집행정지신청의 당부

1. 행정소송법의 입법태도

(1) 집행부정지 원칙

(2) 예외적 집행정지(제23조2항 내지 6항)

2. 집행정지의 요건(#115)

(1) 처분이 존재

- 거부처분에 대해서 가능한지 논의 있음. 후술.

(2) 본안소송이 적법하게 계속 중

- 갱신허가거부는 처분에 해당하며 다른 소송요건도 구비

(3) 회복하기 어려운 손해발생의 가능성

- 甲이 입게 되는 손해는 금전보상이 가능한 손해이기는 하나 중대한 경영상위기를 가져오는 경우에는 회복하기 어려운 손해발생의 우려가 있다고 할 수 있음.

(4) 긴급한 필요의 존재

- 회복하기 어려운 손해와 관련하여 검토.

(5) 공공복리에 중대한 영향을 미칠 우려가 없을 것

- 공공복리에 중대한 영향을 미칠 것으로 보이지는 않음.

(6) 본안소송의 승소가능성(명문 無)

3. 거부처분에 대한 집행정지(#115)

(1) 문제점

(2) 학설 및 판례

- 긍정설, 부정설, 제한적 긍정설
- 판례는 투전기영업허가 갱신거부처분과 관련하여 원칙적 입장에서 집행정지신청의 이익이 없다고 판시.

판 례 사행행위등규제법 제7조2항의 규정에 의하면 사행행위영업허가의 효력은 유효기간 만료 후에도 재허가신청에 대한 불허가처분을 받을 때까지 당초 허가의 효력이 지속된다고 볼 수 없으므로 허가갱신신청을 거부한 불허처분의 효력을 정지하더라도 이로 인하여 유효기간이 만료된 허가의 효력이 회복되거나 행정청에게 허가를 갱신할 의무가 생기는 것도 아니라 할 것이니 투전기업소갱신허가불허처분의 효력을 정지하더라도 불허처분으로 입게 될 손해를 방지하는 데에 아무런 소용이 없고 따라서 불허처분의 효력정지를 구하는 신청은 이익이 없어 부적법하다 (대판 1993.2.10, 92두72).

(3) 검토 및 사안의 경우

- 제한적 긍정설이 타당.
- 사안의 경우 3년의 유효기간이 갱신기간이라고 볼 수 없으므로 집행정지신청의 이익이 있는 경우는 아님. 따라서 집행정지는 불가능.

Ⅳ. 사안의 해결

4) 갱신기간으로 포섭할 수도 있음.

116 가처분 준용 여부

Ⅰ. 가처분의 의의

1. 의 의

금전 이외의 특정한 급부를 목적으로 하는 청구권의 집행보전을 도모하거나 다툼이 있는 권리관계에 관하여 잠정적으로 임시의 지위를 정하는 것을 목적으로 하는 가구제 제도이다(민사집행법 제300조 이하).

2. 항고소송에서의 인정필요성

집행정지제도는 침익적 행정처분에 대한 보전처분으로서의 기능만을 수행하는 것이기 때문에, 내용상 수익적 행정처분의 신청에 대한 부작위ㆍ거부 등에 대한 잠정적인 허가ㆍ급부 등의 조치는 집행정지제도에 의하여서는 불가능하므로 가구제제도로서는 한계가 있다. 이에 따라 민사집행법의 가처분을 행정소송에도 준용하여 행정소송법상의 집행정지제도가 갖는 한계를 보충해야 한다는 문제가 제기된다(당사자소송에서는 민사집행법상 가처분이 준용된다.(#129. Ⅴ).

Ⅱ. 인정여부

1. 문제의 소재

행정소송법은 가처분에 관한 민사집행법상의 규정을 적용하는지에 대한 명문 규정이 없는바, 이에 행정소송법 제8조2항의 해석과 관련한 가처분 규정 준용여부에 논란이 있다.

2. 학 설

(1) 부정설

① 법원은 행정처분의 위법여부를 판단할 수 있지만 그 판단에 앞서 행정처분에 대하여 가처분을 하는 것은 사법권의 범위를 벗어나는 것으로 권력분립의 원리에 반하고, ② 현행법은 가처분의 본안소송으로서의 의무이행소송이나 예방적 부작위청구소송등을 인정하고 있지 아니하여 인정 실익이 없다는 점을 근거로 한다.

(2) 긍정설

① 실효성 있는 국민의 권리구제를 통해 적극적 가구제 수단인 가처분을 인정할 필요성이 있으며, ② 행정소송법 제8조2항에 의해 민사집행법상의 가처분 규정을 준용할 수 있다고 한다.

(3) 제한적 긍정설

수익적 행정행위에 대한 거부처분의 효력을 잠정적으로 배제할 필요가 있는 경우와 같이 집행정지제도를 통해서는 실효적인 권리구제가 되지 않는 예외적인 경우에 가처분 규정을 준용할 수 있다고 본다.

3. 판례 – 부정설

판례 1 민사소송법상의 보전처분은 민사판결절차에 의하여 보호받을 수 있는 권리에 관한 것이므로, 민사소송법상의 가처분으로써 행정청의 어떠한 행정행위의 금지를 구하는 것은 허용될 수 없다 할 것이다(대결 1992.7.6, 92마54).

판례 2 항고소송의 대상이 되는 행정처분의 효력이나 집행 혹은 절차속행 등의 정지를 구하는 신청은 행정소송법상 집행정지신청의 방법으로서만 가능할 뿐 민사소송법상 가처분의 방법으로는 허용될 수 없다(대결 2009.11.2, 2009마596).

4. 검 토

실효적인 권리구제를 위하여 가처분제도를 인정할 필요성은 있으나, 현행 행정소송법이 거부처분이나 부작위에 대하여 의무이행소송을 인정하지 않은 취지를 고려할 때 가처분 규정의 준용은 부정함이 타당하다. 입법론적으로는 의무이행소송의 도입과 더불어 가처분의 도입이 필요하며, 행정소송법개정안도 가처분을 인정하고 있다.

117 소의 변경

Ⅰ. 의 의

소송 중에 원고가 심판대상인 청구를 변경하는 것을 말하며, 청구의 변경이라고도 한다.

Ⅱ. 행정소송법상의 소의 변경

1. 소의 종류의 변경

(1) 의 의

행정소송은 여러 종류가 있어 소송종류의 선택을 잘못할 위험이 있는데, 별소의 제기를 강요한다는 것은 원고의 보호 및 소송경제의 관점에서 바람직하지 않으므로 행정구제의 실효성을 높이기 위하여 인정된다. 당사자의 변경을 수반할 수 있다는 점에서 민사소송법에 의한 소의 변경에 대한 특례에 해당한다.

(2) 종 류

1) 항고소송간의 변경 - 제21조1항, 제37조

2) 항고소송과 당사자소송간의 변경 - 제21조1항, 제37조, 제42조

(3) 요건 및 절차(21조)

① 변경의 대상이 되는 소송이 계속중이고, ② 사실심의 변론종결시까지 원고의 신청이 있어야 하며, ③ 청구의 기초에 변경이 없고, ④ 소를 변경하는 것이 상당하다고 인정되며, ⑤ 법원의 허가결정이 있어야 한다(21조 2항, 3항).

(4) 효 과

새로운 소는 구소제기시에 제기된 것으로 보고, 구소는 취하된다(21조 4항).

2. 처분변경으로 인한 소의 변경

(1) 의 의

행정청이 소송의 대상인 처분을 소가 제기된 후 변경한 때에 인정된다(제22조1항, 제38조1항, 제44조1항). 피고의 책임 있는 사유로 소의 목적물이 변경 또는 소멸된 경우 소각하와 다시 제소를 해야 한다면 절차의 불합리한 반복이 되므로, 원고로 하여금 신속하게 구제받도록 하고자 인정되는 제도이다.

(2) 요건 및 절차

법원은 행정청이 소송의 대상인 처분을 소가 제기된 후 변경한 때에는 원고의 신청에 의하여 결정으로써 청구의 취지 또는 원인의 변경을 허가할 수 있다(제22조1항).

(3) 효 과

구소가 처음 제기된 때에 새로운 소가 제기되고, 동시에 구소는 취하된 것으로 본다. 한편 새로운 소는 행정심판의 전치가 요구되는 경우에도 행정심판전치요건을 갖춘 것으로 봄(제22조3항).

3. 부작위에 대한 부작위위법확인소송 중 거부처분이 발령된 경우 거부처분취소소송으로의 소변경 가능성

(1) 문제점

거부처분이 있었음에도 부작위인줄 잘못 알고 부작위위법확인소송을 제기한 경우에는 거부처분취소소송으로 항고소송간의 소의 변경이 가능하다(행정소송법 제37조, 21조). 그러나 부작위위법확인소송을 제기한 후 행정청의 거부처분이 있는 경우에는 논리적으로는 행정소송법 제22조의 처분변경으로 인한 소변경이 적용되어야 하지만, 준용규정이 없어 37조, 21조에 의해 거부처분에 대한 취소소송으로 변경하는 것이 가능한지 여부에 대해 논란이 있다.

(2) 학 설

① **행정소송법 제21조 규정의 취지를 행정소송간에 소송의 종류의 선택을 잘못할 위험이 있어 이 규정에 의해 소의 종류의 변경을 인정**한 것이라면 부작위에서 거부처분으로 발전된 경우에는 **입법취지**를 고려하여 부작위위법확인소송에서 거부처분 취소소송으로 변경하는 것을 허용할 수 없다는 **부정설**과 ② 이러한 경우 소변경을 규정하지 않은 것은 입법의 불비로 보아 행정소송법 **제21조를 적용**하여 소의 종류의 변경을 인정하는 **긍정설**이 대립한다.

(3) 검 토

부정설에 의하면 기왕에 제기한 부작위위법확인소송을 **취하하고 새로이** 거부처분에 대한 **취소소송을 제기**할 수밖에 없으나 이는 **소송경제상 불합리**하므로 **긍정설이 타당**하다.

Ⅲ. 민사소송법상의 소의 변경

1. 행정소송과 민사소송 사이의 소의 변경

행정소송법은 행정소송과 민사소송간의 소변경에 관하여는 **아무런 규정을 두고 있지 않아**, 허용할 수 있는지 여부에 견해 대립이 있다.

(1) 학 설

① **부정설**은 민사소송법상의 소의 변경은 법원과 당사자의 동일성을 유지하면서 동종의 절차에서 심리될 수 있는 경우에만 가능한 것이므로, **피고의 변경을 수반**하며 **서로 관할법원이 다른** 민사소송과 행정소송 사이의 변경은 허용되지 않는다고 본다. ② **긍정설**은 항고소송을 처분을 원인으로 하는 민사소송으로 변경하는 경우 **피고가 처분청에서 국가 등으로 변경되지만 양당사자는 실질에 있어서 동일성이 유지**되고 있으며, **행정법원은 독립법원이 아니라 전문법원에 불과**하다는 점을 근거로 한다.

(2) 판 례

(구)의료보호법에 따라 보호비용을 청구하였다가 거부된 진료기관이 구제받기 위하여는 진료비지급거부처분에 대한 항고소송을 제기하여야 하는데 **민사소송**으로 진료비**청구**를 한 사건에서, "만약 **수소법원이 그 행정소송에 대한 관할도 동시에 가지고 있는 경우**라면 원고로 하여금 **항고소송으로 소 변경을 하도록 하여 심리・판단하여야** 한다"라고 판시하여, **민사소송의 항고소송으로의 소의 변경**을 제한적으로 **허용**한 바 있다. 항고소송에서 민사소송으로의 소 변경에 관한 판례는 아직 없다.

(3) 결 어

국민의 소송상 편의와 소송경제의 관점에서 **긍정설이 타당**하며, 입법론으로는 명문으로 규정하는 것이 바람직하며 **행정소송법개정안**은 이를 인정하고 있다.

2. 처분의 변경을 전제로 하지 않고 소송의 종류를 변경하지 않는 청구의 변경

행정소송법 제21조・22조는 민사소송법상의 소변경을 배척하는 취지가 아니므로, 행정소송에서도 **민사소송법 제262조**에 의한 소의 변경은 가능하다. 단 이 경우 행정소송법 **제14조4항이 준용되지 아니하므로,** 처음 소가 제기된 때에 제소된 것으로 볼 수는 없고 소변경신청서 제출시에 제소된 것으로 보아 **제소기간 준수여부도 소변경서 제출시를 기준**으로 보아야 한다.

118 위법판단의 기준시

Ⅰ. 문제의 제기

처분은 그 당시의 사실상태 및 법률상태를 기초로 하여 행해지게 되는데, **처분 후 사실상태 또는 법률상태가 변경되는 경우**에 법원이 처분의 위법 여부를 판단함에 있어서 어느 시점의 법률상태 및 사실상태를 기준으로 해야 하는지의 문제이다. 이는 행정소송, 특히 **취소소송의 본질을 무엇으로 볼 것인가 하는 문제이기도** 하다.

Ⅱ. 구체적 검토

1. 취소소송 및 무효확인소송

(1) 학 설

① 취소소송에 있어서 **법원의 역할은 처분의 사후심사**로 보아 법원이 **처분 후의 사정에 근거하여 처분의 적법 여부를 판단**하는 것은 **행정청의 제1차적인 판단권을 침해**하는 것이 되어 타당하지 않다는 점을 근거로 하는 처분시설, ② 취소소송의 판결은 **처분의 사후심사가 아니라 처분에 계속적으로 효력을 부여할 것인가의 문제**로 보아 **취소소송의 본질은 처분으로 인하여 형성된 위법상태를 배제**함에 있다고 보는 **판결시설**, ③ **원칙적**으로 **처분시설**에 의하되 **예외적**으로 **계속효 있는 행정행위(예: 교통표지판의 설치)나 미집행의 처분**에 대하여는 판결시설에 의한다거나 **거부처분 취소소송**은 취소판결이 행정소송법 제30조2항과 결부하여 행정청에게 신청에 따른 처분의무를 부과한다는 점에서 **실질적으로는 의무이행소송과 유사한 성격**을 갖는다는 점을 근거로 **거부처분은 판결시**가 되어야 한다는 **절충설**이 대립한다.

(2) 판례 - 처분시설

판례는 처분의 적법 여부는 **처분 당시를 기준**으로 하여 판단하여야 하고, 처분청이 **처분 이후에 추가한 새로운 사유를 보태어 처분 당시의 흠을 치유시킬 수는 없다**고 하여 **처분시설**의 입장이다. 처분시의 의미는 행정**처분이 있을 때의 법령과 사실상태를 기준으로 하여 위법 여부를 판단할 것이며 처분 후 법령의 개폐나 사실상태의 변동에 영향을 받지 않는다는 뜻**이고 **처분 당시 존재하였던 자료나 행정청에 제출되었던 자료만으로 위법 여부를 판단한다는 의미는 아니므로, 처분 당시의 사실상태 등에 대한 입증은 사실심 변론종결 당시까지** 할 수 있고, 법원은 행정처분 당시 행정청이 알고 있었던 자료뿐만 아니라 사실심 변론종결 당시까지 제출된 모든 자료를 종합하여 처분 당시 존재하였던 객관적 사실을 확정하고 그 사실에 기초하여 처분의 위법 여부를 판단할 수 있다고 한다(대판 1993.5.27, 92누19033).

(3) 검 토

취소소송의 본질은 개인의 권익구제를 우선 목적으로 하고 있다는 점에서 **처분시설**이 타당하다.

2. 부작위위법확인소송

통설 · 판례는 부작위위법확인소송은 아무런 처분을 전제로 하지 않고, 인용판결의 효력(제38조2항, 제30조2항)과의 관계에서 볼 때 **현재의 법률관계에 있어서의 처분권 행사의 적부에 관한 것**으로 보아 **판결시설**의 입장이다.

판 례 부작위위법확인의 소는 … 소제기의 전후를 통하여 **판결시까지** 행정청이 그 신청에 대하여 적극 또는 소극의 처분을 함으로써 **부작위상태가 해소된 때에는 소의 이익을 상실**하게 되어 당해 소는 각하를 면할 수가 없는 것이다(대판 1990.9.25, 89누4758).

Ⅲ. 관련문제 - 허가신청 후 법령개정으로 인해 거부처분시 위법판단 기준시기

이는 처분시와 판결시 사이에 사정변경이 생긴 위의 논의의 전제와 달리, 처분의 발령을 신청할 당시와 이에 대한 거부처분시 사이에 생긴 사정변경이 있을 경우의 문제이다. **판례는 신청을 수리하고도 정당한 이유 없이 처리를 늦춘 경우가 아닌 한 원칙적으로 처분시를 기준**으로 한다.

119 처분사유의 추가 · 변경

Ⅰ. 서 설

행정청이 처분을 하면서 처분사유를 밝힌 후, 이에 대한 취소소송의 계속 중 처분의 적법성을 유지하기 위하여 처분당시에 처분사유로 삼았던 것과는 다른 사유를 추가 또는 변경하는 것을 말한다. 처분시에 이미 존재하던 사실이나 법적 근거를 주장하는 점에서 처분시의 하자를 사후보완하는 하자의 치유와 구별된다. 처분사유의 추가 · 변경은 분쟁의 일회적 해결의 요청과 원고의 공격방어방법 보장의 충돌시 피고의 주장을 얼마나 제한할 것인가의 문제로서 허용가능성이 넓을수록 원고의 공격방어방법에 지장을 주기 때문에 양자의 조화가 필요하다.

Ⅱ. 인정여부

1. 학 설

① 허용하지 않는다면 원고가 승소하더라도 처분청으로서는 다른 이유를 근거로 다시 동일한 처분 가능하므로 분쟁의 일회적 해결에 반한다는 **긍정설**, ② 허용한다면 원고의 방어방법에 지장을 초래하므로 **실질적 법치주의와 상대방의 신뢰보호**를 강조하는 **부정설**, ③ 소송경제의 요청과 실질적 법치주의 및 상대방의 신뢰보호의 요청을 조화시키는 범위 내에서 기본적 사실관계의 동일성이 인정되는 범위에서만 허용하는 **제한적 긍정설**이 있다.

2. 판례 – 제한적 긍정설

판 례 실질적 법치주의와 행정처분의 상대방인 국민에 대한 신뢰보호라는 견지에서 처분청은 당초처분의 근거로 삼은 사유와 기본적 사실관계가 동일성이 있다고 인정되는 한도 내에서만 다른 사유를 추가하거나 변경할 수 있을 뿐, 기본적 사실관계와 동일성이 인정되지 않는 별개의 사실을 들어 처분사유로 주장함은 허용되지 아니한다(대판 1999.3.9, 98두18565).

3. 검토 – 제한적 긍정설

처분사유 추가변경을 널리 허용한다면 원고에게 예기치 못한 법적 불안을 초래하는 결과가 되며, 반면 이를 불허한다면 취소판결이 내려진 이후 행정청이 새로운 사유를 근거로 동일한 취지의 처분을 발할 수 있는 문제가 생기므로 일정한 범위 안에서 허용하는 것이 바람직하다. 이 경우 그 허용요건과 한계를 설정하는 것이 문제될 것이다.

Ⅲ. 허용범위 및 한계

1. 기본적 사실관계의 동일성(사물적 한계)

일반적으로는 시간적 · 장소적 근접성, 행위의 태양 · 결과 등의 제반사실을 종합적으로 고려하여 본질적으로 동일한 처분으로 볼 수 있을 것인지 아니면 새로운 처분을 한 것으로 보아야 하는지를 기준으로 판단한다.

판 례 기본적 사실관계의 동일성 유무는 처분사유를 법률적으로 평가하기 이전에 구체적인 사실에 착안하여 그 기초가 되는 사회적 사실관계가 기본적인 면에서 동일한지 여부에 따라 결정하고, 처분청이 처분당시에 적시한 구체적 사실을 변경하지 아니하는 범위내에서 단지 그 처분의 근거법령만을 추가변경하는 것은 새로운 처분사유의 추가라고 볼 수 없으므로 이와 같은 경우에는 처분청이 처분당시에 적시한 구체적 사실에 대하여 처분 후에 추가 변경한 법령을 적용하여 그 처분의 적법여부를 판단하여도 무방하다(대판 1987.12.8, 87누632).

긍정판례 버스 6대를 지입제로 운영하는 행위가 당초의 이 사건 행정처분(운송사업면허취소처분) 사유인 자동차운수사업법 제26조의 명의이용금지에 위반되는 행위라고 할 수는 없으나, 피고는 원고에게 이 사건 버스운송사업면허 및 증차인가처분을 함에 있어서 그 버스를 직영으로 운영토록 하고 이를 위반하는 경우 그 면허 및 인가를 취소할 수 있다는 조건을 붙였는데 원고의 이 사건 버스 6대에 대한 지입제 운영행위는 면허 및 인가처분시에 유보된 취소권의 행사대상이 될 뿐만 아니라 위 면허 및 인가조건에 위반한 것으로서 자동차운수사업법 제31조1항1호의 면허취소대상에 해당하고, 위 면허 및 인가조건위반의 취소사유는 당초의 취소사유와 기본적 사실관계에 있어서 동일하다(대판 1992.10.9, 92누213).

긍정판례 주택신축을 위한 산림형질변경허가신청에 대하여 행정청이 거부처분을 하면서 당초 거부처분의 근거로 삼은 준농림지역에서의 행위제한이라는 사유와 나중에 거부처분의 근거로 추가한 자연경관 및 생태계의 교란, 국토 및 자연의 유지와 환경보전 등 중대한 공익상의 필요라는 사유는 기본적 사실관계에 있어서 동일성이 인정된다(대판 2004.11.26, 2004두4482).

부정판례 주류면허에 붙은 지정조건 제6호에 따라 원고의 무자료 주류 판매 및 위장거래 금액이 부가가치세 과세기간별 총주류판매액의 100분의 20 이상에 해당한다는 이유로 피고에게 유보된 취소권을 행사하여 위 면허를 취소하였음이 분명한바, 피고가 이 사건 소송에서 위 면허의 취소사유로 새로 내세우고 있는 위 지정조건 제2호 소정의 무면허 판매업자에게 주류를 판매한 때 해당한다는 것은 피고가 당초 위 면허취소처분의 근거로 삼은 사유와 기본적 사실관계가 다른 사유이다(대판 1996.9.6, 96누7427).

부정판례 원고의 이 사건 토석채취허가신청에 대하여 피고는 인근주민들의 동의서를 제출하지 아니하였음을 이유로 이를 반려하였음이 분명하고 피고가 이 사건 소송에서 위 반려사유로 새로이 추가하는 처분사유는 이 사건 허가신청지역은 전남 나주군 문평면에 소재한 백용산의 일부로서 토석채취를 하게 되면 자연경관이 심히 훼손되고 암반의 발파시 생기는 소음, 토석운반차량의 통행시 일어나는 소음, 먼지의 발생, 토석채취장에서 흘러내리는 토사가 부근의 농경지를 매몰할 우려가 있는 등 공익에 미치는 영향이 지대하고 이는 산림내토석채취사무취급요령 제11조 소정의 제한사유에도 해당되기 때문에 위 반려처분이 적법하다는 것인 바, 이는 피고가 당초 위 반려처분의 근거로 삼은 사유와는 그 기본적 사실관계에 있어서 동일성이 인정되지 아니하는 별개의 사유라고 할 것이므로 피고는 이와 같은 사유를 이 사건 반려처분의 근거로 추가할 수 없다(대판 1992.8.18, 91누3659).

2. 추가 · 변경 사유의 기준시(시간적 한계)

처분시에 객관적으로 존재하였던 사유이어야 하며, 추가 · 변경을 판결시까지 주장해야 한다.

판 례 피고가 이 사건 처분의 근거로 삼은 사유는 원고에게 제주특별법 제292조 제3항 단서 제5호에서 정한 요건이 구비되지 아니하였음에도 피고가 잘못하여 원고를 사업시행자로 지정한 이 사건 사업시행자 지정처분에 위법한 하자가 있다는 점과 원고를 사업시행자로 지정한 것은 특혜로서 이 사건 사업시행자 지정처분에 부당한 하자가 있다는 점으로서 이러한 사유들은 모두 이 사건 사업시행자 지정처분 당시에 존재하였던 하자라고 봄이 타당하므로, 앞서 본 법리에 의하면 이 사건 사업시행자 지정처분의 취소사유에 해당한다고 보아야 한다. 그리고 피고가 이 사건 변론과정에서 제주특별법 제292조 제3항 단서 제5호의 요건 구비 여부와 특혜 여부에 관하여 주장한 사유들은 당초 이 사건 처분의 근거가 된 취소사유를 구체적으로 부연하는 내용이거나 그와 기본적 사실관계의 동일성이 인정되는 범위 내에 있는 내용으로 보인다(대판 2014.10.27, 2012두11959).

Ⅳ. 재량처분과 처분사유의 추가 변경

재량행위에서 고려과정의 변경은 새로운 변경행위로서 성격을 지니기 때문에 재량행위에서의 처분사유의 추가변경은 허용될 수 없다는 견해도 있으나, 일정한도 내에서 처분사유의 변경이 반드시 처분의 본질적 내용을 변경시키는 것은 아니며 분쟁의 일회적 해결의 필요성이 있으므로 긍정하는 것이 타당하다.

Ⅴ. 처분사유의 추가 변경의 결과

동일성이 없는 처분사유의 변경은 처분의 변경을 초래하므로, 이 경우 처분변경으로 인한 소변경(행소법 제22조)이 허용되어야 한다. 반면 동일성이 있는 처분사유의 변경에 의해 처분의 적법성이 인정될 경우에는 소취하 기회를 부여하고, 소송비용 일부를 피고가 분담하는 것으로 보아야 할 것이다(소송법 제32조).

Ⅵ. 행정내부 시정절차 및 행정심판에서의 처분사유의 추가 변경

판례는 행정내부 시정절차에서는 기본적 사실관계의 동일성이 인정되지 아니하는 사유라고 하더라도 이를 처분의 적법성과 합목적성을 뒷받침하는 **처분사유로 추가·변경할 수 있다**고 한 반면(판례2), **행정심판**에서는 기본적 사실관계의 **동일성이 인정되지 아니하는 사유는 처분사유로 추가·변경할 수 없다**고 한다(판례1).

판례 1 행정처분의 취소를 구하는 항고소송에서 처분청은 **당초 처분의 근거로 삼은 사유와 기본적 사실관계가 동일성이 있다고 인정되는 한도 내에서만 다른 사유를 추가 또는 변경할 수 있고,** 이러한 기본적 사실관계의 동일성 유무는 처분사유를 법률적으로 평가하기 이전의 구체적 사실에 착안하여 그 기초인 사회적 사실관계가 기본적인 점에서 동일한지에 따라 결정되므로, 추가 또는 변경된 사유가 처분 당시에 이미 존재하고 있었다거나 당사자가 그 사실을 알고 있었다고 하여 당초의 처분사유와 동일성이 있다고 할 수 없다. 그리고 **이러한 법리는 행정심판 단계에서도 그대로 적용**된다(대판 2014.5.16, 2013두26118).

판례 2 **산재보험법상 심사청구에 관한 절차는 보험급여 등에 관한 처분을 한 피고로 하여금 스스로의 심사를 통하여 당해 처분의 적법성과 합목적성을 확보하도록 하는 피고 내부의 시정절차**에 해당한다고 보아야 한다. 따라서 처분청이 스스로 당해 처분의 적법성과 합목적성을 확보하고자 행하는 자신의 **내부 시정절차에서는 당초 처분의 근거로 삼은 사유와 기본적 사실관계의 동일성이 인정되지 아니하는 사유라고 하더라도 이를 처분의 적법성과 합목적성을 뒷받침하는 처분사유로 추가·변경할 수 있다**고 봄이 타당하다(대판 2012.9.13, 2012두3859).

기출 사례 처분사유 추가변경(08년 사시)[1)]

주택사업과 건설업 등을 영위하는 주식회사 甲은 60필지의 단독주택단지를 재개발하여 아파트 4개동 300세대를 건축하기로 하고 위 60필지의 토지를 매수하는 작업을 하였으나, 매매대금의 차이로 60필지 중 10필지만을 매수하는 데 그쳤다. 甲은 위 10필지의 토지에 12층 규모 72세대의 아파트를 건축하기로 하고 주택법 제16조1항 및 주택법시행령 제15조1항의 규정에 의하여 관할 행정청인 乙에게 주택건설사업계획승인신청을 하였다. 위 60필지 토지는 직사각형 모양의 단독주택단지이고 그 중 위 10필지는 전체 60필지 중 남서쪽 모퉁이에 위치하고 있으며, 위 10필지 외 다른 토지의 소유자들은 "60필지의 토지소유자 중 80% 이상의 동의로 아파트재개발사업을 추진하고 있는 상황에서 위 10필지에만 따로 아파트를 건설하는 것은 주위환경과 여건에 맞지 않으므로 반대한다"는 취지의 의견서를 乙에게 제출하였다. 이에 乙은 甲에게 위 10필지 외 다른 토지의 소유자들과 충분히 협의할 것을 요청하였으나, 甲은 일부 토지소유자들의 과도한 요구로 협의가 결렬되었다면서 전체의 개발은 하지 않고 위 10필지만을 개발하겠다고 하였다. 그러나 법령에 명시적인 근거규정이 없음에도 乙은 "60필지 중 위 10필지만을 개발하는 것은 도시미관과 지역 여건을 고려하지 않은 불합리한 계획으로서 지역의 균형개발을 저해한다"라는 이유로 甲의 주택건설사업계획승인신청을 반려하는 처분을 하였다. 甲은 이 반려처분의 취소를 구하는 행정소송을 제기하였고, 이 행정소송에서 乙은 "① 위 반려처분에는 아무런 하자가 없을 뿐만 아니라, ② 더욱이 위 60필지의 지역은 관계법령에 의하여 5층 이상의 건축이 불가능한 제1종일반주거지역으로 지정되어 있으므로 이 점에서도 위 반려처분은 적법하다"라고 주장하였다. 乙의 위와 같은 주장에 관하여 논평하시오. (30점)

[참조조문]

***주택법**

제16조 (사업계획의 승인)

① 대통령령이 정하는 호수 이상의 주택건설사업을 시행하고자 하는 자 또는 대통령령이 정하는 면적 이상의 대지조성사업을 시행하고자 하는 자는 사업계획승인신청서에 주택과 부대시설 및 복리시설의 배치도, 대지조성공사설계도서 등 대통령령이 정하는 서류를 첨부하여 시·도지사(국가·대한주택공사 및 한국토지공사가 시행하는 경우와 대통령령이 정하는 경우에는 국토해양부장관을 말한다. 이하 이 조 및 제17조에서 같다)에게 제출하고 그 사업계획승인을 얻어야 한다.

②-⑦〈생략〉

***주택법시행령**

제15조 (사업계획의 승인)

① 법 제16조1항 본문에서 '대통령령이 정하는 호수'라 함은 단독주택의 경우에는 20호, 공동주택의 경우에는 20세대를 말하며, '대통령령이 정하는 면적'이라 함은 1만제곱미터를 말한다.

②- ⑤〈생략〉

1) 고시계 채점평(이호용 교수님)을 바탕으로 구성

1. 주택건설사업계획승인의 법적 성질

- 강학상 특허
- 재량행위

2. 반려처분이 적법하다는 乙의 주장의 타당성

- 법령에 명시적인 근거규정이 없는 사유를 들어 반려처분이 가능한지가 문제됨.
- 재량행위이므로 공익상 이유를 들어 반려 가능.
- 토지소유자들의 동의를 얻어낼 것을 요청했는데 행정지도를 따르지 않은 것을 이유로 한 반려처분은 위법하나, 설문은 토지소유자의 동의를 얻지 못한 것을 이유로 한 반려처분이 아니라 지역의 균형개발을 저해한다는 공익상 이유로 반려한 것이므로 적법.[2)]

3. 1종 일반주거지역으로 지정되어 있다는 乙의 주장의 타당성

- 처분사유의 추가변경이 가능한지가 문제됨(설문은 '추가'에 해당)
- **의의, 허용여부, 객관적 한계, 시간적 한계**
- 설문의 경우 소송 중에 제시한 "관계법령에 의한 1종일반주거지역이므로 사업계획승인은 위법하다"는 처분사유는 **처분시에 존재**하는 사유라고 볼 수 있는데, **당초의 처분사유인 "지역여건을 고려하지 않은 불합리한 계획으로서 지역균형개발을 저해한다"는 사유가 10필지 외의 토지소유자들이 재개발사업을 추진하고 있는 것을 의미하는 것이라면 동일성을 인정할 수 없음.** 처분사유의 추가는 불가능[3)].

---

2) 甲은 행정지도(협의요청)을 따르지 않았다는 것을 이유로 반려처분이 위법하다는 주장을 할 수도 있겠으나 사안이 행정지도를 따르지 않은 것을 이유로 반려처분을 한 것은 아님.

3) 지역여건을 고려하지 않은 불합리한 계획이라는 것이 **1종 일반주거지역으로 지정되어 있는 것을 고려하지 않는 것을 염두에 두고 포섭했다면 동일성을 인정**할 수 있을 것이나 재개발사업 추진상황을 염두에 두고 포섭한 것임.
- 판례 중에는 "행정처분의 취소를 구하는 항고소송에 있어서 그 처분의 위법 여부는 처분 당시를 기준으로 판단하여야 하는 것이고, 처분청은 당초 처분의 근거로 삼은 사유와 기본적 사실관계에 있어서 동일성이 있다고 인정되지 않는 별개의 사실을 들어 처분사유로 주장함은 허용되지 아니한다고 할 것인데, 이 사건 **토지가 제1종 일반주거지역으로 지정된 것은 이 사건 처분 이후에 새로이 발생한 사정으로 당초 처분사유와 기본적 사실관계의 동일성이 있다고 보기 어려워,** 피고가 이를 이 사건 처분의 적법 여부를 판단하는 근거로 주장하는 것은 단지 당초 처분사유를 보완하는 간접사실을 부가하여 주장하는 데 불과하다고 할 수는 없고 새로운 처분사유의 주장에 해당하여 허용될 수 없다고 할 것이므로, 원심이 이 사건 토지가 제1종 일반주거지역으로 지정된 사실까지 이 사건 처분의 적법 여부를 판단함에 있어서 처분사유를 보완하는 사정으로 고려한 것은 일단 잘못된 것이라고 하겠다"(대판 2005.4.15, 2004두10883)는 판결이 있는데, **판례 사안은 1종 일반주거지역으로 지정된 것이 처분시 이후에 발생한 사정이기 때문에 허용되지 않는 것**임.

120 항고소송과 입증책임

Ⅰ. 취소소송

1. 학 설

① 행정행위는 **공정력**이 있고 **적법성의 추정**을 받는다는 점을 근거로 하는 **원고책임설**, ② **법치행정의 원리**상 행정기관 스스로 자신의 행위의 적법성을 보장해야 한다는 **피고책임설**, ③ **민사소송의 일반원칙**에 따라 권리를 주장하는 자는 권리근거규정에 해당하는 요건사실을, 권리의 존재를 다투는 상대방은 반대규정(권리장애규정, 권리소멸규정 및 권리저지규정)의 요건사실에 대하여 입증책임을 진다는 **법률요건분류설**이 대립한다.

2. 판례 - 법률요건분류설

판 례 민사소송법의 규정이 준용되는 **행정소송에 있어서 입증책임은 원칙적으로 민사소송의 일반원칙에 따라** 당사자간에 **분배**되고 **항고소송의 경우**에는 그 특성에 따라 당해 **처분의 적법을 주장하는 피고에게 그 적법사유에 대한 입증책임**이 있다 할 것인바 피고가 주장하는 당해 처분의 **적법성이 합리적으로 수긍할 수 있는 일응의 입증이 있는 경우에는 그 처분은 정당**하다 할 것이며 **이와 상반되는 주장과 입증은 그 상대방인 원고에게 그 책임**이 돌아간다고 할 것이다(대판 1984.7.24, 84누124).

3. 검 토

원고책임설은 **공정력과 입증책임은 무관**하다는 점을 간과했고, 피고책임설은 **공평의 이념에 반**한다. **현행 행정소송제도도 기본적으로 변론주의**에 입각하고 있다는 점에서, 민사소송에서의 입증책임분배의 원칙인 **법률요건분류설이 타당**하다.

4. 구체적 검토

(1) 부담적 처분

처분권한을 주장하는 피고가 권한근거규정의 요건사실을, 원고가 권한장애규정의 요건사실의 입증책임을 진다.

(2) 거부처분

원고는 신청한 처분의 발급에 대한 권리를 근거지우는 법규범의 요건사실에 대해, 피고가 권한을 부인하는 자이므로 권한장애규정의 요건사실에 대해 입증책임을 진다. 예컨대 정보공개거부처분 취소소송에서 비공개사유의 주장・입증책임은 피고인 국가 등 공공단체에 있다(대판 1999.9.21, 97누5114).

(3) 재량행위

요건사실은 피고가, **재량일탈・남용사유는 원고**가 입증책임을 진다.

Ⅱ. 무효등확인소송

다수설은 무효등확인소송 역시 항고소송의 일종으로서 취소소송과 마찬가지로 처분의 적법여부가 분쟁의 대상이며, **무효사유인지 여부는 법해석에 따라 판단되어야할 뿐 입증책임과는 무관**하다는 점을 근거로 취소소송에서와 동일하게 보지만, **판례**는 **무효를 구하는 사람**에게 그 행정처분에 존재하는 하자가 **중대하고 명백하다는 것을 주장 입증할 책임**이 있다고 한다(대판 1984.2.28, 82누154).

Ⅲ. 부작위위법확인소송

일정 **신청을 한 사실**, 법규상・조리상 **신청권의 존재 등은 원고가, 상당한 기간이 경과**한 것을 **정당화할 만한 특단의 사정의 존재**에 대하여는 **피고**인 행정청이 입증책임을 진다.

121 사정판결

Ⅰ. 의 의

처분이 위법한 경우에도 처분 등을 취소하는 것이 현저히 공공복리에 적합하지 아니하다고 인정하는 때 원고의 청구를 기각하는 판결이다(행소법 제28조1항). 공공복리 우선의 관점에서 처분의 위법성을 감수하면서라도 그를 기초로 하여 형성된 법률적 내지는 사실적 관계를 존속시키기 위한 제도이다. 다만 사정판결은 법치주의 및 재판에 의한 권리보호(기본권보호)라는 헌법원칙에 대한 중대한 예외이므로 그 요건은 엄격하게 해석할 필요가 있다.

Ⅱ. 요 건

1. 처분의 위법성

원고의 청구가 이유 있어야 한다.

2. 청구인용의 판결이 현저히 공공복리에 적합하지 아니할 것

공공복리란 사회공공의 이익 또는 개인의 이익과 공통되면서 개개인의 이익을 보다 고차적인 차원에서 통합하는 전체사회의 공동이익을 말한다. 어느 경우에 현저히 공공복리에 적합하지 아니하다고 인정할 것인지에 대하여는 명확한 판단기준이 있을 수 없고, 개별적·구체적 사안에서 공익의 보장과 사익의 보호를 교량하여 결정하여야 하며 비례원칙의 엄격한 적용이 요구된다.

판례 1 행정처분이 위법한 때에는 이를 취소함이 원칙이고 그 위법한 처분을 취소·변경함이 도리어 현저히 공공의 복리에 적합하지 않은 경우에 극히 예외적으로 위법한 행정처분의 취소를 허용하지 않는다는 사정판결을 할 수 있으므로 사정판결의 적용은 극히 엄격한 요건 아래 제한적으로 하여야 하고, 그 요건인 현저히 공공복리에 적합하지 아니한가의 여부를 판단함에 있어서는 위법·부당한 행정처분을 취소·변경하여야 할 필요와 그 취소·변경으로 인하여 발생할 수 있는 공공복리에 반하는 사태 등을 비교·교량하여 그 적용 여부를 판단하여야 한다(대판 1997.11.11, 95누4902).[1]

판례 2 사정판결을 할 경우 미리 원고가 입게 될 손해의 정도와 구제방법, 그 밖의 사정을 조사하여야 하고, 원고는 피고인 행정청이 속하는 국가 또는 공공단체를 상대로 손해배상 등 적당한 구제방법의 청구를 당해 취소소송 등이 계속된 법원에 청구할 수 있는 점(행정소송법 제28조2항, 3항)등에 비추어 보면, 사정판결제도가 위법한 처분으로 법률상 이익을 침해당한 자의 기본권을 침해하고, 법치행정에 반하는 위헌적인 제도라고 할 것은 아니다(대판 2009.12.10, 2009두8359).[2]

---

1) 위법한 환지예정지지정처분 및 환지예정지변경처분을 취소할 경우 이미 환지예정지지정(변경)처분에 불복하지 않고 그 처분에 기하여 사실관계를 형성하여 온 사업지역 내 다수의 이해관계인들에 대한 환지예정지지정(변경)처분까지도 이를 변경하게 됨으로써 기존의 사실관계가 뒤집어지고 새로운 사실관계가 형성되는 혼란이 발생할 수 있게 되는 반면에 위 환지예정지지정(변경)처분을 취소하지 않고 유지함으로써 당해 회사에게 다소의 손해가 발생한다고 하더라도 이는 금전 등으로 전보될 수 있는 것이므로 당해 환지예정지지정처분을 취소하는 것은 현저히 공공복리에 적합하지 아니한 경우에 해당하여서 사정판결을 할 사유가 있다고 본 사례.

2) 로스쿨예비인가처분에 대한 사정판결을 인정한 사례
(판례) 법학전문대학원이 장기간의 논의 끝에 사법개혁의 일환으로 출범하여 2009년 3월초 일제히 개원한 점, 전남대 법학전문대학원도 120명의 입학생을 받아들여 교육을 하고 있는데 인가처분이 취소되면 그 입학생들이 피해를 입을 수 있는 점, 법학전문대학원의 인가 취소가 이어지면 우수한 법조인의 양성을 목적으로 하는 법학전문대학원 제도 자체의 운영에 큰 차질을 빚을 수 있는 점, 법학전문대학원의 설치인가 심사기준의 설정과 각 평가에 있어 법 제13조에 저촉되지 않는 점, 교수위원이 제15차 회의에 관여하지 않았다고 하더라도 그 소속대학의 평가점수에 비추어 동일한 결론에 이르렀을 것으로 보여, 전남대에 대한 이 사건 인가처분을 취소하고 다시 심의하는 것은 무익한 절차의 반복에 그칠 것으로 보이는 점 등을 종합하여, 전남대에 대한 이 사건 인가처분이 법 제13조에 위배되었음을 이유로 취소하는 것은 현저히 공공복리에 적합하지 아니하다(대판 2009.12.10, 2009두8359).

Ⅲ. 심 리

1. 주장 및 입증책임

사정판결의 예외성에 비추어 **피고인 행정청이 주장 및 입증책임을 부담**하는 것이 타당하다는 것이 **학설**의 일반적 견해이나, 판례는 **행정소송법 제26조를 논거**로 하여 **직권**으로도 사정판결이 **가능**하다는 입장이다.

> **판 례** **행정소송법 제26조, 제28조1항 전단**의 각 규정에 비추어 보면, 법원은 행정소송에 있어서 행정처분이 위법하여 운전자의 청구가 이유 있다고 인정하는 경우에도 그 처분 등을 취소하는 것이 현저히 공공복리에 적합하지 아니하다고 인정하는 때에는 원고의 청구를 기각하는 사정판결을 할 수 있고, 이러한 **사정판결을 할 필요가 있다고 인정하는 때에는 당사자의 명백한 주장이 없는 경우에도 일건 기록에 나타난 사실을 기초로 하여 직권으로 사정판결을 할 수 있다**(대판 1995.7.28, 95누4629).

2. 사정조사

판결을 함에 있어서는 미리 **원고가 그로 인하여 입게 될 손해의 정도와 배상방법 그 밖의 사정을 조사**하여야 한다(행소법 제28조2항).

3. 판단기준시

위법성은 처분시의 사실 내지 법상태를 기준으로 하며(처분시설), **공익성 판단은** 계쟁 중에 누적된 기성사실의 정도 등 처분 후의 사실 내지 법상태의 변동도 포함시켜야 하므로 **사실심변론종결시를 기준**으로 한다(대판 1970.3.24, 69누29).

Ⅳ. 처분이 무효인 경우 적용 여부(적용범위)

1. 무효등확인소송인 경우에도 인정되는가?

(1) 학 설

긍정설은 ① **무효나 취소는 하자의 정도의 차이**에 지나지 않아 **구별이 상대적**이며, ② **기성사실이 누적**된 결과 이를 복멸하는 것이 공공복리를 해치는 경우가 있는 경우는 무효인 경우도 취소사유와 마찬가지이며, ③ **무효를 선언하더라도 원상회복은 불가능하므로 오히려 사정판결을 인정하면서 구제방법을 강구하는 것이 원고에게 도움**이 되고 분쟁을 한꺼번에 해결할 수 있다고 한다. 반면 **부정설**은 ① **법문언상 준용규정이 없으며(제38조1항이 제28조를 준용하지 않음)**, ② **법치주의의 예외적 조치**인 사정판결을 무효확인소송에 확대적용하는 것은 법치주의에 반한다고 한다.

(2) 판 례 - 부정설

> **판 례** 당연무효의 행정처분을 소송목적물로 하는 행정소송에서는 **존치시킬 효력이 있는 행정행위가 없기 때문**에 행정소송법 제28조 소정의 사정판결을 할 수 없다(대판 1996.3.22, 95누5509).

(3) 검 토

사정판결은 **법치주의의 예외적 조치**에 해당하며 예외는 엄격하게 해석해야 한다는 관점에서 **부정설이 타당**하다.

2. 무효선언을 구하는 취소소송의 경우

해석상 가능하다는 견해도 있으나, 무효인 처분에 대해서까지 사정판결을 하는 것은 당사자의 권리보호라는 관점에서 너무 지나치므로 부정하는 것이 타당하다.

Ⅴ. 효 과

1. 위법 선언 - 주문에 표시(행소법 제28조1항)

사정판결을 하는 경우 법원은 그 판결의 주문에서 그 처분등이 위법함을 명시하여야 한다(28조 1항 2문).

2. 청구기각 판결

처분등이 위법해도 청구기각 판결을 한다.

3. 소송비용(행소법 제32조)

피고가 부담한다.

4. 구제방법의 병합(행소법 제28조3항)

원고는 피고인 행정청이 속하는 국가 또는 공공단체를 상대로 손해배상, 제해시설의 설치 그 밖에 적당한 구제방법의 청구를 당해 취소소송등이 계속된 법원에 병합하여 제기할 수 있다.

기출 사례 강학상 특허와 경업자소송(09년 행시 - 재경)

A시와 B시 구간의 시외버스 운송사업을 하고 있는 甲은 최근 자가용 이용의 급증 등으로 시외버스 운송사업을 하는데 상당한 어려움에 처해 있다. 그런데 관할행정청 X는 甲이 운영하는 노선에 대해 인근에서 대규모 운송사업을 하고 있던 乙에게 새로이 시외버스 운송사업면허를 하였다. (총 40점)

1) 甲은 X의 乙에 대한 시외버스 운송사업면허에 대하여 행정소송을 제기할 수 있는가? (15점)

2) 법원은 X의 乙에 대한 시외버스 운송사업면허처분에 위법사유가 발견되어 甲의 행정소송을 인용하고 乙에 대한 시외버스 운송사업면허처분을 취소하고자 한다. 그러나 이미 많은 시민들이 乙이 운영하는 버스를 이용하고 있다는 이유로 면허취소판결을 하지 아니할 수 있는가? (10점)

3) 위 사안에서 甲이 乙에 대한 시외버스 운송사업면허의 취소를 구하는 행정심판을 제기하여 인용재결을 받았다면, 乙은 무엇을 대상으로 어떠한 쟁송수단을 강구할 수 있는가? (15점)

Ⅰ. 甲의 행정소송제기 가능성 - 설문(1)

- 甲의 행정소송 제기 가능성은 소송요건이 구비 여부를 판단하는 문제임.

- 乙에 대한 시외버스운송사업면허처분은 A시와 B구간의 시외버스운송사업을 할 수 있는 새로운 권리능력 또는 포괄적인 법률관계를 설정하는 강학상 특허(#35)에 해당하며, 제3자효 행정행위로서 甲에게는 침익적 행정행위이에 해당하므로 대상적격은 충족.

- 甲은 시외버스운송사업면허처분의 직접 상대방이 아닌 제3자인데 경업자소송에서 제3자의 원고적격 인정여부가 문제됨(#110).

- 경업자소송의 경우, 일반적으로 면허나 인·허가 등의 수익적 행정처분의 근거가 되는 법률이 해당 업자들 사이의 과당경쟁으로 인한 경영의 불합리를 방지하는 것도 그 목적으로 하고 있는 경우, 다른 업자에 대한 면허나 인·허가 등의 수익적 행정처분에 대하여 미리 같은 종류의 면허나 인·허가 등의 수익적 행정처분을 받아 영업을 하고 있는 기존의 업자는 경업자에 대하여 이루어진 면허나 인·허가 등 행정처분의 상대방이 아니라 하더라도 당해 행정처분의 취소를 구할 원고적격이 있음(대판 2006.7.28, 2004두6716).

- 사안의 경우 시외버스운송사업면허의 근거가 되는 법률인 여객자동차운수사업법의 목적은 여객자동차운수사업에 관한 질서를 확립하고 여객의 원활한 운송이라는 공공복리증진과 동시에 기존업자들간의 과열경쟁으로 인한 경영상 불이익 내지 어려움을 방지하려는 의도도 갖고 있는 것으로 보아야 하므로 기존업자인 甲은 시외버스운송사업면허처분을 통해 경영상 권리 내지 이익을 배타적 독점적으로 향유하고 있어 신규업자인 乙에 대한 면허처분은 甲의 법률상 이익 내지 권리를 침해한다고 보아야 할 것임. 따라서 甲의 원고적격 긍정됨.

- 기타 소송요건은 특별히 문제되는 것이 없으며 甲이 제기한 행정소송이 취소소송이라면 제소기간 내에 제기하여야 함.

- 甲은 乙에 대한 시외버스 운송사업면허에 대하여 행정소송을 제기할 수 있음.

Ⅱ. 법원의 사정판결 가부 - 설문(2)(#121)

1. 사정판결의 의의

2. 사정판결의 요건

- 원고의 청구가 이유 있을 것(처분의 위법성)과 처분을 취소하는 것이 현저히 공공복리에 적합하지 아니하다고 인

정(행소법 제28조1항)될 때 인정.

- "현저히 공공복리에 적합하지 아니한가"의 여부의 판단은 위법부당한 행정처분을 취소·변경해야 할 필요와 그 취소변경으로 인하여 발생할 수 있는 공공복리에 반하는 사태 등을 비교교량.
- 사안의 경우 위법사유가 발견되었으므로 청구가 이유 있으며, 많은 시민들이 乙이 운영하는 버스를 이용하고 있다는 점을 고려하면 취소하는 것이 현저히 공공복리에 적합하지 않다고 볼 수 있음.
- 반면 사정판결이 법치주의의 예외이므로 엄격하게 해석하는 견지에서는 기존에 자가용 이용의 급증 등으로 시외버스 운송사업을 하는데 상당한 어려움에 처한 甲의 사정을 고려할 때 많은 시민들이 이용하고 있다는 사정만으로는 취소판결이 현저히 공공복리에 적합하지 않다고 단정하기 어렵다고 볼 수도 있음.

3. 법원의 직권에 의한 사정판결의 가능성

- 피고인 행정청이 사정판결에 대해 주장·입증책임을 짐.
- 법원이 직권으로 사정판결할 수 있는지에 대해 사정판결의 예외성에 비추어 피고인 행정청이 부담하는 것이 타당하다는 것이 학설의 일반적인 견해이지만 판례는 행소법 26조 직권심리주의를 근거로 당사자의 명백한 주장이 없는 경우에도 일건 기록에 나타난 사실을 기초로 하여 직권으로 사정판결을 할 수 있다고 하여 긍정하는 입장.
- 판례에 의하면 사안에서 피고인 X의 사정판결에 대한 주장이 없더라도 법원이 사정판결하는 것이 가능.

Ⅲ. 乙의 쟁송수단 방법 - 설문(3)(#109)

1. 원처분중심주의

- 원처분중심주의(행정소송법 제19조(제38조))와 재결소송에서 재결소송에 있어서 '재결고유의 위법'의 의미에 대한 일반론 언급.

2. 인용재결의 경우 소송의 대상

(1) 인용재결의 '재결에 고유한 위법'에의 해당 여부

- 인용재결의 경우 원칙적으로는 재결에 고유한 위법이 있는 것은 아니나 **제3자효 행정행위**에서 **인용재결**이 있는 경우 비로소 권리이익을 침해받게 되는 자는 그 인용재결에 대하여 다툴 필요가 있고 그 인용재결은 원처분과 내용을 달리하는 것으로 재결에 고유한 하자를 주장하는 셈이어서 **재결에 고유한 위법**에 해당되어 재결취소소송을 제기해야 한다는 것이 다수설, 판례. 다만 이에 대해 재결자체에 고유한 위법이 있는 경우로 보지 않고 당해 인용재결을 **제3자와의 관계에서는 별도의 처분으로 보아 처분에 대한 취소소송의 문제로 보는 견해**도 있음.
- 사안에서 甲이 乙에 대한 시외버스 운송사업면허취소심판을 제기하여 인용재결을 받았다면 이는 위법 부당하게 인용재결을 한 경우로서 내용상 위법에 해당.

(2) 인용재결의 종류에 따른 판단

- **취소심판의 인용재결**에는 행정심판위원회 스스로가 처분을 직접 취소 또는 변경하는 **형성재결**과 처분청에게 변경할 것을 명하는 **이행재결**이 있음.
- 사안의 경우 **운송사업면허의 취소를 구하는 심판의 인용재결은 취소재결**이므로 **형성재결**.
- **형성재결**의 경우에는 재결에 따른 처분청의 취소통지가 있다고 하더라도 통지행위는 사실의 통지에 불과하여 처분성이 인정되지 않으므로 **재결 자체가 항고소송의 대상**이 됨.[3)]
- 형성재결인 취소재결이 내려진 경우 乙은 취소재결을 대상으로 항고소송 제기해야 함.

---

3) **기출 당시에는 행정심판법상 취소심판의 인용재결 중에는 취소명령재결이 있었으나 2010년 행정심판법 개정으로 취소명령재결은 삭제됨.** 따라서 기출 당시에는 이행재결인 취소명령재결이 있는 경우까지 염두에 두면서 답안을 작성해야 할 것이나, 현재는 형성재결인 취소재결만 염두에 두면 됨.
- 취소명령재결까지 염두에 두고 작성해야 했다면, 이행재결에 따른 처분청의 취소처분이 있는 경우 무엇이 소송의 대상이 되는지에 대한 견해 대립을 소개할 필요가 있었음. 학설은 처분이 소의 대상이 된다는 견해, 재결을 대상으로 해야한다는 견해, 각각 별도로 소의 대상이 된다는 견해가 있으며 판례는 이행재결과 행정청의 처분 모두 대상이 된다(대판 1993.9.28, 92누15093)는 입장.

122 일부취소판결

Ⅰ. 의 의

처분의 일부만이 위법한 경우에 그 위법한 부분만을 취소하는 판결을 말한다. **행정소송법 제4조1호의 '변경'**을 소극적 변경으로 이해하는 것이 일반적이며 판례도 **소극적 변경, 즉 일부취소**로 이해하고 있는데 이에 근거하여 인정할 수 있다.

Ⅱ. 인정기준

외형상 하나의 행정처분이라고 하더라도 **가분성**이 있거나 그 **처분대상의 일부가 특정**될 수 있다면 일부취소가 가능하다. 다만 사법심사의 범위를 벗어나 행정청의 **재량권을 침해하는 경우에는 인정될 수 없다**(비교: **행정심판**에서는 재량행위의 부당처분도 심판할 수 있으므로 **재량행위의 일부취소도 가능**).

1. 가능한 경우

판례 1 과세처분취소소송의 처분의 적법 여부는 과세액이 정당한 세액을 초과하느냐의 여부에 따라 판단되는 것으로서 당사자는 사실심 변론종결시까지 객관적인 조세채무액을 뒷받침하는 주장과 자료를 제출할 수 있고 이러한 자료에 의하여 **적법하게 부과될 정당한 세액이 산출**되는 때에는 그 **정당한 세액을 초과하는 부분만 취소하여야** 할 것이고 전부를 취소할 것이 아니다(대판 2000.6.13, 98두5811). ➡ 조세부과처분과 같은 금전부과처분이 기속행위인 경우로서 정당한 부과금액을 산정할 수 있는 경우

판례 2 제1종 보통, 대형 및 특수 면허를 가지고 있는 자가 **레이카크레인을 음주운전한 행위는 제1종 특수면허의 취소사유에 해당될 뿐 제1종 보통 및 대형 면허의 취소사유는 아니므로, 3종의 면허를 모두 취소한 처분 중 제1종 보통 및 대형 면허에 대한 부분은 이를 이유로 취소하면 될 것**이나, 제1종 특수면허에 대한 부분은 원고가 재량권의 일탈・남용하여 위법하다는 주장을 하고 있음에도, 원심이 그 점에 대하여 심리・판단하지 아니한 채 처분 전체를 취소한 조치는 위법하다(대판(전) 1995.11.16, 95누8850).

2. 불가능한 경우

(1) 재량행위

판례 1 행정청이 영업정지 처분을 함에 있어서 그 정지기간을 어느 정도로 할 것인지는 행정청의 재량권에 속하는 사항인 것이며, 다만 그것이 공익의 원칙이나 평등의 원칙 또는 비례의 원칙등에 위반하여 재량권의 한계를 벗어난 재량권 남용에 해당하는 경우에만 위법한 처분으로서 사법심사의 대상이 되는 것이나, 법원으로서는 **영업정지처분이 재량권 남용이라고 판단**될 때에는 **위법한 처분으로서 그 처분의 취소를 명할 수 있을 뿐**이고, **재량권의 한계내에서 어느 정도가 적정한 영업정지 기간인지를 가리는 일은 사법심사의 범위를 벗어난다**(대판 1982.9.28, 82누2).

판례 2 **처분을 할 것인지 여부와 처분의 정도에 관하여 재량이 인정되는 과징금 납부명령**에 대하여 그 명령이 재량권을 일탈하였을 경우, **법원으로서는 재량권의 일탈 여부만 판단할 수 있을 뿐이지 재량권의 범위 내에서 어느 정도가 적정한 것인지에 관하여는 판단할 수 없어 그 전부를 취소할 수밖에 없고, 법원이 적정하다고 인정하는 부분을 초과한 부분만 취소할 수는 없다**(대판 2009.6.23, 2007두18062). ➡ 원심은 3억500만원의 과징금납부명령을 한 것에 대하여 재량권 일탈・남용의 위법이 있으며 적정한 과징금은 1억100만원이라고 보아 초과하는 부분만 취소하는 판결을 하였으나 대법원은 재량권의 한계를 일탈하거나 남용한 것이 아니라고 하였을 뿐만 아니라 재량행위의 경우 일부취소할 수도 없다는 이유로 파기함.

(2) 기속행위라도 정당한 부과금액을 산정할 수 없는 경우

판 례 **개발부담금부과처분** 취소소송에 있어 당사자가 제출한 자료에 의하여 적법하게 부과될 **정당한 부과금액이 산출할 수 없을 경우**에는 부과처분 **전부를 취소**할 수밖에 없으나, **그렇지 않은 경우**에는 그 정당한 금액을 **초과하는 부분만 취소**하여야 한다(대판 2004.7.22, 2002두868).

기출 사례 일부취소, 부당결부금지원칙(14년 변시)

20년 무사고 운전 경력의 레커 차량 기사인 甲은 2013. 3. 2. 혈중알코올농도 0.05%의 주취 상태로 레커 차량을 운전하다가 신호대기 중이던 乙의 승용차를 추돌하여 3중 연쇄추돌 교통사고를 일으켰다. 위 교통사고로 乙이 운전하던 승용차 등 3대의 승용차가 손괴되고, 승용차 운전자 2명이 약 10주의 치료가 필요한 상해를 입게 되었다.

서울지방경찰청장은 위 교통사고와 관련하여 甲이 음주운전 중에 자동차 등을 이용하여 범죄행위를 하였다는 이유로 1개의 운전면허 취소통지서로 도로교통법 제93조 제1항 제3호에 의하여 甲의 운전면허인 제1종 보통·대형·특수면허를 모두 취소하였다.

한편, 경찰조사 과정에서 乙이 위 교통사고가 발생하기 6년 전에 음주운전으로 이미 2회 운전면허 정지처분을 받았던 전력이 있는 사실과 乙이 위 교통사고 당시 혈중알코올농도 0.07% 주취 상태에서 운전한 사실이 밝혀지자, 서울지방경찰청장은 도로교통법 제93조 제1항 제2호에 의하여 乙의 운전면허인 제2종 보통면허를 취소하였다.

※ 참고자료로 제시된 법규의 일부 조항은 가상의 것으로, 이에 근거하여 답안을 작성할 것. 이와 다른 내용의 현행 법령이 있다면 제시된 법령이 현행 법령에 우선하는 것으로 할 것.

1. 甲은 자신의 무사고 운전 경력 및 위 교통사고 당시의 혈중알코올농도 등에 비추어 보면 서울지방경찰청장의 甲에 대한 위 운전면허 취소처분은 너무 가혹하다고 변호사 A에게 하소연하며 서울지방경찰청장의 甲에 대한 위 운전면허 취소처분의 취소소송을 의뢰하였다.

(1) 甲이 서울지방경찰청장을 상대로 甲에 대한 위 운전면허 취소처분의 일부 취소를 구하는 행정소송을 제기하는 경우, 甲이 승소판결을 받을 가능성이 있는지 여부 및 그 이유를 검토하시오(다만, 제소요건을 다투는 내용을 제외할 것). (20점)

(2) 甲이 서울지방경찰청장을 상대로 甲에 대한 위 운전면허 취소처분의 전부 취소를 구하는 행정소송을 제기하는 경우, 제1종 특수면허 취소 부분의 위법성을 주장할 수 있는 사유에 관하여 간략하게 검토하시오(다만, 처분의 근거가 된 법령의 위헌성·위법성을 다투는 내용을 제외할 것). (10점)

[참조조문]

***도로교통법**

제1조(목적)

이 법은 도로에서 일어나는 교통상의 모든 위험과 장해를 방지하고 제거하여 안전하고 원활한 교통을 확보함을 목적으로 한다.

제80조(운전면허)

① 자동차등을 운전하려는 사람은 지방경찰청장으로부터 운전면허를 받아야 한다.

② 지방경찰청장은 운전을 할 수 있는 차의 종류를 기준으로 다음 각 호와 같이 운전면허의 범위를 구분하고 관리하여야 한다. 이 경우 운전면허의 범위에 따라 운전할 수 있는 차의 종류는 안전행정부령으로 정한다.

1. 제1종 운전면허
   가. 대형면허
   나. 보통면허
   다. 소형면허
   라. 특수면허
2. 제2종 운전면허
   가. 보통면허
   나. 소형면허
   다. 원동기장치자전거면허

제44조(술에 취한 상태에서의 운전 금지)

① 누구든지 술에 취한 상태에서 자동차등(「건설기계관리법」 제26조 제1항 단서에 따른 건설기계 외의 건설기계를 포함한다.) 을 운전하여서는 아니 된다.

제93조(운전면허의 취소·정지)

① 지방경찰청장은 운전면허(연습운전면허는 제외한다)를 받은 사람이 다음 각 호의 어느 하나에 해당하면 안전행정부령으로 정하는 기준에 따라 운전면허를 취소하거나 1년 이내의 범위에서 운전면허의 효력을 정지시킬 수 있다. 다만, 제2호, 제3호, 제7호부터 제9호까지(정기 적성검사 기간이 지난 경우는 제외한다), 제12호, 제14호, 제16호부터 제18호까지의 규정에 해당하는 경우에는 운전면허를 취소하여야 한다.

1. 제44조 제1항을 위반하여 술에 취한 상태에서 자동차등을 운전한 경우
2. 제44조 제1항 또는 제2항 후단을 2회 이상 위반한 사람이 다시 같은 조 제1항을 위반하여 운전면허 정지 사유에 해당된 경우
3. 운전면허를 받은 사람이 자동차등을 이용하여 범죄행위를 한 경우

제148조의2(벌칙)

① 다음 각 호의 어느 하나에 해당하는 사람은 1년 이상 3년 이하의 징역이나 500만원 이상 1천만원 이하의 벌금에 처한다.

1. 제44조 제1항을 2회 이상 위반한 사람으로서 다시 같은 조 제1항을 위반하여 술에 취한 상태에서 자동차등을 운전한 사람

***도로교통법 시행규칙**

제53조(운전면허에 따라 운전할 수 있는 자동차 등의 종류)

법 제80조 제2항에 따라 운전면허를 받은 사람이 운전할 수 있는 자동차등의 종류는 별표 18과 같다.

제91조(운전면허의 취소·정지처분 기준 등)

① 법 제93조에 따라 운전면허를 취소 또는 정지시킬 수 있는 기준(교통법규를 위반하거나 교통사고를 일으킨 경우 그 위반 및 피해의 정도 등에 따라 부과하는 벌점의 기준을 포함한다)과 법 제97조 제1항에 따라 자동차등의 운전을 금지시킬 수 있는 기준은 별표 28과 같다.

[별표 18] 운전할 수 있는 차의 종류(제53조 관련)

운전면허		운전할 수 있는 차량
종 별	구 분	
제1종	대형면허	○ 승용자동차 ○ 승합자동차 ○ 화물자동차 ○ 긴급자동차 ○ 건설기계 - 덤프트럭, 아스팔트살포기, 노상안정기 - 콘크리트믹서트럭, 콘크리트펌프 - 천공기(트럭 적재식) - 콘크리트믹서트레일러 - 아스팔트콘크리트재생기 - 도로보수트럭, 3톤 미만의 지게차 ○ 특수자동차(트레일러 및 레커는 제외한다) ○ 원동기장치자전거
제1종	보통면허	○ 승용자동차 ○ 승차정원 15인 이하의 승합자동차 ○ 승차정원 12인 이하의 긴급자동차(승용 및 승합자동차에 한정한다) ○ 적재중량 12톤 미만의 화물자동차 ○ 건설기계(도로를 운행하는 3톤 미만의 지게차에 한정한다) ○ 총중량 10톤 미만의 특수자동차(트레일러 및 레커는 제외한다) ○ 원동기장치자전거
	소형면허	○ 3륜화물자동차 ○ 3륜승용자동차 ○ 원동기장치자전거
	특수면허	○ 트레일러 ○ 레커 ○ 제2종보통면허로 운전할 수 있는 차량

[별표 28] 운전면허 취소·정지처분 기준(제91조 제1항 관련)

2. 취소처분 개별기준

일련번호	위반사항	적용법조 (도로교통법)	내 용
2	술에 취한 상태에서 운전한 때	제93조	○ 술에 만취한 상태(혈중알콜농도 0.1퍼센트 이상)에서 운전한 때 ○ 2회 이상 술에 취한 상태의 기준을 넘어 운전하거나 술에 취한 상태의 측정에 불응한 사람이 다시 술에 취한 상태(혈중알콜농도 0.05퍼센트 이상)에서 운전한 때

Ⅰ. 일부취소의 가능성 - 설문(1)

1. 문제의 소재

2. 복수의 운전면허를 별개로 취급해야 하는지 여부

- 한 개의 운전면허증을 발급하고 통합 관리하더라도 여러 종류의 면허를 별개로 취급할 수 없는 것은 아니며 개별적인 취소 또는 정지를 분리하여 집행할 수 있음.

3. 일부취소의 가능성

4. 사안의 경우

제1종 보통, 대형 및 특수면허를 소지하고 있는 자가 레커(1종 특수면허) 차량을 음주운전한 행위는 1종 특수면허의 취소사유에 해당될 뿐 1종 보통 및 대형 면허의 취소사유가 아니므로 3종 모두 취소한 것은 부당결부금지원칙에 반하여 위법하다. 법원은 1종 보통 및 대형 면허 취소부분만을 취소할 수 있다(#53. Ⅷ.판례 참조)

Ⅱ. 특수면허 취소처분의 위법사유 - 설문(2)

갑이 전부취소를 구했다 하더라도 1종 특수면허 부분을 제외한 1종 보통과 대형면허에 대해 일부취소판결이 가능하지만 1종 특수면허 취소처분 자체가 언제나 적법한 것은 아니고 갑은 특수면허 취소처분의 위법을 주장할 수 있음은 물론임.

갑은 도로교통법 제93조 1항 3호의 사유인 자동차등을 이용하여 범죄행위를 한 경우라는 이유로 면허취소가 된 것인데 3호의 사유에 의한 면허취소는 기속행위에 해당.

3호의 범죄행위의 해석과 관련하여 음주운전으로 타인을 사망 또는 상해하게 하였다고 필요적 취소사유인 범죄행위에 해당한다고 해석해서는 곤란하며, 의도적으로 자동차를 범죄에 이용하는 행위에 국한하여야 함. 3호의 면허취소사유가 없는 데 면허취소한 것이므로 위법하다고 주장할 수 있음.

결국 갑은 93조1항1호의 사유에 의한 면허취소, 정지처분만 가능한데 0.05이므로 면허정지사유에 해당한다고 주장하면서 면허취소를 한 것은 재량의 일탈, 남용이 있다고 주장할 수도 있음.

123 취소판결의 기속력1)

Ⅰ. 의 의

확정판결이 그 사건에 관하여 당사자인 행정청과 그 밖의 관계행정청을 기속하는 효력을 말한다(행소법 제30조). 행정청이 판결에 따르지 않고 동일한 행위를 반복하거나 거부처분이 취소된 경우에도 판결의 취지에 따르는 처분을 하지 않는 경우에는 **판결의 실효성을 확보**할 수 없으므로, 행정소송법은 기속력을 규정하여 **행정청에게 판결의 취지에 따라야 할 실체법상의 의무를 인정**한 것이다.

Ⅱ. 본 질

1. 학 설

① 기판력의 당연한 결과로서 행정의 일체성 아래에서 당사자인 행정청 외의 관계행정청에도 기판력이 미친다는 것을 명시한 것이라는 **기판력설**이 있으나, ② 기판력은 소송법상의 효력에 불과하여 실체법상의 의무를 부과할 수는 없는 것인 반면 기속력은 **기판력보다 널리 직접적으로 행정청을 구속**하는 것으로서 그것은 **실체법에 의하여 부여된 특수한 효력(특수효력설)**이라는 견해가 **타당**하다.

2. 판 례

판례도 특수효력설을 취하고 있으나, 적지 않은 판례에서 기속력과 기판력이라는 용어를 **혼동**하여 사용하고 있다.

판례 1 취소소송에서 처분 등을 취소하는 **확정판결의 기속력**은 주로 **판결의 실효성 확보를 위하여 인정되는 효력**으로서 판결의 **주문**뿐만 아니라 그 **전제가 되는 처분 등의 구체적 위법사유에 관한 이유 중의 판단에 대하여도 인정**되고, 같은 조 제2항의 규정상 특히 거부처분에 대한 취소판결이 확정된 경우에는 그 처분을 행한 행정청은 판결의 취지에 따라 다시 처분을 하여야 할 의무를 부담하게 되므로, 취소소송에서 소송의 대상이 된 거부처분을 실체법상의 위법사유에 기하여 취소하는 판결이 확정된 경우에는 당해 거부처분을 한 행정청은 원칙적으로 신청을 인용하는 처분을 하여야 하고, 사실심 변론종결 이전의 사유를 내세워 다시 거부처분을 하는 것은 확정판결의 기속력에 저촉되어 허용되지 아니한다(대판 2001.3.23, 99두5238).

판례 2 행정처분을 취소하는 판결이 선고되어 확정된 경우에 처분행정청이 그 행정소송의 사실심변론종결 이전의 사유를 내세워 다시 **확정판결에 저촉되는 행정처분을 하는 것은 확정판결의 기판력에 저촉**되어 허용될 수 없고 이와 같은 행정처분은 그 하자가 명백하고 중대한 경우에 해당되어 당연무효이다(대판 1989.9.12, 89누985).

※ 기판력과의 비교

	기판력	기속력
성 질	소송법적효력	실체법적구속력
적용 판결	인용, 기각판결	인용판결에만
인적 범위	당사자와 후소법원	행정청 + 관계행정청
시간적 범위	변론종결시	처분시(∵위법성판단의 기준시가 처분시)
객관적 범위	주문(계쟁처분이 위법하거나 적법하다는 사실 일반)	판결의 주문 및 그 전제가 된 요건사실의 인정과 판단에 미침

---

1) ① **무효확인판결의 기속력**은 취소판결의 내용에 관한 규정(제30조)이 준용(제38조1항)되므로 **같은 내용. 다만, 거부처분취소판결의 간접강제에 관한 규정(제34조)은 무효확인판결에 준용되지 않는다**는 점만 기억하면 됨(이에 관한 논의는 '간접강제' 부분(#124) 참조). ② **부작위위법확인판결의 기속력**은 제38조2항에서 취소판결에 관한 기속력(제30조), 간접강제(제34조) 모두를 준용하고 있음. 그러나 부작위위법확인판결의 기속력의 내용으로는 반복금지효는 생각할 수 없고 **적극적 처분의무만**을 생각할 수 있다는 점(제30조2항)과 적극적처분의무의 내용이 **부작위위법확인소송의 심리범위와 관련**된다는 두가지 점을 특히 기억할 것. 후자와 관련하여 절차적 심리설은 '판결의 취지'에 따라 어떠한 처분을 하기만 하면 되고, 실체적 심리설은 당초 신청된 특정한 처분을 하여야 함(#128.Ⅳ.Ⅵ 관련).

Ⅲ. 내 용

1. 반복금지효(행소법 제30조1항)

1) 동일 사실관계 하에서 동일 당사자를 대상으로 동일 내용의 처분을 하여서는 안 되는 효력이다. 따라서 취소된 처분사유와 **기본적 사실관계의 동일성이 없는** 다른 처분사유를 들어 동일한 내용의 처분을 하면 **기속력에 반하지 않지만, 기본적 사실관계가 동일**하면 적용법규를 달리하거나 처분사유를 변경하여 동일한 내용의 새로운 처분을 하는 것은 동일한 행위의 반복에 해당하여 **기속력에 반한다.**

판 례 재결의 기속력은 재결의 주문 및 그 전제가 된 요건사실의 인정과 판단, 즉 처분 등의 구체적 위법사유에 관한 판단에만 미친다고 할 것이고, 종전 처분이 재결에 의하여 취소되었다 하더라도 **종전 처분시와는 다른 사유를 들어서 처분을 하는 것은 기속력에 저촉되지 않는다**고 할 것이며, 여기에서 동일 사유인지 다른 사유인지는 **종전 처분에 관하여 위법한 것으로 재결에서 판단된 사유와 기본적 사실관계에 있어 동일성이 인정되는 사유인지 여부에 따라 판단**되어야 한다(대판 2005.12.9, 2003두7705).

2) 다만 취소사유가 절차 또는 형식의 흠인 경우, **적법한 절차 또는 형식을 갖추어 행한 동일한 내용의 처분**은 취소된 처분과 동일한 처분이 아니므로 **기속력에 반하지 않는다.**

2. 재처분의무

(1) 거부처분이 취소된 경우(행소법 제30조2항)

1) 기속행위나 재량이 영으로 수축된 경우 - 행정청은 당사자의 **신청에 따른 처분**을 하여야 한다.

2) 재량행위 - **재량의 하자 없는 재처분**을 하면 되며, 그 재처분은 신청에 따른 처분일 수도 거부처분일 수도 있다.

3) 형식상 위법(무권한, 형식의 하자, 절차의 하자)을 이유로 취소된 경우 - **적법한 형식을 갖추어** 신청에 따른 **가부간**의 처분을 하여야 한다.

판 례 행정소송법 제30조2항의 규정에 의하면 행정청의 거부처분을 취소하는 판결이 확정된 경우에는 그 처분을 행한 행정청이 판결의 취지에 따라 이전의 신청에 대하여 재처분할 의무가 있다고 할 것이나, 그 **취소사유**가 행정처분의 **절차, 방법의 위법**으로 인한 것이라면 그 처분 행정청은 그 **확정판결의 취지에 따라 그 위법사유를 보완하여 다시 종전의 신청에 대한 거부처분을 할 수 있고**, 그러한 처분도 위 조항에 규정된 **재처분에 해당**한다(대판 2005.1.14, 2003두13045).

(2) 인용처분이 절차상의 위법을 이유로 취소된 경우(행소법 제30조3항)

제3자효 행정행위가 다만 절차상의 위법을 이유로 취소된 경우에는 **적법한 절차에 따라 처분을 하는 경우 또 다시 동일한 수익처분이 내려질 가능성**이 있기 때문에, 신청인(처분의 상대방)에게는 재처분의 이익이 있다. 여기서 절차의 위법은 **좁은 의미의 절차 뿐만 아니라 권한 · 형식 · 절차상의 위법을 포함**하여 널리 실체법상의 위법에 대응하는 **넓은 의미**이다.

3. 결과제거의무(원상회복의무)

행정청은 취소된 처분에 의해 초래된 **위법상태를 제거**하여 **원상회복**할 의무를 진다. 결과제거의무가 기속력의 내용에 포함되는지 견해 대립 있으나, 긍정설이 타당하다. **행정소송법개정안**은 이를 명문화하고 있다.

Ⅳ. 기속력의 범위

1. 주관적 범위

행정청과 그 밖의 **관계 행정청(취소된 처분 과 관련되는 처분이나 부수되는 행위를 할 수 있는 행정청을 총칭)**에 미친다.

2. 객관적 범위

기속력은 판결의 **주문**과 판결**이유 중 설시된 개개의 위법사유**에 미친다.

3. 시간적 범위

처분시를 기준으로 처분시까지 존재하였던 이유에 한하여 미치며, 그 이후에 생긴 이유에는 미치지 않는다.

판 례 행정처분의 적법 여부는 그 **행정처분이 행하여 진 때의 법령과 사실을 기준**으로 하여 판단하는 것이므로 **거부처분 후에 법령이 개정・시행**된 경우에는 **개정된 법령 및 허가기준을 새로운 사유로 들어 다시 이전의 신청에 대한 거부처분을 할 수 있으며** 그러한 처분도 행정소송법 **제30조2항에 규정된 재처분**에 해당된다(대판 1998.1.7, 97두22).

그러나 제30조2항에 의해 재처분의무가 발생한 경우에, 행정청이 **재처분을 부당하게 지연하면서 확정판결의 기속력을 잠탈하기 위하여 인위적으로 새로운 거부처분 사유를 만들어 낸 경우**에는 **제30조2항의 유효한 재처분이 될 수 없다.**

Ⅴ. 기속력위반의 효과

기속력에 위반한 처분은 하자가 중대하고 명백하다고 볼 수 있어서 무효라는 것이 판례이다. 행정소송법상 기속력에 관한 규정은 강행규정으로서 일종의 효력규정이기 때문이다.

Ⅵ. 기속력과 간접강제(행소법 제34조)

행정청이 기속력에 따른 재처분의무를 이행하지 않은 경우, 판결의 실효성을 확보하기 위해 **행정청의 재처분의무가 비대체적 작위의무라는 점을 고려**하여 민사소송의 경우에 준하여(민사집행법 제261조) 간접강제를 채택하고 있다. 다만 문언상 "일정한 배상을 할 것을 명하거나, 즉시 손해배상할 것을 명할 수 있다"(행소법 제34조1항)고 되어 있음에도 **판례는 이를 "재처분의 지연에 대한 제재나 손해배상이 아니고 재처분의 이행에 관한 심리적 강제수단에 불과**한 것"이라고 보는데, 이에 대해 간접강제제도의 기능, 효용을 매우 저하시키고 있다는 비판이 있다.

기출 사례 **기속력(07년 사시)**

유흥주점 영업허가를 받아 주점을 경영하는 甲은 청소년인 乙을 유흥접객원으로 고용하여 유흥행위를 하게 하였다는 이유로 관할 행정청인 A로부터 위 유흥주점 영업허가를 취소하는 처분을 받았다. 甲은 이에 불복하여 행정소송을 제기하여 위 취소처분을 취소하는 판결을 선고받아 그 판결이 확정되었다. 다음의 경우 A의 처분의 위법 여부와 그 논거를 검토하시오.(30점)

(1) 위 확정판결은 A가 청문절차를 거치지 않았다는 점을 이유로 위 영업허가취소처분을 취소하는 것이었다. A는 위 판결 확정 후 청문절차를 거친 다음 다시 위 영업허가를 취소하는 처분을 하였다.

(2) 위 확정판결은 乙이 청소년임을 인정할 증거가 없다는 이유로 위 영업허가취소처분을 취소하는 것이었다. A는 위 판결 확정 후 乙이 청소년임을 인정할 만한 증거가 새로이 발견되었다는 이유로 다시 위 영업허가를 취소하는 처분을 하였다.

(3) 위 확정판결은 乙을 유흥접객원으로 고용하였다는 점을 인정할 증거가 없다는 이유로 위 영업허가취소처분을 취소하는 것이었다. A는 甲이 청소년 丙을 유흥접객원으로 고용하여 유흥행위를 하게 한 사실이 있었다는 이유로 다시 위 영업허가를 취소하는 처분을 하였다.

(4) 위 확정판결은 영업허가취소처분이 甲에게는 지나치게 가혹하여 재량권을 일탈・남용하였다는 이유로 취소하는 것이었다. A는 위 판결 확정 후 새로이 甲에게 영업정지 3개월의 처분을 하였다.

1. 기속력 일반론

2. 사안의 해결

1) 취소판결의 사유가 절차나 형식상의 하자인 경우에는 판결의 **기속력은 취소사유로 된 절차나 형식의 위법에 한하여** 미침.
- 행정청은 적법한 절차나 형식을 갖추어 다시 동일한 내용의 처분을 하더라도 **기속력에 반하지 않음**. 청문절차를 거친 후 A가 행한 동일한 내용의 처분은 적법.

2) 처분시의 처분사유와 **동일성이 인정**되는 사유이므로 기속력의 객관적 범위, 시적 범위에 반함. A가 행한 동일한 내용의 처분은 위법.

3) 청소년 乙을 고용하여 유흥행위를 하게 했다는 사실과 청소년 丙을 고용하여 유흥행위를 하게 하였다는 사실은 처분의 동일성이 유지되지 않음. 제재처분에서 제재사유가 변경되면 처분내용의 변경이 없어도 처분이 변경되는 것. 취소판결후의 영업허가 취소처분은 처분사유가 변경되기 이전의 처분과 동일성이 없는 새로운 처분으로서 기속력에 반하지 않음.

4) A의 영업정지처분은 이전의 영업허가취소처분과 동일성이 없는 별개의 처분. 역시 기속력에 반하지 않음.

기출 사례 재량과 판단여지 / 거부처분과 사전통지 / 기속력
(10년 행시 - 일반행정)

甲은 숙박시설을 경영하기 위하여 「건축법」 등 관계 법령이 정하는 요건을 구비하여 관할 A시 시장 을에게 건축허가를 신청하였다. 그러나 시장 乙은 「건축법」 제11조4항에 따라 해당 숙박시설의 규모나 형태 등이 주거환경이나 교육환경 등 주변 환경을 고려할 때 부적합하다는 이유로 건축허가를 거부하였고, 甲은 이에 대해 건축허가거부처분취소송을 제기하였다. 이와 관련하여 아래 물음에 답하시오. (총 50점)

1) 乙이 제시한 "주거환경이나 교육환경 등 주변환경을 고려할 때 부적법하다"는 거부사유에 대한 사법심사의 가부(可否) 및 한계는? (10점)

2) 甲이 乙의 거부처분과 관련하여 처분의 법적 근거, 의견제출기한 등을 사전에 통지하지 않았으므로 위법하여 취소되어야 한다고 주장한다면, 법원의 판단은 어떠해야 하는가? (20점)

3) 한편, 甲의 취소소송은 인용되었으나, 동 소송의 계속 중 A시 건축조례가 개정되어 건축허가 요건으로 「건축법」 제49조 등 건축법령의 규정보다 강화된 피난시설의 구비를 요구하게 되었으며, 甲이 허가 신청한 건축물은 현재에도 여전히 이를 구비하지 못한 상태이다. 이 경우 시장 乙은 위 취소소송의 인용판결에도 불구하고 강화된 피난시설요건의 미비를 이유로 甲에게 재차 건축허가거부처분을 할 수 있는가? (단, A시 개정건축조례가 적법함을 전제로 함) (20점)

Ⅰ. 乙이 제시한 거부사유에 대한 사법심사의 가부 및 한계 - 설문(1)

1. 문제의 소재

- 건축법 제11조4항은 "건축물의 용도, 규모 또는 형태가 주거환경이나 교육환경 등 주변환경을 고려할 때 부적합하다고 인정되면 건축허가를 하지 아니할 수 있다"고 규정하여 요건 부분을 불확정법개념으로 규정하고 있는데 불확정법개념의 해석・포섭에 있어 판단여지가 인정되는지가 행정소송의 한계로서 문제됨.

2. 판단여지와 재량행위(#32)

- 양자의 구별에 대한 견해대립 소개 후 구별긍정설로 검토(구별해야 할 현실적 필요성이 없다고 부정설을 택해도 무방)
- 불확정법개념의 해석과 적용에 있어서는 재량이 인정되는 영역과 달리 사법심사가 가능하나 판단여지가 인정되는 영역에서는 여러 가가지의 다양한 적법한 결정가능성이 존재하므로 법원은 행정기관의 결정내용이 법적으로 타당한 범위에 존재하는 것인지의 여부에 대해서만 제한적으로 사법심사를 할 수 있음.

3. 판단여지의 한계

- 판단여지가 인정되더라도 일정한 한계가 있으며 이러한 한계를 벗어난 경우에는 사법심사의 대상이 됨.

4. 사안의 경우

- 乙시장이 거부처분을 하면서 관련 절차를 준수하지 않았다거나, 정확한 사실관계에 기초하고 있지 않았거나, 자의성이 개입되었다거나 하는 사정이 없다면 "주거환경이나 교육환경 등 주변환경을 고려할 때 부적법하다"는 A시장의 판단은 존중되어야 하며 따라서 거부처분은 적법.

Ⅱ. 甲의 주장에 대한 법원의 판단 - 설문(2)

1. 거부처분시 절차법 21조의 적용 가부(#78. Ⅱ)

(1) 학설의 대립

- 긍정설 / 부정설 / 제한적 긍정설

(2) 판례 - 부정설

- 신청에 따른 처분이 이루어지지 아니한 경우에는 아직 당사자에게 권익이 부과되지 아니하였으므로 거부처분은 직접 당사자의 권익을 제한하는 처분이 아니어서 사전통지의 대상이 아님.

(3) 검토 - 긍정설

2. 긍정설에 따를 경우, 사전통지 흠결의 효과

(1) 절차하자의 독자적 위법성 - 적극(#80)

(2) 하자의 위법성의 정도 - 중대명백설에 의할 경우 취소사유

3. 결 론

- 판례에 의하면 甲의 청구는 기각되나, 인용함이 타당.

Ⅲ. 재차 행한 건축허가거부처분의 기속력 위반 여부 - 설문(3)

1. 문제의 소재

2. 기속력 일반론

- 사안의 경우 행정소송법 제30조2항의 재처분의무가 문제

3. 소송 계속 중 법령의 개정과 기속력

- 기속력은 처분 당시를 기준으로 그 당시까지 존재하였던 처분사유에 한하여 미치고 그 이후에 생긴 사유에는 미치지 않음.

- 甲이 제기한 취소소송 계속 중 건축법령의 요건이 강화된 것이므로 강화된 요건의 미비를 이유로 재차 거부처분을 하는 것은 제30조2항의 재처분에 해당.

- 판례도 동일

4. 결 론

- 乙은 강화된 피난시설 요건의 미비를 이유로 재차 거부처분을 할 수 있음.

기출 사례 **거부처분의 취소소송 대상적격, 심판법상 구제, 처분사유의 추가·변경, 기속력**(12년 사시)

甲은 주택을 소유하고 있었는데 그 지역이 한국토지주택공사가 사업자가 되어 시행하는 주택건설사업의 사업시행지구로 편입되면서 甲의 주택도 수용되었다. 사업시행자인 한국토지주택공사는 「공익사업을 위한 토지 등의 취득 및 보상에 관한 법률」제78조에 따라 이주대책의 일환으로 주택특별공급을 실시하기로 하였다. 그 후 甲은 「주택공급에 관한 규칙」 제19조1항3호 규정에 따라 A아파트입주권을 특별분양하여 줄 것을 신청하였다. 그런데 한국토지주택공사는 甲이 A아파트의 입주자모집공고일을 기준으로 무주택세대주가 아니어서 특별분양 대상자에 해당되지 않는다는 이유로 특별분양신청을 거부하였다.

(1) 甲이 한국토지주택공사를 피고로 하여 특별분양신청 거부처분취소소송을 제기한 경우, 그 적법성은?(제소기간은 준수한 것으로 본다) (15점)

(2) 취소소송을 제기하기 전에 특별분양신청 거부에 대하여 행정심판을 제기하려는 경우, 甲이 제기할 수 있는 행정심판법상의 권리구제수단에 대하여 검토하시오. (15점)

(3) 취소소송의 계속 중에 입주자모집공고일 당시 무주택세대주였다는 甲의 주장이 사실로 인정될 상황에 처하자 한국토지주택공사는 甲의 주택이 무허가주택이었기 때문에 甲은 특별분양대상자에 해당되지 않는다고 처분사유를 변경하였고, 심리결과 甲의 주택이 무허가주택이었음이 인정되었다. 이 경우 법원은 변경된 처분사유를 근거로 甲의 청구를 기각할 수 있는가? 법원의 판결 확정 후 한국토지주택공사가 甲의 주택이 무허가주택임을 이유로 특별분양신청을 재차 거부할 수 있는지 여부도 함께 검토하시오. (20점)

[참조조문]

***주택공급에 관한 규칙(국토해양부령)**

제19조(주택의 특별공급) ① 사업주체가 국민주택등의 주택을 건설하여 공급하는 경우에는 제4조에도 불구하고 입주자모집공고일 현재 무주택세대주로서 다음 각 호의 어느 하나에 해당하는 자에게 관련기관의 정하는 우선순위 기준에 따라 1회(제3호·제4호·제4호의 2에 해당하는 경우는 제외한다)에 한정하여 그 건설량의 10퍼센트의 범위에서 특별공급할 수 있다. 다만, 시·도지사의 승인을 받은 경우에는 10퍼센트를 초과하여 특별공급할 수 있다.

3. 다음 각 목의 어느 하나에 해당하는 주택(관계법령에 의하여 허가를 받거나 신고를 하고 건축하여야 하는 경우에 허가를 받거나 신고를 하지 아니하고 건축한 주택을 제외한다)을 소유하고 있는 자로서 당해 특별시장·광역시장·시장 또는 군수가 인정하는 자.

가. 국가·지방자치단체·한국토지주택공사 및 지방공사인 사업주체가 당해 주택건설사업을 위하여 철거하는 주택

***한국토지주택공사법**

제1조(목적) 이 법은 한국토지주택공사를 설립하여 토지의 취득·개발·비축·공급, 도시의 개발·정비,주택의 건설·공급·관리 업무를 수행하게 함으로써 국민주거생활의 향상 및 국토의 효율적인 이용을 도모하여 국민경제의 발전에 이바지함을 목적으로 한다.

제8조(사업) ① 공사는 제1조의 목적을 달성하기 위하여 다음 각

호의 사업을 행한다.
3. 주택(복리시설을 포함한다)의 건설 · 개량 · 매입 · 비축 · 공급 · 임대 및 관리

Ⅰ. 갑이 제기한 소의 적법성 - 설문(1)

1. 문제의 소재

- 이주대책의 일환인 특별분양의 대상자에 해당하는지 여부에 관한 법률관계의 성질은 공법관계임. 권력관계인지 비권력관계인지 견해가 대립하나 대법원은 이주대책 거부에 대하여 항고소송으로 다투어야 한다는 입장.

- 소송요건 개관. 사안에서는 특히 대상적격으로서의 거부처분 해당 여부, 甲의 원고적격 유무의 문제, 한국토지주택공사의 피고적격 여부 등이 문제됨.

2. 대상적격

- 판례가 요구하는 거부가 처분이 되기 위한 요건 언급하고 신청권에 대한 학설의 논의 소개.

- 한국토지주택공사는 기능적 의미의 행정청에 해당하여 그 분양대상자결정은 공권력의 행사에 해당하며 분양신청거부는 신청인 갑의 법률관계에 변동을 가져옴.

- 판례에 의하면 별도로 신청권이 인정되어야 하는데, 공토법 제78조1항과 주택공급에 관한 규칙 제19조1항3호에 의하면 이주대책은 공공사업에 협력한 자에게 특별공급의 기회를 요구할 수 있는 법적인 이익을 부여하고 있다고 할 것이므로 갑에게는 특별공급신청권이 인정되어 신청권이 인정되므로 분양신청거부는 거부처분에 해당.

- 판례를 비판하는 견해에 의하면 신청의 대상인 분양대상자결정이 처분이므로 그 거부도 거부처분에 해당.

3. 甲의 원고적격

- 법률상 이익의 의미 간단히 언급.

- 판례는 신청권이 인정되는 경우 원고적격에 대한 별도의 검토를 하지 않은 채 인정.

- 판례를 비판하는 견해에 의하면 이주대책의 근거법률이 보호하는 이익이 갑의 이익도 보호하는 것이어야 원고적격 인정. 이주대책 신청자의 주거에 관한 이익은 공토법 등 법률이 보호하는 이익.

4. 피고적격

- 공법인이 관계법령에 따라 공공사업을 시행하면서 그에 따른 이주대책을 실시하는 경우 이주대책에 관한 처분은 공법상 처분이므로 사업시행자인 공법인을 상대로 취소소송을 제기해야 함.

- 한국토지주택공사는 공법인인 공공단체로서 주택공급에 관한 규칙에 근거하여 특별공급에 관한 권한을 부여받은 행정청으로서 피고적격 있음

5. 소 결

- 갑이 제기한 소제기는 적법.

Ⅱ. 갑이 제기할 수 있는 행정심판법상의 권리구제수단 - 설문(2)

1. 거부처분취소심판 및 의무이행심판

- 취소심판보다는 의무이행심판이 권리구제에 효과적인 수단임을 논증(재처분의무가 의무이행심판에만 규정 있음).

- 인용재결의 형태(제43조5항)는 처분재결보다는 처분명령재결이 적절. 처분명령재결이 있으면 피청구인에게 재처분의무가 발생(제49조2항)하고 불이행시 행정심판위원회의 직접처분이 가능(제50조1항). 행정소송법과 달리 간접강제는 인정되지 않음.

2. 집행정지

- 거부처분에 대한 집행정지가 가능한지 있으나 판례는 부정.

3. 임시처분(제31조)

- 집행정지가 가능할 때에는 불가능한데 사안은 집행정지 불가능하므로 임시처분의 요건 충족하면 가능

- 특별분양신청거부처분으로 인한 손해는 재산상의 손해이므로 금전으로 보상이 가능하므로 당사자가 받을 우려가 있는 중대한 불이익이 아니므로 임시처분이 불가능하다는 견해도 있을 수 있고, 분양신청거부로 인하여 주거에 관한 권리가 중대하게 침해되었고 주거에 관한 이익은 금전으로 완전한 보상이 불가능하므로 임시처분이 가능하다는 포섭도 가능할 것.

Ⅲ. 처분사유의 변경시 법원의 판결과 취소판결 후 재거부의 가능성 - 설문(3)

1. 문제의 소재

2. 처분사유의 추가 · 변경 가부

(1) 의의 및 인정 여부
(2) 허용범위 및 한계
(3) 사안의 경우

- 당초 거부사유인 무주택세대주가 아니라는 것과 소송 중

제시된 갑의 주택이 무허가주택이라는 것은 기본적 사실관계의 동일성이 인정되지 않음. 법원은 변경된 사유로 甲의 청구를 기각할 수 없음.

2. 판결의 기속력과 재처분

(1) 기속력 일반

(2) 적용

- 거부처분취소판결이 확정되었더라도 기본적 사실관계의 동일성이 없는 사유를 들어 동일한 내용의 처분을 하는 것은 기속력에 반하지 않음. 따라서 한국토지주택공사는 무허가주택임을 이유로 재차 거부 가능.

기출 사례 행정규칙의 효력, 취소판결의 기속력
(12년 행시 - 재경)

甲은 위치정보의 보호 및 이용 등에 관한 법률 에 의한 위치정보사업을 하기 위하여 위치정보사업 허가신청서에 관련 서류를 첨부하여 방송통신위원회에 허가신청을 하였다. 방송통신위원회는 甲의 위치정보사업 관련 계획의 타당성 및 설비규모의 적정성 등을 종합 심사한 후에 허가기준에 미달되었음을 이유로 이를 거부하였다. (총 30점)

1) 방송통신위원회가 설정·공표한 위 사업의 허가기준에 적합함에도 불구하고 甲의 허가신청이 거부되었다면 이에 대하여 甲은 어떠한 주장을 할 수 있겠는가? (15점)

2) 허가신청 거부에 대한 甲의 취소청구를 인용하는 수소법원의 판결이 확정되었고, 그 후에 방송통신위원회가 다시 허가신청을 거부하였다면, 이는 취소판결의 효력과 관련하여 어떠한 문제점이 있는지 설명하시오. (15점)

Ⅰ. 갑이 주장할 수 있는 위법사유 - 설문(1)

1. 문제의 소재

2. 위치정보사업 허가의 법적 성질

- 강학상 특허로서 재량행위

3. 방송통신위원회가 설정공표한 허가기준의 법적 성질

- 방통위가 설정·공표한 것은 행정절차법 제20조에 의한 처분기준의 설정·공표에 해당.

- 참조조문이 제시되지 않아 명확하지 않아서 처분기준의 법적 성격을 가정적으로 검토.

- 위치정보의 보호 및 이용 등에 관한 법률에서 허가기준을 방송통신위원회가 정하도록 위임하였고 이에 근거하여 방통위가 기준을 정한 것이라면 법령보충적 규칙에 해당. 법규명령으로서의 성질을 인정.

- 위치정보의 보호 및 이용 등에 관한 법률에서는 구체적인 허가기준에 대해서 규정하고 있지 않고 달리 위임도 없는 상황에서 방통위가 허가기준을 마련한 것이라면 행정규칙으로서 재량준칙에 해당.

4. 갑이 주장할 수 있는 위법사유

1) 허가기준이 법령보충적 규칙에 해당되므로 허가기준을 위반한 거부처분은 위법하다고 주장.

2) 허가기준을 재량준칙으로 보더라도 재량의 일탈·남용이 있음을 주장.

- 재량준칙 위반으로 위법을 주장할 수는 없으나

- 재량준칙이 불합리하다는 특별한 사정이 없는 한 재량준칙을 따르지 않을만한 특별한 사정이 없음에도 재량준칙을 따르지 않은 것은 재량권의 한계를 일탈한 것이라고 주장할 수 있음.

Ⅱ. 취소판결 확정 후 재 거부처분시 문제점 - 설문(2)

1. 문제의 소재

2. 기속력 일반론

3. 재처분의무 위반 여부

- 방통위의 재차 거부처분은 재거부사유가 당초 거부사유와 기본적 사실관계의 동일성이 인정되는 사유라면 기속력(재처분의무) 위반으로 위법하게 되는 문제가 있음. 기속력에 반하는 처분은 무효.

- 그러나 처분시에 존재한 사유라도 기본적 사실관계의 동일성이 인정되지 않는 경우이거나 처분시 이후 발생한 사정에 기하여 재차 거부처분을 한 경우는 재처분의무 위반은 아님. 이 경우에는 당초의 거부처분 이후의 사정변경을 이유로 다시 거부처분을 할 수 있게 된다는 점에서 원고가 제기한 소의 인용판결이 권리구제에 기여하지 못하고 새로운 거부처분에 대하여 다시 소송이 제기되도록 하여 불필요한 소송이 반복되는 결과를 가져오며 판결에 대한 불신을 가져오는 문제점이 있음. 의무이행소송을 도입하여 위법판단의 기준시기를 판결시로 보면 해소될 수 있을 것.

124 간접강제

Ⅰ. 의 의

행정소송법은 의무이행소송 또는 일반적 이행소송을 인정하고 있지 않기 때문에 행정소송에서 강제집행의 문제가 생길 여지는 원칙적으로 없다. 그러나 **거부처분에 대한 취소판결이 확정된 경우에도 불구하고 행정청이 적극적 처분의무를 이행하지 않는 경우에는 판결의 집행력**[1]**이 문제되는바, 행정소송법은 판결의 실효성을 확보**하기 위하여 간접강제를 규정하고 이를 부작위위법확인소송에서 준용하고 있다(행소법 제34조 제38조②).

Ⅱ. 요 건

1. 거부처분의 취소판결이나 부작위위법확인판결 등이 확정될 것

원고의 청구를 인용하는 **확정판결에 한하여 제한적**으로 간접강제가 인정된다. 다만 판례는 거부처분의 집행정지는 불가능하다는 입장이므로, 거부처분의 집행정지명령에 대한 간접강제는 생각할 수 없다.

2. 거부처분에 대한 취소판결의 취지에 따른 재처분의무의 불이행이 있을 것

아무런 **재처분을 하지 않거나 재처분이 기속력에 반하는 경우**는 불이행에 해당하는데, 다만 **거부처분후 발생한 새로운 사유를 내세워 이전의 신청에 대한 거부처분**을 하는 경우는 위법판단의 기준시에 관하여 **처분시설을 취하는 판례에 의하면 재처분의무를 이행**한 것이 된다.

판 례 거부처분에 대한 취소의 확정판결이 있음에도 행정청이 아무런 **재처분을 하지 아니하거나**, 재처분을 **하였다 하더라도 그것이 종전 거부처분에 대한 취소의 확정판결의 기속력에 반하는 등으로 당연무효라면** 이는 아무런 재처분을 하지 아니한 때와 마찬가지라 할 것이므로 이러한 경우에는 행정소송법 제30조2항, 제34조1항 등에 의한 **간접강제신청에 필요한 요건을 갖춘 것**으로 보아야 한다(대결 2002.12.11, 2002무22).

Ⅲ. 절 차

당사자의 **신청**이 있어야 하며, 관할법원은 **1심법원**이다. 1심수소법원은 결정으로써 처분을 하여야 할 **상당한 기간**을 정하고, 행정청이 그 기간 내에 처분을 하지 않을 때에는 **지연기간에 따라 일정한 배상을 할 것을 명하거나 즉시 손해배상을 할 것을 명할 수 있다**(행소법 제34조1항). 나아가 이 경우 행정소송법 제33조를 준용하여 배상명령의 효력이 피고인 행정청이 속하는 국가 또는 공공단체에도 미치게 하여 집행의 실효성을 보장하고, 또한 민사집행법 제262조를 준용하여 행정청을 심문하도록 하고 있다(행소법 제34조2항). 간접강제신청에 대한 재판에 대하여는 **인용**결정이든 **기각결정**이든 **즉시항고가 가능**하다(민사집행법 제261조2항).

Ⅳ. 인정범위

간접강제는 부작위위법확인소송에는 준용되나, 무효확인소송에는 준용되지 않고 있다. 판례도 이를 근거로 무효확인소송에는 간접강제를 허용하지 않는다.

---

1) "집행력은 이행판결에 한하여 인정된다. 다만, 광의의 집행력은 강제집행 이외의 방법에 의하여 판결의 내용에 적합한 상태를 실현할 수 있는 수단(간접강제)까지도 포함하는데, 이러한 의미의 집행력은 확인판결과 형성판결에도 인정될 수 있다"(김남진・김연태 748면 인용).

V. 배상금의 성질과 배상금의 추심

간접강제결정에 기한 배상금은 확정판결의 지연에 대한 **제재나 손해배상이 아니고 재처분의 이행에 관한 심리적 강제수단에 불과한 것이어서, 의무이행기한이 경과한 후에라도 확정판결의 취지에 따른 재처분의 이행이 있으면 더 이상 배상금을 추심하는 것은 허용되지 않는다는 것이 판례**의 입장이다. **이에 대하여 간접강제제도의 기능·효용을 매우 저하시키고 있다는 비판**이 있다.

판 례 행정소송법 제34조 소정의 간접강제결정에 기한 배상금은 거부처분취소판결이 확정된 경우 그 처분을 행한 행정청으로 하여금 확정판결의 취지에 따른 재처분의무의 이행을 확실히 담보하기 위한 것으로서, 확정판결의 취지에 따른 재처분의무내용의 불확정성과 그에 따른 재처분에의 해당 여부에 관한 쟁송으로 인하여 간접강제결정에서 정한 재처분의무의 기한 경과에 따른 배상금이 증가될 가능성이 자칫 행정청으로 하여금 인용처분을 강제하여 **행정청의 재량권을 박탈하는 결과를 초래할 위험성**이 있는 점 등을 감안하면, 이는 확정판결의 취지에 따른 **재처분의 지연에 대한 제재나 손해배상이 아니고 재처분의 이행에 관한 심리적 강제수단에 불과**한 것으로 보아야 하므로, 특별한 사정이 없는 한 **간접강제결정에서 정한 의무이행기한이 경과한 후에라도** 확정판결의 취지에 따른 **재처분의 이행이 있으면 배상금을 추심함으로써 심리적 강제를 꾀할 목적이 상실**되어 처분상대방이 **더 이상 배상금을 추심하는 것은 허용되지 않는다**(대판 2004.1.15, 2002두2444).

기출 사례 **기속력과 간접강제**(03년 사시)

甲은 여관을 건축하기 위하여 관할 군수 乙에게 건축허가 신청을 하였으나 乙은 관계법령에 근거가 없다는 사유를 들어 거부처분을 하였다. 이에 甲은 乙을 상대로 거부처분 취소소송을 제기하여 승소하였고 이 판결은 확정되었다. 그런데도 乙은 위 판결의 취지에 따른 처분을 하지 아니하였다. 다음의 물음에 대하여 논하시오.

(1) 乙이 위 판결의 취지에 따른 처분을 하지 않고 있는 동안, 甲이 강구할 수 있는 행정소송법상 구제방법은?
(2) 위 승소판결 확정 후 관계법령이 개정되어 위 건축허가를 거부할 수 있는 근거가 마련되자 乙이 한 새로운 거부처분은 적법한가?
(3) 만일 위 (2)항의 개정법령에서 당해 개정법령의 시행 당시 이미 건축허가를 신청중인 경우에는 종전 규정에 따른다는 경과규정을 두었다면, 乙이 한 새로운 거부처분의 효력은?

1. 기속력과 간접강제 - 설문(1)

- 취소판결은 당사자인 행정청에 기속력을 가지며, 당사자인 행정청은 재처분의무를 부담(행소법 제30조2항).
- 군수 乙이 재처분을 하지 아니하면 간접강제제도를 활용하여 법원에 손해배상명령 신청 가능(행소법 제34조).

2. 기속력의 시간적 범위 - 설문(2)

- 기속력의 기준시는 처분시.
- 따라서 거부처분 후에 법령이 개정·시행된 경우에는 개정된 법령 및 허가기준을 새로운 사유로 들어 다시 이전의 신청에 대한 거부처분을 할 수 있으며, 그러한 처분도 행정소송법 제30조2항에 규정된 재처분에 해당.
- 乙이 한 새로운 거부처분은 적법.

3. 경과규정에 따르지 아니한 거부처분의 효력 - 설문(3)

- 경과규정에 따르지 않은 기속력에 반하는 행위로서 위법. 기속력에 반하는 처분의 위법은 무효(판례).

기출 사례 **계획변경신청 거부에 대한 권리구제**(13년 변시)

A광역시의 시장 乙은 세수증대, 고용창출 등 지역발전을 위해 폐기물처리업의 관내 유치를 결심하고 甲이 제출한 폐기물처리사업계획서를 검토하여 그에 대한 적합통보를 하였다. 이에 따라 甲은 폐기물처리업 허가를 받기 위해 먼저 도시·군관리계획변경을 신청하였고, 乙은 관계 법령이 정하는 바에 따라 해당 폐기물처리업체가 입지할 토지에 대한 용도지역을 폐기물처리업의 운영이 가능한 용도지역으로 변경하는 것을 내용으로 하는 도시·군관리계획 변경안을 입안하여 열람을 위한 공고를 하였다. 그러나 乙의 임기 만료 후 새로 취임한 시장 丙은 폐기물처리업에

대한 인근 주민의 반대가 극심하여 실질적으로 폐기물사업 유치가 어려울 뿐만 아니라, 자신의 선거공약인 '생태중심, 자연친화적 A광역시 건설'의 실현 차원에서 용도지역 변경을 승인할 수 없다는 계획변경승인거부처분을 함과 동시에 해당 지역을 생태학습체험장 조성지역으로 결정하였다. 폐기물처리사업계획 적합통보에 따라 사업 착수를 위한 제반 준비를 거의 마친 甲은 丙을 피고로 하여 관할 법원에 계획변경승인거부처분 취소소송을 제기하였다.

1. 甲이 제기한 취소소송은 적법한가? (단, 제소기간은 준수하였음) (35점)
2. 폐기물처리사업계획 적합통보에 따라 이미 상당한 투자를 한 甲이 위 취소소송의 본안판결 이전에 잠정적인 권리구제를 도모할 수 있는 행정소송 수단에 관하여 검토하시오. (20점)
3. 甲은 위 취소소송의 청구이유로서 계획변경승인거부처분에 앞서 丙이 처분의 내용, 처분의 법적 근거와 사실상의 이유, 의견청취절차 관련 사항 등을 미리 알려주지 않았으므로 위 거부처분이 위법하여 취소되어야 한다고 주장하였다. 甲의 주장은 타당한가? (15점)
4. 법원은 위 취소소송에서 甲의 소송상 청구를 인용하였고, 그 인용판결은 丙의 항소 포기로 확정되었다. 그럼에도 불구하고 丙은 재차 계획변경승인거부처분을 발령하였는데, 그 사유는 취소소송의 계속 중 A광역시의 관련 조례가 개정되어 계획변경을 승인할 수 없는 새로운 사유가 추가되었다는 것이었다. 丙의 재거부처분은 적법한가? (단, 개정된 조례의 합헌·적법을 전제로 함) (20점)
5. 위 취소소송의 인용판결이 확정되었음에도 불구하고 丙이 아무런 조치를 취하지 않을 경우 甲이 행정소송법상 취할 수 있는 효율적인 권리구제 수단을 설명하시오. (10점)

[참조조문]

***폐기물관리법**

제25조(폐기물처리업)

① 폐기물의 수집·운반, 재활용 또는 처분을 업(이하 "폐기물처리업"이라 한다)으로 하려는 자(음식물류 폐기물을 제외한 생활폐기물을 재활용하려는 자와 폐기물처리 신고자는 제외한다)는 환경부령으로 정하는 바에 따라 지정폐기물을 대상으로 하는 경우에는 폐기물처리사업계획서를 환경부장관에게 제출하고, 그 밖의 폐기물을 대상으로 하는 경우에는 시·도지사에게 제출하여야 한다. 환경부령으로 정하는 중요 사항을 변경하려는 때에도 또한 같다.

② 환경부장관이나 시·도지사는 제1항에 따라 제출된 폐기물처리사업계획서를 다음 각 호의 사항에 관하여 검토한 후 그 적합여부를 폐기물처리사업계획서를 제출한 자에게 통보하여야 한다.

1.~4. 〈생략〉

③ 제2항에 따라 적합통보를 받은 자는 그 통보를 받은 날부터 2년(제5항 제1호에 따른 폐기물 수집·운반업의 경우에는 6개월, 폐기물처리업 중 소각시설과 매립시설의 설치가 필요한 경우에는 3년) 이내에 환경부령으로 정하는 기준에 따른 시설·장비 및 기술능력을 갖추어 업종, 영업대상 폐기물 및 처리분야별로 지정폐기물을 대상으로 하는 경우에는 환경부장관의, 그 밖의 폐기물을 대상으로 하는 경우에는 시·도지사의 허가를 받아야 한다. 이 경우 환경부장관 또는 시·도지사는 제2항에 따라 적합통보를 받은 자가 그 적합통보를 받은 사업계획에 따라 시설·장비 및 기술인력 등의 요건을 갖추어 허가신청을 한 때에는 지체없이 허가하여야 한다.

***국토의 계획 및 이용에 관한 법률**

제2조(정의) 이 법에서 사용하는 용어의 뜻은 다음과 같다.

15. "용도지역"이란 토지의 이용 및 건축물의 용도, 건폐율(「건축법」 제55조의 건폐율을 말한다. 이하 같다), 용적률(「건축법」 제56조의 용적률을 말한다. 이하 같다), 높이 등을 제한함으로써 토지를 경제적·효율적으로 이용하고 공공복리의 증진을 도모하기 위하여 서로 중복되지 아니하게 도시·군관리계획으로 결정하는 지역을 말한다.

제36조(용도지역의 지정) ① 국토해양부장관, 시·도지사 또는 대도시 시장은 다음 각 호의 어느 하나에 해당하는 용도지역의 지정 또는 변경을 도시·군관리계획으로 결정한다.

1.~4. 〈생략〉

***국토의 계획 및 이용에 관한 법률 시행령**

제22조(주민 및 지방의회의 의견청취)

① 〈생략〉

② 특별시장·광역시장·특별자치시장·특별자치도지사·시장 또는 군수는 법 제28조4항에 따라 도시·군관리계획의 입안에 관하여 주민의 의견을 청취하고자 하는 때[법 제28조2항에 따라 국토해양부장관(법 제40조에 따른 수산자원보호구역의 경우 농림수산식품부장관을 말한다. 이하 이 조에서 같다) 또는 도지사로부터 송부받은 도시·군관리계획안에 대하여 주민의 의견을 청취하고자 하는 때를 포함한다]에는 도시·군관리계획안의 주요내용을 전국 또는 해당 특별시·광역시·특별자치시·특별자치도·시 또는 군의 지역을 주된 보급지역으로 하는 2 이상의 일간신문과 해당 특별시·광역시·특별자치시·특별자치도·시 또는 군의 인터넷 홈페이지 등에 공고하고 도시·군관리계획안을 14일 이상 일반이 열람할 수 있도록 하여야 한다.

Ⅰ. 갑이 제기한 취소소송의 적법성 - 설문 1

1. 문제의 소재

- 소송요건 일반론 언급 후 간단히 포섭하고 사안은 거부의 처분성이 문제됨을 언급.

2. 계획변경승인거부의 처분성(#27)

(1) 취소소송의 대상인 거부처분의 의의

(2) 거부처분의 성립요건

- 판례에 의한 거부처분의 성립요건 언급 . 신청권이 핵심.
- 학설의 비판 소개.

(3) 사안의 해결

- 용도지역 변경에 관한 도시・군 관리계획 변경은 공권력의 행사에 해당하고, 토지의 이용 및 건축물의 제한을 가져오므로 신청인의 법률관계에 변동을 가져옴.
- 갑은 폐기물처리사업계획의 적정통보를 받은 자로서 장래 일정한 기간 내에 관계법령이 규정하는 시설 등을 갖추어 폐기물처리업 허가신청을 할 수 있는 법률상 지위에 있으며, 갑의 계획변경신청을 거부하는 것은 실질적으로 폐기물처리업 허가신청을 거부하는 것이 되므로 갑은 병에게 계획변경을 신청할 법규상 또는 조리상 신청권이 있음.
- 따라서 시장 병의 계획변경승인거부는 거부처분에 해당하며 나머지 소송요건도 구비했으므로 갑이 제기한 취소소송은 적법함.

Ⅱ. 본안판결 이전의 잠정적 권리구제수단 - 설문 2

1. 문제의 소재

- 거부처분에 대해서 행정소송법상 집행정지의 가능성 및 민사집행법상 가처분의 인정여부가 문제됨.

2. 집행정지의 가능성(#115)

(1) 집행정지의 의의

(2) 집행정지의 요건

- 특히 거부처분에 대한 집행정지의 가능성이 문제.
- 학설(긍정설/부정설/제한적 긍정설)과 판례(부정설) 소개 후 제한적 긍정설로 검토.

(4) 사안의 해결

-계획변경신청의 거부에 대하여 집행정지를 받아들이더라도 신청이 있는 상태로 돌아가는 것에 불과하여 집행정지의 실익이 없고 예외적으로 집행정지를 긍정해야 할 사유도 없으므로 집행정지는 불가하다. 긍정설에 의하더라도 갑이 회복하기 어려운 손해발생의 우려가 있어 긴급한 필요가 있는 경우에 해당한다고 보기 어려울 것임. 집행정지는 갑의 잠정적인 권리구제수단이 될 수 없음.

3. 민사집행법상 가처분의 가능성(#116)

(1) 가처분의 의의

(2) 항고소송에서 가처분의 인정 여부

(3) 사안의 해결

- 부정설에 의할 경우 가처분 역시 갑의 잠정적인 권리구제수단이 될 수 없음. 만약 집행정지로 구제가 되지 않는 경우에 한해 허용된다는 절충설에 의할 경우라 하더라도 집행정지의 요건에 준해서 가처분의 요건을 판단해 본다면회복하기 어려운 손해발생의 우려가 있어 긴급한 필요가 있는 경우에 해당한다고 보기 어려울 것.

Ⅲ. 거부처분에 대한 사전통지 요부 - 설문 3

1. 문제의 소재

거부처분을 하는 경우에도 행정절차법 21조의 사전통지를 반드시 거쳐야 하는지 문제되며, 필수적 절차라고 하더라도 절차하자만을 이유로 처분을 취소할 수 있는지가 절차하자의 독자적 위법성의 문제로 제기됨.

2. 거부처분시 사전통지가 필수적 절차인지 여부(#78)

- 학설(긍정설/부정설/제한적 긍정설) 및 판례(부정설) 소개 후 긍정설로 검토(어느 학설을 취할지는 선택의 문제에 불과).

3. 절차하자의 독자적 위법성 인정여부(#80)

4. 사안의 해결

- 긍정설에 의할 경우 사전통지를 결여한 하자가 있으며 절차하자의 독자적 위법성도 인정되므로 사전통지의 결여를 이유로 거부처분이 취소되어야 한다는 갑의 주장은 타당.

Ⅳ. 병의 재거부처분의 적법성 - 설문 4

1. 문제의 소재

- 거부처분의 취소판결이 확정된 경우 기속력이 발생하는데 취소소송 계속 중의 조례개정을 이유로 한 병의 재거부처분이 기속력에 반하는지 문제됨.

2. 기속력 일반론(#123)

- 기속력의 의의, 내용, 범위 등을 간단히 소개하고 사안은 재처분의무가 문제되고, 기속력의 시간적 범위가 문제됨을 언급.

3. 사안의 해결

- 기속력의 시간적 범위는 처분시이므로 거부처분의 취소판결이 확정되었더라도 처분 당시의 위법사유에 한해 기

속력이 미침. 취소소송 계속 중 조례 개정은 처분시 이후에 발생한 사유임. 따라서 조례개정을 이유로 재거부처분을 하더라도 기속력에 반하지 않는다. 재거부처분은 적법함..

V. 재처분의무의 불이행시 권리구제수단 - 설문 5

1. 문제의 소재

- 거부처분의 취소판결이 확정되면 재처분의무가 발생하는데 병이 아무런 조치를 취하지 않고 있는 경우 행정소송법 34조의 간접강제신청을 할 수 있는지 문제됨.

2. 간접강제(#124)

- 의의, 요건, 절차 간단히 언급.

3. 사안의 해결

- 병은 계획변경승인거부처분의 취소판결에도 불구하고 아무런 조치를 취하지 않고 있으므로 재처분의 불이행을 하고 있으므로 간접강제의 요건은 충족된다. 갑은 1심 수소법원에 간접강제를 신청할 수 있음.

기출 사례 거부처분 취소소송의 적법성, 간접강제, 부당이득반환청구소송(14년 행시)

A하천 유역에서 농기계공장을 경영하는 甲은 「수질 및 수생태계 보전에 관한 법률」 제4조의5에 의한 오염부하량을 할당받은 자이다. 甲의 공장 인근에서 대규모 민물어류양식장을 운영하는 乙의 양식어류 절반가량이 갑자기 폐사하였고, 乙은 그 원인을 추적한 결과 甲의 공장에서 유출된 할당오염부하량을 초과하는 오염물질에 의한 것이라는 강한 의심을 가지게 되었다. 甲의 공장으로부터 오염물질의 배출이 계속되어 나머지 어류의 폐사도 우려되는 상황에서 乙은 동법 제4조의6을 근거로 甲에 대한 수질오염방지시설의 개선 등 필요한 조치를 명할 것을 관할 행정청 丙에게 요구하였다. 그러나 丙은 甲의 공장으로부터의 배출량이 할당오염부하량을 초과하는지 여부가 명백하지 않다는 이유로 이를 거부하였고, 乙은 동 거부처분에 대한 취소소송을 제소기간 내에 관할법원에 제기하였다. 다음 물음에 답하시오. (총 50점)

(1) 위 거부처분 취소소송은 적법한가? (20점)

(2) 乙의 거부처분 취소소송에 대하여 인용판결이 내려지고 동 판결은 확정되었다. 그럼에도 불구하고 丙은 개선명령 등의 조치가 재량행위임을 이유로 상당한 기간이 지났음에도 아무런 조치를 취하지 않고 있는바, 이러한 丙의 태도는 적법한가? 만약 적법하지 않다면 이에 대한 현행 행정소송법상 乙의 대응수단은? (20점)

(3) 한편 甲이 할당오염부하량을 초과하여 오염물질을 배출하였음을 이유로 관할 행정청은 동법 제4조의7에 근거하여 오염총량초과부과금을 부과하였고 甲은 이를 납부하였다. 그런데 甲에게 부과된 부과금처분은 관련 법령상 요구되는 의견청취절차를 거치지 아니한 것이었고, 甲이 이를 이유로 이미 납부한 부과금을 반환받고자 하는 경우, 부당이득반환청구소송을 통해 구제받을 수 있는가? (10점)

[참조조문]

***수질 및 수생태계 보전에 관한 법률**

제1조 (목적) 이 법은 수질오염으로 인한 국민건강 및 환경상의 위해(危害)를 예방하고 하천·호소(湖沼) 등 공공수역의 수질 및 수생태계(水生態系)를 적정하게 관리·보전함으로써 국민이 그 혜택을 널리 향유할 수 있도록 함과 동시에 미래의 세대에게 물려줄 수 있도록 함을 목적으로 한다.

제4조의5 (시설별 오염부하량의 할당 등) ① 환경부장관은 오염총량목표수질을 달성·유지하기 위하여 필요하다고 인정되는 경우에는 다음 각 호의 어느 하나의 기준을 적용받는 시설 중 대통령령으로 정하는 시설에 대하여 환경부령으로 정하는 바에 따라 최종방류구별·단위기간별로 오염부하량을 할당하거나 배출량을 지정할 수 있다. 이 경우 환경부장관은 관할 오염총량관리시행 지방자치단체장과 미리 협의하여야 한다.
(각호 생략)
③ 환경부장관 또는 오염총량관리시행 지방자치단체장은 제1항 또는 제2항에 따라 오염부하량을 할당하거나 배출량을 지정하는 경우에는 미리 이해관계자의 의견을 들어야 하고, 이해관계자가 그 내용을 알 수 있도록 필요한 조치를 하여야 한다.

제4조의6 (초과배출자에 대한 조치명령 등) ① 환경부장관 또는 오염총량관리시행 지방자치단체장은 제4조의5제1항 또는 제2항에 따라 할당된 오염부하량 또는 지정된 배출량(이하 "할당오염부하량등"이라 한다)을 초과하여 배출하는 자에게 수질오염방지시설의 개선 등 필요한 조치를 명할 수 있다.

제4조의7 (오염총량초과부과금) ① 환경부장관 또는 오염총량관리시행 지방자치단체장은 할당오염부하량등을 초과하여 배출한 자로부터 총량초과부과금(이하 "오염총량초과부과금"이라 한다)을 부과·징수한다.

Ⅰ. 甲이 제기한 취소소송의 적법성 - 설문1

1. 문제의 소재

2. 행정개입청구권 인정여부(#12) - 인정

3. 甲이 제기한 소의 적법성

⑴ 丙의 거부의 처분성(#108)

- 거부처분에서 신청권 논의 일반론 소개

- 판례를 비판하는 입장에서는 신청의 대상이 수질 및 수생태계 보전에 관한 법률 제4조의6에 의한 처분이므로 거부처분에 해당.

- 판례에 의하더라도 사안은 법률이 명문으로 신청권을 인정한 경우는 아니지만 행정개입청구권의 존재를 전제로 한 조리상 신청권을 인정할 수 있음. 따라서 거부처분에 해당.

⑵ 원고적격

- 신청권을 거부처분의 요소로 보는 판례에 의하면 신청권이 인정되는 사안에서는 원고적격도 인정.

- 판례를 비판하는 입장에서는 원고적격에서 재량이 0으로 수축되는 상황에서는 행정개입청구권이 인정되므로 원고적격이 인정된다고 하면 됨.

- 나머지 소송요건은 별다른 문제가 없으므로 甲이 제기한 소송은 적법.

Ⅱ. 인용판결 후 丙의 부작위의 위법성 및 이에 대한 행정소송법상 대응수단 - 설문2

1. 문제의 소재

- 丙의 부작위는 거부처분 취소판결의 기속력(재처분의무)에 반하는지 문제되고, 이에 대해 행정소송법상 간접강제가 가능한지 문제됨.

2. 거부처분 취소판결의 기속력(#123)

⑴ 기속력의 의의

⑵ 거부처분 취소판결에서의 재처분의무

⑶ 사안의 해결

- 사안의 경우 취소판결이 확정되었음에도 丙이 아무런 조치를 취하지 않고 있으므로 재처분의무 위반이 있음.

- 재량행위라고 하더라도 재량이 0으로 수축된 상황이므로 필요한 조치를 취해야 할 의무가 있음.

3. 행정소송법상 대응수단

⑴ 간접강제- 일반론

⑵ 사안의 해결

- 취소판결이 확정되었고 재처분의무의 불이행이 있으므로 간접강제 가능.

Ⅲ. 부당이득반환청구소송의 승소가능성 - 설문3

1. 문제의 소재

- 의견청취절차를 거치지 아니한 부담금부과처분이 하자가 있는지 문제되고, 실무에서 부당이득반환청구소송은 민사소송으로 제기해야 하는데 민사소송에서 선결문제로 부담금부과처분의 효력을 부인할 수 있는지 문제됨.

2. 부담금부과처분의 위법성

- 부담금부과처분은 의무를 부과하는 처분으로서 행정절차법 제21조의 사전통지 및 22조3항의 의견제출대상인데, 이러한 절차를 거치지 아니한 부과처분은 절차하자가 있음.

- 절차하자의 독자적 위법성을 긍정하는 것이 통설, 판례이므로 부과처분은 위법. 위법성의 정도는 취소사유.

3. 부당이득반환청구소송의 승소가능성(#44)

- 공정력 또는 구성요건적 효력의 의의 및 선결문제의 논의 소개.

- 민사법원은 부담금부과처분의 효력을 부인할 수 없으므로 갑이 부당이득반환청구소송을 통해 구제받을 수 없음.

- 갑으로서는 부담금부과처분에 대한 취소소송을 우선 제기하여 취소판결을 받거나 또는 취소소송과 부당이득반환청구소송을 관련청구소송으로 병합(행정소송법 제10조2항)하여 제기하여야 할 것.

125 취소판결의 형성력

Ⅰ. 의 의

취소판결이 확정되면 행정청에 의한 특별한 의사표시 내지 절차 없이 당연히 행정상 법률관계의 발생·변경·소멸의 효과를 가져오는 효력을 말한다. 행정소송법은 취소판결에 대해서 민사소송의 일반원칙의 예외로서 대세효를 인정하고, 그로 인하여 생길 수 있는 제3자의 권리침해의 대응책으로서 제3자의 소송참가, 재심청구제도를 만들어 판결의 효력이 제3자에 미치는 불합리를 시정하고 있다.

Ⅱ. 법적 근거

명시적 규정은 없으나, 통설은 행정소송법 제29조를 형성력의 간접적 근거규정으로 이해하고 있다.

Ⅲ. 효 력

1. 당연형성효

취소판결이 있으면 처분청의 별도의 행위를 기다릴 필요없이 당연히 취소의 효과가 발생한다.

판 례 행정처분을 취소한다는 확정판결이 있으면 그 취소판결의 형성력에 의하여 당해 행정처분의 취소나 취소통지 등의 별도의 절차를 요하지 아니하고 당연히 취소의 효과가 발생한다(대판 1991.10.11, 90누5443).

2. 소급효

취소판결 후에 취소된 처분을 대상으로 하는 처분(예: 경정처분)은 당연무효이다.

판 례 조세의 부과처분을 취소하는 행정판결이 확정된 경우 부과처분의 효력은 처분 시에 소급하여 효력을 잃게 되어 그에 따른 납세의무가 없으므로 확정된 행정판결은 조세포탈에 대한 무죄 내지 원심판결이 인정한 죄보다 경한 죄를 인정할 명백한 증거에 해당한다. 조세심판원이 재조사결정을 하고 그에 따라 과세관청이 후속처분으로 당초 부과처분을 취소하였다면 부과처분은 처분 시에 소급하여 효력을 잃게 되어 원칙적으로 그에 따른 납세의무도 없어지므로, 형사소송법 제420조 제5호에 정한 재심사유에 해당한다(대판 2015.10.29, 2013도14716).

Ⅳ. 취소판결의 제3자효(대세효)

취소판결의 형성력의 주관적 범위가 제3자에게도 미치는 것을 말한다.

1. 인정이유

승소한 자의 권리 확실히 보호하고, 제3자효 행정행위에서 취소판결의 효과를 실질적 상대방인 제3자에게 미치게 할 필요가 있어 인정되는 효력이다.[1)]

---

1) "예컨대, 체납처분절차의 하나로서의 공매처분이 취소판결이 있은 경우, 만일에 취소판결의 효력이 제3자인 재산경락인에게 미치지 않게 되면, 체납자에게 있어서 청구인용의 판결은 거의 의미 없는 것이 되고 만다. 특허기업(여객자동차운수사업)의 기존업자가 신규업자를 상대로 한 신규면허처분의 취소소송(경업자소송)에 있어서도 사정은 마찬가지이다. 이와 같이 제3자효 행정행위의 취소소송에 있어서 피고는 처분행정청으로 되어 있으나, 분쟁의 실질적 상대방은 경락인, 신규업자 등 사인이라는 점이 이해되어야 한다. 민사소송에 의하면 그들 실질적 상대방이 피고가 되고, 따라서 판결의 효력(구속력)도 당연히 그들 피고에게 미치게 된다. 그런데 취소소송에 있어서는 처분행정청이 피고가 되어 있으므로 취소판결의 효과를 실질적 상대방인 제3자에게 미치게 할 필요가 있는 셈이다"(김남진·김연태 744면 인용).

2. 형성력의 범위

(1) 문제점

처분등을 취소하는 확정판결은 제3자에 대하여도 효력이 있다(29조 1항). 그러나 그 제3자의 범위가 명확하지 않아 구체적인 적용에 있어 문제가 있다.

(2) 제3자의 범위

1) **취소소송의 원고와 대립된 법적 지위**에 있는 자(처분의 취소에 직접적인 이해관계가 있는 자)는 제3자임이 명백하지만, 이 경우 **제3자가 취소판결의 효력을 부인할 수 있는지의 논의**가 있다.

판 례 행정처분을 취소하는 확정판결이 제3자에 대하여도 효력이 있다고 하더라도 일반적으로 판결의 효력은 주문에 포함한 것에 한하여 미치는 것이니 그 **취소판결 자체의 효력으로써 그 행정처분을 기초로 하여 새로 형성된 제3자의 권리까지 당연히 그 행정처분 전의 상태로 환원되는 것이라고는 할 수 없고, 단지 취소판결의 존재와 취소판결에 의하여 형성되는 법률관계를 소송당사자가 아니었던 제3자라 할지라도 이를 용인하지 않으면 아니된다는 것을 의미**하는 것에 불과하다 할 것이며, 따라서 취소판결의 확정으로 인하여 **당해 행정처분을 기초로 새로 형성된 제3자의 권리관계에 변동을 초래하는 경우가 있다 하더라도 이는 취소판결 자체의 형성력에 기한 것이 아니라** 취소판결의 위와 같은 의미에서의 **제3자에 대한 효력의 반사적 효과로서 그 취소판결이 제3자의 권리관계에 대하여 그 변동을 초래할 수 있는 새로운 법률요건**이 되는 까닭이라 할 것이다(대판 1986.8.19, 83다카2022).

2) 일반처분이나 처분법규가 판결에 의해 취소된 경우 **제3자가 취소판결의 효력을 적극적으로 원용할 수 있는가**와 관련해서 제3자의 범위에 대해 견해대립이 있다. 학설로는 ① **행정법관계의 획일적인 규율의 요청, 법률상태 변동의 명확화 요청, 시민의 대표소송적 성격을 근거**로 하는 절대적 대세효설, ② 취소소송은 **주관적 소송**으로서 그 효력은 원칙적으로 당사자 사이에만 미치는 것으로 보는 **상대적 대세효설**이 대립한다.

3. 제3자 보호

소송에 참가하여 자기의 이익을 방어하거나 주장할 기회를 가지지 아니한 제3자에 대하여 판결의 효력을 미치게 한다는 것은 소송법의 원칙에 어긋나며, 국민의 재판청구권소송(헌법 1항 제27조)을 침해할 우려도 있으므로 행정소송법상 제3자의 **참가(제16조) 및 재심청구(제31조)**제도를 마련하고 있다.

4. 적용범위

(1) **원고승소판결(취소판결)에 인정**

원고패소판결은 기판력만 발생하고 형성력은 발생하지 않는다. 원고패소의 경우에는 형성력을 인정하지 않아도 실질적인 권리구제에 있어서 전혀 불합리한 문제점을 야기할 가능성이 없기 때문이다.

(2) **대세효(제3자효)는 무효등확인소송, 부작위위법확인소송의 경우에도 준용됨**(행소법 제38조1, 2항)

판 례 **행정처분의 무효확인판결**은 비록 **형식상은 확인판결이라 하여도** 그 확인판결의 효력은 그 취소판결의 경우와 같이 소송의 당사자는 물론 **제3자에게도 미친다**(대판 1982.7.27, 82다173).

(3) **집행정지결정 및 집행정지취소결정에 준용됨**(행소법 제29조2항)

반면 집행정지결정의 기속력은 행정소송법 제23조6항에서 규정하고 있다.

126 기판력

Ⅰ. 의 의

소송물에 관하여 법원이 행한 판단내용이 확정되면, 이후 동일사항이 문제되는 경우에 있어 **당사자(승계인 포함)**는 그에 **반하는 주장**을 하여 다투는 것이 **허용되지 않으며**, **법원**도 그와 **모순·저촉되는 판단을 하여서는 안 되는 구속력**을 말한다. **실질적 확정력**[1]이라고도 하며, 소송절차의 반복과 모순된 재판의 방지라는 **법적 안정성**의 요청에 따라 인정되는 효력이다. 행정소송법에 기판력에 대한 규정은 없으나 민사소송법상의 기판력에 관한 규정이 적용된다(행정소송법 제8조2항).

Ⅱ. 범 위

1. 주관적 범위

당사자 및 당사자와 동일시할 수 있는 승계인에게만 미치고 제3자에게는 미치지 않는 것이 원칙이다. 판례는 **참가인**에게 대한 관계에서도 기판력이 발생한다고 본다. 행정소송법 제16조의 참가는 **공동소송적 보조참가**로 이해되기 때문이다.

2. 객관적 범위

기판력은 주문에 표시된 소송물에 관한 판단에만 미치고, 판결이유 중에 적시된 구체적인 위법사유에 관한 판단에는 미치지 않는다.

3. 시간적 범위

사실심변론종결시를 표준으로 한다.

Ⅲ. 기판력의 작용

기판력은 ① 전소와 후소의 **소송물이 동일**하거나(예: 동일한 처분에 대하여 절차적 하자를 이유로 취소소송을 제기하여 기각당한 후 내용상 위법을 이유로 다시 취소소송을 제기) ② 후소가 기판력에 의하여 확정된 전소의 법률효과와 정면으로 **모순되는 반대관계**를 소송물로 하거나 ③ 전소의 소송물이 후소의 **선결관계**로 되는 때(예: 처분에 대한 취소판결 후 동 처분으로 인한 손해에 대해 국가배상청구소송을 제기)에 작용한다. 주로 아래 두 경우에 문제된다.

판 례 취소 확정판결의 '기속력'은 취소 청구가 인용된 판결에서 인정되는 것으로서 당사자인 행정청과 그 밖의 관계행정청에게 확정판결의 취지에 따라 행동하여야 할 의무를 지우는 작용을 한다. 이에 비하여 **행정소송법 제8조 제2항에 의하여 행정소송에 준용되는 민사소송법 제216조, 제218조가 규정하고 있는 '기판력'**이란 **기판력 있는 전소 판결의 소송물과 동일한 후소를 허용하지 않음과 동시에, 후소의 소송물이 전소의 소송물과 동일하지는 않더라도 전소의 소송물에 관한 판단이 후소의 선결문제가 되거나 모순관계에 있을 때에는 후소에서 전소 판결의 판단과 다른 주장을 하는 것을 허용하지 않는 작용**을 한다(대판 2016.3.24, 2015두48235).

Ⅳ. 취소소송과 무효확인소송간의 기판력

1. 전소가 취소소송인 경우

취소소송에서 **기각판결이 확정**된 경우, 그 기판력은 **무효확인소송에 미친다**.

---

1) **형식적 확정력(불가쟁력)**은 **상소기간의 경과, 상소권의 포기 기타 사유로 더 이상 불복할 수 없는 상태가 되어 소송절차 내에서 취소, 변경의 가능성이 없게 되는 경우** 발생하며, **형식적 확정력의 발생을 전제**로 하여 **실질적 확정력인 기판력이 발생.**

판 례 과세처분의 취소소송은 과세처분의 실체적, 절차적 위법을 그 취소원인으로 하는 것으로서 그 심리의 대상은 과세관청의 과세처분에 의하여 인정된 조세채무인 과세표준 및 세액의 객관적 존부, 즉 당해 과세처분의 적부가 심리의 대상이 되는 것이며, 과세처분 **취소청구를 기각하는 판결이 확정**되면 그 **처분이 적법**하다는 점에 관하여 **기판력이 생기고 그 후** 원고가 이를 **무효라 하여 무효확인을 소구할 수 없는 것**이어서 과세처분의 취소소송에서 청구가 기각된 확정판결의 기판력은 그 **과세처분의 무효확인을 구하는 소송에도 미친다**(대판 2003.5.16, 2002두3669).

2. 전소가 무효확인소송인 경우

무효확인소송에서 **기각판결이 확정**되어도 처분이 **무효가 아니고 유효하다는 점에 대해서만 기판력이 발생**하므로, **취소를 구하는 소송을 다시 제기**할 수 있다.

V. 취소소송의 기판력이 국가배상청구에 미치는지 여부[2](#83.Ⅳ.4.)

1. 문제점

취소소송의 기판력이 그 후에 제기된 국가배상청구소송에 미치는지 여부의 문제이다. **취소소송의 소송물**을 무엇으로 볼지의 문제 및 **취소소송에서의 처분의 위법성과 국가배상소송에서 선결문제로서의 처분의 위법성**(법령위법성)**을 동일한 개념으로 볼지**의 문제와 관련이 있다.

2. 학 설

(1) 취소소송의 소송물을 처분의 위법성 일반으로 보는 견해

1) 일원설(기판력긍정설)

취소소송의 위법과 국가배상소송에서의 위법개념을 같다고 보며, **협의의 행위위법설**을 전제로 국가배상청구에 기판력이 **미친다**고 본다.

2) 이원설

① **결과불법설과 상대적 위법성설**에 의하면 양자의 위법개념이 다르므로 기판력이 **미치지 않으나** ② **광의의 행위위법설**에 의하면 **행위 자체의 위법이 문제된 경우에만 기판력이 미치고, 행위의 태양의 위법**이 문제되는 경우(예: 공무원의 **직무상 손해방지의무 위반**으로서의 위법)에는 항고소송의 위법과 **판단의 대상과 내용을 달리하므로** 그 기판력은 국가배상청구에 **미치지 않는다**고 본다.

(2) 처분의 위법사유마다 취소소송의 소송물이 다르다는 견해

취소소송의 판결의 기판력은 **개개의 위법사유에 한정**된다고 보아, **청구기각판결**의 경우 후소인 **국가배상소송에서 취소소송에서 주장한 것과 다른 위법사유를 주장할 수 있다**고 본다.

---

2) 반대로 전소가 국가배상청구소송이고 후소가 취소소송인 경우 국가배상청구소송의 소송물은 국가배상청구권의 존부로서 후소인 취소소송의 선결관계가 아니므로 기판력이 미치지 않음.

127 무효확인소송 관련 논점

Ⅰ. 무효확인소송의 의의 및 필요성

무효확인소송이란 행정청의 **처분 등의 효력유무를 확인하는 소송**을 말한다(행소법 제4조2호). 원래 처분이 무효이면 그 하자의 중대명백성으로 인하여 처음부터 효력이 발생하지 않고 **공정력이 인정되지 않는다.** 그러나 처분이 무효인 경우에도 **처분으로서의 외관이 존재**하고, 처분의 **무효원인과 취소원인의 구별은 상대적**이어서 무효인 처분도 **행정청에 의하여 집행될 우려**가 있어 무효인 처분의 상대방이나 이해관계인은 처분의 무효를 **공적으로 확인받을 필요**가 있어 인정된 소송이다.

Ⅱ. 무효확인소송의 보충성 인정 여부

1. 문제점

행정소송법 제35조는 무효확인소송의 원고적격에 대하여 "처분 등의 효력의 유무 또는 존재 여부의 확인을 구할 법률상 이익이 있는 자가 제기할 수 있다"고 하는데, 여기서 **법률상 이익의 개념은 취소소송와 동일**하다고 보는 것이 일반적이다. 그러나 문제는 **무효확인소송도 확인소송**의 일종이라는 점에서 민사소송의 확인소송에서 요구되는 **확인소송의 보충성의 법리가** 무효확인소송에도 **적용되어 당사자소송 등 다른 구제수단이 있는 경우에도 무효확인소송이 허용될 수 있는지 논란이 되고 있다.**

2. 학 설

(1) 필요설

무효확인소송의 **남소가능성을 방지**하기 위해, **민사소송과 마찬가지로 확인소송에서의 일반적 소송요건인 확인의 이익**이 요구된다고 본다. 따라서 **다른 구제수단에 의하여 분쟁이 해결되지 않는 경우에 한하여** 무효확인소송을 보충적으로 **인정**하며, 이행소송인 당사자소송 등이 가능하면 무효확인소송 제기는 허용되지 않는다는 것이다.

(2) 불요설

무효·취소사유의 구분이 용이하지 않으며, 남소가능성의 문제는 법원이 권리보호의 필요의 요건의 해석을 통해 제한을 가할 수 있으므로 확인의 소의 보충성은 요구되지 않는다고 본다.

3. 판 례 – 민. 항. 기. 외국. 확대.

종래 **필요설의 입장이었으나**(대판 1988.3.8. 87누133), 최근 입장을 변경하여 불요설을 취하였다(관련판례). 즉 ① 행정소송은 **민사소송과는 목적, 취지 및 기능 등을 달리하고,** ② 행정소송법 제4조에서는 무효확인소송을 **항고소송의 일종으로 규정**하고 있고, ③ **확정판결의 기속력**에 의해 **무효확인판결 자체만으로도 실효성을 확보**할 수 있으며, ④ **보충성을 규정하고 있는 외국의 일부 입법례(일본)와는 달리 우리나라 행정소송법에는 명문의 규정이 없고,** ⑤ **행정에 대한 사법통제, 권익구제의 확대와 같은 행정소송의 기능** 등을 종합하여 보면, 행정처분의 근거 법률에 의하여 보호되는 직접적이고 구체적인 이익이 있는 경우에는 행정소송법 제35조에 규정된 '무효확인을 구할 법률상 이익'이 있다는 것이다.

4. 검 토 – 선.남

행정처분의 **무효는 흔히 있는 현상이 아니기 때문에** 무효확인소송의 보충성을 요구하지 않는다고 하여 **남소 가능성이 커진다고 단정하기 어렵고,** 분쟁의 유형에 따라서는 행정처분에 관한 무효확인소송이 보다 적절한 구제수단이 될 수도 있다. 나아가 **상대방에게 소송형태에 관한 선택권을 부여**하여 부당이득반환청구의 소 등의 제기 가능성

여부와 관계없이 행정처분에 관한 무효확인소송을 바로 제기할 수 있도록 함으로써 **양 소송의 병존가능성을 인정**하는 것이 **국민의 권익구제 강화라는 측면에서도 바람직**하므로 **불요설이 타당하다.**

Ⅲ. 제소기간 및 심판전치

소송요건이 아니다. 즉 행정소송법 제38조1항은 제18조 및 제20조를 준용하지 않고 있다.

Ⅳ. 사정판결 인정여부(#121)

견해대립 있으나 **다수설·판례**는 무효확인소송에서는 사정판결을 **부정**한다.

Ⅴ. 간접강제 허용여부(#124)

행정소송법 제38조1항은 제34조를 무효확인소송에 준용하고 있지 않아 허용여부에 대한 견해대립이 있으나, **판례**는 문언을 중시하여 **부정**한다.

Ⅵ. 입증책임(#120)

학설은 법률요건 분류설에 따라 입증책임을 분배해야 한다고 하나, **판례**는 무효를 주장하는 **원고**가 입증책임을 진다고 한다.

Ⅶ. 취소소송과 무효등확인소송과의 관계

1. 병렬관계

양자는 **별개의 독립된 소송**으로서 각자의 제소요건을 충족하는 한 가장 효과적으로 달성할 수 있는 소송을 선택할 수 있다. 그러나 양자는 서로 **양립할 수 없는 청구**로서 단순·선택적 병합은 불가하고, **예비적 병합만 가능**하다.

판 례 하자 있는 행정처분을 놓고 이를 **무효로 볼 것인지 아니면 단순히 취소할 수 있는 처분으로 볼 것인지는 동일한 사실관계를 토대로 한 법률적 평가의 문제에 불과**하고, 행정처분의 **무효확인을 구하는 소에는 특단의 사정이 없는 한 그 취소를 구하는 취지도 포함**되어 있다고 보아야 하는 점 등에 비추어 볼 때, 동일한 행정처분에 대하여 **무효확인의 소를 제기하였다가 그 후** 그 처분의 **취소를 구하는 소를 추가적으로 병합**한 경우, **주된 청구인 무효확인의 소가 적법한 제소기간 내에 제기되었다면 추가로 병합된 취소청구의 소도 적법하게 제기된 것**으로 봄이 상당하다(대판 2005.12.23, 2005두3554).

2. 포용관계

별개의 소송이기는 하나 다같이 행정처분 등이 위법한 흠이 있음을 이유로 그 효력의 배제를 구하는 것이고, 그 하자의 정도 등에 의한 구분에 불과한 것이어서 실제 서로 포용성을 가진다. 즉 **취소청구**에는 엄밀한 의미의 취소뿐만 아니라 **무효를 확인하는 의미의 취소를 구하는 취지가 포함**되어 있고, **무효확인의 청구**에는 원고가 **취소를 구하지 아니한다고 명백히 하지 아니하는 한 취소의 청구가 포함**되어 있는 것이다.

⑴ 무효사유에 대해 취소소송을 제기한 경우

취소소송의 소송요건을 구비하였다면 전부승소(무효선언 의미의 취소소송)가 가능하며, 반면 **취소소송의 제기요건을 구비하지 못하였다면 무효확인소송으로 소변경이 가능**하다.

⑵ 취소사유에 대해 무효확인소송을 제기

① **취소소송의 제기요건을 구비하지 못하였다면 무효확인소송에서 청구기각판결**을 하여야 한다. ② 반면 취소소송의 **제기요건을 구비한 경우**에는 법원은 무효가 아니라면 취소라도 구하는 취지인지를 석명하여 **취소소송으로 소변경하도록 한 후 취소판결**해야 한다는 견해(소변경필요설)와 무효확인청구는 취소청구를 포함한다고 보고, 바로 취소판결을 하여야 한다는 견해(취소판결설)가 대립한다. 판례 역시 취소판결설의 입장이다. 행정소송에도 처분권

주의가 적용되기 때문에 법원이 원고의 소송상 청구를 일방적으로 변경할 수는 없으므로 소변경필요설이 타당하다.

관련 판례 **무효확인소송의 보충성** (대판(전) 2008.3.20. 2007두6342)

【이 유】 중

항고소송인 행정처분에 관한 무효확인소송(이하 '무효확인소송'이라 한다)을 제기하려면 행정소송법 제35조에 규정된 '무효확인을 구할 법률상 이익'이 있어야 하는바, 그 법률상 이익은 당해 처분의 근거 법률에 의하여 보호되는 직접적이고 구체적인 이익이 있는 경우를 말하고 간접적이거나 사실적, 경제적 이해관계를 가지는 데 불과한 경우는 여기에 해당되지 아니한다(대판 2001.7.10. 2000두2136 등 참조).

그런데 종래 대법원은, 행정소송법 제35조에 규정된 '무효확인을 구할 법률상 이익', 즉 무효확인소송의 확인의 이익이 인정되려면, 판결로써 분쟁이 있는 법률관계의 유·무효를 확정하는 것이 원고의 권리 또는 법률상의 지위에 관한 불안·위험을 제거하는 데 필요하고도 적절한 경우라야 한다고 제한적으로 해석하였다. 이에 따라 행정처분의 무효를 전제로 한 이행소송 등과 같은 구제수단이 있는 경우에는 원칙적으로 소의 이익을 부정하고, 다른 구제수단에 의하여 분쟁이 해결되지 않는 경우에 한하여 무효확인소송이 보충적으로 인정된다고 하는 이른바 '무효확인소송의 보충성(보충성)'을 요구하여 왔다. 그 결과 무효인 행정처분의 집행이 종료된 경우에 부당이득반환청구의 소 등을 청구하여 직접 이러한 위법상태를 제거하는 길이 열려 있는 이상 그 행정처분에 대하여 무효확인을 구하는 것은 종국적인 분쟁 해결을 위한 필요하고도 적절한 수단이라고 할 수 없어 소의 이익이 없다고 판시하여 왔다.

이와 같은 종래의 대법원 판례 취지에 비추어 보면, 한국토지공사로부터 이 사건 토지를 매수하여 그 위에 이 사건 건물을 신축한 이후 이 사건 하수도원인자부담금 부과처분(이하 '이 사건 처분'이라 한다)에 따라 이를 납부한 원고로서는 이 사건 처분의 무효를 주장하여 부당이득반환청구의 소로써 직접 이러한 위법상태의 제거를 구할 수 있으므로, 이 사건 처분에 대하여 무효확인을 구하는 원고의 예비적 청구는 소의 이익이 없게 된다. 따라서 대법원으로서는 원심판결을 파기하고 제1심판결 중 예비적 청구에 관한 부분을 취소한 후 이 부분 소를 각하할 수밖에 없는데, 과연 이러한 결론이 옳은 것인지 여부에 관하여는 의문이 있으므로, 아래에서는 이와 관련된 종래 대법원 판례의 당부 및 이러한 예비적 청구에 관하여 원고에게 소의 이익이 있는지 여부를 직권으로 살펴본다.

나. 행정소송법 제35조는 "무효등 확인소송은 처분등의 효력 유무 또는 존재 여부의 확인을 구할 법률상 이익이 있는 자가 제기할 수 있다"고 규정하고 있다. 그런데 위에서 본 바와 같이 종래의 대법원 판례가 무효확인소송에 대하여 보충성이 필요하다고 해석한 것은, 무효확인소송이 확인소송으로서의 성질을 가지고 있으므로 민사소송에서의 확인의 소와 마찬가지로 위와 같은 확인의 이익(이하 '보충성에 관한 확인의 이익'이라 한다)을 갖추어야 한다는 데에 근거를 둔 것이다. 그러나 이는 행정처분에 관한 무효확인소송의 성질과 기능 등을 바탕으로 한 입법정책적 결단과도 관련이 있는 것으로서 결국은 행정소송법 제35조를 어떻게 해석할 것인지 하는 문제에 귀결된다.

행정소송은 행정청의 위법한 처분 등을 취소·변경하거나 그 효력 유무 또는 존재 여부를 확인함으로써 국민의 권리 또는 이익의 침해를 구제하고, 공법상의 권리관계 또는 법 적용에 관한 다툼을 적정하게 해결함을 목적으로 하는 것이므로, 대등한 주체 사이의 사법상 생활관계에 관한 분쟁을 심판대상으로 하는 민사소송과는 그 목적, 취지 및 기능 등을 달리한다. 또한 행정소송법 제4조에서는 무효확인소송을 항고소송의 일종으로 규정하고 있고, 행정소송법 제38조1항에서는 처분 등을 취소하는 확정판결의 기속력 및 행정청의 재처분 의무에 관한 행정소송법 제30조를 무효확인소송에도 준용하고 있으므로 무효확인판결 자체만으로도 실효성을 확보할 수 있다. 그리고 무효확인소송의 보충성을 규정하고 있는 외국의 일부 입법례와는 달리 우리나라 행정소송법에는 명문의 규정이 없어 이로 인한 명시적 제한이 존재하지 않는다. 이와 같은 사정을 비롯하여 행정에 대한 사법통제, 권익구제의 확대와 같은 행정소송의 기능 등을 종합하여 보면, 행정처분의 근거 법률에 의하여 보호되는 직접적이고 구체적인 이익이 있는 경우에는 행정소송법 제35조에 규정된 '무효확인을 구할 법률상 이익'이 있다고 보아야 하고, 이와 별도로 무효확인소송의 보충성이 요구되는 것은 아니므로 행정처분의 무효를 전제로 한 이행소송 등과 같은 직접적인 구제수단이 있는지 여부를 따질 필요가 없다고 해석함이 상당하다.

이와 다른 취지로 판시한 종전 대법원판결들, 즉 대판 1963.10.22, 63누122 ; 대판 2006.5.12, 2004두14717 등은 이 판결의 견해에 배치되는 범위 내에서 이를 변경하기로 한다. 이 사건에 관하여 보면, 원고로서는 부당이득반환청구의 소로써 직접 위와 같은 위법상태의 제거를 구할 수 있는지 여부에 관계없이 이 사건 처분의 근거 법률에 의하여 보호되는 직접적이고 구체적인 이익을 가지고 있어 행정소송법 제35조에 규정된 '무효확인을 구할 법률상 이익'을 가지는 자에 해당한다. 따라서 이 사건 처분에 대하여는 그 무효확인을 구할 수 있다고 보아야 하므로, 이를 구하는 예비적 청구에 관한 소는 적법하다.

대법관 이홍훈의 보충의견은 다음과 같다.

가. 민사소송에서 확인의 소는 원고의 법적 지위가 불안·위험할 때에 확인판결로 판단하는 것이 그 불안·위험을 제거하기 위하여 가장 유효·적절한 수단인 경우에 인정되며, 따라서 이행을 청구하는 소를 제기할 수 있는데도 불구하고 확인의 소를 제기하는 것은 분쟁의 종국적인 해결 방법이 아니어서 확인의 이익이 없다고 해석된다(대판 1994.11.22, 93다40089 등 참조).

나. 그러나 행정소송법 제35조의 문언으로부터 보충성에 관한 확인의 이익이 당연히 도출되지 않음에도 불구하고 종래의 대법원판례와 같이 행정처분에 관한 무효확인소송에 대하여도 이를 요구하는 것이 타당한지 여부에 관하여는 다음과 같은 측면에서의 검토가 필요하다.

(1) 먼저 행정소송의 특수성이라는 측면에서 본다. 1951년에 제정된 행정소송법은 행정청 또는 그 소속기관의 위법에 대한 처분의 취소 또는 변경에 관한 소송 기타 공법상의 권리관계에 관한 소송만을 인정하고 행정소송의 종류, 요건 등에 관하여 별도의 규정을 두지 않음으로써 민사소송법에 대한 특례를 규정한 특별규정으로서의 성격을 벗어나지 못하였을 뿐만 아니라 그 내용 및 적용상 많은 문제점이 있다는 지적을 받아 왔다. 이러한 문제점을 시정하기 위하여 1984년에 행정소송법이 전문 개정되었는데, 이 법에서 비로소 취소소송 등과 구분되는 항고소송의 한 유형으로 무효확인소송을 인정하여 민사소송법과는 달리 이에 관한 별도의 규정을 둠으로써 무효확인소송이 독립된 행정소송으로 자리 잡게 되었다. 따라서 이러한 행정소송법의 개정연혁 등을 고려할 때, 무효확인소송이 확인소송적 성질을 가지고 있다고 하여 보충성에 관한 확인의 이익이 무효확인소송에서도 반드시 요구된다고 단정할 수는 없다. 특히, 소의 이익 문제는 그 소송제도를 마련한 취지 등에 따라 입법정책적으로 결정되어질 성질의 것이라는 점 등을 감안할 때 보충성에 관한 확인의 이익 이론이 행정소송에서도 그대로 적용된다고 보기는 어렵다.

(2) 다음으로 무효확인소송의 법적 성질 및 무효확인판결의 실효성이라는 측면에서 본다. 무효확인소송의 법적 성질에 관하여는 그 본질과 형식을 어떻게 이해하느냐에 따라 다양한 이론이 제시될 수 있으나, 행정소송법 제4조에서는 무효확인소송을 취소소송, 부작위위법확인소송 등과 함께 항고소송의 일종으로 규정하고 있다. 그런데 항고소송은 행정청이 행하는 구체적 사실에 관한 법집행으로서의 공권력의 행사 또는 그 거부와 그 밖에 이에 준하는 행정작용 및 행정심판에 대한 재결이나 부작위에 대하여 제기하는 소송으로서 원칙적으로 민사소송에서의 강제집행 등과 같은 방법에 의한 실효성 담보라는 문제를 남기지 않는다. 물론 항고소송도 권익구제의 기능을 담당하고 있으므로 항고소송의 판결에 의하여 실현되어야 할 절차가 있는 경우도 있다. 그러나 위에서 본 바와 같은 행정소송법상 기속력 및 재처분 의무에 관한 규정 등을 통해 항고소송 판결 자체만으로도 판결의 실효성을 확보할 수 있으며, 설령 권익구제를 위해 다른 소송을 제기해야 할 경우가 있다고 하더라도 이는 항고소송에서 예상한 원칙적인 구제수단은 아니다. 왜냐하면, 항고소송은 처분 등을 취소·변경하는 형성작용 또는 처분 등의 효력 등에 관한 공적 선언을 통해 그 대상인 처분 등의 효력을 다투는 소송으로서, 이행소송을 원칙적인 소송유형으로 인정하고 있는 민사소송과는 달리, 처분 등에 의하여 발생한 위법상태의 배제나 그 확인을 통해 결과를 제거함으로써 처분 등으로 침해되거나 방해받은 국민의 권리와 이익을 보호·구제하려는 것이기 때문이다. 결국, 이러한 측면에서 보더라도 무효확인소송을 제기함에 있어 보충성에 관한 확인의 이익이 반드시 요구된다고 해석하는 것은 타당하지 않다.

그리고 법률에 의한 행정을 지향하는 우리 법제하에서는 행정작용을 수행하는 행정청이 유효한 행정처분임을 전제로 그 집행을 종료하였다고 하더라도, 그 행정처분이 무효라는 판결이 확정되면 행정청이 이에 승복하여 행정처분의 상대방에게 임의로 원상회복할 것이 기대될 뿐만 아니라 행정소송법상 무효확인판결 자체만으로도 판결의 기속력 등에 따른 원상회복이나 결과제거조치에 의하여 그 실효성 확보가 가능하다. 따라서 무효확인소송의 보충성을 반드시 인정해야 할 실제적인 필요성도 크지 않다.

(3) 다음으로 외국의 입법례 등의 측면에서 본다. 독일에서는 명문의 규정에 의하여 무효확인소송의 보충성이 부

정되는 반면, 일본에서는 그와 반대로 명문의 규정에 의하여 무효확인소송의 보충성이 인정된다. 이와 같은 독일, 일본의 입법례에서 알 수 있듯이 이 문제는 논리 필연적인 문제가 아니라 다분히 입법정책적인 선택의 문제라고 할 수 있다. 특히, 일본에서는 이로 인한 불합리한 결과를 줄이기 위하여 무효확인소송의 보충성을 완화하는 해석론이 전개되어 왔으며, 이러한 해석론이 점차 최고재판소에 의하여 받아들여지고 있는 추세에 있다. 따라서 일본과 달리 명시적 제한의 명문 규정이 없는 우리나라에서는 무효확인소송의 보충성을 요구할 필요가 없으며, 이와 같은 해석이 세계적인 추세에도 부합된다.

(4) 끝으로 무효확인소송의 남소 가능성 및 권익구제 강화 등의 측면에서 본다. 행정처분의 무효는 흔히 있는 현상이 아니기 때문에 무효확인소송의 보충성을 요구하지 않는다고 하여 남소 가능성이 커진다고 단정하기 어려울 뿐만 아니라 분쟁의 유형에 따라서는 행정처분에 관한 무효확인소송이 보다 적절한 구제수단이 될 수도 있다. 그러므로 이러한 경우에 행정처분에 의하여 불이익을 받은 상대방에게 소송형태에 관한 선택권을 부여하여 부당이득반환청구의 소 등의 제기 가능성 여부와 관계없이 행정처분에 관한 무효확인소송을 바로 제기할 수 있도록 함으로써 양 소송의 병존가능성을 인정하는 것이 국민의 권익구제 강화라는 측면에서도 타당하다.

다. 결론적으로 이 문제는 행정소송법 제35조에 규정된 '무효확인을 구할 법률상 이익'에 관한 해석론에 대한 것으로서, 행정청의 위법한 처분 등으로 인하여 권리 또는 이익의 침해를 입은 국민에게 무효확인소송의 길을 열어 주는 것이 적절한 구제방안인가라는 목적론적 관점에서 위에서 본 바와 같은 여러 사정을 고려하여 합리적으로 결정할 문제이다. 그런데 행정소송의 목적을 달성할 수 있고 소송경제 등의 측면에서도 타당하며, 항고소송에서 소의 이익을 확대하고 있는 대법원판례의 경향에도 부합되는 해석이 가능함에도 불구하고, 무효인 행정처분의 집행이 종료되었다는 사정을 이유로 무효확인소송을 부적법한 것으로 처리함으로써 당사자에게 불편을 가져오고 불합리한 결과를 초래할 수 있는 해석론을 택할 필요는 없다는 점을 지적하면서, 이상과 같이 보충의견을 밝혀 둔다.

기출사례 제소기간, 무효확인의 소의 보충성, 위헌결정에 의한 처분의 하자(11년 변시 모의)

광진구청장 甲은 서울특별시장 乙로부터 서울특별시조례가 정하는 바에 의하여 권한을 위임받아 구 「주택개발촉진법」에 따른 개발사업의 결과 건축된 관내 A아파트, B아파트, C아파트를 각 분양받은 丙, 丁, 戊에 대하여 구 「학교용지확보에 관한 특례법」(2002.12.5. 법률 제6744호로 개정되기 전의 것, 이하 '구 학교용지특례법'이라 한다) 제5조1항에 의하여 아래와 같이 학교용지부담금을 부과하는 각 처분을 하였다.

분양대상(사업계획승인) / 처분일자 / 부담금액(천원)
丙 - A아파트(2003.8.13.) / 2004.2.26. / 50,000
丁 - B아파트(2003.8.27.) / 2004.3.10. / 70,000
戊 - C아파트(2003.6.30.) / 2004.1.14. / 40,000

그런데 이들 각 처분에는 행정심판 등 불복절차가 고지되어 있지 않거나 법령과 달리 잘못 고지되어 있었다. 그리고 丙·丁은 광진구에 위 각 처분에 따라 부과된 부담금을 각 납부한 반면, 戊는 자금사정 등의 이유로 미납상태로 있었다.

그러던 중 헌법재판소는 2005.3.31. 구 학교용지특례법 제5조1항 중 제2조2호가 정한 구 「주택건설촉진법」에 의하여 시행하는 개발사업지역에서 공동주택을 분양받은 자에게 학교용지확보를 위하여 부담금을 부과·징수할 수 있다는 부분은 헌법에 위반된다는 내용의 결정을 하였다.

1. 丙·丁은 자신들이 이미 납부한 학교용지부담금은 불복방법의 고지에 관한 「행정절차법」 또는 「행정심판법」 규정을 위반하였고, 더욱이 헌법재판소의 위헌결정으로 인해 무효라고 생각하고 이를 되돌려 받고자 한다. 丙·丁이 취할 수 있는 「행정소송법」상의 수단과 그 승소가능성에 대하여 논하시오. (50점)
2. 만약 丙·丁이 위와는 별도로 국가와 甲·乙의 행위에 대하여 불법행위를 원인으로 위 부담금 상당액의 손해를 배상받고자 관할법원에 소송을 제기한다면 승소할 수 있는가? (35점)
3. 만약 乙이 위 부담금을 체납하고 있는 戊에 대하여 2005.4.1. 관계법령에 따라 지방세징수의 예에 의하여 체

납처분을 하였다면 戊는 이를 다투는 소송절차에서 어떤 주장을 할 수 있는가? (15점)

[참고조문]

***학교용지확보에 관한 특례법(2002. 12. 5. 법률 6744호로 개정되기 전의 것)**

제2조 (정의)

이 법에서 사용하는 용어의 정의는 다음과 같다.

2. "개발사업"이라 함은 주택건설촉진법 · 택지개발촉진법 및 산업입지및개발에관한법률에 의하여 시행하는 사업 중 300세대 규모이상의 주택건설용 토지를 조성 · 개발하는 사업을 말한다.

제5조 (부담금의 부과 · 징수)

① 시 · 도지사는 학교용지의 확보를 위하여 개발사업지역에서 단독주택 건축을 위한 토지(공익사업을위한토지등의취득및보상에관한법률에 의한 이주용 택지로 분양받은 토지를 제외한다) 또는 공동주택(임대주택을 제외한다)등을 분양받는 자에게 부담금을 부과 · 징수할 수 있다.

제5조의3 (부담금 등의 강제 징수)

③ 시 · 도지사는 납부의무자가 독촉장을 받고 지정된 기한까지 부담금과 가산금을 내지 아니하면 지방세 체납처분의 예에 따라 징수할 수 있다.

제9조 (권한의 위임)

① 시 · 도지사는 당해 시 · 도의 조례가 정하는 바에 의하여 제5조의 규정에 의한 부담금의 부과 · 징수에 관한 업무를 시장 · 군수 · 구청장(자치구의 구청장을 말한다)에게 위임할 수 있다.

Ⅰ. 丙 · 丁이 부담금을 반환받을 수 있는 「행정소송법」상의 수단과 그 승소가능성

1. 문제의 소재

- 항고소송으로는 학교용지부담금 부과처분에 대한 취소소송 및 무효확인소송의 가부,

- 당사자소송으로서 공법상 부당이득반환청구 가부가 문제됨.

2. 丙, 丁이 취할 수 있는 행정소송법상의 수단

(1) 취소소송

- 丙, 丁에게 처분이 각각 2004.2.26, 2004.3.10에 있었으므로 2005.3.31 위헌결정이 난 이후에는 제소기간이 도과하였으므로 취소소송의 제기는 불가. 각하될 것.

(2) 무효확인소송

- 제소기간이 경과하여도 제기할 수 있으나 무효확인소송의 보충성이 문제되며, 보충성 불요설을 취하면 무효확인소송의 제기는 적법.

(3) 당사자소송

- 납부한 부담금의 반환을 부당이득반환청구소송으로 제기할 수 있는지 문제되는데, 부당이득반환청구권의 법적 성질을 공권으로 보면 당사자소송으로 제기할 수 있음. 소송요건은 사안에서 특별히 문제될 것이 없음.

3. 丙, 丁이 제기한 소송의 승소가능성

(1) 문제의 소재

- 부담금부과처분이 위법사유가 있는지 위법사유가 있더라도 무효사유인지 여부가 문제됨.

- 무효확인소송에서 승소하기 위하여는 부담금부과처분이 무효사유여야 함. 또한 부당이득반환청구소송에서도 승소하기 위하여는 부담금부과처분이 무효사유여야 선결문제로 심사하고 부당이득반환을 명할 수 있음(취소사유인 경우는 공정력 또는 구성요건적 효력 때문에 선결문제로 심사할 수 없음 - #44).

(2) 부담금부과 처분의 하자와 위법성의 정도

1) 고지의무 위반

- 행정심판법상 오고지 · 불고지에 대해 일정한 효과를 부여하고 있을 뿐 고지의무 위반 자체만으로 처분의 하자가 있다고 할 수는 없음(#104).

2) 위헌법률에 근거한 처분의 하자(#47.Ⅴ)

- 위헌법률에 근거한 처분이 하자가 있더라도 중대명백설에 의하면 처분 당시에는 위헌여부가 명백한 것은 아니어서 취소사유에 불과하다는 것이 판례.

- 또한 위헌결정의 소급효가 미치는 범위에 丙, 丁의 경우는 포함되지 않음.

(3) 소결

- 丙, 丁이 제기한 무효확인소송과 당사자소송에서 승소할 수 없을 것(기각판결).

Ⅱ. 손해배상청구소송에서의 승소가능성

1. 문제의 소재

- 입법작용 및 위헌법률에 근거한 처분의 경우 국가배상책임 요건 성립여부가 문제됨.

2. 국가배상법 제2조 책임의 요건

3. 위헌인 법률을 제정한 행위에 대한 국가배상청구(#83. Ⅱ.2)

- 국회의원의 입법행위는 입법 내용이 헌법의 문언에 명백히 위반됨에도 불구하고 국회가 입법을 한 경우에 위법. 사안은 그러한 사정이 보이지는 않음.

판 례 우리 헌법이 채택하고 있는 의회민주주의하에서 국회는 다원적 의견이나 갖가지 이익을 반영시킨 토론과정을 거쳐 다수결의 원리에 따라 통일적인 국가의사를 형성하는 역할을 담당하는 국가기관으로서 그 과정에 참여한 **국회의원은** 입법에 관하여 원칙적으로 국민 전체에 대한 관계에서 **정치적 책임을 질 뿐 국민 개개인의 권리에 대응하여 법적 의무를 지는 것은 아니므로**, 국회의원의 입법행위는 그 **입법 내용이 헌법의 문언에 명백히 위반됨에도 불구하고 국회가 굳이 당해 입법을 한 것과 같은 특수한 경우가 아닌 한 국가배상법 제2조1항 소정의 위법행위에 해당된다고 볼 수 없다**(대판 1997.6.13, 96다56115).

4. 위헌법률을 적용하여 부담금부과처분을 한 행위에 대한 국가배상청구

- 국가배상청구소송에서 부담금부과처분의 위법성을 선결문제로 심리하게 되는데 이것이 가능한지 견해대립 있으나 통설・판례는 긍정(#44.Ⅴ.2).

- 그러나 위헌결정의 소급효가 丙, 丁에게 미치지 않는다고 한다면 위법성을 인정하기 곤란하며, 또한 근거법률이 위헌으로 판정되었다고 하더라도 위헌결정이 있기까지는 공무원은 법률에 대한 심사권 및 적용거부권이 없으므로 공무원의 과실을 인정할 수 없음(입법상 불법을 인정하여 국가배상책임을 긍정하자는 입론도 가능).

5. 소 결

- 丙, 丁이 제기한 손해배상청구소송에서 승소가능성 없음.

Ⅲ. 위헌법률에 근거한 처분의 하자와 집행력

1. 문제의 소재

- 戊가 학교용지특례법이 위헌결정이 있은 후에 있은 체납처분은 위헌결정의 기속력에 반한다고 주장할 수 있는지 문제됨.

2. 위헌법률에 근거한 처분의 집행력(#48)

- 집행력 긍정설과 부정설의 대립. 판례는 부정설

3. 사안의 경우

- 집행력 부정설에 의하면 甲은 체납처분이 위헌결정의 기속력에 반하므로 위법하다는 주장 가능.

128 부작위위법확인소송 관련논점

Ⅰ. 의 의

행정청의 부작위가 위법하다는 것을 확인하는 소송이다(행소법 제4조3호). 급부행정 또는 복리행정 등의 영역에서 **수익적 행정행위의 부작위는 침익적 행정행위 못지 않는 효과**를 가져온다는 인식 하에 행정청의 부작위에 대해서 **처분의무의 이행을 관철시킬 수 있는 수단**으로서 인정된 것이다.

현행 행정소송법은 외국의 입법례에서 인정되고 있는 **이행소송**(독일의 의무이행소송, 영미의 직무집행명령청구소송)을 **도입하지 않은 대신** 법원이 행정청에 대하여 의무이행을 명하는 것이 아니라 단지 의무불이행, 즉 **부작위의 위법성만을 확인하는 데 그치는 변형된 소송유형으로 부작위위법확인소송을 도입**하고 있다. 행정청에 대하여 일정한 처분을 할 의무를 명하는 것이 아니라 처분의무를 이행하지 않은 것의 위법을 확인하는 **확인소송의 성질**을 가지고 있으나 단순한 부작위가 아니라 처분을 행할 의무의 존재를 전제로 하는 공권력행사로서 처분의 부작위를 대상으로 하기 때문에 **항고소송적 성격을 아울러** 가지고 있어 행정소송법은 항고소송의 한 종류로 규정하고 있다.

행정심판에서는 거부와 부작위에 대해 의무이행심판을 인정하고 있는 반면, **행정소송에서는 거부처분과 부작위에 대한 소송상의 대응방법을 차별화**시키고 있다. 그러나 거부처분의 취소판결에서 인정되는 판결의 **기속력으로서의 재처분의무**(행소법 제30조2항)와 재처분의무의 불이행시 인정되는 **간접강제**(행소법 제34조)**를 부작위위법확인소송에 준용**하여 판결의 실효성을 확보하고 있다(행소법 제38조2항).

Ⅱ. 부작위위법확인소송의 대상이 되는 부작위의 성립요건

(1) 당사자의 신청 - 법규상, 조리상 신청권이 존재(판례)

당사자의 적법한 신청이 있어야 하는데, 판례는 부작위로 인정되기 위해서는 거부처분에 있어서와 마찬가지로 법규상 또는 조리상 신청권이 있어야 한다는 입장이다. 이에 대한 학설의 대립도 거부처분에서와 유사하다.

판 례 "행정청이 국민으로부터 어떤 신청을 받고서도 그 신청에 따르는 내용의 행위를 하지 아니한 것이 **항고소송의 대상이 되는 위법한 부작위가 된다고 하기 위하여는 국민이 행정청에 대하여 그 신청에 따른 행정행위를 해줄 것을 요구할 수 있는 법규상 또는 조리상의 권리가 있어야 하며,** 이러한 권리에 의하지 아니한 신청을 행정청이 받아들이지 아니하였다고 해서 이 때문에 신청인의 권리나 법적 이익에 어떤 영향을 준다고 할수 없는 것이므로 위법한 부작위라고 할 수 없는 것인바 …"(대판 1990.5.25, 89누5768)

(2) 상당한 기간이 경과

당사자의 신청에 대하여 상당한 기간이 경과하여도 행정청이 아무런 조치를 취하지 않았어야 하는데, 상당한 기간이란 **사회통념상 당해 신청을 처리하는데 소요될 것으로 판단되는 기간**을 말하며 일반적・추상적으로 정할 수는 없고, 법령의 취지나 처분의 성질 등을 고려하여 **개별적・구체적으로 판단**하여야 한다. 행정절차법은 처리기간을 종류별로 미리 정하여 공표하여야 한다고 규정하고 있는데(절차법 제19조1항), **공표된 처리기간이 경과**한 경우에는 **특별한 사유가 없는 한 상당한 기간을 경과**하였다고 보아야 한다(#76).

(3) 행정청이 일정한 처분을 하여야할 법률상 의무가 존재

기속행위 뿐만 아니라, 재량행위에서도 하자 없는 재량을 행사하여야 할 법적인 의무로서 처분의무가 인정될 수 있다.

(4) 처분의 부존재

행정청이 아무런 처분을 하지 않아 처분으로 볼 만한 외관이 존재하지 않아야 한다. **무효**인 행정행위나 부작위를 거부처분으로 의제하는 경우에는 부작위에 해당하지 않는다.

Ⅲ. 원고적격(#110)

1) 부작위위법확인소송은 처분의 신청을 한 자로서 부작위가 위법하다는 확인을 구할 법률상의 이익이 있는 자가 제기할 수 있는 자만이 제기할 수 있으므로(행소법 제36조), 원고적격을 갖기 위하여는 **현실적으로 일정한 처분의 신청을 하여야 하고, 법률상 이익이 있어야** 한다. 여기의 법률상 이익의 의미는 취소소송에서와 동일하다.

2) 문제는 "처분의 신청을 한 자"의 의미가 무엇인지이다. 학설로는 ① 법령에 의한 신청권(명시적 규정이나 해석상 인정되는 경우 포함)이 인정된 자에 한하지 않고 현실적으로 **일정한 처분을 신청한 것으로 족하다는 견해**와 ② **신청권이 인정되는 자에 한한다는 견해**(다수설)가 대립하며, **판례는 신청권이 없는 경우 원고적격을 부정**하고 있다.[1)]

판 례 행정소송법 제4조3호가 정하는 부작위위법확인소송은 처분의 신청을 한 자로서 부작위가 위법하다는 확인을 구할 법률상의 이익이 있는 자만이 제기 할 수 있는 것이므로, **당사자가 행정청에 대하여 어떠한 행정처분을 하여 줄 것을 요청할 수 있는 법규상 또는 조리상의 권리를 갖고 있지 아니하거나 부작위의 위법확인을 구할 법률상의 이익이 없는 경우**에는 항고소송의 대상이 되는 **위법한 부작위가 있다고 볼 수 없거나 원고적격이 없어** 그 부작위위법확인의 소는 부적법하다(대판 2000.2.25, 99두11455).

3) 생각건대, ①설이 신청 그 자체를 법률상 이익으로 보는 것은 이해하기 어렵고, 신청권의 문제를 원고적격의 문제로 본다면 **②설이 타당**하다. 신청권이 인정되는지 여부는 보호규범이론에 따라 부작위의 근거법률에 의하여 보호되는 직접적이고 구체적인 이익이 있는지 여부에 따라 판단되어야 할 것이다.

Ⅳ. 법원의 심리범위 - 신청의 실체적 내용에까지 미칠 수 있는지의 문제

1. 학 설

① 적극설(실체적 심리설)은 **부작위의 위법여부만이 아니라 신청의 실체적인 내용도 심리**하여 행정청의 처리방향까지 제시할 수 있다고 본다. 그렇게 하여야 행정청의 재처분의무의 실효성을 확보할 수 있다는 것이다. 반면 ② 소극설(절차적 심리설)은 당 소송에서는 **부작위의 위법성 여부만 심사**하며, 실체적 내용은 심리할 수 없다고 본다. 이를 인정하면 현행법이 인정하지 않은 **의무이행소송을 인정하는 결과**가 된다는 것이다.

2. 판례 - 소극설

판례 1 부작위위법확인의 소는 **행정청이 국민의 법규상 또는 조리상의 권리에 기한 신청에 대하여 상당한 기간 내에 그 신청을 인용하는 적극적 처분 또는 각하하거나 기각하는 등의 소극적 처분을 하여야 할 법률상의 응답의무가 있음에도 불구하고 이를 하지 아니하는 경우, 판결**(사실심의 구두변론 종결)**시를 기준으로 그 부작위의 위법을 확인함으로써 행정청의 응답을 신속하게 하여 부작위 내지 무응답이라고 하는 소극적인 위법상태를 제거하는 것을 목적**으로 하는 것이고, 나아가 당해 **판결의 구속력에 의하여 행정청에게 처분 등을 하게 하고 다시 당해 처분 등에 대하여 불복이 있는 때에는 그 처분 등을 다투게 함으로써 최종적으로는 국민의 권리이익을 보호하려는 제도**이므로, 소제기의 전후를 통하여 **판결시까지 행정청이 그 신청에 대하여 적극 또는 소극의 처분을 함으로써 부작위상태가 해소**된 때에는 **소의 이익을 상실**하게 되어 당해 소는 각하를 면할 수가 없는 것이다(대판 1990.9.25, 89누4758).

판례 2 **4급 공무원이 당해 지방자치단체 인사위원회의 심의를 거쳐 3급 승진대상자로 결정되고 임용권자가 그 사실을 대내외에 공표까지 하였다면, 그 공무원은 승진임용에 관한 법률상 이익을 가진 자로서 임용권자에 대하여 3급 승진임용을 신청할 조리상의 권리가 있고, 이러한 공무원으로부터 소청심사청구를 통해 승진임용신청을 받은 행정청으로서는 상당한 기간 내에 그 신청을 인용하는 적극적 처분을 하거나 각하 또는 기각하는 등의 소극적 처분을 하여야 할 법률상의 응답의무가 있다.** 그럼에도, 행정청이 위와 같은 권리자의 신청에 대해 **아무런 적극적 또는 소극적 처분을 하지 않고 있다면 그러한 행정청의 부작위는 그 자체로 위법**하다(대판 2009.7.23, 2008두10560).

---

1) 거부처분에서 신청권을 요구하는 입장(판례)의 원고적격 논의는 부작위위법확인소송에서도 동일하게 적용됨(#108.Ⅲ).

3. 검 토

실체적 심리설은 국민의 권리구제의 관점에는 바람직하지만, 현행법상 부작위위법확인소송의 **소송물 또는 법원의 심판대상은 부작위의 위법성**이라는 점에 비추어 인정하기 어렵다. **절차적 심리설이 타당**하다.[2)]

V. 위법 판단의 기준시(#118)

취소소송에서와는 달리 엄격한 의미의 처분이 존재하지 않으므로, **판결시(변론종결시)**를 기준으로 한다.

VI. 판결의 효력

1) 형성력이 생기지 않는 점만 제외하면 취소소송과 같으므로 **제3자효 · 기속력 · 간접강제** 등이 인정된다(행소법 제38조2항).

2) 기속력이 생기므로 행정청의 적극적 처분의무의 내용이 문제 되는데 법원의 **심리범위와 관련한 절차적 심리설에 의하면 판결의 취지에 따라 어떠한 처분을 하기만 하면 되는 것이므로, 기속행위의 경우에 거부처분을 하여도 재처분의무를 이행**하는 것이 된다(판례).

판 례 원심은 제1심결정을 인용하여 다음과 같이 판단하였다. 즉 **신청인이 피신청인을 상대로 제기한 부작위위법확인소송에서 신청인의 제2 예비적 청구를 받아들이는 내용의 확정판결**을 받았다. 그 **판결의 취지는 피신청인이 신청인의 광주광역시 지방부이사관 승진임용신청에 대하여 아무런 조치를 취하지 아니하는 것 자체가 위법함을 확인하는 것일 뿐**이다. 따라서 **피신청인이 신청인을 승진임용하는 처분을 하는 경우는 물론**이고, **승진임용을 거부하는 처분을 하는 경우에도 위 확정판결의 취지에 따른 처분을 하였다**고 볼 것이다. 그런데 위 **확정판결이 있은 후에 피신청인은 신청인의 승진임용을 거부하는 처분을 하였다**. 따라서 결국 신청인의 이 사건 **간접강제신청은 그에 필요한 요건을 갖추지 못하였다**는 것이다. 관련 법리와 기록에 비추어 살펴보면, 원심의 위와 같은 판단은 정당한 것으로 수긍할 수 있다(대결 2010.2.5, 2009무153).

VII. 부작위위법확인소송중 처분이 행해진 경우

1. 소의 이익

부작위위법확인소송은 부작위의 위법을 확인함으로써 행정청의 응답을 신속하게 하여 부작위 내지 무응답이라고 하는 **소극적인 위법상태를 제거하는 것을 목적**으로 하는 소송이므로, 소송 도중 거부처분이라도 행해지면 소의 이익 결여로 각하판결을 하게 된다(판례).

2. 국가배상 청구로 소변경 가능(#117)

국가배상청구소송을 **당사자소송으로 보면 행정소송법 제37조**에 의해 소변경이 가능하고, **민사소송으로 보면 행정소송과 민사소송 사이의 소의 변경을 긍정하는 입장**에 의할 때 소변경이 가능하다.

3. 거부처분 발령시 거부처분취소소송으로 소변경 가능성(#117. II.3에 상세히)

부정설과 긍정설의 견해 대립 있는데, 변경을 긍정함이 타당하다.

VIII. 제소기간(#113. III.2)

판 례 **부작위위법확인의 소는 부작위상태가 계속되는 한 그 위법의 확인을 구할 이익이 있다**고 보아야 하므로 **원칙적으로 제소기간의 제한을 받지 않는다**. 그러나 **행정소송법 제38조2항이 제소기간을 규정한 같은 법 제20조를 부작위위법확인소송에 준용**하고 있는 점에 비추어 보면, **행정심판 등 전심절차를 거친 경우에는 행정소송법 제20조가 정한 제소기간 내에 부작위위법확인의 소를 제기하여야** 한다(대판 2009.7.23, 2008두10560).

---

2) 절차적 심리설에 의하면 부작위에 대한 권리구제는 우회적인 절차가 되므로 의무이행소송의 도입이 논의되고 있음. 당초 개정안은 의무이행소송을 도입하고 부작위위법확인소송을 없앴으나 2013년 입법예고된 개정안은 부작위위법확인소송을 존치시키고 있음.

129 당사자소송

Ⅰ. 의 의

행정청의 처분 등을 원인으로 하는 법률관계에 관한 소송 그 밖에 **공법상의 법률관계에 관한 소송**으로서 그 법률관계의 한쪽 당사자를 피고로 하는 소송(행소법 제3조2호)을 말한다. 공법상 법률관계를 다투는 소송인 점에서 공권력의 행사·불행사를 다투는 **항고소송과 구별**되며, 사법상의 법률관계를 대상으로 하는 **민사소송과도 구별**된다.

Ⅱ. 당사자소송 활용론

그동안 실무에서는 당사자소송이 거의 활용되지 않았다. 그 원인은 ① 당사자소송으로 해결할 수 있는 분쟁도 처분개념을 확대하여 가급적 취소소송으로 해결하려는 **취소소송중심의 사고방식**과, ② 국가배상청구처럼 성질상 당사자소송에 의하여야 할 것도 민사소송으로 다루는 **민사소송 위주의 실무적 고려**를 들 수 있다. 우리의 실정법질서가 **공사법의 이원적 체계**를 인정하고 있으며, 당사자소송과 민사소송 사이에도 차이[1]가 존재하는 이상 향후 당사자소송을 적극 활용할 필요가 있다.

Ⅲ. 실질적 당사자소송

1. 의 의

공법상 법률관계에 관하여 그 법률관계의 주체를 당사자로 하는 소송이다. 즉 공권을 소송물로 하는 소송으로서, 이는 행정소송법 제3조2호에서 일반적으로 인정하고 있으므로 개별법상의 근거를 요하지는 않는다.

2. 실 례

(1) 처분등을 원인으로 하는 소송.

처분등의 취소나 무효를 전제로 하는 부당이득반환청구소송, 공무원의 불법행위로 인한 국가배상청구소송 등을 말한다. 다만 실무에서는 민사소송으로 다루어지고 있다.

(2) 기타 공법상 법률관계에 관한 소송

1) 공법상의 신분·지위 등의 확인소송

공무원이나 국·공립학교학생 또는 국가유공자의 신분 확인을 구하는 소송이 그 예이다.

판 례 국가의 훈기부상 화랑무공훈장을 수여받은 것으로 기재되어 있는 원고가 **태극무공훈장을 수여받은 자임을 확인하라는 이 소 청구**는, 이러한 확인을 구하는 취지가 국가유공자로서의 보상 등 예우를 받는 데에 필요한 훈격을 확인받기 위한 것이더라도, 항고소송이 아니라 **공법상의 법률관계에 관한 당사자소송**에 속하는 것이므로 행정소송법 제30조의 규정에 의하여 **국가를 피고**로 하여야 할 것이다(대판 1990.1.23, 90누4440).

2) 공법상 금전지급청구소송

손실보상청구권, 공무원보수지급청구권, 각종 사회보장관계법률의 급부청구권 등에 있어서 그 청구권이 **행정청의 지급결정의 매개 없이 법률의 규정에 의해서 직접 발생**하는 경우를 말한다.

---

1) 현행 행정소송법상 **당사자소송과 민사소송**은 다음과 같은 점에서 **차이**가 있다.

1. **당사자소송과 항고소송간에는 소의 변경이 가능(제21, 37, 42조)**하나, 민사소송과 항고소송간에는 명문의 규정이 없어 소변경 인정 여부에 논란이 있다. 다만 **판례는 민사소송에서 항고소송으로의 소변경을 긍정**한다(대판 1999.11.26, 97다42250).
2. 당사자소송에는 **행정청이 참가**할 수 있으나, 민사소송에서는 불가능하다.
3. 당사자소송에는 **직권탐지주의**가 적용되지만, 민사소송에서는 적용되지 않는다.
4. 당사자소송의 **판결의 기속력은 당해 행정주체 산하의 행정청에게도 미치나**, 민사소송에서는 소송당사자에게만 미친다.

판례 1 개정 하천법 등이 하천구역으로 편입된 토지에 대하여 손실보상청구권을 규정한 것은 헌법 제23조3항이 선언하고 있는 손실보상청구권을 하천법에서 구체화한 것으로서, 하천법 그 자체에 의하여 직접 사유지를 국유로 하는 이른바 **입법적 수용이라는 국가의 공권력 행사로 인한 토지소유자의 손실을 보상하기 위한 것**이므로 **하천구역 편입토지에 대한 손실보상청구권은 공법상의 권리**임이 분명하고, 따라서 그 손실보상을 둘러싼 쟁송은 **사인간의 분쟁을 대상으로 하는 민사소송이 아니라 공법상의 법률관계를 대상으로 하는 행정소송 절차**에 의하여야 할 것이다.
개정 하천법 부칙 제2조와 특별조치법 제2조, 제6조의 각 규정들을 종합하면, 위 규정들에 의한 **손실보상청구권은 1984.12.31. 전에 토지가 하천구역으로 된 경우에는 당연히 발생되는 것**이지, **관리청의 보상금지급결정에 의하여 비로소 발생하는 것은 아니므로**, 위 규정들에 의한 **손실보상금의 지급을 구하거나 손실보상청구권의 확인을 구하는 소송은 행정소송법 제3조2호 소정의 당사자소송**에 의하여야 할 것이다(대판 2006.5.18, 2004다6207).

판례 2 석탄가격안정지원금은 석탄의 수요 감소와 열악한 사업환경 등으로 점차 경영이 어려워지고 있는 석탄광업의 안정 및 육성을 위하여 국가정책적 차원에서 지급하는 지원비의 성격을 갖는 것이고, 석탄광업자가 석탄산업합리화사업단에 대하여 가지는 이와 같은 지원금지급청구권은 **석탄사업법령에 의하여 정책적으로 당연히 부여되는 공법상의 권리**이므로, 석탄광업자가 석탄산업합리화사업단을 상대로 석탄산업법령 및 석탄가격안정지원금 지급요령에 의하여 **지원금의 지급을 구하는 소송은 공법상의 법률관계에 관한 소송인 공법상의 당사자소송**에 해당한다(대판 1997.5.30, 95다28960).

3) **공법상 계약에 관한 소송**(#57)

계약직 공무원의 임면(任免)에 관한 소송을 들 수 있다(판례).

4) **공법상 결과제거청구소송**(#100)

공행정작용에 의하여 위법한 상태가 초래된 경우, 원상회복을 요구하는 것은 당사자소송의 대상이다(이 역시 실무에서는 민사소송으로 다루고 있다).

5) **기 타**

판 례 **수신료 부과행위는 공권력의 행사에 해당**하므로, **피고(한전)가 피고 보조참가인(한국방송공사)으로부터 수신료의 징수업무를 위탁받아 자신의 고유업무와 관련된 고지행위와 결합하여 수신료를 징수할 권한이 있는지 여부를 다투는 이 사건 쟁송은 민사소송이 아니라 공법상의 법률관계를 대상으로 하는 것**으로서 **행정소송법 제3조2호에 규정된 당사자소송에 의하여야** 한다(대판 2008.7.24, 2007다25261).

Ⅳ. 형식적 당사자소송

1. 의 의

(1) 개 념

행정청의 **처분이나 재결에 의하여 형성된 법률관계에 관하여 다툼**이 있는 경우에, **당해 처분 또는 재결의 효력을 다툼이 없이 직접 그 처분·재결에 의하여 형성된 법률관계에 대하여 그 일방 당사자를 피고**로 하여 제기하는 소송을 말한다.

(2) 필요성

1) 형식적 당사자소송은 처분·재결의 효력을 다투는 것이므로 **실질적으로는 항고소송의 성격을 갖지만, 소송경제 등의 필요에 의하여 당사자소송의 형태**를 취하는 것이다. 즉 당사자가 다투고자 하는 것이 처분이나 재결 그 자체가 아니라 처분이나 재결에 근거하여 이루어진 법관계인 경우, 처분·재결의 주체를 소송당사자로 할 것이 아니라 실질적인 이해관계자를 소송당사자로 하는 것이 소송의 진행이나 분쟁의 해결에 보다 적합하기 때문이다.

2) 예컨대 토지수용위원회가 보상금을 정한 재결에 대해서 토지소유자나 기업자의 불복이 있는 경우에 항고소송만으로 권리구제를 도모하려면, 먼저 항고소송으로 처분의 효력을 다투고 그 소송의 결과(취소판결)에 따라 처분청의

새로운 처분(새로운 보상액의 결정)을 받을 수밖에 없다. 그러나 만약 새로운 처분에도 불복이 있으면 다시 취소소송을 제기해야 하고 무용한 소송이 반복되는 문제가 있다. 따라서 **우회적 절차를 거침이 없이 법률관계의 내용을 직접 다투어 합리적인 분쟁해결과 권리구제를 도모**할 수 있도록 형식적 당사자소송을 인정한 것이다.

(3) 공정력과의 관계

사인이 공정력을 배제하기 위해서는 취소소송으로 다투는 것이 원칙인데, 형식적 당사자소송에서는 **원인이 되는 처분 자체는 그대로 둔 채 당해 처분의 결과로서 형성된 법률관계에 관하여 법원이 심리·판단**하는 것이므로 원인이 되는 처분의 공정력과의 관계가 문제된다.

2. 일반적 인정 여부

(1) 문제점

개별법의 근거가 없는 경우에도 행정소송법 제3조2호를 근거로 하여 일반적으로 인정할 수 있는지에 관한 다툼이 있다.

(2) 학 설

① **부정설**은 행정청의 처분은 공정력을 갖는데, 명문 규정 없이 형식적 당사사소송을 인정한다면 공정력을 갖는 처분(예: 토지수용위원회의 재결)을 그대로 둔 채 당해 처분을 원인으로 하는 법률관계(예: 보상금증감액청구)에 관한 판단을 하는 것이어서 **공정력에 반한다**고 한다. ② **긍정설**은 **행정소송법 제3조2호의 당사자소송에는 형식적 당사자소송도 포함**하는 것으로 해석하고, 당사자소송에 관한 규정에는 제45조에서와 같이 "민중소송 및 기관소송은 법률이 정한 경우에 법률에 정한 자에 한하여 제기할 수 있다"와 같은 제한규정이 없다는 점을 근거로 한다.

(3) 검 토

개별규정이 없는 경우에는 원고적격, 피고적격, 제소기간 등 **소송요건도 불분명**하며, **공정력과의 관련성을 고려할 때 부정설이 타당**하다.

3. 개별법상의 예

(1) 특허법

특허법 제187조는 항고심판의 심결을 받은 자가 제소할 때에는 특허청장을 피고로 하지만, 동법 제191조는 보상금 또는 대가에 관한 불복의 소송에서는 보상금을 지급할 관서 또는 출원인·특허권자 등을 피고로 하여야 한다고 규정하고 있다.

(2) 전기통신기본법

전기통신기본법 제40조의2은 동법 제33조의2에 의한 손해배상 등에 관하여 전기통신사업자와 이용자간에 협의가 이루어지지 아니한 경우 등에는 방송통신위원회에 재정을 신청할 수 있으며, 방송통신위원회가 재정을 한 경우 그 금액에 대하여 불복이 있으면 다른 당사자(전기통신사업자 및 그 이용자)를 피고로 하여 소송을 제기할 수 있도록 하였다. 실질은 방통위의 재정을 다투지만, 형식은 법률관계의 당사자인 전기통신사업자와 이용자간의 소송이다.

(3) 공익사업법 제85조2항 - 보상금증감청구소송(#96)

Ⅴ. 당사자소송과 가처분

행정소송법은 당사자소송의 가구제수단에 대한 규정이 없다. 행정소송법 제8조 2항에 의해서 민사집행법상 가처분에 관한 규정이 적용된다. 항고소송에서는 가처분이 허용되지 않는 점과 구별된다.

판 례 도시 및 주거환경정비법상 행정주체인 주택재건축정비사업조합을 상대로 관리처분계획안에 대한 조합 총회결의의 효력을 다투는 소송은 행정처분에 이르는 절차적 요건의 존부나 효력 유무에 관한 소송으로서 소송결과에 따라 행정처분의 위법

여부에 직접 영향을 미치는 공법상 법률관계에 관한 것이므로, 이는 행정소송법상 당사자소송에 해당한다. 그리고 이러한 **당사자소송에 대하여는 행정소송법 제23조 제2항의 집행정지에 관한 규정이 준용되지 아니하므로(행정소송법 제44조 제1항 참조), 이를 본안으로 하는 가처분에 대하여는 행정소송법 제8조 제2항에 따라 민사집행법상 가처분에 관한 규정이 준용**되어야 한다(대결 2015.8.21, 2015무26).

관련 판례 **당사자소송의 대상 – 광주민주화운동관련보상청구**(대판 1992.12.24, 92누3335)

1. 사실관계

甲은 광주민주화 운동 당시 계엄군들에게 구타당하여 부상을 입은 자로서 광주민주화운동관련자 보상등에 관한법률(이하 광주보상법)에 의거하여 보상심의위원회를 상대로 보상결정의 취소를 구하였고, 이후 위 소송을 유지하면서 새로이 대한민국을 피고로 하여 보상금 등의 지급을 구하는 소를 추가적으로 병합하여 제기.

[참조조문]

***광주민주화운동관련자 보상등에 관한 법률**

제8조(보상금등의 지급신청) ① 관련자 또는 그 유족으로서 이 법에 의한 보상금·의료지원금·생활지원금(이하 '보상금 등'이라 한다)을 지급받고자 하는 자는 대통령령이 정하는 바에 따라 관계증빙서류를 첨부하여 서면으로 **보상심의위원회에 보상금등의 지급을 신청하여야** 한다.

제11조(재심) ① 보상심의위원회가 제9조의 규정에 의하여 결정한 사항에 대하여 이의가 있는 관련자 또는 그 유족은 제10조의 규정에 의하여 결정서를 송달받은 날부터 30일이내에 **보상심의위원회에 재심의를 신청할 수 있다.**

제15조(결정전치주의) ① 이 법에 의한 **보상금등의 지급에 관한 소송은 보상심의위원회의 보상금등의 지급 또는 기각의 결정을 거친 후에 한하여 이를 제기할 수 있다.** 다만, 보상금등의 **지급신청이 있는 날부터 90일을 경과한 때에는 그러하지 아니하다.**

② 제1항의 규정에 의한 소송의 제기는 **결정서정본(재심의결정서정본을 포함한다)의 송달을 받은 날부터 60일이내**에 제기하여야 한다.

2. 판례요지

[1] **광주민주화운동관련자 보상심의위원회의 보상금지급신청에 대한 결정이 취소소송의 대상이 되는 행정처분인지 여부**(소극)

광주민주화운동관련자 보상등에 관한 법률 제15조 본문의 규정에서 말하는 **광주민주화운동관련자 보상심의위원회의 결정을 거치는 것은 보상금 지급에 관한 소송을 제기하기 위한 전치요건에 불과하다고 할 것이므로 위 보상심의위원회의 결정은 취소소송의 대상이 되는 행정처분이라고 할 수 없다.**

[2] **같은 법에 의거하여 관련자 및 유족들이 갖게 되는 보상등에 관한 권리 및 소송의 성격**(= 당사자소송)**과 그 지급에 관한 법률관계의 주체**(= 대한민국)

같은 법에 의거하여 **관련자 및 유족들이 갖게 되는 보상등에 관한 권리는 헌법 제23조3항에 따른 재산권침해에 대한 손실보상청구나 국가배상법에 따른 손해배상청구와는 그 성질을 달리하는 것으로서 법률이 특별히 인정하고 있는 공법상의 권리**라고 하여야 할 것이므로 그에 관한 소송은 행정소송법 제3조2호 소정의 **당사자소송에 의하여야 할 것이며 보상금 등의 지급에 관한 법률관계의 주체는 대한민국**이다.

[3] **취소소송을 제기한 당사자가 국가 또는 공공단체에 대한 당사자소송을 행정소송법 제10조2항에 의하여 관련 청구로서 병합하였으나 위 취소소송이 부적법한 경우 법원은 소변경청구로 보아 청구의 기초에 변경이 없는 한 이를 허가하여야 하는지 여부**(적극)

취소소송 등을 제기한 당사자가 당해 처분 등에 관계되는 사무가 귀속되는 국가 또는 공공단체에 대한 당사자소송을 행정소송법 제10조2항에 의하여 관련 청구로서 병합한 경우 위 취소소송 등이 부적법하다면 당사자는 위 당사자소송의 병합청구로서 같은 법 제21조1항에 의한 소변경을 할 의사를 아울러 가지고 있었다고 봄이 상당하고, 이러한 경우 법원은 청구의 기초에 변경이 없는 한 당초의 청구가 부적법하다는 이유로 병합된 청구까지 각하할 것이 아니라 병합청구 당시 유효한 소변경청구가 있었던 것으로 받아들여 이를 허가함이 타당하다.

[4] **취소소송을 제기하였다가 당사자소송으로 소변경을 허용할 경우 당사자소송의 제소기간의 준수기준**(= 취소소송)

취소소송을 제기하였다가 나중에 당사자 소송으로 변경하는 경우에는 행정소송법 **제21조4항, 제14조4항**에 따라 **처음부터 당사자 소송을 제기한 것으로 보아야** 하므로 **당초의 취소소송이 적법한 기간 내에 제기된 경우에는 당사자소송의 제소기간을 준수**한 것으로 보아야 할 것이다.

비교 판례 **당사자소송의 대상 – 민주화운동관련보상청구**
(대판(전) 2008.4.17, 2005두16185)

1. 판결요지

[다수의견] (가) '민주화운동관련자 명예회복 및 보상 등에 관한 법률' 제2조1호, 제2호 본문, 제4조, 제10조, 제11조, 제13조 규정들의 취지와 내용에 비추어 보면, 같은 법 제2조2호 각 목은 민주화운동과 관련한 피해 유형을 추상적으로 규정한 것에 불과하여 제2조1호에서 정의하고 있는 민주화운동의 내용을 함께 고려하더라도 그 규정들만으로는 바로 법상의 보상금 등의 지급 대상자가 확정된다고 볼 수 없고, '민주화운동관련자 명예회복 및 보상 심의위원회'에서 심의·결정을 받아야만 비로소 보상금 등의 지급 대상자로 확정될 수 있다. 따라서 그와 같은 심의위원회의 결정은 국민의 권리의무에 직접 영향을 미치는 행정처분에 해당하므로, 관련자 등으로서 보상금 등을 지급받고자 하는 신청에 대하여 심의위원회가 관련자 해당 요건의 전부 또는 일부를 인정하지 아니하여 보상금 등의 지급을 기각하는 결정을 한 경우에는 신청인은 심의위원회를 상대로 그 결정의 취소를 구하는 소송을 제기하여 보상금 등의 지급대상자가 될 수 있다.

(나) '민주화운동관련자 명예회복 및 보상 등에 관한 법률' 제17조는 보상금 등의 지급에 관한 소송의 형태를 규정하고 있지 않지만, 위 규정 전단에서 말하는 보상금 등의 지급에 관한 소송은 '민주화운동관련자 명예회복 및 보상 심의위원회'의 보상금 등의 지급신청에 관하여 전부 또는 일부를 기각하는 결정에 대한 불복을 구하는 소송이므로 취소소송을 의미한다고 보아야 하며, 후단에서 보상금 등의 지급신청을 한 날부터 90일을 경과한 때에는 그 결정을 거치지 않고 소송을 제기할 수 있도록 한 것은 관련자 등에 대한 신속한 권리구제를 위하여 위 기간 내에 보상금 등의 지급 여부 등에 대한 결정을 받지 못한 때에는 지급 거부 결정이 있는 것으로 보아 곧바로 법원에 심의위원회를 상대로 그에 대한 취소소송을 제기할 수 있다고 규정한 취지라고 해석될 뿐, 위 규정이 보상금 등의 지급에 관한 처분의 취소소송을 제한하거나 또는 심의위원회에 의하여 관련자 등으로 결정되지 아니한 신청인에게 국가를 상대로 보상금 등의 지급을 구하는 이행소송을 직접 제기할 수 있도록 허용하는 취지라고 풀이할 수는 없다.

[대법관 김황식, 김지형, 이홍훈의 반대의견] '민주화운동관련자 명예회복 및 보상 등에 관한 법률' 제17조의 규정은 입법자가 결정전치주의에 관하여 특별한 의미를 부여하고 있는 것으로, 심의위원회의 결정과 같은 사전심사를 거치거나 사전심사를 위한 일정한 기간이 지난 후에는 곧바로 당사자소송의 형태로 권리구제를 받을 수 있도록 하려는 데 그 진정한 뜻이 있는 것이다. 또한, 소송경제나 분쟁의 신속한 해결을 도모한다는 측면에서도 당사자소송에 의하는 것이 국민의 권익침해 해소에 가장 유효하고 적절한 수단이다. 따라서 보상금 등의 지급신청을 한 사람이 심의위원회의 보상금 등의 지급에 관한 결정을 다투고자 하는 경우에는 곧바로 보상금 등의 지급을 구하는 소송을 제기하여야 하고, 관련자 등이 갖게 되는 보상금 등에 관한 권리는 위 법이 특별히 인정하고 있는 공법상 권리이므로 그 보상금 등의 지급에 관한 소송은 행정소송법 제3조2호에 정한 국가를 상대로 하는 당사자소송에 의하여야 한다.

2. 해 설

- 관련판례와 비교판례는 사실관계는 거의 같으나, 근거법률의 차이가 있을 뿐이고 두 법의 관련 조문도 거의 동일함. 그런데 관련판례는 보상금심의위원회의 결정을 처분성을 부정한 반면, 비교판례는 처분성을 긍정함.

- 관련판례는 개개의 역사적 사건(광주민주화운동)에 대한 보상 위한 것인 반면, 비교판례는 포괄적으로 규정되어 있는 법규정상의 대상자 해당성 등을 구체적 사안에서 확정해야 할 필요가 있는 것을 고려한 것이 아닌가 생각됨.

- 비교판례인 2008년의 2005두16185판례는 전합 판례이지만 관련판례인 92년도의 92누3335판례를 명시적으로 변경한 것인지에 대해서는 언급이 없음.

- 2008년 판례의 반대의견에서는 유사한 법률체계를 갖고 있는 법률 사이에 동일한 내용의 법조항에 대한 기존의 판례의 해석론은 일관된 입장을 견지해야 한다고 하면서 당사자소송의 입장을 취한 반면에, 다수의견의 보충의견에서는 양 법률이 적용 대상, 법률규정의 문언에 있어 서로 달라서 광주민주화운동보상법의 해석이 그대로 타당하다고 할 수 없다고 함.

- 외관상 처분으로 볼 수 있는 결정이 공법상 금전지급 전에 행해지고 금전지급이 거부되는 경우 당사자소송으로 다투어야 하는지 항고소송으로 다투어야 하는지 애매한 경우에는, 문제된 권리의 존부 또는 범위가 법령에 의하여 바로 확정되는지 아니면 행정청의 결정에 의하여 비로소 확정되는지 여부를 기준으로 전자는 당사자소송을 후자는 항고소송을 제기하여야 하는데 관련판례는 광주민주화보상법에 의해 바로 확정된다고 본 것이 반면에 비교판례는 민주화보상법에 의해 바로 확정되는 것이 아니라 보상위원회의 결정에 의해서 비로소 확정되는 것으로 본 것임.

130 기관소송

Ⅰ. 의 의

국가 또는 공공단체의 기관상호간에 있어서의 권한의 존부 또는 그 행사에 관한 다툼이 있을 때에 이에 대하여 제기하는 소송이다(행소법 제3조4호). 다만 **헌법재판소의 관장사항으로 되는 소송은 제외**한다(동 단서). 행정기관간 **권한의 다툼에 관해 적당한 해결기관(행정절차법 제6조2항은 상급행정청이 관할 결정하도록 규정)이 없거나 공정한 제3자의 판단을 요구하는 경우**, 공법상의 법인 내부에서의 법적 분쟁해결의 수단으로서 제기하는 소송이다.

Ⅱ. 기관 상호간의 의미

기관 상호간의 의미에 대해 ① 협의설은 **동일한 법주체 내부의 기관 상호간**의 소송만을 기관소송으로 보지만, ② 광의설은 상이한 행정주체 상호간 및 상이한 **법주체의 기관 상호간의 소송도** 기관소송에 포함된다고 한다. 생각건대, **행정소송법 제3조4호의 문언상** 법주체 사이의 분쟁을 의미하는 것은 아니므로 **협의설이 타당**하다.

Ⅲ. 성 질

개인의 권리보호를 목적으로 하는 주관소송이 아니고 **행정작용의 적법성을 보장**하기 위한 **객관적 소송**에 해당한다. **행정소송법 제45조**는 **기관소송법정주의**를 규정하고 있다.

Ⅳ. 권한쟁의심판과의 비교

① 대상에 있어 기관소송은 공법상의 법인 내부에서의 법적 분쟁을 대상으로 하는데 반해(협의설에 의할 때), 권한쟁의는 공법상의 법인 상호간의 외부적인 분쟁을 대상으로 하는 점에서 차이가 있다. 다만 헌법재판소법은 본래적 의미에서의 기관소송에 해당하는 대상의 일부를 권한쟁의의 대상으로 규정하고 있어(동법 제62조), 행정소송법상의 기관소송은 헌재의 권한쟁의심판의 관장사항이 아닌 것에만 한정된다. ② 형식에서 기관소송은 행정소송이지만 권한쟁의심판은 헌법재판이다. ③ 목적에 있어 기관소송은 행정감독 내지 행정조직의 민주화를 도모하려는 것이고, 권한쟁의는 헌법의 규범적 효력을 보호하려는 것이다.

Ⅴ. 현행법상 예 - 지방자치법상의 예

1. 지방자치법 제107조3항

지방자치단체장이 지방의회의 재의결에 대해 대법원에 제기하는 소송으로 **순수한 형태의 기관소송**이다.

2. 지방자치법 제172조3항,4항

이를 형식상으로는 기관소송의 형태를 갖추고 있으나 실질적으로는 **감독소송의 일종**에 해당한다는 견해와 **기관소송**이라는 견해가 대립한다.

Ⅵ. 적용법규

개별법규에 적용규정을 둔 경우를 제외하고는 **성질이 허용하는 한 행정소송법의 규정이 준용**된다(행소법 제46조).

Ⅶ. 기관소송의 활성화

현행법은 기관소송을 매우 제한적인 경우에만 허용하는데, **공공단체에 의한 행정수행의 확대와 지방자치의 활성화에 따라 기관소송의 필요성이 증가**하는 추세를 고려하면 향후 기관소송법정주의를 폐지하여 널리 활용할 필요가 있다.

131 행정조직법 개관

Ⅰ. 행정조직법의 의의

광의의 개념은 공무원법을 포함하기도 하나, 협의로는 **행정기관의 설치·폐지·구성·행정기관의 권한 및 행정기관 상호간의 관계에 관한 법**으로 이해한다.

Ⅱ. 행정조직 법정주의

행정조직에 관한 사항은 기본적으로 법률로 정하여야 한다는 원칙으로서 행정조직의 민주적 정당성을 확보하기 위한 행정조직법의 기본원칙이다. **헌법 제96조**는 "행정각부의 설치·조직과 직무범위는 법률로 정한다"고 규정하여 행정조직법정주의를 천명하고 있고, **정부조직법 제2조**는 중앙행정기관의 설치와 직무범위를 법률로 정하도록 하고 있다.

Ⅲ. 행정주체와 행정기관

1. 행정주체

자신의 이름으로 행정을 행할 권리와 의무를 가진 행정법관계의 당사자를 말한다. 국가·지방자치단체·공법상 법인 및 공무수탁사인이 이에 해당한다.

2. 행정기관

행정권한을 행사하는 행정조직의 구성단위이다. 행정주체는 현실적으로 행정작용을 수행하기 위하여 행정기관을 두어 자신의 임무를 수행하며, 행정기관은 일정한 **권한과 책무**를 부여받는 것이다. 여기서 권한은 **일정한 행위를 할 법적 권능**을, 책무란 일정한 행위를 할 법적 의무를 말한다.

Ⅳ. 행정기관의 종류

1. 권한에 따른 분류

(1) 행정청

행정주체를 위하여 그의 의사를 결정하고 이를 외부에 표시할 수 있는 권한을 가진 행정기관이다.

(2) 보조기관

행정청에 소속되어 행정청의 의사결정을 보조하는 행정기관으로 차관, 국장, 과장 등이 그 예이다.

(3) 보좌기관

행정청이나 보조기관을 보좌함으로써 행정기관의 목적달성에 공헌하는 기관으로 차관보, 담당관 등이 그 예이다.

(4) 자문기관

행정청의 자문에 응하여 또는 스스로 행정청의 권한행사에 대하여 의견을 제시함을 주된 임무로 하는 행정기관이다. 각종 위원회가 이에 해당하며, 다만 자문기관의 의견은 행정청의 의사를 구속하지는 않는다.

(5) 의결기관

행정주체 내부에서 의사를 결정할 권한은 가지되, 이를 외부적으로 표시할 권한은 없는 합의제 행정기관을 말한다. **징계위원회**(국가공무원법 제81조)[1] 등이 그 예이다.

---

1) 공무원에게 징계사유가 있어 징계를 하고자 할 때에는 **징계요구권자가 징계위원회에 징계요구**를 하고 **징계위원회의 징계의결에 따라 징계권자가 징계처분**을 하는데(국가공무원법 제78조),이 경우 **징계권자는 행정청**이 되고 **징계위원회는 의결기관**이 되는 것임.

판 례 [1] 구 폐기물처리시설 설치촉진 및 주변지역지원 등에 관한 법률(2004. 2. 9. 법률 제7169호로 개정되기 전의 것) 제9조 제3항, 같은 법 시행령(2004. 8. 10. 대통령령 제18514호로 개정되기 전의 것) 제7조 [별표 1], 제11조 제2항 각 규정들에 의하면, **입지선정위원회는 폐기물처리시설의 입지를 선정하는 의결기관**이고, **입지선정위원회의 구성방법에 관하여 일정 수 이상의 주민대표 등을 참여시키도록 한 것은 폐기물처리시설 입지선정 절차에 있어 주민의 참여를 보장함으로써 주민들의 이익과 의사를 대변하도록 하여 주민의 권리에 대한 부당한 침해를 방지하고 행정의 민주화와 신뢰를 확보하는 데 그 취지**가 있는 것이므로, **주민대표나 주민대표 추천에 의한 전문가의 참여 없이 의결이 이루어지는 등 입지선정위원회의 구성방법이나 절차가 위법한 경우**에는 그 **하자 있는 입지선정위원회의 의결에 터잡아 이루어진 폐기물처리시설 입지결정처분도 위법**하게 된다.
[2] 구 폐기물처리시설 설치촉진 및 주변지역 지원 등에 관한 법률에 정한 입지선정위원회가 그 구성방법 및 절차에 관한 같은 법 시행령의 규정에 위배하여 군수와 주민대표가 선정·추천한 전문가를 포함시키지 않은 채 임의로 구성되어 의결을 한 경우, 그에 터잡아 이루어진 폐기물처리시설 입지결정처분의 **하자는 중대한 것이고 객관적으로도 명백하므로 무효사유**에 해당한다(대판 2007.4.12, 2006두20150).

(6) 집행기관

행정청의 명을 받아 실력으로 이를 집행하는 기관으로서 경찰공무원, 세무공무원 등이 그 예이다.

2. 구성방식에 따른 분류

(1) 독임제 행정기관

1인의 자연인으로 구성되고 그의 **단독적 책임 하에 의사결정**을 하는 행정기관으로서, 행정기관은 일반적으로 **독임제가 원칙**이다.

(2) 합의제 행정기관

복수의 자연인으로 구성되고, 이들 **구성원의 합의에 의해 의사결정**을 하는 행정기관이다. **정부조직법 제5조**는 합의제행정기관을 둘 수 있다고 규정하고 있다. 합의제 행정기관이 의사를 결정과 외부에 표시를 할 수 있는 권한이 있다면 합의제 행정청이 되며(예: 감사원, 공정거래위원회, 중앙노동위원회), 그러한 권한이 없다면 합의제 행정청이 아니다(예: 징계위원회).

V. 행정기관의 권한

1. 의 의

행정주체를 위하여 법령상 유효하게 행정주체의 의사를 결정·표시할 수 있는 범위를 행정기관의 권한이라 한다. 그 범위는 행정조직법정주의에 의하여 행정기관을 설치하는 근거법규에 의하여 정하여지며(**행정권한법정주의**), 권한에 대해 **다툼이 있는 경우 일정한 절차(주관쟁의절차, 기관소송, 권한쟁의)에 따라 해결**된다.

2. 한 계

권한은 사항적 한계(타 행정관청의 권한에 속하는 사항을 처리할 수 없음), 지역적 한계, 및 대인적 한계를 갖는다.

3. 권한행사의 효과

행정기관은 행정주체를 위해 권한을 행사하지만, 외부적으로 **권한행사의 효과는 행정청이 속한 행정주체에 귀속**된다. 한편 권한 행사의 효과는 행정관청의 폐지, 변경, 구성원의 교체에 영향을 받지 않는다.

132 권한의 대리

Ⅰ. 의 의

행정청이 자신의 권한의 전부 또는 일부를 다른 행정기관이 대신 행사하게 하여 대리관청은 피대리관청을 위한 것을 표시하고 대리관청 자신의 이름으로 행위하되, 그 효과는 피대리관청에 귀속하는 제도이다. 실정법상 권한의 대행(헌법 제71조), 직무대행(정부조직법 제22조)이라고도 한다. 대리는 **권한불변경원칙의 예외**로서, 행정의 직무수행자가 사고 등으로 직무를 수행할 수 없는 경우 직무수행능력을 보전할 필요성 및 **직무수행의 능률화 · 합리화**를 기하기 위해 인정된다.

Ⅱ. 구별개념

1. 위 임

위임은 권한이 수임청에 이전되는 것이어서 법적 근거를 요하지만, 대리는 **권한 자체가 이전하는 것은 아니며(법령상 권한분배에 영향을 주지 않음)** 대리 중 **수권대리는 법적 근거를 요하지 않는다(다수설).**

2. 내부위임 · 위임전결 · 대결

내부위임을 받은 기관 및 전결권자나 대결자는 대외적으로 권한 있는 행정청과의 관계를 명시함이 없이 권한 있는 행정청의 이름으로 행위를 하지만, 대리는 **대리행위임을 표시하고 자신의 행정청의 권한을 자신의 명의**로 행사한다.

Ⅲ. 종 류

1. 임의대리

(1) 의 의

피대리관청의 수권행위에 의해 이루어지는 대리이다.

(2) 근 거 - 명문의 규정이 없는 경우에도 허용되는지 여부

행정권한 법정주의와 행정조직에 대한 민주적 통제의 견지에서 명문규정을 요한다는 **부정설**도 있으나, 임의대리는 **행정청의 권한행사의 한 방법**이며 대리권을 행사함에 있어 **대리관계가 표시**되고 **권한의 이전을 가져오는 것은 아니므로 긍정설이 타당**하다(다수설).

(3) 대리권의 범위와 한계

일반적 · 포괄적 권한에 한하여서만 인정되며, 개별법에 반드시 특정기관만이 하도록 규정한 행위(예: 부령을 발하는 권한)는 수권의 대상이 될 수 없고, 대리권의 수여는 **권한의 일부**에 대해서만 인정된다(**법정대리에서는 전부의 수권도 인정됨**).

(4) 대리행위의 효과

대리행위의 효과는 피대리관청의 행위로 귀속되며, 항고소송의 **피고적격도 피대리관청(대리관계를 밝힌 경우에 한하며 밝히지 않은 경우에는 처분명의자인 대리관청)**에 있다는 것이 판례이다. 권한을 초과한 경우에는 민법상 **표현대리 규정의 유추적용**이 가능하다.

판 례 대리권을 수여받은 데 불과하여 그 자신의 명의로는 행정처분을 할 권한이 없는 행정청의 경우 **대리관계를 밝힘이 없이 그 자신의 명의로 행정처분**을 하였다면 그에 대하여는 **처분명의자인 당해 행정청이 항고소송의 피고가 되어야 하는 것이 원칙이지만**, 비록 대리관계를 명시적으로 밝히지는 아니하였다 하더라도 처분명의자가 피대리 행정청 산하의 행정기관으로서 **실제로 피대리 행정청으로부터 대리권한을 수여받아 피대리 행정청을 대리한다는 의사로 행정처분을 하였고 처분명의자는 물론 그 상**

대방도 그 행정처분이 피대리 행정청을 대리하여 한 것임을 알고서 이를 받아들인 예외적인 경우에는 피대리 행정청이 피고가 되어야 한다(대판 2006.2.23, 2005부4).

(5) 대리관청과 피대리관청의 지위

피대리관청은 대리관청의 **선임 · 지휘 · 감독**에 대한 권한을 행사할 수 있으며, 그에 대한 **책임**도 부담한다.

(6) 복대리

신뢰관계가 기초가 되므로 복대리는 원칙적으로 **허용되지 않는다**(법정대리에서는 허용됨).

(7) 대리권의 종료

수권행위의 철회 및 수권행위에서 정한 기한의 경과, 조건의 성취 등에 의해 종료된다.

2. 법정대리

(1) 의 의

법령의 규정에 의하여 **일정한 사실의 발생**에 따라 **당연히, 또는 일정한 자의 지정**에 의하여 성립되는 대리이다.

(2) 근 거

일반규정으로는 **직무대리규정(대통령령)**이 있으며, 헌법 제71조, 정부조직법 제7조2항 · 제12조2항 · 제22조, 지방자치법 제111조5항 등에 개별규정이 있다.

(3) 종류 - 대리관청의 지정방법에 따른 구분

1) **협의의 법정대리** - 법정사실이 발생하면 **당연히** 대리관계가 발생한다(예: 장관 유고시 당연히 차관이 대리하는 경우(정부조직법 제7조2항)).

2) **지정대리** - 법정사실의 발생시에 일정한 자가 **대리관청을 지정함으로써** 대리관계가 발생한다(예 : 국무총리가 사고로 직무를 수행할 수 없는 경우 대통령이 지명하는 국무위원이 직무를 대행(정부조직법 제22조)).

(4) 대리권의 범위와 효과

대리권의 범위는 피대리관청의 **권한 전부**에 미치며, 대리관청의 행위는 **피대리관청의 행위로서 효과가 발생**한다.

(5) 복대리

피대리관청과 대리관청간의 신임관계를 기초로 한 것이 아니므로, 임의대리에서와 달리 가능하다.

(6) 대리권의 종료

법정대리의 발생원인이 소멸한 경우에 종료된다.

Ⅳ. 대리권의 행사방식

대리관청은 피대리관청과의 **대리관계를 표시**하여 대리권을 행사해야 하며(민법 제114조 현명주의 유추), **현명을 하지 않고 대리관청 자신의 이름으로 행정권을 행사**한 경우에는 대리관청 자신의 **무권한의 행위**로 되어 **무효**라고 보아야 한다(다수설). 다만, 이해관계인이 피대리관청의 행위로 믿을 만한 정당한 사정이 있을 때는 민법상 표현대리 규정을 유추적용하여 적법한 대리행위로 볼 수 있다. **대리권 없는 자의 행위는 무효**이다(판례).

133 권한의 위임

Ⅰ. 의 의

행정관청이 자기에게 주어진 권한을 스스로 행사하지 않고, 위임입법에 근거하여 타자에게 사무처리 권한의 일부를 실질적으로 이전하여 그 자의 이름과 권한과 책임으로 특정의 사무를 처리하게 하는 것을 말한다. 권한불변경원칙의 예외로서 행정의 능률화·합리화를 도모할 수 있으나, 행정조직법정주의를 침해할 가능성이 농후하고 수임기관은 자기의 고유사무에 대하여 만큼 책임감을 느끼지 않으며 국민의 입장에서도 어느 기관이 권한기관인지 알기 어려울 수도 있다는 문제가 있다.

Ⅱ. 구별개념

1) 위임은 권한이 수임청에 이전되며 법적 근거를 요한다는 점에서 권한 자체가 이전하지 않는 대리와 구별되고,
2) 대외적인 권한 이전 없이 내부적 사무처리 편의를 위해 사실상 권한을 행사하는 것이어서 법적 근거가 필요 없는 내부위임과 구별된다.

Ⅲ. 법적 근거

1. 법적 근거 필요

권한의 위임에 의해 법률에서 정한 권한 분배가 대외적으로 변경되고 수임자로 하여금 새로운 책임과 의무를 부담시키므로, 법률의 근거를 필요로 한다. 법률의 근거 없는 수임관청의 행위는 무권한의 행위로서 무효이다.

2. 일반적 근거

정부조직법 제6조, 행정권한의 위임 및 위탁에 관한 규정 제4조, 지방자치법 제104조 등이 있다.

3. 개별법에 근거규정 없는 경우 정부조직법 제6조1항과 행정권한의 위임 및 위탁에 관한 규정(대통령령) 제4조에 의하여 위임이 가능한지의 문제(재위임이 문제가 되어도 동일한 논의)

(1) 학 설

1) 부정설

① 정부조직법 제6조1항은 일반규정으로 위임가능성에 대한 일반적 원칙의 선언에 그치는 것이며, ② 이를 인정하는 것은 행정조직법정주의에 상치되며, ③ 일반적 근거규정으로 보면 시민의 입장에서 권한의 소재를 판단하는데 어려움이 있다는 점을 근거로 한다.

2) 긍정설

① 행정사무의 간소화 및 행정의 능률성 제고가 필요하고, ② 국민의 권리의무에 직접적으로 관계없는 행정조직에 있어서는 어느 정도 포괄적인 위임이 가능하며, ③ 중앙행정기관의 권한을 일괄하여 지방에 이전하고자 한 입법배경을 근거로 한다.

(2) 판례 - 긍정설

판례는 정부조직법 제6조와 행정권한의 위임 및 위탁에 관한 규정을 위임 및 재위임의 일반적 근거규정으로 보고 있다.

판례 1 구 건설업법 제57조1항, 같은법 시행령 제53조1항1호에 의하면 건설부장관의 권한에 속하는 같은법 제50조2항3호 소정의 영업정지 등 처분권한은 서울특별시장·직할시장 또는 도지사에게 위임되었을 뿐 시·도지사가 이를 구청장·시장·군수에

게 재위임할 수 있는 근거규정은 없으나, 정부조직법 제5조(현6조)1항과 이에 기한 행정권한의 위임 및 위탁에 관한 규정 제4조에 재위임에 관한 일반적인 근거규정이 있으므로 시 · 도지사는 그 재위임에 관한 일반적인 규정에 따라 위임받은 위 처분권한을 구청장 등에게 재위임할 수 있다(대판(전) 1995.7.11, 94누4615).

판례 2 정부조직법 제5조1항(현행 제6조)은 법문상 권한의 위임 및 재위임의 근거규정임이 명백하고 같은 법이 **국가행정기관의 설치, 조직, 직무범위의 대상을 정하는데 그 목적이 있다는 이유만으로 권한위임, 재위임에 관한 위 규정마저 권한위임 등에 관한 대강을 정한 것에 불과할 뿐 권한위임의 근거규정이 아니라고 할 수는 없으므로** 충정남도지사가 자기의 수임권한을 위임기관인 동력자원부장관의 승인을 얻은 후 충청남도의 사무 시, 군위임규칙에 따라 군수에게 재위임하였다면 이는 위 조항 후문 및 행정권한의 위임 및 위탁에 관한 규정 제4조에 근거를 둔 것으로서 적법한 권한의 재위임에 해당하는 것이다(대판 1990.2.27, 89누5287).

(3) 검 토

긍정설에 의하면 행정청의 권한에 관하여 정하고 있는 모든 법률의 규정은 무의미하게 될 것이며, **법률에 의한 위임은 행정권한법정주의를 침해하는 정도의 포괄적인 위임이 되어서는 곤란**하므로 **부정설이 타당**하다.

Ⅳ. 위임의 형식과 상대방(수임기관의 유형)

1. 형 식

직접 법령에 의하거나, **법령에 근거한 위임관청의 의사결정방식**에 의한다.

2. 상대방

1) 보조기관 (예: 장관이 국장에게 위임)
2) 하급행정기관 (예: 국토교통부장관이 지방국토관리청장에게 위임)
3) 대등한 행정관청 또는 지휘계통을 달리하는 행정청(법령상 **위탁**[1])이라고도 한다)
4) 지방자치단체(**단체위임**)
5) 지방자치단체의 기관(**기관위임**) - 이 경우 위임을 받은 지방자치단체장은 국가기관의 지위에 있다.
6) 사인에 대한 위탁(**민간위탁**) - 사인의 신청 또는 동의가 있어야 하며, 사인에게 일정한 행정권한이 위임된 경우 그 자는 공무수탁사인이 된다.

Ⅴ. 한 계

1. 사항적 한계

소관사무의 일부에 대한 위임만 가능하며 **전부위임은 허용되지 않는다.** 법령에 의해 **특정 행정기관의 권한으로 정해진 권한**의 위임은 당해 권한을 정하는 법률을 사실상 폐지하는 것이므로 **허용될 수 없다.**

2. 재위임 가능

위임 또는 위탁한 기관의 장의 승인을 얻어야 한다는 제한 하에 재위임은 허용된다(정부조직법 제6조, 지방자치법 제104조4항). 기관위임사무의 경우 지방자치단체의 장은 당해 지방자치단체의 조례로 하급행정기관에 재위임할 수는 없고, 행정권한의 위임 및 위탁에 관한 규정 제4조에 의하여 위임기관의 승인을 얻은 후 지방자치단체의 장이 제정한 규칙에 따라서만 할 수 있다(#47.관련판례).

1) 행정기관에게 권한을 이전할 때 **대등한 행정관청 또는 지휘계통을 달리하는 행정청에게 권한을 이전**하는 것은 통상적으로 위임이라고 하지 않고 **위탁**이라고 한다. 또한 행정권한을 **독립적 지위에 있는 자(공단, 공사, 사인)에게 이전**하는 경우를 위탁이라고 하는데 이 중에서 **사인에게 위탁하는 경우를 민간위탁**이라고 한다. 위탁도 위임과 마찬가지로 법적근거가 필요하다. **정부조직법 제6조3항과 지방자치법 제104조3항**은 국민 또는 주민의 **권리 · 의무와 직접 관계되지 아니하는 사무**를 법인 · 단체 또는 그 기관이나 개인에게 위탁할 수 있다는 **일반적 근거**를 두고 있다. **권리 · 의무와 직접 관계**되는 사무를 위탁할 경우에는 **개별법에 근거가 필요**하다.

3. 위임의 한계를 벗어난 처분

원칙적으로 무효로 보아야 할 것이나, 판례는 중대명백설에 따라 취소사유로 본 경우도 있다.

판례 1 행정청의 권한에는 사무의 성질 및 내용에 따르는 제약이 있고, 지역적·대인적으로 한계가 있으므로 이러한 권한의 범위를 넘어서는 권한유월의 행위는 무권한 행위로서 원칙적으로 무효라고 할 것이나, 행정청의 공무원에 대한 의원면직처분은 공무원의 사직의사를 수리하는 소극적 행정행위에 불과하고, 당해 공무원의 사직의사를 확인하는 확인적 행정행위의 성격이 강하며 재량의 여지가 거의 없기 때문에 의원면직처분에서의 행정청의 권한유월 행위를 다른 일반적인 행정행위에서의 그것과 반드시 같이 보아야 할 것은 아니다. 5급 이상의 국가정보원직원에 대한 의원면직처분이 임면권자인 대통령이 아닌 국가정보원장에 의해 행해진 것으로 위법하고, 나아가 국가정보원직원의 명예퇴직원 내지 사직서 제출이 직위해제 후 1년여에 걸친 국가정보원장 측의 종용에 의한 것이었다는 사정을 감안한다 하더라도 그러한 하자가 중대한 것이라고 볼 수는 없으므로, 대통령의 내부결재가 있었는지에 관계없이 당연무효는 아니다(대판 2007.7.26, 2005두15748).

판례 2 세관출장소장에게 관세부과처분에 관한 권한이 위임되었다고 볼만한 법령상의 근거가 없는데도 피고가 이 사건 처분을 한 것은 결국, 적법한 위임 없이 권한 없는 자가 행한 처분으로서 그 하자가 중대하다고 할 것이나, 앞서 본 바와 같이 구 예산회계법과 그 시행령 등에 의하면, 세관출장소장은 세입징수관으로서 관세를 징수할 권한이 위임되어 있고 따라서 그 징수처분으로 세입과목, 세액 등을 기재한 문서로써 납입고지를 할 수 있도록 규정되어 있는 점, 정부조직법에 근거하여 관세청과 그 소속기관의 조직 및 직무범위 등에 관하여 규정하고 있는 대통령령인 관세청과 그 소속기관 직제 및 그 시행규칙에 의하면, 피고에게는 '수입물품에 대한 관세 등 조세의 세액결정 및 징수'에 관한 권한이 위임되어 있는데, 위 '조세의 세액결정 및 징수'업무에는 관세부과처분에 관한 업무까지 포함되는 것으로 오인할 여지가 없지 아니한 점, 관세청고시인 '수입통관사무처리에관한고시' 소정의 납부고지서의 서식이나 '관세불복청구및처리에관한고시' 소정의 심사청구서나 그 결정서 서식에 의하면, 세관출장소장도 세관장과 마찬가지로 관세부과처분권한이 있는 것처럼 취급되고 있는 점, 세관출장소는 1949. 6. 27. 대통령령 제137호 '세관관서직제'에 의거하여 설립되어 현재까지 13개 세관출장소장 명의로 관세부과처분 및 증액경정처분이 이루어져 왔는데, 그동안 세관출장소장에게 관세부과처분에 관한 권한이 있는지 여부에 관하여 아무런 이의제기가 없었던 점 등에 비추어 보면, 세관출장소장에게 관세부과처분을 할 권한이 있다고 객관적으로 오인할 여지가 다분하다고 인정되므로 결국 적법한 권한 위임 없이 행해진 이 사건 처분은 그 하자가 중대하기는 하지만 객관적으로 명백하다고 할 수는 없어 당연무효는 아니라고 보아야 할 것이다(대판 2004.11.26, 2003두2403).

Ⅵ. 효 과

1. 수임기관의 지위

수임관청은 자기의 명의·책임·권한으로 사무를 수행하고, 행정심판의 피청구인 또는 항고소송의 피고가 된다.

2. 위임기관의 지위

위임기관은 권한을 스스로 행사할 수는 없으며(위임 후 위임청이 처분을 한 것은 무권한자의 행위가 됨), 다만 위임기관은 수임기관의 권한행사를 지휘·감독하여 그 사무 처리를 취소하거나 중지시킬 수 있다.

3. 비용부담

위임기관이 비용을 부담하는 것이 원칙이다. 행정권한의 위임 및 위탁에 관한 규정 제3조 2항은 "행정기관의 장은 행정권한을 위임 및 위탁할 때에는 위임 및 위탁하기 전에 수임기관의 수임능력 여부를 점검하고, 필요한 인력 및 예산을 이관하여야 한다"고 규정하고 있다.

Ⅶ. 종 료

법령 또는 위임관청의 의사표시에 의한 위임의 해제, 위임근거의 소멸, 조건의 성취, 기한의 경과로 종료되며. 위임된 권한은 당연히 위임기관에 회복된다.

134 내부위임

Ⅰ. 의 의

행정청이 사무처리의 편의를 도모하기 위하여 보조기관 또는 하급행정기관에게 내부적으로 의사결정권을 위임하여 수임기관이 위임청의 명의로 권한을 사실상 행사하게 하는 것을 내부위임이라 한다.

Ⅱ. 권한의 위임 및 대리와 구별

내부위임은 권한의 귀속 자체의 변경을 가져오지 않고 수임기관은 위임관청의 명의로 권한을 행사할 수 있을 뿐인 반면, 권한의 위임은 권한의 대외적인 변경을 가져오고 수임기관이 자신의 명의와 책임하에 권한을 행사한다는 점에서 구별된다. 또한 내부위임은 수임기관 및 전결권자나 대결자가 대외적으로 권한 있는 행정청과의 관계를 명시함이 없이 위임관청의 명의로 행위를 하는 반면, 권한의 대리는 대리기관이 대리행위임을 표시하고 행정청의 권한을 자신의 명의로 행사한다는 점에서 구별된다.

판 례 행정권한의 위임은 위임관청이 법률에 따라 하는 특정권한에 대한 법정귀속의 변경임에 대하여 내부위임은 행정관청의 내부적인 사무처리의 편의를 도모하기 위하여 그 보조기관 또는 하급행정관청으로 하여금 그 권한을 사실상 행하게 하는데 그치는 것이므로 권한위임의 경우에는 수임자가 자기의 명의로 권한을 행사할 수 있으나 내부위임의 경우에는 수임자는 위임관청의 명의로 이를 할 수 있을 뿐이다(대판 1989.3.14, 88누10985).

Ⅲ. 법적 근거

권한의 변경을 가져오는 것이 아니므로 법률의 근거를 요하지 않는다.

판 례 행정권한의 위임은 행정관청이 법률에 따라 특정한 권한을 다른 행정관청에 이전하여 수임관청의 권한으로 행사하도록 하는 것이어서 권한의 법적인 귀속을 변경하는 것이므로 법률이 위임을 허용하고 있는 경우에 한하여 인정된다 할 것이고, 이에 반하여 행정권한의 내부위임은 법률이 위임을 허용하고 있지 아니한 경우에도 행정관청의 내부적인 사무처리의 편의를 도모하기 위하여 그의 보조기관 또는 하급행정관청으로 하여금 그의 권한을 사실상 행사하게 하는 것이다(대판 1995.11.28, 94누6475).

Ⅳ. 종 류

내부위임의 종류에는 ① 행정청이 하급행정기관에게 소관사무의 처리를 위임하면서 외부적인 권한행사는 자신의 명의로 하도록 하는 협의의 내부위임, ② 행정청이 보조기관에 위임하여 보조기관의 결재로서 행정청의 내부적인 의사결정이 확정되도록 하는 위임전결, ③ 결재권자의 일시 부재시에 직무를 대리하는 자가 대신 결재하는 대결이 있다.

협의의 내부위임이 소속 하급행정관청에게 행해지고, 위임전결은 해당 행정관청의 보조기관에게 행해진다는 점에서 구별된다. 대결은 권한의 행사가 일시적이라는 점에서 협의의 내부위임과 구별된다.

Ⅴ. 피고적격

(1) 위임기관의 명의로 처분을 한 경우

위임청이 피고가 된다.

(2) 수임기관이 자신의 명의로 처분을 한 경우

수임기관이 피고가 된다. 대외적인 행위를 한자는 수임기관이기 때문이다.

판 례 항고소송은 원칙적으로 소송의 대상인 행정처분 등을 외부적으로 그의 명의로 행한 행정청을 피고로 하여야 하는 것으로서, 그 행정처분을 하게 된 연유가 상급행정청이나 타행정청의 지시나 통보에 의한 것이라 하여 다르지 않으며, 권한의 위임이나 위탁을 받아 수임행정청이 정당한 권한에 기하여 수임행정청 명의로 한 처분에 대하여는 말할 것도 없고, **내부위임이나 대리권을 수여받은 데 불과하여 원행정청 명의나 대리관계를 밝히지 아니하고는 그의 명의로 처분 등을 할 권한이 없는 행정청이 권한 없이 그의 명의로 한 처분에 대하여도 처분명의자인 행정청이 피고**가 되어야 한다(대판 1994.6.14, 94누1197).

Ⅵ. 수임기관의 명의로 처분한 경우의 하자

1. 학 설

① **무권한의 행위**로 보아서 무효라는 **무효설**, ② 법적 안정성을 도모해야 하고, **권한행사의 형식상의 하자에 불과**하고 내부적으로는 권한을 위임받았다는 점에서 취소사유에 불과한 것으로 보는 **취소설**(김남진), ③ 수임기관이 **보조기관**인 경우는 **무효사유**로 수임기관이 **행정청의 지위를 갖는 기관**인 경우에는 **취소사유**로 보는 **예외적취소설**(박균성) 등이 대립한다.

2. 판 례

판례는 권한 없는 자에 의하여 행해진 것으로서 **무효설**의 입장이다(판례1). 판례 중에는 **임명권자인 대통령으로부터 소속 공무원에 대한 의원면직처분권한을 내부위임받은 국가정보원장이 자신의 명의로 의원면직처분을 한 것에 대하여 취소사유에 불과하다는 판례도 있으나**(판례2), 동 판례는 종래부터 국정원장 명의로 처분을 해 온 관행이 있는 점을 감안하여 판단한 것으로 **일반화하기는 곤란**하다.

판례 1 체납취득세에 대한 압류처분권한은 도지사로부터 시장에게 권한위임된 것이고 시장으로부터 압류처분권한을 **내부위임 받은 데 불과한 구청장으로서는 시장 명의로 압류처분을 대행처리 할 수 있을 뿐이고 자신의 명의로 이를 할 수 없다 할 것이므로 구청장이 자신의 명의로 한 압류처분은 권한 없는 자에 의하여 행하여진 위법무효의 처분**이다(대판 1993.5.27, 93누6621).

판례 2 행정청의 권한에는 사무의 성질 및 내용에 따르는 제약이 있고, 지역적·대인적으로 한계가 있으므로 이러한 권한의 범위를 넘어서는 **권한유월의 행위는 무권한 행위로서 원칙적으로 무효**라고 할 것이나, 행정청의 공무원에 대한 **의원면직처분은 공무원의 사직의사를 수리하는 소극적 행정행위에 불과**하고, 당해 **공무원의 사직의사를 확인하는 확인적 행정행위의 성격이 강하며 재량의 여지가 거의 없기 때문에 의원면직처분에서의 행정청의 권한유월 행위를 다른 일반적인 행정행위에서의 그것과 반드시 같이 보아야 할 것은 아니다.**
5급 이상의 국가정보원직원에 대한 의원면직처분이 임면권자인 대통령이 아닌 국가정보원장에 의해 행해진 것으로 위법하고, 나아가 국가정보원직원의 명예퇴직원 내지 사직서 제출이 직위해제 후 1년여에 걸친 국가정보원장 측의 종용에 의한 것이었다는 사정을 감안한다 하더라도 그러한 **하자가 중대한 것이라고 볼 수는 없으므로**, 대통령의 내부결재가 있었는지에 관계없이 **당연무효는 아니다**(대판 2007.7.26, 2005두15748).

3. 검 토

생각건대, 자신의 명의로 처분을 할 권한이 없는 행정기관이 자신의 명의로 처분을 하였다면 무권한의 하자로 무효로 보는 것이 원칙적으로 타당하나, 보조기관에게 내부위임하고 **보조기관이 자신의 명의로 처분**을 하였다면 행정청의 지위에 있는 하급행정기관에게 내부위임한 경우와 달리 그 **하자가 명백**하다고 볼 수 있으므로 **예외적 취소설이 타당**하다.[1)]

1) 행정청의 지위에 있는 **하급행정기관**에 내부위임한 예로는 **성남시장이 분당구청장에게** 위임한 경우를, **보조기관**에게 내부위임한 예로는 **성남시장이 부시장이나 국장에게** 내부위임한 경우를 예로 들 수 있다. 분당구청장은 행정청의 지위에서 처분을 하는 경우도 있지만 국장이 행정청의 지위에서 처분을 하는 경우는 법적근거가 있어 권한의 위임(내부위임이 아닌)을 받은 경우 외에는 상정할 수 없으므로 일반인을 기준으로 할 때 하자가 명백하다는 것이다.

135 행정청 상호간의 관계

Ⅰ. 상·하행정청간의 관계(감독관계)[1]

1. 감 시

상급행정청이 하급행정청의 권한행사의 상황을 파악하기 위하여 보고를 받고, 서류·장부를 검사하며, 실제로 사무감사를 행하는 등의 권한행사를 말한다.

2. 훈령(#136)

3. 인가, 승인

하급행정청의 일정한 권한행사에 대하여 미리 인가를 부여하여 적법·유효하게 행정조치를 행할 수 있게 하여주는 사전적인 예방적 감독수단을 말한다. **법령에서 인가를 거치도록 한 경우에는 인가 없이 행한 하급행정청의 행위는 위법·무효**가 되나 법령에 근거하지 않고 감독권의 행사로서 인가를 요구한 경우에는 인가가 없더라도 위법·무효가 되지는 않는다. 행정조직 **내부행위**이므로 **사인의 법률행위에 대한 인가와 구별**되며, 인가의 거부에 대하여 하급행정청이 쟁송으로 다툴 수 없다.

판 례 [1] **상급행정기관의 하급행정기관에 대한 승인·동의·지시 등은 행정기관 상호간의 내부행위**로서 국민의 권리 의무에 직접 영향을 미치는 것이 아니므로 항고소송의 대상이 되는 행정처분에 해당한다고 볼 수 없다.
[2] 지방자치단체장이 당해 토지 일대에 쓰레기매립장을 설치하기로 하면서 당해 토지 일대가 도시계획법상의 개발제한구역 내에 위치함에 따라 스스로 개발제한구역 안에서의 폐기물처리시설 설치허가를 하기에 앞서 **지방자치단체장이 도시계획법상의 개발제한구역 안에서의 일정한 행위를 허가함에 있어 개발제한구역 지정의 취지에 어긋나지 않도록 지도·감독하기 위하여 제정된 건설부훈령인 '개발제한구역관리규정'에 따라 건설교통부장관에게 폐기물처리시설 설치허가에 대한 사전승인신청**을 하였고, 건설교통부장관이 위 신청을 승인한 경우, **건설교통부장관의 위 승인행위**는 지방자치단체장이 도시계획법령에 의하여 행할 수 있는 개발제한구역 안에서의 폐기물처리시설 설치허가와 관련하여 건설교통부장관이 위 '개발제한구역관리규정'에 따라 **허가권자인 지방자치단체장에 대한 지도·감독작용**으로서 행한 것으로서 **행정기관 내부의 행위에 불과**하여 **국민의 구체적인 권리·의무에 직접적인 변동을 초래하는 것이 아닐 뿐 아니라**, 건설교통부장관의 **승인행위에 의하여 직접적으로 도시계획이 변경되는 효력이 발생하는 것이 아니므로** 결국 건설교통부장관의 위 승인행위는 항고소송의 대상이 되는 행정처분에 해당한다고 볼 수 없다(대판 1997.9.26, 97누8540).

---

4. 취소·정지

⑴ 사후적, 교정적 감독수단

⑵ 취소·정지권이 지휘감독권에 포함되는지의 문제(별도의 법적 근거 없이 취소·정지권을 행사할 수 있는지 여부)

① 취소·정지권 역시 **감독권에 당연히 포함**된다는 **긍정설**, ② 취소·정지는 효과가 직접 사인에 미치고, 하급관청의 권한의 대행을 의미하므로 **상급관청은 하급관청에 이를 명령할 수 있음에 그친다**는 **부정설**이 대립한다. 생각건대 감독권에 취소·정지권이 당연히 포함되지는 않으므로 부정설이 타당하다. 그러나 **정부조직법**(제11조2항, 제16조2항)**과 지방자치법**(제169조 1항) **및 행정권한의 위임 및 위탁에 관한 규정**(제6조)은 상급관청의 일반적인 취소정지에 관한 규정을 두고 있다. 상급행정청의 취소·정지에 대해 **하급행정청이 쟁송으로 불복할 수는 없으나** 취소·정지의 효과는 외부적으로도 미치므로 이로 인하여 **법률상 이익을 침해당한 개인은 항고쟁송을 제기**할 수 있다.

---

1) 상·하행정청 상호간에는 권한행사의 감독관계와 권한의 위임 및 대리관계가 존재하는데 위임 및 대리관계는 앞에서 서술하였고 여기서는 감독관계에 한하여 감독수단들에 대해서 서술한다.

5. 주관쟁의결정

행정청간에 다툼이 있는 경우 행정청을 공통으로 감독하는 상급행정청이 관할을 결정하며, 공통으로 감독하는 상급행정청이 없는 경우에는 각 상급행정청의 협의로 관할을 결정(행정절차법 제6조2항)하고 협의가 이루어지지 않을 경우 최종적으로 행정각부간의 주관쟁의가 되어 국무회의 심의를 거쳐 대통령이 결정한다(헌법 제89조 10호).

Ⅱ. 대등한 행정청간의 관계

1. 권한존중관계

권한에 분쟁이 있는 경우 주관쟁의 절차에 의해 해결한다.

2. 상호협력관계

하나의 사무가 둘 이상의 대등한 행정청의 권한과 관련된 경우 상호 협력하여 처리할 필요가 있다.

(1) 협의 · 동의

1) 협 의

행정업무가 여러 행정청의 권한과 관련된 경우에 하나의 행정청이 주된 지위에 있고 다른 행정청은 부차적인 지위에 있는 경우, **주된 지위**에 있는 행정청이 **주무행정청**이 되어 **업무처리에 관한 결정권**을 가지고, **부차적인 지위**에 있는 행정청은 **관계행정청**이 되어 **협의권**을 가진다. 관계기관의 **협의의견은 원칙상 주무행정청을 구속하지 않는다.** 협의가 법령에 의해 정해진 것이 아닌 경우에는 협의절차를 거치지 않고 처분을 해도 그것만으로 처분이 위법하다고 할 수 없으나, **법령에서 명시적으로 규정된 협의절차를 이행하지 않고 처분**을 한 경우 당해 처분은 위법하다. 이 경우 위법성의 정도는 **원칙상 무효라는 견해도 있으나, 협의의 중요성에 따라 무효 또는 취소할 수 있는 행위로 보아야** 할 것이다. **판례는** 법령에 규정된 협의를 거치지 않은 처분을 **취소할 수 있는 행위로 본다.**

> **판 례** 국방 · 군사시설 사업에 관한 법률 및 구 산림법에서 보전임지를 다른 용도로 이용하기 위한 사업에 대하여 **승인 등 처분을 하기 전에 미리 산림청장과 협의**를 하라고 규정한 의미는 그의 **자문을 구하라는 것이지 그 의견을 따라 처분을 하라는 의미는 아니라 할 것**이므로, 이러한 **협의를 거치지 아니하였다고 하더라**도 이는 당해 승인처분을 **취소할 수 있는 원인이 되는 하자 정도에 불과**하고 그 승인처분이 당연무효가 되는 하자에 해당하는 것은 아니라고 봄이 상당하다(대판 2006.6.30, 2005두14363).

주무기관이 협의절차를 이행하기는 하였지만 형식에 그치고 실질적인 협의가 이루어지지 않은 경우에도, 처분에는 취소할 수 있는 위법의 하자가 있다고 보아야 할 것이다. 협의는 **행정청의 내부 행위로서 직접 국민의 권리의무에 변동을 가져오는 것이 아니며, 행정처분이 아니다**(대판 1971.9.14. 71누99).[2]

2) 동 의

행정업무가 둘 이상의 행정청의 권한과 관련되어 있고 **관계행정청 모두 주된 지위**에 있는 경우, 업무처리의 편의를 위하여 **보다 업무와 깊은 관계가 있는 행정청이 주무행정청이 되고 다른 행정청은 관계행정청**이 된다. 이 경우에 **주무행정청은 업무처리에 관한 결정**을 함에 있어 **주된 지위에 있는 다른 행정청의 동의를 받아야** 한다(예: **건축허가는 시장 · 군수가 권한을 갖지만, 이 때 소방서장의 동의를 얻어야** 한다). **동의는 구속력**이 있으며, 동의를 받아야 함에도 **동의 없이 한 처분은 원칙적으로 무효**로 보아야 한다(취소사유라는 반대설 있음). 관계행정청이 부동의한 경우 **부동의는 내부행위**일 뿐이고 처분이 아니므로 그에 대하여 **항고소송을 제기할 수는 없고,** 처분청이 부동의 의견을 이유로 거부처분을 하는 경우 **거부처분의 취소를 구하면서 처분사유가 된 부동의를 다투어야** 한다(기출사례의 판례).

---

2) **건축법 제29조**에 의한 **국가나 지방자치단체가 공공건축물을 건축하기 위해서 건축물 소재지의 관할 허가권자와 협의를 하는 것은 단순한 행정기관의 내부행위라고 할 수 없음. 행정기관간의 문제라고 보기 어렵고, 협의의견은 단순한 자문이라고 할 수 없고 협의를 마치면 건축허가가 의제되는 법률효과가 발생**하기 때문임(#138. 관련판례).

3) 공동결정

행정업무가 둘 이상의 행정청의 권한과 관련되어 있고 **행정청 모두 주된 지위**에 있으며 동일하게 업무와 같은 관계가 있는 경우에는 **모든 행정청이 주무행정청**이 되며 업무처리는 공동의 결정에 의해 공동의 명의로 하게 된다.(예: 구 환경부・국토교통부・안전행정부의 **공동부령**으로서 환경・교통・재해 등에 관한 영향평가법 시행규칙)3)

(2) 사무의 촉탁(위탁)

행정청이 지휘・감독 하에 있지 않은 대등한 다른 행정청 또는 하급행정청에 권한의 일부를 맡겨 처리하는 것을 말한다.

(3) 행정응원 - 행정절차법 8조

기출 사례 **행정기관의 내부적 행위(06년 행시 - 일반행정)**

'소방시설설치유지및안전관리에관한법률' 제7조에 의하면, 건축허가 등의 권한이 있는 행정기관은 건축허가 등을 함에 있어 미리 그 건축물 등의 공사시공지 또는 소재지를 관할하는 소방본부장 또는 소방서장의 동의를 받도록 되어 있다. 甲은 상가건물을 신축하고자 건축법상 허가권자인 도지사 乙에게 건축허가를 신청하였는데, 관할 소방본부장 丙은 건물신축허가에 대한 동의를 거부하였다. 이 경우 소방본부장 丙의 동의의 법적 성질과 그 동의거부에 대한 甲의 권리구제수단을 설명하시오(30점).

1. 소방서장의 동의의 법적 성질(#135)

(1) 의 의

- 행정업무가 둘 이상의 행정청의 권한과 관련되어 있는 경우, 업무와 보다 깊은 관계가 있는 주무행정청이 관계행정청의 동의를 받아 행정업무를 처리하는 **대등한 행정관청간의 상호협력관계**의 일환.

(2) 동의가 처분에 해당하는지 여부가 문제

- 처분개념에 관한 일반론.

- 건축허가라는 종국적 결정에 이르는 과정에 있어서의 하나의 중간적 과정을 이루는 것으로서, 행정기관 상호간의 내부적 관계에서 거쳐야 하는 행위.
- 소방본부장의 동의거부 자체로서는 甲에 대하여 직접적인 법적 효과를 발생하지 않는 **내부행위**에 불과.
→ 처분에 해당되지 않음(처분성을 확대해서 처분에 해당된다고 보자는 입론 또한 가능할 것).

판 례 외환은행장이 수입허가의 유효기간 연장을 승인하고자 할 때에는 무역거래법시행규칙 제10조3항에 의하여 미리 피고(통상산업부장관)와 더불어 하는 **협의는 행정청의 내부 행위로서 이것만으로서는 직접 국민의 권리의무에 변동을 가져오는 것이라고는 할 수 없고**, 따라서 이것은 항고소송의 대상이 되는 **행정처분이라고는 볼 수 없다**(대판 1971.9.14, 71누99).

2. 동의거부에 대한 甲의 구제수단

(1) 동의거부에 대한 소송은 불가(내부행위로 보는 경우)
(2) 도지사가 건축허가거부를 하는 경우 거부처분에 대해 항고쟁송 제기

판 례 건축허가권자가 건축불허가처분을 하면서 그 처분사유로 건축불허가 사유뿐만 아니라 구 소방법 제8조1항에 따른 소방서장의 건축부동의 사유를 들고 있다고 하여 그 **건축불허가처분 외에 별개로 건축부동의처분이 존재하는 것이 아니므로, 그 건축불허가처분을 받은 사람은 그 건축불허가처분에 관한 쟁송에서 건축법상의 건축불허가 사유뿐만 아니라 소방서장의 부동의 사유에 관하여도 다툴 수 있다**(대판 2004.10.15, 2003두6573).

- 법원은 소방법령에 적합함에도 불구하고 소방본부장이 동의를 거부한 경우, 동의거부는 위법하고, 위법한 동의거부에 따른 도지사의 건축허가거부도 위법한 것으로 판단할 것.

(3) 거부처분의 취소판결의 기속력(#123)

- 도지사의 건축허가거부처분에 대해 인용판결이 나면 기속력이 발생. 행정청의 **재처분의무**가 발생(소송법 제30조2항).
- **소방본부장은 처분청은 아니지만 관계행정청에 포함**되어 인용판결의 기속력이 미침.
- 소방본부장은 동의를 하여야 하는 법적 기속을 받게 될 것이고, 처분청인 도지사는 건축허가를 내주어야 할 것.

3) 현재는 환경영향평가, 교통영향평가, 재해영향평가가 분리됨.

136 훈 령[1]

Ⅰ. 의 의

상급행정기관이 하급행정기관의 권한행사를 일반적으로 지휘하는 것을 내용으로 하는 권한을 훈령권이라 하고, 훈령권에 기하여 발하는 명령을 훈령이라고 한다. 훈령은 예방적 감독의 중추적 수단으로서 개별적·구체적 처분에 대하여 발령되기도 하고, 동종처분에 대하여 일반적·추상적 규범의 형식으로 발령되기도 한다.

Ⅱ. 법적 근거

감독권의 당연한 작용의 하나로서, 반드시 명문의 근거가 있어야만 인정되는 것은 아니다.

Ⅲ. 직무명령과 구별(#146)

	훈령	직무명령(#142)
(1) 의의	상급행정기관의 하급행정기관에 대한 명령	상급공무원의 하급공무원에 대한 명령
(2) 효력	기관의사 구속(구성자 변동 영향無)	공무원 개인을 구속(변동하면 효력 상실)
(3) 범위	직무사항에 한함	공무원의 복무행동까지도 가능
(4) 양자의 관계	직무명령의 성질도 가짐	훈령의 성질 가질 수 없음

Ⅳ. 법적 성질 및 구속력

1. 대내적 구속력

훈령은 하급행정기관을 구속하며, 복종하지 않으면 행정조직 내부의 직무상 의무위반으로 징계책임이 문제될 수는 있으나 대집행은 허용되지 않는다. 훈령은 권한행사의 지휘만을 내용으로 하는 것일 뿐이기 때문이다.

2. 대외적 구속력

원칙적으로 대외적인 구속력은 없으며, 훈령 가운데 협의의 훈령 즉 일반·추상적 규범으로서의 훈령은 행정규칙의 성질을 가진다(통설·판례). 따라서 훈령에 위반한 행정행위도 당연히 위법하게 되는 것은 아니다. 그러나 행정규칙이 예외적으로 구속력을 가지는 경우에는 그에 따라 구속력을 가지게 된다. 훈령에 근거하여 행정관행의 형성된 경우에는 행정의 자기구속의 법리에 따라 평등의 원칙을 매개로 하여 외부적 효력을 가지는 경우와, 훈령이 법령보충적 규칙에 해당하는 경우에도 훈령에 위반한 처분은 위법하게 된다.

Ⅴ. 종 류

대통령령인 행정업무의 효율적 운영에 관한 규정(구 사무관리규정)은 ① 상급행정청이 하급행정기관을 장기적으로 일반적으로 지휘·감독하기 위하여 발하는 명령인 협의의 훈령, ② 상급행정청이 직권 또는 하급행정기관의 문의에 따라 발하는 개별적·구체적 명령인 지시, ③ 행정사무의 통일을 기하기 위하여 반복적 행정사무의 처리기준을 발하는 명령인 예규, ④ 당직, 출장, 시간외 근무 등 일일업무에 관하여 발하는 명령인 일일명령으로 구분하고 있다. 지시와 일일명령은 행정규칙이라기 보다는 오히려 직무명령의 성격을 가지고 있다.

1) 직무명령도 목차가 유사

Ⅵ. 요 건

1. 형식적 요건

① **훈령권이 있는 상급행정기관**이, ② **하급행정기관의 권한에 속하는 사항**에 대하여 발하여야 하며, ③ 권한행사의 **독립성이 보장되는 하급행정기관의 권한에 대한 것이 아니어야** 한다.

2. 실질적 요건

훈령의 내용이 **적법·타당**하고 **가능**하고 **명백**해야 한다.

Ⅶ. 하자있는 훈령에 대한 복종의무와 법령준수의무

1. 형식적 요건

하급기관이 심사권을 가지며, 훈령이 위법할 경우 복종을 거부할 수 있다.

2. 실질적 요건

⑴ 문제점

실질적 요건에 대하여 심사가능한지, 즉 훈령이 위법하면 복종을 거부할 수 있는지에 논란이 있다.

⑵ 학 설

① **행정의 계층제 원리를** 이유로 복종해야 한다는 **부정설**, ② **하자가 중대 명백한 경우**에는 무효로서 복종의무가 없다는 **무효설**, ③ 하자가 **무효인 경우 뿐만 아니라 명백한 경우에도** 복종을 거부할 수 있다는 **명백설**이 대립한다.

⑶ 판 례

직무명령과 관련해서는 명백한 위법 내지 불법한 명령은 직무상의 지시명령이라 할 수 없으므로 복종의무 없다고 한 바 있다.

⑷ 검 토

법치주의의 관점에서 부정설은 타당하지 않고, 이를 전면적으로 인정하면 **행정의 통일성, 계층제 원리**를 파괴하므로 훈령의 법령위반이 중대·명백한 경우뿐만 아니라 명백한 경우에도 심사할 수 있다는 **명백설이 타당**하다.

Ⅷ. 경 합

내용이 서로 모순되는 둘 이상의 훈령이 경합하는 경우이 문제이다. ① 주관상급관청이 있으면 **주관상급관청**의 훈령에 따라야 하며, ② 주관상급관청이 불명확하면 **주관쟁의**의 방법에 의하고, ③ 모두 주관상급관청이면서 상하관계에 있는 경우에는 행정조직의 계층적 질서를 보장하기 위해 **직근** 상급관청의 훈령에 따라야 한다.

137 지방자치단체의 주민의 법적 지위

Ⅰ. 의 의

지방자치단체의 구역 안에 주소를 가진 자(자치법 제12조)**를 의미하며,** 자연인·법인 여부를 가리지 않는다. **외국인**도 주민의 지위를 가지나, 주민으로서의 권리 중 참정권 등의 권리가 제한되기도 한다. 주민은 주로 **지방자치법 및 주민투표법 등 관계법령에 의하여** 일정한 범위 내에서 **권리, 의무를 가진다.**

Ⅱ. 주민의 권리

1. 공공시설이용권(자치법 제13조1항)

(1) 의 의

주민이 지방자치단체의 재산 및 공공시설을 이용할 수 있는 권리이다. 지방자치법은 이를 단순한 반사적 이익으로 보지 않고 주민의 권리(공권)로 규정한 것으로서, 지방자치단체는 정당한 사유가 없는 한 주민에게 재산 및 공공시설의 이용을 거부하여서는 안 된다.

(2) 이용권의 대상

1) 재 산

현금 외의 모든 재산적 가치가 있는 물건 및 권리를 말한다(자치법 제142조3항).

2) 공공시설

지방자치단체가 주민의 복지를 증진하기 위하여 설치한 시설이다(자치법 제144조). 주민의 이용에 제공되는 한 공물·영조물· 공기업 등을 모두 포함하며, 공공시설의 조직형태나 소유권의 소재는 불문한다.

3) 재산과 공공시설의 관계

양자가 동일한 것인지에 대한 논의가 있으나, 지방자치법은 양자를 별개의 개념으로 사용하고 있다.

(3) 이용권의 주체

주민이다. 따라서 도로 등의 보통사용에 있어서와 같이 공공시설의 이용이 모든 사람에게 개방되어 있는 경우를 제외하고는 공공시설의 이용을 주민에게 한정시키거나, **주민과 주민이 아닌 자 간에 합리적인 차등을 두는 것은 가능**하다. 다만 비주민이라 하여 불합리한 차등대우를 하여서는 안 된다.

(4) 이용권의 법적 성질 및 내용

1) **이용관계의 성질은 설정행위의 성질에 따라 다르다.** 따라서 허가 또는 특허등 행정행위나 공법상 계약에 의해 형성된 경우에는 공법관계이며, 사법상 계약에 의해 설정된 경우에는 사법관계가 된다.

2) 이용관계의 내용 역시 그 설정행위에 의해 정해진다.

(5) 이용권의 한계

법령과 조례가 정하는 바에 따라 정해진다(자치법 제13조1항).

(6) 이용수수료의 징수

일반 주민에 비하여 **특별한 혜택**을 주는 경우에는 이용수수료를 징수할 수 있다(예: 일정한 요건 하에 도로의 통행료 징수).

2. 균등한 행정혜택을 받을 권리(자치법 제13조1항)

'균등한 혜택'이란 공공시설의 이용을 제외한 모든 행정서비스의 혜택을 의미한다. 다만 판례는 지방자치법 제13조 1항은 주민이 지방자치단체로부터 행정적 혜택을 균등하게 받을 수 있다는 권리를 추상적이고 선언적으로 규정한 것으로서, 위 규정에 의하여 주민이 지방자치단체에 대하여 구체적이고 특정한 권리가 발생하는 것은 아니라고 한다(대판 2008.6.12, 2007추42).

3. 선거에 참여할 권리

주민은 법령으로 정하는 바에 따라 해당 지방자치단체의 지방의회의원과 지방자치단체 장의 선거권을 가지며(자치법 제13조2항), 선거일 현재 계속하여 60일 이상 당해 지방자치단체의 관할구역 안에 주민등록이 되어 있는 25세 이상의 주민은 그 피선거권이 있다(공직선거법 16조 3항).

4. 주민투표권(자치법 제14조)1)

(1) 의 의

지방자치단체의 장은 주민에게 과도한 부담을 주거나 중대한 영향을 미치는 지방자치단체의 주요 결정사항 등에 대하여 주민투표에 부칠 수 있다(자치법 제14조1항). 한편 주민투표의 대상·발의자·발의요건, 그 밖에 투표절차 등에 관한 사항은 따로 법률로 정한다(자치법 제14조2항). 이에 따라 주민투표법이 제정되어 있다. 주민투표권은 지방자치단체의 주요 현안에 대한 **주민참여를 보장**하는 동시에 **정책 추진과정에서 주민의견을 수렴**할 수 있도록 하기 위한 **대의제를 보완**하는 제도이다. 다만 **헌법재판소**는 주민투표권을 헌법이 보장하는 참정권이 아니라 **법률이 보장하는 참정권**이라고 한다.

(2) 주민투표의 대상

주민에게 과도한 부담을 주거나 중대한 영향을 미치는 지방자치단체의 주요결정사항 중 조례로 정하는 사항이 대상이다. 다만 법령에 위반되거나 재판중인 사항, 예산·회계에 관한 사항 등 **일정한 사항은 제외**된다(주민투표법 제7조2항).

(3) 주민투표의 청구 및 실시요구

1) 주민투표의 청구

지방자치단체의 장은 주민 또는 지방의회의 청구에 의하거나 **직권**에 의하여 주민투표를 실시할 수 있다(주민투표법 제9조1항). 그리고 주민은 주민투표청구권자 총수의 20분의 1이상 5분의1 이하의 찬성으로, 지방의회는 재적의원 과반수 출석에 출석의원 3분의 2이상의 찬성으로 청구하여야 하며, 지방자치단체장의 직권에 의한 경우는 지방의회 재적의원 과반수 출석에 출석의원 과반수의 동의를 얻어야 한다. 한편 지방자치법은 **주민투표회부 여부를 지방자치단체장의 재량사항**으로 규정(제14조1항)하고 있으므로, **일정한 사항에 대하여 반드시 주민투표에 회부하도록 하는 조례는 위법**하다.

판 례 [2] **지방자치법 제13조의2(현행 제14조)의 규정**에 의하면, 지방자치단체의 장은 어떠한 사항이나 모두 주민투표에 붙일 수 있는 것은 아니고, 지방자치단체의 폐치·분합 또는 주민에게 과도한 부담을 주거나 중대한 영향을 미치는 지방자치단체의 주요 결정사항 등에 한하여 주민투표를 붙일 수 있도록 하여 그 **대상을 한정**하고 있음을 알 수 있는바, 위 규정의 **취지는 지방자치단체의 장이 권한을 가지고 결정할 수 있는 사항에 대하여 주민투표에 붙여 주민의 의사를 물어 행정에 반영**하려는 데에 있다.
[3] 미군부대이전은 지방자치단체의 장의 권한에 의하여 결정할 수 있는 사항이 아님이 명백하므로 지방자치법 제13조의2(현행 14조) 소정의 주민투표의 대상이 될 수 없다고 한 사례.
[4] 지방자치법은 지방의회와 지방자치단체의 장에게 독자적 권한을 부여하고 상호 견제와 균형을 이루도록 하고 있으므로, 법률에 특별한 규정이 없는 한 조례로써 견제의 범위를 넘어서 고유권한을 침해하는 규정을 둘 수 없다 할 것인바, 위 **지방자치법 제13조의2 1항에 의하면, 주민투표의 대상이 되는 사항이라 하더라도 주민투표의 시행 여부는 지방자치단체의 장의 임의적 재량**에 맡겨져 있음이 분명하므로, 지방자치단체의 장의 재량으로서 투표실시 여부를 결정할 수 있도록 한 **법규정에 반하여 지방의회가 조례로 정한 특정한 사항에 관하여는 일정한 기간 내에 반드시 투표를 실시하도록 규정한 조례안은 지방자치단체의 장의 고유권한을 침해**하는 규정이다(대판 2002.4.26, 2002추23). - 인천광역시부평구의회가 인천광역시부평구미군부대이전에관한구민

---

1) 4, 8, 9번은 직접민주제의 일환임.

투표조례안을 의결하여 이송하였으나 부평구청장이 재의요구하고, 의회에서 재의결하자 구청장이 제소한 사례.

2) 주민투표 실시요구

중앙행정기관의 장은 지방자치단체의 폐지,분합 또는 구역변경, 주요시설의 설치 등 **국가정책의 수립에 관하여 주민의 의견을 듣기 위하여 필요**하다고 인정하는 때에는 주민투표의 실시구역을 정하여 관계 **지방자치단체의 장에게 주민투표의 실시를 요구**할 수 있다(주민투표법 제8조1항). 이 경우의 주민투표는 위 7조에 의한 주민투표와는 달리 **주민투표결과의 구속력이 인정되지 않는 순수한 주민의견수렴의 성격**을 가진다.

주민투표 청구를 수리·발의하는 것은, **지방자치단체장이** 공권력의 주체로서 주민의 **주민투표 청구에 대하여 수리하고 이에 따른 주민투표 실시 여부 및 시기 결정이라는 구체적 사실에 관한 법집행**으로서 행하는 공권력의 행사이고, 주민의 권리의무에도 영향을 미치는 행위이므로, 항고소송 대상이 되는 **행정처분**에 해당한다(관련판례).

(4) 주민투표의 형식

특정한 사항에 대하여 **찬성 또는 반대의 의사표시**를 하거나 **두 가지 사항 중 하나를 선택**하는 형식으로 실시하여야 한다(주민투표법 제15조).

(5) 투표결과의 확정 및 효력

주민투표권자 총수의 3분의 1 이상의 투표와 유효투표수 과반수의 득표로 확정되며, 지방자치단체의 장 및 지방의회는 주민투표결과에 따라 **확정된 내용대로 행정·재정상의 조치**를 취하여야 하고, 확정된 사항에 대하여는 **2년 이내에 이를 변경하여 새로운 결정을 할 수 없다**(주민투표법 제24조 1항, 5항, 6항).

(6) 주민투표에 대한 불복

1) 소 청

주민투표의 효력에 대하여 이의가 있는 투표권자는 주민투표권자 총수의 100분의 1 이상의 서명으로, 관할 선거관리위원회 위원장을 피소청인으로, 시·군·구는 **시·도 선거관리위원회**에, 시·도는 **중앙선거관리위원회**에 소청할 수 있다(주민투표법 제25조1항).

2) 소 송

소청결정에 대하여 불복이 있는 경우 관할 선거관리위원장을 피고로 하여 시·도는 **대법원**에 시·군·구는 **관할 고등법원**에 소를 제기할 수 있다.

5. 청원권(자치법 제73~76조)

주민은 지방의회에 지방의원의 소개를 얻어 청원할 수 있는 권리를 가진다. 청원권은 국민의 기본권으로서 헌법(제26조)에 의해 보장되고 일반법으로 청원법이 있는데, **지방자치법 제73조 이하**는 **청원법에 대한 특별법**의 성격을 갖는다.

헌재결정 **지방의회에 청원을 할 때에 지방의회 의원의 소개를 얻도록** 한 것은 의원이 미리 청원의 내용을 확인하고 이를 소개하도록 함으로써 **청원의 남발을 규제하고 심사의 효율을 기하기 위한 것**이고, 지방의회 의원 모두가 소개의원이 되기를 거절하였다면 그 청원내용에 찬성하는 의원이 없는 것이므로 지방의회에서 심사하더라도 인용가능성이 전혀 없어 심사의 실익이 없으며, 청원의 소개의원도 1인으로 족한 점을 감안하면 이러한 정도의 제한은 공공복리를 위한 필요·최소한의 것이라고 할 수 있다(헌재결 1999.11.25, 97헌마54).[2)]

2) **위헌이라는 반대의견**이 있었다(청원인 거주지 선출의원이 결원이거나 청원내용을 반대하는 경우 다른 의원의 소개를 얻기가 쉽지 않고, 또 소개여부가 완전히 의원 개인의 임의에 맡겨져 있어 이는 결국 청원서의 제출을 어렵게 하는 수단에 다름 아니며, 직접민주주의적인 요소가 결여된 우리의 지방자치제도하에서는 청원권의 행사를 통하여 주민의 의사를 직접 반영하는 보완기능으로서의 역할 또한 중요하다 할 것임에도 불구하고 위와 같은 제한을 둔 것은 지방의회의 편의를 도모하기 위한 것으로 청원권 그 자체를 유명무실하게 하는 것이므로 위헌이 선언되어야 한다).

6. 조례제정, 개폐요구권(자치법 제15조)

19세 이상의 일정한 수의 주민은 연서(連書)로 해당 지방자치단체의 장에게 조례의 제·개정이나 폐지를 청구할 수 있다. 지방의회가 조례제정이나 개폐를 해태하는 것을 시정하는 효과를 갖는다.

7. 감사청구권(자치법 제16조)

⑴ 의 의

지방자치단체와 지방자치단체장의 권한에 속하는 사무의 처리가 **법령에 위반**되거나 **공익을 현저히 해한다고 인정**되는 경우에 **감독기관에게** 감사를 청구할 수 있는 권리이다.

⑵ 주민감사 청구요건

지방자치단체의 19세 이상의 주민은 시·도는 500명, 제175조에 따른 인구 50만 이상 대도시는 300명, 그 밖의 시·군 및 자치구는 200명을 넘지 아니하는 범위에서 그 지방자치단체의 조례로 정하는 19세 이상의 주민 수 이상의 연서로, 시·도에서는 주무부장관에게, 시·군 및 자치구에서는 시·도지사에게 그 지방자치단체와 그 장의 권한에 속하는 사무의 처리가 법령에 위반되거나 공익을 현저히 해친다고 인정되면 감사를 청구할 수 있다. 다만, ① 수사나 재판에 관여하게 되는 사항, ② 개인의 사생활을 침해할 우려가 있는 사항, ③ 다른 기관에서 감사하였거나 감사 중인 사항(다른 기관에서 감사한 사항이라도 새로운 사항이 발견되거나 중요 사항이 감사에서 누락된 경우와 주민소송의 대상이 되는 경우에는 그러하지 아니함), ④ 동일한 사항에 대하여 주민소송의 유형 중 어느 하나에 해당하는 소송이 진행 중이거나 그 판결이 확정된 사항은 감사청구의 대상에서 제외된다(자치법 제16조1항). 사무처리가 있었던 날 또는 종료된 날로부터 2년을 경과하면 제기할 수 없다(자치법 제16조2항). **감사청구대상은 기관위임사무를 포함한 모든 사항에 미치나 사무에 대한 일반적인 감사청구를 할 수는 없고, 법령에 위반되거나 공익을 현저히 해치는 개별적·구체적 사무의 처리에 대해 감사청구를 해야** 한다.

⑶ 주민감사 청구의 효과

주무부장관이나 시·도지사는 감사청구를 수리한 날부터 60일 이내에 감사청구된 사항에 대하여 감사를 끝내야 하며, 그 기간에 감사를 끝내기가 어려운 정당한 사유가 있으면 그 기간을 연장할 수 있다(자치법 제16조3항). 또한 감사를 청구한 사항이 다른 기관에서 이미 감사한 사항이거나 감사 중인 사항이면 그 기관에서 실시한 감사결과 또는 감사 중인 사실과 감사가 끝난 후 그 결과를 알리겠다는 사실을 청구인의 대표자와 해당 기관에 지체 없이 알려야 한다(자치법 제16조4항).

주무부장관이나 시·도지사는 주민 감사청구를 처리(각하를 포함한다)할 때 청구인의 대표자에게 반드시 증거 제출 및 의견 진술의 기회를 주어야 한다(자치법 제16조5항), 주무부장관이나 시·도지사는 감사결과에 따라 기간을 정하여 해당 지방자치단체의 장에게 필요한 조치를 요구할 수 있으며 이 경우 그 지방자치단체의 장은 이를 성실히 이행하여야 하고 그 조치결과를 지방의회와 주무부장관 또는 시·도지사에게 보고하여야 한다(자치법 제16조6항).

한편 공금의 지출에 관한 사항, 재산의 취득·관리·처분에 관한 사항, 해당 지방자치단체를 당사자로 하는 매매·임차·도급 계약이나 그 밖의 계약의 체결·이행에 관한 사항 또는 지방세·사용료·수수료·과태료 등 공금의 부과·징수를 게을리 한 사항을 감사청구한 주민은 추후 주민소송을 제기할 수 있는 자격을 인정받게 된다. 주민소송은 감사전치주의를 요구하고 있기 때문이다(자치법 제17조1항).

8. 주민소송제기권(자치법 제17조)

⑴ 의 의

감사청구한 주민이 감사청구한 사항과 관련 있는 위법한 행위나 해태사실에 대하여 당해 지방자치단체장을 상대

로 소송을 제기할 수 있는 권리로서, 완화된 주민참여제도의 일종이다. 주민소송은 주민의 직접참여에 의한 지방행정의 공정성과 투명성을 확보하고, 주민의 감사청구를 실질화한다는 점에 의의가 있다. 나아가 이는 일정한 요건을 갖춘 주민이면 누구나 제기할 수 있는 점에서 민중소송의 하나이며, 주민 개개인의 권익의 구제를 위한 주관소송이 아니라 지방행정의 적정성을 보장하고 지방행정을 통제하는 것을 목적으로 하는 객관소송이다.

(2) 소송의 당사자

원고는 감사청구한 주민이고(감사청구전치주의가 적용), 피고는 당해 지방자치단체장이다.

(3) 주민소송의 대상 및 제소사유(제17조1항)

감사청구한 공금의 지출에 관한 사항, 재산의 취득·관리·처분에 관한 사항, 해당 지방자치단체를 당사자로 하는 매매·임차·도급 계약이나 그 밖의 계약의 체결·이행에 관한 사항 또는 지방세·사용료·수수료·과태료 등 공금의 부과·징수를 게을리한 사항이 ① 주무부장관이나 시·도지사가 감사청구를 수리한 날부터 60일(제16조제3항 단서에 따라 감사기간이 연장된 경우에는 연장기간이 끝난 날을 말한다)이 지나도 감사를 끝내지 아니한 경우,② 제16조제3항 및 제4항에 따른 감사결과 또는 제16조제6항에 따른 조치요구에 불복하는 경우, ③ 제16조제6항에 따른 주무부장관이나 시·도지사의 조치요구를 지방자치단체의 장이 이행하지 아니한 경우에 감사청구한 사항과 관련이 있는 위법한 행위나 업무를 게을리 한 사실에 대하여 주민소송을 제기할 수 있다.

판 례 [1] 지방자치법 제17조 제1항에서 정한 주민소송의 대상이 되는 '재산의 관리·처분에 관한 사항'이나 '공금의 부과·징수를 게을리한 사항'의 의미와 범위

- 주민소송 제도는 주민으로 하여금 지방자치단체의 위법한 재무회계행위의 방지 또는 시정을 구할 수 있도록 함으로써 지방재무회계에 관한 행정의 적법성을 확보하려는 데 목적이 있다. 그러므로 지방자치법 제17조 제1항, 제2항 제2호, 제3호 등에 따라 주민소송의 대상이 되는'재산의 관리·처분에 관한 사항'이나'공금의 부과·징수를 게을리한 사항'이란 지방자치단체의 소유에 속하는 재산의 가치를 유지·보전 또는 실현함을 직접 목적으로 하는 행위 또는 그와 관련된 공금의 부과·징수를 게을리한 행위를 말하고, 그 밖에 재무회계와 관련이 없는 행위는 그것이 지방자치단체의 재정에 어떤 영향을 미친다고 하더라도, 주민소송의 대상이 되는 '재산의 관리·처분에 관한 사항' 또는 '공금의 부과·징수를 게을리한 사항'에 해당하지 않는다.

[2] 이행강제금의 부과·징수를 게을리한 행위가 주민소송의 대상이 되는 공금의 부과·징수를 게을리한 사항에 해당하는지 여부(적극)

- 이행강제금은 지방자치단체의 재정수입을 구성하는 재원 중 하나로서 '지방세외수입금의 징수 등에 관한 법률'에서 이행강제금의 효율적인 징수 등에 필요한 사항을 특별히 규정하는 등 부과·징수를 재무회계 관점에서도 규율하고 있으므로, 이행강제금의 부과·징수를 게을리한 행위는 주민소송의 대상이 되는 공금의 부과·징수를 게을리한 사항에 해당한다.

[3] 지방자치법 제17조 제1항, 제2항 제3호의 주민소송 요건인 위법하게 공금의 부과·징수를 게을리한 사실이 인정되기 위해서는 전제로서, 관련 법령상의 요건이 갖추어져 지방자치단체의 집행기관 등의 공금에 대한 부과·징수가 가능하여야 한다.

- 원고가 부설주차장 설치에 관한 위법 등을 이유로 피고의 소외 회사에 대한 건축법상의 사용승인처분의 취소 또는 무효확인(지방자치법 제17조 제2항 제2호), 사용승인의 취소 또는 시정명령, 건축물대장에의 위반내용 기재 처분, 원상회복, 대집행, 시정조치 건축법상의 이행강제금의 부과.징수를 게을리 한 사실에 대한 위법확인(지방자치법 제17조 제2항 제3호)을 구하는 주민소송을 제기한 사안에서, 이행강제금의 부과를 게을리 한 사실은 주민소송의 대상에 해당하나, 이를 제외한 나머지 처분이나 조치 등은 주민소송의 대상이 되는 재무회계행위에 해당하지 아니하므로 그 부분 소가 부적법하다고 판단한 사례(불이익변경금지 원칙에 의하여 상고기각)(대판 2015.9.10. 2013두16746).

(4) 소송 유형(제17조2항)

1) 중지청구소송(1호)

해당 행위를 계속하면 회복하기 곤란한 손해를 발생시킬 우려가 있는 경우에 그 행위의 전부나 일부를 중지할 것을 요구하는 소송이다.

2) **취소 또는 무효확인소송**(2호)

행정처분인 해당 행위의 취소 또는 변경을 요구하거나 그 행위의 효력 유무 또는 존재 여부의 확인을 요구하는 소송이다.

3) **부작위위법확인소송**(3호)

게을리한 사실의 위법 확인을 요구하는 소송이다.

4) **손해배상 또는 부당이득반환청구소송**(4호)

해당 지방자치단체의 장 및 직원, 지방의회의원, 해당 행위와 관련이 있는 상대방에게 손해배상청구 또는 부당이득반환청구를 할 것을 요구하는 소송이다. 다만 지방자치단체의 직원이 변상책임을 져야 하는 경우에는 변상명령을 할 것을 요구하는 소송이 된다.

(5)**손해배상금등의 지불청구 등**

지방자치단체장은 손해배상청구나 부당이득반환청구를 명하는 판결이 확정되면 60일 이내에 당사자에게 손해배상금이나 부당이득반환금의 지불을 청구하여야 하며(자치법 제18조 1항 본문), 당사자가 지방자치단체장이면 지방의회 의장이 지불을 청구하여야 한다(자치법 제18조 1항 단서). 지불청구를 받은 자가 기한 내에 지불하지 않으면 지방자치단체는 손해배상·부당이득반환의 청구를 목적으로 하는 소송을 제기하여야 하며(자치법 제18조 2항 전단), 상대방이 지방자치단체장이면 지방의회 의장이 지방자치단체를 대표한다(자치법 제18조 2항 후단).

9. 주민소환권(자치법 제20조)

1) 주민소환은 주민이 투표를 통하여 **선출직 지방공직자의 직을 상실**시키는 것으로서 지방공직자의 직무유기 또는 직권남용 등을 통제하고 주민의 직접 참여를 확대함으로써 지방자치행정의 민주성·책임성을 제고하고, 주민복리의 증진을 도모하려는 제도이다. 현재 '**주민소환에 관한 법률**'이 2007년 6월 24일부터 시행되고 있으며, 동 법률에 의해 선출직지방공직자에 대하여 일정 수 이상 주민의 주민투표청구에 따른 주민소환투표를 실시할 수 있다.

2) 주민소환투표청구에 대한 수리는 처분에 해당한다.

하급심판례 주민소환투표의 경우 다른 여타의 선거 또는 투표, 특히 후보자 등록기간과 선거기간 및 선거일이 법으로 정해진 각종 **선거의 경우와 달리** 주민들의 청구에 의하여 절차가 개시되고, 관할 선거관리위원회가 청구요건, 청구인서명부에 기재된 유효서명의 확인, 이의신청 등의 사항에 대하여 청구인서명부의 심사나 관계인의 의견진술 또는 증언 청취 등의 방법으로 심사한 결과, 그 청구가 법에 정한 요건을 충족하여 각하 사유에 해당하지 아니한 것으로 보아 **수리한 후에는 법에 정해진 일련의 절차가 진행**되어 **소환청구인들을 비롯한 해당 지방자치단체 주민들이 가지고 있던 추상적인 권리 내지 제도로서의 주민소환이 비로소 개별적인 사안에 대한 주민소환투표권으로 구체화**된다는 점에서 **선거관리위원회의 주민소환투표청구 수리결정은 적어도 소환청구인들의 구체적인 권리의무에 직접적인 변동을 초래하는 법적인 행위로서 항고소송의 대상이 되는 '처분'**에 해당한다(수원지법 2007.11.21, 2007구합9571).

3) 주민소환은 그 청구요건과 주민소환투표의 확정요건이 너무 엄격하여 실효성이 떨어진다는 비판이 있으며, 반면 주민소환제도 자체에 대하여 정파적 남용의 위험이 크고 행정의 단절이나 혼란을 가져올 수 있다는 비판도 있다.

Ⅲ. 의 무

주민은 법령으로 정하는 바에 따라 소속 지방자치단체의 비용 분담 의무, 즉 공과금(지방세, 사용료 등)의 납부의무를 진다(자치법 제21조). 나아가 공공시설이 주민의 임의적인 이용관계에 일임될 수 없는 성격을 갖는 경우, 주민에게 시설이용과 관련하여 강제적 의무가 부과된다(예: 조례에 근거하여 지방자치단체 구역 안의 토지를 상·하수도 시설에 연결할 것을 강제).

관련 판례 무상급식 지원범위에 관한 주민투표청구에 대한 수리(서울행법 2011.8.16. 2011아2179 결정).

[1] 무상급식 지원범위에 관한 주민투표 청구를 수리·발의하는 것은, 서울시장이 공권력의 주체로서 주민의 주민투표 청구에 대하여 수리, 이에 따른 주민투표 실시 여부 및 시기 결정이라는 구체적 사실에 관한 법집행으로서 행하는 공권력의 행사이고, 주민의 권리의무에도 영향을 미치는 행위이므로, 항고소송 대상이 되는 행정처분에 해당한다.

[2] 주민투표의 대상이 되는 사항은 주민의 이해관계에 중대한 영향을 미치는 것인 점, 주민투표법은 주민의 이해관계에 중대한 영향을 미치는 주요사항의 결정에 관하여 주민에게 의사를 표명할 수 있는 기회를 제공하고 주민으로 하여금 결정에 직접 참여할 수 있도록 함으로써, 위와 같은 중요사항이 주민 의사와 달리 시행될 수 있는 대의민주주의의 한계를 극복하고 지방자치단체의 정책 결정에 대한 개별 주민의 참여 자체를 보장함으로써 그 개별적·구체적 이익을 보호하려는 데에 취지가 있다고 볼 여지가 있는 점, 주민투표법에 의하여 보장되는 주민의 직접 참여에는 주민투표 실시 자체를 반대하는 경우 위법하게 실시되는 주민투표를 저지하는 것도 포함된다고 볼 수 있고, 이러한 자들에게 원고적격을 인정하지 않는다면 원고적격이 인정될 수 있는 자를 선뜻 상정하기 어려워 '무상급식의 지원범위에 관한 주민투표 청구의 수리·발의 처분'을 항고소송으로 다툴 수 있는 길이 사실상 봉쇄될 수 있는 점 등에 비추어 보면, 주민투표권 있는 서울시민에게는 '무상급식의 지원범위에 관한 주민투표 청구의 수리·발의 처분'을 다툴 원고적격이 있다고 보는 것이 타당하다.

[3] 주민투표법은 지방자치단체의 주요결정사항에 관한 주민의 직접 참여를 보장하기 위하여 제정된 것인 점에 비추어 보면, 주민투표법 제7조2항1호에서 말하는 '법령'은 헌법, 법률, 시행령 등과 같은 지방자치단체가 자신의 권한으로 바꿀 수 없는 법령, 즉 지방자치의 한계를 설정하는 법령을 의미하고, 자신의 권한으로 바꿀 수 있는 조례 등 자치법규는 여기에서 말하는 '법령'에 포함된다고 할 수 없다. 왜냐하면 조례 등 자치법규도 여기에 포함되는 것으로 해석한다면, 주민에게 과도한 부담을 주거나 중대한 영향을 미치는 지방자치단체의 주요결정사항 등을 지방의회가 결의한 '조례'라는 형식으로 시행할 경우, 지방자치단체의 주요결정사항에 해당하는데도 주민투표를 시행할 수 없게 되어 주민투표제도를 도입한 취지 자체가 몰각되기 때문이다.

[4] 《서울시장의 무상급식 지원범위에 관한 주민투표 청구 수리·발의 처분에 대하여, 갑 등이 위 주민투표가 주민투표법 제7조2항1호에서 주민투표에 부칠 수 없는 사항으로 정하고 있는 '재판 중인 사항'을 대상으로 하고 있다며 그 집행정지 등을 구하는 신청을 한 사안》에서, 갑 등이 '재판 중인 사항'으로 들고 있는 것으로서 현재 대법원에 계속 중인 '서울특별시 친환경 무상급식 등 지원에 관한 조례안' 재의결 무효확인 청구의 소는 해당 조례가 관련 법령에 위배되는지, 시장의 권한을 침해한 것인지 여부 등 '서울특별시 친환경 무상급식 등 지원에 관한 조례'의 위법성을 다투어 조례안 재의결의 무효확인을 구하는 것인 반면, 서울시 무상급식 지원범위에 관한 주민투표는 전면 무상급식 실시 여부에 대한 주민 의사를 물어 정책적인 판단을 하기 위한 것이어서 판단 대상이 다른 점, 조례안 재의결 무효확인 청구의 소에서 대법원이 조례가 위법하지 않다고 판단한다고 하여 조례에서 정한 정책이 주민 의사에 합치되는 것이라고 볼 수 없고, 반대로 주민투표 결과 어떤 안이 채택된다고 하여 조례의 위법성 여부나 무효 여부에 어떠한 영향을 주는 것도 아니어서, 무상급식 지원범위에 관한 주민투표와 조례안 재의결 무효확인 청구의 소 결과가 서로 상충되는 것으로 보이지 않는 점 등에 비추어 보면, 무상급식 지원범위에 관한 주민투표가 조례안 재의결 무효확인 청구의 소에 관한 사항을 대상으로 하고 있다고 보기 어렵다고 한 사례.

[5] 주민투표법 제7조2항3호에서 주민투표에 부칠 수 없는 사항의 하나로 들고 있는'예산에 관한 사항'이란 지방자치법 제127조 내지 제131조 등에서 말하는 예산안의 편성 및 의결, 집행 등 예산 자체와 직접 관련되는 사항(예컨대 확정된 정책의 시행을 위한 예산의 배정, 의결 및 집행과 같은 사항)을 말하고, 새로운 재정부담이나 예산편성이 필요한 정책수립에 관한 사항은 위 규정에서 말하는 '예산에 관한 사항'에 해당한다고 할 수는 없다.

[6] 실시되어서는 안 될 주민투표가 실시되어 발생할 수 있는 사회적 혼란 가중과 예산낭비의 손해를 예방할 필요가 있다는 측면과 주민에게 중대한 영향을 미치는 지방자치단체의 정책에 대한 주민 의사를 주민투표 방식으로 확인하여 신속하게 결정함으로써 사회적 갈등을 해소할 필요가 있다는 측면을 비교·교량하고, 본안소송에서 위 주민투표가 주민투표법에서 정한 주민투표 대상이 되지 않는다는 갑 등의 주장은 받아들여지기 어려울 것으로 보이는 점 등 갑 등의 본안소송 승소가능성이 높지 않아 보이는 점 등을 고려하여, 위 집행정지신청을 기각한 사례.

기출 사례 감사청구, 주민소송제기(12년 행시 - 일반행정)

A광역시 B구는 2011년 2월 1일 A광역시 B구 의회 의원의 의정활동비 등 지급에 관한 조례를 개정하여 구의원들에게 전년대비 50만원이 인상된 금원 350만원에 해당하는 월정수당을 지급하도록 하였다. 이에 주민들은 의정활동비의 지급결정 과정에서 의정비심의위원회의 위원이 부적절하게 선정되었으며, 월정수당 인상이 재정자립도, 물가상승률 등을 제대로 감안하지 못하였고, 그 동안 의정활동을 위한 업무추진비 집행이 적정하지 못하였다는 이유로 불만을 제기하고 있다. 특히 월정수당의 지급결정 시에는 지역주민들의 의견수렴절차를 의무적으로 거치도록 규정한 지방자치법 시행령 제34조6항에 의해 여론조사가 이루어졌으나, 심의위원회가 잠정적으로 결정한 월정수당액의 지급기준액, 지급기준 등을 누락하고, 설문문안 역시 월정수당 인상을 유도하기 위한 설문으로 구성되는 등 그 결정과정상의 문제점을 지적하고 있다. (총 30점)

1) 주민들은 의정활동비 인상을 위한 의사결정과정에 대해 감사를 청구하고자 한다. 감사청구제도에 대하여 설명하시오. (10점)
2) 주민들은 기 지급된 의정활동비 인상분에 대해 이를 환수하고자 한다. 주민들이 취할 수 있는 방법과 그 인용가능성에 대해 설명하시오. (20점)

[참조조문]

***지방자치법 시행령**

제33조(의정활동비 · 여비 및 월정수당의 지급기준 등)

① 법 제33조2항에 따라 지방의회 의원에게 지급하는 의정활동비 · 여비 및 월정수당의 지급기준은 다음 각 호의 범위에서 제34조에 따른 의정비심의위원회가 해당 지방자치단체의 재정능력 등을 고려하여 결정한 금액 이내에서 조례로 정한다.
1. 의정활동비: 별표 4에 따른 금액
2. 여비: 별표 5와 별표 6에 따른 금액
3. 월정수당: 별표 7에 따른 금액

제34조(의정비심의위원회의 구성 등)

⑤ 심의회는 위원 위촉으로 심의회가 구성된 해의 10월 말까지 제33조1항에 따른 금액을 결정하고, 그 금액을 해당 지방자치단체의 장과 지방의회의 의장에게 지체없이 통보하여야 하며, 그 금액은 다음 해부터 적용한다. 이 경우 결정은 위원장을 포함한 재적위원 3분의2 이상의 찬성으로 의결한다.
⑥ 심의회는 제5항의 금액을 결정하려는 때에는 그 결정의 적정성과 투명성을 위하여 공청회나 객관적이고 공정한 여론조사기관을 통하여 지역주민의 의견을 수렴할 수 있는 절차를 거쳐야 하며, 그 결과를 반영하여야 한다.

Ⅰ. 지방자치법상 감사청구제도 - 설문(1)

1. 의의 및 취지

- 지자법 제16조. 지방자치단체의 잘못된 행정을 통제하기 위해 주민에게 인정된 권리.

2. 청구요건 및 대상(제16조1, 2항)

3. 절차 및 효과(제16조3~7항)

Ⅱ. 주민들이 의정활동비 인상분을 환수할 수 있는 방법과 인용가능성 - 설문(2)

1. 환수할 수 있는 방법 - 주민소송

(1) 의의 및 취지

(2) 유형(제17조2항)

- 사안에서는 동항 4호 손해배상 또는 부당이득반환청구소송 가능.

(3) 소송의 당사자

- 원고는 감사청구한 주민만 가능(감사청구 전치주의). 피고는 B구청장.

(4) 제소기간 및 관할법원

- 제소기간은 제17조4항. 관할법원은 9항

2. 주민소송의 인용가능성

- 사안의 의정활동비 인상은 형식적으로는 지방자치법 시행령 제34조6항의 절차는 거쳤으나, 의원 보수에 대한 별다른 정보를 제공하지 않고 여론조사를 실시했고, 설문 내용도 주민의 의사를 묻는 핵심 문항을 빼고 인상을 전제로 하거나 유도하는 편향적 내용으로 채워졌으므로 주민 의견수렴 절차의 실질적 요건을 충족하지 못함.
- 또한 월정수당은 지역주민 소득, 물가상승률, 의정 활동 실적 등을 종합해서 조례로 정하여야 하는데 사안은 이런 고려사항을 충분히 반영했다고 볼 수 없음.
- 따라서 의정활동비 등 지급에 관한 조례는 위법하며 무효임. 이에 기초하여 지방의원에 지급된 의정활동비 인상분은 부당이득이 되므로 주민들의 부당이득반환청구를 할 것을 요구하는 소송은 인용될 것.
- 인용되면 지방자치단체장은 지방의원에게 부당이득반환금의 지불을 청구하여야 하며(자치법 제18조1항 본문) 지방의원이

기한 내에 지불하지 않으면 지방자치단체는 부당이득반환의 청구를 목적으로 하는 소송을 지방의원을 상대로 제기하여야 함(자치법 제18조2항).

기출 사례 **부작위위법확인소송, 주민소송, 납부독촉행위의 처분성**(16년 행시)

1) B광역시장은 상당한 기간이 경과하였음에도 甲에 대하여 이행강제금을 부과·징수하지 않고 있다. 이에 대하여 B광역시 주민 乙은 부작위위법확인소송을 통하여, 주민 丙은 적법한 절차를 거쳐 주민소송을 통하여 다투려고 한다. B광역시장이 甲에 대하여 이행강제금을 부과·징수하지 않고 있는 행위는 부작위위법확인소송 및 주민소송의 대상이 되는가? (20점)

2) B광역시장이 甲에 대하여 일정기간까지 이행강제금을 납부할 것을 명하였으나, 甲은 이에 불응하였다. B광역시장은 지방세외수입금의 징수 등에 관한 법률 제8조에 따라 다시 甲에게 일정기간까지 위 이행강제금을 납부할 것을 독촉하였다. 위 독촉행위는 항고소송의 대상이 되는가? (10점)

[참조조문]

*** 건축법**

제80조(이행강제금) ① 허가권자는 제79조제1항에 따라 시정명령을 받은 후 시정기간 내에 시정명령을 이행하지 아니한 건축주등에 대하여는 그 시정명령의 이행에 필요한 상당한 이행기한을 정하여 그 기한까지 시정명령을 이행하지 아니하면 다음 각 호의 이행강제금을 부과한다.

1.~2. (생략)

⑦ 허가권자는 제4항에 따라 이행강제금 부과처분을 받은 자가 이행강제금을 납부기한까지 내지 아니하면 지방세외수입금의 징수 등에 관한 법률 에 따라 징수한다.

*** 지방세외수입금의 징수 등에 관한 법률**

제2조(정의) 이 법에서 사용하는 용어의 뜻은 다음과 같다.

1. "지방세외수입금" 이란 지방자치단체의 장이 행정목적을 달성하기 위하여 법률에 따라 부과 · 징수하는 조세 외의 금전으로서 과징금, 이행강제금, 부담금 등 대통령령으로 정하는 것을 말한다.

제8조(독촉) ① 납부의무자가 지방세외수입금을 납부기한까지 완납하지 아니한 경우 에는 지방자치단체의 장은 납부기한이 지난 날부터 50일 이내에 독촉장을 발급하여야 한다.

② 제1항에 따라 독촉장을 발급할 때에는 납부기한을 발급일부터 10일 이내로 한다.

제9조(압류의 요건 등) ① 지방자치단체의 장은 체납자가 제8조에 따라 독촉장을 받고 지정된 기한까지 지방세외수입금과 가산금을 완납하지 아니한 경우에는 체납자의 재산을 압류한다.

◆

Ⅰ. 이행강제금을 부과 · 징수하지 않는 행위에 대한 부작위위법확인소송 및 주민소송의 가능성-설문 1)

1. 문제의 소재

- 이행강제금을 부과·징수하지 않는 행위가 부작위위법확인소송의 대상이 되는 부작위인지 문제되고, 주민소송의 대상이 되는 공금의 부과·징수를 게을리한 사항에 해당되는지 문제됨.

2. 이행강제금의 의의 및 법적 성격(#63)

- 부작위의무, 작위의무 또는 수인의무를 이행하지 않는 경우에, 그 이행을 강제하기 위한 수단으로서 부과하는 금전적 부담으로 간접적, 심리적 강제를 가하는 것으로 행정벌과 구별.

- 건축법상 이행강제금 부과행위는 처분에 해당.

3. 부작위위법확인소송의 대상 여부(#128)

⑴ 부작위

- 부작위위법확인소송의 대상이 되는 부작위가 되기 위해서는 ① 처분에 대한 당사자의 신청 ② 상당한 기간의 경과 ③ 행정청이 일정한 처분을 하여야 할 법률상 의무가 존재 ④ 처분의 부존재라는 요건이 구비되어야 함(행소법 제2조 1항 2호).

- 당사자의 신청과 관련하여 판례는 법규상,조리상 신청권을 요구하며 다수설은 신청권을 원고적격의 문제로 봄(거부처분과 마찬가지의 논의)

⑵ 사안의 경우

- 다른 요건은 충족한다고 할 수 있고, 이행강제금부과행위는 처분에 해당되나, 주민 을이 신청을 하지 않았고, 신청을 전제로 하더라도 신청권을 인정하기 어려우므로 부작위위법확인소송의 대상이 아님.

4. 주민소송의 대상

⑴ 주민소송의 의의

⑵ 주민소송의 내용 - 자치법 제17조

1) 감사청구전치주의(제17조 1항)

2) 주민소송의 대상(제17조 1항)

3) 주민소송의 형태(제17조 2항)

⑶ 사안의 경우

- 설문에서 적법한 절차를 거쳤다고 하였으므로 감사청구전치는 문제가 없음.

- 이행강제금부과행위는 공금의 부과·징수를 게을리 한 사항에 해당되어 주민소송의 대상이 됨. 자치법 제17조 2항 3호의 게을리한 사실의 위법 확인을 요구하는 소송을 제기하면 됨.

Ⅱ. 이행강제금 납부 독촉행위의 처분성 - 설문 2)

1. 문제의 소재

- B광역시장의 납부 독촉행위가 항고소송의 대상이 되는 처분인지 문제됨.

2. 항고소송의 대상 - 처분(#108)

- 처분에 관한 일반론 소개

3. 준법률행위적 행정행위로서 통지

- 독촉은 금전급부의무자에게 이행을 최고하고 일정한 기한까지 그 의무를 이행하지 않는 경우에는 체납처분을 할 것이라는 통지행위인 준법률행위적 행정행위에 해당.

4. 사안의 해결

- B광역시장의 이행강제금 납부 독촉에도 불구하고 갑이 지정된 기한까지 납부하지 아니하면 B광역시장은 갑의 재산을 압류하게 된다(지방세외수입금의 징수 등에 관한 법률 제9조). 따라서 독촉은 체납자 갑의 권리의무에 영향을 미치는 처분에 해당하여 항고소송의 대상이 됨. 준법률행위적 행정행위로서 통지에 해당.

- 판례도 건축법상 이행강제금 부과처분을 받은 자에 대한 이행강제금 납부의 최초 독촉 행위에 대하여 처분이라고 판시(2009두14507-#63.Ⅵ).

138 기관위임사무

Ⅰ. 의 의

국가 또는 다른 지방자치단체 등으로부터 당해 지방자치단체의 기관에 위임된 사무를 말한다. 지방자치법 제102조, 제103조는 국가사무의 지방자치단체장에 대한 위임의 법적 근거를, 제104조2항은 시·도지사의 시·군·구청장에 대한 위임의 근거를 규정하고 있다. 지방자치단체가 수행하는 사무의 주종이 기관위임사무이다. 지방자치단체장이 수행하는 기관위임사무는 지방자치단체의 집행기관에 의해 행해지지만 사무의 성질은 국가 또는 상급자치단체의 사무이므로, 그 사무를 집행하는 지방자치단체의 집행기관은 지방자치단체의 대표기관으로서의 지위가 아니라 국가 또는 상급지방자치단체의 하급행정기관으로서의 지위를 가진다(단체장의 이중적 지위).[1]

판 례 지방자치단체장 간의 기관위임의 경우에 위임받은 하위 지방자치단체장은 상위 지방자치단체 산하 행정기관의 지위에서 그 사무를 처리하는 것이므로 사무귀속의 주체가 달라진다고 할 수 없고, 따라서 하위 지방자치단체장을 보조하는 하위 지방자치단체 소속 공무원이 위임사무처리에 있어 고의 또는 과실로 타인에게 손해를 가하였더라도 상위 지방자치단체는 여전히 그 사무귀속 주체로서 손해배상책임을 진다(대판 1996.11.8, 96다21331).

Ⅱ. 법적 근거

정부조직법 제6조1항, 행정권한의 위임 및 위탁에 관한 규정 제4조, 지방자치법 제104조2항이 일반적 근거이며, 지방자치법 제102조, 제103조도 기관위임사무에 대한 근거이다. 개별법에 위임의 근거가 없는 경우 일반규정에 의하여 위임가능한지 견해대립이 있는데, 판례는 앞서 본 바와 같이 긍정하고 있다.

Ⅲ. 자치사무, 단체위임사무와의 구별

1. 문제의 제기

헌법 제117조1항에 의하면 지방자치권은 법령의 범위 안에서만 인정된다. 따라서 입법자는 입법재량에 따라 일정한 사무를 자치사무, 단체위임사무 또는 기관위임사무로 결정할 수 있다. 다만 지방자치단체의 제도적 보장에 따라, 자치권의 본질적인 내용을 이루는 사무를 지자체로부터 박탈하여 국가사무로 하는 것은 입법재량의 한계를 벗어나기 때문에 허용되지 않는다. 자치법 제9조2항은 지방자치단체의 사무를, 제11조는 국가사무를 예시적으로 규정하고 있으나, 각 단서조항에서는 법률로 달리 규정할 수 있도록 하고 있기 때문에 특정사무가 어느 유형인지 판단하기 쉽지 않은 경우가 발생한다.

2. 일반적인 구별기준 – 학설: 법/ 감. 수. 비/ 자 – 판례 : 법/ 성. 경. 책

① 1차적으로 근거법규의 권한규정을 고려하고, ② 권한규정이 불명확한 경우 개별법상의 비용부담, 수입규정, 감독규정 등의 관계규정과 사무의 성질을 종합적으로 고려하며, ③ 마지막으로 자치법 제9조2항과 제11조의 예시규정을 보충적으로 고려한다.[2]

1) 시장이 경찰서장에게 교통신호등 설치·관리사무를 위임하는 경우와 같이 지방자치단체장이 자치사무를 국가기관에 위임할 수도 있다. 이 경우 국가기관도 지방자치단체장의 하급행정기관의 지위에 있게 된다(#85. 관련판례 2 참조).

2) 개별법에서 『지방자치단체장이 행한다』고 규정하고 있다 하더라도 해당사무가 전국적 통일성을 확보하기 위하여 주무부장관의 통제하에 처리되는 사무라면 국가사무인데 지방자치단체장에게 기관위임된 사무로 보아야 할 것이다. 골재채취법은 골재채취업을 영위하고자 하는 자는 주된 사무소의 소재지를 관할하는 시장·군수 또는 구청장에게 등록하도록 하고, 골재채취를 하고자 할 때에는 시장·군수 또는 구청장에게 허가를 받아야 한다고 규정하고 있어 문언상으로는 자치사무인 것 같지만, 판례는 골재채취업등록 및 골재채취허가사무는 전국적으로 통일적 처리가 요구되는 중앙행정기관인 건설교통부장관의 고유업무인 국가사무로서 지방자치단체의 장에게 위임된 기관위임사무에 해당한다고 하였다(대판 2004.6.11, 2004추34).

판례도 "법령상 지방자치단체의 장이 처리하도록 규정하고 있는 사무가 자치사무인지 아니면 기관위임사무인지를 판단함에 있어서는 그에 관한 법령의 규정 형식과 취지를 우선 고려하여야 하지만 그 외에도 그 사무의 성질이 전국적으로 통일적인 처리가 요구되는 사무인지 여부나 그에 관한 경비부담과 최종적인 책임귀속의 주체 등도 아울러 고려하여야 한다"고 한다.

3. 국가사무, 자치사무와의 구별

권한규정이 불문명한 경우, 사무의 성질로 보아 사무가 주로 지역적 이익에 관한 사무이며 지역의 특성에 따라 다르게 처리되는 것이 타당한 사무인 경우에는 자치사무로, 국가적 이익에 관한 사무이고 국가적으로 통일적으로 처리될 사무이면 국가사무라고 보아야 한다.

4. 단체위임사무와 기관위임사무의 구별

피수임자가 지방자치단체이면 단체위임사무이고, 지방자치단체의 집행기관이면 기관위임사무이다.

Ⅳ. 기관위임사무의 법률관계

1. 법적 효과의 귀속주체

위임을 한 국가나 상급지방자치단체이다.

2. 경비부담

위임한 국가, 상급자치단체가 부담한다(자치법 제141조 단서, 지방재정법 제21조). 다만 개별법에서 기관위임사무의 비용을 일부 지방자치단체가 부담하는 것으로 규정하고 있는 경우도 있다(예: 시지역의 상급도로인 국도·지방도의 관리비용을 당해 시가 부담하도록 한 도로법 제67조).

3. 지방의회의 관여 가부

지방의회의 관여는 배제되는 것이 원칙이다. 다만 지방자치법은 예외적으로 기관위임사무에 대한 행정사무감사의 가능성을 규정하고 있다(자치법 제41조3항).

4. 조례제정 여부

기관위임사무에 대한 조례제정은 원칙적으로 불가능하다(자치법 제22조 전단, 제9조). 다만 법령이 기관위임사무를 조례로 규정하도록 위임(이러한 위임에 기하여 제정되는 조례를 특히 위임조례라고 함)한 경우에는 가능하다. 판례도 "개별법령에서 일정한 사항을 조례로 정하도록 위임하고 있는 경우에는 위임받은 사항에 관하여 개별법령의 취지에 부합하는 범위 내에서 이른바 위임조례를 정할 수 있다"고 판시한 바 있다. 이러한 위임조례는 자치조례와 달리 국가법령에 적용되는 일반적인 위임입법의 한계가 적용된다.

판 례 지방자치법 제9조1항과 제15조 등의 관련 규정에 의하면 지방자치단체는 원칙적으로 그 고유사무인 자치사무와 법령에 의하여 위임된 단체위임사무에 관하여 이른바 자치조례를 제정할 수 있는 외에, 개별 법령에서 특별히 위임하고 있을 경우에는 그러한 사무에 속하지 아니하는 기관위임사무에 관하여도 그 위임의 범위 내에서 이른바 위임조례를 제정할 수 있지만, 조례가 규정하고 있는 사항이 그 근거 법령 등에 비추어 볼 때 자치사무나 단체위임사무에 관한 것이라면 이는 자치조례로서 지방자치법 제15조가 규정하고 있는 '법령의 범위 안'이라는 사항적 한계가 적용될 뿐, 위임조례와 같이 국가법에 적용되는 일반적인 위임입법의 한계가 적용될 여지는 없다(대판 2000.11.24, 2000추29).

5. 위임기관의 감독권

포괄적 감독권이 인정되며, 합목적성의 감독도 허용된다. 다만 직무이행명령의 대상도 되는지에 대하여 논란이 있

그러나 최근 대법원은 건축허가에 관한 사무를 건축법에 국가 등의 관여에 관한 규정이 있다 하더라도 건축허가 사무에 관한 근거 규정의 형식·체재, 내용 및 입법 취지와 아울러 실제의 경비 부담, 수수료의 납부 및 귀속 등에 관한 사정들을 종합하여 볼 때 지방자치단체의 자치사무라고 판시하였다(관련판례)

으나, 통설은 이를 긍정한다.

6. 국가배상법상 배상책임(#85, 86)

1) **피해자에 대한 배상책임자** - 사무의 관리주체(귀속주체)인 국가(상급자치단체도)는 관리주체로서 배상책임을 지고, 지방자치단체는 비용부담자로서 배상책임을 진다(국가배상법 제6조1항).

2) **최종적 배상책임자** - 실질적 비용부담자는 원칙상 국가이므로 국가가 최종적 배상책임자가 되고, 국가배상을 한 지방자치단체는 국가에 대하여 구상할 수 있다(국배법 제6조 2항). 다만 지방자치단체가 실질적 비용부담을 하게 되는 경우(예: 도로법 제20조2항, 제67조가 적용되는 경우)는 최종적배상책임자에 대한 학설에 따라 결론이 달라진다.

관련 판례 건축허가사무의 법적 성격
(대판 2014.3.13 2013두15934).

1. 건축허가 등 사무의 법적 성격에 관한 법리 오해의 상고이유에 대하여

구 건축법(2011. 9. 16. 법률 제11057호로 개정되기 전의 것, 이하 같다) 제11조 제1항 은 건축물을 건축하거나 대수선하려는 사람은 특별자치도지사, 시장·군수·구청장 또는 특별시장, 광역시장(이하 '허가권자'라 한다)의 허가를 받도록 규정하고, 나아가 제29조 제1, 2항은 국가나 지방자치단체가 건축물을 건축하려는 경우에는 미리 건축물의 소재지를 관할하는 허가권자와 협의하여야 하고, 그 협의를 마친 경우에는 건축허가를 받은 것으로 보도록 규정하고 있다.

그리고 구 지방자치법(2013. 3. 23. 법률 제11690호로 개정되기 전의 것, 이하 같다)제9조 제2항 제4호 는 '지역개발과 주민의 생활환경시설의 설치·관리에 관한 사무'를, 그중에서 (나)목은 '지방 토목·건설사업의 시행'을 자치단체의 사무로 예시하고 있고, 구 지방자치법 제10조 및 구 지방자치법 시행령(2013. 3. 23. 대통령령 제24425호로 개정되기 전의 것, 이하 같다) 제8조 [별표 1] 제4호 (나)목 8은 위 **'지방 토목·건설사업의 시행' 사무 중의 하나로서 '건축허가 등에 관한 업무'와 '무허가건축물 단속'을 시·군·자치구의 사무로 분류·규정**하고 있다.

이와 같이 위 법령들에서 **건축허가 사무를 시·군·자치구의 사무로 정한 것은, 특정 건축물이 해당 지역에 건축되는 경우에 그 자체가 지역개발에 속하고 그 영향은 해당 지역과 그 주민에 미칠 수밖에 없으므로, 허가권자인 지방자치단체의 장으로 하여금 실제로 건축이 이루어지는 지방자치단체에서의 자연적·사회적·행정적 제약이나 환경 등의 지역적 특성을 반영하여 허가 여부를 판단하고 허가권자의 권한과 책임 아래 그에 반하는 무허가건축물을 단속하게 하려는 취지**로 보인다.

그리고 건축허가를 신청하는 사람은 허가권자에게 해당 지방자치단체의 조례로 정한 수수료를 납부하는 것이 원칙이고(구 건축법 제17조) 그 **납부된 수수료는 해당 지방자치단체에 귀속**되며, 또한 허가권자가 건축허가 업무를 대행하게 한 경우에는 해당 지방자치단체의 조례로 정하는 수수료를 지급하여야 한다(구 건축법 제28조).

앞에서 본 자치사무 등의 판단 기준에 관한 법리에 비추어 위와 같은 **건축허가 사무에 관한 근거 규정의 형식·체재, 내용 및 입법 취지와 아울러 실제의 경비 부담, 수수료의 납부 및 귀속 등에 관한 사정들을 종합**하여 보면 **건축허가에 관한 사무는 물론이고 건축허가를 의제하는 건축협의에 관한 사무도 지방자치단체의 자치사무**라고 할 것이다. 비록 구 건축법 제18조 제1항 은 **국토해양부장관이 일정한 경우에 건축허가나 허가를 받은 건축물의 착공을 제한할 수 있도록 규정하고 있으나 이는 특정 건축이 국가 전체의 공익에 영향을 미치는 예외적인 경우에 국토해양부장관 등이 관여할 수 있음을 규정한 것에 불과**하다. 또한, 구 건축법 제21조, 제25조, 제30조 내지 제33조, 제48조 내지 제53조, 제78조 제1항, 제4항 등이 착공신고, 건축물의 공사감리, 건축행정의 전산화, 건축물의 구조 및 재료 등에 관한 **필요한 사항을 대통령령 또는 국토해양부령으로 정하도록 위임하고 있지만**, 이는 위 사항들에 관하여 **대통령령 또는 국토해양부령으로 정할 수 있도록 하는 일반적인 위임 규정에 불과**할 뿐 **국가로 하여금 건축허가에 관한 사무를 담당하게 하는 취지의 규정이라고 보기 어렵다**. 따라서 **위 규정들을 근거로 건축허가 또는 건축협의에 관한 사무를 국가사무로 볼 것은 아니다.**

2. 행정처분 및 항고소송의 대상에 관한 법리 오해의 상고이유에 대하여

국가가 허가권자와 건축에 관한 협의를 마치면 구 건축법 제29조 제1항 에 의하여 건축허가가 의제되는 법률효과가 발생된다. 그리고 앞에서 본 것과 같이 **건축허가 및 건축협의의 사무는 지방자치사무로서, 구 건축법상 국가라 하더라도 미리 건축물의 소재지를 관할하는 허가권자인 지방자치단체의 장**

과 건축협의를 하지 아니하면 건축물을 건축할 수 없다. 따라서 허가권자인 지방자치단체의 장이 국가에 대하여 건축협의를 거부하는 것은 해당 건축물을 건축하지 못하도록 권한을 행사하여 건축허가 의제의 법률효과 발생을 거부하는 것이며, 한편 구 건축법이나 구 지방자치법 등 관련 법령에서는 국가가 허가권자의 거부행위를 다투어 법적 분쟁을 직접적·실효적으로 해결할 수 있는 구제수단을 찾기 어렵다.

이러한 사정들에 비추어 보면, 허가권자인 지방자치단체의 장이 한 건축협의 거부행위는 비록 그 상대방이 국가 등 행정주체라 하더라도, 행정청이 행하는 구체적 사실에 관한 법집행으로서의 공권력 행사의 거부 내지 이에 준하는 행정작용으로서 행정소송법 제2조 제1항 제1호 에서 정한 처분에 해당한다고 볼 수 있고, 이에 대한 법적 분쟁을 해결할 실효적인 다른 법적 수단이 없는 이상 국가 등은 허가권자를 상대로 항고소송을 통해 그 거부처분의 취소를 구할 수 있다고 해석된다.[3]

3) 지방자치단체장이 건축협의를 취소한 것도 처분에 해당하는 판례도 있음(대판 2014.2.27, 2012두22980).

139 조례제정권의 한계

Ⅰ. 의 의

조례는 **지방자치단체가 법령의 범위 안에서 그 권한에 속하는 사무에 관하여 지방의회의 의결을 거쳐 제정하는 자치법규**를 말한다. 조례는 외부적 효력을 갖는 일반적·추상적 규율로서 **실질적 의미의 법률**의 성격을 가진다. 조례에도 **법률유보, 법률우위의 원칙이 적용**되는 바, 이는 조례가 자치법규의 성질을 가지면서도 한편으로는 **행정작용적 성질**을 가지고 있다는 이중적 성격에서 기인한다. 지방자치단체장이 제정하는 자치법규인 규칙보다는 상위의 규범이다.[1)]

Ⅱ. 조례제정의 사물적 한계(대상)

지방자치단체는 '**법령의 범위 안**'에서 그 권한에 속하는 모든 사무(**자치사무, 단체위임사무**)에 관하여 조례를 제정할 수 있다(헌법 제117조1항, 자치법 제22조 본문, 제9조). 반면 **기관위임사무**의 경우에는 법령에 의해 특별히 **위임받은 경우를 제외하고는 조례를 제정할 수 없다.**[2)] 조례는 그 권한에 속하는 사항에 관하여 지방의회의 재량에 의하여 제정되는 것이 원칙이나(**임의적 조례규정사항**), 법령이 특히 조례로 정할 것을 규정하고 있는 경우(**필요적 조례규정사항**)도 있다.

조례는 **행정입법으로서의 위임명령과는 달리 법률에 준하는 성질 有**. 따라서 **일반적인 위임입법의 한계가 적용될 여지는 없다.** 그러나, 기관위임사무를 규정한 **위임조례의 경우 위임입법의 한계가 적용**된다.

판 례 지방자치법 제22조, 제9조에 의하면, 지방자치단체가 **자치조례를 제정할 수 있는 사항은 지방자치단체의 고유사무인 자치사무와 개별법령에 의하여 지방자치단체에 위임된 단체위임사무에 한하는 것**이고, 국가사무가 지방자치단체의 장에게 위임된 **기관위임사무는 원칙적으로 자치조례의 제정범위에 속하지 않는다** 할 것이고, **다만 기관위임사무에 있어서도** 그에 관한 **개별법령에서 일정한 사항을 조례로 정하도록 위임하고 있는 경우에는 위임받은 사항에 관하여 개별법령의 취지에 부합하는 범위 내에서 이른바 위임조례를 정할 수 있다**(대판 2000.5.30, 99추85).

Ⅲ. 법률유보

1. 지방자치법 제22조 단서의 위헌여부

(1) 문제점

헌법 제117조, 자치법 제22조에 의하면 지자체는 '법령의 범위 안에'서 조례를 제정할 수 있는데, **'법령의 범위 안'의 의미는 '법령에 위반되지 않는 범위 내에서'**를 가리키므로 조례는 **본래 법령의 위임 없이 제정될 수 있는 것**이다. **그러나 자치법 제22조 단서**는 '주민의 **권리제한** 또는 **의무부과**에 관한 사항이나 **벌칙**을 정할 때' **법령의 위임을 요구**하여 **조례제정권을 제한**하고 있으므로, 이것이 조례제정권 침해로서 위헌인지의 논의가 있다.

(2) 학 설

이에 대해 ① 조례는 헌법이 보장한 지방자치단체의 자치입법권에 근거하여 제정되는 것인데, **하위법인 지방자치법이 헌법에서 정하지 아니한 추가적 제한을 규정**하여 지방자치단체의 포괄적인 자주입법권을 침해하는 것으로 보는 **위헌설**과 ② 국민의 전체의사의 표현으로서의 법률과 제한적 지역단체 주민의 의사의 표현인 조례와의 사이

---

1) 자치법규에는 **조례**와 지방자치단체장이 제정하는 **규칙**이 있다. 규칙은 **지방자치단체장이 법령이나 조례가 위임한 범위 안에서 그 권한에 속하는 사무에 관하여 제정하는 법규범**을 말한다(자치법 제23조). 교육·학예에 관한 사무의 집행기관인 교육감이 제정하는 것을 **교육규칙**이라고 한다. 규칙은 자치사무,단체위임사무 뿐만 아니라 **기관위임사무도 규율대상**이 된다.

2) 지방자치단체의 사무를 규율대상으로 하는 조례를 **자치조례**라고 하며, 법령의 위임에 의하여 기관위임사무를 제정하는 조례를 위임조례라고 한다. 조례제정의 절차에 대해 지방자치법 제26조를 반드시 숙지할 것.

에 민주적 정당성에 있어 차이가 존재하며, 헌법 제117조도 기본권 제한에 관한 법률유보조항인 헌법 제37조2항에 따라 제한된다고 보는 합헌설이 대립한다.

(3) 판례 - 합헌설

1) 대법원

판 례 지방자치법 제15조(현행 제22조)는 원칙적으로 헌법 제117조1항의 규정과 같이 지방자치단체의 자치입법권을 보장하면서, 그 단서에서 국민의 권리제한 · 의무부과에 관한 사항을 규정하는 조례의 중대성에 비추어 입법정책적 고려에서 법률의 위임을 요구한다고 규정하고 있는바, 이는 기본권 제한에 대하여 법률유보원칙을 선언한 헌법 제37조2항의 취지에 부합하므로 조례제정에 있어서 위와 같은 경우에 법률의 위임근거를 요구하는 것이 위헌성이 있다고 할 수 없다(대판 1995.5.12, 94추28).

2) 헌법재판소 - 부천시담배자동판매기설치금지조례 위헌확인 결정에서 합헌설의 입장을 전제로 판시한 바 있다.

판 례 이 사건 조례들은 담배소매업을 영위하는 주민들에게 자판기 설치를 제한하는 것을 내용으로 하고 있으므로 주민의 직업선택의 자유 특히 직업수행의 자유를 제한하는 것이 되어 지방자치법 제15조 단서 소정의 주민의 권리의무에 관한 사항을 규율하는 조례라고 할 수 있으므로 지방자치단체가 이러한 조례를 제정함에 있어서는 법률의 위임을 필요로 한다(헌재결 1995.4.20, 92헌마264 · 279).

(4) 검토 - 합헌설

헌법 제10조 및 제37조가 정하는 기본권질서 등 국가의 기본질서를 형성하는 국회의 질서기능은 포기될 수 없으므로, 주민의 자유와 재산을 침해하거나 침해를 가능하게 하는 자치입법은 법률상 근거를 요한다고 보아야 한다.

2. 포괄적 위임의 허용여부

구체적인 수권이 있어야 한다는 견해도 있으나, 통설 · 판례는 조례에 대해서는 포괄적인 위임도 가능하다고 본다. 지방의회도 어느 정도 민주적 정당성을 가지고 있음을 근거로 한다. 다만 형벌에 관한 사항을 조례에 위임함에 있어서는 구체적으로 위임하여야 하며, 죄형법정주의에 위반하여서는 안 된다.

3. 조례에 의한 벌칙규정

지방자치단체는 조례를 위반한 행위에 대하여 조례로써 1천만원 이하의 과태료를 정할 수 있고(자치법 제27조1항), 사기나 그 밖의 부정한 방법으로 사용료 · 수수료 또는 분담금의 징수를 면한 자나 공공시설을 부정사용한 자에 대하여는 일정한 범위의 과태료를 부과하는 조례를 정할 수 있다(자치법 제139조2항).

Ⅳ. 법률우위

1. 법령의 범위안에서 제정 가능(헌법 제117조, 자치법 제22조 본문)

법률우위 원칙의 제한은 통일적인 국가법질서를 유지하기 위하여 요구되며, 법령에 위반되는 조례는 무효이다.

판 례 구 지방자치법(2007.5.11. 법률 제8423호로 전문 개정되기 전의 것) 제15조(현행 제22조) 본문은 "지방자치단체는 법령의 범위 안에서 그 사무에 관하여 조례를 제정할 수 있다"고 규정하고 있으므로, 지방자치단체가 제정한 조례가 법령을 위반하는 경우에는 효력이 없고, 조례가 법령을 위반하는지 여부는 법령과 조례 각각의 규정 취지, 규정의 목적과 내용 및 효과 등을 비교하여 둘 사이에 모순 · 저촉이 있는지의 여부에 따라서 개별적 · 구체적으로 결정하여야 한다(대판 2008.6.12, 2007추42).

2. 조례와 법률의 관계

(1) 문제점

조례로 규율하려는 사항이 이미 법령에 의하여 규율되고 있는 경우 조례가 법령위반인지 문제이다. 이는 조례의 자주법적 성질과 조례에 대한 법률우위원칙의 경계에 있는 문제이다.

(2) 학 설

① 어떤 사항에 관하여 법률이 정하고 있으면 조례로서 법률과 다른 내용의 규율을 할 수 없다는 법률선점이론과

② 법률선점이론에 의하면 조례의 제정범위는 매우 좁아지고 지역 실정에 맞는 조례제정이 불가능해진다는 점을 고려하여, 이미 법률이 존재하더라도 국가의 법률이 지방자치단체의 지역 실정에 맞는 특별한 규율을 행하는 것을 용인하는 취지라고 해석되면 조례가 국가의 법령에 위반되지 않는다고 보는 수정법률선점이론이 대립한다. 이에 의하면 규제의 정도가 법률보다 강한 추가·초과조례[3]의 제정도 경우에 따라서는 가능하다.

(3) 판 례

판례는 "조례가 규율하는 특정사항에 관하여 그것을 규율하는 국가의 법령이 이미 존재하는 경우에도 조례가 법령과 별도의 목적에 기하여 규율함을 의도하는 것으로서 그 적용에 의하여 법령의 규정이 의도하는 목적과 효과를 전혀 저해하는 바가 없는 때, 또는 양자가 동일한 목적에서 출발한 것이라고 할지라도 국가의 법령이 반드시 그 규정에 의하여 전국에 걸쳐 일률적으로 동일한 내용을 규율하려는 취지가 아니고 각 지방자치단체가 그 지방의 실정에 맞게 별도로 규율하는 것을 용인하는 취지라고 해석되는 때에는 그 조례가 국가의 법령에 위반되는 것은 아니다"라고 판시한 바 있다. 반면 자동차관리법보다 높은 수준의 차고지 확보기준 및 자동차등록기준을 정한 조례안은 상위법령의 제한범위를 초과하여 무효라고 판시하기도 하였다(관련판례 7).

(4) 검 토

지방자치의 실효성을 고려하는 수정법률선점이론도 일응 타당하지만, 지방자치법 제22조 단서에서 국민의 권리를 제한하거나 의무를 부과하는 등의 경우에는 법률의 위임이 있을 것을 요구하고 있으므로 수정법률선점이론을 전면적으로 받아들이기는 곤란하다. 이는 조례의 내용이 수익적(관련판례 8)이거나 수익적이지도 침익적이지도 않는 경우(관련판례 6)에만 가능하다고 본다. 판례도 침익적 조례의 경우는 지방자치단체가 지방의 실정에 맞게 별도로 규율하는 조례제정을 인정한 바 없으며, 초과조례에 관한 일반론은 수익적이거나 수익적이지도 침익적이지도 않은 경우에 설시하고 있다.

3. 광역자치단체의 조례와 기초자치단체의 조례 상호간의 관계

시·군 및 자치구의 조례나 규칙은 시·도의 조례나 규칙을 위반하여서는 아니 된다(자치법 제24조). 이에 대해 광역-기초자치단체의 관계는 상하관계가 아니므로 제24조는 준칙적 효력으로 보는 견해가 있으나, 이 규정은 행정사무처리에 있어서의 모순저촉을 방지하고, 행정의 통일성확보가 기본목적이므로 효력규정으로 보는 것이 타당하다.

관련 판례 법률우위 관련판례

1. 옴부즈만임명시 지방의회의 동의는 허용

- 집행기관의 구성원의 전부 또는 일부를 지방의회가 임면하도록 하는 것은 지방의회가 집행기관의 인사권에 사전에 적극적으로 개입하는 것이어서 원칙적으로 허용되지 않지만, 지방자치단체의 집행기관의 구성원을 집행기관의 장이 임면하되 다만 그 임면에 지방의회의 동의를 얻도록 하는 것은 지방의회가 집행기관의 인사권에 소극적으로 개입하는 것으로서 지방자치법이 정하고 있는 지방의회의 집행기관에 대한 견제권의 범위 안에 드는 적법한 것이므로, 지방의회가 조례로써 옴부즈맨의 위촉(임명)·해촉시에 지방의회의 동의를 얻도록 정하였다고 해서 집행기관의 인사권을 침해한 것이라 할 수 없다(대판 1997.4.11, 96추138).

2. 지방의회의 적극적 관여는 부정

- 조례안에서 지방자치단체의 장이 재단법인 광주비엔날레의 업무수행을 지원하기 위하여 소속 지방공무원을 위 재단법인에 파견함에 있어 그 파견기관과 인원을 정하여 지방의회의 동의를 얻도록 하고, 이미 위 재단법인에 파견된 소속 지방공무원에 대하여는 조례안이 조례로서 시행된 후 최초로 개회되는 지방의회에서 동의를 얻도록 규정하고 있는 경우, 그 조례안 규정은 지방자치단체의 장의 고유권한에 속하는 소속 지방공무원에 대한 임용권 행사에 대하여 지방의회가 동의 절차를 통하여 단순한 견제의 범

---

3) 추가조례는 조례가 법령과 동일한 목적이지만 법령이 정하지 아니한 사항을 조례로 정하는 경우를 의미하며, 초과조례는 법령과 조례가 동일한 사항을 동일한 목적으로 규정하고 있는 경우에 조례가 법령이 정한 기준을 초과하여 보다 강화되거나 보다 약화된 기준을 정하는 조례를 말한다.

위를 넘어 적극적으로 관여하는 것을 허용하고 있다는 이유로 법령에 위반된다고 한 사례(대판 2001.2.23, 2000추67).

3. 단체장의 인사권에 지방의회의장 개인의 관여는 부정

- 지방의회가 집행기관의 인사권에 관하여 소극적 사후적으로 개입하는것은 그것이 견제의 범위 안에 드는 경우에는 허용되나, 집행기관의 인사권을 독자적으로 행사하거나 동등한 지위에서 합의하여 행사할 수는 없으며, 사전에 적극적으로 개입하는 것도 원칙적으로 허용되지 아니하므로 조례안에 규정된 행정불만처리조정위원회 위원의 위촉, 해촉에 지방의회의 동의를 받도록 한 것은 사후에 소극적으로 개입하는 것으로서 지방의회의 집행기관에 대한 견제권의 범위에 드는 적법한 규정이라고 보아야 될 것이나, 그 일부를 지방의회 의장이 위촉하도록 한 것은 지방의회가 집행기관의 인사권에 사전에 적극적으로 개입하는 것으로서 지방자치법이 정한 의결기관과 집행기관 사이의 권한분리 및 배분의 취지에 배치되는 위법한 규정이며, 또 집행기관의 인사권에 의장 개인의 자격으로는 관여할 수 있는 권한이 없고 조례로써 이를 허용할 수도 없으며, 따라서 의장 개인이 위원의 일부를 위촉하도록 한 조례안의 규정은 그 점에서도 위법하다(대판 1994.4.26, 93추175).

4. 지방의원 개인의 관여는 부정

- 지방자치법상 지방자치단체의 집행기관과 지방의회는 서로 분립되어 제각각 그 고유권한을 행사하되 상호견제의 범위 내에서 상대방의 권한 행사에 대한 관여가 허용되는 것이므로, 집행기관의 고유권한에 속하는 인사권의 행사에 있어서도 지방의회는 견제의 범위 내에서 소극적·사후적으로 개입할 수 있을 뿐 사전에 적극적으로 개입하는 것은 허용되지 아니하고, 또 집행기관을 비판·감시·견제하기 위한 의결권·승인권·동의권 등의 권한도 지방자치법상 의결기관인 지방의회에 있는 것이지 의원 개인에게 있는 것이 아니므로, 지방의회가 재의결한 조례안에서 구청장이 주민자치위원회 위원을 위촉함에 있어 동장과 당해 지역 구의원 개인과의 사전 협의 절차가 필요한 것으로 규정함으로써 지방의회 의원 개인이 구청장의 고유권한인 인사권 행사에 사전 관여할 수 있도록 규정하고 있는 것 또한 지방자치법상 허용되지 아니하는 것이다(대판 2000.11.10, 2000추36).

5. 법률에 규정이 없는 새로운 견제장치를 만들 수 없음

- 당해 지방자치단체의 주민을 상대로 한 모든 행정기관의 행정처분에 대한 행정심판청구를 지원하는 것을 내용으로 하는 조례안은 지방자치단체의 사무에 관한 조례제정권의 한계를 벗어난 것일 뿐 아니라, 가사 그 조례안이 당해 지방자치단체의 행정처분에 대한 행정심판청구만을 지원한다는 의미로 이해한다고 하더라도, 그 지원 여부를 결정하기 위한 전제로서 당해 행정처분의 정당성 여부를 지방의회에서 판단하도록 규정하고 있다면 이는 결국 지방의회가 스스로 행정처분의 정당성 판단을 함으로써 자치단체의 장을 견제하려는 것으로서 이는 법률에 규정이 없는 새로운 견제장치를 만드는 것이 되어 지방자치단체의 장의 고유권한을 침해하는 것이 되어 효력이 없다(대판 1997.3.28, 96추60).

6. 단양군공유재산관리조례중개정조례안에대한재의결(침익조례도 수익조례도 아닌 경우)[4]

[1] 지방자치법 제9조1항과 제15조 등의 관련 규정에 의하면 지방자치단체는 원칙적으로 그 고유사무인 자치사무와 법령에 의하여 위임된 단체위임사무에 관하여 이른바 자치조례를 제정할 수 있는 외에, 개별 법령에서 특별히 위임하고 있을 경우에는 그러한 사무에 속하지 아니하는 기관위임사무에 관하여도 그 위임의 범위 내에서 이른바 위임조례를 제정할 수 있지만, 조례가 규정하고 있는 사항이 그 근거 법령 등에 비추어 볼 때 자치사무나 단체위임사무에 관한 것이라면 이는 자치조례로서 지방자치법 제15조가 규정하고 있는 '법령의 범위 안'이라는 사항적 한계가 적용될 뿐, 위임조례와 같이 국가법에 적용되는 일반적인 위임입법의 한계가 적용될 여지는 없다.

[2] 지방자치법 제15조에서 말하는 '법령의 범위 안'이라는 의미는 '법령에 위반되지 아니하는 범위 안'이라는 의미로 풀이되는 것으로서, 특정 사항에 관하여 국가 법령이 이미 존재할 경우에도 그 규정의 취지가 반드시 전국에 걸쳐 일률적인 규율을 하려는 것이 아니라 각 지방자치단체가 그 지방의 실정에 맞게 별도로 규율하는 것을 용인하고 있다고 해석될 때에는 조례가 국가 법령에서 정하지 아니하는 사항을 규정하고 있다고 하더라도 이를 들어 법령에 위반되는 것이라고 할 수가 없다.

[3] 지방자치법 제35조(현 제39조) 1항6호 및 그 시행령 제15조의3과 지방재정법 제77조 및 그 시행령 제84조는 일정한 중요재산의 취득과 처분에 관하여는 관리계획으로 정하여 지방의회의 의결을 받도록 규정하면서도 공유재산의 대부와 같은 관리행위가 지방의회의 의결사항인지 여부에 관하여는 명시적으로 규정하고 있지 아니하지만, 우선 지방자치법 제35조2항에서 그 1항이 정하고 있는 사항 이외에 지방의회에서 의결되어야 할 사항을 조례로써 정할 수 있도록 규정하고 있을 뿐만 아니라, 일반적으로 공유재산의 관리가 그 행위의 성질 등에 있어 그 취득이나 처분과는 달리 지방자치단체장의 고유권한에 속하는 것

으로서 지방의회가 사전에 관여하여서는 아니되는 사항이라고 볼 근거는 없는 것이므로, 지방자치법과 지방재정법 등의 국가 법령에서 위와 같이 중요재산의 취득과 처분에 관하여 지방의회의 의결을 받도록 규정하면서 공유재산의 관리행위에 관하여는 별도의 규정을 두고 있지 아니하더라도 이는 공유재산의 관리행위를 지방의회의 의결사항으로 하는 것을 일률적으로 배제하고자 하는 취지는 아니고 각각의 지방자치단체에서 그에 관하여 조례로써 별도로 정할 것을 용인하고 있는 것이라고 보아야 한다.

[4] 지방자치법 제9조2항1호 (자)목 등의 규정에 의하면 조례안에서 규정하고 있는 공유재산의 관리는 지방자치단체의 자치사무에 해당하는 것임이 분명하고, 따라서 위 조례안은 자치조례로서 지방자치법 제15조에서 규정하고 있는 '법령의 범위 안'이라는 사항적 한계가 적용될 뿐이라고 할 것인데, 조례안에서 그 소정의 공유재산 관리행위를 지방의회의 의결사항으로 규정하고 있는 것은 지방자치법 제35조2항의 규정에 기한 것으로서 같은 법 제15조에서 정하고 있는 법령의 범위 안이라는 자치조례의 사항적 한계 내의 규정이라고 할 것이므로, 이를 들어 법령에 위반된 조례 규정이라고 할 수가 없고, 또한 위 조례안에 의하면 군유지의 관리행위에 관하여 국유지와 도유지의 경우보다 더 엄격한 지방의회의 관여가 이루어지게 되는 결과가 된다고 하더라도, 국유지와 도유지의 관리행위 자체가 원래 지방의회의 관여가 허용되는 자치사무에 속하지 아니하는 것인 이상, 위와 같은 사정을 들어 형평에 반한다고 할 것도 아니다(대판 2000.11.24, 2000추29).

7. 규제영역에서의 침익조례[5]

차고지확보 대상을 자가용자동차 중 승차정원 16인 미만의 승합자동차와 적재정량 2.5t 미만의 화물자동차까지로 정하여 자동차운수사업법령이 정한 기준보다 확대하고, 차고지확보 입증서류의 미제출을 자동차등록 거부사유로 정하여 **자동차관리법령이 정한 자동차 등록기준보다 더 높은 수준의 기준을 부가하고 있는 차고지확보제도에 관한 조례안은 비록 그 법률적 위임근거는 있지만 그 내용이 차고지 확보기준 및 자동차등록기준에 관한 상위법령의 제한범위를 초과하여 무효**(대판 1997.4.25, 96추251)

8. 법률우위 관련판례(급부영역에서의 수익조례)[6]

지방자치단체는 법령에 위반되지 아니하는 범위 내에서 그 사무에 관하여 조례를 제정할 수 있는 것이고, 조례가 규율하는 특정사항에 관하여 그것을 규율하는 **국가의 법령이 이미 존재하는 경우에도 조례가 법령과 별도의 목적에 기하여 규율함을 의도하는 것**으로서 **그 적용에 의하여 법령의 규정이 의도하는 목적과 효과를 전혀 저해하는 바가 없는 때, 또는 양자가 동일한 목적에서 출발한 것이라고 할지라도 국가의 법령이 반드시 그 규정에 의하여 전국에 걸쳐 일률적으로 동일한 내용을 규율하려는 취지가 아니고 각 지방자치단체가 그 지방의 실정에 맞게 별도로 규율하는 것을 용인하는 취지라고 해석되는 때에는 그 조례가 국가의 법령에 위반되는 것은 아니다.**

위 조례안의 내용은 생활유지의 능력이 없거나 생활이 어려운 자에게 보호를 행하여 이들의 최저생활을 보장하고 자활을 조성함으로써 구민의 사회복지의 향상에 기여함을 목적으로 하는 것으로서 생활보호법과 그 목적 및 취지를 같이 하는 것이나, 보호대상자 선정의 기준 및 방법, 보호의 내용을 생활보호법의 그것과는 다르게 규정함과 동시에 생활보호법 소정의 자활보호대상자 중에서 사실상 생계유지가 어려운 자에게 생활보호법과는 별도로 생계비를 지원하는 것을 그 내용으로 하는 것이라는 점에서 생활보호법과는 다른 점이 있고, 당해 조례안에 의하여 생활보호법 소정의 자활보호대상자 중 일부에 대하여 생계비를 지원한다고 하여 생활보호법이 의도하는 목적과 효과를 저해할 우려는 없다고 보여지며, 비록 생활보호법이 자활보호대상자에게는 생계비를 지원하지 아니하도록 규정하고 있다고 할지라도 그 규정에 의한 자활보호대상자에게는 전국에 걸쳐 일률적으로 동일한 내용의 보호만을 실시하여야 한다는 취지로는 보이지 아니하고, 각 지방자치단체가 그 지방의 실정에 맞게 별도의 생활보호를 실시하는 것을 용인하는 취지라고 보아야 할 것이라는 이유로, 당해 조례안의 내용이 생활보호법의 규정과 모순·저촉되는 것이라고 할 수 없다고 본 사례(대판 1997.4.25, 96추244).

9. 조약도 법령에 해당

[1] '1994년 관세 및 무역에 관한 일반협정'(General Agreement on Tariffs and Trade 1994, 이하 'GATT'라 한다)은 1994.12.16. 국회의 동의를 얻어 같은 달 23. 대통령의 비준을 거쳐 같은 달 30. 공포되고 1995.1.1. 시행된 조약인 '세계무역기구(WTO) 설립을 위한 마라케쉬협정'(Agreement Establishing the WTO)(조약 1265호)의 부속 협정(다자간 무역협정)이고, '정부조달에 관한 협정'(Agreement on Government Procurement, 이하 'AGP'라 한다)은 1994.12.16. 국회의 동의를 얻어 1997.1.3. 공포시행된 조약(조약 1363호, 복수국가간 무역협정)으로서 각 헌법 제6조1항에 의하여 국내법령과

4) 사실관계 - 단양군의회가 공유재산의 '관리'(예: 대부행위)에 대해서까지 군의회의 의결을 받도록 공유재산관리조례를 개정하였고, 단양군수는 재의요구 하였으나 군의회는 재의결. 군수는 대법원에 제소. 군수의 주장은 동조례안의 내용이 위임조례에 해당되는

동일한 효력을 가지므로 지방자치단체가 제정한 조례가 GATT나 AGP에 위반되는 경우에는 그 효력이 없다.

[2] 특정 지방자치단체의 초·중·고등학교에서 실시하는 학교급식을 위해 위 지방자치단체에서 생산되는 우수 농수축산물과 이를 재료로 사용하는 가공식품(이하 '우수농산물'이라고 한다)을 우선적으로 사용하도록 하고 그러한 우수농산물을 사용하는 자를 선별하여 식재료나 식재료 구입비의 일부를 지원하며 지원을 받은 학교는 지원금을 반드시 우수농산물을 구입하는 데 사용하도록 하는 것을 내용으로 하는 위 지방자치단체의 조례안이 내국민대우원칙을 규정한 '1994년 관세 및 무역에 관한 일반협정'(General Agreement on Tariffs and Trade 1994)에 위반되어 그 효력이 없다(대판 2005.9.9, 2004추10).

10. 지역주민에게 통행료지원

[1] 인천광역시의회가 의결한 '인천광역시 공항고속도로 통행료지원 조례안'이 규정하고 있는 인천국제공항고속도로를 이용하는 지역주민에게 통행료를 지원하는 내용의 사무는, 구 지방자치법(2007.5.11. 법률 제8423호로 전문 개정되기 전의 것) 제9조2항2호 (가)목에 정한 주민복지에 관한 사업으로서 지방자치사무이다.

[2] 구 지방자치법(2007.5.11. 법률 제8423호로 전문 개정되기 전의 것) 제15조(현행 제22조) 본문은 "지방자치단체는 법령의 범위 안에서 그 사무에 관하여 조례를 제정할 수 있다"고 규정하고 있으므로, 지방자치단체가 제정한 조례가 법령을 위반하는 경우에는 효력이 없고, 조례가 법령을 위반하는지 여부는 법령과 조례 각각의 규정 취지, 규정의 목적과 내용 및 효과 등을 비교하여 둘 사이에 모순·저촉이 있는지의 여부에 따라서 개별적·구체적으로 결정하여야 한다.

[3] '인천광역시 공항고속도로 통행료지원 조례안'은 그 내용이 현저하게 합리성을 결여하여 자의적인 기준을 설정한 것이라고 볼 수 없으므로 헌법의 평등원칙에 위배된다고 할 수 없고, 구 지방자치법(2007.5.11. 법률 제8423호로 전문 개정되기 전의 것) 제13조1항 등에도 위배되지 않는다고 한 사례(대판 2008.6.12, 2007추42 ; 대판 2005.9.9, 2004추10).

11. 지방의회가 선임한 검사위원의 시정조치에 관한 의견에 대하여 시장이 시정조치 결과나 시정조치 계획을 의회에 알리도록 하는 내용의 개정조례안

지방자치법은 지방자치단체의 의사를 내부적으로 결정하는 최고의결기관으로 지방의회를, 외부에 대하여 지방자치단체의 대표로서 지방자치단체의 의사를 표명하고 그 사무를 통할하는 집행기관으로 단체장을 각 독립한 기관으로 두고, 의회와 단체장에게 독자적인 권한을 부여하여 상호 견제와 균형을 이루도록 하고 있다. 그러므로 법률에 특별한 규정이 없는 한 조례로써 그 견제의 범위를 넘어서 상대방의 고유권한을 침해하는 규정을 제정할 수 없다.

지방의회는 조례의 제정 및 개폐, 예산의 심의·확정, 결산의 승인, 기타 구 지방자치법 제35조(현 제39조)에 규정된 사항에 대한 의결권을 가지는 외에 구 지방자치법 제36조(현 제41조) 등의 규정에 의하여 지방자치단체사무에 관한 행정사무감사 및 조사권 등을 가진다. 지방의회는 이와 같이 법령에 의하여 주어진 권한의 범위 내에서 집행기관을 견제할 수 있는 것이고, 법령에 규정이 없는 새로운 견제장치를 만드는 것은 집행기관의 고유권한을 침해하는 것이 되어 허용될 수 없다. 이와 관련하여 당원은 지방자치법이 지방의회가 지방자치단체의 장에 대하여 가지는 본래적인 견제장치의 하나로 정하고 있는 앞서 본 지방자치단체사무에 대한 행정사무 감사 및 조사의 권한에 관해서도 이미, 지방의회가 행정사무에 관한 감사 또는 조사의 결과 당해 지방자치단체 또는 해당기관의 시정을 필요로 하는 사유가 있을 경우에 그 시정을 요구하는 외에 나아가 관계자의 문책까지 요구할 수 있도록 조례로써 정하는 것은, 구 지방자치법 제36조, 제96조와 구 지방자치법 시행령 제19조, 지방공무원법 제69조, 제72조 등 관련 법령들의 규정을 종합하여 볼 때, 지방의회가 법령에 의하여 주어진 권한의 범위를 넘어 집행기관의 소속 직원에 대한 인사나 징계에 관한 고유권한을 직접 간섭하는 것으로서 법령에 없는 새로운 견제장치를 만드는 것이 되어 상위법령에 위반된다는 태도를 밝힌 바 있다(대판 2003.9.23, 2003추13 판결 참조).

그런데 이 사건 조례안규정은 앞서 본 대로, 지방의회가 선임한 검사위원이 결산에 대한 검사의 결과 필요한 경우 결산검사의견서에 추징, 환수, 변상 및 책임공무원에 대한 징계 등의 시정조치에 관한 의견을 담을 수 있고, 그 의견에 대하여 시장은 그 시정조치 결과나 시정조치 계획을 의회에 알려야 한다는 것이다. 이러한 경우 지방의회로서는 검사위원의 결산검사의견서의 내용과 그 시정조치에 대한 시장의 결과보고 등을 참작하여 결산에 대한 승인 여부를 결정하게 될 것이어서, 이는 사실상 지방의회가 단체장에 대하여 직접 추징 등이나 책임공무원에 대한 징계 등을 요구하는 것과 크게 다를 바 없다.

그렇다면 지방자치단체의 장에 대한 지방의회의 본래적인 견제장치가 아니라 단지 결산 승인 여부를 판단하는 자료로서 부수적으로 요구되고 행하여지는 검사위원에 의한 결산검사의견서 작성에 추징, 환수, 변상이나 책임공무원에 대한 징계 등과 같은 시정조치에 관한 의견을 담을 수 있도록 하는 것은 더욱이나 지방의회가 법령에 의하여 주어진 권한의 범위를 넘어서 집행기관에 대하여 새로운 견제장치를 만드는 것에 해당하여 법령에 위반된다고 하지 않을 수 없다. 이와 같이 개정조례안 중 일부가 위법한 이상 개정조례안에 대한 재의결은 그 전부가 효력이 부인되어야 할 것이므로, 재의결 효력의 배제를 구하는 원고의 이 사건 청구는 이유 있다(대판 2009.4.9, 2007추103).

12. 지방의회가 합의제 행정기관의 설치에 관한 조례안을 발의하여 이를 의결, 재의결하는 것이 허용되는지 여부(소극)

- 지방자치법상 지방자치단체의 집행기관과 지방의회는 서로 분립되어 각기 그 고유권한을 행사하되 상호 견제의 범위 내에서 상대방의 권한 행사에 대한 관여가 허용되나, 지방의회는 집행기관의 고유권한에 속하는 사항의 행사에 관하여는 견제의 범위 내에서 소극적·사후적으로 개입할 수 있을 뿐 사전에 적극적으로 개입하는 것은 허용되지 않는다. 이에 더하여, 지방자치법 제116조에 그 설치의 근거가 마련된 합의제 행정기관은 지방자치단체의 장이 통할하여 관리·집행하는 지방자치단체의 사무를 일부 분담하여 수행하는 기관으로서 그 사무를 독립하여 수행한다 할지라도 이는 어디까지나 집행기관에 속하는 것이지 지방의회에 속한다거나 집행기관이나 지방의회 어디에도 속하지 않는 독립된 제3의 기관에 해당하지 않는 점, 지방자치단체의 행정기구와 정원기준 등에 관한 규정 제3조1항의 규정에 비추어 지방자치단체의 장은 집행기관에 속하는 행정기관 전반에 대하여 조직편성권을 가진다고 해석되는 점을 종합해 보면, 지방자치단체의 장은 합의제 행정기관을 설치할 고유의 권한을 가지며 이러한 고유권한에는 그 설치를 위한 조례안의 제안권이 포함된다고 봄이 상당하므로, 지방의회가 합의제 행정기관의 설치에 관한 조례안을 발의하여 이를 그대로 의결, 재의결하는 것은 지방자치단체장의 고유권한에 속하는 사항의 행사에 관하여 지방의회가 사전에 적극적으로 개입하는 것으로서 관련 법령에 위반되어 허용되지 않는다(대판 2009.9.24, 2009추53).

13. 조례에서 국가사무에 대하여 법령의 위임 없이 의회의 의결사항으로 추가할 수 있는지(소극)

가. 인천광역시의회 운영에 관한 조례 일부개정조례안 제11조 1호

(1) 조례안 제11조1호는 의회에서 의결되어야 할 사항으로 "경제자유구역 개발사업 등 개발사업의 시행과 관련하여 시의 의무부담 및 권리 등에 관한 사항이 포함된 면적 150,000㎡ 이상 또는 총 개발사업비 300억 원 이상 개발사업의 협약, 대행, 위탁 등에 관한 사항"을 규정하고 있다.

(2) 이 조항의 문언 중 '경제자유구역 개발사업 등 개발사업', '시의 의무부담 및 권리 등에 관한 사항'과 '개발사업의 협약, 대행, 위탁 등에 관한 사항'에 각각 '등'이 포함되어 있기는 하나 나머지 문언의 의미가 명확하고 '등'은 법원의 보충적 해석에 의하여 그 의미를 규명할 수 있다고 할 것이어서 이 조항이 불명확하여 무효라고 할 것은 아니다.

(3) 그러나 경제자유구역의 지정 및 운영에 관한 법률(이하 '경제자유구역법'이라 한다) 제3조, 제4조, 제7조, 제9조, 제10조, 제12조, 제14조, 제29조의 각 규정에 의하면, 시·도지사가 제출한 경제자유구역 개발계획의 확정·변경, 경제자유구역의 지정·해제, 개발사업시행자가 작성한 실시계획의 승인·변경승인, 개발사업의 준공검사 및 퇴출업종 등의 고시와 이에 대한 영업정지 등의 권한은 장관에 속한다.

이러한 법률규정의 내용과 취지에 비추어 보면, 경제자유구역 내에서 시행되는 각 개발사업은 국가사무에 해당하고, 이와 관련한 시·도지사의 사무는 국가행정기관의 지위에서 하는 기관위임사무라고 보아야 할 것이다.

그런데 조례안 제11조1호는 '시의 의무부담 및 권리 등에 관한 사항이 포함된 면적 150,000㎡ 또는 총개발사업비 300억 원 이상 개발사업'으로 제한하고 있기는 하나 경제자유구역 개발사업의 시행과 관련한 개발사업의 협약, 대행, 위탁 등에 관한 사항이 국가사무에 해당할 수 있음에도 이를 지방의회의 의결사항으로 정하고 있다.

따라서 조례안 제11조1호는 경제자유구역 개발사업의 시행과 관련한 개발사업의 협약 등에 관한 사항이라는 국가사무에 대해 지방의회의 의결을 거치라는 내용을 포함하고 있고 그에 대해 법령이 조례로 정할 수 있다고 위임하고 있지도 않으므로 조례제정권의 한계를 일탈하여 위법하다(경제자유구역 개발사업 이외의 다른 개발사업의 시행과 관련한 사무는 그 개발사업의 근거법령에 따라 지방자치단체의 사무에 해당할 수 있으나, 조례안의 이 조항이 각 근거법령에 위반되는지 여부는 각 근거법령의 규정을 개별적·구체적으로 살펴보아야 알 수 있고, 앞에서 본 바와 같이 이 조항에 조례제정권의 한계를 일탈한 부분이 있으므로 더 나아가 판단하지 않는다)(대판 2009.12.24, 2007추189).

14. 민간위탁에 관한 지방의회의 관여를 허용한 판례

[2] 지방자치단체가 권한에 속한 업무를 민간에 위탁할 수 있도록 한 제도의 취지 및 지방자치단체장이 일정한 사무에 관하여 민간위탁을 하는 경우 고려해야 할 사항

- 지방자치법 제104조3항은 지방자치단체의 장은 그 권한에 속하는 사무 중 주민의 권리·의무와 직접 관련이 없는 사무는 조례나 규칙으로 정하는 바에 따라 민간에게 위탁

할 수 있다고 규정하고 있다. 지방자치단체가 그 권한에 속한 업무를 민간에 위탁하는 이유는, 그 업무를 민간으로 하여금 대신 수행하도록 함으로써 행정조직의 방대화를 억제하고, 위탁되는 사무와 동일한 업무를 수행하는 자에게 이를 담당하도록 하여 행정사무의 능률성을 높이고 비용도 절감하며, 민간의 특수한 전문기술을 활용함과 아울러, 국민생활과 직결되는 단순 행정업무를 신속하게 처리하기 위한 것이라 할 것이다. 그런데 민간위탁은 다른 한편으로는 보조금의 교부 등으로 비용이 더 드는 경우가 있고, 공평성의 저해 등에 의한 행정서비스의 질적 저하를 불러 올 수 있으며, 위탁기관과 수탁자 간에 책임 한계가 불명확하게 될 우려가 있고, 행정의 민주화와 종합성이 손상될 가능성도 있다. 따라서 지방자치단체장이 일정한 사무에 관하여 민간위탁을 하는 경우에는 위와 같은 단점을 최대한 보완하여 민간위탁이 순기능적으로 작용하도록 할 필요가 있다

[3] '서울특별시 중구 사무의 민간위탁에 관한 조례안' 제4조 3항 등이 지방자치단체 사무의 민간위탁에 관하여 지방의회의 사전 동의를 받도록 한 것과 지방자치단체장이 동일 수탁자에게 위탁사무를 재위탁하거나 기간연장 등 기존 위탁계약의 중요한 사항을 변경하고자 할 때 지방의회의 동의를 받도록 한 것은, 지방자치단체장의 민간위탁에 대한 일방적인 독주를 제어하여 민간위탁의 남용을 방지하고 그 효율성과 공정성을 담보하기 위한 장치에 불과하고, 민간위탁의 권한을 지방자치단체장으로부터 박탈하려는 것이 아니므로, 지방자치단체장의 집행권한을 본질적으로 침해하는 것으로 볼 수 없다. 또한 지방자치단체장이 동일 수탁자에게 위탁사무를 재위탁하거나 기간연장 등 기존 위탁계약의 중요한 사항을 변경하고자 할 때 지방의회의 동의를 받도록 한 목적은 민간위탁에 관한 지방의회의 적절한 견제기능이 최초의 민간위탁 시뿐만 아니라 그 이후에도 지속적으로 이루어질 수 있도록 하는 데 있으므로, 이에 관한 이 사건 조례안 역시 지방자치단체장의 집행권한을 본질적으로 침해하는 것으로 볼 수 없다.
나아가 재위탁 등에 관하여 지방의회의 동의를 받을 기한이나 수탁기관의 적정 여부를 판단할 기한의 설정이 다소 부적절하다는 점만으로 지방자치단체장의 집행권한을 본질적으로 침해한다고 단정할 수도 없다(대판 2011.2.10, 2010추11)

기출 사례 **조례의 적법성(07년 행시)**

C도는 지방세수의 적정한 확보와 지방세의 성실납부를 독려하기 위하여 법률과는 별도로, 지방세성실납부기업에 대해서는 지방세의 일부를 경감하고, 지방세불성실납부기업에 대해서는 C도 및 C도 내의 개별기초지방자치단체가 발주하는 일체의 공공사업 입찰에 참여할 수 없도록 하는 것을 내용으로 하는 조례를 제정하였다. 이 조례는 적법한가?(20점)

1. 조례제정의 사물적 범위

- 사무의 구별기준 간단히 언급.
- 지방세부과는 자치사무에 해당(자치법 제9조2항1호 '바'목)
- 관허사업제한도 지방세부과와 관련되는 것이며 해당자치단체의 공공사업에 참여할 수 없도록 하는 것으로 역시 자치사무.

2. 법률유보

- 지방자치법 제22조 단서와 관련
- 지방세 경감조항은 권리를 제한하거나 의무를 부과하는 조항이 아니므로 법률의 근거가 없이 제정하더라도 지방자치법에 반하는 것은 아님.
- 관허사업제한은 권리를 제한하는 규정으로 법률의 근거가 필요한 바, 사안의 경우 별도의 근거가 없으므로 위법.

3. 법률우위

(1) 조례와 법률의 관계
(2) 지방세 경감조항
- 지방세법 제9조에 의하면 지방세 경감은 안전행정부장관의 허가를 받도록 하고 있으므로 안전행정부장관의 허가여부에 따라 적법성 여부가 판단될 것.

판 례 [1] 지방세법 제9조에서 지방자치단체가 과세면제·불균일과세 또는 일부과세를 하고자 할 경우에 내무부장관의 허가를 받도록 한 취지는, 과세면제 등 제도의 무

것으로서 지방자치법, 재정법 등에 위반된다는 것임. 지방자치법 제39조는 '관리'에 대해서는 규정하고 있지 않으며 '취득, 처분'시에는 지방의회의 동의를 요하고 있음.

5) 김동희 사례집 9판. 60번, 김연태 사례집 5판 39번은 동 판례를 사례화.

6) 사실관계: 광주광역시 동구의회가 생활보호법상 자활보호대상자(이들에게는 생계비가 지급되지 않음)중 65세 이상의 노인 등 일정대상자들에게 생활보호법 소정의 생계비 수준에 준하여 예산의 범위 내에서 생계비를 지원하는 내용의 '광주광역시동구저소득주민생계보호지원조례안'을 의결

분별한 남용으로 국민의 조세부담의 불균형 또는 지방자치단체 간의 지방세 과세체계에 혼란을 초래할 우려가 있을 뿐만 아니라 지방세법 본래의 취지에도 맞지 않는 결과가 발생할 수가 있고, 나아가 과세면제 등으로 인한 지방자치단체의 세수입의 손실을 지방교부세법에 의한 지방교부세의 배분에서 그 보충을 꾀하려 할 것이고 이 경우 과세면제 등으로 인한 세수입 손실의 결과는 결국 다른 지방자치단체의 지방교부세 감소라는 결과를 가져올 가능성도 있으므로, 이러한 불합리한 결과를 피하기 위하여 내무부장관이 지방자치단체의 과세면제 등 일정한 사항에 관한 조례제정에 한하여 사전 허가제도를 통하여 전국적으로 이를 통제・조정함으로써 건전한 지방세제를 확립하기 위하여 마련한 제도인 것으로 이해되고, 따라서 위 규정이 지방자치단체의 조례제정권의 본질적 내용을 침해하는 규정으로서 지방자치단체의 조례제정권을 규정한 헌법 제117조 1항, 제118조에 위반되거나 지방자치법 제9조, 제35조1항1호와 저촉되는 규정이라고 할 수 없다.

[2] 지방자치법 제15조의 규정에 의하면 지방자치단체는 법령의 범위 안에서 그 사무에 관하여 조례를 제정할 수 있는 것이므로, 지방자치단체가 내무부장관의 허가를 얻지 아니하고 지방세 과세면제 등에 관한 조례를 제정한 경우에는 지방자치법 제15조, 지방세법 제9조 위반으로 위법하여 그 효력이 없다(대판 1996.7.12, 96추22).[7]

- 그러나 지방세법은 시험장용법전에 소개되어 있지 않으며 설문에서도 참조조문으로 제시되지 않아 지방세법까지 고려하는 답안을 작성하기는 현실적으로 어렵다고 보이며 오히려 일반법리에 따라 답안을 작성하는 것이 보편적일 것으로 생각됨. 이에 따라서 답안을 구성한다면, 법률선점이론, 수정법률선점이론을 논한 후 지방세 경감조항은 수익적 초과조례로서 침익적인 사항은 아니라고 할지라도 조세감면에 관한 사항은 전국적 통일성과 형평성의 원칙이 준수되어야 하기 때문에 조례로 감면할 수 없다[8]는 논리구성이 가능.

(3) 관허사업제한

- 부당결부금지원칙 위반여부가 문제됨.
- 위반여부에 대해서 견해가 대립하며 지방세불성실납부와 관허사업제한간에는 성실납세라는 행정목적과 이를 실현하기 위한 수단인 관허사업제한이라는 양자 사이에 실질적 관련성이 존재하지 않는다는 입장(정하중)으로 서술할 수도 있으나, 실질적 관련성이 존재한다는 입장으로 서술해도 무방.
- 후자의 입장에서 개별 법령들 중에는 관허사업인허가 등의 요건으로 관허사업 신청자의 성실성, 신뢰성 등에 관한 사항이 의미적으로 존재하는 경우도 있고, 다른 한편 대체적으로 특허적 의미를 가지는 관허사업의 승인에 폭넓은 재량이 인정된다는 점에서 헌법상의 납세의무와 관련된 지방세납부를 불성실하게 이행하는 자는 근본적으로 공공기관이 공익목적을 감안하여 발주하는 관허사업에 서 요구되는 사업수행상의 성실성을 결여한 자로 인정될 수 있다는 점에서 최소한 목적적 관련성이 존재한다는 시각도 가능(김해룡).

기출 사례 위법한 조례에 근거한 처분의 효력 및 침익적 초과조례 허용여부(06년 행시 - 재경)

사업자 A는 울산광역시와 경기도에 각각 염색공장을 건설하여 현재 조업중에 있다. 그러던 중 울산광역시에서는 기존 시 조례에서 정한 지역환경기준을 유지하기 어렵다고 판단하여 환경관련법령상의 기준보다 엄격한 배출허용기준을 내용으로 하는 조례를 새로 제정하였다.

한편 사업자 A는 제품생산을 확대하기 위하여 경기도지사와 울산광역시장에 대하여 폐수배출시설을 포함한 공장증설허가를 각각 신청하였다. A의 공장증설허가신청에 대해

7) **(판례)** 조례안 제27조의3은 외국인투자기업이 취득・보유하는 재산 중 외국인에게 양도・임대하는 면적이 차지하는 비율만을 취득세・등록세의 감면대상면적에 산입되도록 함으로써 조세특례제한법 제121조의2 4항이 규정하고 있지 않은 감면대상에 관한 감면요건을 규정하고 있는바, 이는 과세면제에 관한 사항을 추가로 규정하여 감면대상세액이 축소될 수 있도록 한 것이다.
지방세법 제9조는 조례로 과세면제 등에 관한 사항을 정할 때에는 행정안전부장관의 허가를 얻도록 하고 있고, 경제자유구역법 제15조1항은 개발사업시행자에 대하여 조세특례제한법, 지방세법이 정하는 바에 따라 취득세・등록세 등의 조세를 감면할 수 있다고 규정하고 있으며, 지방자치법 제22조는 지방자치단체는 법령의 범위 안에서 그 사무에 관하여 조례를 제정할 수 있다고 하고 있고, 지방자치법 제3조는 지방세의 부과・징수에 관하여 필요한 사항에 대하여 법이 정하는 범위 안에서 조례로써 정하도록 하고 있다. 행정안전부장관의 허가를 받지 않은 이 사건 조례안에 있어서 이 조항은 등록세・취득세의 감면대상세액이 축소될 수 있는 과세면제에 관한 사항을 법이 정하는 범위를 벗어나 새로이 정한 것이므로, 지방세법 제9조, 지방자치법 제22조 등 상위 법령에 위배되어 위법하다.(대판 2009.12.24, 2007추172)

8) 정하중 교수님도 전국적 통일적인 규율이 필요하므로 법률우위 원칙 위반이라고 함(958면).

경기도지사로부터는 허가가 내려졌으나 울산광역시장으로부터는 A가 신청한 폐수배출시설이 시조례가 정한 지역환경기준을 달성하기 어렵고 조례에서 정한 배출허용기준을 충족하지 못한다는 이유로 공장증설허가가 거부되었다. 이에 대하여 A는 울산광역시 조례가 법령보다 엄격한 규정을 두고 있으며 또한 경기도의 배출허용기준에 관한 조례와 비교하더라도 형평에 어긋나므로 울산광역시 조례에 근거한 공장증설허가거부처분이 위법하다고 주장하고 있다. A가 취할 수 있는 권리구제수단 및 그 인용가능성을 논하시오. 단, 환경관련법령에서 정한 기준보다 조례에 의해 엄격한 배출허용기준을 설정할 수 있다는 법규정이 없음을 전제로 한다. (40점)

Ⅰ. 쟁점의 정리

1) 울산광역시장의 공장증설허가거부처분은 새로 제정된 조례의 배출허용기준에 근거한 것이므로 먼저 조례의 적법성여부와 관련하여 배출허용기준에 관한 조례가 조례제정 사항인지, 법률유보, 법률우위 원칙에 반하지 않는지 검토

2) 만약 공장증설허가거부처분이 위법하다면 사업자 A가 취할 수 있는 권리구제수단으로 먼저 가구제로서 집행정지, 본안청구로 취소소송, 의무이행소송, 국가배상청구, 의무이행심판 등을 검토.

Ⅱ. 울산광역시장의 공장증설허가거부처분의 위법성

1. 새로 제정된 조례의 위법성

(1) 조례제정의 사물적 범위

- 사무의 구별기준 간단히 언급(#138)
- 환경관계법상 배출허용기준은 현행법상 환경부령으로 정하고 있는 바, 사안에서 조례로 정한 것으로 보아 이에 대한 위임이 있는 것으로 보임.

(2) 법률유보

- 지방자치법 제22조 단서와 관련(#139)
- 배출허용기준에 관한 조례는 주민의 권리를 제한하는 사항을 규정하고 있으므로 법률의 근거 요함.

(3) 법률우위

- 조례와 법률의 관계
- 배출허용기준에 관한 조례는 침익적 초과조례로서 규제적이거나 침해적 조례의 경우에는 법령의 명시적인 위임을 필요로 할 뿐 아니라 법령에서 정한 기준을 초과하여서는 안 될 것이라는 견해와 지역의 실정에 맞게 규제를 강화할 필요가 있는 사항에 관하여 법령은 전국적으로 적용되는 최소한의 규제기준만을 설정한 것으로 보여지는 경우 조례에 의한 엄격한 규제도 허용된다는 견해가 대립.

(4) 검토 및 사안의 적용

- 설문의 경우 전자의 견해를 따르면 조례는 위법, 후자의 견해를 따르면 환경관련법령상의 기준의 취지에 따라 조례의 적법 여부가 달라짐.

2. 위법한 조례에 근거한 공장증설허가거부처분의 효력

- 조례가 위법한 경우에 공장증설허가거부처분의 효력(위법성의 정도)은 무효인 조례에 근거한 처분의 효력의 문제가 됨.
- 무효와 취소의 구별기준(#47)을 검토.
- 다수설, 판례인 중대명백설에 따를 때 공장증설허가거부처분은 사업자 A의 재산권침해를 가져오며 내용상 중대하지만 취소사유에 불과.

Ⅲ. 사업자 A에 대한 권리구제수단 및 인용가능성

1. 가구제수단으로 집행정지 인정 여부(#115)

제한적 긍정설 타당. 어느 견해에 따르든지 사안의 경우 집행정지 부정.

2. 취소소송

사안의 경우 울산광역시장의 거부처분은 위법한 조례에 근거하고 있으므로 인용판결 내려질 것임.

3. 의무이행소송 인정 여부(#107)

부정설 타당.

4. 국가배상청구

인용여부와 관련해서는 과실인정이 문제되는데 조례에 근거해 처분을 내린 공무원에게 특별한 사정이 없는 한 과실이 인정된다고 보기 어려움.

5. 의무이행심판 내지 취소심판

행정심판위원회는 조례에 대한 위법여부심사권이 없으므로 의무이행심판등 행정심판에 의한 권리구제는 곤란함.

기출 사례 조례제정권의 범위와 한계(09년 행시 - 재경)

정부가 이산화질소(NO_2)를 규제하는 법령을 제정하자, A 시는 환경보전과 지방자치 단체의 실정을 고려하여 법령의 위임이 없음에도 불구하고 조례에 이산화탄소(CO_2)를 규제하는 조항을 새로이 규정하였다. 위 조례는 적법한가? (20점)

Ⅰ. 쟁점의 정리

- 조례의 적법성은 이산화탄소 규제 사무가 조례로서 규율할 수 있는 사무인지? 국가법령에서 위임이 없음에도 규제조항을 규정한 것이 법률우위에 반하는 것은 아닌지가 검토되어야 함.

Ⅱ. 조례제정의 사물적 범위

- 사무의 구별기준 간단히 언급(#138)
- 사안의 경우 이산화탄소 규제조항은 A시가 환경보전과 지방자치단체의 실정을 고려하여 제정한 것이고 지역적 특성에 따라 주민의 복리증진을 위해 자율적으로 규제, 조정되므로 자치사무임. 따라서 조례의 규율대상.

Ⅲ. 법률유보 원칙 위반 여부

- 지방자치법 제22조 단서와 관련 위헌 여부(#139)
- 주민의 자유와 재산을 침해하거나 침해를 가능하게 하는 자치입법은 법률상 근거를 요함.
- 사안의 경우 정부가 이산화질소를 규제하는 법령을 제정하였을 뿐 이산화탄소를 규제하는 법령위임이 없음에도 불구하고 A시가 동 조례를 제정하는 것은 이산화탄소를 배출하는 업체의 경영권에 대한 침해를 가져올 수 있으므로 합헌설에 따를 경우 제22조 단서 위반(법률유보 위반).

Ⅳ. 법률유보 원칙 위반 여부

1. 법률우위 원칙의 의의

- 법령의 범위 안에서 제정(헌법 제117조, 자치법 제22조 본문)

2. 조례와 법률의 관계(#139)

3. 사안의 경우

- 이산화탄소배출기준에 관한 조례는 침익적 추가조례에 해당하며 법률우위에도 반함.

기출 사례 조례제정의 한계/주민소송(10년 사시)

B군에서는 정부의 자유무역협정체결에 대응하여 지역특산물인 녹차산업을 진흥하고 이를 통해 지역 경제를 육성하고자 「녹차산업 육성 및 지원에 관한 조례」를 제정, 공포하였다. 이 조례에는 녹차산업 지원을 위한 기술지도 및 보조금 지급에 관한 내용이 포함되어 있다. 이에 주민 甲은 이 조례에 근거하여 녹차 원료 생산을 위한 보조금을 신청하여 지원받았다. 그러나 주민 乙은 위 보조금 지급행위가 甲과 군수의 인척관계에 기인했을 뿐만 아니라 위 보조금지급제도가 군수의 인기영합 정책에 의한 부당한 재정지출의 원인이 된다고 생각하고 있다.

1. 위 조례의 제정가능성에 대하여 논하시오.(15점)
2. 주민 乙이 취할 수 있는 「지방자치법」에 의한 쟁송수단에 관하여 설명하시오. (15점)

Ⅰ. 녹차산업 육성 및 지원에 관한 조례의 제정가능성 - 설문(1)

1. 쟁점의 정리

- 조례의 의의 언급.
- 사안의 조례가 자치사무인지, 침익적 조례로서 법률의 위임이 있어야 하는지, 조례제정의 사물적 범위, 법률우위, 법률유보가 문제됨을 언급.

2. 조례제정대상인지 여부

- 자치사무 및 단체위임사무만 조례제정이 가능하며 기관위임사무는 법령의 위임이 있는 경우를 제외하고는 불가
- 사무의 구별기준 언급 후
- 녹차산업 육성 및 지원이라는 사무는 지역특산물에 대한 것으로서 전국적, 통일적 처리가 요구되는 것으로 보기도 어렵고 지방자치법 제9조2항3호 농림산업진흥사무에 해당하여 자치사무에 해당함을 포섭. 따라서 조례제정의 대상이 됨.

3. 법률유보의 원칙 문제

- 지방자치법 제22조 단서 관련(위헌론은 간단히 언급)
- 녹차산업 육성 및 지원에 관한 조례가 주민의 권리제한,

의무부과에 관한 사항에 해당되면 법률의 근거가 필요.

- 보조금지원이 경쟁자관계에서 일부 사업자에게만 행해지는 경우 보조금을 지원받지 못한 경쟁자의 기본권을 침해할 여지가 있으므로 법률의 근거가 필요하다고 보아야 하나
- 일정 요건에 해당하면 보조금을 지원하는 내용이라면 경쟁자의 권리를 침해할 여지는 없으므로 법률의 근거 없이도 제정 가능.
- 사안의 경우 경쟁자관계에서 일부 사업자에게만 행해진다는 사정이 보이지는 않으므로 침익적 행정에 해당하는 것은 아니라고 보아 법률유보에는 반하지 않음.

4. 법률우위의 원칙 위반 여부

(1) 법률우위 원칙의 의의

- 법령의 범위 안에서 제정(헌법 제117조1항. 자치법 제22조 본문)

(2) 조례와 법률의 관계(#139)

(3) 사안의 경우

- 자유무역협정은 헌법 제6조에 의한 조약으로서 법률과 동일한 효력이 있으며 자치법 제22조의 법령에 해당(#139 관련판례 9번).
- 자유무역협정에서 지역특산물인 녹차산업을 육성하는 문제에 대하여 규정하는 바가 설문상 명확하지 않음.
- 자유무역협정체결에 대응하여 지역특산물인 녹차산업을 진흥하는 조례의 내용이 자유무역협정의 내용에 배치되는 것이라면 조례는 위법.
- 그러나 자유무역협정의 내용이 지방의 실정에 맞는 녹차산업의 육성방안을 용인하는 취지로 해석되는 때에는 조례는 적법.

5. 결 론

- 자유무역협정의 내용에 따라서 조례의 제정가능성 좌우

Ⅱ. 주민 乙이 취할 수 있는 「지방자치법」에 의한 쟁송수단 - 설문(2)

1. 쟁점의 정리

- 주민이 자치사무를 통제할 수 있는 수단은 주민투표 조례제정개폐청구 · 감사청구 · 주민소송 · 주민소환 · 청원권의 행사 등이 있으나 쟁송수단으로는 지방자치법 제17조1항에 의한 주민소송을 검토.
- 주민소송의 전제로서 제16조1항에 의한 감사청구를 요구

2. 주민감사청구

- 16조.

3. 주민소송

(1) 의 의

- 주민이 지방자치단체의 위법한 재무회계행위를 시정하기 위하여 법원에 제기하는 소송
- 완화된 주민참여제도의 일종으로 주민의 직접참여에 의한 지방행정의 공정성과 투명성을 확보하고 주민의 감사청구를 실질화
- 민중소송, 객관소송

(2) 제소사유 및 유형

- 자치법 제17조1, 2항 활용

(3) 소송요건

1) 원고적격 - 감사청구전치주의 적용
2) 피고 - 해당 지방자치단체의 장
3) 제소기간 -자치법 제17조4항
4) 관할 - 자치법 제17조9항

(4) 사안의 경우

- 주민 을이 감사청구를 한 경우라면 군수를 피고로 하여 제소기간 내에 관할 지방법원본원에 보조금지급 중지청구소송(제17조2항1호), 보조금지급결정 취소 또는 무효확인소송(제17조2항2호), 지급된 보조금을 부당이득으로 환수할 것을 요구하는 소송(제17조2항4호) 등을 제기할 수 있음.
- 乙이 승소한 경우 제17조16항에 의한 비용보상 청구가 가능.

기출 사례 **조례의 한계**(12년 행시 - 재경)

B市의회는 공공기관의 정보공개에 관한 법률 의 정보공개에 관한 규정이 정보공개제도 본래의 취지를 완전히 충족시키지 못한다고 판단하여 주민의 정보공개에 관한 수요에 대응하기 위하여 B市정보공개조례를 제정하였다. B市정보공개조례와 관련하여 다음 물음에 답하시오. (총 30점)

(1) B市정보공개조례는 지방자치법과 공공기관의 정보공개에 관한 법률에 비추어 적법한가? (10점)

(2) B市정보공개조례가 공공기관의 정보공개에 관한 법률이 규정하고 있는 비공개대상 정보에 대해서도 공개할 것을 규정하는 경우 적법하다고 할 수 있는가? (10점)

(3) B市정보공개조례가 자치사무만이 아니라 기관위임사

무와 관련된 행정정보에 대해서도 공개하도록 규정한 경우 제기되는 법적 문제를 설명하시오. (10점)

Ⅰ. 정보공개법과 정보공개조례의 관계 - 설문(1)

1. 문제의 소재

- 정보공개법이 존재함에도 불구하고 정보공개조례를 제정할 수 있는지가 조례제정권의 한계로서 문제됨.

2. 지방자치법상 조례제정의 한계

(1) 조례제정의 범위(사물적 한계)

- 자치사무와 단체위임사무는 조례제정의 대상(자치법 제22조, 제9조)이므로 지방자치단체의 자치사무와 단체위임사무에 대한 정보공개조례는 조례제정의 대상.

(2) 법률유보

- 지방자치법 제22조 단서가 적용되는 경우가 아니므로 법적근거 불요.

(3) 법률우위

- 정보공개법에 반하는 사정이 없으면 가능.

3. 공공기관의 정보공개에 관한 법률과의 관계

- 정보공개법은 지방자치단체는 그 소관 사무에 관하여 법령의 범위 안에서 정보공개에 관한 조례를 정할 수 있도록 규정(제4조2항). 청주시정보공개조례가 정보공개법 제정 전에 제정되었음을 고려하면 동조항은 확인적 규정에 불과하지만 정보공개법에도 명시적인 근거가 있으므로 지방자치단체의 소관 사무에 관한 것이라면정보공개법에 의해 조례제정도 가능.

Ⅱ. 정보공개법에 반하는 조례제정의 가능성 - 설문(2)

1. 문제의 소재

- 조례로 규율하려는 사항이 이미 법령에 의하여 규율되고 있는 경우에 조례제정이 가능한지의 문제

2. 법률과 조례와의 관계

- 법률선점이론, 수정법률선점이론에 관한 논의 소개

3. 사안의 경우

- 정보공개법이 비공개대상정보를 규정한 취지가 전국에 걸쳐 일률적으로 동일한 내용을 규율하려는 취지가 아닌 경우에는 정보공개조례도 적법하다고 할 수 있으나, 정보공개법의 취지는 전국적이고 통일적인 규율을 의도하는 것으로 해석됨. 따라서 비공개대상정보를 공개대상으로 규정한 조례는 위법.

Ⅲ. 기관위임사무를 규율한 정보공개 조례의 법적 문제 - 설문(3)

1. 기관위임사무의 의의

2. 기관위임사무에 대한 조례제정 가능성

- 기관위임사무는 지방자치단체의 사무가 아니므로 원칙적으로 부정. 단 법령의 위임이 있는 경우는 가능(위임조례).

- 기관위임사무도 조례의 대상으로 규정한 경우 법령에 의하여 특별히 위임을 받았는지 여부가 법적 문제로 제기됨.

- 위임이 없으면 조례는 하자가 있는 것. 조례의 하자는 무효.

3. 사안의 경우

- 달리 기관위임사무에 관해 조례제정권을 위임한 사정이 보이지 않으므로 조례는 하자가 있는 것.

- 그러나 기관위임사무라도 현실적으로 지방자치단체장이 수행하고 있는데 기관위임사무라는 이유로 정보공개청구를 지방자치단체장이 아닌 위임기관을 상대로 해야 하는 것은 지방자치단체의 주민의 불편을 초래하는 문제점 있을 것. 기관위임사무라도 정보공개법상의 비공개대상에 해당되지 않는다면 전향적으로 자치단체의 조례로 제정하는 것을 검토할 필요 있음.

기출 사례 조례제정의 한계 - 법률선점이론(15년 변시)

조례로 정하고자 하는 특정사항에 관하여 이미 법률이 그 사항을 규율하고 있는 경우에, 지방자치단체는 법률이 정한 기준보다 더 강화되거나 더 약화된 기준을 조례로 제정할 수 있는가? (20점)

1. 문제의 소재

- 헌법 제117조와 지방자치법 제22조에 따르면 지방자치단체는 '법령의 범위 안에서' 조례를 제정할 수 있음. 조례로 규율하려는 사항이 이미 법령에 의하여 규율되고 있는 경우 조례가 법률우위의 원칙에 위반한 것으로서 조례제정권의 한계를 벗어난 것은 아닌지 문제됨. 조례의 자주법

적 성질과 조례에 대한 법률우위원칙의 경계에 있는 문제.

2. 학 설

- 법률선점이론과 수정법률선점이론이 대립.

3. 판 례

4. 검토 및 사안의 해결

- 지방자치의 실효성을 고려하는 수정법률선점이론의 기본적인 취지는 수긍이 가며 일본 최고재판소 판례는 법률보다 엄격한 규제를 조례로서 제정할 수 있는 가능성도 긍정하고 있으나, 우리나라에서는 지방자치법 제22조 단서에서 국민의 권리를 제한하거나 의무를 부과하는 등의 경우에는 법률의 위임이 있을 것을 요구하고 있으므로 수정법률선점이론을 전면적으로 받아들이는 것은 곤란.

- 수정법률선점이론의 적용은 조례의 내용이 수익적이거나 수익적이지도 침익적이지도 않는 경우에만 가능. 판례도 침익적 조례의 경우는 지방자치단체가 지방의 실정에 맞게 별도로 규율하는 조례제정을 인정한 바 없으며, 수익적이거나 수익적이지도 침익적이지도 않은 경우에만 인정하고 있음.

- 따라서 조례로 정하고자 하는 특정사항이 침익적인 내용이 아니라면 지방자치단체는 법률이 정한 기준보다 더 강화되거나 약화된 기준을 조례로 정할 수 있으나 침익적인 내용이라면 법률의 명시적인 위임 없이 법률이 정한 기준보다 더 강화된 기준을 조례로 정할 수는 없음.

140 조례(안)에 대한 통제

Ⅰ. 지방자치단체의 장에 의한 통제

1. 재의요구

지방자치단체의 장은 이송받은 **조례안에 대하여 이의**가 있으면 제2항의 기간에 이유를 붙여 지방의회로 환부(還付)하고, 재의(再議)를 요구할 수 있다(자치법 제26조3항). 또한 지방자치단체의 장은 **지방의회의 의결이 월권이거나 법령에 위반되거나 공익을 현저히 해친다고 인정**되면 그 의결사항을 이송받은 날부터 20일 이내에 이유를 붙여 재의를 요구할 수 있다(자치법 제107조1항).

재의요구는 **지방의회와 지방자치단체장 상호간의 정책대립의 해결을 위한 조정수단**으로서, **지방의회에 대한 견제수단**이다. 제26조는 조례안을, 제107조는 지방의회의 의결을 대상으로 하는데 의결에는 조례안이 포함된다.

2. 대법원에 제소

지방자치단체의 장은 지방의회의 의결에 대해 제107조1항에 의하여 재의요구를 하였음에도 불구하고 지방의회가 재적의원 과반수의 출석과 출석의원 3분의 2이상의 찬성으로 재의결한 경우, **재의결된 사항이 법령에 위반**된다고 인정되면 대법원에 제소할 수 있다(자치법 제107조3항).

(1) 소송의 성격

제107조3항의 소송은 지방자치단체라는 동일한 행정주체 내에서 의결기관인 지방의회와 집행기관인 지방자치단체장간의 권한에 관한 다툼이 있는 경우 제기하는 소송으로서 **기관소송**에 해당한다.

(2) 제26조와 제107조의 관계

제107조는 지방의회의 재의결이 있는 경우 지방자치단체장이 대법원에 제소할 수 있도록 규정하고 있는 반면, **제26조에는 소의 제기에 관한 규정이 없으므로, 단체장이 조례안에 법령에 위반된다고 판단할 경우 제107조에 근거하여 제소가 가능한지** 문제된다. 제107조가 재의를 요구할 수 있는 의결에 제한을 두지 않고 있으며, 제107조2항의 재의결요건과 제26조4항의 **재의결요건이 동일**한 점을 고려하면 제107조의 **의결에는 조례안이 포함**된다고 볼 수 있다. **판례**도 조례안이 재의결된 경우 제107조에 따라 대법원에 제소할 수 있다고 한다.

판 례 지방자치법 **제19조(현 제26조) 3항은** 지방의회의 의결사항 중 하나인 조례안에 대하여 지방자치단체의 장에게 재의요구권을 폭넓게 인정한 것으로서 지방자치단체의 장의 재의요구권을 일반적으로 인정한 지방자치법 **제98조(현 제107조) 1항에 대한 특별규정**이라고 할 것이므로, 지방자치단체의 장의 재의요구에도 불구하고 **조례안이 원안대로 재의결**되었을 때에는 지방자치단체의 장은 지방자치법 **제98조3항에 따라 그 재의결에 법령위반이 있음을 내세워 대법원에 제소할 수 있는 것**이다(대판 1999.4.27, 99추23).

---

(3) 소송의 대상

1) 조례는 공포에 의해 효력이 발생하므로 조례가 제107조에 의한 소송의 대상은 아니며 "조례안"이 소송의 대상이다. 대법원에 제소할 경우 소송의 대상이 무엇인지의 논의가 있는데, ① **지방의회가 행한 법적 행위가 재의결**이므로 소송의 대상은 재의결이라는 견해와 ② **법문에 충실**하게 재의결된 사항(조례안 등)이라는 견해가 대립한다.

2) **판례**는 원의결은 재의결에 흡수되어 독립한 소의 대상이 되지 않고, 판결이유에서는 조례안이 법령에 위반된다고 하면서 **주문에서는 재의결은 효력이 없다**고 한다. 이는 **재의결을 대상**으로 한 것으로 보인다.

(4) 내용상 일부무효인 조례안의 무효로 되는 범위

1) 문제의 소재

재의결의 대상이 되는 **조례안의 내용이 전부가 아니라 일부만 위법한 경우,** 전부가 무효가 되는지 아니면 일부무효가 가능한지 문제된다.

2) 학 설

① **지방자치법이 일부에 대한 재의요구를 할 수 없도록 한 점**(제26조 3항) **및** 일부만 무효로 할 경우 의회가 당초 의도하지 않았던 결과를 낳을 수 있음을 근거로 하는 **전부무효설**과, ② 일부가 제거되어도 그 자체로서 조례안이 존속할 가치가 있는 경우에는 일부무효를 인정하는 것이 새로운 조례제정을 위한 지방의회절차의 무용한 반복을 피할 수 있음을 근거로 하는 **일부무효설**이 대립한다.

3) 판 례 - 전부무효설

판 례 의결의 일부에 대한 효력배제는 결과적으로 **전체적인 의결의 내용을 변경하는 것에 다름 아니어서 의결기관인 지방의회의 고유권한을 침해**하는 것이 될 뿐 아니라, 그 일부만의 효력배제는 자칫 전체적인 의결내용을 **지방의회의 당초의 의도와는 다른 내용으로 변질시킬 우려**가 있으며, 또 재의요구가 있는 때에는 재의요구에서 지적한 이의사항이 의결의 일부에 관한 것이라고 하여도 의결 전체가 실효되고 재의결만이 의결로서 효력을 발생하는 것이어서 **의결의 일부에 대한 재의요구나 수정재의 요구가 허용되지 않는 점에 비추어** 보아도 재의결의 내용 전부가 아니라 그 일부만이 위법한 경우에도 대법원은 의결 전부의 효력을 부인할 수밖에 없다(대판 1992.7.28, 92추31).

4) 검 토

조례안의 일부만을 무효로 하여 효력을 배제하는 것은 **지방의회의 조례제정 의도에 배치**될 수 있으며, 소송의 대상을 재의결이라고 할 때 **재의결은 가분적이 아니므로 전부무효설이 타당**하다.

Ⅱ. 감독기관에 의한 통제

1. 재의요구지시 및 제소

(1) 재의요구 지시 및 지방자치단체장의 제소

1) 재의요구 지시

지방의회의 의결이 **법령에 위반되거나 공익을 현저히 해친다고 판단**되면 시·도에 대하여는 주무부장관이, 시·군 및 자치구에 대하여는 시·도지사가 재의를 요구하게 할 수 있고, 재의요구를 받은 지방자치단체의 장은 의결사항을 이송받은 날부터 20일 이내에 지방의회에 이유를 붙여 재의를 요구하여야 한다(제172조 1항). 제107조1항의 재의요구가 단체장이 지방자치단체의 기관으로서 행하는 지방자치단체의 내부적인 자기통제수단이라면, 제172조의 재의요구는 **국가의 하급기관으로서 재의요구**를 하는 성격을 띠고 있다.

2) 지방자치단체장의 제소

① 지방의회가 재의요구에도 불구하고 동일한 내용의 **재의결을 한 경우**, 그것이 **법령에 위반**된다고 판단되면 지방자치단체의 장은 대법원에 소를 제기할 수 있다(제172조 3항). ② 단체장이 소를 제기하지 아니하면 주무부장관이나 시·도지사는 지방자치단체의 장에게 제소를 지시할 수 있으며(제172조 4항), 이 경우 지방자치단체장은 제소지시를 받은 날부터 7일 이내에 제소하여야 한다(제172조 5항).

3) 지방자치단체장이 제기하는 소송의 성격

제172조에 의해서 지방자치단체장이 제기하는 소송의 성격에 대해서 기관소송설과 지방자치법이 인정하는 특수한 소송으로 보는 견해가 대립한다. 기관소송설은 ① **당사자가 제107조와 동일**하며,[1] ② 소의 대상이 지방자치단체의 사무이고, ③ **재의요구지시 및 제소지시는 단순히 후견적인 성질**의 사무라는 점을 논거로 한다. 특수한 소송설은 ① **재의요구 및 제소는 감독청의 고유한 사무**이며, ② 제172조에서 단체장은 **감독청의 연장된 팔로서 감독청의 지위를 대신**하는 것이라는 점을 논거로 한다. **판례는 기관소송의 성질**을 가지고 있다고 판시하였다.

1) 결국 동일한 법주체내의 기관간의 소송이라는 의미.

판 례 지방자치법 제159조(현 제172조)에는 지방의회의 의결에 대하여 지방자치단체의 장이 이의가 있으면 대법원에 제소하도록 하여 그 제1심 관할법원을 대법원으로 하는 규정을 두고 있으나 그와 같은 소송은 지방자치단체의 장이 지방의회 의결에 대한 사전예방적 합법성 보장책으로서 제기하는 기관소송의 성질을 가진 것이다(대판 1993.11.26, 93누7341).

생각건대 형식적으로는 지방자치단체의 기관상호간의 소송으로 기관소송의 형태를 취하고 있으나, 소송을 제기하는 지방자치단체장은 국가기관의 지위를 갖기 때문에 실질적으로는 감독소송의 일종이라고 보아야 한다. 지방자치법이 인정하는 특수한 소송설이 타당하다.

(2) 감독청의 직접제소

1) 제소의 유형

① 지방의회의 재의결에도 불구하고 지방자치단체장이 소를 제기하지 아니하는 경우 감독청이 제소지시 대신 직접 제소 및 집행정지결정을 신청할 수도 있다(자치법 제172조4항). ② 감독청은 4항의 제소지시에 지방자치단체장이 따르지 아니한 경우에도 7일 이내에 직접제소 및 집행정지결정을 신청할 수 있다(자치법 제172조6항). ③ 한편, 1항에 의한 재의요구지시를 받은 지방자치단체장이 재의요구를 하지 아니하는 경우(재의요구지시를 받기 전에 조례안을 공포한 경우를 포함)에도 감독청은 대법원에 직접 제소 및 집행정지결정을 신청할 수 있다(자치법 제172조7항).

판 례 교육·학예에 관한 시·도의회의 의결사항에 대한 교육감의 재의요구권한과 원고의 재의요구 요청 권한은 별개의 독립된 권한이고, 한편 원고의 재의요구 요청이 있는 경우 교육감이 그 요청에 따라 재의요구를 할 수 있어야 하므로, 원고의 재의요구요청기간은 교육감의 재의요구기간과 마찬가지로 시·도의회의 의결사항을 이송받은 날부터 20일 이내라고 보아야 하며, 따라서 원고가 시·도의회의 의결사항에 대하여 대법원에 직접 제소하기 위하여는 교육감이 그 의결사항을 이송받은 날부터 20일 이내에 시·도의회에 재의를 요구할 것을 교육감에게 요청하였음에도 교육감이 원고의 재의요구 요청을 이행하지 아니한 경우이어야 한다(헌법재판소 2013.9.26.선고 2012헌라1 전원재판부 결정 참조). 그렇다면 비록 서울특별시교육감이 2011.12.20.이 사건 조례안을 이송받은 후 20일 이내인 2012.1.9.피고에게 재의요구를 하였다가 이를 철회하였더라도, 원고가 자신의 독립된 권한인 재의요구 요청을 하지 못할 법률상 장애가 있었다고 볼 수 없는 이상, 원고는 이 사건 조례안의 이송일부터 재의요구 요청기간인 20일이 경과하였음이 명백한 2012.1.20.에 이르러서야 비로소 서울특별시교육감에게 재의요구를 요청하였으므로, 이 사건 조례안에 대하여 직접 제소할 수 있는 요건을 갖추었다고 볼 수 없다. 따라서 이 사건 소는 부적법하다(대판 2013.11.28, 2012추15).

2) 감독청이 제기한 소송의 성격

상이한 법주체의 기관상호간에도 기관소송이 가능하다는 견지에서 기관소송이라는 견해가 있으나, 감독기관이 지방의회를 피고로 제기하는 소송은 국가의 지방의회 의결에 대한 통제수단으로서 감독소송의 성격을 가지므로 지방자치법이 인정하는 특수한 형태의 소송이라는 견해가 타당하다.

2. 보 고

조례나 규칙을 제정하거나 개정하거나 폐지할 경우 조례는 지방의회에서 이송된 날부터 5일 이내에, 규칙은 공포예정 15일 전에 시·도지사는 안전행정부장관에게, 시장·군수 및 자치구의 구청장은 시·도지사에게 그 전문(全文)을 첨부하여 각각 보고하여야 하며, 보고를 받은 안전행정부장관은 이를 관계 중앙행정기관의 장에게 통보하여야 한다(자치법 제28조).

3. 사전승인

자치법규이므로 원칙적으로 사전승인을 요하지는 않는다. 그러나 개별법률에서 감독기관의 승인을 받도록 규정하고 있는 경우에는 사전승인은 조례의 효력요건이 된다.

판 례 국무총리가 건설부장관보다 상위의 관청이고 그의 승인이 있다 하여도 도로법은 도로수익자 부담금 징수에 관한 조례는 건설장관의 인가를 필요로 한다고 규정하여 법률로서 법규명령의 유효요건을 정하고 있는 이상, 그 요건을 충족치 못한 본건 조례의 하자가 치유되어 적법한 것으로 전환되었다고 해석될 수 없다(대판(전) 1969.12.30, 69누20).

Ⅲ. 법원에 의한 통제

조례는 원칙적으로 위헌·위법명령심사(헌법 제107조2항)의 대상이나, 처분적 조례의 경우에는 항고소송의 대상이 될 수 있다. 한편 조례제정부작위가 부작위위법확인소송의 대상이 되는지의 논의가 있으나 판례는 부정한다.

Ⅳ. 헌법재판소에 의한 통제

조례 자체에 의해 직접 기본권을 침해받은 자는 조례 자체에 대하여 헌법소원을 제기할 수 있다

Ⅴ. 주민에 의한 통제

주민은 청원권(자치법 제73조 이하) 및 조례 제정·개폐청구권(자치법 제15조)을 갖는다.

기출 사례 조례에 대한 사법적 통제(04년 사시)

A郡은 포도 등 과일의 주산지로 이들 과일의 생산에 의하여 전체 농가소득의 대부분을 올리고 있다. 그런데 관상용으로 주택, 가로 또는 묘지 등에 심은 X나무가 포도 등 과일나무에 해로운 영향을 미치고 있으므로 X나무의 식재를 금지하여야 한다는 여론이 제기되었다. 이에 A군 의회는 이러한 여론을 수렴하여 "① A군에서는 X나무를 심거나 기르지 못한다. ② 기존의 X나무에 대하여 소유권 등 권리가 있는 자는 1년 안에 X나무를 제거하여야 하며, 이를 이행하지 않는 자는 300만원 이하의 과태료에 처한다"라는 내용의 'X나무 식재 금지에 관한 조례(안)'을 의결하였다.

1) 위 의결된 조례(안)에 대한 군수 또는 도지사의 통제방법을 논하시오.
2) 위 조례가 공포·시행된 후 A군 관내에서 X나무 묘목을 생산·판매하는 甲이 취할 수 있는 권리구제수단을 논하시오.

1. 조례안의 위법성

(1) 조례제정사항에 해당
- 자치법 제9조2항4호 사목, 카목 등에 비추어 자치사무

(2) 법률우위
- 상위법령에 반하는 내용은 보이지 않음

(3) 법률유보
- 조례안①은 법률의 근거없이 제정되어 위법
- 조례안②는 과태료 조항은 자치법 제27조(구 제20조)에 근거하여 제정할 수 있으나, 의무부과의 부분에 대한 법률상 근거가 없으므로 위법(홍정선, 연습 853면)

2. 조례안에 대한 군수 또는 도지사의 통제방법

(1) 군수의 통제 - 지방자치법 제26조, 제107조
(2) 도지사의 통제 - 지방자치법 제172조

3. 甲의 권리구제수단

(1) 조례에 대한 항고쟁송
- 처분적 조례로 보면 쟁송가능하고 승소가능(처분적 조례로 보지 않는 견해도 있을 수 있음)

(2) 과태료부과처분에 대한 불복
- 과태료부과처분을 다투면서 근거가 된 조례의 위법을 이유로 다투는 경우(구체적 규범통제)

(3) 헌법소원
- 항고소송의 대상이 된다면 불가(∵헌법소원의 보충성).
- 처분적 조례가 아닐 경우에는 가능. 이 경우에는 법규명령에 대한 헌법소원의 인정 여부가 문제됨.[2)]

(4) 손해전보(박균성, 연습).
- 손해배상의 요건이 충족되면 가능.
- 그러나 조례에 법령의 근거가 없어 위법한 경우에 손해가 발생하였다고 보는 데 의문이 있으며, 조례제정이 X나무가 과일나무에 해로운 영향을 미친다는 전문가의 감정에 따른 것이라면 지방의회의 과실 인정여부에도 문제가 있음
- X나무가 포도 등 과일나무에 해로운 영향을 미치지 않는 경우 국가배상책임은 어렵지만 수용유사침해이론의 법리가 적용되어 보상. 보상의 근거는 직접효력설에 의하면 헌법 제23조3항, 직접효력설을 취하지 않는 경우 재산권보장규정과 평등원칙이 될 것.

(5) 기타수단
- 조례개폐청구권(자치법 제15조)
- 주민투표청구권(자치법 제14조, 주민투표법 제9조)
- 청원(자치법 제73조)

2) 정하중 교수님은 사안은 집행적 법규명령의 성격을 가진 것으로 보아 처분으로로 보지 않으므로 헌법소원이 가능하다고 함(957면).

기출 사례 **조례안에 대한 통제**(08년 행시 - 일반행정)

A시의 의회는 시민들의 문화예술공간을 확보한다는 명분으로 과도한 예산을 들여 대규모 문화예술회관을 건립하기로 의결하였다. 그러나 이 사업의 실상은 차기 지방선거와 국회의원총선거를 대비한 선심성 사업에 지나지 않는 것이었다. 이에 감독기관인 B는 의회의 의결이 현저히 공익에 반한다는 이유로 A시의 시장으로 하여금 의회에 재의결을 요구하도록 지시하였다. 그러나 A시의 시장은 위와 같은 감독기관의 재의요구지시를 묵살한 채 이 사업을 시행하려고 한다.

1. 감독기관인 B가 이 사업을 제지할 방안에 대해서 검토하시오. (15점)
2. 만약 A시의 시장이 B의 지시를 수용하여 재의를 요구하였으나 의회가 동일한 내용으로 재의결한 경우 이 사업을 제지할 방안에 대해서 검토하시오. (15점)

Ⅰ. 감독기관 B의 사업제지방안 - 설문(1)

1. 문화예술회관건립이 자치사무 해당 여부

- 주민의 복지증진에 관한 사무로서 지방자치법 제9조2항 2호 나목의 사회복지시설에 해당되어 자치사무.

2. 감독기관 B가 사업을 제지할 방안

(1) **대법원에 직접 제소 및 집행정지 신청**(자치법 제172조7항)

- 사안의 의결은 '현저히 공익에 반하는 경우'에 해당하므로 직접제소 및 집행정지결정의 신청은 부정됨(∵법령 위반만 可).

(2) **시정명령**(자치법 제169조)

- 지방자치단체장의 명령이나 처분이 문제되는 경우가 아니므로 감독기관의 시정명령 대상이 되지 않음.

(3) **직무이행명령**(자치법 제170조)

- 기관위임사무가 아니므로 직무이행명령대상 안 됨.

(4) **자치사무에 대한 감사**(자치법 제171조)

- 자치사무에 대한 감사는 '법령에 위반하는 경우'에만 할 수 있는바 역시 불가.

Ⅱ. 의회의 재의결시 사업제지방안 - 설문(2)

1. A시 시장의 제소 및 집행정지결정의 신청(자치법 제172조3항)

- 사안은 '현저히 공익에 반하는 경우'에 해당하므로 부정

2. 감독기관 B의 제소지시 또는 직접제소 및 집행정지결정 신청(자치법 제172조4항)

- 사안은 '현저히 공익에 반하는 경우'에 해당하므로 부정

3. 주민의 감사청구 및 주민소송

- 지방자치법 제16조, 제17조
- 다만, 주민의 감사청구나 주민소송은 A시의 시장이 지방회의 의결에 따라 사업을 시행한 경우에 비로소 가능하므로 사안의 경우 A시 시장이 사업을 시행한 경우라 보기 어려우므로 감사청구나 주민소송도 인정되기 어려움.

기출 사례 조례안에 대한 통제(08년 행시 - 일반행정)

A시의 의회는 시민들의 문화예술공간을 확보한다는 명분으로 과도한 예산을 들여 대규모 문화예술회관을 건립하기로 의결하였다. 그러나 이 사업의 실상은 차기 지방선거와 국회의원총선거를 대비한 선심성 사업에 지나지 않는 것이었다. 이에 감독기관인 B는 의회의 의결이 현저히 공익에 반한다는 이유로 A시의 시장으로 하여금 의회에 재의결을 요구하도록 지시하였다. 그러나 A시의 시장은 위와 같은 감독기관의 재의요구지시를 묵살한 채 이 사업을 시행하려고 한다.

1. 감독기관인 B가 이 사업을 제지할 방안에 대해서 검토하시오. (15점)
2. 만약 A시의 시장이 B의 지시를 수용하여 재의를 요구하였으나 의회가 동일한 내용으로 재의결한 경우 이 사업을 제지할 방안에 대해서 검토하시오. (15점)

Ⅰ. 감독기관 B의 사업제지방안 - 설문(1)

1. 문화예술회관건립이 자치사무 해당 여부

- 주민의 복지증진에 관한 사무로서 지방자치법 제9조2항 2호 나목의 사회복지시설에 해당되어 자치사무.

2. 감독기관 B가 사업을 제지할 방안

(1) 대법원에 직접 제소 및 집행정지 신청(자치법 제172조7항)

- 사안의 의결은 '현저히 공익에 반하는 경우'에 해당하므로 직접제소 및 집행정지결정의 신청은 부정됨(∵법령 위반만 可).

(2) 시정명령(자치법 제169조)

- 지방자치단체장의 명령이나 처분이 문제되는 경우가 아니므로 감독기관의 시정명령 대상이 되지 않음.

(3) 직무이행명령(자치법 제170조)

- 기관위임사무가 아니므로 직무이행명령대상 안 됨.

(4) 자치사무에 대한 감사(자치법 제171조)

- 자치사무에 대한 감사는 '법령에 위반하는 경우'에만 할 수 있는바 역시 불가.

Ⅱ. 의회의 재의결시 사업제지방안 - 설문(2)

1. A시 시장의 제소 및 집행정지결정의 신청(자치법 제172조3항)

- 사안은 '현저히 공익에 반하는 경우'에 해당하므로 부정

2. 감독기관 B의 제소지시 또는 직접제소 및 집행정지결정 신청(자치법 제172조4항)

- 사안은 '현저히 공익에 반하는 경우'에 해당하므로 부정

3. 주민의 감사청구 및 주민소송

- 지방자치법 제16조, 제17조
- 다만, 주민의 감사청구나 주민소송은 A시의 시장이 지방회의 의결에 따라 사업을 시행한 경우에 비로소 가능하므로 사안의 경우 A시 시장이 사업을 시행한 경우라 보기 어려우므로 감사청구나 주민소송도 인정되기 어려움.

기출 사례 **조례안의 하자 및 통제수단**(14년 행시)

A市 의회는 공개된 장소뿐만 아니라 주거용 주택의 내부인 비공개장소에도 영상정보처리기기를 설치하려는 자는 영상정보처리기기 설치허가를 받도록 하고, 이를 위반한 경우 50만원 이하의 과태료를 부과하는 것을 내용으로 하는 조례안을 의결하였다. 위 조례안은 적법한가? 만약 A市 시장이 위 조례안을 위법하다고 판단한 경우, A市 시장이 조례안의 위법성을 통제할 수 있는 법적 수단은? (20점)

[참조조문]

***개인정보보호법**

제25조 (영상정보처리기기의 설치 · 운영 제한) ① 누구든지 다음 각 호의 경우를 제외하고는 공개된 장소에 영상정보처리기기를 설치 · 운영하여서는 아니 된다.

1. 법령에서 구체적으로 허용하고 있는 경우
2. 범죄의 예방 및 수사를 위하여 필요한 경우
3. 시설안전 및 화재 예방을 위하여 필요한 경우
4. 교통단속을 위하여 필요한 경우
5. 교통정보의 수집 · 분석 및 제공을 위하여 필요한 경우

② 누구든지 불특정 다수가 이용하는 목욕실, 화장실, 발한실(發汗室), 탈의실 등 개인의 사생활을 현저히 침해할 우려가 있는 장소의 내부를 볼 수 있도록 영상정보처리기기를 설치 · 운영하여서는 아니 된다. 다만, 교도소, 정신보건 시설 등 법령에 근거하여 사람을 구금하거나 보호하는 시설로서 대통령령으로 정하는 시설에 대하여는 그러하지 아니하다.

Ⅰ. 문제의 소재

- 개인정보보호법은 공개된 장소에 대해 영상정보처리기기를 설치하지 못하도록 하고 있는데 조례는 공개된 장소뿐만 아니라 주거용 주택의 내부인 비공개장소에서도 설치를 금하고 설치하고자 하는 자는 설치허가를 받도록 하는 규정을 두고 있는 것이 조례제정의 한계를 벗어난 것이 아닌지 문제됨. 침익적 조례로서 법률유보에 반하는지, 추가조례로서 법률우위에 반하는 것은 아닌지 문제됨.

Ⅱ. 조례안의 위법성

1. 조례제정의 사물적 한계

- 기관위임사무가 아니므로 조례제정의 대상이 됨.

2. 법률유보

- 조례의 내용은 침익적 조례로서 지방자치법 제22조 단서가 적용. 위임의 근거가 없으므로 법률유보에 반함.

3. 법률우위

- 법률선점이론, 수정법률선점이론 소개.
- 사안은 추가조례를 제정한 경우로 수정법률선점이론에 의하더라도 개인정보보호법이 지역실정에 맞는 규율을 용인하는 경우라고 보기는 어려움. 조례는 하자가 있고 무효.

Ⅲ. 위법한 조례안에 대한 A시 시장의 통제수단

1. 재의요구

2. 대법원에 제소 및 집행정지신청

기출 사례 조례안의 하자 및 통제수단(15년 행시)

X광역시 Y구의회는 「X광역시 Y구 행정사무감사 및 조사에 관한 조례 중 일부 개정조례안」을 의결하여 Y구청장에게 이송하였다. 위 조례안의 개정 취지는 지방의회가 의결로 집행기관 소속 특정 공무원에 대하여 의원의 자료제출요구에 성실히 이행하지 않았다는 구체적인 징계사유를 들어 징계를 요구할 수 있다는 것이다. 이에 Y구청장은 위 개정조례안이 법령에 없는 새로운 견제장치를 만들어 지방의회가 집행기관의 고유권한을 침해하는 것으로 위법하다고 주장하였다. 위 개정조례안에 대한 Y구청장의 통제방법을 검토하고, Y구청장의 주장이 타당한지를 논하시오.(20점)

Ⅰ. Y구청장의 통제방법

- 재의요구/ 대법원에 제소 및 집행정지신청

Ⅱ. Y구청장의 주장이 타당한지 여부

- 기관위임사무가 아니므로 조례제정의 대상이 됨.
- 징계요구대상인 공무원에게 불이익한 효과를 가져 온다는 점에서 법령의 위임이 있어야 하는데 법령의 위임이 없으므로 법률유보 원칙에 반함.
- 지방자치법에 반하는 것으로 법률우위 원칙에도 반함.

판 례 이 사건 조례안규정에 따르면, 지방의회가 의결로 집행기관 소속 특정 공무원에 대하여 의원의 자료제출 요구에 성실히 이행하지 않았다는 구체적인 징계사유를 들어 징계를 요청할 수 있다는 것인바, 이 같은 징계요청은 집행기관에 정치적·심리적 압박으로 작용하여 견제수단으로서 실질적으로 기능할 수 있다고 보인다. 이 같은 견제장치는 법령에 없는 새로운 것으로서 지방의회가 지방자치단체 장의 소속 직원에 대한 징계권 행사에 미리 적극적으로 개입하는 것을 허용하는 것이므로, 집행기관의 고유권한을 침해하여 위법하다(대판 2011.4.28, 2011추18).

기출 사례 조례안의 하자 및 통제수단(16년 사시)

「사설묘지 등의 설치에 관한 법률」은 국가사무인 사설묘지 등의 설치허가를 시·도지사에게 위임하면서, 설치허가를 받기 위해서는 사설묘지 등의 설치예정지역 인근주민 2분의 1 이상의 찬성을 얻도록 규정하고 있다. X도의 도지사 甲은 「X도 사무위임조례」에 따라 사설묘지 등의 설치에 관한 사무의 집행을 관할 Y군의 군수 乙에게 위임하였다. Y군의 군의회는 乙이 사설묘지 등의 설치를 허가하기 위해서는 사설묘지 설치예정지역 인근주민 3분의 2 이상의 찬성을 얻도록 하는 내용의 「Y군 사설묘지 등 설치허가 시 주민동의에 관한 조례안(이하 '이 사건 조례안'이라 한다)」을 의결하였다. 이에 乙은 이 사건 조례안이 위법하다는 이유로 Y군 군의회에 재의를 요구하였으나, Y군 군의회는 원안대로 이를 재의결하였다.

1. 이 사건 조례안은 적법한가? (15점)
2. 재의결된 이 사건 조례안에 대하여 甲과 乙이 취할 수 있는 통제방법은 각각 무엇인가? (10점)

※ 「사설묘지 등의 설치에 관한 법률」과 「Y군 사설묘지 등 설치허가 시 주민동의에 관한 조례안」은 가상의 것임

Ⅰ. 조례안의 적법성 - 설문 1

1) 사설묘지 등의 설치허가 사무는 기관위임사무에 해당.

- X도지사는 위임받은 국가사무를 위임기관의 승인을 얻어서 규칙으로 재위임할 수 는 있으나(행정권한의 위임 및 위탁에 관한 규정(대통령령) 제4조), 사안은 X도 조례로 재위임한 것이어서 재위임 과정에 하자가 있을 뿐만 아니라 Y군 조례로 규율할 수 없는 사무를 조례로 규율한 것(#51. 관련판례). 기관위임사무는 법령에서 조례로 정할 수 있도록 위임하지 않는 한 조례제정의 대상이 아님. 설문에서는 위임한 바가 없으므로 조례제정의 대상이 될 수 없음.

2) 법률유보와 관련하여서는 자치법 제22조 단서는 지방자치단체의 사무(자치사무와 단체위임사무)에 대해서 적용되는 것이고 국가사무가 기관위임된 경우에는 법령에서 위임의 근거가 있지 않는 한 조례로 제정할 수 없으므로 사안에서는 자치법 제22조 단서가 직접 적용되지는 않음.

3) 사설묘지 설치예정지역 인근주민 3분의 2 이상의 찬성을 얻도록 하는 내용의 조례안은 2분의 1 이상의 찬성을 얻도록 규정하고 있는 사설묘지 등의 설치에 관한 법률」에도 반하는 것으로 법률우위원칙에도 반함.

Ⅱ. 재의결된 조례안에 대한 甲과 乙의 통제방법 - 설문 2

- 단체장과 감독기관의 통제방법 서술

141 감독기관의 시정명령 및 취소 · 정지권

Ⅰ. 의 의

① 시정명령은 **지방자치단체의 장의 위법 · 부당한 명령이나 처분에 대하여 감독청이 그 시정을 요구하는 사후적 · 부담적인 감독수단**이고, ② 취소 · 정지는 **시정명령을 받고 기간 내에 이행하지 않을 경우 감독청이 지방자치단체의 장의 명령이나 처분을 취소하거나 정지할 수 있는 권한**을 의미한다(자치법 제169조1항).

Ⅱ. 대 상

자치사무와 단체위임사무를 대상으로 한다. **기관위임사무도 포함하는 견해**가 있으나, 기관위임사무는 자치법 167조 및 행정권한의 위임 및 위탁에 관한 규정 제6조에 의해 국가기관의 일반적인 지휘감독을 받으므로 명문규정이 없어도 감독기관은 시정명령을 발하고 불이행시 취소 · 정지할 수 있다. 따라서 제169조1항의 대상은 아니라고 본다.

Ⅲ. 요 건

1. 시정명령

① 지방자치단체장의 **명령(일반적 · 추상적 규율로서 규칙)이나 처분이 법령에 위반**되거나 현저히 부당하여 공익을 해하는 경우여야 한다. 다만 자치사무는 법령위반에 한한다. **재량권의 일탈 · 남용이 법령위반에 해당하는지** 견해가 대립하나, **대법원은 법령위반**의 개념에 속한다고 보고 있다(관련판례).

② 권한 있는 감독기관이 **서면**으로 하여야 한다.

③ 이행하기 적합한 **상당한 기간**을 부여하여야 한다.

2. 취소, 정지

감독청의 시정명령을 받고 정해진 **기간 내에 이행하지 않을 경우** 감독기관의 취소 · 정지가 가능하다. **제169조의 취소권 행사의 요건을 충족했다고 하더라도** 감독기관의 취소 · 정지권은 법문언상 재량행위이며, **자율과 분권에 기초하는 지방자치의 이념에 비추어 재량권의 일탈 · 남용에 해당되어 위법한지 여부**도 검토되어야 한다.

Ⅳ. 이의소송

1. 지방자치단체장의 불복

지방자치단체의 장은 제1항에 따른 **자치사무에 관한 명령이나 처분의 취소 또는 정지에 대하여** 이의가 있으면 그 취소처분 또는 정지처분을 통보받은 날부터 15일 이내에 **대법원**에 소(訴)를 제기할 수 있다(자치법 제169조2항).

2. 소송의 대상

자치사무에 대한 취소 · 정지에 대해서만 제기할 수 있으며 단체위임사무는 제기할 수 없다(판례1). **시정명령**도 처분성을 가지지만 제169조의 문언이 취소 · 정지만을 소의 대상으로 하고 있으며 제소기간을 취소 · 정지처분을 통보받은 날로부터 기산하는 것으로 보아 **대상이 되지 않는다**고 보아야 한다(판례1). 판례도 그러한 입장이다.

판례 1 공립 · 사립학교의 장이 행하는 학교생활기록부 작성에 관한 교육감의 지도·감독 사무는 국가사무로서 교육감에 위임된 사무라고 해석함이 타당하다. ~~(중략)~~이 사건 **직권취소처분은 기관위임사무에 관하여 행하여진 것**이라 할 것이어서, **자치사무에 관한 명령이나 처분을 취소 또는 정지하는 것에 해당하지 아니하므로, 지방자치법 제169조 제2항에 규정된 소를 제기할 수 있는 대상에 해당하지 아니한다.** 따라서 이 부분 소도 부적법하다(대판 2014.2.27, 2012추183).

판례 2 **「지방교육자치에 관한 법률」제3조에 의하여 준용되는 지방자치법 제169조 제2항은 자치사무에 관한 명령이나 처분의**

취소 또는 정지에 대하여서만 소를 제기할 수 있다고 규정하고, 주무부장관이 지방자치법 제169조 제1항에 따라 시·도에 대하여 행한 시정명령에 관하여도 대법원에 소를 제기할 수 있다는 규정을 두고 있지 않으므로, 이러한 시정명령의 취소를 구하는 소송은 허용되지 않는다(대판 2014.2.27, 2012추183).

3. 소송의 성질

행정기관간의 소송이므로 기관소송으로 보는 견해도 있으나, 동일한 행정주체에 속하는 기관간의 소송이 아니며, 국가의 감독처분에 대하여 지방자치단체의 자치권을 보호하기 위해 허용하는 특수한 형태의 항고소송에 해당한다고 보아야 한다.

4. 집행정지신청 가부

현행법하에서 지방자치단체장은 최소한 집행정지신청을 할 수 있다. 이의소송을 항고소송으로 보면 행정소송법상의 집행정지에 관한 규정이 적용되며, 기관소송으로 보더라도 기관소송에는 그 성질에 반하지 않는 한 취소소송에 관한 규정을 준용하기 때문이다(행소법 제46조1항).

관련 판례 **지방자치단체장의 공무원 승진임용처분에 대한 상급지방자치단체장의 시정명령·취소권**(대판 2007.3.22, 2005추62)

1. 사실관계

1) 전국공무원노동조합은 국회에 계류중에 있던 '공무원 노동조합 설립 및 운영에 관한 법률(안)'에 노동3권 중 단체행동권이 포함되어 있지 않다는 이유로 총파업을 예고.
2) 이에 행정자치부는 시·도지사 및 시장·군수·구청장 앞으로 전공노 총파업 예고 등의 사태에 대해 엄정 대처할 것을 요구하는 서한을 보냈으며, 시·도 자치행정국장들을 상대로 쟁의행위 찬반투표를 원천봉쇄하는 등 소속 공무원에 대한 복무관리를 철저히 하여 줄 것을 당부.
3) 피고(울산광역시장)는 전공노의 총파업에 참여하여 복귀명령에 응하지 아니한 직원에 대하여, 조속한 시일 내에 징계의결요구를 할 것을 관할 구·군에 지시하였는데, 원고(울산광역시 북구청장)는 이에 응하지 아니하였을 뿐만 아니라, '전공노'의 2004.11.15.자 파업에 참가한 공무원 중 6명을 승진임용함
4) 피고는 원고에게 승진처분을 철회할 것을 지시하였으나 원고가 그에 응하지 않으므로, 지방자치법 제157조(현행 제169조) 1항에 의거하여 원고의 승진처분을 취소함.
5) 원고는 피고의 이 사건 승진처분의 취소처분(감독처분)이 위법, 무효임을 이유로 지방자치법 제157조2항에 의거하여 대법원에 소를 제기함.

2. 판시사항 및 판결요지

[1] 지방자치법 제157조1항에서 정한 지방자치단체장의 명령·처분의 취소 요건인 '법령위반'에 '재량권의 일탈·남용'이 포함되는지 여부(적극)

[다수의견]

지방자치법 제157조1항 전문은 "지방자치단체의 사무에 관한 그 장의 명령이나 처분이 법령에 위반되거나 현저히 부당하여 공익을 해한다고 인정될 때에는 시·도에 대하여는 주무부장관이, 시·군 및 자치구에 대하여는 시·도지사가 기간을 정하여 서면으로 시정을 명하고 그 기간 내에 이행하지 아니할 때에는 이를 취소하거나 정지할 수 있다"고 규정하고 있고, 같은 항 후문은 "이 경우 자치사무에 관한 명령이나 처분에 있어서는 법령에 위반하는 것에 한한다"고 규정하고 있는바, 지방자치법 제157조1항 전문 및 후문에서 규정하고 있는 지방자치단체의 사무에 관한 그 장의 명령이나 처분이 법령에 위반되는 경우라 함은 명령이나 처분이 현저히 부당하여 공익을 해하는 경우, 즉 합목적성을 현저히 결하는 경우와 대비되는 개념으로, 시·군·구의 장의 사무의 집행이 명시적인 법령의 규정을 구체적으로 위반한 경우뿐만 아니라 그러한 사무의 집행이 재량권을 일탈·남용하여 위법하게 되는 경우를 포함한다고 할 것이므로, 시·군·구의 장의 자치사무의 일종인 당해 지방자치단체 소속 공무원에 대한 승진처분이 재량권을 일탈·남용하여 위법하게 된 경우 시·도지사는 지방자치법 제157조1항 후문에 따라 그에 대한 시정명령이나 취소 또는 정지를 할 수 있다.

[반대의견]

헌법이 보장하는 지방자치제도의 본질상 재량판단의 영역에서는 국가나 상급 지방자치단체가 하급 지방자치단체의 자치사무 처리에 개입하는 것을 엄격히 금지하여야 할 필요성이 있으므로, 지방자치법 제157조1항 후문은 지방자치제도의 본질적 내용이 침해되지 않도록 헌법합치적으로 조화롭게 해석하여야 하는바, 일반적으로 '법령위반'의 개념에 '재량권의 일탈·남용'도 포함된다고 보고 있기는 하나, 지방자치법 제157조1항에서 정한 취소권의 행사요건은 위임사무에 관하여는 '법령에 위반되거나 현

저히 부당하여 공익을 해한다고 인정될 때', 자치사무에 관하여는 '법령에 위반하는 때'라고 규정되어 있어, 여기에서의 '법령위반'이라는 문구는 '현저히 부당하여 공익을 해한다고 인정될 때'와 대비적으로 쓰이고 있고, 재량권의 한계 위반 여부를 판단할 때에 통상적으로는 '현저히 부당하여 공익을 해하는' 경우를 바로 '재량권이 일탈·남용된 경우'로 보는 견해가 일반적이므로, 위 법조항에서 '현저히 부당하여 공익을 해하는 경우'와 대비되어 규정된 '법령에 위반하는 때'의 개념 속에는 일반적인 '법령위반'의 개념과는 다르게 '재량권의 일탈·남용'은 포함되지 않는 것으로 해석하여야 한다. 가사 이론적으로는 합목적성과 합법성의 심사가 명확히 구분된다고 하더라도 '현저히 부당하여 공익을 해한다는 것'과 '재량권의 한계를 일탈하였다는 것'을 실무적으로 구별하기 매우 어렵다는 점까지 보태어 보면, 지방자치법 제157조1항 후문의 '법령위반'에 '재량권의 일탈·남용'이 포함된다고 보는 다수의견의 해석은 잘못된 것이다.

[다수의견에 대한 보충의견 1]

행정청이 재량권을 행사함에 함에 있어서는 재량권의 한계를 벗어나지 않는 행위를 할 것이 요청되고, 행정청이 행정행위를 함에 있어 재량권의 한계를 벗어나 일탈·남용한 경우에는 법이 정한 한계를 벗어나지는 않는 범위 내에서 재량을 그르쳐 단순히 부당함에 그치는 경우와는 달리 그 행정행위는 위법한 행위로서 사법심사의 대상이 된다. 지방자치법 제157조1항 전문도 이러한 점을 염두에 두고 '명령이나 처분이 법령에 위반되거나 현저히 부당하여 공익을 해한다고 인정될 때'라고 하여 위법한 경우와 위법은 아니지만 공익을 해함으로써 단순히 부당한 경우를 나누어 규정하고 있다. 그러므로 반대의견이 지적하는 것처럼 자치사무의 집행이 '현저히 부당하여 공익을 해하는 경우'를 곧바로 재량권의 일탈·남용이 있는 것으로 볼 수는 없고, 이것이 재량권 일탈·남용이 되기 위해서는 현저히 부당하여 공익을 해하는 것에서 나아가 법의 규정뿐만 아니라 일반조리, 평등의 원칙, 비례의 원칙, 신뢰보호의 원칙 등 법 원칙의 위배 여부까지 고려하여야 한다. 이처럼 '현저히 부당하여 공익을 해하는 경우'와 '재량권의 일탈·남용이 있어 위법한 경우'가 명백하게 구분되는 이상 지방자치법 제157조1항의 법령위반에 재량권의 일탈·남용으로 인한 재량권 행사의 위법을 제외할 이유가 없다.

[다수의견에 대한 보충의견 2]

지방자치단체장이 소속 정당의 정책이나 정강에 따라 시정을 펴는 것은 당연하고 이는 선거에 의해 그를 선출한 지역 주민의 바람이기도 하겠으나, 그의 권한은 반드시 법률이 허용한 범위 안에서 행사되어야 하고, 이를 핑계로 법률의 테두리를 넘어서는 것까지 용납될 수는 없으므로, 법률이 지방자치단체장에게 일정한 재량을 부여하고 있는 경우에도 자신의 정책이나 정강을 편다는 미명으로 재량권을 일탈하거나 남용하여서는 아니되는 것은 당연하다. 일반적으로 재량권의 일탈·남용은 위법, 즉 '법령위반'에 해당하고, 그것이 지방자치단체의 자치사무에 관한 것이라고 해서 다를 바가 없어 위법하기는 마찬가지이기 때문이다. 지방자치단체장이 위법한 권한 행위에 나아가는 경우에는 국가나 상급 지방자치단체가 직접 감독권을 발휘하여 이를 시정하게 하는 것이 가장 효과적인 수단임은 두말할 나위가 없고, 이는 국법질서를 유지할 책임이 있는 국가 등의 당연한 의무이기도 하거니와, 사안에 따라서는 국가 등이 직접 개입하지 아니하면 그 시정이 어려운 경우도 있는바, 지방자치법 제157조는 국가 등이 바로 이러한 기능을 하도록 하기 위해 마련한 규정이므로 그 제1항 후문의 '법령위반'에서 재량권의 일탈·남용을 제외하여야 할 아무런 이유가 없다.

[2] **하급 지방자치단체장이 전국공무원노동조합의 불법 총파업에 참가한 소속 지방공무원들에 대하여 징계의결을 요구하지 않은 채 승진임용하는 처분을 한 것이 재량권의 범위를 현저히 일탈한 것으로서 위법한 처분인지 여부(적극) 및 상급 지방자치단체장이 지방자치법 제157조1항에 따라 위 승진임용처분을 취소한 것이 적법한지 여부(적극)**

[다수의견]

지방공무원법에서 정한 공무원의 집단행위금지의무 등에 위반하여 전국공무원노동조합의 불법 총파업에 참가한 지방자치단체 소속 공무원들의 행위는 임용권자의 징계의결요구 의무가 인정될 정도의 징계사유에 해당함이 명백하므로, 임용권자인 하급 지방자치단체장으로서는 위 공무원들에 대하여 지체 없이 관할 인사위원회에 징계의결의 요구를 하여야 함에도 불구하고 상급 지방자치단체장의 여러 차례에 걸친 징계의결요구 지시를 이행하지 않고 오히려 그들을 승진임용시키기에 이른 경우, 하급 지방자치단체장의 위 승진처분은 법률이 임용권자에게 부여한 승진임용에 관한 재량권의 범위를 현저하게 일탈한 것으로서 위법한 처분이라 할 것이다. 따라서 상급 지방자치단체장이 하급 지방자치단체장에게 기간을 정하여 그 시정을 명하였음에도 이를 이행하지 아니하자 지방자치법 제157조1항에 따라 위 승진처분을 취소한 것은 적법하고, 그 취소권 행사에 재량권 일탈·남용의 위법이 있다고 할 수 없다.

[반대의견]

승진처분은 한 공무원의 일순간의 과오만이 아니라 근속기간이나 경력, 근무성적, 상훈 등을 두루 살펴서 행하여지는 것으로서 임용권자의 판단과 재량이 전적으로 존중되어야 하는바, 하급 지방자치단체장이 전국공무원노동조합의 불법 총파업에 참가한 소속 공무원들에 대하여 징계의결 요구를 하지 아니하고 오히려 그들을 승진임용시킨 경우에 있어서, 당시 위 공무원들에 대한 징계의결요구 중에 있었던 것도 아니고 장차 그들이 어느 정도의 징계를 받을지 아니면 징계를 받지 않을지 알 수 없는 상황이었음에도 불구하고, 위 공무원들의 공적 등 다른 어떠한 사정도 고려함이 없이 단지 그 임용권자인 하급 지방자치단체장이 그들에 대한 징계의결요구를 하였어야 하나 하지 않았다는 이유 하나만으로 위 승진처분이 지방자치법 제157조1항에 따라 상급 지방자치단체장에 의하여 취소되어야 할 정도로 재량권을 일탈·남용한 것이라고 단정할 수는 없는 것이다. 또한 자치사무에 대한 국가 또는 상급 지방자치단체장의 취소권의 행사는 지방자치단체의 자율적인 책임 수행을 제한하지 않는 범위 내에서 취소권 행사의 구체적 결과가 자치사무 수행에 관한 지방자치단체의 결정권을 크게 위축시키거나 무의미하게 하지 않는 방향으로 이루어져야 하고, 이를 넘어선 경우 그 취소권의 행사가 오히려 재량권의 일탈·남용에 해당하게 되는바, 상급 지방자치단체장이 위 조항에 따라 하급 지방자치단체장의 위 승진임용처분을 취소함에 있어, 위 공무원의 비위정도가 겨우 불문경고를 받을 만큼 경미하였다는 사정이나 그들에게 승진임용을 저해하는 사유 외에 승진임용을 수긍하게 하는 공무원 개인의 근무성적과 같은 구체적인 인적 사정 등을 모두 감안하더라도 위 승진처분이 재량권을 일탈·남용한 것이라고 볼 수밖에 없다는 점에 관하여 충분히 숙고하고 판단한 끝에 이에 대한 취소권을 행사하게 된 것이라고는 보이지 않고, 오히려 위 불법 총파업에 참가한 다른 공무원들과의 전국적인 징계의 형평성이나 공직사회 또는 일반 국민들에게 미치는 영향 등 정책적 목적에서 이를 행사한 것임을 숨길 수 없기 때문에, 그러한 취소권 행사는 재량권을 일탈하거나 남용한 것으로서 위법하다.[1)]

[반대의견에 대한 보충의견]

지방자치법 제157조는 위법·부당한 행정처분에 대한 국민의 권리구제를 위하여 그 대상적격의 범위를 규정하는 것이 아니고, 국가나 상급 지방자치단체가 지방자치단체의 자치사무에 대한 지도·지원이란 한도 내에서 시정조치를 할 수 있는 통제 관여범위에 관한 규정인바, 그 통제의 범위에 관하여는 헌법과 지방자치법이 보장하고 있는 자치권의 확보를 위하여 제한적으로 해석하여야 하므로, 그 '법령위반'의 개념은 일반적인 '위법'의 개념과는 달리 좁은 의미에서의 형식적인 '법령의 위반'으로 풀이하여야 한다. 뿐만 아니라 위 조문의 문리해석상 위 법조문이 '법령위반'과 별개로 '현저히 공익을 해한다'고 규정하고 있는 의미는 단순한 부당행위는 국가나 상급 지방자치단체의 통제의 범위대상에서 아예 제외하고 '재량권의 일탈·남용' 등 현저한 부당행위의 경우에 한정하여 통제하려는 취지로 보아야 한다.

3. 해 설

1) 피고 울산시장의 감독권행사(승진처분의 취소)의 근거는 지방자치법 제157조(현행 제169조)에 근거하여 행해진 것인데 자치사무에 대해서는 법령위반인 경우에만 가능.
2) 울산시장의 취소권의 행사가 적법하기 위해서는 우선 취소권행사의 요건이 구비되어야 하는데, 구청장의 승진임용처분의 성질이 자치사무에 해당하는지, 울산북구청장이 파업 참가 공무원들에 대해 징계의결을 요구하지 않은 채 승진임용처분을 한 것이 재량권의 범위를 현저히 일탈·남용한 것인지 여부, 재량권의 일탈·남용이 취소요건인 '법령위반'에 해당되는지가 요건 판단과 관련하여 문제됨.
3) 소속공무원에 대한 승진처분은 지방자치단체의 자치사무에 속함(자치법 제9조2항 1의 마목 참조). 따라서 '법령위반'이 있는 경우에 한하여 시정명령, 취소·정지 등 감독권 행사가 가능.
4) 공무원이 총파업에 참여하여 징계사유는 있는데 징계의결요구를 하지 않고 승진처분한 것이 재량의 일탈·남용이 있는지에 대해서 다수의견은 재량의 일탈·남용으로 본 반면, 반대의견은 징계의결요구하지 않았다는 이유만으로는 재량의 일탈·남용에 해당한다고 단정 지을 수 없다고 하면서 공무원들의 공적 등 다른 사정도 고려하여 판단해야 한다고 함.
5) 승진처분이 재량의 일탈·남용이 있다고 할 경우에 다수의견은 취소권 행사는 적법하다고 판시한 반면, 반대의견은 감독처분으로서 취소권의 행사는 지방자치단체의 결정권을 위축시키거나 무의미하게 하지 않는 방향으로 이루어져야 한다는 전제 하에서 울산시장의 취소권 행사가 재량권 일탈·남용이 없는지를 판단하면서 사안의 경우 재량권을 일탈하거나 남용한 것이라고 함.
6) 판례의 다수의견에 대해서 찬성하는 입장도 있으며[2)] 자치권의 실효적인 보장을 위해서 자치권을 존중하는 해석을 한 반대의견에 대해 찬성하는 입장도 있음.

---

1) 지방자치법 제169조의 취소, 정지의 조문구조를 보면 '법령위반'이 있는 '자치사무'에 관한 단체장의 권한 행사에 대해서 시정명령을 불이행하는 것이 요건이고, "취소하거나 정지할 수 있다"가 효과로 되어 있음. '자치사무' '법령위반'이라는 요건이 구비되었다고 하더라도 바로 취소·정지가 적법하다는 것이 아니라 비례의 원칙 등 감독권 행사의 위법성 여부가 독자적으로 판단되어야 한다는 뜻임. 지방자치권의 실효적 보장을 위해서는 엄격한 비례원칙이 적용되어야 한다는 것.

2) 김향기(사례연습 [65]번), 박정훈(사례연습 Unit 20-1번)

기출 사례 **감독기관의 통제 / 시정명령과 취소정지**(09년 입시)

경기도의회는 경제위기를 극복하기 위하여 해외자본과 중국에서 철수하는 국내자본을 적극적으로 유치하고 고용을 증진시킬 목적으로 '수도권정비계획법' 제7조에 반하여 대규모의 공업지역을 안성시에 신설함을 내용으로 하는 '안성국제산업단지조례'(이하 'A조례'라 한다)를 제정하였다. 경기도지사는 A조례에 근거하여 '안성국제산업단지'개발 사업자를 공모하였다. 그 결과 H건설이 사업자로 선정되었다. 경기도지사는 H건설에 대하여 '안성공업단지 개발사업'을 허가하였다.

(1) 경기도의회는 기존 경기도 공업지역 총면적을 증가시킴에도 불구하고 '지방자치단체로서의 자치입법권'이 있음을 이유로 A조례의 제정을 강행하였다. A조례의 효력에 관하여 논술하시오. (15점)

(2) 주무부장관은 A조례가 위법하다고 판단하였다. 주무부장관이 A조례에 대하여 취할 수 있는 조치를 설명하시오. (10점)

(3) 주무부장관은 경기도지사가 H건설에 대하여 행한 '안성국제산업단지 개발사업허가'를 취소할 것을 요구하였으나 불응하자, 청문을 실시하지 아니하고 직접 이를 취소하였다. 주무부장관이 행한 이 허가취소처분에 대하여 경기도지사와 H건설이 취할 수 있는 쟁송수단을 설명하고 그 승소가능성을 논하시오. (25점)

[참조조문]

***수도권정비계획법**

제7조(과밀억제권역의 행위 제한) ① 관계 행정기관의 장은 과밀억제권역에서 다음 각 호의 행위나 그 허가·인가·승인 또는 협의 등(이하 '허가 등'이라 한다)을 하여서는 아니 된다.

1. 대통령령으로 정하는 학교, 공공 청사, 연수 시설, 그 밖의 인구집중유발시설의 신설 또는 증설(용도변경을 포함하며, 학교의 증설은 입학 정원의 증원을 말한다. 이하 같다)
2. 공업지역의 지정

② 관계 행정기관의 장은 국민경제의 발전과 공공복리의 증진을 위하여 필요하다고 인정하면 제1항에도 불구하고 다음 각 호의 행위나 그 허가 등을 할 수 있다.

1. 대통령령으로 정하는 학교 또는 공공 청사의 신설 또는 증설
2. 서울특별시·광역시·도(이하 '시·도'라 한다)별 기존 공업지역의 총면적을 증가시키지 아니하는 범위에서의 공업지역 지정. 다만, 국토해양부장관이 수도권정비위원회의 심의를 거쳐 지정하거나 허가 등을 하는 경우에만 해당한다.

Ⅰ. A조례의 효력 - 설문(1)

- 안성국제산업단지개발은 자치사무에 해당
- 조례제정의 사물적 한계는 충족하나 법률우위에 반하는 조례(법률과 조례와의 관계 또는 수정법률선점이론 등을 서술)로서 위법
- 하자있는 조례의 효력은 명령의 하자의 효과에 대해서 무효설, 유효설, 상대적 무효설 등이 있지만 무효로 검토.

Ⅱ. 주무부장관이 취할 수 있는 조치 - 설문(2)

- 조례안에 대한 조치가 아니라 조례에 대한 조치임을 유의.
- 지방자치법 제172조7항에 의한 소송(제소기간 내라면)이 가능하나 제소기간이 경과했다면 현실적으로 곤란할 것.
- 주무부장관은 조례의 폐지를 권고하거나(자치법 제166조), 안전행정부장관에게 자치사무에 대한 감사(자치법 제171조)를 요청하거나, 감사원에 감사(감사원법 제24조1항2호)를 요청할 수 있음.

Ⅲ. 경기도지사와 H건설이 취할 수 있는 쟁송수단과 인용가능성 - 설문(3)

1. 경기도지사와 H건설회사의 쟁송수단

⑴ 경기도지사 - 지방자치법 제169조2항

⑵ H건설회사 - 항고소송(취소소송)

- 피고가 경기도지사냐 주무부장관이냐가 문제되는데, 하급심판례는 주무부장관을 상대로 제기한 소제기를 적법하다고 전제하고 감독청의 취소처분에 대해 위법성을 판시한 바 있음. 주무부장관이 직접 취소한 것이므로 주무부장관이 피고가 되어야 함.

2. 경기도지사와 H건설회사의 인용가능성

- 주무부장관의 취소권 행사도 재량행위

⑴ 경기도지사가 제기한 소송에서는

자치권 존중의 관점에서 취소권 행사의 재량일탈·남용을 검토해야 하나 재량권 행사의 한계를 벗어난 것으로 보이지 않아 인용가능성은 없음.

⑵ H건설회사가 제기한 소송에서는

- 수익적 행정행위의 취소권의 제한의 법리가 적용될 것이나 설문만으로는 사업자의 신뢰를 보호해 주어야 할 필요성이 수도권과밀억제라는 공익보다 크다고 보이지 않음.
- 취소권 행사시 청문을 결여한 부분은 청문이 의무적인 절차라고 보이지 않으므로 절차하자가 있다고 보이지는

않으나 허가취소는 행정절차법상 불이익처분이므로 사전 통지 및 의견제출절차를 거쳐야 하는데 설문상 거쳤다는 사정이 보이지 않으므로 동 절차를 결여했다면 절차하자가 있는 것. 절차하자의 독자적 위법사유를 간단히 논하고 H건설회사는 인용가능성이 있음.

기출 사례 자치법 제169조 시정명령과 불복수단 (07년 행시 - 재경)

A광역시 B구의 乙구청장은 구립체육관의 수영장이용규칙을 제정하면서 주말과 공휴일 그리고 수용능력을 초과하는 경우에는 B구의 주민이 우선적으로 해당 수영장을 이용할 수 있도록 규정하였다. 또 B구 주민은 해당 수영장을 무료로 이용할 수 있도록 규정하고 B구 이외의 시민은 이용이 가능한 경우에도 B구 乙구청장이 정하는 바에 의하여 실비의 입장료를 내고 해당 수영장을 이용하도록 하였다.

1. 이에 광역시 甲 시장은 B구 乙구청장이 제정한 규칙의 내용이 법령에 위반되는 것으로 판단하여 시정명령을 내렸다. 이와 관련된 법적 쟁점을 검토하시오. (25점)
2. A광역시 C구 주민 丙은 자신도 B구 주민과 동등한 조건으로 해당 수영장을 이용할 수 있도록 권리구제수단을 강구하려고 한다. 이와 관련된 권리구제 제도를 검토하시오. (25점)

Ⅰ. 시정명령과 관련된 법적 쟁점 - 설문(1)

1. 문제의 소재

- 시정명령이 적법한지 여부가 문제되는데 甲시장의 시정명령은 乙구청장이 제정한 규칙에 대한 것인바 시정명령의 대상과 관련하여 수영장이용규칙의 법적 성질을 검토하고 자치사무라면 적법성통제에 그치므로 규칙이 위법한 것인지 검토해야 한다. 만약 시정명령이 위법하다면 乙구청장의 불복수단을 간단히 살펴봄.

2. 甲시장 시정명령의 적법여부

(1) 시정명령의 의의 및 성질(자치법 169조 1항)

(2) 시정명령의 대상

- 기관위임사무도 포함된다고 보는 견해가 있으나 자치법 제169조1항의 문리해석상 **자치사무와 단체위임사무**로 한정.
- 설문에서 구립체육관 수영장 이용관련 사무가 자치사무라면 수영장이용규칙이 위법할 때에만 감독청의 시정명령 발령이 적법하다 할 수 있으므로 수영장이용관련사무의 법적 성질이 문제.

(3) 수영장이용관련사무의 성질

- 사무의 구별기준 간단히 언급(#138)
- 사안의 구립체육관의 이용에 관한 사무는 자치법 제9조2항5호 나목에서 예시하고 있고 이러한 체육관 등의 이용에 관한 사무의 성질상 지역적이고 자율적인 규율을 허용하는 것으로 판단되므로 **자치사무**에 해당.

(4) 수영장이용규칙의 위법성 여부

1) 주민의 공공시설이용권(자치법 제13조1항)

- 이용권의 대상은 지자체의 재산과 공공시설이며, 이용주체는 주민에 한정되는 것이 원칙. 공공시설의 **수용능력이나 관리목적등에 의해 주민과 비주민과의 합리적 범위 내의 차별은 허용**.

2) 사안의 경우

- **수용능력초과**시 **B구 이외의 주민은 유료**로 사용케 한 것은 **합리적 제한**이므로 **수영장이용규칙은 적법**.

(5) 甲시장의 시정명령은 적법한 규칙에 대해 발령한 것으로 위법

3. 위법한 시정명령에 대한 乙구청장의 불복

- 자치법 제169조1항의 시정명령에 대해서 **불복할 수 있는 수단이 규정되어 있지 않으므로** 현행법상으로는 감독청이 기간을 정하여 시정명령을 발하고 그 기간 내에 이를 이행하지 않는 경우 감독청이 지방자치단체장의 명령이나 처분을 취소하거나 정지할 수 있는바 이 **취소나 정지에 대해 대법원에 제소가능**.

Ⅱ. 주민 丙의 권리구제수단 - 설문(2)

1. 이용거부처분에 대한 취소소송 및 구체적 규범통제 (헌법 제107조2항)

- 수영장이용규칙은 자치법규로서 규칙에 해당.
- 주민 丙은 수영장에 대한 무료입장이 거부당한 경우 그 거부처분에 대하여 항고소송을 제기하면서 그에 부수하여 그 거부처분의 근거인 수영장이용규칙의 위법여부 심사청구 가능.
- 다만, 수영장이용규칙은 적법하므로 이에 근거한 병에 대한 무료이용거부처분도 적법할 것.

2. **수영장이용규칙을 대상으로 한 항고소송**

- 수영장이용규칙은 처분적 명령에 해당되지 않음.

3. **헌법소원(헌법재판소법 제68조1항)**

- C구청장이 제정한 규칙에 의하여 별도의 처분이 없이도 丙은 수영장이용에 있어서 직접적인 차별대우를 받게 되므로 헌법소원 가능.

4. **조례제정 청구(자치법 제15조)**

- 동등한 조건으로 이용하게 하는 내용의 조례를 제정하도록 청구하는 것도 고려해 볼 수 있으나 수영장이용에 관한 조례는 B구의 구립체육관에 관한 것이므로 C구의 주민은 B구의 구청장에게 조례제정청구할 수 있는 주체에 해당하지 않음.

그러나, A광역시장에게 광역시 차원에서 동등한 조건의 이용을 규율하는 조례제정 청구는 생각할 수도 있음.

기출 사례 승진임용처분에 대한 취소권 행사(10년 행시 - 재경)

K도지사 甲은 공무원의 근무기강 확립차원에서 K도 내의 시장·군수에게 '근무지 이탈자에 대한 징계업무처리지침'을 시달하여 소속 공무원이 업무시간에 개인업무를 처리하기 위하여 자리를 비우는 일이 없도록 복무관리를 철저히 할 것을 당부하였다. 그런데 K도 Y시의 공무원 A가 근무시간 중에 자리를 비운 것이 사회적 문제가 되자 甲은 Y시 시장 乙에게 A에 대하여 징계의결을 요구할 것을 지시하였다. 그러나 乙은 오히려 근무성적평정이 양호한 것을 이유로 A에 대한 승진임용처분을 행하였는바, 이와 관련하여 다음의 질문에 답하시오. (총 30점)

1) 乙의 승진임용처분에 대한 甲의 취소가능 여부를 논하시오. (20점)

2) 만일 A에 대한 승진임용처분이 甲에 의하여 취소된 경우 乙이 다툴 수 있는 방법에 대해 논하시오. (10점)

Ⅰ. 乙의 승진임용처분에 대한 갑의 취소가능성-설문(1)

1. **문제의 소재**

- 지방자치법 제169조의 요건 충족과 관련하여 승진임용처분이 자치사무인지, 재량의 일탈남용에 해당하는지, 해당한다면 제169조1항의 법령위반에 해당하는지 문제되며,
- 요건이 충족되어도 甲이 승진임용처분을 취소한 것은 재량의 일탈이 아닌지 문제됨.

2. **乙의 승진임용처분의 성질**

- 자치사무, 재량행위

3. **승진임용처분의 재량권의 일탈·남용 여부**

- 징계처분은 재량행위이며, 징계사유가 있는 경우 징계요구는 의무적(지방공무원법 제69조1항).
- 징계의결을 요구할 의무가 있음에도 이를 하지 않고 승진임용한 것이 재량의 일탈·남용에 해당되는지의 논의(#141 [관련판례] 판시사항[2])

4. **재량권의 일탈·남용이 제169조의 법령위반에 해당되는지 여부**

- 전합 판례의 다수의견과 반대의견 소개(#141 관련판례 판시사항[1])

5. **甲의 취소처분의 재량권 일탈·남용 여부**

- 전합 판례의 다수의견과 반대의견 소개(#141 관련판례 판시사항[2])

6. **소 결**

- 판례의 다수의견에 의하면 취소가능. 지방자치단체의 자율적인 책임 수행을 제한하지 않는 범위 내에서 취소권 행사가 이루어져야 한다는 점을 고려할 때 반대의견이 타당하며 갑의 취소권 행사는 불가.

Ⅱ. 乙의 불복수단 - 설문(2)

1. **지방자치법 제169조2항에 의한 이의소송**
2. **이의소송의 성질**

142 직무이행명령

Ⅰ. 의 의

지방자치단체의 장이 기관위임사무의 집행을 게을리하는 경우에, 감독청이 그 이행을 명하는 제도이다(자치법 제170조1항).
직무이행명령 및 이에 대한 이의소송 제도의 취지는, 국가위임사무의 관리 · 집행에서 주무부장관과 해당 지방자치단체의 장 사이의 지위와 권한, 상호 관계 등을 고려하여, 지방자치단체의 장이 해당 국가위임사무에 관한 사실관계의 인식이나 법령의 해석 · 적용에서 주무부장관과 견해를 달리하여 해당 사무의 관리 · 집행을 하지 아니할 때, 주무부장관에게는 그 사무집행의 실효성을 확보하기 위하여 지방자치단체의 장에 대한 직무이행명령과 그 불이행에 따른 후속 조치를 할 권한을 부여하는 한편, 해당 지방자치단체의 장에게는 직무이행명령에 대한 이의의 소를 제기할 수 있도록 함으로써, 국가위임사무의 관리 · 집행에 관한 양 기관 사이의 분쟁을 대법원의 재판을 통하여 합리적으로 해결하여 그 사무집행의 적법성과 실효성을 보장하려는 데 있다.
기관위임사무를 수행하는 지방자치단체장이 기관위임사무의 집행을 태만히 할 경우 기관위임사무의 집행의 실효성을 확보하기 위한 제도로서 감독기관의 시정명령 및 취소 · 정지가 지방자치단체장의 위법한 작위에 대한 통제수단인데 반하여, 직무이행명령은 부작위에 대한 통제수단으로서의 의미를 갖는다.

Ⅱ. 발동요건

① 국가위임사무와 시 · 도위임사무를 대상으로 한다. 위임사무에 단체위임사무도 포함된다는 견해가 있으나, 다수견해는 기관위임사무만을 의미한다고 본다. 판례는 제170조 규정의 문언과 직무이행명령 제도의 취지 등을 고려하여 기관위임사무로 해석한다. ② 지방자치단체장이 사무를 명백히 해태하고 있어야 하며, 단지 위임사무를 이행하고자 준비중이거나 재정사정 등의 이유로 위임사무를 집행하지 않는 경우는 해당되지 않는다. ③ 시 · 도에 대하여는 주무부장관이, 시 · 군 및 자치구에 대하여는 시 · 도지사가, ④ 의무를 이행하기에 적합한 기간을 정하여 서면의 형식으로 하여야 한다.

판례 1 구 「지방교육자치에 관한 법률」 제3조, 「지방자치법」 제170조 제1항에 따르면, 교육부장관이 교육감에 대하여 할 수 있는 직무이행명령의 대상사무는 '국가위임사무의 관리와 집행'이다. 그 규정의 문언과 함께 교육감이나 지방자치단체의 장 등 기관에 위임된 국가사무의 통일적 실현을 강제하고자 하는 직무이행명령 제도의 취지 등을 고려하면, 여기서 국가위임사무란 교육감 등에 위임된 국가사무, 즉 기관위임 국가사무를 뜻한다(대판 2014.2.27. 2012추213).

판례 2 '국가위임사무의 관리와 집행을 명백히 게을리하고 있다'는 요건은 국가위임사무를 관리 · 집행할 의무가 성립함을 전제로 하는데, 교육감은 의무에 속한 국가위임사무를 이행하는 것이 원칙이므로, 교육감이 특별한 사정이 없이 의무를 이행하지 아니한 때에는 이를 충족한다. 여기서 특별한 사정이란, 국가위임사무를 관리 · 집행할 수 없는 법령상 장애사유 또는 지방자치단체의 재정상 능력이나 여건의 미비, 인력의 부족 등 사실상의 장애사유를 뜻하고, 교육감이 특정 국가위임사무를 관리 · 집행할 의무가 있는지에 관하여 교육부장관과 다른 견해를 취하여 이를 이행하고 있지 아니한 사정은 이에 해당한다고 볼 것이 아니다(대판 2015.9.10, 2013추517).

Ⅲ. 효 과

직무이행명령이 있으면 관리 · 집행의무가 재차 부과되는 것이며, 직무이행명령에서 설정한 기간 내에 이행이 없으면 감독청은 지방자치단체의 비용부담으로 대집행하거나 행정상 · 재정상 필요한 조치를 할 수 있다. 이 경우 행정대집행에 관하여는 「행정대집행법」을 준용한다(자치법 제170조2항). 여기서 대집행은 비례의 원칙에 따라, 보충적으로 사용하여야 한다.

Ⅳ. 단체장의 불복소송

1. 의 의

지방자치단체장은 제1항의 **직무이행명령에 이의**가 있으면 이행명령서를 접수한 날부터 15일 이내에 **대법원**에 소를 제기할 수 있다. 이 경우 집행정지결정을 신청할 수 있다(자치법 제170조3항). 직무이행명령은 기관위임사무에 관한 것임에도 불구하고 직무이행명령이 적극적인 감독권의 행사라는 점을 고려하여 불복소송을 인정한 것이다.

2. 소송의 성질

⑴ 학 설

① 행정기관 간의 소송임을 근거로 하는 **기관소송설**, ② 감독청의 명령에 불복하는 것으로 보는 **항고소송설**, ③ 지방자치법이 특별히 인정하는 **특수한 형태의 소송설**이 대립한다.

⑵ 검 토

불복소송은 **동일법주체 내부의 소송이 아니므로** 기관소송설은 타당하지 않고, **감독청의** 직무이행명령은 **행정내부행위**일 뿐이므로 항고소송설도 타당하지 않다. **지방자치법이 인정하는 특수한 형태의 소송설이 타당**하다.

관련 판례 **교육감에 대한 직무이행명령의 적법성**(대판 2014. 2.27, 2012추213)

1. 직무이행명령의 대상사무

(1) 구 「지방교육자치에 관한 법률」(2013.3.23. 법률 제11690호로 개정되기 전의 것. 이하 같다) 제3조, 「지방자치법」 제170조 제1항에 따르면, 교육부장관이 교육감에 대하여 할 수 있는 **직무이행명령의 대상사무는 '국가위임사무의 관리와 집행'**이다. 그 규정의 **문언**과 함께 **교육감이나 지방자치단체의 장 등 기관에 위임된 국가사무의 통일적 실현을 강제하고자 하는 직무이행명령 제도의 취지** 등을 고려하면, 여기서 **국가위임사무란 교육감 등에 위임된 국가사무, 즉 기관위임 국가사무를 뜻**한다고 보는 것이 타당하다(대판 2013. 6.27, 2009추206 참조).

(2) 이러한 해석을 전제로, ≪'교육장, 시·도교육청 교육국장 및 그 하급자들에 대한 징계의결요구의 신청은 지방자치단체의 교육·학예에 관한 자치사무일 뿐 기관위임 국가사무로 볼 수 없어 직무이행명령의 대상사무에 해당하지 아니하므로, 이 사건 직무이행명령은 위법하다'는 취지의 원고의 주장≫을 살핀다.

구 「교육공무원법」(2012.12.11. 법률 제11527호로 개정되기 전의 것. 이하 같다)은 교육을 통하여 국민 전체에 봉사하는 교육공무원의 직무와 책임의 특수성에 비추어 그 자격·임용·보수 및 신분보장 등에 관하여 특례를 규정함을 목적으로 마련되었다(제1조). 이러한 구 「교육공무원법」의 입법목적과 그 구체적인 규정 내용에 비추어 보면, **교육공무원법령이 규율하는 교육공무원의 징계 사무는 교육공무원의 자격, 임용 방법이나 절차, 보수, 재교육이나 연수, 신분보장 등에 관한 사무와 더불어 국민 전체의 이익을 위하여 통일적으로 처리되어야 할 성격의 사무**라 할 것이다.

또한 구 「**교육공무원법**」 제33조 제1항에 따르면, 대통령령이 정하는 바에 따라 **교육부장관은 그 임용권의 일부를 교육행정기관 등의 장에게 위임할 수 있고,** 그 위임에 따른 구 「교육공무원 임용령」(2012. 12. 4. 대통령령 제24215호로 개정되기 전의 것) 제3조 제5항 제5호는 **교육부장관이 교육감 소속의 장학관 및 교육연구관의 승급·겸임·직위해제·휴직 및 복직에 관한 임용권**을, 제7호는 **교육감 소속의 장학사·교육연구사의 임용권을 각각 해당 교육감에게 위임한다고 규정**하고 있다. 그리고 구 「교육공무원법」 제2조 제5항에 의하면 여기서 **'임용'이란 신규채용·승진·승급 등뿐만 아니라 정직·면직·해임 및 파면을 포함**한다.

이와 같은 **교육공무원 징계사무의 성격, 그 권한의 위임에 관한 교육공무원법령의 규정 형식과 내용** 등에 비추어 보면, **국가공무원인 교육장, 시·도교육청 교육국장 및 그 하급자인 장학관, 장학사에 대한 징계는 국가사무**이고, 그 일부인 **징계의결요구의 신청 역시 국가사무**에 해당한다고 봄이 타당하다. 따라서 **교육감이 담당 교육청 소속 국가공무원인 교육장, 시·도교육청 교육국장 및 그 하급자들에**

대하여 하는 징계의결요구 신청사무는 기관위임 국가사무라고 보아야 한다.

한편 구 「지방교육자치에 관한 법률」 제20조 제16호, 제27조는 교육감이 교육·학예에 관하여 소속 국가공무원의 인사관리에 관한 사항을 관장하고, 소속 공무원의 임용·징계 등에 관한 사항을 처리한다고 규정하고 있으나, 이는 앞서 본 것처럼 교육감이 교육공무원법령에 따라 위임받은 국가사무를 그의 관장 사무로 확인하는 취지에 불과하다고 볼 것이므로, 그 규정을 근거로 해당 사무를 지방자치단체의 교육·학예에 관한 자치사무라고 볼 수는 없다.

(3) 그렇다면 이 사건 직무이행명령은 국가위임사무에 관한 것으로서 「지방자치법」 제170조 제1항에 정한 직무이행명령의 대상사무에 해당한다. 원고의 이 부분 주장은 받아들일 수 없다.

2. 직무이행 의무의 존재 여부

(1) 직무이행명령 및 이에 대한 이의소송 제도의 취지
구 「지방교육자치에 관한 법률」 제3조에 의하여 '지방자치단체의 교육·학예에 관한 사무를 관장하는 기관'의 운영 등에 관하여도 준용되는 「지방자치법」 제170조에 규정된 직무이행명령 및 이에 대한 이의소송 제도의 취지는, 국가위임사무의 관리·집행에서 주무부장관과 해당 지방자치단체의 장 사이의 지위와 권한, 상호 관계 등을 고려하여, 지방자치단체의 장이 해당 국가위임사무에 관한 사실관계의 인식이나 법령의 해석·적용에서 주무부장관과 견해를 달리하여 해당 사무의 관리·집행을 하지 아니할 때, 주무부장관에게는 그 사무집행의 실효성을 확보하기 위하여 지방자치단체의 장에 대한 직무이행명령과 그 불이행에 따른 후속 조치를 할 권한을 부여하는 한편, 해당 지방자치단체의 장에게는 직무이행명령에 대한 이의의 소를 제기할 수 있도록 함으로써, 국가위임사무의 관리·집행에 관한 양 기관 사이의 분쟁을 대법원의 재판을 통하여 합리적으로 해결하여 그 사무집행의 적법성과 실효성을 보장하려는 데 있다. 따라서 직무이행명령의 요건 중 '법령의 규정에 따라 지방자치단체의 장에게 특정 국가위임사무를 관리·집행할 의무가 있는지' 여부의 판단대상은 문언대로 그 법령상 의무의 존부이지 지방자치단체의 장이 그 사무의 관리·집행을 하지 아니한 데 합리적 이유가 있는지 여부가 아니다. 그 법령상 의무의 존부는 원칙적으로 직무이행명령 당시의 사실관계에 관련 법령을 해석·적용하여 판단하되, 직무이행명령 이후의 정황도 고려할 수 있다(대판 2013.6.27, 2009추206 참조).

(2) '학교폭력 가해학생 학교생활기록부 기재 관련 업무처리 부당'에 관한 징계의결요구 신청 의무의 존부

㈎ 이 부분 징계사유는 학교생활기록의 작성에 관한 사무에 대한 지도·감독 사무 처리의 부당이고, 앞서 본 법리에 의하면 이 부분 쟁점은 '이 부분 징계대상자들이 교육감인 원고의 방침에 따라 직무를 수행한 행위가 징계사유에 해당하고, 원고에게 이 부분 징계대상자들에 대하여 징계의결요구를 신청할 의무가 있는지 여부'이다.

㈏ 먼저 이 부분 징계사유의 내용인 교육감의 학교생활기록의 작성에 관한 지도·감독 사무의 법적 성질에 관하여 본다.

법령상 지방자치단체의 장이 처리하도록 하고 있는 사무가 자치사무인지 아니면 기관위임사무인지를 판단하기 위하여는 그에 관한 법령의 규정 형식과 취지를 우선 고려하여야 하지만, 그 밖에 그 사무의 성질이 전국적으로 통일적인 처리가 요구되는 사무인지, 그에 관한 경비부담과 최종적인 책임귀속의 주체가 누구인지 등도 함께 고려하여야 한다(대판 2003.4.22, 2002두10483 판결, 대판 2013.5.23, 2011추56 등 참조).

교육에 관한 국민의 권리·의무 및 국가·지방자치단체의 책임을 정하고 교육제도와 그 운영에 관한 기본적 사항을 규정함을 목적으로 하는 「교육기본법」은 제17조에서 "국가와 지방자치단체는 학교와 사회교육시설을 지도·감독한다."고만 규정하여 학교에 대한 지도·감독 사무 중 국가 사무와 지방자치단체 사무의 명확한 구별기준을 제시하고 있지 아니하다. 그리고 「교육기본법」 제9조 제4항에 따라 초·중등교육에 관한 사항을 정함을 목적으로 하여 제정된 구 「초·중등교육법」(2013. 3. 23. 법률 제11690호로 개정되기 전의 것. 이하 같다)은 제6조에서 "국립학교는 교육과학기술부장관의 지도·감독을 받으며, 공립·사립 학교는 교육감의 지도·감독을 받는다."고 규정하여 교육감에게 공립·사립 학교에 대한 지도·감독의 권한을 부여하고 있다.

그런데 구 「초·중등교육법」 제25조에 의하면, 학교의 장은 학생의 학업성취도와 인성(人性) 등을 종합적으로 관찰·평가하여 학생지도 및 상급학교의 학생 선발에 활용할 수 있는 인적사항, 학적사항, 출결상황, 자격증 및 인증 취득상황, 교과학습 발달상황, 행동특성 및 종합의견, 그 밖에 교육목적에 필요한 범위에서 교육과학기술부령으로

정하는 사항 등의 자료를 교육과학기술부령으로 정하는 기준에 따라 작성·관리하여야 하고(제1항), 학교의 장은 이러한 자료를 교육정보시스템으로 작성·관리하여야 하며(제2항), 학교의 장은 소속 학교의 학생이 전출하면 이러한 자료를 그 학생이 전입한 학교의 장에게 넘겨주어야 한다(제3항).

또한 구「초·중등교육법」제47조 제2항, 구「초·중등교육법 시행령」(2013. 3. 23. 대통령령 제24423호로 개정되기 전의 것) 제82조에 의하면, 고등학교 전기 및 후기학교의 입학전형에 중학교의 학교생활기록부 기록이 반영되고, 구「고등교육법」(2013. 3. 23. 법률 제11690호로 개정되기 전의 것. 이하 같다) 제34조 제2항, 구「고등교육법 시행령」(2013. 3. 23. 대통령령 제24423호로 개정되기 전의 것) 제35조에 의하면, 대학의 장은 입학자를 선발하기 위하여 고등학교 학교생활기록부의 기록을 입학전형자료로 활용할 수 있다.

이러한 학교생활기록에 관한 구「초·중등교육법」, 구「고등교육법」및 각 시행령의 규정 내용에 의하면, 어느 학생이 시·도 상호간 또는 국립학교와 공립·사립 학교 상호간 전출하는 경우에 학교생활기록의 체계적·통일적인 관리가 필요하고, 중학생이 다른 시·도 지역에 소재한 고등학교에 진학하는 경우에도 학교생활기록은 고등학교의 입학전형에 반영되며, 고등학생의 학교생활기록은 피고의 지도·감독을 받는 대학교의 입학전형자료로 활용되므로, **학교의 장이 행하는 학교생활기록의 작성에 관한 사무는 국민 전체의 이익을 위하여 통일적으로 처리되어야 할 성격의 사무**로 보인다.

따라서 전국적으로 통일적 처리를 요하는 학교생활기록의 작성에 관한 사무에 대한 감독관청의 지도·감독 사무도 국민 전체의 이익을 위하여 통일적으로 처리되어야 할 성격의 사무라고 보아야 하므로, **공립·사립 학교의 장이 행하는 학교생활기록의 작성에 관한 교육감의 지도·감독 사무는 국립학교의 장이 행하는 학교생활기록의 작성에 관한 교육부장관의 지도·감독 사무와 마찬가지로 국가사무로서 시·도 교육감에 위임된 사무**라고 해석함이 타당하다.

㈐ **「지방자치법」제169조**에 따르면, 교육부장관은 교육감의 자치사무에 관한 명령이나 처분에 대하여는 법령을 위반한 것에 한하여 시정명령 및 취소처분을 할 수 있고(제1항), 교육감은 취소처분에 대하여 이의가 있으면 대법원에 소를 제기할 수 있다(제2항). 이와 같이 **자치사무에 관하여는 교육부장관의 통제 범위를 법령위반 사항으로 제한**하고 그 **통제에 대하여 교육감에게 제소 권한을 부여**하고 있는 **취지는, 자치사무에 대한 국가의 적법성 통제를 인정하여 법치행정의 원리를 구현**하는 한편, **교육감의 자치사무에 관한 집행권한을 보호**하려는 데 있다고 보아야 한다. 이러한「지방자치법」제169조에 규정된 취소처분에 대한 **이의소송의 입법취지 등을 고려할 때, 교육감의 자치사무에 관한 사무의 집행이 대법원의 재판에 의한 적법성 심사를 통하여 위법하다고 확정되기 이전에는 그 사무의 구체적 집행행위가 불법행위나 징계사유를 구성한다고 쉽게 단정하여서는 아니 된다.**

이 사건에서 **교육감인 원고는 학교생활기록의 작성에 관한 사무에 대한 지도·감독 사무가 자치사무라고 보아 그 사무를 처리**하였고, 이 사건 **직무이행명령은 이러한 교육감의 사무 처리를 보좌한 이 부분 징계대상자들의 직무수행 행위가 징계사유를 구성함을 전제**로 하고 있다.

그런데 법령상 지방자치단체의 장이 처리하도록 하고 있는 사무가 자치사무인지 아니면 기관위임사무인지 여부를 판단함에는 그에 관한 법령의 규정 형식과 취지를 우선 고려하여야 할 것이지만, 그 밖에 그 사무의 성질이 전국적으로 통일적인 처리가 요구되는 사무인지, 그에 관한 경비부담과 최종적인 책임귀속의 주체가 누구인지 등도 함께 고려하여 판단하여야 하므로, **자치사무와 기관위임사무의 구분이 법령의 규정 내용 자체만으로 언제나 명백한 것은 아니다.**

앞서 본 바와 같이 **관계 법령의 해석에 의하면** 교육감의 학교생활기록의 작성에 관한 사무에 대한 지도·감독 사무는 기관위임 **국가사무에 해당하지만,**「지방자치법」제169조에 규정된 취소처분에 대한 이의소송의 입법취지 등을 고려할 때, **교육감이 위와 같은 지도·감독 사무의 성격에 관한 선례나 학설, 판례 등이 확립되지 아니한 상황에서 이를 자치사무라고 보아 사무를 집행**하였는데, **사후적으로 사법절차에서 그 사무가 기관위임 국가사무임이 밝혀졌다는 이유만으로 곧바로 기존에 행한 사무의 구체적인 집행행위가 위법하다고 보아 징계사유에 해당한다고 볼 수는 없다.**

㈑ **법령에 대한 해석이 그 문언 자체만으로는 명백하지 아니하여 여러 견해가 있을 수 있는데다가 이에 대한 선례나 학설, 판례 등도 귀일된 바 없어 의의(疑意)가 있는 경우에 관계 공무원이 그 나름대로 신중을 다하여 합리적인 근거

를 찾아 그 중 어느 한 견해를 따라 내린 해석이 후에 대법원의 사법적 판단과 같지 아니하여 결과적으로 잘못된 해석으로 돌아가고, 이에 따른 처리가 역시 결과적으로 위법하다고 평가되더라도 그와 같은 처리방법 이상의 것을 평균적 공무원에게 기대하기는 어려운 일이고, 따라서 이러한 경우에까지 그 공무원에 대한 징계사유의 성립을 인정할 수는 없다.

「국가공무원법」 제56조는 "모든 공무원은 법령을 준수하며 성실히 직무를 수행하여야 한다.", 제57조는 "공무원은 직무를 수행할 때 소속 상관의 직무상 명령에 복종하여야 한다."고 규정하여 공무원에게 법령준수의무와 함께 복종의무를 부여하고 있다. 또 구 「지방교육자치에 관한 법률」 제18조는 "시·도의 교육·학예에 관한 사무의 집행기관으로 시·도에 교육감을 둔다.", 제27조는 "교육감은 소속 공무원을 지휘·감독하고 법령과 조례·교육규칙이 정하는 바에 따라 그 임용·교육훈련·복무·징계 등에 관한 사항을 처리한다."고 규정하여, 교육감에게 소속 공무원을 지휘·감독할 권한을 부여하고 있다. 따라서 이 부분 징계대상자들은 경기도교육청 소속 교육공무원으로서 직무상 상관인 교육감에 대하여 복종의무를 지고, 교육감의 지시나 명령이 명백히 위법하여 직무상의 지시명령이라고 할 수 없는 등의 특별한 사정이 없는 이상 직무상 상관인 교육감의 지휘·감독에 따라 직무를 수행하여야 한다.

위에서 본 법리 등에 비추어 보면, 교육감의 학교생활기록의 작성에 관한 사무에 대한 지도·감독 사무의 법적 성질, 피고의 이 사건 지침이 법규적 효력이 있는지 여부 또는 헌법상 과잉금지원칙을 위반하는 등 상위 법령을 위반하여 무효인지 여부가 불명확한 상황에서, 이 부분 징계대상자들이 학교생활기록의 작성에 관한 지도·감독 사무를 집행하면서 그 사무의 법적 성질을 자치사무라고 보고 직무상 상관인 교육감의 방침에 따라 이 사건 지침의 시행을 보류하는 내용으로 직무를 수행하였으나 그 행위가 결과적으로 법령을 위반한 것이라는 평가를 받게 되더라도, 그러한 사정만으로 이 부분 징계대상자들의 직무집행 행위가 징계사유를 구성한다고 보기는 어렵다.

(마) 그렇다면 이 부분 징계대상자들에 대한 징계사유가 인정되지 아니하므로 원고에게 징계의결요구를 신청할 의무가 있다고 할 수 없다. 결국 이 부분 직무이행명령은 위법하다.

(3) '공무원 복무부당'에 관한 징계의결요구 신청 의무의 존부

(가) 「국가공무원법」 제66조는 공무원에게 '노동운동이나 그 밖에 공무 외의 일을 위한 집단행위'를 제한하고 있다. 공무원은 그 지위나 직무의 성질에 비추어 일반 국민보다는 「헌법」 제21조 제1항이 보장하고 있는 언론·출판·집회·결사의 자유를 제한할 필요성이 있으나, 그 경우에도 공공성이나 필요성을 이유로 일률적·전면적으로 제한하여서는 아니 된다. 그러한 제한의 사유가 존재하더라도 그 한계를 설정하여 제한되는 표현의 자유와 그 제한에 의하여 보장하려는 공익을 서로 비교·형량하여야 하며, 제한이 불가피하다고 판단되어 제한하는 경우에도 그 제한은 가능한 한 최소한의 정도에 그치고 그 권리의 본질적인 내용을 침해하여서는 아니 된다. 따라서 국가공무원법상의 '공무 외의 일을 위한 집단행위'는 공무가 아닌 어떤 일을 위하여 공무원들이 하는 모든 집단적 행위를 의미한다고 볼 것은 아니고, 위와 같은 헌법과 국가공무원법의 취지, 국가공무원법상의 성실의무 및 직무전념의무 등을 종합적으로 고려하여 '공익에 반하는 목적을 위한 행위로서 직무전념의무를 해태하는 등의 영향을 가져오는 집단적 행위'라고 축소해석하여야 한다(대판 1992.2.14, 90도2310, 대판(전) 2012.4.19, 2010도6388 등 참조). 이러한 법리는 「국가공무원법」 제67조의 위임에 따라 마련된 「국가공무원 복무규정」 제3조 제2항이 "공무원은 집단·연명(連名)으로 또는 단체의 명의를 사용하여 국가의 정책을 반대하거나 국가정책의 수립·집행을 방해해서는 아니 된다."고 규정하고 있다고 하여 달리 볼 것이 아니다.

(나) 이 부분 징계대상자들이 도교육청 홈페이지에 발표한 호소문의 주요 내용은 '교육적 관점에서 볼 때, 아동 학생의 부적응 행동은 개인적 자질의 문제라기보다는 사회 제도의 문제이므로 학교폭력을 예방하고 근절시키기 위하여는 구조나 제도의 문제를 개선하는 노력이 필요하고, 학교폭력 조치사항을 학교생활기록부에 기재하는 방안은 정의롭지 아니하고 법 상식에도 어긋나며 교육적이지도 아니하여, 최소한 국가인권위원회의 권고대로 졸업 전 삭제심의제도나 중간삭제제도를 두어야 하므로, 교육부의 경기도교육청에 대한 특정감사의 실시와 교육부 방침을 따르지 아니한 교원과 교육청 업무담당자에 대한 엄중 조치 방침을 철회하여 줄 것을 호소한다'는 것이다.

이러한 내용의 호소문 발표행위는 「국가공무원법」 등 개별 법률에서 공무원에 대하여 금지하는 특정의 정치적 활

동에 해당하거나, 특정 정당이나 정치세력에 대한 지지 또는 반대의사를 직접적으로 표현하는 등 정치적 편향성 또는 당파성을 명백히 드러내는 행위 등과 같이 교육공무원의 정치적 중립성을 침해할 만한 직접적인 위험을 초래하는 행위에 해당하는 것으로 보이지 아니한다. 오히려 이 사건 호소문의 내용이나 표현 방식 등에 비추어 보면, 이 사건 호소문 발표행위는 교육자적 양심에 기초하여 교육부의 학교폭력 조치사항의 학교생활기록부 기재 방침의 재고를 호소한 것으로서, 교육정책의 영역에서 우리의 건전한 사회통념상 교육자가 통상적으로 할 수 있는 범위 내의 의사표현 행위에 불과하므로, 이러한 행위를 일컬어 교육공무원의 본분을 벗어나 공익에 반하는 행위로서 공무원의 직무에 관한 기강을 저해하거나 공무의 본질을 해치는 것이어서 직무전념의무를 해태한 것이라 할 수는 없다.

따라서 이 사건 호소문 발표행위는 「국가공무원법」 제66조 제1항에서 금지하는 '공무 외의 일을 위한 집단행위'에 해당한다고 볼 수 없고, 또한 「국가공무원 복무규정」 제3조 제2항을 위반한 것으로 볼 수도 없다. 나아가 이러한 행위에 대하여 "모든 공무원은 법령을 준수하며 성실히 직무를 수행하여야 한다."고 하여 공무원의 성실의무를 규정한 「국가공무원법」 제56조를 위반한 것으로 평가할 수는 없다.

㈐ 그렇다면 이 부분 징계대상자들에 대한 징계사유도 성립되지 아니하므로 원고에게 징계의결요구를 신청할 의무가 있다고 할 수 없다. 이 부분 직무이행명령도 위법하다.

3. 결 론

그러므로 원고의 이 사건 청구는 이유 있어 이를 인용하고, 소송비용은 패소자가 부담하도록 하여 관여 대법관의 일치된 의견으로 주문과 같이 판결한다(대판 2014.2.27, 2012추213).

143 공무원관계의 발생, 변경, 소멸

Ⅰ. 발 생

1. 임명의 의의

임명이란 특정인에게 공무원의 신분을 부여하여 공무원관계를 발생시키는 행위를 말한다. 실정법상 임용은 임명의 의미로 사용되기도 하나, 임용은 공무원관계를 발생·변경·소멸시키는 모든 행위를 가리킨다.

2. 임명의 법적 성질

⑴ 임명의 법적 성질과 관련한 견해 대립

1) 학설로는 ① 단독행위설과 ② 쌍방적 행정행위설, ③ 공법상 계약설 등이 대립한다. 생각건대 공무원의 근무관계의 내용은 국가 등에 의하여 일방적으로 결정되고, 공무원은 그 근무조건이 불리하게 변경되어도 그에 대항할 수 없다는 점을 고려하면 임명행위를 공법상 계약이라고 볼 수는 없다. 한편 국민이 그 의사에 반하여 공무를 담당할 법적 의무는 없으므로, 임명행위는 단독행위로서의 행정행위이기는 하나 그에는 상대방의 동의가 필요하며 그러한 점에서 쌍방적 행정행위설이 타당하다. 따라서 상대방의 동의가 결여된 임명행위는 원칙적으로 무효이다.

2) 그러나 계약직 공무원[1]의 경우, 그 임명은 공법상 계약으로 보는 것이 타당하다. 판례도 같은 태도이다.

⑵ 임명행위와 관련한 분쟁해결

임명을 공법상계약으로 보면 당사자소송에 의할 것이나, 쌍방적 행정행위로 보면 항고소송에 의하게 된다.

3. 임명의 요건

⑴ 임명주체는 적법한 임명권자일 것

⑵ 결격사유에 해당하지 않을 것(능력요건)

국가공무원법 제33조는 임명의 결격사유를 규정하고 있는바, 결격사유 발생시 해당 공무원은 당연 퇴직된다(국가공무원법 제69조, 단 사유 중 제33조5호 제외). 결격사유를 간과한 임명은 당연 무효사유(무효설)라는 것이 판례의 태도이다.

판례 1 임용당시 공무원임용 결격사유가 있었다면 비록 국가의 과실에 의하여 임용 결격자임을 밝혀내지 못하였다 하더라도 그 임용행위는 당연무효로 보아야 한다(대판 1987.4.14, 86누459).

판례 2 [1] 공무원연금법에 의한 퇴직급여 등은 적법한 공무원으로서의 신분을 취득하여 근무하다가 퇴직하는 경우에 지급되는 것이고, 당연무효인 임용결격자에 대한 임용행위에 의하여 공무원의 신분을 취득할 수는 없으므로, 임용결격자가 공무원으로 임용되어 사실상 근무하여 왔다고 하더라도 적법한 공무원으로서의 신분을 취득하지 못한 자로서는 공무원연금법 소정의 퇴직급여 등을 청구할 수 없으며, 나아가 임용결격사유가 소멸된 후에 계속 근무하여 왔다고 하더라도 그 때부터 무효인 임용행위가 유효로 되어 적법한 공무원의 신분을 회복하고 퇴직 급여 등을 청구할 수 있다고 볼 수는 없다.
[2] 경찰공무원으로 임용된 후 70일 만에 선고받은 형이 사면 등으로 실효되어 결격사유가 소멸된 후 30년 3개월 동안 사실상 공무원으로 계속 근무를 하였다고 하더라도 그것만으로는 임용권자가 묵시적으로 새로운 임용처분을 한 것으로 볼 수 없고, 임용 당시 결격자였다는 사실이 밝혀졌는데도 서울특별시 경찰 국장이 일반사면령 등의 공포로 현재 결격사유에 해당하지 아니한다는 이유로 당연퇴직은 불가하다는 조치를 내려서 그 후 정년퇴직시까지 계속 사실상 근무하도록 한 것이 임용권자가 일반사면령의 시행으로 공무원자격을 구비한 후의 근무행위를 유효한 것으로 추인하였다거나 장래에 향하여 그를 공무원으로 새로 임용하는 효력이 있다고 볼 수 없을 뿐만 아니라, 1982. 당시 경장이었던 그의 임용권자는 당시 시행된 경찰공무원법 및 경찰공무원임용령의 규정상 서울특별시장이지 경찰국장이 아니었음이 분명하여, 무효인 임용행위를 임용권자가 추인하였다거나 장래에 향하여 공무원으로 임용하는 새로운 처분이 있었던 것으로 볼 수 없다고 한 사례(대판 1996.2.27, 95누9617). ➡ 임명 이후 상당한

1) 현재는 계약직 공무원 제도는 폐지되었으며, 임기제 공무원이 신설됨(국가공무원법 제26조의5)

기간 동안 근무해온 경우에는 신뢰보호 및 법적 안정성 차원에서 결격사유의 하자가 치유된 것으로 보는 것이 타당하다는 비판도 있다.

이러한 판례에 대하여 결격사유를 간과한 하자는 **일반인을 기준**으로 판단할 때 **명백한 것은 아니므로** 취소사유에 해당한다는 견해(취소설)도 있으나 **국가공무원법 제69조가 결격사유를 당연퇴직사유로 규정**하고 있고 **공직에 대한 국민의 신뢰**를 고려하면 **무효설이 타당**하다.

(3) 자격(성적, 경력)요건 충족 - 요건결여시 임명은 취소사유

판 례 당초 임용 이래 공무원으로 근무하여 온 경력에 바탕을 두고 구 지방공무원법(1991.5.31. 법률 제4370호로 개정되기 전의 것) 제27조2항3호 등을 근거로 하여 특별임용 방식으로 임용이 이루어졌다면 이는 당초 임용과는 별도로 그 자체가 하나의 신규임용이라고 할 것이므로, 그 효력도 특별임용이 이루어질 당시를 기준으로 판단하여야 할 것인데, 당초 **임용 당시에는 집행유예 기간 중에 있었으나 특별임용 당시 이미 집행유예 기간 만료일로부터 2년이 경과**하였다면 같은 법 제31조4호에서 정하는 공무원 **결격사유에 해당할 수 없고, 다만 당초 임용과의 관계에서는 공무원 결격사유에 해당하여 당초 처분 이후 공무원으로 근무하였다고 하더라도 그것이 적법한 공무원 경력으로 되지 아니하는 점**에서 특별임용의 효력에 영향을 미친다고 할 수 있으나, 위 특별임용의 하자는 결국 **소정의 경력을 갖추지 못한 자에 대하여 특별임용시험의 방식으로 신규임용을 한 하자에 불과하여 취소사유**가 된다고 함은 별론으로 하고, 그 하자가 중대·명백하여 특별임용이 당연무효로 된다고 할 수는 없다(대판 1998.10.23, 98두12932).

4. 임용결격사유 있는 공무원과 관련한 법률관계

(1) 임용결격자의 행위

공무원 임명행위의 유효여부가 명확하지 않은 경우가 많으며, 상대방이 정당한 권한을 가진 것으로 믿을 만한 상당한 이유가 있다고 인정되는 경우도 적지 않을 것이므로 **상대방의 신뢰보호와 법적 안정성**의 측면에서 **유효**한 것으로 볼 경우가 있다(사실상 공무원이론).

(2) 급여의 반환문제

결격사유가 있음에도 공무원으로 임용되어 지급받은 급여는 법률상 원인 없이 얻은 이익으로 부당이득반환청구의 대상이 되나, 공무원이 근무를 제공한 이상 국가나 지방자치단체도 부당이득을 얻으므로 양자 사이에 정당한 균형이 이루어지고 있어 **상호간에 부당이득반환청구권 행사할 수 없거나 상계**하는 것이 타당하다.

(3) 퇴직급여의 지급문제

판례는 공무원연금법에 의한 퇴직급여 등은 **적법한 공무원으로서의 신분을 취득하여 근무하다가 퇴직하는 경우에 지급**되는 것이라고 하면서 **임용결격사유가 있는 공무원**에 대해서는 퇴직금의 **지급을 부정**한다(대판 1996.2.27. 95누9617). 그러나 임용을 무효라고 보더라도 **퇴직급여의 법적 성질**은 본인의 기여금에 해당하는 부분은 재직중 근무의 대가로서 지급하였어야 할 **임금의 후불적 성격**이 강하고 그 나머지 부분은 재직 중의 성실한 복무에 대한 **공로보상 또는 사회보장적 급여의 성격**이 강한데(대판 1995.9.29. 95누7529), 사회보장적 성격을 갖고 있는 부분은 지급하지 않더라도 **후불적 임금의 성격**을 갖고 있는 공무원 **본인의 기여금에 해당하는 부분은 지급**하는 것이 타당하다. 또한 결격사유 있는 공무원의 임명을 **취소사유라고 본다면** 취소되기 전에는 퇴직금 지급이 가능하고, 취소되었다고 하더라도 공무원의 신뢰보호 및 법적 안정성 측면에서 **취소권 행사는 제한**된다고 보아야 한다.

최근 실무에서는 **공단이 공무원의 기여금에 해당하는 부분은 지급**하고 있다. 판례 중에는 **임용시부터 퇴직시까지의 근로는 법률상 원인 없이 제공된 부당이득이므로 퇴직급여 중 적어도 근로기준법상 퇴직금에 상당하는 금액은 그가 재직기간 중 제공한 근로에 대한 대가로서 지급되어야 한다는 판례도 있는데 결국 퇴직급여 중에서 기여금 부분에 해당하는 부분과 근로기준법상 퇴직금에 상당하는 금액의 청구를 할 수 있다**고 보아야 한다.

Ⅱ. 변 경

1. 승 진

동일직렬 내의 상위직급에 임용되는 것을 말한다. 공무원의 법적 지위에 변경을 가져오는 행위이므로 처분이다.

2. 전직, 전보, 복직, 전입, 전출

전직은 직렬을 달리하는 임명이고(국가공무원법 第5조5호), **전보는 동일 직급 내에서 또는 고위공무원단 직위 간의 보직변경**을 말하며(국가공무원법 第5조6호)2), 복직이란 휴직 · 직위해제 및 정직 중에 있는 공무원을 직위에 복귀시키는 임용을 말한다. 전입은 **임명권자를 달리하는 국회 · 법원 · 헌법재판소 · 선거관리위원회 및 행정부 간에 타 소속공무원을 받아들이는 것**을 말하며 전출은 **보내는 것**을 말한다.

판례 1 [1] **지방공무원법 제29조의3은 지방자치단체의 장은 다른 지방자치단체의 장의 동의를 얻어 그 소속공무원을 전입**할 수 있다고 **규정**하고 있는바, 위 규정에 의하여 **동의를 한 지방자치단체의 장이 소속 공무원을 전출하는 것은** 임명권자를 달리하는 지방자치단체로의 이동인 점에 비추어 **반드시 당해 공무원 본인의 동의를 전제**로 하는 것이고, **위 법규정도 본인의 동의를 배제하는 취지의 규정은 아니어서 위헌 · 무효의 규정은 아니다.**
[2] 당해 **공무원의 동의 없는** 지방공무원법 제29조의3의 규정에 의한 **전출명령은 위법하여 취소되어야** 하므로, 그 **전출명령이 적법함을 전제로 내린 징계처분은 그 전출명령이 공정력에 의하여 취소되기 전까지는 유효하다고 하더라도 징계양정에 있어 재량권을 일탈**하여 위법하다고 한 사례(대판 2001.12.11, 99두1823).

판례 2 **공무원에 대한 전보인사가 법령이 정한 기준과 원칙에 위배되거나 인사권을 다소 부적절하게 행사한 것으로 볼 여지가 있다 하더라도 그러한 사유만으로 그 전보인사가 당연히 불법행위를 구성한다고 볼 수는 없고, 인사권자가 당해 공무원에 대한 보복감정 등 다른 의도를 가지고 인사재량권을 일탈 · 남용하여 객관적 정당성을 상실하였음이 명백한 경우 등 전보인사가 우리의 건전한 사회통념이나 사회상규상 도저히 용인될 수 없음이 분명한 경우**에, 그 **전보인사는 위법하게 상대방에게 정신적 고통을 가하는 것이 되어 당해 공무원에 대한 관계에서 불법행위를 구성**한다. 그리고 이러한 법리는 구 부패방지법(2001. 7. 24. 법률 제6494호)에 따라 **다른 공직자의 부패행위를 부패방지위원회에 신고한 공무원에 대하여 위 신고행위를 이유로 불이익한 전보인사가 행하여진 경우에도 마찬가지**이다(대판 2009.5.28., 2006다16215).

3. 휴직, 강임

휴직은 공무원으로서의 신분은 유지하면서 직무담임을 일시적으로 해제하는 행위이고, 강임은 동일한 직렬 내에서의 하위의 직급에 임명하거나 하위직급이 없어서 다른 직렬의 하위직급으로 임명하는 것이다.

4. 직위해제(#145 별도 서술)

Ⅲ. 소 멸 -당. 면/ 의. 일/ 직. 계

1. 당연퇴직

일정한 사유의 발생으로 **별도의 행위를 요하지 않고 당연히** 공무원관계가 소멸되는 것으로서, 당연퇴직사유로는 ① 국가공무원법 제69조의 **결격사유** 발생, ② **정년, 사망, 임기만료,** ③ **국적상실** 등이 있다. **당연퇴직발령통지의 처분성**에 대하여 당연퇴직사유에 해당하는지 여부 및 그 시기가 명백한 것은 아니어서 다툼이 있을 수 있고 퇴직발령이 위법부당한 경우에는 공무원은 불이익을 받게 되므로 당연퇴직발령은 **확인행위에 해당한다는 견해**도 있으나 **퇴직된 사실을 알리는 관념의 통지에 불과**하므로 처분이 아니라는 것이 통설, 판례이다. 당연퇴직된 자의 행위는 무권한자의 행위로서 무효임이 원칙이다. 다만 **사실상 공무원이론**에 의해 유효한 행위로 볼 가능성은 있다.

판 례 당연퇴직의 통보는 **법률상 당연히 발생하는 퇴직사유를 공적으로 확인하여 알려 주는 사실의 통보에 불과**한 것이지 그 통보자체가 징계파면이나 직권면직과 같이 **공무원의 신분을 상실시키는 새로운 형성적 행위는 아니므로** 항고소송의 대상이

2) **전보발령의 처분성이 문제**된다(#13.[판례4]).

되는 독립한 행정처분이 될 수는 없다(대판 1985.7.23, 84누374).

2. 면 직

공무원의 신분을 상실시키는 행정행위로서 의원면직과 직권면직이 있다.

(1) 의원면직

1) 의 의

공무원 자신의 **사의표시**에 의하여 공무원관계를 소멸시키는 행위이다.

2) 성 질

상대방의 신청을 요하는 행정행위로서 **쌍방적 행정행위**이다.

3) 의사표시의 하자, 철회

자유로운 사의표시를 전제로 하므로, 상사 등의 **강요에 의한 사의표시에 의한 면직처분은 위법**하다.

4) 의사표시 후 면직처분 전의 공무원관계

사의표시가 있어도 임용권자의 **면직처분이 있기까지는 공무원관계가 존속**하며, 그 기간 동안에 **무단이탈**하는 경우에는 **징계사유**가 된다.

5) 임용권자의 수리의무 유무

병역의무와 같이 법률상 특별한 규정이 있는 경우 이외에는 **국민에게 일반적인 공무담임의무가 없다**는 점에 비추어, **수리의무가 인정**된다. **다만** ① 후임의 보충 기타 업무의 공백을 방지하고, ② 징계회피를 위해 사직원 제출시 제도의 악용을 방지하기 위해 **수리의 시기에는 재량적 판단권**이 인정된다.

(2) 일방적 면직

본인의 의사와는 상관 없이 일방적으로 행해지는 면직처분을 말한다.

1) **징계면직**(국가공무원법 제79조)

징계에 의해 공무원법관계가 소멸되는 경우를 말한다. **파면**과 **해임**이 있다.

2) **직권면직**(국가공무원법 제70조)

임용권자는 **직제와 정원의 개폐 등 국가공무원법 제70조1항 각호의 사유**로 직권면직처분을 할 수 있다. **직위해제처분의 하자가 이후의 직권면직에도 승계되는지**가 문제되는데 **판례**는 **부정**한다.

기출 사례 공무원임용의 하자와 퇴직급여(11년 사시)

국가공무원 A는 20여 년간 성실히 근무해 왔으나, 임용 당시 결격사유인 금고 이상의 형을 받고 그 집행유예기간이 완료된 날로부터 2년이 경과되지 아니한 것이 나중에 발견되어 임용권자 B로부터 퇴직발령의 통지를 받았다.

1. A에 대한 임용행위의 법적 효력 및 퇴직발령통지의 법적 성질은? (10점)
2. A는 공무원연금법상 퇴직급여청구권을 행사할 수 있는가? (5점)

Ⅰ. 임용행위의 법적 효력 및 퇴직발령통지의 법적 성질 -설문(1)

1. 임용의 성질

- 견해대립 있으나 판례는 쌍방적 행정행위

2. 임용결격 간과한 임용의 효력

- 무효설, 취소설 견해대립이 있으나,판례는 무효사유.

3. 퇴직발령통지의 성질

- 판례에 의할 때는 단순한 관념의 통지(사실행위)
- 취소설에 의할 경우는 처분성 인정 가능

Ⅱ. A의 퇴직급여청구권 행사 가능성 - 설문(2)

- 판례의 입장(부정설)을 소개하고 퇴직급여의 법적 성질(사회보장적 + 임금후불적)에 비추어 후불적 임금의 성격을 갖고 있는 공무원 본인의 기여금에 해당하는 부분을 지급

하는 것이 타당하다고 비판. 현재 실무에서는 기여금에 해당하는 부분을 지급하고 있음. 더 나아가 판례는 근로기준법상의 퇴직금에 상당하는 금액도 지급해야 한다는 입장이나, 공무원연금법상의 퇴직급여와는 별개임

- 임용행위에 대해 취소설을 취한다면 전액청구 가능할 수도 있음.

기출 사례 당연퇴직통보에 대한 구제, 사실상 공무원이론, 징계처분에 대한 구제(13년 행시-재경)

甲은 1995. 1. 18. 서울특별시 지방공무원으로 임용된 후 근무하고 있다. 甲이 지방공무원으로 근무하던 중 업무와 관련하여 청탁을 받고 뇌물을 수수하였다는 이유로 서울북부지방법원에 기소되었다. 다음 각각의 경우에 따라 물음에 답하시오. (총 30점)

1) 甲이 위 사안으로 2011. 7. 5. 징역 8월에 집행유예 2년을 선고받고 이후 그 판결은 확정되었다. 서울특별시장은 위 사실을 뒤늦게 알고 2013. 4. 9. 퇴직처분을 하였다. 이 경우 甲이 공무원의 신분을 유지하기 위하여 어떤 구제수단을 취할 수 있는지, 그리고 甲이 그 집행유예 판결이 확정된 이후에도 공무원으로서 각종 처분을 하여 왔는데, 그 처분의 효력은? (20점)

2) 甲이 위 사안으로 2011. 7. 5. 무죄 선고를 받고 이후 그 판결이 확정되었다. 서울특별시장은 위 사실을 뒤늦게 알고 2013. 4. 9. 공무원의 품위손상 등의 이유로 적법한 절차를 거쳐 해임의 징계처분을 하였다. 이 경우 甲이 취할 수 있는 구제수단은? (징계시효 및 제소기간은 고려하지 아니함) (10점)

[참조조문]

*** 지방공무원법**

제31조 (결격사유)

다음 각 호의 어느 하나에 해당하는 사람은 공무원이 될 수 없다.

4. 금고 이상의 형을 선고받고 그 집행유예기간이 끝난 날부터 2년이 지나지 아니한 사람

제61조 (당연퇴직)

공무원이 제31조 각 호의 어느 하나에 해당할 때에는 당연히 퇴직한다. 다만, 같은 조 제5호는 형법 제129조부터 제132조까지 및 직무와 관련하여 형법 제355조 및 제356조에 규정된 죄를 범한 사람으로서 금고 이상의 형의 선고유예를 받은 경우만 해당한다.

Ⅰ. 당연퇴직통보에 대한 구제수단 및 갑이 행한 처분의 효력 - 설문(1)

1. 2013.4.9. 퇴직처분의 법적성질

- 갑에 대한 형사판결의 확정으로 당연퇴직사유가 발생.
- 당연퇴직사유가 발생하면 당연히 공무원관계가 소멸되는 것으로 2013.4.9 퇴직처분은 퇴직 사실을 알리는 단순한 관념의 통지에 지나지 않으며 행정행위의 성질을 갖지 않음.

2. 甲이 공무원의 신분을 유지하기 위하여 취할 수 있는 구제수단.

- 퇴직처분이 행정소송법상 처분이 아니므로 취소소송의 대상이 되지 않는다(판례). 당연퇴직을 다투기 위하여는 공무원 지위의 확인을 구하는 공법상 당사자소송을 제기하여야 한다. 가구제수단은 민사집행법상의 가처분이 된다(행정소송법 8조2항).

3. 집행유예 판결 확정 이후 갑이 행한 처분의 효력

- 당연퇴직 사유가 발생한 시점부터 더 이상 공무원이 아니므로 그 이후 갑이 행한 처분이 하자가 있는지 문제됨.
- 갑이 보조기관으로서 처분의 성립과정에 간접적으로 관여한 경우에는 처분에 주체의 하자가 있다고 볼 수 없으나, 갑이 행정처분을 발령한 행정청의 지위에 있었던 경우에는 무권한자의 행위로서 원칙적으로 무효사유에 해당.
- 그러나 처분의 상대방이 갑에게 정당한 권한이 있다고 믿을만한 상당한 이유가 있는 경우 상대방의 신뢰를 보호하기 위하여 유효한 것으로 볼 수 있음(사실상 공무원이론).

Ⅱ. 해임의 징계처분에 대한 구제수단 - 설문(2)

-형사절차와 징계절차는 상호 독립된 절차이므로 형사절차의 진행이 징계절차에 영향을 미치지 않는 것이 원칙이나 형사법원이 사실의 존재 또는 부존재에 대하여 내린 판단은 원칙상 징계권자를 구속한다고 할 것이므로, 뇌물을 수수한 것이 아니라는 이유로 무죄선고가 확정된 경우에, 뇌물수수로 품위손상을 한 것이라 하여 징계처분을 하였다면 위법하다고 보아야 한다.

- 위법한 처분에 대하여 행정소송(취소소송)의 제기 및 집행정지 신청이 가능.
- 소송을 제기하기 전에 반드시 소청심사위원회에 소청을 청구하여야 함(필요적 전치주의).

144 공무원의 신분보장과 권익보호를 위한 제도

Ⅰ. 처분사유설명서의 교부(국가공무원법 제75조)

판 례 지방공무원법 제67조1항의 규정은 징계처분이 정당한 이유에 의하여 한 것이라는 것을 분명히 하고 또 피처분자로 하여금 불복이 있는 경우에 출소의 기회를 부여하는 데 그 법의가 있다고 할 것이므로 그 처분사유설명서의 교부를 처분의 효력발생요건이라고 할 수 없을 뿐만 아니라 직권에 의한 면직처분을 한 경우 그 인사발령통지서에 처분사유에 대한 구체적인 적시 없이 단순히 당해 처분의 법적 근거를 제시하는 내용을 기재한 데 그친 것이더라도 그러한 기재는 위 법조 소정의 처분사유 설명서로 볼 수 있다(대판 1991.12.24, 90누1007). ➡ 공무원에 대하여 직권면직처분을 하면서 " 지방공무원법 제62조 제1항 제3호의 규정에 의하여 그 직을 면함"이라고만 명시한 기재를 지방공무원법 소정의 처분사유설명서라고 볼 수 있다는 판례.

Ⅱ. 후임자의 보충발령의 예외

본인의 의사에 반하여 파면 또는 해임이나 제70조1항5호에 따른 직권면직처분을 한 경우, 그 처분을 한 날부터 40일 이내에는 후임자의 보충발령을 하지 못한다(국공법 제76조2항).

Ⅲ. 소 청

1. 의 의

징계처분 기타 그의 의사에 반하는 불리한 처분이나 부작위를 받은 자가 그 처분이나 부작위에 불복이 있는 경우에, 관할 소청심사위원회에 심사를 청구하는 행정심판이다. 공무원의 신분을 보다 강하게 보장함과 동시에 공무원 관계의 질서를 확립하기 위한 제도이다.

2. 소청사항

행정기관 소속 공무원의 징계처분, 그 밖에 그 의사에 반하는 불리한 처분이나 부작위가 소청 대상이다.

3. 소청심사기관

소청심사위원회이다(국공법 제9조). 이는 독립적인 합의제 행정관청이다. 교육공무원의 경우 교원지위향상을 위한 특별법에 의하여 교원소청심사위원회가 관할한다.

4. 소청절차

(1) 제 기

제75조에 따른 처분사유 설명서를 받은 공무원이 그 처분에 불복할 때에는 그 설명서를 받은 날부터, 공무원이 제75조에서 정한 처분 외에 본인의 의사에 반한 불리한 처분을 받았을 때에는 그 처분이 있은 것을 안 날부터 각각 30일 이내에 소청심사위원회에 이에 대한 심사를 청구할 수 있다. 이 경우 변호사를 대리인으로 선임할 수 있다(국공법 제76조1항).

(2) 심 사

소청심사위원회는 소청을 접수하면 지체 없이 심사하여야 하며(국공법 제9조1항), 소청인 또는 그 대리인에게 진술기회를 주어야 한다(국공법 제13조1항). 진술의 기회를 부여하지 않은 결정은 무효이다(국공법 제13조2항).

(3) 결 정

소청심사위원회는 원칙적으로 소청심사청구를 접수한 날부터 60일 이내에 이에 대한 결정을 하여야 한다(국공법 제76조5항). 그 결정의 종류로는 각하 · 기각 · 취소 또는 변경 · 무효확인 및 의무이행결정이 있으며(국공법 제14조5항), 그 성질과 효력은 재결에서의 법리와 동일하다. 한편 그 결정에는 불이익변경금지원칙이 적용된다(국공법 제14조6항).

(4) 재 심

현행법상 재심규정이 없으며, 다만 감사원법상 감사원으로부터 파면요구를 받아서 행한 파면처분에 대한 소청제기로 소청결정을 한 경우에는 감사원이 재심요구를 할 수 있다(감사원법 제32조5, 6항).

Ⅳ. 행정소송

1. 일반공무원

일반공무원에 대한 징계에 대하여 행정소송을 제기하기 위해서는 소청절차를 먼저 거쳐야 한다. 필요적 전치주의에 해당한다(국공법 제16조1항). 소송의 대상과 관련하여 원처분주의가 적용된다. 행정심판의 재결의 법리와 소청결정의 법리는 동일하다.

헌재결정 직권면직처분을 받은 지방공무원이 그에 대해 불복할 경우 행정소송의 제기에 앞서 반드시 소청심사를 거치도록 규정한 것은 행정기관 내부의 인사행정에 관한 전문성 반영, 행정기관의 자율적 통제, 신속성 추구라는 행정심판의 목적에 부합한다. 소청심사제도에도 심사위원의 자격요건이 엄격히 정해져 있고, 임기와 신분이 보장되어 있는 등 독립성과 공정성이 확보되어 있으며, 증거조사절차나 결정절차 등 심리절차에 있어서도 사법절차가 상당 부분 준용되고 있다. 나아가 소청심사위원회의 결정기간은 엄격히 제한되어 있고, 행정심판전치주의에 대해 다양한 예외가 인정되고 있으며, 행정심판의 전치요건은 행정소송 제기 이전에 반드시 갖추어야 하는 것은 아니어서 전치요건을 구비하면서도 행정소송의 신속한 진행을 동시에 꾀할 수 있으므로, 이 사건 필요적 전치조항은 입법형성의 한계를 벗어나 재판청구권을 침해하거나 평등원칙에 위반된다고 볼 수 없다(헌재결 2015. 3.26, 2013헌바186).

2. 교육공무원

1) 교원소청심사위원회의 소청결정을 거쳐 행정소송을 제기할 수 있다(교원지위향상을 위한 특별법 제9조, 제10조3항). 원처분주의가 적용되는 점은 일반 공무원과 동일하다.

2) 교육공무원과 비교할 것으로서 사립학교 교원이 교원소청심사위원회의 결정에 불복하는 경우를 들 수 있는데, 이 경우는 교원소청심사위원회를 피고로 하여 결정을 대상으로 행정소송을 제기할 수 있으며, 행정소송 외에도 학교법인을 피고로 하여 민사소송을 제기하여 권리구제를 받을 수도 있다. 이때 학교법인도 교원소청심사위의 결정에 대해 불복할 수 있는지가 문제되는데, 종래 교원지위향상을 위한 특별법은 이를 불허하였으나 헌법재판소가 그 점에 대하여 위헌결정을 내렸고, 이에 따라 동조항이 개정되어 현행법상으로는 가능하다.

Ⅴ. 면직처분 등이 취소된 공무원의 소급재임용(국공법 제43조3항) 및 보수(공무원보수규정 제30조)의 보장

Ⅵ. 고충심사청구

공무원은 누구나 인사 · 조직 · 처우 등 각종 직무 조건과 그 밖에 신상 문제에 대하여 인사 상담이나 고충 심사를 청구할 수 있으며, 이를 이유로 불이익한 처분이나 대우를 받지 아니한다(국공법 제76조의2 1항).

145 직위해제

Ⅰ. 의 의

직위를 계속 유지할 수 없는 사유가 있는 경우에 직위를 부여하지 아니하는 것을 말한다(국가공무원법 제73조의3). 제재적 의미를 가지는 강제적인 보직의 해제이고 복직이 보장되지 않는다는 점에서 휴직과 구별되며, 공무원으로서 신분을 여전히 보유한다는 점에서는 면직과 구별된다.

Ⅱ. 법적 성질

일시적으로 직무에 종사하지 못하게 하는 잠정적 조치로서 재량행위이다. 징계의결이 요구중인 자에게 잠정적으로 직위를 해제하는 경우에는 가행정행위에 해당한다는 견해도 있다(홍정선, 류지태). 직위해제는 징벌적 제재인 징계와 법적 기초·성질·사유 등을 달리하므로 시효의 적용을 받지 않으며, 양자간에 일사부재리의 원칙이나 이중처벌금지의 원칙도 적용되지 않는다.

판례 1 직위해제는 일반적으로 공무원이 직무수행능력이 부족하거나 근무성적이 극히 불량한 경우, 공무원에 대한 징계절차가 진행 중인 경우, 공무원이 형사사건으로 기소된 경우 등에 있어서 당해 공무원이 장래에 있어서 계속 직무를 담당하게 될 경우 예상되는 업무상의 장애, 공무집행 및 행정의 공정성과 그에 대한 국민의 신뢰저해 등을 예방하기 위하여 일시적인 인사조치로서 당해 공무원에게 직위를 부여하지 아니함으로써 직무에 종사하지 못하도록 하는 잠정적이고 가처분적인 성격을 가진 조치이다(대판 2014.5.16, 2012두26180).

판례 2 구 지방공무원법 제65조의3 제1항 제2호에 의한 직위해제 제도는 '파면·해임·정직에 해당하는 징계의결이 요구'중인 지방공무원이 계속 직위를 보유하고 직무를 수행한다면 공무집행의 공정성과 그에 대한 국민의 신뢰를 저해할 구체적인 위험이 생길 우려가 있으므로 이를 사전에 방지하고자 하는 데 그 목적이 있고, 이와 같은 직위해제처분은 징벌적 제재인 징계처분과는 그 성질을 달리하는 별개의 처분이다. 따라서 이러한 직위해제 제도의 목적 등에 비추어 구 지방공무원법 제65조의3 제1항 제2호의 사유에 기한 직위해제처분의 적법 여부는 그 처분 시를 기준으로 당해 지방공무원이 파면·해임·해당하는 징계의결을 받을 고도의 개연성이 있는지 여부, 당해 지방공무원이 계속 직무를 수행함으로 인하여 공정한 공무집행에 위험을 초래하는지 여부 등 구체적인 사정을 고려하여 판단하여야 하고, 직위해제처분 이후 관련 징계처분이 법원의 판결로 징계사유의 부존재, 징계시효의 만료 등을 이유로 취소되었다고 하여 바로 직위해제처분이 위법하게 되는 것은 아니다(대판 2014.10.30, 2012두25552).

Ⅲ. 직위해제사유

국가공무원법은 ① 직무수행 능력이 부족하거나 근무성적이 극히 나쁜 자 ② 파면·해임·강등 또는 정직에 해당하는 징계 의결이 요구 중인 자 ③ 형사 사건으로 기소된 자(약식명령이 청구된 자는 제외) ④ 고위공무원단에 속하는 일반직공무원으로서 제70조의2 1항2호 및 3호의 사유로 적격심사를 요구받은 자에 해당하는 경우 직위를 부여하지 아니할 수 있다고 규정하고 있다(제73의3 1항).

판례 1 직위해제요건인 각호 2의 해당여부는 근무성적평정점수의 저조만으로는 아니되고 정신적·육체적으로 직무를 적절히 처리할 수 있는 능력의 현저한 부족으로 근무성적이 극히 불량한 때라야 한다(대판 1985.2.26, 83누218).

판례 2 헌법 제27조4항은 형사피고인은 유죄의 판결이 확정될 때까지는 무죄로 추정된다고 규정하고 있고, 구 국가공무원법(1994.12.22. 법률 제4829호로 개정되기 전의 것) 제73조의2 1항4호에 의한 직위해제 제도는 유죄의 확정판결을 받아 당연퇴직되기 전단계에서 형사소추를 받은 공무원이 계속 직위를 보유하고 직무를 수행한다면 공무집행의 공정성과 그에 대한 국민의 신뢰를 저해할 구체적인 위험이 생길 우려가 있으므로 이를 사전에 방지하고자 하는 데 그 목적이 있는바, 헌법상의 무죄추정의 원칙이나 위와 같은 직위해제제도의 목적에 비추어 볼 때, 형사사건으로 기소되었다는 이유만으로 직위해제처분을 하는 것은 정당화될 수 없고, 당사자가 당연퇴직 사유인 국가공무원법 제33조1항3호 내지 6호에 해당하는 **유죄판결을 받을 고도의 개연성이 있는지 여부, 당사자가 계속 직무를 수행함으로 인하여 공정한 공무집행에 위험을 초래하는지 여부 등 구체적인 사정을 고려**하여 그 위법 여부를 판단하여야 할 것이다(대판 1999.9.17, 98두15412).

Ⅳ. 절 차

법률에 특별한 정함은 없으나, **직위해제사유를 기재한 설명서를 교부하여야** 한다(국공법 제75조). 이는 피처분자에게 방어의 준비 및 불복의 기회를 보장함과 아울러, 처분권자가 직위해제사유의 존부를 신중하고 합리적으로 판단하게 하여 자의를 배제하려는 취지이다.

판 례 구 지방공무원법 제67조 제1항에서 임용권자가 공무원에 대하여 직위해제처분 등을 할 때 그 공무원에게 **처분의 사유를 적은 설명서를 교부**하도록 규정하고 있는 것은 **해당 공무원에게 직위해제처분 등의 사유를 분명히 밝힘으로써 그 공무원이 그 처분에 불복할 경우 제소의 기회를 갖도록 하기 위한 것이므로 그 처분사유 설명서의 교부를 처분의 효력발생요건이라고 할 수 없다**(대판 2014.10.30, 2012두25552).

Ⅴ. 효 과

1) 직위해제처분을 받은 자는 **공무원지위는 유지**되지만, **직무에 종사하지 못하며 출근의무도 없다**. 나아가 직위해제기간은 **승진소요연수에 산입되지 않고**(공무원임용령), **봉급도 일부 감액**된다(공무원보수규정).

2) 직위해제 사유 중 '**직무수행능력이 부족하거나 근무성적이 극히 불량한 자**'에 대한 사유로 직위해제처분을 하는 경우에 임용권자는 직위해제된 자에 대하여 **3개월의 범위에서 대기명령**을 하여야 하고 이 경우 대기명령자에 대하여 필요한 조치를 하여야 한다(제73조의2 3·4항).

3) 직위해제 후 **직권면직도 가능**하다(국가공무원법 제70조1항5호).

Ⅵ. 불 복

1. 소청심사위원회에 소청심사 청구(국공법 제76조1항)

2. 항고소송

(1) 직위해제의 처분성

(2) 하자의 승계

판례는 직위해제와 직권면직 사이에 하자의 승계를 부정한다. 이에 대해서 **비판**이 있는데, **다수설인 하자의 승계론의 관점**에서도 직위해제처분을 받은 자는 다시 직위를 부여받기 위해 근신할 수 밖에 없는 상태에 있음이 통상적이므로 **직위해제처분에 대해 쟁송을 제기하는 것은 기대가능하지 않아** 직위해제처분의 불가쟁력을 이유로 쟁송의 기회를 박탈하는 것은 지나친 권리침해이므로 **하자의 승계를 긍정해야 한다는 견해**(김연태)가 제시되고 있으며, **구속력 이론에 입각**하여 직위해제처분에 대한 쟁송제기의 기대가능성이 적고, 소청제기기간이 짧은 점 등을 고려하여 **구속력의 예외를 인정하자는 견해**(김남진)도 있다.

판 례 **직위해제처분이 있은 후 면직처분**이 된 경우 **전자**에 대하여 소청심사청구 등 불복을 함이 없고 그 처분이 **당연무효인 경우도 아닌 이상** 그 후의 **면직처분에 대한 불복의 행사소송에서 전자의 취소사유를 들어 위법을 주장할 수 없다**(대판 1970.1.27, 68누10).

(3) 소의 이익

직위해제기간만료 등 직위해제상태가 소멸된 후에 직위해제의 무효 또는 취소를 구할 소의 이익이 있는지 여부가 문제되는데, **헌법재판소**는 이를 **긍정**한 바 있다. **대법원도 최근**에는 **직위해제처분에 따른 효과로 승진·승급에 제**

한을 가하는 등의 법률상 불이익을 규정하고 있는 경우에는 **실효된 직위해제처분에 대한 구제를 신청할 이익이 있다**고 한 바 있다. 직위해제기간 동안 **승진소요연수의 불산입 및 보수감액지급 등의 불이익은 그대로 남아 있으므로 이의 회복을 위해서 긍정**하는 것이 **타당**하다.

판례 1 제청신청인들은 개정법률 부칙 제2호에 의하여 1995.1.3. 복직발령을 받았으나, 직위해제처분은 여전히 유효하기 때문에, 승진소요최저연수의 계산에 있어서 직위해제기간은 산입되지 않으며(공무원임용령 제31조2항) 직위해제기간중 봉급의 감액을 감수할 수밖에 없는(공무원보수규정 제29조) 등 제청신청인들에게 법적으로 불리한 효과가 그대로 남아 있다. 그러므로 **제청신청인들에게는 승급이나 보수지급 등에 있어서의 불리함을 제거하기 위하여 직위해제처분의 취소를 구할 소의 이익이 인정**되고, 이로써 제청법원은 당해사건의 본안에 관하여 판단해야 할 필요성이 있다(헌재결 1985.5.28, 96헌가12).

판례 2 직위해제란 공무원에 있어서 그 직위를 계속 유지시킬 수 없는 사유가 있어 그 직위를 부여하지 아니하는 처분으로서 공무원이 **직위해제처분을 받았다가 얼마 후에 다른 직위를 다시 부여받았다면 그 직위는 이미 회복**되었다고 볼 것이므로 그 직위해제처분에 어떤 하자가 있음을 이유로 그 **무효확인을 구할 소송상의 이익은 없다**(대판 1987.9.8, 87누560).

판례 3 행정청이 공무원에 대하여 **새로운 직위해제사유에 기한 직위해제처분을 한 경우 그 이전에 한 직위해제처분은 이를 묵시적으로 철회**하였다고 봄이 상당하므로, 그 **이전 처분의 취소를 구하는 부분은 존재하지 않는 행정처분을 대상**으로 한 것으로서 그 **소의 이익이 없어 부적법**하다(대판 2003.10.10, 2003누5945).

판례 4 직위해제처분은 근로자로서의 지위를 그대로 존속시키면서 다만 그 직위만을 부여하지 아니하는 처분이므로 만일 어떤 사유에 기하여 근로자를 **직위해제한 후 그 직위해제 사유와 동일한 사유를 이유로 징계처분**을 하였다면 **뒤에 이루어진 징계처분에 의하여 그 전에 있었던 직위해제처분은 그 효력을 상실**한다. 여기서 직위해제처분이 효력을 상실한다는 것은 직위해제처분이 **소급적으로 소멸하여 처음부터 직위해제처분이 없었던 것과 같은 상태로 되는 것이 아니라 사후적으로 그 효력이 소멸**한다는 의미이다. 따라서 **직위해제처분에 기하여 발생한 효과는 당해 직위해제처분이 실효되더라도 소급하여 소멸하는 것이 아니므로, 인사규정 등에서 직위해제처분에 따른 효과로 승진 · 승급에 제한을 가하는 등의 법률상 불이익을 규정**하고 있는 경우에는 직위해제처분을 받은 근로자는 이러한 법률상 불이익을 제거하기 위하여 그 **실효된 직위해제처분에 대한 구제를 신청할 이익**이 있다(대판 2010.7.29, 2007두18406).[1]

기출 사례 직위해제와 재결소송(11년 행시 - 일반행정)

갑은 A 공단 소속 근로자로서 노동조합 인터넷 게시판에 A 공단 이사장을 모욕하는 내용의 글을 게시하였고, A 공단은 갑이 인사규정상 직원의 의무를 위반하고 품위를 손상하였다는 사유로 갑에 대하여 직위해제처분을 한 후 동일한 사유로 해임처분을 하였다. A 공단의 인사규정은 직위해제기간을 승진소요 최저연수 및 승급소요 최저 근무기간에 산입하지 않도록 하여 직위해제처분이 있는 경우 승진 승급에 제한을 가하고 있고, A 공단의 보수규정은 직위해제기간 동안 보수의 2할(직위해제기간이 3개월을 경과하는 경우에는 5할)을 감액하도록 규정하고 있다. 갑은 중앙노동위원회에 직위해제처분 및 해임처분에 대해 부당해고 재심판정을 구하였으나 기각되었다. 이후 갑은 재심판정 중에서 해임처분의 취소를 구하는 소송을 제기하여 다투고 있는 중이다. (총 25점)

1) 직위해제처분의 법적 성격과 해임처분이 직위해제처분에 미치는 효과에 대하여 검토하시오. (10점)
2) 만약 갑이 위 해임처분에 관한 취소소송과는 별도로, 재심판정 중에서 직위해제 부분의 취소를 구하는 소송을 제기하는 경우 이러한 소의 제기는 적법한가? (15점)

Ⅰ. 직위해제처분의 법적성격과 해임처분이 직위해제처분에 미치는 효과 - 설문(1)

1. 직위해제처분의 법적 성격(#145)

- 일시적으로 직무를 배제하는 잠정적인 조치
- 휴직, 면직, 징계와 구별
- 갑은 A공단 소속 근로자로서 사법상 근무관계이므로 직위해제처분이 행정소송법상 처분은 아님.

1) 사법상 근로자의 직위해제처분에 관한 사례이지만 공무원의 직위해제처분에도 같은 법리가 적용되어야 할 것.

2. 해임처분이 직위해제처분에 미치는 효과

- 동일한 사유로 해임처분이 있기 전에 징계의결이 요구중인 자에게 행한 직위해제는 잠정적 조치의 성격. 따라서 해임처분이 발령되면 직위해제처분은 장래를 향하여 실효됨.

판 례 [1] 직위해제처분은 근로자로서의 지위를 그대로 존속시키면서 다만 그 직위만을 부여하지 아니하는 처분이므로 만일 어떤 사유에 기하여 근로자를 **직위해제한 후 그 직위해제 사유와 동일한 사유를 이유로 징계처분**을 하였다면 **뒤에 이루어진 징계처분에 의하여 그 전에 있었던 직위해제처분은 그 효력을 상실**한다. 여기서 직위해제처분이 **효력을 상실한다는 것은 직위해제처분이 소급적으로 소멸하여 처음부터 직위해제처분이 없었던 것과 같은 상태로 되는 것이 아니라 사후적으로 그 효력이 소멸**한다는 의미이다. 따라서 직위해제처분에 기하여 발생한 효과는 당해 직위해제처분이 실효되더라도 소급하여 소멸하는 것이 아니므로, **인사규정 등에서 직위해제처분에 따른 효과로 승진·승급에 제한을 가하는 등의 법률상 불이익을 규정하고 있는 경우에는 직위해제처분을 받은 근로자는 이러한 법률상 불이익을 제거하기 위하여 그 실효된 직위해제처분에 대한 구제를 신청할 이익이 있다.**

[2] 노동조합 인터넷 게시판에 국민건강보험공단 이사장을 모욕하는 내용의 글을 게시한 근로자에 대하여 인사규정상 직원의 의무를 위반하고 품위를 손상하였다는 사유로 직위해제처분을 한 후 동일한 사유로 해임처분을 한 사안에서, 근로자는 위 **직위해제처분으로 인하여 승진·승급에 제한을 받고 보수가 감액되는 등의 인사상·급여상 불이익**을 입게 되었고, 위 **해임처분의 효력을 둘러싸고 다툼이 있어 그 효력 여하가 확정되지 아니한 이상 근로자의 신분을 상실한다고 볼 수 없어 여전히 인사상 불이익을 받는 상태**에 있으므로, 비록 직위해제처분이 해임처분에 의하여 효력을 상실하였다고 하더라도 근로자에게 위 직위해제처분에 대한 구제를 신청할 이익이 있음에도, 이와 다르게 본 원심판결에 법리오해의 위법이 있다고 한 사례(대판 2010.7.29, 2007두18406).

Ⅱ. 재심판정 중 직위해제 부분의 취소를 구하는 소 제기의 적법성 - 설문(2)

1. 소송요건

- 일반론 간단히 언급.

2. 대상적격

- 사안은 근로자에 대한 직위해제처분을 행정소송의 대상으로 소송을 제기한 것이 아니라 중앙노동위원회의 재심판정 중 직위해제 부분에 대해 소송을 제기한 것.
- 중노위의 재심판정은 행정소송법상 처분에 해당.[2)]

3. 협의의 소의 이익

- 재심결정 중에서 직위해제 부분의 취소를 구하는 데, 직위해제처분이 실효되었으므로 직위해제 부분의 취소를 구할 소의 이익이 있는지 여부가 문제.
- 실효된 경우에도 회복되는 법률상 이익이 있으면 소의 이익을 긍정. 행정소송법 제12조2문도 그러한 취지.
- 공단 인사규정상 승진 승급, 보수 등에 있어 불이익이 있는데, 해임처분시까지의 불이익이 남아 있으며, 해임처분에 대해서도 다투고 있는 상황이므로 소의 이익을 긍정하는 것이 타당.

4. 소 결

- 소 제기는 적법.

---

2) **공단**의 근로자의 근무관계가 **공법관계**이고 직위해제처분이 행정소송법상 처분에 해당된다는 견해도 있을 수 있으나 공단의 근로자의 근무관계는 **사법관계**로 보는 것이 타당하다는 견해도 있을 수 있음. **판례**는 **한국조폐공사의 직원의 근무관계는 사법관계**라고 하고(대판 1978.4.25, 78다414), **민사소송에서 철도청 공무원으로 근무하던 중 집행유예의 확정판결을 받고도 사실상 계속 근무해 온 사람을 한국철도공사 직원으로 임용한 것은 무효**라고 한 바가 있는데(대판 2011.3.24, 2008다92022), **판례의 입장은 사법관계**라고 볼 수 있음.
- 설문이 원처분과 재결과의 관계에서 **재결주의를 논점으로 직접적으로 묻은 것은 아니지만 재결주의와 관련하여 검토**하면,
- 사용자의 부당노동행위 등에 대해서 근로자는 지방노동위원회에 구제신청을 할 수 있고, 불복이 있는 경우 중앙노동위원회에 재심을 신청하여 재심결정이 나올 경우 지방노동위원회의 구제결정·기각결정이 원처분, 중앙노동위원회의 재심구제결정·기각결정이 재결이 되는데 **행정소송은 지방노동위원회의 결정이 아니라 중앙노동위원회의 재심결정에 대해 제기**해야 하는 **원처분주의의 예외인 재결주의**로 교과서상 소개되고 있음(#109.Ⅳ).
- 공단 근로자의 근무관계를 사법관계로 보고 갑에 대한 **직위해제처분은 사법상 행위**로 보면 지방노동위원회의 부당노동행위결정이 최초의 원처분이고 중앙노동위원회의 재심결정이 재결에 해당되는 것이므로 **지노위의 결정과 중노위의 재심 사이에 원처분과 재결의 관계**가 성립하는 것.

146 공무원관계의 내용

Ⅰ. 공무원의 권리

1. 신분상의 권리

(1) 신분보장권

헌법 제7조2항은 "공무원의 신분과 정치적 중립성은 법률이 정하는 바에 의하여 보장된다"고 하며, 국가공무원법 제68조도 이에 따라 "공무원은 형의 선고, 징계처분 또는 이 법에서 정하는 사유에 따르지 아니하고는 본인의 의사에 반하여 휴직·강임 또는 면직을 당하지 아니한다"고 규정하고 있다.

(2) 직무집행권, 직위보유권

공무원은 그 직위에 속하는 직무를 집행할 권리를 가진다. 직위보유권 즉 **공무원 자신에게 부여된 직무를 박탈당하지 않을 권리가 인정되는지**에 대하여 논란이 있는데, 직위부여는 **각 부서의 인적 사항이나 국가 전체의 수급계획에 의하여 현실적으로 제약**을 받으므로 자신에게 적합하지 못한 직위가 부여되었다는 이유로 쟁송을 제기할 수는 없으므로 **부정설이 타당**하다.

(3) 인사상담 및 고충심사청구권

공무원은 누구나 인사·조직·처우 등 각종 직무 조건과 그 밖에 신상 문제에 대하여 인사 상담이나 고충 심사를 청구할 수 있으며, 이를 이유로 불이익한 처분이나 대우를 받지 아니한다(국공법 제76조의2 1항).

판 례 지방공무원법 제67조의2에서 규정하고 있는 고충심사제도는 **공무원으로서의 권익을 보장하고 적정한 근무환경을 조성하여 주기 위하여 근무조건 또는 인사관리 기타 신상문제에 대하여 법률적인 쟁송의 절차에 의하여서가 아니라 사실상의 절차에 의하여 그 시정과 개선책을 청구하여 줄 것을 임용권자에게 청구할 수 있도록 한 제도**로서, **고충심사결정** 자체에 의하여는 어떠한 **법률관계의 변동이나 이익의 침해가 직접적으로 생기는 것은 아니므로** 고충심사의 결정은 행정상 쟁송의 대상이 되는 행정처분이라고 할 수 없다(대판 1987.12.8, 87누657·87누658).

(4) 소청권, 행정소송제기권

위법·부당한 처분 등으로 권리가 침해된 공무원은 소청심사청구나 행정소송을 제기할 수 있다.

(5) 직장협의회 설립, 운영권

국가기관, 지방자치단체 및 그 하부기관에 근무하는 공무원은 직장협의회를 설립할 수 있다(공무원직장협의회의 설립·운영에 관한 법률 제2조1항).

(6) 노동운동의 권리

국가공무원법 제2조 및 지방공무원법 제2조에 규정한 공무원은 노동조합을 설립할 수 있으며(공무원의 노동조합 설립 및 운영 등에 관할 법률 제5조, 제6조), 노동조합의 대표자는 교섭권 및 단체협약체결권을 가진다(동법 제8조1항). 그러나 노동조합과 그 조합원은 원칙적으로 정치활동 및 쟁의행위가 금지된다(동법 제4조 및 제11조).

2. 재산상의 권리

(1) 보수청구권

공무원은 국가나 지방자치단체에 보수를 청구할 권리를 가진다. 보수란 봉급과 기타 각종 수당을 합산한 금액을 말한다. 보수는 직무에 대한 반대급부의 성격과 생활보장을 위해 국가가 지급하는 금품의 성격을 아울러 가지고 있다. 보수청구권은 공법상 권리이므로 공무원의 보수에 대한 분쟁은 **공법상 당사자소송**에 의한다. 보수청구권의 **소멸시효**에 대하여 국가재정법 제96조에 의해 5년이라는 견해가 있으나, **판례는 민법 제163조1호가 적용되어 3년**이라고 한다.

판 례 교육부장관(당시 문교부장관)의 권한을 재위임 받은 공립교육기관의 장에 의하여 공립유치원의 임용기간을 정한 전임강사로 임용되어 지방자치단체로부터 보수를 지급받으면서 공무원복무규정을 적용받고 사실상 유치원 교사의 업무를 담당하여 온 유치원 교사의 자격이 있는 자는 교육공무원에 준하여 신분보장을 받는 정원 외의 임시직 공무원으로 봄이 상당하므로 그에 대한 **해임처분의 시정 및 수령지체된 보수의 지급을 구하는 소송은 행정소송의 대상**이지 민사소송의 대상이 아니다(대판 1991.5.10, 90다10766). ➡ 해임처분의 시정은 항고소송으로, 보수의 지급은 당사자소송으로 제기해야 함.

(2) 연금청구권

1) 연금의 의의

일정한 기간 근무하고 퇴직한 경우에 공무원 또는 그 유족에게 지급되는 급여를 말한다.

2) 성 질

봉급연불설(후불임금설), 사회보장설, 은혜설 등의 견해가 제시되나, **사회보장적제도의 성질도 가지면서 봉급연불적인 성격도 아울러 가진다**고 봄이 타당하다(**판례**).

헌재결정 공무원연금제도는 공무원이 퇴직하거나 사망한 때에 **공무원 및 그 유족의 생활안정과 복리향상에 기여하기 위한 사회보험으로서** 법상 퇴직급여나 유족급여는 후불임금의 성격만 갖는 것이 아니라 **기본적으로 사회보장적 급여로서의 성격을 가지면서 공무원이 기여금을 납부한다는 점에서 후불임금과 같은 성격도 함께 가진다**(헌재결 1998.12.24, 96헌바73).

3) 연금청구권의 양도, 압류 등 금지와 시효

연금청구권은 금융기관에 담보로 제공하는 경우 및 국세징수의 예에 의하여 체납처분을 하는 경우를 제외하고는 양도, 압류하거나 담보에 제공할 수 없다(공무원연금법 제32조). 그 청구권은 급여의 사유가 발생한 날로부터 단기급여는 1년, 장기급여는 5년의 시효에 걸린다(동법 제81조1항).

헌재결정 공무원연금법상의 각종 급여는 기본적으로 **사법상의 급여와는 달리 퇴직공무원 및 그 유족의 생활안정과 복리향상을 위한 사회보장적 급여로서의 성질**을 가지므로, **본질상 일신전속성이 강하여 권리자로부터 분리되기 어렵고, 사적 거래의 대상으로 삼기에 적합하지 아니할 뿐만 아니라, 압류를 금지할 필요성이 훨씬 크며,** 공무원연금법상 각종 급여의 액수는 공무원의 보수월액을 기준으로 산정되는데, 공무원연금법이 제정될 당시부터 공무원의 보수수준은 일반기업의 급료에 비하여 상대적으로 낮은 편이고, 더구나 이 사건 법률조항은 수급권자가 법상의 급여를 받기 전에 그 **급여수급권에 대하여만 압류를 금지하는 것일 뿐 법상의 급여를 받은 이후까지 압류를 금지하는 것은 아니므로,** 이 사건 법률조항에서 공무원연금법상의 각종 급여수급권 전액에 대하여 압류를 금지한 것이 **기본권 제한의 입법적 한계를 넘어서 재산권의 본질적 내용을 침해한 것이거나 헌법상의 경제질서에 위반된다고 볼 수는 없다**(헌재결 2000.3.30, 99헌바53).

4) 권리보호

① 심사청구 - 급여에 관한 결정에 이의가 있는 경우 **공무원연금급여재심위원회에** 심사청구할 수 있고(연금법 제80조1항), 다만 행정심판법에 따른 행정심판을 청구할 수는 없다(연금법 제80조4항).

② 행정소송 - 공무원연금법 소정의 급여는 법령의 규정에 의하여 직접 발생하는 것이 아니라 공무원연금관리**공단이 지급을 결정함으로서 발생**한다. 따라서 공단의 급여에 관한 결정은 **확인행위의 성질을 갖는 처분**에 해당하므로, 급여결정에 불복이 있는 자는 공단의 **급여결정을** 대상으로 **취소소송**을 제기하여야 한다.

판례 1 급여를 받을 권리를 가진 자가 당해 공무원이 소속하였던 기관장의 확인을 얻어 신청하는 바에 따라 **공무원연금관리공단이 그 지급결정을 함으로써 그 구체적인 권리가 발생**하는 것이므로, **공무원연금관리공단의 급여에 관한 결정은 국민의 권리에 직접 영향을 미치는 것이어서 행정처분에 해당**하고, 공무원연금관리공단의 급여결정에 불복하는 자는 공무원연금급여재심위원회의 심사결정을 거쳐 공무원연금관리공단의 급여결정을 대상으로 행정소송을 제기하여야 한다(대판 1996.12.6, 96누6417).

판례 2 공무원연금관리공단이 하는 **급여지급결정의 의미**는 **단순히 급여수급 대상자를 확인 · 결정하는 것에 그치는 것이 아니라 구체적인 급여수급액을 확인 · 결정하는 것까지 포함**한다. 따라서 구 공무원연금법령상 급여를 받으려고 하는 자는 우선 관계

법령에 따라 공단에 급여지급을 신청하여 공무원연금관리공단이 이를 거부하거나 일부 금액만 인정하는 급여지급결정을 하는 경우 그 결정을 대상으로 항고소송을 제기하는 등으로 구체적 권리를 인정받은 다음 비로소 당사자소송으로 그 급여의 지급을 구하여야 하고, **구체적인 권리가 발생하지 않은 상태에서 곧바로 공무원연금관리공단 등을 상대로 한 당사자소송으로 급여의 지급을 소구하는 것은 허용되지 않는다**(대판 2010.5.27, 2008두5636).

반면 **공단의 인정에 의하여 지급결정된 연금을 지급받아 오던 중 법령의 개정으로 일부 지급을 거부하게 된 경우**에는 **공법상 당사자소송으로 연금지급청구소송**을 제기하여야 한다.

판 례 **공무원연금관리공단의 인정에 의하여 퇴직연금을 지급받아 오던 중 구 공무원연금법령의 개정 등으로 퇴직연금 중 일부 금액의 지급이 정지**된 경우에는 **당연히 개정된 법령에 따라 퇴직연금이 확정**되는 것이지 같은 법 제26조1항에 정해진 **공무원연금관리공단의 퇴직연금 결정과 통지에 의하여 비로소 그 금액이 확정되는 것이 아니므로,** 공무원연금관리**공단이 퇴직연금 중 일부 금액에 대하여 지급거부의 의사표시**를 하였다고 하더라도 그 의사표시는 퇴직연금 청구권을 형성·확정하는 **행정처분이 아니라 공법상의 법률관계의 한쪽 당사자로서 그 지급의무의 존부 및 범위에 관하여 나름대로의 사실상·법률상 의견을 밝힌 것**일 뿐이어서, 이를 **행정처분이라고 볼 수는 없고,** 이 경우 **미지급퇴직연금에 대한 지급청구권은 공법상 권리로서 그의 지급을 구하는 소송은 공법상의 법률관계에 관한 소송인 공법상 당사자소송**에 해당한다(대판 2004.7.8, 2004두244).

Ⅱ. 공무원의 의무(국가공무원법)

1. 일반적 의무

⑴ 선서의무(제55조)

공무원은 취임할 때에 소속 기관장 앞에서 국회규칙, 대법원규칙, 헌법재판소규칙, 중앙선거관리위원회규칙 또는 대통령령으로 정하는 바에 따라 선서(宣誓)하여야 한다. 다만, 불가피한 사유가 있으면 취임 후에 선서하게 할 수 있다.

⑵ 성실의무(제56조)

모든 공무원은 법령을 준수하며 성실히 직무를 수행하여야 한다.

⑶ 품위유지의무(제63조)

공무원은 직무의 내외를 불문하고 그 품위가 손상되는 행위를 하여서는 아니 된다.

⑷ 청렴의무(제61조)

공무원은 직무와 관련하여 직접적이든 간접적이든 사례·증여 또는 향응을 주거나 받을 수 없으며(국공법 제61조1항), 직무상의 관계가 있든 없든 그 소속 상관에게 증여하거나 소속 공무원으로부터 증여를 받아서는 아니 된다(국공법 제61조2항).

2. 직무상 의무

⑴ 법령준수의무(제56조)

⑵ 복종의무(제57조)

1) 의 의

공무원은 직무를 수행함에 있어서 소속 상관의 직무상의 명령에 복종해야 한다. 상관이란 공무원의 직무에 관하여 지휘·감독권을 가진 자이며, 직무명령이란 **상관이 부하공무원 개인에 대하여 직무에 관하여 발하는 명령**을 말한다. 다만 직무명령은 법규가 아니어서 하급공무원을 구속할 뿐 일반국민을 구속하는 것은 아니므로, **직무명령위반은 위법이 아니고 징계사유**가 될 뿐이다. 직무명령은 하급공무원에게 발령한다는 점에서 하급행정기관을 대상으로 발령하는 훈령과 구별된다.

2)요 건 - 상. 하. 독/ 적. 타

직무명령의 **형식적** 요건으로 **상관의 권한**에 속하고, **부하공무원의 직무범위**에 속하는 사항이며, 부하공무원에게 직무상 **독립이 인정되는 사항이 아니어야** 한다(관련판례의 판시사항 [1]). **실질적** 요건으로 내용이 **법령과 공익에 적합**한 것이어야 한다.

3)경 합

둘이상의 상관으로부터 내용상 **모순되는 직무명령**이 있는 경우 문제가 있다. 상관 사이에 **우열이 없다면** 당해 사무에 **주된 권한을 가진 상관**의 직무명령에 따라야 하고, **우열이 있다면 직근상관**의 직무명령에 따라야 할 것이다.

4)한 계

상관의 직무명령을 받은 공무원이 명령의 내용을 심사할 수 있는지, 즉 위법한 명령에 대해서 명령을 거부할 수 있는지가 문제된다. **복종의무와 법령준수의무의 충돌**의 문제로서, **형식적 요건**은 구비여부가 외관상 명백한 것이 보통이므로 요건이 결여된 경우 **복종을 거부할 수 있다**. **실질적 요건을 심사할 수 있는지**에 대해 견해대립이 있다. 학설은 ① 직무명령에 중대명백한 하자가 있어 **무효**로 인정되는 경우 외에는 심사할 수 없다는 **소극설**, ② 공무원은 복종의무 외에도 **법령준수의무**를 지고 있으므로 공무원의 복종의무의 대상인 직무명령은 법령에 위반되지 않아야 하므로 심사할 수 있다는 **적극설**, ③ 직무명령이 **범죄를 구성하는 경우와 그 위법성이 명백**한 경우에는 복종을 거부할 수 있다는 **절충설**이 대립한다. **판례는 절충설**의 입장으로 보인다.

판례 1 공무원이 그 직무를 수행함에 있어 **상관은 하관에 대하여 범죄행위 등 위법한 행위를 하도록 명령할 직권이 없는 것이고, 하관은 소속상관의 적법한 명령에 복종할 의무는 있으나** 그 명령이 참고인으로 소환된 사람에게 가혹행위를 가하라는 등과 같이 **명백한 위법 내지 불법한 명령인 때에는 이는 벌써 직무상의 지시명령이라 할 수 없으므로 이에 따라야 할 의무는 없다**(대판 1988.2.23, 87도2358).

판례 2 **노동조합 전임자에 대한 직무상 명령이 노동조합의 정당한 활동 범위 내에 속하는 사항을 대상으로 하는 경우**에는, 그 **소속 기관의 원활한 공무 수행이나 근무기강의 확립, 직무집행의 공정성 또는 정치적 중립성 확보 등을 위하여 그 직무상 명령을 발령할 필요가 있다는 등의 특별한 사정이 있을 때에 한하여 그 명령은 복종의무를 발생시키는 유효한 직무상 명령**에 해당한다.

공무원에 대하여 민중의례 실시를 금지한 명령이 갑의 노동조합 활동에 관한 한 복종의무를 발생시키는 유효한 직무상 명령으로 볼 수 없어 갑이 민중의례를 주도한 행위를 복종의무 위반이라는 징계사유로 삼을 수 없다(대판 2013.9.12, 2011두20079).

생각건대 복종의무가 추구하는 **행정의 계층적 질서의 보장**과 법령준수의무가 실현하는 **행정의 합법성의 원칙의 보장**이라는 가치를 **조화**하는 **절충설이 타당**하다.

(3) 직무전념의무

1)**직장이탈금지**(제58조1항)

공무원은 소속 상관의 허가 또는 정당한 사유가 없으면 직장을 이탈하지 못하며

2)**영리업무 및 겸직금지**(제64조1항)

공무 외에 영리를 목적으로 하는 업무에 종사하지 못하며 소속 기관장의 허가 없이 다른 직무를 겸할 수 없다.

(4) **친절, 공정의무**(제59조)

공무원은 국민 전체의 봉사자로서 친절하고 공정하게 직무를 수행하여야 한다.

(5) **비밀엄수의무**(제60조)

공무원은 재직 중은 물론 퇴직 후에도 직무상 알게 된 비밀을 엄수(嚴守)하여야 한다. **비밀의 의미**에 대하여 행정기관이 법적절차에 따라 **비밀로 지정**한 것을 의미한다는 **형식비설**, 비밀로 지정되어 있는지 여부와 관계없이 **객관적·실질적**으로 비밀에 해당하는 것을 의미한다는 **실질비설**이 대립하나 공무원의 **비밀엄수의무를 규정한 입법취지** 및 **정보공개의 요청**에 비추어 **실질비설이 타당**하다. **판례**도 **실질비설**이다.

판 례 국가공무원법상 직무상 비밀이라 함은 국가 공무의 민주적, 능률적 운영을 확보하여야 한다는 이념에 비추어 볼 때 당해 사실이 일반에 알려질 경우 그러한 행정의 목적을 해할 우려가 있는지 여부를 기준으로 판단하여야 하며, 구체적으로는 행정기관이 비밀이라고 형식적으로 정한 것에 따를 것이 아니라 실질적으로 비밀로서 보호할 가치가 있는지, 즉 그것이 통상의 지식과 경험을 가진 다수인에게 알려지지 아니한 비밀성을 가졌는지, 또한 정부나 국민의 이익 또는 행정목적 달성을 위하여 비밀로서 보호할 필요성이 있는지 등이 객관적으로 검토되어야 한다(대판 1996.10.11, 94누7171).

(6) 정치운동금지(제65조)

공무원은 정당이나 그 밖의 정치단체의 결성에 관여하거나 이에 가입할 수 없다.

(7) 집단행동금지(제66조)

공무원은 노동운동이나 그 밖에 공무 외의 일을 위한 집단 행위를 하여서는 아니 된다.

Ⅲ. 공무원의 책임

1. 민·형사상책임

공무원이 직무상 불법행위로 타인에게 손해를 발생하게 한 경우 판례는 공무원의 고의 또는 중과실이 인정되면 피해자는 가해공무원에게 직접 민법상 손해배상을 청구할 수 있다고 한다. 한편 공무원의 의무위반 행위가 동시에 범죄행위에 해당되는 경우에는 직무유기(형법 제122조)나 뇌물 관련범죄(동법 제129조 이하) 등 형사책임을 진다.

2. 행정법상 책임

(1) 징계책임(징계벌)

징계란 공무원의 의무위반에 대하여 공무원관계의 질서를 유지하기 위하여 국가 또는 지방자치단체가 사용자로서의 지위에서 과하는 제재를 말한다. 제재로서의 벌이 징계벌이며, 징계벌을 받아야 할 책임을 징계책임이라 한다.

1) 형벌과의 차이

형벌은 국가와 사회의 질서유지를 목적으로 하지만, 징계벌은 공무원을 대상으로 행정조직 내부의 질서유지를 목적으로 한다. 양자는 목적과 내용을 달리하므로 병과할 수 있으며, 병과가 일사부재리의 원칙에 반하지 않는다.

2) 법치주의 적용여부

특별행정법관계의 논의이다. 공무원관계의 특수성을 감안하더라도, 법치주의 자체의 적용을 부정할 수는 없다.

3) 징계원인

국가공무원법(제78조), 지방공무원법(제69조)에 규정되어 있는바. 명령 위반이나 직무태만 등이 징계의 원인이 되고, 고의나 과실을 요하지 않는다.

4) 징계종류: 파면, 해임, 강등, 정직, 감봉, 견책(국가공무원법 제79조, 지방공무원법 제70조)

① 파면이란 공무원의 신분을 박탈하는 징계처분으로서, 파면 처분을 받은 자는 그 처분을 받은 때로부터 5년을 경과하여야 다시 공무원에 임용될 수 있다(국공법 제33조 1항7호). 그리고 파면의 경우에는 퇴직급여·퇴직수당도 감액하여 지급한다(공무원연금법 제64조1항2호).

② 해임도 파면처럼 공무원신분을 박탈하는 징계처분이나, 공무원에 임용될 수 없는 기간은 파면과 달리 3년이고(제33조1항8호), 파면에서와 달리 금품 및 향응수수, 공금의 횡령·유용으로 해임된 경우에만 퇴직급여 등이 감액된다.

③ 강등은 1계급 아래로 직급을 내리는 징계처분으로서, 공무원신분은 보유하지만 처분 이후 3개월간 직무에 종사하지 못하며, 그 기간 동안 보수의 3분의 2를 감한다(국공법 제80조1항).

④ 정직은 공무원의 신분은 보유하되 일정기간 직무에 종사하지 못하는 징계처분이다. 정직기간은 1개월 이상 3개월 이하이며, 그 기간 동안 보수의 3분의 2를 감한다(국공법 제80조3항).

⑤ 감봉은 1개월 이상 3개월 이하의 기간 동안 보수의 3분의 1을 감하는 징계처분이다(국공법 제80조4항).

⑥ **견책**은 전과(前過)에 대하여 훈계하고 회개하게 하는 징계처분이다(국공법 제80조5항).

⑦ 한편 국가공무원법에 **명문으로 징계로 규정되지 않은 경고가 처분에 해당하는지** 논의가 있다. **권고적 성격에 그치는 단순한 경고는 징계에 해당하지 않으나, 판례는 신분상 불이익을 초래하는 불문경고조치의 처분성을 인정**한 바 있다.

판례 1 공무원이 소속 장관으로부터 받은 "직상급자와 다투고 폭언하는 행위 등에 대하여 **엄중 경고하니 차후 이러한 사례가 없도록 각별히 유념하기 바람**"이라는 내용의 **서면에 의한 경고가** 공무원의 신분에 영향을 미치는 **국가공무원법상의 징계의 종류에 해당하지 아니하고, 근무충실에 관한 권고행위 내지 지도행위**로서 그 때문에 공무원으로서의 **신분에 불이익을 초래하는 법률상의 효과가 발생하는 것도 아니므로,** 경고가 국가공무원법상의 징계처분이나 행정소송의 대상이 되는 행정처분이라고 할 수 없어 그 취소를 구할 법률상의 이익이 없다(대판 1991.11.12, 91누2700).

판례 2 [1] 항고소송의 대상이 되는 행정처분이라 함은 원칙적으로 행정청의 공법상 행위로서 특정 사항에 대하여 법규에 의한 권리의 설정 또는 의무의 부담을 명하거나 기타 법률상 효과를 발생하게 하는 등으로 일반 국민의 권리 의무에 직접 영향을 미치는 행위를 가리키는 것이지만, 어떠한 **처분의 근거나 법적인 효과가 행정규칙에 규정되어 있다고 하더라도,** 그 처분이 **행정규칙의 내부적 구속력에 의하여 상대방에게 권리의 설정 또는 의무의 부담을 명하거나 기타 법적인 효과**를 발생하게 하는 등으로 그 **상대방의 권리 의무에 직접 영향**을 미치는 행위라면, 이 경우에도 항고소송의 대상이 되는 **행정처분**에 해당한다.
[2] **행정규칙에 의한 '불문경고조치'**가 비록 법률상의 징계처분은 아니지만 위 처분을 받지 아니하였다면 차후 다른 징계처분이나 경고를 받게 될 경우 징계감경사유로 사용될 수 있었던 **표창공적의 사용가능성을 소멸시키는 효과**와 **1년 동안** 인사기록카드에 등재됨으로써 그 동안은 **장관표창이나 도지사표창 대상자에서 제외시키는 효과** 등이 있다는 이유로 항고소송의 대상이 되는 행정처분에 해당한다고 한 사례(대판 2002.7.26, 2001두3532).[1)2)]

5) 징계절차

징계의결요구권자는 공무원이 **징계사유에 해당**할 때 관할 **징계위원회에 반드시 징계의결을 요구하여야** 한다(국공법 제78조 1항,4항). 징계의결의 요구는 징계사유가 발생한 날로부터 3년을 경과한 때에는 행하지 못한다(금품 및 향응 수수, 공금의 횡령·유용의 경우는 5년)(국공법 제83조의2,1항). **징계위원회는** 법상의 절차에 따라 **징계의결**을 행한다(국공법 제82조1항). 징계대상자에게 **진술의 기회를 부여하지 않은 징계의결은 무효**이다(국공법 제81조3항). **징계권자는 징계의결의 결과에 따라 징계처분**을 한다(국공법 제78조1항).

6) 징계처분의 성질 - 재량행위

공무원에 대한 징계는 징계의 원인이 된 비위사실의 내용과 성질, 징계에 의하여 달성하려고 하는 행정목적, 징계 양정의 기준 등 여러 요소를 종합하여 결정해야 하는 재량행위이다(관련판례의 판시사항[6]).

징계사유가 있는 경우 **징계의결의 요구는 재량이 인정되지 않으며, 징계권자도 징계위원회의 의결에 기속**되므로 징계처분에서 재량은 징계위원회의 의결과정에 존재한다. **징계위원회가 징계여부의 결정 및 선택에 있어서 재량**을 가진다.

판례 징계의결요구권을 갖는 교육기관 등의 장은 통보받은 자료 등을 토대로 소속 교육**공무원의 구체적인 행위가 과연 징계사유에 해당하는지에 관하여 판단할 재량을 갖는다고 할 것이지만,** 통보받은 자료 등을 통해 **징계사유에 해당함이 객관적으로 명백하다고 확인되는 때에는 상당한 이유가 없는 한 1월 이내에 징계의결을 요구할 의무가 있다**(대판 2013.6.27, 2011도797).

1) '서면경고' '불문경고조치'라는 용어가 중요한 것이 아니라 경고의 효과를 고려하여 판단.
2) 원심은 권고 내지는 지도하는 행위로 보아 불문경고조치의 처분성을 부정함. 불문경고조치를 또 하나의 감경된 징계처분으로 본다는 것이 아니라 징계의 종류 중 가장 가벼운 **견책을 감경할 때에는 이를 불문에 붙여 아무런 징계처분을 하지 않고 그 대신 경고**를 한다는 뜻으로 보아야 할 것이다. 그러므로 단지 앞으로 **유사한 잘못을 되풀이하지 않도록 업무에 더욱 충실할 것을 권고하거나 지도**하는 행위에 불과하고, 그로 인하여 설사 원고의 **승진이나 호봉승급 등에 어떠한 영향이 미친다고 하더라도,** 이는 원고가 **불문경고를 받았다는 사실 그 자체보다는 그 원인이 된 비위사실이 승진이나 호봉승급 등 인사평정상의 참작사유로 고려되는 데서 기인**하는 것이다(부산고등법원 2001.03.30, 2000누3634).

7) 징계에 대한 구제

① 소청 - 징계처분 기타 그의 의사에 반하는 불이익처분을 받은 공무원이 그 처분에 불복이 있는 경우에 관할 소청심사위원회에 심사를 청구하는 행정심판을 말한다(상세한 것은 #145).

② 행정소송 - 소송의 대상에는 **원처분중심주의가 적용**된다 .

⑵ 변상책임

공무원이 의무위반행위를 함으로써 **국가나 지방자치단체에 재산상의 손해를 발생**하게 한 경우에, 그에 대하여 부담하는 **재산상의 책임**을 말한다.

1) 국가배상법상 구상책임

국가배상법 제2조2항, 제5조2항에 의한 책임이다. 다만 공무원이 **사경제적 작용**을 행함으로써 국가 또는 지자체가 사용자책임을 지게 되는 경우, 공무원은 **민법 제756조3항에 의해 구상책임**을 진다.

2) 회계관계직원의 변상책임

회계관계 직원들의 책임에 관한 법률에 따라, 회계관계직원 등은 **고의·중과실**로 국가 등에 재산상 손해를 입힌 경우에 변상책임을 부담한다.

관련 판례 **직무명령, 징계면직**(대판 2001.8.24, 2000두7704)

1. 사실관계

1) 甲은 대구고검장으로 근무중인데, 99.1.8.경 발생한 대전지역 乙변호사의 수임비리사건 수사와 관련, 乙변호사의 사건수임장부의 소개인 난에 甲의 이름이 기재되어 있고, 乙로부터 100만원의 전별금을 받았고 1회 최고 약 100만원 상당의 저녁식사와 술대접을 받은 혐의로 대검찰청의 감찰조사를 받고 있던 중임

2) 1999.1.27. 대검찰청 차장검사로부터 "**乙변호사와의 대질신문을 위하여 1.28. 오후에 대검찰청에 출석하라"는 검찰총장의 직무상의 명령**을 전달받았으나 **출석을 거부**하였고,

3) 위와 같은 혐의로 인하여 사표제출을 권유받자 대검찰청 기자실에 나타나 **기자회견**을 하면서 [마녀사냥]식 수사에 대해서 **검찰총수와 수뇌부를 비판하는 내용이 담긴 유인물을 배포**함.

4) 검찰총장은 징계위원회에 징계요구를 하였고 징계위원회의 의결을 거쳐 **법무부장관은 甲을 면직처분**함.

5) **징계사유**는 ① 검찰총장의 **직무상의 명령을 전달받고도, 정당한 이유 없이 출석을 거부**함으로써 직무상 의무에 위반 ② 고등검찰청의 장이 출장 등의 사유로 근무지를 떠날 때에는 미리 검찰총장의 승인을 받도록 되어 있음에도 불구하고, 검찰총장의 승인을 받지 않은 채 **근무지를 무단이탈**함으로써 직무상 의무에 위반 ③ 기자회견장에서 유인물을 배포함으로써 커다란 사회적 물의를 야기하고, 검찰의 지휘체계를 훼손하는 등 검찰의 기강을 문란케 하여 검사로서의 **체면과 위신을 손상**한다는 것이었음.

2. 판시사항 및 판결요지

[1] 검찰총장이 검사에 대한 비리혐의를 내사하는 과정에서 해당 검사에게 참고인과 대질신문을 받도록 담당부서에 출석할 것을 지시한 경우, 검찰총장의 그 출석명령이 그 검사에게 복종의무를 발생시키는 직무상의 명령에 해당하는지 여부(소극)

- **상급자가 하급자에게 발하는 직무상의 명령이 유효하게 성립하기 위하여는 상급자가 하급자의 직무범위 내에 속하는 사항에 대하여 발하는 명령이어야 하는 것**인바, 검찰총장이 **검사에 대한 비리혐의를 내사하는 과정에서 해당 검사에게 참고인과 대질신문을 받도록 담당부서에 출석할 것을 지시한 경우**, 검찰총장의 위 출석명령은 "검찰총장은 대검찰청의 사무를 맡아 처리하고 검찰사무를 통할하며 검찰청의 공무원을 지휘·감독한다"고 규정한 검찰청법 제12조2항을 근거로 하고 있으나, 위 규정은 검찰총장이 직무상의 명령을 발할 수 있는 일반적인 근거규정에 불과하고, 구체적으로 그러한 직무상의 명령이 유효하게 성립하기 위해서는 하급자인 그 검사의 직무범위 내에 속하는 사항을 대상으로 하여야 할 것인데, 그 **검사가 대질신문을 받기 위하여 대검찰청에 출석하는 행위는 검찰청법 제4조1항에서 규정하고 있는 검사의 고유한 직무인 검찰사무에 속하지 아니할 뿐만 아니라**, 또한 그 **검사가 소속 검찰청의 구성원으로서 맡아 처리하는 이른바 검찰행정사무에 속한다고 볼 수도 없는 것이고, 따라서 위 출석명령은 그 검사의 직무범위 내에 속하지 아니하는 사항을 대상으로 한 것이므로 그 검사에게 복종의무를 발생시키는**

직무상의 명령이라고 볼 수는 없다.

[2] 검찰청의장이 출장 등의 사유로 근무지를 떠날 때에는 검찰총장의 승인을 얻어야 한다고 규정한 검찰근무규칙 제13조1항의 법적 성격(=행정규칙) 및 그 위반행위는 직무상의 의무위반으로 징계사유에 해당하는지 여부(적극)

- 검찰청법 제11조의 위임에 기한 검찰근무규칙 제13조1항은, 검찰청의 장이 출장 등의 사유로 근무지를 떠날 때에는 미리 바로 윗 검찰청의 장 및 검찰총장의 승인을 얻어야 한다고 규정하고 있는바, 이는 검찰조직 내부에서 검찰청의 장의 근무수칙을 정한 이른바 행정규칙으로서 검찰청의 장에 대하여 일반적인 구속력을 가지므로, 그 위반행위는 직무상의 의무위반으로 검사징계법 제2조2호의 징계사유에 해당한다.

[3] '검사로서의 체면이나 위신을 손상하는 행위'를 징계사유로 정한 검사징계법 제2조3호의 규정 취지 및 '검사로서의 체면이나 위신을 손상하는 행위'에 해당하는지 여부의 판단 기준

- 검사징계법 제2조3호에서 '직무의 내외를 막론하고 검사로서의 체면이나 위신을 손상하는 행위를 하였을 때'를 검사에 대한 징계사유의 하나로 규정하고 있는 취지는, 검사로서의 체면이나 위신을 손상하는 행위가 검사 본인은 물론 검찰 전체에 대한 국민의 신뢰를 실추시킬 우려가 있는 점을 고려하여, 검사로 하여금 직무와 관련된 부분은 물론 사적인 언행에 있어서도 신중을 기하도록 함으로써, 국민들로부터 신뢰를 받도록 하자는 데 있다고 할 것이므로, 어떠한 행위가 검사로서의 체면이나 위신을 손상하는 행위에 해당하는지는 앞서 본 규정 취지를 고려하여 구체적인 상황에 따라 건전한 사회통념에 의하여 판단하여야 한다.

[4] 검사가 외부에 자신의 상사를 비판하는 의견을 발표하는 행위가 검사징계법 제2조3호 소정의 징계사유인 '검사로서의 체면이나 위신을 손상하는 행위'에 해당하는지 여부(적극)

- 검사가 외부에 자신의 상사를 비판하는 의견을 발표하는 행위는 그것이 비록 검찰조직의 개선과 발전에 도움이 되고, 궁극적으로 검찰권 행사의 적정화에 기여하는 면이 있다고 할지라도, 국민들에게는 그 내용이 진위나 당부와는 상관없이 그 자체로 검찰 내부의 갈등으로 비춰져, 검찰에 대한 국민의 신뢰를 실추시키는 요인으로 작용할 수 있는 것이고, 특히 그 발표 내용 중에 진위에 의심이 가는 부분이 있거나 그 표현이 개인적인 감정에 휩쓸려 지나치게 단정적이고 과장된 부분이 있는 경우에는 그 자체로 국민들로 하여금 검사 본인은 물론 검찰조직 전체의 공정성·정치적 중립성·신중성 등에 대하여 의문을 갖게 하여 검찰에 대한 국민의 신뢰를 실추시킬 위험성이 더욱 크다고 할 것이므로, 그러한 발표행위는 검사로서의 체면이나 위신을 손상시키는 행위로서 징계사유에 해당한다.

[5] 이른바 '심재륜 사건'에서의 기자회견문 발표행위가 검사로서의 체면이나 위신을 손상시키는 행위로서 징계사유에 해당한다고 본 사례

- 이른바 '심재륜 사건'에서의 기자회견문 발표행위가, 그 자체로 국민들로 하여금 검찰 전체의 공정성·정치적 중립성·신중성 등을 의심케 하여 검찰에 대한 국민의 신뢰를 실추시킬 우려가 있다는 이유로, 검사로서의 체면이나 위신을 손상시키는 행위로서 징계사유에 해당한다고 본 사례.

[6] 징계처분의 재량권 남용에 대한 사법심사 방식 및 그 판단 기준

- 징계사유에 해당하는 행위가 있더라도, 징계권자가 그에 대하여 징계처분을 할 것인지, 징계처분을 하면 어떠한 종류의 징계를 할 것인지는 징계권자의 재량에 맡겨져 있다고 할 것이나, 그 재량권의 행사가 징계권을 부여한 목적에 반하거나, 징계사유로 삼은 비행의 정도에 비하여 균형을 잃은 과중한 징계처분을 선택함으로써 비례의 원칙에 위반하거나 또는 합리적인 사유 없이 같은 정도의 비행에 대하여 일반적으로 적용하여 온 기준과 어긋나게 공평을 잃은 징계처분을 선택함으로써 평등의 원칙에 위반한 경우에는, 그 징계처분은 재량권의 한계를 벗어난 것으로서 위법하고, 징계처분에 있어 재량권의 행사가 비례의 원칙을 위반하였는지 여부는, 징계사유로 인정된 비행의 내용과 정도, 그 경위 내지 동기, 그 비행이 당해 행정조직 및 국민에게 끼치는 영향의 정도, 행위자의 직위 및 수행직무의 내용, 평소의 소행과 직무성적, 징계처분으로 인한 불이익의 정도 등 여러 사정을 건전한 사회통념에 따라 종합적으로 판단하여 결정하여야 한다.

[7] 이른바 '심재륜 사건'에서의 면직처분이 비례원칙에 위반된 재량권남용으로서 위법하다고 본 사례

- 이른바 '심재륜 사건'에서의 면직처분이, 징계면직된 검사가 그 징계사유인 비행에 이르게 된 동기와 경위, 그 비행의 내용과 그로 인한 검찰조직과 국민에게 끼친 영향의 정도, 그 검사의 직위와 그 동안의 행적 및 근무성적, 징계처분으로 인한 불이익의 정도 등 제반 사정에 비추어, 비례의 원칙에 위반된 재량권 남용으로서 위법하다고 본 사례.

[8] 사정판결을 하기 위한 요건인 '현저한 공공복리 부적합' 여부의 판단기준

- 위법한 행정처분을 존치시키는 것은 그 자체가 공공복리에 반하는 것이므로 행정처분이 위법함에도 이를 취소하는 것이 현저히 공공복리에 적합하지 아니하다고 인정하여 사정판결을 함에 있어서는 극히 엄격한 요건 아래 제한적으로 하여야 할 것이고, 그 요건인 현저히 공공복리에 적합하지 아니한가의 여부를 판단함에 있어서는 위법·부당한 행정처분을 취소·변경하여야 할 필요성과 그로 인하여 발생할 수 있는 공공복리에 반하는 사태 등을 비교·교량하여 그 적용 여부를 판단하여야 한다.

[9] 이른바 '심재륜 사건'에서의 징계면직된 검사의 복직이 검찰 조직의안정과 인화를 저해할 우려가 있다는 등의 사정은 현저히 공공복리에 반하는 사유라고 볼 수 없다는 이유로, 사정판결을 할 경우에 해당하지 않는다고 한 사례

- 이른바 '심재륜 사건'에서의 징계면직된 검사의 복직이 검찰 조직의 안정과 인화를 저해할 우려가 있다는 등의 사정은 검찰 내부에서 조정·극복하여야 할 문제일 뿐이고 준사법기관인 검사에 대한 위법한 면직처분의 취소 필요성을 부정할 만큼 현저히 공공복리에 반하는 사유라고 볼 수 없다는 이유로, 사정판결을 할 경우에 해당하지 않는다고 한 사례.

기출 사례 불문경고의 법적 성질과 불문경고조치에 대한 권리구제수단(09년 행시 - 일반행정)

A郡의 주택담당 지방공무원으로 근무하던 甲은 신규아파트가 1동의 건물로 되어 있기 때문에 동별(棟別) 사용승인이 부적합함에도 불구하고 동별 사용승인을 하였다.
이에 A군의 인사위원회는 이러한 사용승인으로 말미암아 민원이 야기됨은 물론, 건축 승인조건인 도로의 기부체납이 지연되거나 이행되지 않을 우려가 있음을 이유로 지방공무원법 제48조 성실의무 위반을 들어 甲을 징계의결하려고 한다. A郡의 인사위원회는, 'A郡지방공무원징계양정에 관한 규칙' 제2조1항 및 [별표 1] '징계양정기준'에 의하여 이 같은 비위사실에 대하여는 견책으로 징계를 하여야 할 것이지만, 동 규칙 제4조1항 및 [별표 3] '징계양정감경기준'에 따라 甲에게 표창공적이 있음을 이유로 그 징계를 감경하여 불문으로 하되, 甲에게 경고할 것을 권고하는 의결을 하였고, 이에 따라 A군의 군수는 甲을 '불문경고'에 처하였다. 한편 A郡이 소속한 B道 도지사의 'B道지방공무원인사기록및인사사무처리지침'에는 불문경고에 관한 기록은 1년이 경과한 후에 말소되어 또한 불문경고를 받은 자는 각종 표창의 선정대상에서 1년간 제외하도록 규정하고 있다. (총 30점)

1) 불문경고의 법적 성질 및 징계와의 관련성을 검토하시오.(10점)
2) 불문경고에 대한 甲의 행정쟁송상 권리구제 수단을 검토하시오.(20점)

Ⅰ. 불문경고의 법적 성질 및 징계와 관련성 - 설문(1)

1. 불문경고의 의의

2. 불문경고의 법적 성질

- 인사권자의 단순한 권고 내지 지도행위에 불과한 것인지 신분상의 불이익한 효과를 가져오는 법적인 행위인지 문제됨.
- 서면에 의한 경고에 대해서 "공무원의 신분에 영향을 미치는 국가공무원법상의 징계의 종류에 해당하지 아니하고 근무충실에 관한 권고행위 내지 지도행위로서 그 때문에 공무원으로서 신분에 불이익을 초래하는 법률상의 효과가 발생하는 것도 아니므로 경고가 국가공무원법상의 징계처분이나 행정소송의 대상이 되는 행정처분이라 할 수 없다"(대판 1991.11.12, 91누2700)고 하여 단순한 경고는 징계에 해당되지 아니하여 처분성 부정됨.
- 그러나 사안의 경우는 'B道지방공무원인사기록및인사사무처리지침'에 불문경고에 관한 기록은 1년이 경과한 후에 말소되며 또한 불문경고를 받은 자는 각종 표창의 선정대상에서 1년간 제외하도록 규정하고 있어 이러한 경우에도 처분성이 부정되는지 문제됨.
- 동일한 사안에서 고등법원은 "단지 앞으로 유사한 잘못을 되풀이하지 않도록 업무에 더욱 충실할 것을 권고하거나 지도하는 행위에 불과하고, 그로 인하여 설사 원고의 승진이나 호봉승급 등에 어떠한 영향이 미친다고 하더라도, 이는 원고가 불문경고를 받았다는 사실 그 자체보다는 그 원인이 된 비위사실이 승진이나 호봉승급 등 인사평정상의 참작사유로 고려되는 데서 기인하는 것이다"고 하여 처분성을 부정하였음.
- 그러나 대법원은 법률상의 징계처분은 아니지만 위 처분을 받지 아니하였다면 차후 다른 징계처분이나 경고를 받

게 될 경우 징계감경사유로 사용될 수 있었던 표창공적의 사용가능성을 소멸시키는 효과와 1년 동안 인사기록카드에 등재됨으로써 그 동안은 장관표창이나 도지사표창 대상자에서 제외시키는 효과 등이 있다는 이유로 항고소송의 대상이 되는 행정처분에 해당한다고 판시.

3. 징계와의 관련성

- 징계의 종류에는 파면, 해임, 강등, 정직, 감봉, 견책(국가공무원법 제79조)가 있는데, 행정규칙에 의한 불문경고조치는 법률상 징계는 아니지만 동 처분을 받지 아니하였다면 차후 다른 징계처분이나 경고를 받게 될 경우 징계감경사유로 사용될 수 있었던 표창공적의 사용가능성을 소멸시키는 효과와 1년동안 인사기록카드에 등재됨으로써 각종 표창의 선정대상에서 1년간 제외효과가 있어(대판 2002.7.26, 2001두3532) 사실상 감경된 징계처분으로 기능.

Ⅱ. 불문경고에 대한 행정쟁송상 권리구제수단 - 설문(2)

1. 소청심사위원회에 소청심사 청구

- 필요적 전치주의

2. 취소소송 등 항고소송

- 소청결정에 대해서도 불복이 있는 경우 항고소송을 제기할 수 있으나 원처분중심주의가 적용되어 소청결정이 아니라 불문경고조치가 소송의 대상.

3. 가구제수단으로서 집행정지

- 적극적 요건으로서 취소소송 등이 적법하게 계속되어 있고, 불문경고는 공무원의 명예, 지위 등과 관련되어 있으므로 금전으로 회복할 수 없는 손해로 볼 수 있고, 소극적 요건으로서 甲에 대한 불문경고를 정지함으로써 공공복리에 현저히 반한다고 할 수 없고 본안청구의 이유 없음이 명백하지 않으므로 집행정지 인정.

4. 국가배상청구소송

- 국가배상청구권의 법적 성질을 공권으로 보면 당사자소송의 대상이 됨(사권으로 보면 민사소송).

기출 사례 소청심사위원회의 처분명령재결(09년 사시)

A장관은 소속 일반직공무원인 甲이 "재직 중 국가공무원법 제61조1항을 위반하여 금품을 받았다"는 이유로 적법한 징계절차를 거쳐 2008.4.3. 甲에 대해 해임처분을 하였고, 甲은 2008.4.8. 해임처분서를 송달받았다. 이에 甲은 소청심사위원회에 이 해임처분이 위법·부당하다고 주장하며 소청심사를 청구하였다. 소청심사위원회는 2008.7.25. 해임을 3개월 의 정직처분으로 변경하라는 처분명령재결을 하였고, 甲은 2008.7.30.재결서를 송달받았다. A장관은 2008.8.5. 甲에 대해 정직처분을 하였다. 2008.8.10. 정직처분서를 송달받은 甲은 취소소송을 제기하고자 한다.

1. 소청심사위원회의 법적 지위와 처분변경명령재결의 효력을 설명하시오. (10점)
2. 처분을 대상으로 취소소송을 제기하는 경우 어떠한 처분을 대상으로 할 것인가? 또 이 취소소송에서 어느 시점을 제소기간 준수여부의 기준시점으로 하여야 하는가? (20점)

Ⅰ. 소청심사위원회의 법적 지위와 처분변경명령재결의 효력

1. 소청심사위원회의 법적 지위

- 행정심판의 특례로 마련된 소청을 심사하기 위한 기관으로서 특별한 행정심판기관.
- 공무원의 인사와 관련한 처분에 대한 행정심판을 인사에 관한 전문적 판단을 하도록 하여 공무원의 신분을 보다 강하게 보장함과 동시에 공무원관계의 질서를 확립하기 위한 목적에서 설치
- 독립적인 합의제 행정관청
- 구성, 신분보장, 위원의 임기는 국가공무원법 9~11조

2. 처분변경명령재결의 효력

(1) 처분변경명령재결의 의의

- 소청결정의 종류(국가공무원법 14조⑤)
- 이행재결의 성격

(2) 처분명령재결의 효력

1) 불가변력

- 성질상 소청심사위원회도 결정을 취소·변경할 수 없음.

2) 기속력(국가공무원법 15조)

- A장관은 해임처분을 3개월 정직처분으로 변경하여야 할 의무가 있고 A장관은 동일한 사유로 다시 해임처분을 하여서도 안 됨.

Ⅱ. 취소소송의 대상과 제소기간의 기산점

1. 취소소송의 대상

⑴ 원처분중심주의

⑵ 甲에게 유리한 처분명령재결에 따른 정직처분이 있는 경우 취소소송의 대상

1) 학 설[3)]

- 변경처분은 원처분과는 다른 새로운 처분이므로 변경처분을 대상으로 하는 견해,

- 변경된 처분은 당초부터 유리하게 변경된 내용의 처분이므로 변경된 원처분을 다투어야 한다는 변경된 원처분을 다투어야 한다는 견해,

- 적극적 변경결정의 경우에는 원처분을 대체하는 처분으로 보아 변경처분이 대상이 된다는 견해가 대립.

2) 판례 - 변경된 원처분설

판 례 행정청이 식품위생법령에 기하여 영업자에 대하여 **행정제재처분을 한 후** 그 처분을 영업자에게 **유리하게 변경하는 처분**을 한 경우(이하 처음의 처분을 '당초처분', 나중의 처분을 '변경처분'이라 한다), **변경처분에 의하여 당초처분은 소멸하는 것이 아니고 당초부터 유리하게 변경된 내용의 처분으로 존재**하는 것이므로, 변경처분에 의하여 유리하게 변경된 내용의 행정제재가 위법하다 하여 그 취소를 구하는 경우 그 **취소소송의 대상은 변경된 내용의 당초처분**이지 변경처분은 아니고, **제소기간의 준수 여부도 변경처분이 아닌 변경된 내용의 당초처분을 기준**으로 판단하여야 한다.

원심이 확정한 사실관계 및 기록에 의하면, 피고는 2002.12.26. 원고에 대하여 **3월의 영업정지처분**이라는 이 사건 **당초처분**을 하였고, 이에 대하여 원고가 **행정심판청구**를 하자 재결청은 2003.3.6. "피고가 2002.12.26. 원고에 대하여 한 **3월의 영업정지처분을 2월의 영업정지에 갈음하는 과징금부과처분으로 변경하라"는 일부기각(일부인용)의 이행재결**을 하였으며, **2003.3.10. 그 재결서 정본이 원고에게 도달**한 사실, 피고는 위 재결취지에 따라 **2003.3.13.**(원심은 2003.3.12.이라고 하고 있으나 이는 착오로 보인다) **"3월의 영업정지처분을 과징금 560만 원으로 변경**한다"는 취지의 이 사건 후속 **변경처분**을 함으로써 이 사건 당초처분을 원고에게 유리하게 변경하는 처분을 하였으며, 원고는 **2003.6.12. 이 사건 소를 제기**하면서 **청구취지로써 2003.3.13.자 과징금부과처분의 취소를 구하고 있음**을 알 수 있다.

앞서 본 법리에 비추어 보면, 이 사건 후속 변경처분에 의하여 유리하게 변경된 내용의 행정제재인 과징금부과가 위법하다 하여 그 취소를 구하는 이 사건 소송에 있어서 **위 청구취지는 이 사건 후속 변경처분에 의하여 당초부터 유리하게 변경되어 존속하는 2002.12.26.자 과징금부과처분의 취소를 구하고 있는 것**으로 보아야 할 것이고, 일부기각(일부인용)의 이행재결에 따른 후속 변경처분에 의하여 변경된 내용의 당초처분의 취소를 구하는 이 사건 소 또한 **행정심판재결서 정본을 송달받은 날로부터 90일 이내 제기되어야 하는데** 원고가 위 **재결서의 정본을 송달받은 날로부터 90일이 경과**하여 이 사건 소를 제기하였다는 이유로 이 사건 **소가 부적**법하다고 판단한 원심판결은 정당하고 (대판 2007.4.27, 2004두9302).

3) 검토 및 사안의 경우

- 원처분이 유리하게 변경된 내용의 처분으로 존재하는 것으로 보아야 하므로 변경된 원처분설이 타당하며 3개월 정직으로 변경된 원처분이 소송의 대상.

2. 제소기간

⑴ 취소소송의 제소기간

- 처분이 있음을 안 날로부터 90일, 처분이 있은 날로부터 1년

- 행정심판을 거친 경우에는 재결서 정본을 송달받은 날부터 90일, 재결이 있은 날부터 1년.

⑵ 사안의 경우

- 3월 정직으로 변경된 원처분이 소송의 대상이므로 제소기간 역시 3월 정직으로 변경된 당초 처분을 기준으로 기산.

- 당초의 처분에 대해 행정심판을 거친 사안이므로 甲에게 재결서 정본이 송달된 2008.7.30을 기준으로 기산.[4)]

---

3) 교과서 상으로는 원처분과 수정재결 사이에 소송의 대상이 무엇인지에 대한 학설대립이 소개되어 있을 뿐이며 이행재결에 따른 처분이 있는 경우에는 특별한 언급이 없으나, 김향기 교수님 사례집에는 본 설문과 같이 이행재결에 따른 변경처분이 있는 경우에 학설대립을 소개하고 있음(김향기, 행정법연습 51번). 원처분과 수정재결 사이의 논의와 다른 특별한 학설이 있는 것은 아니고 「원처분-수정재결」간의 관계가 「원처분-이행재결에 따른 변경처분」으로 치환되었다고 보면 됨.

4) 판례 사안에서는 재결서 송달일로부터 90일이 경과하여 소송을 제기하였기 때문에 소제기가 부적법한 것임. 그러나 기출사례는 재결서 송달일로부터 90일이 경과하기 전임.

기출 사례 연금지급에 관한 불복소송의 유형, 결격사유 있는 공무원 임용(13년 변시)

甲은 1992년 3월부터 공무원으로 재직하면서 공무원연금법상 보수월액의 65/1000에 해당하는 기여금을 매달 납부하여 오다가 2012년 3월 31일자로 퇴직을 하여 최종보수월액의 70%에 해당하는 퇴직연금을 지급받아 오던 자이다. 그런데 국회는 2012년 8월 6일 공무원연금의 재정상황이 날로 악화되어 2030년부터는 공무원연금의 재정이 고갈될 것이라고 하는 KDI의 보고서를 근거로 공무원연금 재정의 안정성을 도모하기 위한 조치로 공무원연금법 개혁을 단행하기로 하였다. 이에 따라 같은 날 공무원연금법을 개정하여, (1) 공무원연금법상 재직 공무원들이 납부해야 할 기여금의 납부율을 보수월액의 85/1000로 인상하고, (2) 퇴직자들에게 지급할 퇴직연금의 액수도 종전 최종보수월액의 70%에서 일률적으로 최종보수월액의 50%만 지급하며, (3) 공무원의 보수인상률에 맞추어 연금액을 인상하던 것을 공무원의 보수인상률과 전국소비자물가변동률의 차이가 3% 이상을 넘지 않도록 재조정하였다. (4) 그리고 경과규정으로, 재직기간과 상관없이 개정 당시 재직 중인 모든 공무원들에게 개정법률을 적용하는 부칙 조항(이 사건 부칙 제1조)과, 퇴직연금 삭감조항은 2012년 1월 1일 이후에 퇴직하는 모든 공무원에게 소급하여 적용하는 부칙 조항(이 사건 부칙 제2조)을 두었으며 동 법률은 2012년 8월 16일 공포되어 같은 날부터 시행되었다.

공무원연금관리공단은 개정법률의 시행에 따라 2012년 8월부터 甲에게 최종보수월액의 70%를 50%로 삭감하여 퇴직연금을 지급하였다.

甲은 공무원연금관리공단을 상대로 2012년 8월 26일 자신에게 종전대로 최종보수월액의 70%의 연금을 지급해 줄 것을 신청하였으나, 공무원연금관리공단은 2012년 9월 5일 50%를 넘는 부분에 대하여는 개정법률에 따라 그 지급을 거부하였다. 이에 甲은 감액된 연금액을 지급받기 위하여 위 거부행위를 대상으로 하여 서울행정법원에 그 취소를 구하는 행정소송을 제기하였다.

한편, 乙은 1992년 3월부터 20년 넘게 공무원으로 재직하여 오던 중 임용당시 공무원 결격사유가 있었던 사실이 발견되었고, 乙은 이를 이유로 2012년 3월 31일 당연퇴직의 통보를 받게 되었다. (이상 공무원연금법의 내용은 가상의 것임을 전제로 함)

1. 甲이 제기한 행정소송은 적법한가? 만약 적법하지 않다면 甲이 취할 조치는? (10점)
2. 乙에 대한 공무원 임용행위에 관하여,
 (1) 만약 乙에 대한 공무원 임용행위가 당연무효가 아니라면, 乙은 퇴직연금 등의 지급을 청구할 수 있는가? (5점)
 (2) 만약 乙에 대한 공무원 임용행위가 당연무효라면, 乙은 퇴직연금 등의 지급을 청구할 수 있는가? (15점)

Ⅰ. 갑이 제기한 소제기의 적법성 및 부적법한 경우 소변경의 가능성 - 설문 1

1. 문제의 소재

- 감액된 연급액의 지급거부처분에 대한 취소소송의 소송요건이 구비되었는지 문제되고, 만약 구비되지 않아 부적법한 경우 당사자소송으로의 소변경이 가능한지 문제된다.

2. 갑이 제기한 취소소송의 적법성[5)]

- 사안은 소송요건 중 금전급부에 관한 결정이 취소소송의 대상이 되는 처분인지가 문제된다.
- 처분개념에 대해 간단히 언급한 후
- 금전급부에 관하여 외관상 처분으로 볼 수 있는 결정이 공법상 금전지급 전에 행해지고 금전지급이 거부되는 경우, 문제된 권리의 존부 또는 범위가 법령에 의하여 바로 확정되는 것이 아니라 행정청의 결정에 의하여 비로소 확정되는 것이라면 그 거부결정은 처분이므로 항고소송을 제기하여야 한다(#129.비교판례의 해설 참조).
- 사안에서는 공단이 지급거부의 의사표시를 하였더라도 지급거부결정에 의하여 비로소 연금액이 축소되는 것이 아니라 공무원연금법의 개정에 따라 당연히 퇴직연금이 확정되는 것이므로 지급거부결정은 처분이 아니다. 갑이 제기한 취소소송은 부적법하다(#146. Ⅰ.2(2)4)).

3. 부적법시 갑이 취할 조치(#117)

- 갑의 퇴직연금에 대한 지급청구권은 공법상 권리로서 그 지급을 구하는 소송은 공법상 법률관계에 관한 소송으로 당사자소송이다.
- 행정소송법 제21조는 취소소송을 청구기초에 변경이 없는 한 사실심변론종결시까지 원고의 청구에 의하여 취소소송 외의 항고소송 및 당사자소송으로 소변경할 수 있도록 규정하고 있다.

- 갑은 행정소송법 제21조에 의해 취소소송을 당사자소송으로 변경해달라는 신청할 수 있다.

- ① 취소소송 계속 중, ② 사실심 변론종결시까지, ③ 청구기초의 동일성이 인정되어야 한다는 소변경의 요건은 구비되어야 함.

Ⅱ. 을의 퇴직연금 지급 청구 가능성 - 설문2

1. 결격사유 있는 공무원 임용의 효과(#143. Ⅰ.3)

- 결격사유가 있는 공무원을 임명하는 행위는 취소설도 있으나 무효라는 것이 다수설, 판례이다.

2. 당연무효가 아닌 경우 을의 퇴직연금 지급청구가능성

- 취소사유에 불과한 경우 2012년 3월 31일 당연퇴직의 통보를 받았다 하더라도 이것은 취소권을 행사한 것으로 보아야 하는데, 을의 신뢰보호 및 법적 안정성의 관점에서 취소권 행사가 제한된다고 보아야 한다. 따라서 을은 퇴직급의 지급을 청구할 수 있다.

3. 당연무효인 경우 을의 퇴직연금 지급청구 가능성

- 판례는 퇴직급여는 적법한 공무원으로서의 신분을 취득하였다가 퇴직하는 경우 지급하는 것이기 때문에 결격사유 있는 공무원이 장기간 사실상 근무하여 왔더라도 적법한 공무원으로서의 신분을 취득하지 못하였기 때문에 퇴직급여 등을 청구할 수 없다고 하여 부정한다.

- 그러나 퇴직급여는 사회보장적 성격과 후불임금적 성격이 있는데 후불임금적 성격을 갖는 공무원이 그동안 납부한 기여금에 해당하는 금액은 지급하는 것이 타당하다. 최근 실무에서는 공단이 공무원의 기여금에 해당하는 부분은 지급하고 있고, 판례 중에도 적어도 근로기준법상 퇴직금에 상당하는 금액은 그가 재직기간 중 제공한 근로에 대한 대가로서 지급되어야 한다는 판례도 있다.

---

5) 배점이 10점으로 작으므로(사시,행시 문제 기준으로는 5점) 세부 목차를 많이 잡지 않고 서술한 것임.

147 공물[1])의 성립과 소멸

Ⅰ. 성 립

1. 공공용물(일반 공중의 사용에 제공된 물건)

(1) 인공공물

공적 목적에 적합하도록 인공을 가한 후에 공적 목적에 제공되는 물건이다.

1) 형체적 요소 - **일반공중의 사용에 제공될 수 있는 구조 내지 실체**를 갖추어야 한다.

2) 의사적 요건 - 공물로서 성립하기 위해서는 **일반공중의 사용에 제공한다는 행정주체의 의사적 행위**가 필요한데 이를 **공용지정행위(공용개시행위)**라고 한다. 공용개시행위로 인해 **공물의 법적 지위가 형성되고 사권의 행사를 제한하는 효과가 발생**한다. 공용개시행위는 **물적 행정행위**에 해당한다고 할 수 있다. 법률·법규명령·자치법규 및 관습법등 **법규에 의한 지정을 인정하는 견해도** 있다.

판 례 **도로와 같은 인공적 공공용 재산은 법령에 의하여 지정되거나 행정처분으로써 공공용으로 사용하기로 결정**한 경우, 또는 **행정재산으로 실제로 사용**하는 경우의 어느 하나에 해당하여야 **비로소 행정재산**이 되는 것인데, 특히 도로는 **도로로서의 형태를 갖추고, 도로법에 따른 노선의 지정 또는 인정의 공고 및 도로구역 결정·고시를 한 때 또는 도시계획법 또는 도시재개발법 소정의 절차를 거쳐 도로를 설치**하였을 때에 **공공용물로서 공용개시행위**가 있다고 할 것이므로, 토지의 **지목이 도로이고 국유재산대장에 등재되어 있다는 사정**만으로 바로 그 토지가 도로로서 **행정재산에 해당한다고 할 수는 없다**(대판 2000.2.25, 99다54332).

판 례 도시공원법이 시행되기 이전에 구 **도시계획법상 공원으로 결정·고시된 국유토지라는 사정만으로는 행정처분으로써 공공용으로 사용하기로 결정한 것으로 보기는 부족**하나, 서울특별시장이 구 공원법, 구 **도시계획법에 따라 사업실시계획의 인가내용을 고시함으로써 공원시설의 종류, 위치 및 범위 등이 구체적으로 확정되거나 도시계획사업의 시행으로 도시공원이 실제로 설치된 토지라면 공공용물로서 행정재산에 해당**한다(대판 2014.11.27, 2014두10769).

---

3) 정당한 권원의 존재 - 공물관리주체는 공공용물로 제공되는 물건에 대한 일정한 권원을 취득하여야 한다. 그러한 **권원 없이 행한 공용지정은 위법**한 것으로서 소유자는 **손해배상, 부당이득반환 또는 결과제거로서 원상회복을 청구**할 수 있다. **정당한 권원 없이 한 공용개시행위의 효력**은 행정행위의 형식에 의하는 경우는 **무효설, 취소설** 등이 있으나 행정행위의 하자 일반원칙인 **중대·명백설**에 의하여 판단함이 타당하다. 이 경우 권원이 없었더라도 당해 물건이 이미 공용에 제공되고 있는 경우에는 사정재결(행심법 제44조)이나 사정판결(행소법 제28조)의 가능성이 높을 것이다.

---

1) 1. 개념 - **행정주체에 의해 직접 행정목적에 제공된 물건.** 종래 유체물에 한정했으나 근래 유력설은 관리할 수 있는 무체물과 집합물도 포함

2. 종류 (1) **목적**에 따른 분류

1) **공공용물** - **일반공중**의 사용에 제공된 물건(예: 도로,공원)

2) **공용물** - **행정주체 자신**의 사용에 제공된 물건(예: 청사)

3) **공적 보존물** - 공공목적을 위하여 **물건 자체의 보존을 목적**으로 하는 물건

(2) **성립과정**에 따른 분류

1) **자연공물** - 인공이 가해짐이 없이 **자연상태대로** 공적 목적에 제공되는 공물

2) **인공공물** - 공적 목적에 적합하도록 **인공을 가한 후**에 공적 목적에 제공되는 물건

3. 국유재산, 공유재산과의 관계

- **공물은 강학상 개념으로 실정법상 국유재산, 공유재산(소유 주체를 기준)과 구분**되는 개념. 공물은 **사용가치를 통하여 직접적**으로 행정목적에 제공된다는 점에서 물건의 **경제가치를 통하여 간접적**으로 행정목적에 이바지하고 사법의 적용을 받는 **사물(私物)과 구별**됨. 사물은 "행정주체의 재산권의 대상으로서 그 경제가치를 통하여 간접적으로 행정목적에 이바지 할 뿐 그 자체가 행정목적에 직접 제공되고 있지 않은 물건"을 의미함. 국유재산법, 공유재산 및 물품관리법은 국·공유재산을 **행정재산(공용재산, 공공용재산, 기업용재산, 보존용재산)과 일반재산(구 잡종재산)으로 분류**하고 있는데 **일반재산이 사물**에 해당되는 것임.

(2) 자연공물

자연공물로서의 **형체적 요소 외에 공용지정행위가 필요한지**에 대해서 종래 **2007년 개정 전의 구하천법**의 해석과 관련하여 견해 대립이 있었다. 의사적 요건은 필요 없고 **형체적 요소만으로 성립한다는 것이 종래의 다수설**이었으며 이에 대하여 **공용지정은** 행정행위뿐만 아니라, **법규에 의하여도 행하여지며 자연공물 역시 의사적 요건이 필요하다는 유력한 견해**가 있었다. **판례**는 국유 하천부지는 자연의 상태 그대로 공공용에 제공될 수 있는 실체를 갖추고 있는 자연공물로서 **별도의 공용개시행위가 없더라도 행정재산**이 된다고 하였다.[2] 2007년 4월 개정된 **현행 하천법은 하천구역을 하천관리청이 결정**하도록 하고 있어(제10조), 현재는 행정행위에 의한 공용지정을 필요로 한다고 할 것이다.

2. 공용물(직접 행정주체 자신의 사용에 제공된 물건)

공용물은 **형체적 요건을 갖추어 행정주체가 자신의 사용에 제공**하는 것이므로 **별도의 공용지정행위는 필요 없다는 견해가 다수설**이다. 다만 **정당한 권원이 필요**한 것은 공공용물에서와 마찬가지이다.

3. 보존공물(공공목적을 위하여 그 물건의 보존이 강제되는 공물)[3]

형체적 요소 외에 공용지정행위가 필요하다. 공공용물이나 공용물과는 달리 물건의 **사용이 아니라 물건 자체의 보존에 목적**이 있으므로 **정당한 권원을 취득할 필요는 없다.**

Ⅱ. 공물의 소멸

1. 공공용물

(1) 인공공물

1) 공용폐지행위가 있으면 소멸 - 공용폐지행위란 공물관리주체가 공물을 공공목적에 제공되는 **공물로서의 지위를 상실시키는 의사표시**를 말한다. **공법상의 제한이 해제**되는 효과를 가져오는 **물적 행정행위**이다.

2) 형체적 요소가 멸실된 경우에도 공용폐지의 의사표시가 필요한지 - 형체적 요소를 상실하면 **공물로서의 성질을 상실**한다는 불요설과 **공용폐지의 원인**이 될 뿐이라는 필요설이 대립한다. **판례는 공용폐지의 의사표시를 필요로 한다. 명시적인 경우 뿐만 아니라 묵시적 공용폐지를 인정하고 있으나 극히 예외적인 경우에 한정**하며, 행정재산이 **본래의 용도에 사용되고 있지 않는 사실만으로는 공용폐지의 의사표시가 있었다고 볼 수는 없다**고 한다.

판례 **행정재산이 기능을 상실하여 본래의 용도에 제공되지 않는 상태에 있다 하더라도 관계 법령에 의하여 용도폐지가 되지 아니한 이상 당연히 취득시효의 대상이 되는 잡종재산이 되는 것은 아니고, 공용폐지의 의사표시는 묵시적인 방법으로도 가능하나 행정재산이 본래의 용도에 제공되지 않는 상태에 있다는 사정만으로는 묵시적인 공용폐지의 의사표시가 있다고 볼 수 없으며, 또한 공용폐지의 의사표시는 적법한 것이어야 하는바,** 행정재산은 공용폐지가 되지 아니한 상태에서는 사법상 거래의 대상이 될 수 없으므로 관재당국이 착오로 행정재산을 다른 재산과 교환하였다 하여 그러한 사정만으로 적법한 공용폐지의 의사표시가 있다고 볼 수도 없다(대판 1998.11.10, 98다42974).

(2) 자연공물

인공공물에서와 달리 자연적 상태의 멸실로 소멸된다는 것이 다수설이다. **판례는 이 경우에도 의사적 요소인 공용폐지행위가 있어야** 한다는 입장인데, 공용폐지는 **묵시적으로도 족하다**고 한다.

판례 **토지가 해면에 포락됨으로써 사권이 소멸하여 해면 아래의 지반이 되었다가 매립면허를 받은 자가 제방을 축조함에 따라 매립면허 대상이었던 다른 매립지 부분과 유사한 형상**을 가지게 된 사안에서, 국가가 그 토지에 대하여 **자연공물임을 전제로**

2) 종래 다수설은 이러한 판례를 공용지정행위 불요설의 입장이라고 소개하는 반면, 법규에 의한 지정을 인정하는 견해(홍정선, 정하중)에서는 이러한 판례를 법규에 의한 지정행위의 예로 소개하고 있음.

3) **보존공물**은 사용에 제공되는 것이 아니며, 공익상 보존가치 있는 **물건의 보존을 위하여 재산권 행사에 대한 제한을 가하는 것을 주된 내용으로 하므로 공물로 보지 않고 공용제한의 하나**로 보는 견해도 있다(박균성)

한 아무런 조치를 취하지 않았다거나 토지대장상 지목을 답으로 변경하였다는 등의 사정만으로는 공용폐지에 관한 국가의 의사가 객관적으로 추단된다고 보기에 부족하다(대판 2009.12.10, 2006다87538).

2. 공용물

형체적 요소의 소멸이나 행정주체에 의한 사실상 사용폐지에 의하여 소멸하며, **별도의 공용폐지를 요하지 않는다는 견해가 다수설**이다. 그러나 **판례는** 공용물의 경우에도 **명시적 또는 묵시적 공용폐지를 요구**하고 있다.

3. 보존공물

공물 지정해제의 의사표시로 소멸한다. **형체적 요소가 멸실된 경우에 공물로서의 성질 상실 여부**에 대해 형체적 요소의 멸실로 당연히 소멸하며 **지정해제는 소멸사실의 확인행위에 불과**하다는 **긍정설**이 있으나 **공물지정의 해제사유에 불과**하다는 **부정설**이 타당하다.

기출 사례 공물의 성립과 소멸(08년 행시 - 재경)

甲은 자신의 선조 때부터 소유해 오던 가옥을 문화재적 가치가 있다고 판단하여 문화재청에 유형문화재로 지정해 줄 것을 신청하였다. 이 경우 위의 가옥이 지정문화재로 성립되기 위한 요건은 무엇인가? 또한 위의 가옥이 문화재로 지정된 후 화재로 인하여 상당부분이 소실된 경우에도 여전히 지정문화재로서의 성격을 가지는가? (25점)

[참조조문]

***문화재보호법**

제2조 (정의)

① 이 법에서 '문화재'란 인위적이거나 자연적으로 형성된 국가적 · 민족적 · 세계적 유산으로서 역사적 · 예술적 · 학술적 · 경관적 가치가 큰 다음 각 호의 것을 말한다.

1. 유형문화재: 건조물, 전적(典籍), 서적(書跡), 고문서, 회화, 조각, 공예품 등 유형의 문화적 소산으로서 역사적 · 예술적 또는 학술적 가치가 큰 것과 이에 준하는 고고자료(考古資料)

제5조 (보물 및 국보의 지정)

① 문화재청장은 문화재위원회의 심의를 거쳐 유형문화재 중 중요한 것을 보물로 지정할 수 있다.

② 문화재청장은 제1항의 보물에 해당하는 문화재 중 인류문화의 간점에서 볼 때 그 가치가 크고 유례가 드문 것을 문화재위원회의 심의를 거쳐 국보로 지정할 수 있다.

제7조 (사적, 명승, 천연기념물의 지정)

문화재청장은 문화재위원회의 심의를 거쳐 기념물 중 중요한 것을 사적, 명승 또는 천연기념물로 지정할 수 있다.

제10조 (지정의 고시 및 통지)

① 문화재청장이 제5조부터 제9조까지의 규정에 따라 국가지정 문화재(보호물과 보호구역을 포함한다. 이하 이 조에서 같다)를 지정하거나 중요무형문화재의 보유자 또는 명예보유자를 인정하면 그 취지를 관보(官報)에 고시하고, 지체 없이 해당 문화재의 소유자, 보유자 또는 명예보유자에게 알려야 한다.

② 제1항의 경우 그 문화재의 소유자가 없거나 분명하면 아니하면 그 점유자 또는 관리자에게 이를 알려야 한다.

제13조 (지정 또는 인정의 해제)

① 문화재청장은 제5조, 제7조 또는 제8조에 따라 지정된 문화재가 국가지정문화재로서의 가치를 상실하거나 그 밖에 특별한 사유가 있으면 문화재위원회의 심의를 거쳐 그 지정을 해제할 수 있다.

Ⅰ. 지정문화재의 법적 성격

- 보존공물/ 인공공물/ 사유공물

Ⅱ. 甲의 가옥이 지정문화재로 성립하기 위한 요건

- 보존공물로서 일정한 형체적 요소와 법령에 의한 직접 또는 법령에 근거한 공용지정이 필요.
- 사안에서 가옥은 형태적 요소는 구비하였으므로 문화재보호법 제5조, 제10조에 의한 문화재청장의 보물 또는 국보의 지정(공용지정행위)이 요구됨.

Ⅲ. 문화재로 지정된 甲의 가옥이 화재로 상당부분 소실시 지정문화재로서의 성격을 갖는지 여부

- 보존공물은 원칙적으로 행정주체의 지정해제의사표시에 의해 공물의 성질이 상실(문화재보호법 제13조).
- 다만 형태적 요소의 소멸만으로 보존공물로서의 성질이 상실되는지 문제되는데 견해 대립이 있으나 형태적 요소의 소멸은 보존공물의 지정해제사유에 불과하다는 입장이 다수견해.
- 따라서 사안에서 가옥이 화재로 형태적 요소가 소멸되었어도 문화재청장이 법 제13조에 따른 지정해제를 하기 전에는 여전히 지정문화재로서의 성격을 가짐.

148 공물의 법률적 특색

Ⅰ. 공물의 이원적 구조

공물상의 권리에 대해서 공물에 대한 사권의 성립을 전적으로 부정하는 **공소유권설**이 있으나, 공물에 **사인의 소유권을 인정하면서도 공적 목적의 범위 내에서는 공법적 규율** 하에 놓이게 되는 구조, 즉 **사소유권설이 통설**적 견해이다. 사소유권설에 의하면, 공법적 규율이 미치게 되는 범위 내에서는 사인의 소유권행사는 제한되거나 배제 가능할 뿐이다.

Ⅱ. 실정법상 특색

1. 융통성 제한

공물의 목적달성을 위하여 필요한 한도 내에서만 그 이용이 제한되거나 부정된다. 예컨대 국유재산법 27조는 국유의 행정재산은 매각을 금지하고, 교환・양여는 원칙적으로 금지하고 있으며, 도로법・하천법은 소유권과 저당권 설정을 제외하고는 사권의 설정을 금지하고 있다.

2. 강제집행 제한

강제집행은 사권설정(융통성)이 인정되는 한도에서만 허용된다. 국・공유공물에 대하여는 사권설정이 인정되지 않으므로 결과적으로 사유공물만이 강제집행의 대상이 될 수 있을 뿐이며, 다만 강제집행에 의한 소유권의 취득 후에도 공물로서의 제한은 여전히 존속한다.

3. 취득시효 제한 [관련판례 1]

(1) 문제점

민법의 시효취득에 관한 규정이 적용되어 공물이 시효취득의 대상이 될 것인지 문제된다.

(2) 학 설

① **공물의 공적 목적을 고려**하여 시효취득을 부정하는 **부정설**, ② 공물의 평온, 공연한 점유가 계속되고 있음에도 관리자가 방치한 경우에는 **묵시적인 공용폐지**가 있는 것으로 보아 완전한 시효취득을 인정하는 **긍정설**, ③ 공물의 **융통성이 인정되는 한도**에서만 제한적으로 시효취득을 인정하되 **시효취득된 후에도** 공물로서 공적 목적에 제공하여야 하는 **공법상의 제한**은 받는다는 **제한적 긍정설**이 대립한다.

(3) 판 례

공물의 소멸에는 공용폐지가 필요하며 **묵시적 공용폐지도 가능**하다는 입장인데, **공용폐지가 있기 전에는 시효취득을 부정**하고 있다. 학설은 대체적으로 부정설로 평가한다.

판례 1 행정 목적을 위하여 공용되는 **행정재산은 공용폐지가 되지 않는 한 사법상 거래의 대상이 될 수 없으므로 취득시효의 대상도 되지 않는 것**이고, 공물의 **용도폐지 의사표시는 명시적이든, 묵시적이든 불문하나 적법한 의사표시여야 하고 단지 사실상 공물로서의 용도에 사용되지 아니하고 있다는 사실만으로 용도폐지의 의사표시가 있다고 볼 수는 없다**(대판 1995.12.22, 95다19478).
➡ 묵시적 공용폐지에 의한 시효취득을 **부정**.

판례 2 학교 교장이 학교 밖에 위치한 관사를 용도폐지한 후 재무부로 귀속시키라는 국가의 지시를 어기고 사친회 이사회의 의결을 거쳐 개인에게 매각한 경우, 이와 같이 교장이 국가의 지시대로 위 부동산을 용도폐지한 다음 비록 재무부에 귀속시키지 않고 바로 매각하였다고 하더라도 위 **용도폐지 자체는 국가의 지시에 의한 것으로 유효**하다고 아니할 수 없고, 그 후 오랫동안 국가가 위 매각절차상의 문제를 제기하지도 않고, 위 부동산이 관사 등 공공의 용도에 전혀 사용된 바가 없다면, 이로써 위 부동산은 적어도 묵시적으로 공용폐지 되어 시효취득의 대상이 되었다고 봄이 상당하다(대판 1999.7.23, 99다15924). ➡ 묵시적 공용폐지에

의한 시효취득을 인정

판례 3 도로구역의 결정, 고시 등의 공물지정행위는 있었지만 아직 도로의 형태를 갖추지 못하여 완전한 공공용물이 성립되었다고는 할 수 없으므로 일종의 예정공물이라고 볼 수 있는데, 국유재산법 제4조2항 및 같은법 시행령 제2조1항, 2항에 의하여 국가가 1년 이내에 사용하기로 결정한 재산도 행정재산으로 간주하고 있는 점, 도시계획법 제82조가 도시계획구역 안의 국유지로서 도로의 시설에 필요한 토지에 대하여는 도시계획으로 정하여진 목적 이외의 목적으로 매각 또는 양도할 수 없도록 규제하고 있는 점, 위 토지를 포함한 일단의 토지에 관하여 도로확장공사를 실시할 계획이 수립되어 아직 위 토지에까지 공사가 진행되지는 아니하였지만 도로확장공사가 진행중인 점 등에 비추어 보면 이와 같은 경우에는 예정공물인 토지도 일종의 행정재산인 공공용물에 준하여 취급하는 것이 타당하다고 할 것이므로 구 국유재산법(1994.1.5. 법률 제4698호로 개정되기 전의 것) 제5조2항이 준용되어 시효취득의 대상이 될 수 없다(대판 1994.5.10, 93다23442). ➡ 예정공물[1]의 시효취득을 부정

(3) 검 토

공물은 공적 목적에 제공된 물건이라는 점을 감안하면 원칙적으로 공용폐지가 없는 한 시효취득을 부정하는 것이 타당하다. 공용폐지 의사를 추단할 수 있는 적극적 사정이 존재하는 경우에는 묵시적 공용폐지를 긍정하는 것이 바람직하다. 국유재산법, 공유재산 및 물품관리법 등 실정법은 행정재산의 시효취득을 부정하는 명문규정을 두고 있다.

4. 공물의 수용가능성

(1) 문제점

이미 공적 목적에 제공되고 있는 공물에 대해서 다른 공적 목적에 사용하기 위하여 수용할 수 있는지 문제된다. "공익사업에 수용 또는 사용되고 있는 토지 등은 특별히 필요한 경우가 아니면 이를 다른 공익사업을 위하여 수용 또는 사용할 수 없다"는 공익사업을 위한 토지등의 취득 및 보상에 관한 법률 제19조2항의 해석과도 관련되는 논의이다.

(2) 학 설

① 공익사업법 19조 2의 특별히 필요한 경우는 법령에 명문의 규정이 있는 경우를 의미로 해석하며, 공물을 수용 등 다른 행정목적에 제공하기 위하여는 공용폐지행위가 선행되어야 한다는 부정설과 ② 공토법 규정을 '공익사업에 수용 또는 사용되고 있는 토지 등'이더라도 보다 더 중요한 공익사업에 제공할 필요가 있는 경우에는 예외적으로 수용의 목적물이 될 수 있는 것으로 해석하여, 공용폐지행위가 선행되지 않아도 공용수용이 가능하다는 긍정설이 대립한다.

(3) 판례 - 긍정설

판례는 지방문화재로 지정된 토지에 대한 수용을 긍정하고 있다. 긍정설의 입장이라고 할 수 있다(관련판례2).

판례 토지수용법은 제5조의 규정에 의한 제한 이외에는 수용의 대상이 되는 토지에 관하여 아무런 제한을 하지 아니하고 있을 뿐만 아니라, 토지수용법 제5조, 문화재보호법 제20조4호, 제58조1항, 부칙 제3조2항 등의 규정을 종합하면 구 문화재보호법 제54조의2 1항에 의하여 지방문화재로 지정된 토지가 수용의 대상이 될 수 없다고 볼 수는 없다(대판 1996.4.26, 95누13241).

(4) 검 토

제19조2항은 공물은 원칙적으로 수용의 대상이 되지 않지만, 특별히 필요한 경우 즉 보다 중요한 공익사업에 제공할 필요가 있는 예외적인 경우에는 허용된다는 취지로 해석해야 하므로 긍정설이 타당하다.

5. 범위결정 및 경계확정

관리청이 일반적으로 그 범위를 결정하는 처분을 행하며, 도로법 제24조가 그 예이다.

---

1) 아직 현실적으로 공용개시는 되지 않았지만 장래에 행정주체가 행정목적에 제공되기로 예정되어 있는 물건(예: 도로예정지, 공원예정지, 하천예정지).

6. 공물과 상린관계

관계법에 인접한 토지, 물건에 대하여 일정한 제한을 규정하고 있는 경우(도로법 제49조3항, 접도구역) 외에는 민법의 상린관계 규정을 유추한다.

7. 공물의 설치, 관리의 흠으로 인한 손해배상(국가배상법 제5조)

8. 등기 요부

자연공물은 등기 없이도 법률의 규정에 의하여 국유로 되는 경우(하천법 제3조)가 있으나, 이러한 특별규정이 없으면 공물인 부동산은 등기를 요한다.

관련 판례 1 **공물의 시효취득 가부**(대판 1996.5.28, 95다52383)

1. 사실관계

A토지는 해방전 일본인에 의해 무면허로 매립되었는데, 공무원 丙은 위 토지를 공용폐지가 되지 않았음에도 불구하고 착오로 乙에게 귀속재산으로 매각. 乙로부터 다시 여러 사람에게 매매되어 최종 양수자인 甲에게 1973.10.21 매매되어 대금까지 완납됨. 甲은 점유개시일로부터 20년이 경과한 1993.10.21 취득시효 완성을 원인으로 국가를 상대로 토지소유권이전등기청구소송을 제기.

2. 판시사항 및 판결요지

[1] **공유수면의 일부가 사실상 매립되었으나 공용폐지되지 않은 경우, 법률상 공유수면으로서의 성질을 보유하는지 여부**(적극)

- 공유수면은 소위 자연공물로서 그 자체가 직접 공공의 사용에 제공되는 것이고, **공유수면의 일부가 사실상 매립되었다 하더라도 국가가 공유수면으로서의 공용폐지를 하지 아니하는 이상 법률상으로는 여전히 공유수면으로서의 성질을 보유**하고 있다.

[2] **행정재산이 취득시효의 대상이 되기 위한 요건 및 행정재산에 대한 국가의 매각처분의 효력**(무효)

- **행정재산은 공용폐지가 되지 아니하는 한 사법상 거래의 대상이 될 수 없으므로 시효취득의 대상이 되지 아니하고, 관재당국이 이를 모르고 행정재산을 매각하였다 하더라도 그 매매는 당연무효**이다.

[3] **행정재산에 대한 국가의 매매계약 체결을 적법한 공용폐지의 의사표시로 볼 수 있는지 여부**(소극)

- 공용폐지의 의사표시는 명시적 의사표시뿐 아니라 묵시적 의사표시이어도 무방하나 적법한 의사표시이어야 하고, **행정재산이 본래의 용도에 제공되지 않는 상태에 놓여 있다는 사실만으로 관리청의 이에 대한 공용폐지의 의사표시가 있었다고 볼 수 없으며,** 행정재산에 관하여 체결된 것이기 때문에 무효인 매매계약을 가지고 적법한 공용폐지의 의사표시가 있었다고 볼 수도 없다.

[4] **국가가 공유수면 매립지를 착오에 의하여 귀속재산으로 매각하고 대금을 완납받은 후 그 토지가 공용폐지된 뒤에, 그 토지는 취득시효의 대상이 되지 않는 국유 행정재산이라고 주장하는 것이 신의칙에 반하지 않는다고 한 사례**

3. 해 설

1) **공유수면은 자연공물**의 성격을 가진 **공공용물**임.

2) 자연공물의 경우 그 소멸에 **공용폐지의 의사표시를 요구하지 않는 견해에 의하면** 사안과 같이 사실상 매립되고 국가가 그 상태를 수십년간 방치한 경우 당해 공유수면은 **공물의 성질은 소멸**한 것이며 이미 일반재산(**잡종재산)화**된 것으로 **귀속재산매각은 유효**한 것으로 보게 될 것임. 행정재산이 시효취득의 대상이 될 수 있는지에 관하여도 견해대립이 있으나, 사안의 매립지 A는 **일반재산화** 된 것으로 **시효취득의 대상**이 될 것임.

3) 반면 **판례**는 공유물의 소멸에 있어 **묵시적인 것이든 명시적인 것이든 공용폐지의 의사를 요구**함. 그러나 묵시적 의사표시를 용이하게 인정하지 않는 편인데 예를 들어 행정재산이 본래의 용도에 제공되지 않는 상태에 있다는 사실만으로 공용폐지의 의사가 있었다고 볼 수 없다고 함. 설령 사안처럼 공유수면이 **'사실상' 매립된 경우에도 공물성은 소멸되지 않는다**고 함. 그러므로 판례에 따르면 사안의 **매립지는 여전히 공유수면의 성질**을 갖는 것으로서 이에 대한 **乙에 대한 귀속재산매각계약은 당연무효**가 되고, **甲은 시효취득을 할 수 없을 것.**

비교 판례 1949.6.4 대구국도사무소가 폐지되고, 그 소장관사로 사용되던 부동산이 그이래 달리 공용으로 사용된 바 없다면, 그 부동산은 이로 인하여 묵시적으로 공용이 폐지되어 시효취득의 대상이 되었다 할 것이다(대판 1990.11.27, 90다5948).

관련 판례 2 **공물의 수용가능성**(대판 1996.4.26, 95누13241)

1. 사실관계

서울시장은 건설부장관으로부터 수서지구의 택지개발계획의 승인을 얻었는데 서울시지정문화재인 광평대군묘역이 택지개발계획에 의하면 도로부지로서 수용할 토지에 포함됨. 서울시와 광평대군묘역의 소유자인 광평대군종중 간에 수용에 대하여 협의가 이루어지지 않자, 서울시장은 수용재결을 신청하고 토지수용위원회는 수용재결을 하였으며 수용재결에 대해 甲이 이의신청을 하자 중앙토지수용위원회는 보상금을 증액하는 이의재결을 함. 甲은 이에도 불복하여 시도지정문화재로 지정되어 있는 묘역은 수용할 수 없는 것이고, 가사 수용대상이 된다고 하여도 개설하고자 하는 도로는 다른 구역의 지정이 가능하다는 이유로 이의재결의 취소소송을 제기함(제소 당시 택지개발사업계획승인에 대한 제소기간은 경과한 상태).[2)]

2. 판시사항 및 판결요지

[1] **택지개발촉진법에 의한 택지개발계획 승인처분의 제소기간이 도과한 후 수용재결이나 이의재결 단계에서 그 위법 부당함을 이유로 재결의 취소를 구할 수 있는지 여부**(소극)

- 택지개발촉진법 제12조2항에 의하면 택지개발계획의 승인·고시가 있은 때에는 토지수용법 제14조 및 제16조의 규정에 의한 사업인정 및 사업인정의 고시가 있은 것으로 보도록 규정되어 있는바, 이와 같은 **택지개발계획의 승인**은 당해 사업이 택지개발촉진법상의 택지개발사업에 해당함을 인정하여 시행자가 그 후 일정한 절차를 거칠 것을 조건으로 하여 일정한 내용의 **수용권을 설정**해 주는 행정처분의 성격을 갖는 것이고, 그 승인고시의 효과는 수용할 목적물의 범위를 확정하고 **수용권으로 하여금 목적물에 관한 현재 및 장래의 권리자에게 대항할 수 있는 일종의 공법상 권리로서의 효력을 발생**시킨다고 할 것이므로 토지소유자로서는 선행처분인 건설부장관의 **택지개발계획 승인단계에서 그 제척사유를 들어 쟁송하여야 하고, 그 제소기간이 도과한 후 수용재결이나 이의재결 단계에 있어서는 위 택지개발계획 승인처분에 명백하고 중대한 하자가 있어 당연무효라고 볼 특단의 사정이 없는 이상 그 위법 부당함을 이유로 재결의 취소를 구할 수는 없다.**

[2] **구 문화재보호법 제54조의2 1항에 의하여 지방문화재로 지정된 토지가 수용대상이 되는지 여부**(적극)

- **토지수용법은 제5조의 규정에 의한 제한 이외에는 수용의 대상이 되는 토지에 관하여 아무런 제한을 하지 아니하고** 있을 뿐만 아니라, 토지수용법 제5조, 문화재보호법 제20조4호, 제58조1항, 부칙 제3조2항 등의 규정을 종합하면 구 문화재보호법 제54조의2 1항에 의하여 **지방문화재로 지정된 토지가 수용의 대상이 될 수 없다고 볼 수는 없다.**

3. 해 설

1) **지방문화재로 지정된 광평대군 묘역**은 문화재보호법상의 시도지정 문화재에 해당하여 **강학상 보존공물**에 해당.

2) 사안에서는 **공물에 대해 공용수용이 가능한지**가 문제됨.

- 학설 대립이 있으며 다수설은 부정.
- 이에 대해 대법원은 지방문화재로 지정된 토지도 수용의 대상이 될 수 있다고 함.

3) 지정문화재가 애당초 **수용의 목적이 될 수 없는 것이라면 택지개발계획승인처분의 대상이 되지 않는 것**으로 **택지개발계획승인처분은 당연무효**. 이 경우 甲은 **수용재결이나 이의재결 단계에 있어서도 위 택지개발계획 승인처분의 위법 부당함을 이유로 재결의 하자를 주장할 수 있게 됨**(당연무효가 아니라면 사업인정과 수용재결 사이에 하자의 승계는 부정됨)

- 그러나 **수용의 대상**이 될 수 있으므로 택지개발사업계획승인이 **당연무효는 아니므로** 택지개발사업계획승인의 제소기간이 지나서 **이의재결에 대한 취소소송을 제기하면서 택지개발사업계획승인의 하자를 주장할 수는 없다고 판시**한 것임.

2) 토지수용법상의 수용재결과 이의재결 중 무엇이 소송의 대상인지와 관련하여 판례 당시는 판례가 재결주의를 취하고 있던 시기임. 따라서 이의재결이 소송의 대상이 되는 것임. 현행 공익사업법은 원처분중심주의임을 주의.

149 공물관리권과 공물경찰권

Ⅰ. 공물관리권

1. 의의

공물관리란 행정주체가 공물의 목적을 달성하기 위한 일체의 작용이며, 공물관리권이란 **공물을 관리할 수 있는 공물주체의 권한**을 말한다(예: 도로의 보수).

2. 법적 성질

① 공물관리권을 소유권 그 자체의 작용에 불과하다는 **소유권설**이 있으나, ② **소유권과 독립하여 인정**되는 공물에 대한 물권적 지배권으로 본다는 **물권적 지배권설**의 입장이 통설이다. **판례도 도로법에 의한 변상금 부과권한은 적정한 도로관리를 위하여 도로의 관리청에게 부여된 권한이지 도로부지의 소유권에 기한 권한이 아니므로,** 도로관리청은 도로부지의 **소유권을 취득하였는지 여부와 관계없이 무단점용**하는 자에 대하여 **변상금을 부과**할 수 있다(대판 2005.11.25, 2003두7194)고 하여 공물관리권은 소유권과는 무관한 것으로 보고 있어 **물권적 지배권설**의 입장이다.

3. 내 용

공물주체는 공물관리권에 근거하여 공물의 범위를 결정하고(예: 하천 구역 지정), 공물을 유지·수선·보존하고, 공물 목적에 대한 장해의 방지·제거를 행하고, 공공목적에 제공하고, 공물사용에 대한 사용료 등을 징수할 수 있다. 공물의 관리비용은 공물주체가 부담하는 것이 원칙이다.

Ⅱ. 공물경찰권

1. 의 의

경찰권의 주체가 일반경찰권에 의거하여 공물의 사용과 관련하여 발생하는 사회공공의 안녕질서에 대한 위해를 예방·제거하기 위하여 행하는 작용을 말한다(예: 위해방지를 위한 도로통행의 금지 또는 제한조치).

2. 공물관리와 공물경찰의 구별

① **목적**에 있어 공물관리는 공물 본래의 목적 달성을 위한 **적극적** 작용이나, 공물경찰은 공물에 발생한 위해를 제거하기 위한 **소극적**인 작용이다. ② **권력적 기초**는 공물관리권은 **공물에 대해 가지는 지배권**에 근거하지만, 공물경찰권은 **일반경찰권**의 발동이다. ③ **법적 근거**에 있어 공물관리권은 **해당 공물에 대한 법규**에 그 근거가 있으나, 공물경찰권은 **경찰법**에 근거를 둔다. ④ **발동범위**는 공물관리권에 의해서는 **계속적·독점적 사용권**을 설정할 수 있으나, 공물경찰권은 **일시적인 사용금지 또는 허가**를 할 수 있을 뿐이다. ⑤ **의무위반행위에 대한 제재와 강제**는 공물관리관계에서는 **공물의 사용관계에서 배제함에 그치고 강제집행은 불가**하지만, 공물경찰관계에서는 **행정벌·강제집행의 대상**이 될 수 있다.

3. 공물관리와 공물경찰의 관계

동일한 공물에 대해 **경합적인 행사가 가능**하다. 예를 들어 **도로관리청은 도로의 구조를 보전하고 운행의 위험을 방지**하기 위해 자동차의 **통행을 제한**할 수 있고(도로교통법 제58조), **경찰서장**은 **도로에서의 위험을 방지하고 교통의 안전과 원할**을 기하기 위하여 자동차의 **통행을 제한**할 수 있다(도로교통법 제58조). 양 작용은 별개의 작용으로 서로 독립된 효력을 가지므로 **상호권한을 존중하여 모순되지 않도록** 행사되어야 한다. 또한 **국민에게 불필요한 이중부담**을 줄 수도 있으므로 **내부적인 조정이 필요**하다. **도로교통법 제70조는** 도로관리청이 도로의 점용허가나 도로의 통행금지·제한을 한 경우 경찰기관에게 통보하고, 통보를 받은 경찰기관은 교통의 안전과 원활한 소통을 확보하기 위해 도로관리청에 필요한 조치를 요구할 수 있으며, 도로관리청은 정당한 사유가 없는 한 응하여야 한다고 규정하고 있다.

기출 사례 **공물관리, 철거의무 불이행시 대집행, 변상금반환청구**(16년 사시)

甲은 A시 시청 민원실 주차장 부지 일부와 그에 붙어 있는 A시 소유의 유휴 토지 위에 창고건물을 건축하여 사용하고 있다. A시 소속 재산 관리 담당 공무원은 A시 공유재산에 대한 정기 실태조사를 하는 과정에서 甲이 사용하고 있는 주차장 부지 일부 및 유휴 토지(이하 '이 사건 토지'라 한다)에 관하여 대부계약 등 어떠한 甲의 사용권원도 발견하지 못하자 甲이 이 사건 토지를 정당한 권원 없이 점유하고 있다고 판단하여 관리청인 A시 시장 乙에게 이러한 사실을 보고하였다. 이에 乙은 무단점유자인 甲에 대하여 ①「공유재산 및 물품 관리법」 제81조 제1항에 따라 변상금을 부과하였고(이하 '변상금 부과 조치'라 한다), ② 같은 법 제83조 제1항에 따라 이 사건 토지 위의 건물을 철거하고 이 사건 토지를 반환할 것을 명령하였다(이하 '건물 철거 및 토지 반환 명령'이라 한다).

1. 乙이 이 사건 토지를 관리하는 행위의 법적 성질을 검토하시오.(10점)
2. 甲이 건물 철거 및 토지 반환 명령에 따른 의무를 이행하지 않는 경우 이에 대한 행정상 강제집행이 가능한가?(15점)
3. 甲이 이미 변상금을 납부하였으나, 乙의 변상금 부과 조치에 하자가 있어 변상금을 돌려받으려 한다. 甲은 어떠한 소송을 제기하여야 하는가?(25점)

[참조조문]

*** 공유재산 및 물품 관리법**

제2조(정의) 이 법에서 사용하는 용어의 뜻은 다음과 같다.

1. "공유재산"이란 지방자치단체의 부담, 기부채납(寄附採納)이나 법령에 따라 지방자치단체 소유로 된 제4조 제1항 각 호의 재산을 말한다.

제5조(공유재산의 구분과 종류) ① 공유재산은 그 용도에 따라 행정재산과 일반재산으로 구분한다.

② "행정재산"이란 다음 각 호의 재산을 말한다.

1. 공용재산

지방자치단체가 직접 사무용·사업용 또는 공무원의 거주용으로 사용하거나 사용하기로 결정한 재산과 사용을 목적으로 건설 중인 재산

2. 공공용재산

지방자치단체가 직접 공공용으로 사용하거나 사용하기로 결정한 재산과 사용을 목적으로 건설 중인 재산

3. 기업용재산

지방자치단체가 경영하는 기업용 또는 그 기업에 종사하는 직원의 거주용으로 사용하거나 사용하기로 결정한 재산과 사용을 목적으로 건설 중인 재산

4. 보존용재산

법령·조례·규칙에 따라 또는 필요에 의하여 지방자치단체가 보존하고 있거나 보존하기로 결정한 재산

③ "일반재산"이란 행정재산 외의 모든 공유재산을 말한다.

제81조(변상금의 징수) ① 지방자치단체의 장은 사용·수익허가나 대부계약 없이 공유재산 또는 물품을 사용·수익하거나 점유(사용·수익허가나 대부계약 기간이 끝난 후 다시 사용·수익허가나 대부계약 없이 공유재산 또는 물품을 계속 사용·수익하거나 점유하는 경우를 포함하며, 이하 "무단점유"라 한다)를 한 자에 대하여 대통령령으로 정하는 바에 따라 공유재산 또는 물품에 대한 사용료 또는 대부료의 100분의 120에 해당하는 금액(이하 "변상금"이라 한다)을 징수한다. 다만, 다음 각 호의 어느 하나에 해당하는 경우에는 변상금을 징수하지 아니한다(각 호 생략).

제83조(원상복구명령 등) ① 지방자치단체의 장은 정당한 사유 없이 공유재산을 점유하거나 공유재산에 시설물을 설치한 경우에는 원상복구 또는 시설물의 철거 등을 명하거나 이에 필요한 조치를 할 수 있다.

② 제1항에 따른 명령을 받은 자가 그 명령을 이행하지 아니할 때에는 「행정대집행법」에 따라 원상복구 또는 시설물의 철거 등을 하고 그 비용을 징수할 수 있다.

Ⅰ. 乙의 토지관리행위의 법적 성질 - 설문 1

1. 문제의 소재

- 주차장 부지와 유휴토지의 법적 성격 및 이들에 대한 관리행위의 법적 성격이 문제.

2. 주차장 부지 일부에 대한 관리행위의 법적 성질

⑴ 민원실 주차장 부지의 법적 성질

- 공유재산 및 물품관리법상 행정재산 중 공용재산에 해당.
- 강학상 공물에 해당.

⑵ 주차장 관리행위의 법적 성질

- 공물관리행위에 해당.
- 공물관리권의 법적성질에 대하여 **소유권설**(관리권의 작용은 소유권 그 자체의 작용)과 **물권적 지배권설**(관리권의 작용은 공법적 권한에 속하는 물권적 지배권이므로 소유권 불요)이 대립
- 판례는 "도로법의 제반 규정에 비추어 보면, 같은 법 제80조의2의 규정에 의한 변상금 부과권한은 **적정한 도로관리를 위하여 도로의 관리청에게 부여된 권한이라 할 것이**

지 도로부지의 소유권에 기한 권한이라고 할 수 없으므로, 도로의 관리청은 도로부지에 대한 소유권을 취득하였는지 여부와는 관계없이 도로를 무단점용하는 자에 대하여 변상금을 부과할 수 있다"(대판 2005.11.25, 2003두7194)고 하여 소유권불요설의 입장.

- 공물에 대해서 사인의 소유권을 인정하면서도 공적목적의 범위 내에서 공법적 규율 하에 놓는 공물의 이원적 구조를 취하고 있는 것이 우리의 법제이므로 물권적 지배권설(소유권 불요설)이 타당.

3. 유휴토지에 대한 관리행위의 법적 성질

(1) 유휴토지의 법적 성질

- 공유재산 및 물품관리법상 일반재산에 해당.
- 강학상 사물(私物)에 해당.

(2) 유휴토지 관리행위의 법적 성질

- 사물은 사법의 적용을 받음.
- 유휴토지의 관리는 사유재산에 대한 소유권에 근거한 물권의 행사에 해당.

Ⅱ. 건물철거 및 토지반환의무 불이행시 강제집행 – 설문 2

1. 문제의 소재

- 철거의무 및 토지반환의무 불이행시 대집행이 가능한지? 기타 직접강제 및 이행강제금 등의 강제집행이 가능한지 문제.

2. 대집행의 가능성(#62)

(1) 대집행의 의의

(2) 대집행의 요건

(3) 사안의 경우

- 공유재산 및 물품관리법 제83조 1항에 근거한 건물 철거 및 토지 반환명령이 있으므로 법령에 의거한 행정청의 명령에 의한 공법상 의무가 존재함.

- 대체적 작위의무 불이행이 있어야 하는데, 토지 및 건물의 인도 내지는 명도의무는 대체적 작위의무에 해당하지 않는다는 것이 학설·판례의 입장.

- 건물 철거의무는 대체적 작위의무라고 할 수 있음.

- 그러나 시장 乙이 甲에게 토지를 반환하라고 명한 것은, 토지에 대한 점유자의 점유를 배제하고 그 점유이전을 받는 데 있는데, 이러한 의무는 그것을 강제적으로 실현함에 있어 직접적인 실력행사가 필요한 것이지 대체적 작위의무에 해당하는 것은 아니어서 직접강제의 방법에 의하는 것은 별론으로 하고 행정대집행법에 의한 대집행의 대상이 되는 것은 아님. 따라서 시장 乙은 토지반환의무 불이행에 대해서는 대집행을 할 수 없음. 공유재산법 제83조 2항이 대집행이 가능하다고 규정하고 있더라도 이는 대집행의 대상이 될 수 있는 경우를 전제로 하는 것임.

3. 직접강제(#64)

- 행정법상의 의무불이행시 행정기관이 직접 의무자의 신체·재산에 실력을 가하여 의무자가 직접 의무를 이행한 것과 같은 상태를 실현하는 작용

- 건물 철거의무는 대체적 작위의무이고 불이행시 직접강제의 대상이 될 수 있으나 대집행이 가능한 경우에는 직접강제는 불가능하다고 보는 것이 타당.

- 토지반환의무 불이행시 직접강제의 대상이 될 수 있으나 직접강제는 침익적 작용으로 법적 근거가 필요한데 공유재산 및 물품관리법에는 직접강제에 대해 규율하고 있지 않음. 따라서 불가능.

4. 이행강제금(#63)

- 부작위의무, 작위의무 또는 수인의무를 이행하지 않는 경우에, 그 이행을 강제하기 위한 수단으로서 부과하는 금전적 부담으로 간접적, 심리적 강제를 가하는 것

- 건물 철거 및 토지 반환 명령에 따른 의무를 이행하지 않는 경우 이행강제금의 대상(이행강제금은 대체적 작위의무도 대상으로 할 수 있다는 것이 판례)이 되나 이행강제금 역시 법적 근거가 필요한데 공유재산 및 물품관리법에는 직접강제에 대해 규율하고 있지 않음 따라서 불가능.

Ⅲ. 甲이 변상금을 반환받기 위한 소송 – 설문 3

1, 문제의 소재

- 변상금 부과 조치가 처분인지 검토하고, 처분이라면 설문상으로 위법사유가 제시되지 않으므로 위법성의 정도를 무효사유 취소사유로 구분하여 납부한 변상금을 돌려받기 위한 소송수단을 검토함.

2. 변상금 부과 조치의 법적 성격

- 처분에 해당

판 례 국유재산법 제51(현72조) 제1항은 국유재산의 무단점유자에 대하여는 대부 또는 사용, 수익허가 등을 받은 경우에 납부하여야 할 대부료 또는 사용료 상당액 외에도 그 징벌적 의미에서 국가측이 일방적으로 그 2할 상당액을

추가하여 변상금을 징수토록 하고 있으며 동조 제2항은 변상금의 체납시 국세징수법에 의하여 강제징수토록 하고 있는 점 등에 비추어 보면 국유재산의 관리청이 그 무단점유자에 대하여 하는 변상금부과처분은 순전히 사경제 주체로서 행하는 사법상의 법률행위라 할 수 없고 이는 관리청이 공권력을 가진 우월적 지위에서 행한 것으로서 행정소송의 대상이 되는 행정처분이다(대판 1988.2.23, 87누1046·1047).

3. 변상금부과처분이 무효인 경우

(1) 부당이득반환청구소송

- 소송의 성격에 대해 민사소송설과 당사자소송설이 대립. 판례는 민사소송설

- 처분이 무효인 경우 공정력이 없으므로 선결문제로 처분의 하자를 심사할 수 있음.

(2) 변상금부과처분 무효확인소송(#127)

- 부당이득반환청구소송이 가능한 경우 항고소송으로 변상금부과처분 무효확인소송을 제기할 수 있는지의 문제됨. 무효확인소송의 보충성의 문제로 논의되고 있음.

- 보충성 필요설과 불요설이 대립하고 판례는 불요설임. 무효확인소송은 민사소송과 성질이 다르고, 판결의 기속력에 의해서 행정청에게 원상회복의무가 생기므로 유효적절한 구제수단이 될 수 있음. 불요설이 타당.

- 무효확인판결을 받으면 판결의 기속력에 의해 A시장은 변상금을 반환할 것이므로 실효성을 확보할 수 있음

- 변상금부과처분 무효확인소송과 부당이득반환청구소송을 관련청구소송으로 병합제기 가능(소송법 제38조1항, 10조2항)

4. 변상금부과처분이 취소사유인 경우

(1) 부당이득반환청구소송

- 변상금부과처분이 취소사유인 경우에는 공정력 내지 구성요건적 효력이 존재하므로 공정력(구성요건적 효력)과 선결문제가 문제됨.

- 변상금부과처분의 효력을 부인해야 하는 국면이므로 부당이득반환청구소송에서 선결문제로 심리할 수 없음. 따라서 부당이득반환청구소송을 통해서 변상금을 반환받을 수는 없음.

(2) 변상금부과처분 취소소송

- 취소판결의 기속력에 의해서 반환의무가 생기므로 구제수단이 됨.

- 변상금부과처분 취소소송과 부당이득반환청구소송을 관련청구소송으로 병합제기 가능(소송법 제10조2항)

150 공물의 사용관계

Ⅰ. 의 의

공물의 사용에 관하여 공물주체와 사용자와의 사이에 발생하는 법률관계이다. **공공용물**은 본래 일반공중의 사용에 제공된 물건이므로 **사용관계가 중요**한 문제가 되는 반면, **공용물**은 행정주체 자신의 사용에 제공된 공물이므로 원칙상 사용관계가 문제되지 않으나 **본래의 목적에 방해가 되지 않는 한도 내에서 행정재산의 목적외 사용·수익허가 가능**하다.

Ⅱ. 공물사용의 법률형태

1. 일반사용(자유사용, 보통사용)

(1) 의 의

일반인이 공물주체의 행위 없이 공물을 자유롭게 사용하는 것을 말한다(예: 도로의 통행).

(2) 법적 성질

행정주체가 일반공중의 자유로운 사용에 제공하는 결과로 받은 반사적 이익에 불과하다는 **반사적 이익설**이 있으나, **공물주체가 공공용물의 성립과 더불어 관련법률에 따라 이를 일반사용에 제공할 의무**를 가지며 일반사용권이 인정되는 경우 그 이용은 단순한 공익뿐만 아니라 **사용자의 구체적인 이익을 아울러 실현**하기 때문에 권리성이 인정된다는 **공법상 권리설**이 통설이다.

(3) 내 용

일반사용의 권리는 **도로폐지, 구조변경과 같은 권리는 인정되지 않고** 공물의 존재를 전제로 하여 공물을 자유로이 사용하는 **자유권의 성격을 가지는 소극적 권리**에 그친다. 자유사용권을 **행정권**이 침해한 경우 **공법상의 방해배제나 손해배상청구권**이 인정되며, **제3자**에 의하여 방해된 경우 **민법상 방해배제나 손해배상청구**가 가능하다.

(4) 인접주민의 일반사용(인접주민권)

1) 의 의 - 예컨대 도로에 인접하여 주택이나 상점을 가지고 있는 자는 그 생활 또는 경제활동에 있어 당해 도로의 이용의 빈도나 필요성이 일반인에 비하여 훨씬 크다. 이러한 사실을 감안해 **도로나 하천의 인접주민에게 당해 공물에 대하여 일반인의 일반사용권을 넘어서는 사용권**을 인정하는 것을 말한다. 헌법상의 **재산권 보장**으로부터 도출된다.

2) 법적 성질 - 당해 도로의 폐지나 구조변경 등에 대항할 수 없다는 점에서 **본질적으로 일반사용권의 한 유형**으로 보는 것이 일반적 견해이지만, 기존의 도로 외에 다른 통행수단이 없는 등의 **특별한 사정이 있다면 그 폐지에 대항할 수 있을 것**이다.

판 례 **일반적으로 도로는** 국가나 지방자치단체가 직접 공중의 통행에 제공하는 것으로서 **일반국민은 이를 자유로이 이용할 수 있는 것이기는 하나**, 그렇다고 하여 **그 이용관계로부터 당연히 그 도로에 관하여 특정한 권리나 법령에 의하여 보호되는 이익이 개인에게 부여되는 것이라고까지는 말할 수 없으므로, 일반적인 시민생활에 있어 도로를 이용만하는 사람은 그 용도폐지를 다툴 법률상의 이익이 있다고 말할 수 없지만**, 공공용재산이라고 하여도 **당해 공공용재산의 성질상 특정개인의 생활에 개별성이 강한 직접적이고 구체적인 이익을 부여**하고 있어서 그에게 그로 인한 이익을 가지게 하는 것이 법률적인 관점으로도 이유가 있다고 인정되는 **특별한 사정이 있는 경우**에는 그와 같은 이익은 **법률상 보호되어야 할 것**이고, 따라서 **도로의 용도폐지처분에 관하여 이러한 직접적인 이해관계를 가지는 사람이 그와 같은 이익을 현실적으로 침해당한 경우에는 그 취소를 구할 법률상의 이익이 있다**(대판 1992.9.22, 91누13212). ➡ #110[관련판례 1]

3) 내 용 - 타인의 사용을 방해하지 않는 범위 내에서 **보통사용을 능가하는 이용**을, 행정청의 허가 없이 무상으로 누릴 수 있다. 다만 **영업적 이익을 위해 지속적으로 도로를 이용**하는 행위는 한계를 넘은 것으로서 **특별사용**에 해당한다.

4) 한 계 - **일상생활이나 경제활동에 필요한 한도 내**에서만 인정되며, **일반인의 일반사용을 심히 제한하여서는 안된다.**

판 례 [1]공물의 **인접주민은 다른 일반인보다 인접공물의 일반사용에 있어 특별한 이해관계를 가지는 경우**가 있고, 그러한 의미에서 **다른 사람에게 인정되지 아니하는 이른바 고양된 일반사용권이 보장**될 수 있으며, 이러한 고양된 일반사용권이 **침해된 경우 다른 개인과의 관계에서 민법상으로도 보호**될 수 있으나, 그 권리도 **공물의 일반사용의 범위 안에서 인정**되는 것이므로, 특정인에게 어느 범위에서 이른바 고양된 일반사용권으로서의 권리가 **인정**될 수 있는지의 **여부는** 당해 **공물의 목적과 효용, 일반사용관계, 고양된 일반사용권을 주장하는 사람의 법률상의 지위와 당해 공물의 사용관계의 인접성, 특수성 등을 종합적으로 고려하여 판단**하여야 한다. 따라서 구체적으로 **공물을 사용하지 않고 있는 이상 그 공물의 인접주민이라는 사정만으로는 공물에 대한 고양된 일반사용권이 인정될 수 없다.**
[2] **재래시장 내 점포의 소유자가 점포 앞의 도로에 대하여 일반사용을 넘어 특별한 이해관계를 인정할 만한 사용을 하고 있었다는 사정을 인정할 수 없다**는 이유로 위 소유자는 **도로에 좌판을 설치 · 이용할 수 있는 권리가 없다**고 본 사례(대판 2006.12.22, 2004다68311 · 68328)

5) 권리구제 - 고양된 일반사용권이 침해된 경우 **공법상 및 사법상 방해배제청구권 및 손해배상청구권**이 인정될 수 있으며, **공용폐지를 다툴 원고적격이 인정될 가능성**이 있다.

(5) 일반사용의 제한

일반사용은 공물 본래의 목적 또는 공공질서의 범위 안에서 허용되는 것이므로, 그 한도 내에서 법령, 조례 또는 그에 의거한 공물규칙이 정하는 바에 의해 사용이 제한될 수 있다. 그리고 **타인의 일반사용을 심히 방해하지 않는 범위 내**에서만 인정된다.

판례 1 일반 공중의 이용에 제공되는 공공용물에 대하여 특허 또는 허가를 받지 않고 하는 일반사용은 **다른 개인의 자유이용과 국가 또는 지방자치단체 등의 공공목적을 위한 개발 또는 관리 · 보존행위를 방해하지 않는 범위 내에서만 허용**된다 할 것이므로, **공공용물에 관하여 적법한 개발행위** 등이 이루어짐으로 말미암아 이에 대한 일정범위의 사람들의 일반사용이 **종전에 비하여 제한받게 되었다 하더라도** 특별한 사정이 없는 한 그로 인한 불이익은 **손실보상의 대상이 되는 특별한 손실에 해당한다고 할 수 없다**(대판 2002.2.26, 99다35300).

판례 2 **일반 공중의 통행에 제공된 도로를 통행하고자 하는 자는,** 그 도로에 관하여 **다른 사람이 가지는 권리 등을 침해한다는 등의 특별한 사정이 없는 한, 일상생활상 필요한 범위 내에서 다른 사람들과 같은 방법으로 도로를 통행할 자유**가 있고, **제3자가 특정인에 대하여만 도로의 통행을 방해함으로써 일상생활에 지장을 받게 하는 등의 방법으로 특정인의 통행 자유를 침해하였다면 민법상 불법행위**에 해당하며, 침해를 받은 자로서는 그 **방해의 배제나 장래에 생길 방해를 예방하기 위하여 통행방해 행위의 금지를 소구할 수 있다**(대판 2011.10.13, 2010다63720).

(6) 사용료

무료가 **원칙**이나, **법령 · 조례로 사용료를 징수할 수 있다.** 징수하는 경우에도 일반사용권을 침해해서는 안 된다.

2. 허가사용

(1) 의 의

공물사용이 **타인의 공동사용을 방해하거나 공물의 존재를 해치거나 또는 공공질서에 위해를 줄 우려**가 있는 경우에, **일반적으로 사용을 금지하면서 특정한 경우에 제한을 해제**하여 공물의 사용을 허용하는 것을 말한다.

(2) 종 류

공물관리권에 근거한 허가사용과(예: 공원에서 수일간 판촉행사 허가), **공물경찰권에 근거**한 허가사용(예: 옥외집회허가)이 있다.

(3) 성 질

공물사용의 허가는 공물사용의 일반적 금지를 **일시적으로 해제**하는 것으로서, 공물사용권을 설정받아 계속적으로 사용하는 특허사용과 구별된다. 한편 허가사용은 그 상대방이 일반적 금지목적을 위배할 염려가 없으면 그 허가를 해주어야 한다는 점에서 **기속행위**의 성격을 갖는다. 다만 법률의 규정에 의하여 재량행위로 하는 경우도 있다.

(4) 사용료

사용료가 징수되기도 하나, 사용료 징수가 허가사용의 본질적 요소는 아니다.

3. 특허사용

1) 의 의 - **공물관리청이 공물관리권에 의해, 특정인에게 일반인에게는 허용되지 않는 특별한 사용권을 설정해 사용하도록 하는 것**을 말한다(예: 도로법에 의한 도로점용허가).

2) 특허사용의 대상 - 공물의 **특별사용**이 대상이다. 특별사용이란 공물의 **일반사용과는 별도로 공물의 특정 부분을 특정한 목적을 위하여 사용**하는 것으로서 일반사용과 병존가능하다. **판례**도 도로의 특별사용은 **반드시 독점적・배타적인 것이 아니라 일반사용과 병존이 가능**한 경우도 있다고 하였으며, 특별사용의 판단기준에 대하여 **특별사용인지 일반사용인지 여부는 도로의 주된 용도와 기능이 무엇인지**에 따라 가려져야 한다고 판시한 바 있다(관련판례).

3) 특허행위의 법적 성질 - 사인의 신청을 요하는 행정행위로서 **형성적 행위**(설권행위)이며, 특허를 함에 있어서는 공익을 널리 고려해야 하므로 **재량행위이다.**

판 례 **도로법 제40조(현 제38조) 1항에 의한 도로점용**은 일반 공중의 교통에 사용되는 도로에 대하여 이러한 **일반사용과는 별도로 도로의 특정부분을 유형적・고정적으로 특정한 목적을 위하여 사용**하는 이른바 **특별사용**을 뜻하는 것이고, 이러한 도로점용의 허가는 **특정인에게 일정한 내용의 공물사용권을 설정하는 설권행위**로서 공물관리자가 **신청인의 적격성, 사용목적 및 공익상의 영향 등을 참작**하여 허가를 할 것인지의 여부를 결정하는 **재량행위**이다(대판 2007.5.31, 2005두1329).

4) 내 용

① 특허사용자는 공권으로서의 **특허사용권**을 가지며 이는 **재산권**이다. 다만 특허에 의한 공물사용권은 예외적인 것으로 보아야 하므로 공물사용권은 그 사용목적 달성에 필요한 최소한도 내에서 인정되며, 일반공중의 일반사용과 조화를 이루어야 한다. 따라서 **일반사용과 병존이 가능**하다.

판 례 **하천의 점용허가권은 특허에 의한 공물사용권의 일종**으로서 하천의 **관리주체에 대하여 일정한 특별사용을 청구할 수 있는 채권에 지나지 아니하고 대세적 효력이 있는 물권이라 할 수 없다**(대판 1990.2.13, 89다카23022).

② 특허사용권자는 특허의 내용에 따라 사용료납부의무나 제해시설의 설치 및 손실보상의무 등을 진다.

5) 종 료 - 공물의 소멸이나 공물사용권의 포기, 특허기간의 종기의 도래 또는 해제조건의 성취나 특허의 철회 등으로 인해 종료된다.

6) 사용특허 없는 특별사용에 대한 변상금 부과 - **도로법 제80조의2**는 도로점용허가를 받지 않고 점용한 자에 대하여 점용료의 **100분의 120을 징수를 인정하고 있다.** 변상금부과에 관한 위와 같은 **특별규정이 없는 경우**에는 **부당이득반환의 법리**에 따라 점용료 상당액을 부당이득금으로 징수할 수 있다.

4. 관습상 특별사용

공물사용이 관습에 의해 성립하는 경우도 있다(예: 관습상 관개용수권). 그 내용은 관습에 의하여 정하여지며, 공물의 정상적인 사용에 따른 제약 및 공물사용에 관한 법질서를 수립하기 위해 법령에 의한 제한받을 수 있다.

5. 행정재산의 목적 외 사용(#151)

관련 판례 **일반사용과 특별사용의 병존**(대판 1991.4.9, 90누8855)

1. 사실관계

甲은 지상 21층 지하 6층의 신축사옥과 을지로입구역을 연결하는 지하철연결통로설치공사를 시행하기 위하여 중구청장으로부터 도로점용허가를 받음. 이는 주로 신축사옥을 출입하는 사람들을 위한 것이지만 지하철을 이용하는 일반 시민의 통행 편의를 제공하고자 하는 것도 있었으며 허가 조건에는 지하공작물을 서울시에 기부채납할 것이라는 조건이 있었고, 점용기간은 각 지하연결통로 설치시부터 '원상회복 필요시까지'라고 되어 있어 점용기간의 만료시기가 분명치 않았음. 甲은 지하연결통로를 준공하고도 다시 도로점용허가를 신청하지 않은 채 위 지하연결통로를 계속 사용하여 오던 중 위 지하연결통로를 특별사용하였다는 이유로 4억원의 부당이득금 부과처분을 받음. 甲은 지하연결통로의 사용관계는 일반사용에 불과하다고 하여 부당이득금반환청구소송을 제기함. 지하통로의 주된 기능은 건물 출입인의 통행로이나 일반인의 통행을 제한하지는 않음이 소송 중 드러남.

[참조조문]

* 구 도로법

제2조 (도로의 정의)

① 이 법에서 도로라 함은 일반의 교통에 공용되는 도로로서 제11조에 열거한 것을 말한다.

② 제1항의 도로에는 터널·교량·도선장·도로용 엘리베이터 및 **도로와 일체가 되어 그 효용을 다하게 하는 시설** 또는 공작물로서 대통령령이 정하는 것과 도로부속물을 포함한다.

제40조 (도로의 점용)

① 도로의 구역안에서 공작물·물건 기타의 시설을 신설·개축·변경 또는 제거하거나 기타의 목적으로 **도로를 점용하고자 하는 자는 관리청의 허가를 받아야 한다.**

제43조 (점용료의 징수)

① 관리청은 **제40조의 규정에 의하여 도로를 점용하는 자로부터 점용료를 징수할 수 있다.**

제80조의2 (변상금의 징수)

제40조의 규정에 의한 **도로점용허가를 받지 아니하고 도로를 점용한 자**에 대하여는 그 **점용기간에 대한 점용료의 100분의 120에 상당하는 금액을 변상금으로 징수할 수 있다.** 이 경우 그 징수방법은 도로점용료징수의 예에 의한다.

* 도로법 시행령 제1조의2 (도로)

법 제2조제2항에서 **"도로와 일체가 되어 그 효용을 다하게 하는 시설 또는 공작물"**이라 함은 다음 각호의 시설 또는 공작물을 말한다.

2. 옹벽·**지하통로**·무넘기시설·배수로 및 길도랑

2. 판결요지

[1] 도로법 제80조의2의 규정에 의한 도로점용료상당의 부당이득금의 징수요건으로서의 도로점용의 의미(=특별사용)

도로법 제40조에 규정된 도로의 점용이라 함은 일반공중의 교통에 공용되는 도로에 대하여 이러한 일반사용과는 별도로 도로의 특정부분을 유형적, 고정적으로 특정한 목적을 위하여 사용하는 이른바 특별사용을 뜻하는 것이므로, 허가 없이 도로를 점용하는 행위의 내용이 위와 같은 특별사용에 해당할 경우에 한하여 도로법 제80조의2의 규정에 따라 도로점용료상당의 부당이득금을 징수할 수 있다.

[2] 도로의 특별사용 여부에 관한 판단기준과 심리방법

도로의 특별사용은 반드시 독점적, 배타적인 것이 아니라 그 사용목적에 따라서는 도로의 일반사용과 병존이 가능한 경우도 있고 이러한 경우에는 도로점용부분이 동시에 일반공중의 교통에 공용되고 있다고 하여 도로점용이 아니라고 말할 수 없는 것인바, 지하철역과 원고의 사옥 사이의 지하연결통로의 용도와 기능이 **주로 일반시민의 교통편익을 위한 것이고 이에 곁들여 위 건물에 출입하는 사람들의 통행에 이용되고 있는 정도라면 위 지하연결통로는 도로의 일반사용**을 위한 것이고, 만일 이와 반대로 위 지하연결통로의 **주된 용도와 기능이 원고 소유 건물에 출입하는 사람들의 통행로로 사용하기 위한 것이고 다만 이에 곁들여 일반인이 통행함을 제한하지 않은 것에 불과하다면 위 지하연결통로는 특별사용**에 제공된 것이므로 이를 설치사용하는 행위는 도로의 점용이라고 보아야 할 것이며, 위 지하연결통로의 설치 사용이 위의 경우 중 어느 경우에 해당하는지는 위 **지하연결통로의 위치와 구조, 원고 소유 건물 및 일반 도로와의 연결관계 및 일반인의 이용상황 등 제반사정을 구체적으로 심리하여 판단**하여야 한다.

3. 해 설

1) 도로법 규정에 따르면 지하통로 역시 도로법상 '도로'이며 도로점용허가는 '특허사용'으로 '재량행위'에 해당. 따라서 법령에 근거가 없더라도 '부관'을 붙인 것도 적법하다.

2) 점용기간이 지하연결통로설치시부터 원상회복필요시까지로 되어 있어 그 자체로는 만료시기가 분명치 않으나, 신청자와 관리청의 의사 그리고 사회의 일반관념을 기초로 판단할 때 각 도로점용허가의 점용기간은 공사준공시를 만료시기로 한 것임.

3) 도로점용허가의 점용기간이 만료되어 도로점용허가가 실효되었음에도 甲 소유 건물에 출입하는 사람들을 위해 지하연결통로가 주로 사용되는 것이라면 특별사용에 해당되어 점용료 상당의 부당이득반환청구를 할 수 있다는 것

이 판례의 입장인데 이는 지하연결통로가 일반시민의 사용과 병존가능하다 하더라도 결론을 달리하지 않음.

4) 대상 판례 뿐 아니라 인도상의 주유소 진출입통로가 문제되었던 또 다른 판례 사안(2008년 사시기출)과 같은 경우에는 공물의 사용관계가 일반사용관계인지? 특별사용(특허사용)관계에 해당되는 것인지가 문제의 핵심임.

기출 사례 도로의 특별사용 · 변상금부과(08년 사시)

주유소를 경영하는 甲은 도로에서 자신의 주유소로 들어가는 진입로를 확보하기 위하여 도로관리청인 A시의 시장 乙에게 도로점용허가를 신청하였으나 반려되자 이 진입로에 해당하는 도로를 무단으로 사용하였다.

1. 도로점용허가의 법적 성질을 설명하시오. (10점)
2. 위 사례에서 A시가 도로부지의 소유권자가 아닌 경우, 乙이 甲에게 도로법상의 변상금을 부과할 수 있는지의 여부를 설명하시오. (10점)

[참조조문]

***도로법[1])**

제40조 (도로의 점용)

① 도로의 구역 안에서 공작물·물건 기타의 시설을 신설·개축·변경 또는 제거하거나 기타의 목적으로 도로를 점용하고자 하는 자는 관리청의 허가를 받아야 한다.

제80조의2 (변상금의 징수)

제40조의 규정에 의한 도로점용허가를 받지 아니하고 도로를 점용한 자에 대하여는 그 점용기간에 대한 점용료의 100분의 120에 상당하는 금액을 변상금으로 징수할 수 있다. 이 경우에 그 징수방법은 도로점용료징수의 예에 의한다.

1. 도로점용허가의 법적 성질 - 설문(1)

- 도로는 공물에 해당
- 甲의 도로점용은 도로의 특별사용에 해당 - 판례에 의하면 도로의 특별사용은 일반사용과 병존가능(김향기 교수님은 주유소주인의 인도의 주유소 진출입로 사용관계는 ① 차량 진출입의 사용·편익을 목적으로 인도 상에 유형적 변경을 가하여 장기간 계속 사용할 것으로 하고 있고, ② 일정한 형태로 도로를 고정시켜 일반인의 도로통행에 불편까지 주고 있으며, ③ 도로의 원래의 사용목적에 따라 일반사용과 병존가능하다는 점에서 특별사용인 특허사용으로 보고 있음(연습 3판 750면)).
- 도로점용허가는 공물의 특허사용, 재량행위

2. A시가 소유권자가 아닌 경우 변상금 부과 가능성 - 설문(2)

(1) 변상금부과처분의 법적 성질

- 공물관리권에 기하여 행정법상의 의무위반에 대한 제재로서 과하여지는 급부하명.

(2) 도로에 대한 소유권여부와 변상금부과

- 공물관리권의 법적 성질과 관련됨.
- 공물관리권의 법적성질에 대하여 소유권설(관리권의 작용은 소유권 그 자체의 작용)과 물권적 지배권설(관리권의 작용은 공법적 권한에 속하는 물권적 지배권이므로 소유권 불요)의 견해가 대립하나,

공물에 대해서 사인의 소유권을 인정하면서도 공적 목적의 범위 내에서 공법적 규율 하에 놓는 공물의 이원적 구조를 취하고 있는 것이 우리의 법제이므로 물권적 지배권설(소유권 불요설)이 타당

- 판례도 "도로법의 제반 규정에 비추어 보면, 같은 법 제80조의2의 규정에 의한 변상금 부과권한은 적정한 도로관리를 위하여 도로의 관리청에게 부여된 권한이라 할 것이지 도로부지의 소유권에 기한 권한이라고 할 수 없으므로, 도로의 관리청은 도로부지에 대한 소유권을 취득하였는지 여부와는 관계없이 도로를 무단점용하는 자에 대하여 변상금을 부과할 수 있다"(대판 2005.11.25, 2003두7194)고 하여 소유권불요설의 입장.
- 도로법 제80조의2가 소유권의 취득여부에 대하여 규정하고 있지 않으며, 변상금부과는 도로법에서 규율하고 있는 공물관리권에 의한 것이라는 점에서 A시가 도로부지의 소유권자가 아니라도 乙은 甲에게 변상금을 부과할 수 있음.

1) 법률이 개정되어 현행 도로법상 제38조와 제94조에 해당.

기출 사례 도로점용허가, 부관의 한계, 철회(16년 변시)

甲은 서울에서 주유소를 운영하는 자로, 기존 주유소 진입도로 외에 주유소 인근 구미대교 남단 도로(이하 '이 사건 본선도로'라 한다.)에 인접한 도로부지(이하 '이 사건 도로'라 한다.)를 주유소 진・출입을 위한 가・감속차로 용도로 사용하고자 관할구청장 乙에게 도로점용허가를 신청하였다. 이 사건 본선도로는 편도 6차로 도로이고, 주행제한속도는 시속 70km이며, 이 사건 도로는 이 사건 본선도로의 바깥쪽을 포함하는 부분으로 완만한 곡선구간의 중간 부분에 해당한다. 이 사건 본선도로 중 1, 2, 3차로는 구미대교 방향으로 가는 차량이, 4, 5차로는 월드컵대로 방향으로 가는 차량이 이용하도록 되어 있다. 4, 5차로를 이용하던 차량이 이 사건 본선도로 중 6차로 및 이 사건 도로부분을 가・감속차로로 하여 주유소에 진입하였다가 월드컵대로로 진입하는 데 별다른 어려움은 없다.

한편, 丙은 이 사건 도로상에서 적법한 도로점용허가를 받지 않고 수년 전부터 포장마차를 설치하여 영업을 하고 있었다.

(이 사안과 장소는 모두 가상이며, 아래 지문은 각각 독립적이다.)

1. 乙이 이 사건 본선도로를 주행하는 차량과의 교통사고 발생위험성 등을 들어 甲의 도로점용허가신청을 거부한 경우, 甲이 乙을 상대로 도로점용허가거부처분 취소소송을 제기한다면, 그 인용가능성에 대해 논하시오. (30점)
2. 乙이 甲에게 도로점용허가를 한 경우, 丙이 甲에 대한 乙의 도로점용허가를 다툴 수 있는 원고적격이 있는지를 논하시오. (20점)
3. 乙은 법령에 명시적인 근거가 없음에도 "甲은 丙이 이 사건 도로 지상에 설치한 지상물 철거를 위한 비용을 부담한다."라는 조건을 붙여 甲에게 도로점용기간을 3년으로 하여 도로점용허가를 하였다.

가. 위 조건의 법적 성질 및 적법성 여부를 논하시오. (15점)

나. 乙이 아무런 조건 없이 도로점용허가를 하였다가 3개월 후 위와 같은 조건을 부가한 경우, 이러한 조건 부가행위가 적법한지 여부에 대하여 논하시오. (5점)

다. 乙이 도로점용허가 당시 "민원이 심각할 경우 위 허가를 취소할 수 있다."는 내용의 조건을 부가하였다가, 교통정체 및 교통사고 발생위험성 등을 이유로 한 이 사건 본선도로 이용자들의 민원이 다수 제기되자, 1년 후 甲에 대한 이 사건 도로점용허가를 취소하였다. 甲이 도로점용허가 취소처분의 취소소송을 제기한 경우 그 인용가능성에 대해 논하시오. (10점)

[참고조문]

※ 아래 법령은 각 처분당시 적용된 것으로 가상의 것.

*** 도로법**

제1조(목적) 이 법은 도로망의 계획수립, 도로 노선의 지정, 도로공사의 시행과 도로의 시설 기준, 도로의 관리·보전 및 비용 부담 등에 관한 사항을 규정하여 국민이 안전하고 편리하게 이용할 수 있는 도로의 건설과 공공복리의 향상에 이바지함을 목적으로 한다.

제2조(정의) 이 법에서 사용하는 용어의 뜻은 다음과 같다.

1. "도로"란 차도, 보도, 자전거도로, 측도, 터널, 교량, 육교 등 대통령령으로 정하는 시설로 구성된 것으로서 제10조에 열거된 것을 말하며, 도로의 부속물을 포함한다.

제40조(도로의 점용) ① 도로의 구역안에서 공작물·물건 기타의 시설을 신설·개축·변경 또는 제거하거나 기타의 목적으로 도로를 점용하고자 하는 자는 관리청의 허가를 받아야 한다.

② 제1항의 규정에 따라 허가를 받을 수 있는 공작물·물건 그 밖의 시설의 종류와 도로점용허가의 기준 등에 관하여 필요한 사항은 대통령령으로 정한다.

*** 도로법 시행령**

제24조(점용의 허가신청) ⑤ 법 제40조 제2항의 규정에 의하여 도로의 점용허가(법 제8조의 규정에 의하여 다른 국가사업에 관계되는 점용인 경우에는 협의 또는 승인을 말한다)를 받을 수 있는 공작물・물건 기타의 시설의 종류는 다음 각호와 같다.

4. 주유소・주차장・여객자동차터미널・화물터미널・자동차수리소・휴게소 기타 이와 유사한 것

11. 제1호 내지 제10호 외에 관리청이 도로구조의 안전과 교통에 지장이 없다고 인정한 공작물・물건(식물을 포함한다) 및 시설로서 건설교통부령 또는 당해 관리청의 조례로 정한 것

*** 서울특별시 보도상 영업시설물 관리 등에 관한 조례**

제3조(점용허가) ② 시장은 점용허가를 받은 운영자에게 별지 제2호 서식에 의한 도로점용허가증을 교부한다. 이 경우 점용허가 기간은 1년 이내로 한다.

④ 도로점용 허가기한이 만료되는 운영자는 본인 및 배우자 소유의 부동산, 「국민기초생활보호법 시행규칙」 제3조 제1항 제1호 다목의 규정에 의한 임차보증금 및 같은 조 같은 항 제2호 규정에 의한 금융재산을 합하여 2억 원 미만인 자에 한하여 1년의 범위 안에서 2회에 한하여 갱신 허가하되, 이 경우 제3항에 의한 위원회를 거치지 아니한다.

제12조(사무의 위임) 이 조례에 의한 다음 각 호에 해당하는 시장의 사무는 시설물이 위치하는 지역을 관할하는 구청장에게 위임

한다.
1. 제3조의 규정에 의한 도로점용허가

Ⅰ. 도로점용허가거부처분 취소소송의 인용가능성 : 설문 1

1. 문제의 소재

- 甲이 제기한 도로점용허가 거부처분 취소소송이 인용되기 위해서는 소송요건이 구비되어야 하고 본안에서 거부처분이 위법해야 함. 소송요건과 관련하여 甲에게 신청권이 인정되는지 문제되고 본안에서는 도로법에 명시적인 거부사유로 규정되지 않은 사유를 들어서 관할구청장乙이 甲에게 거부처분을 할 수 있는지 문제됨.

2. 도로점용허가의 법적 성질

⑴ 강학상 특허(공물사용의 특허)

- 甲의 도로점용은 자신의 주유소에 인접한 도로부지를 장기간에 걸쳐 주유소진출을 위한 가·감속차로 용도로 사용하기 위한 것으로, 일반 공중의 교통에 사용되는 도로의 일반사용과는 별도로 도로의 특정부분을 유형적·고정적으로 특정한 목적을 위하여 사용하는 이른바 특별사용에 해당하는 것이다. 따라서 이러한 도로점용의 허가는 특정인에게 일정한 내용의 공물사용권을 설정하는 설권행위, 즉 강학상 특허에 해당

⑵ 재량행위

- 도로법 제38조 문언만으로는 재량행위성 여부를 판단하기 어려우나 도로점용의 허가는 특정인에게 일정한 내용의 공물사용권을 설정하는 설권행위로서, 공물관리자가 신청인의 적격성, 사용목적 및 공익상의 영향 등을 참작하여 허가를 할 것인지의 여부를 결정하는 재량행위에 해당.

3. 취소소송의 소송요건 구비 여부

⑴ 취소소송의 소송요건

- 사안에서는 甲의 도로점용허가신청에 대한 거부가 거부처분에 해당되며 甲에게 원고적격이 인정되는지 문제됨. 나머지 요건은 특별히 문제되지 않으므로 구비된 것으로 전제.

⑵ 대상적격 - 거부처분

- 행정청의 거부행위가 거부처분이 되기 위한 요건

- 甲이 신청한 행위인 도로점용허가는 강학상 특허로서 행정행위에 해당하므로 구체적 사실에 관한 법집행행위로서 공권력의 행사에 해당. 도로점용허가 거부행위에 의해서 甲의 도로점용이 확정적으로 금지되므로 신청인의 법률관계에 어떤 변동을 일으킨다고 할 수 있음. 또한 도로법 제40조는 '도로를 점용하고자 하는 자는 관리청의 허가를 받아야 한다.'고 규정하고 있고, 동법 시행령 제24조는 도로의 점용허가 신청에 대해 규율하고 있으므로 법규상 신청권을 인정할 수 있음. 따라서 甲에 대한 도로점용허가거부는 취소소송의 대상이 되는 거부처분에 해당.

⑶ 원고적격

- 판례는 거부처분의 요소로 요구하는 신청권을 원고적격과 구분되는 것으로 보면서도 신청권이 인정되는 사안에서는 별도로 원고적격의 구비여부를 검토하지 않고 원고적격을 인정하고 있음. 응답받을 권리인 형식적 신청권의 문제와 원고적격은 개념상 구분되는 문제이지만 신청권이 인정되나 원고적격이 부정되는 사안은 현실적으로 상정하기 어려울 것이므로 신청인이 거부처분의 상대방이면 원고적격은 인정될 것. 사안은 甲에게 도로점용허가와 관련하여 신청권이 인정된 경우이므로 甲에게 원고적격이 인정됨.

4. 도로점용허가 거부처분의 위법성

⑴ 행정행위의 적법요건

- 행정행위는 주체, 내용, 절차, 형식면에서 적법요건을 구비해야 되는데 구청장 乙은 도로점용허가권이 있는 행정청이므로 주체에 관한 요건은 충족되었고 사안에서 절차나 형식면에서 특별한 하자는 존재하지 않음. 문제는 내용에 관한 요건으로 구청장 乙이 도로법에 규정되어 있지 않는 "본선도로를 주행하는 차량과의 교통사고 발생위험성"이라는 거부사유를 제시할 수 있는가임. 이는 재량행위에 대한 사법심사와 관련되는 문제임.

⑵ 재량행위에 대한 위법성 판단방식

- 재량권의 일탈·남용이 있는지 여부를 심사.

⑶ 사안의 경우

- 본선도로를 주행하는 차량과의 교통사고 발생위험성은 도로법에 도로점용허가 거부사유로 규정되어 있지 않음. 그러나 재량행위는 법률요건이 충족되어도 허가 여부에 선택의 자유가 있고, 재량의 남용이 없는 한 법률에 규정된 거부사유 외의 사유를 들어서도 거부할 수 있음. 결국 본선도로를 주행하는 차량과의 교통사고 발생위험성 여부에 따라 도로점용허가 거부처분의 위법여부가 결정될 것.

- 본선도로의 4, 5차로를 이용하던 차량이 본선도로 중 6차로 및 인접한 도로부지를 가·감속차로로 하여 주유소에

진입하였다가 월드컵대로로 진입하는 데 별다른 어려움은 없다고 하더라도 구미대교 방향으로 진행하는 차량이 1, 2, 3차로를 이용하다가 甲의 주유소에서 주유를 하기 위하여 급차선 변경할 가능성 및 그로 인한 교통사고 발생의 위험성 증가를 배제할 수 없다. 더욱이 주유소에서 주유를 마친 차량이 구미대교 방면으로의 본선도로 진입을 시도할 경우 고속으로 달리고 있는 본선도로 주행차량과의 교통사고 발생의 위험성이 존재함. 따라서 사안의 경우 재량권 행사의 기초가 되는 사실인정에 오류가 없고 비례·평등의 원칙 위배 등 재량권의 범위를 일탈·남용한 위법도 없으므로 乙의 도로점용허가 거부처분은 적법.

5. 사안의 해결

- 소송요건을 구비하였고, 도로점용허가 거부처분은 재량의 일탈·남용이 없으므로 甲의 청구는 기각될 것.

Ⅱ. 丙의 원고적격 인정 여부 : 설문2

1. 문제의 소재

- 丙은 甲에 대한 도로점용허가처분의 직접 상대방이 아니라 제3자인데, 처분의 제3자에게 원고적격이 인정되는지 문제.

2. 취소소송의 원고적격 – 법률상 이익의 의의

3. 사안의 해결

- 도로점용허가처분의 근거법규인 도로법 및 시행령은 도로점용허가를 받지 않고 무단으로 점용한 자의 이익을 보호하는 규정을 두고 있지 않고 있으며 해석을 통해서 丙의 법률상 이익이 도출되기도 어려움. 따라서 구청장 乙이 甲에게 도로점용허가를 한 경우, 도로점용허가 처분으로 인하여 丙이 어떠한 불이익을 입게 되었다고 하더라도 丙의 권리 또는 법률상의 이익이 침해된 것으로 볼 수 없음. 결국 처분의 직접상대방이 아닌 제3자인 丙으로서는 도로점용허가 처분의 취소에 관하여 법률상으로 보호받아야 할 직접적이고 구체적인 이해관계가 있다고 할 수 없어 도로점용허가처분의 취소를 구하는 소를 제기할 원고적격이 없음.

Ⅲ. 조건의 법적 성질 및 적법성 여부 : 설문 3-가

1. 문제의 소재

- 甲에 대한 도로점용허가시 부가한 지상물 철거 비용 부담조건이 강학상 조건인지 부담인지 문제되고, 부관의 위법성과 관련하여 부관의 가능성 및 내용상 한계가 문제

2. 조건의 법적 성질

(1) 행정행위의 부관

(2) 부관의 종류 및 구별기준

(3) 사안의 경우

- 도로법에는 철거 비용 부담 조건의 근거는 없다. 사안에서 조건이라고 되어 있기는 하나, 당해 조건은 지상물 철거와 도로점용허가요건 사이에 밀접한 관계가 보이지 않으며, 도로법 상의 도로점용허가 요건 외에 추가적인 의무를 부과한 것으로서 강학상 부담에 해당. 따라서 甲이 지상물 철거 비용을 부담하는 것과 무관하게 甲에 대한 도로점용허가의 효력은 발생함. 다만 甲이 비용부담 의무를 이행하지 않는 경우에 乙은 도로점용허가를 철회할 수 있음.

3. 조건의 적법성

(1) 부관의 성립상 한계(부관의 가능성)

(2) 부관의 내용상 한계

- 내용상 한계에 관한 일반론

- 사안은 부당결부금지원칙 위반 여부

4. 사안의 해결

- 조건의 법적성질은 부담에 해당하며, 도로점용허가는 재량행위이므로 이러한 부관의 부가가 가능함.

- 구청장 乙의 도로점용허가가 있으므로 행정작용이 존재하며, 철거 비용을 부담하라는 조건을 부과하였으므로 반대급부와도 결부되었음. 그러나 도로점용허가를 발령하기 때문에 철거 비용 부담 조건의 부과가 가능하게 되었고, 비용 부담 조건은 도로점용허가가 추구하는 목적을 위해서 부가한 것이라고 볼 수 있으므로 실질적 관련성은 있다고 보아야 하므로 조건을 부과한 것이 부당결부라고 할 수는 없음. 부당결부금지원칙 위반은 아니므로 철거비용을 부담하라는 조건은 적법함.

Ⅳ. 사후부관의 허용 여부 : 설문 3-나

1. 부관의 시간적 한계 – 사후부관

2. 사안의 해결

- 구청장 乙은 도로점용허가 발령 3개월 후에 부관을 부가한 것인데, 도로법에 명문의 근거는 없고 도로점용허가를 하면서 미리 유보한 사정도 없으며, 상대방이 동의한 바도 없음. 판례에 의하면 사정변경이 문제될 수 있는데, 도로점용허가 당시 이미 지상물의 철거 필요성이 존재했다는 점을 고려하면 사정변경도 인정할 수 없음. 따라서 구청장 乙이 3개월 후에 행한 조건 부가행위는 위법함.

V. 도로점용허가 취소처분 취소소송의 인용가능성 : 설문3-다

1. 문제의 소재

2. 철회의 법적 근거

- 도로법에는 법적 근거가 없다.[2] 다수설·판례에 의하면 법적 근거가 없더라도 구청장 乙은 도로점용허가취소를 할 수 있음.

3. 철회의 사유

- 도로점용허가 당시 "민원이 심각할 경우 위 허가를 취소할 수 있다"는 내용의 철회권의 유보를 했는데, 교통정체 및 교통사고 발생위험성 등을 이유로 본선도로 이용자들의 민원이 다수 제기된 것은 유보한 사유가 발생한 것에 해당하므로 철회사유도 존재함.

4. 철회의 한계

- 도로점용허가시 철회권을 유보한 경우이기 때문에 상대방은 사전에 철회가능성을 충분히 예견할 수 있으므로 신뢰보호원칙이 적용되지 않으며 달리 실권의 법리가 문제되는 상황도 아님. 따라서 철회권 행사의 한계를 벗어나지 않음.

5. 사안의 해결

- 소송요건은 특별히 문제되지 않음. 구청장 乙은 법적 근거 없이 도로점용허가를 취소할 수 있으며, 민원이 다수 제기된 것은 유보된 철회사유가 발생한 것이며, 비례의 원칙·신뢰보호 원칙에 반하는 사정도 존재하지 않음. 따라서 구청장 乙의 도로점용허가취소처분은 적법하며 甲이 취소소송을 제기하면 기각판결을 받을 것.

---

2) 실제 도로법 제97조는 도로의 구조나 교통의 안전에 대한 위해를 제거하거나 줄이기 위하여 필요한 경우 등 공익을 위하여 철회권을 행사할 수 있는 사유를 규정하고 있음. 시험장용 법전에는 도로법이 수록되어 있지 않고, 설문에서 주어진 참조조문에는 제97조가 없으므로 법적 근거가 없는 것으로 답안을 작성할 수 밖에 없을 것.

151 행정재산의 목적 외 사용

Ⅰ. 서 설

행정재산은 그 **용도 또는 목적에 장애가 되지 않는 범위 내**에서 그 행정재산의 **사용 또는 수익을 허용**할 수 있는 바, 이러한 허가에 의한 사용을 행정재산의 목적 외 사용이라 한다(예: 국유재산법 제30조). 행정재산은 원칙적으로 사권설정의 대상이 되지 않으나, 행정재산의 용도·목적에 장애가 되지 않으면서 식당·매점경영과 같이 현실적으로 필요한 경우를 규율하기 위해서 인정된다. 법적 근거로는 일반법으로 국유재산법·공유재산 및 물품관리법이 있으며, 개별법으로 하천법·도로법·도시공원법 등이 있다.

Ⅱ. 목적외 사용허가의 법적 성질

1. 학 설

① 행정재산의 목적외 사용 법률관계의 발생 또는 소멸이 **행정처분에 의하여** 이루어지며, 사용료의 징수 역시 **강제징수**에 의하는 점을 근거로 하는 공법관계설과 ② 사용수익의 내용은 사용수익자의 **사적 이익을 도모**하기 위한 것이고 관리청과 사인간에 **우열관계가 존재한다고 보기 어렵다**는 점을 근거로 한 사법관계설, ③ 목적외 사용관계의 **발생·소멸 및 사용료징수관계는 공법관계**이고 **사용·수익 관계**는 실질에 있어서 사법상 임대차와 같으므로 **사법관계**로 파악하는 이원적 법률관계설이 대립한다.

2. 판례 – 공법관계

판 례 국유재산 등의 관리청이 하는 행정재산의 사용·수익에 대한 허가는 **순전히 사경제주체로서 행하는 사법상의 행위가 아니라 관리청이 공권력을 가진 우월적 지위에서 행하는 행정처분으로서 특정인에게 행정재산을 사용할 수 있는 권리를 설정하여 주는 강학상 특허**에 해당하는바 ⋯⋯(중략)⋯⋯

원고는 피고(대한민국) 산하의 **국립의료원 부설주차장에 관한 이 사건 위탁관리용역운영계약**에 대하여 관리청이 순전히 사경제주체로서 행한 사법상 계약임을 전제로, 가산금에 관한 별도의 약정이 없는 이상 원고에게 가산금을 지급할 의무가 없다고 주장하여 그 부존재의 확인을 구한다는 것이다. 그러나 기록에 의하면, 위 운영계약의 **실질은 행정재산인 위 부설주차장에 대한 국유재산법 제24조1항에 의한 사용·수익 허가로서 이루어진 것**임을 알 수 있으므로, 이는 위 국립의료원이 원고의 신청에 의하여 공권력을 가진 우월적 지위에서 행한 행정처분으로서 특정인에게 행정재산을 사용할 수 있는 권리를 설정하여 주는 강학상 특허에 해당한다 할 것이고 순전히 사경제주체로서 원고와 대등한 위치에서 행한 **사법상의 계약으로 보기 어렵다**(대판 2006.3.9, 2004다31074).

3. 검 토

과거에는 국유재산법 등이 잡종재산(현 일반재산)의 규정을 준용하였으나 현행법은 행정재산의 목적외 사용을 관리청의 **허가**에 의하도록 하고, 상대방의 귀책사유가 있는 경우에는 **사용허가의 취소·철회**를 인정하며, 사용료 체납시 체납처분절차에 따라 **강제징수**하는 규정을 두고 있으므로 **공법관계설이 타당**하다.

Ⅲ. 사용관계의 내용

1. 사용수익자의 권리의무

(1) 권 리

사용허가에 의해 결정된 바에 따라 사용수익 가능하다.

(2) 의 무

행정재산 본래의 목적에 장애가 되는 행위 하여서는 안 되며, 영구시설물의 설치는 금지되고, 다른 사람으로 하여금 사용수익하게 하여서는 안 된다. 또한 사용료 납부의무를 진다.

2. 사용료 – 제32조

3. 허가기간 – 5년 이내, 갱신가능(제35조)

4. 허가의 철회와 손실보상

공용 또는 공공용으로 사용하기 위하여 필요한 때에는 허가의 철회가 가능하다(제36조 2항). 다만 손해발생시 대통령령이 정하는 바에 의해 보상(제36조 3항).

5. 허가의 취소, 철회와 대집행

시설물의 철거는 국유재산법 제74조 등에 의하여 대집행이 가능하나, 퇴거는 대체적 작위의무가 아니므로 대집행 불가능하다.

판 례 도시공원시설인 매점의 관리청이 그 공동점유자 중의 1인에 대하여 소정의 기간 내에 위 **매점으로부터 퇴거하고 이에 부수하여 그 판매 시설물 및 상품을 반출하지 아니할 때에는 이를 대집행 하겠다는 내용의 계고처분은** 그 주된 목적이 매점의 원형을 보존하기 위하여 점유자가 설치한 불법 시설물을 철거하고자 하는 것이 아니라, 매점에 대한 점유자의 점유를 배제하고 그 점유이전을 받는 데 있다고 할 것인데, 이러한 의무는 그것을 **강제적으로 실현함에 있어 직접적인 실력행사가 필요한 것이지 대체적 작위의무에 해당하는 것은 아니어서 직접강제의 방법에 의하는 것은 별론으로 하고 행정대집행법에 의한 대집행의 대상이 되는 것은 아니다**(대판 1998.10.23, 97누157).

6. 변상금의 징수

국·공유재산의 **대부 또는 사용·수익허가 등을 받지 않고 국유재산을 점유하거나 사용·수익한 자**에 대해서는 임대료 또는 사용료의 **100분의 120**에 상당하는 변상금을 징수할 수 있다(국유재산법 제72조 1항, 공유재산 및 물품관리법 81조 1항). 변상금 부과조치는 **처분**으로 항고소송의 대상이 된다.

판례 1 **국유재산의 무단점유자에 대한 변상금 부과는 공권력을 가진 우월적 지위에서 행하는 행정처분**이고, 그 부과처분에 의한 **변상금 징수권은 공법상의 권리인 반면, 민사상 부당이득반환청구권은 국유재산의 소유자로서 가지는 사법상의 채권**이다(대법원 1992.4.14, 선고 91다42197 판결 참조). 또한 **변상금은 부당이득 산정의 기초가 되는 대부료나 사용료의 120%에 상당하는 금액으로서 부당이득금과 액수가 다르고, 이와 같이 할증된 금액의 변상금을 부과·징수하는 목적은 국유재산의 사용·수익으로 인한 이익의 환수를 넘어 국유재산의 효율적인 보존·관리라는 공익을 실현**하는 데 있다(대법원 2008. 5.15, 선고 2005두11463 판결 참조). 그리고 대부 또는 사용·수익허가 없이 국유재산을 점유하거나 사용·수익하였지만 **변상금 부과처분은 할 수 없는 때에도 민사상 부당이득반환청구권은 성립하는 경우가 있으므로, 변상금 부과·징수의 요건과 민사상 부당이득반환청구권의 성립 요건이 일치하는 것도 아니다**(대법원 2000.3.24, 선고 98두7732 판결 참조). 이처럼 구 국유재산법 제51조 제1항, 제4항, 제5항에 의한 **변상금 부과·징수권은 민사상 부당이득반환청구권과 법적 성질을 달리하므로, 국가는 무단점유자를 상대로 변상금 부과·징수권의 행사와 별도로 국유재산의 소유자로서 민사상 부당이득반환청구의 소를 제기할 수 있다.** 그리고 **이러한 법리는** 구 국유재산법 제32조 제3항, 구 국유재산법 시행령(2009. 7. 27. 대통령령 제21641호로 전부 개정되기 전의 것) 제33조 제2항에 의하여 **국유재산 중 잡종재산(현행 국유재산법상의 일반재산에 해당한다)의 관리·처분에 관한 사무를 위탁받은 원고의 경우에도 마찬가지**로 적용된다. 따라서 원고는 무단점유자를 상대로 변상금 부과·징수권의 행사와 별도로 민사상 부당이득반환청구의 소를 제기할 수 있다(대판 2014.7.16, 2011다76402).

판례 2 구 국유재산법(2009. 1. 30. 법률 제9401호로 전부 개정되기 전의 것) 제51조 제2항은 '변상금을 기한 내에 납부하지 아니하는 때에는 대통령령이 정하는 바에 따라 연체료를 징수할 수 있다'고 규정하고 있으나, 구 국유재산법 시행령(2009. 7. 27. 대통령령 제21641호로 전부 개정되기 전의 것, 이하 '구 국유재산법 시행령'이라 한다) 제56조 제5항에 의하여 준용되는 구 국유재산법 시행령 제44조 제3항은 '변상금을 납부기한 내에 납부하지 아니한 경우에는 소정의 연체료를 붙여 납부를 고지하여야 한다'고 규정하고 있고, **변상금 연체료 부과처분은 국유재산의 적정한 보호와 효율적인 관리·처분을 목적으로 하는 행정행위로서 국유재산 관리의 엄정성이 확보될 필요**가 있으며, **변상금 납부의무를 지체한 데 따른 제재적 성격을 띠고 있는 침익적 행정행위**이고, 연체료는 변상금의 납부기한이 경과하면 당연히 발생하는 것이어서 부과 여부를 임의로 결정할 수는 없으며, 구 국유재산법 시행령 제56조 제5항, 제44조 제3항은 연체료 산정기준이 되는 연체료율을 연체기간별로 특정하고 있어서 처분청에 연체료 산정에 대한 재량의 여지가 없다고 보이므로, 변상금 연체료 부과처분은 처분청의 재량을 허용하지 않는 기속행위이다(대판 2014.4.10, 2012두16787).

Ⅳ. 관련문제

1. 문제점

통상의 행정재산의 목적외 사용허가와는 달리 기부채납받은 국·공유재산인 경우의 법적성질이 문제된다.[1)]

2. 학 설

사법상 계약설은 기부채납의 법적성질이 사법상 증여계약이므로 이에 기초한 사용허가행위도 사법상 계약에 해당한다는 견해이다. 기부채납에 대한 반대급부로서의 성격을 가지며 기부채납과 밀접불가분한 관계가 있다는 점을 논거로 한다. 반면 행정행위설은 기부채납행위의 성질과 기부채납된 재산의 법적성질을 구분하여, 일단 행정재산으로서의 국유재산이 된 이상, 다음단계의 행위에서는 행정행위로서의 성질을 가진다고 한다. 국유재산법은 취득경위에 따라서 달리 취급하고 있지 않으며 기부채납 되었다고 해서 다른 행정재산과는 달리 잡종재산으로서의 성격을 가지고 있다고 할 수 없다고 한다.

3. 판 례 – 행정행위설

판 례 공유재산의 관리청이 하는 행정재산의 사용·수익에 대한 허가는 순전히 사경제주체로서 행하는 사법상의 행위가 아니라 관리청이 공권력을 가진 우월적 지위에서 행하는 행정처분이라고 보아야 할 것인바, 행정재산을 보호하고 그 유지·보존 및 운용 등의 적정을 기하고자 하는 지방재정법 및 그 시행령 등 관련 규정의 입법 취지와 더불어 잡종재산에 대해서는 대부·매각 등의 처분을 할 수 있게 하면서도 행정재산에 대해서는 그 용도 또는 목적에 장해가 없는 한도 내에서 사용 또는 수익의 허가를 받은 경우가 아니면 이러한 처분을 하지 못하도록 하고 있는 구 지방재정법(1999.1.21. 법률 제5647호로 개정되기 전의 것) 제82조 제1항, 제83조 제2항 등 규정의 내용에 비추어 볼 때 그 행정재산이 구 지방재정법 제75조의 규정에 따라 기부채납받은 재산이라 하여 그에 대한 사용·수익허가의 성질이 달라진다고 할 수는 없다(대판 2001.6.15, 99두509).

4. 검 토

기부채납행위에서는 사적자치의 원칙이 지배하지만, 채납된 재산에 대해서는 법치행정이 지배하므로, 일반적인 행정재산의 사용허가의 법적성질과 같은 차원의 논의로 다루어져야 한다. 따라서 행정행위설이 타당하다.

기출 사례 행정재산의 목적외 사용관계 / 내부위임(07년 사시)

甲은 A시 청사의 지하층 일부에 대한 사용허가를 받아 식당을 운영하고 있다. A시의 시장은 청사의 사용허가에 관한 권한을 B국장에게 내부적으로 위임(위임전결)하였고, 이에 따라 B국장은 자신의 명의로 甲에 대한 청사의 사용허가를 취소하였다. 甲은 이러한 사용허가의 취소가 위법하다고 생각하여 이를 다투려고 한다. 甲은 어떠한 소송유형을 선택하여 이를 다툴 수 있는가? (20점)

1. 사용허가(취소)의 법적 성질(행정소송인지 민사소송인지 여부)

⑴ 행정재산의 목적외 사용의 법적 성질
- 공법관계설 / 사법관계설 / 이원설
- 판례의 입장은 공법관계설(강학상 특허).
- 공법관계설이 타당.

⑵ 사용허가취소
- 사용허가취소 역시 처분시의 위법을 이유로 한 직권취소로서 행정행위에 해당.
- 따라서, 행정소송 중 항고소송의 형태를 선택.

2. 사용허가취소에 대한 불복시 소송형태

⑴ 사용허가취소의 위법성

1) 내부위임(위임전결)의 의의

1) 류지태·박종수 15판.1056면

2) 내부위임을 받은 자가 자신의 이름으로 처분을 한 경우의 위임의 효과(#134)[2]

- 무효설, 취소설, 예외적 취소설 등이 대립하나 판례는 무효설.
- 예외적 취소설로 검토. 이에 의할 때 사안은 보조기관인 국장이 수임기관인 경우이므로 무효사유에 해당.

(2) 소송형태

- 무효사유로 보는 경우 무효확인소송 제기가 가능하며, 취소소송의 제소요건을 구비한 경우는 무효선언을 구하는 의미의 취소소송도 가능.

(취소사유로 보는 견해에 의하면 취소소송 제기 가능).

기출 사례 사용허가의 철회과 강제수단(11년 행시 - 일반행정)

갑은 K 국립도서관[3]의 허가를 받아 지하에서 4년 동안 구내식당을 운영하여 왔다. 그런데 K 국립도서관은 당해 시설을 문서보관실 등의 용도로 직접 사용할 필요가 발생하자, 허가를 취소하고 갑의 구내식당을 반환하여 줄 것을 요구하였다. 이에 대해 갑은 사용기간이 아직 1년이 남아있다고 주장하여 구내식당의 반환을 거부하였다. K 국립도서관의 취소행위가 적법한지 여부와 갑의 구내식당을 반환받기 위한 K 국립도서관의 행정법상 대응수단에 대하여 설명하시오. (25점)

1. 구내식당 사용허가의 법적 성질

- 행정재산의 목적외 사용관계의 법적 성질의 문제
- 공법관계로서 강학상 특허에 해당.
- 허가취소는 적법한 허가를 취소하는 것으로 강학상 철회

2. 사용허가 취소의 적법성

(1) 철회의 근거

- 법적 근거의 유무에 대한 논의를 간단히 언급한 후 국유재산법 제36조에 철회의 근거가 있음을 언급.[4]

(2) 철회사유

- 문서보관실 등의 용도로 직접 사용할 필요 있음.

(3) 철회권 행사의 제한

- 1년의 사용기간이 남아 있어 구내식당 운영에 관한 갑의 재산상 이익과 문서보관이라는 도서관 본래의 목적과 이익형량을 할 때 비례의 원칙에 반하지 않음.
- 달리 신뢰보호원칙 위반 사정도 보이지 않음.

(4) 소결 - 사용허가 취소는 적법

3. K 도서관의 대응수단

(1) 대집행(#62)

- 국유재산법 제74조는 "정당한 사유 없이 국유재산을 점유하거나 이에 시설물을 설치한 경우에 행정대집행법을 준용하여 철거하거나 그 밖에 필요한 조치를 할 수 있다"고 규정하고 있는데 동 규정에 의해서 대집행이 가능한지 문제.
- 대집행은 대체적 작위의무에 대해서 가능. 제74조는 시설물의 철거 등에는 가능하나 갑의 구내식당반환의무는 명도의무로서 비대체적인 작위의무이므로 대집행 불가. 판례도 대집행의 대상이 될 수 없다고 함.

(2) 기타 수단

- 결국 K국립도서관은 민사소송으로서 명도소송을 제기하거나, 형사처벌(공무집행방해죄)을 통해서 해결할 수밖에 없음. 그 외에 별도의 법률 규정이 있다면 직접강제, 이행강제금 부과가 가능하나 국유재산법상 그러한 규정은 없음.
- 직접 반환받는 수단은 아니나, 국유재산법 제72조의 변상금 부과를 통해 간접적으로 압박을 가할 수도 있음.

---

2) 이러한 견해대립은 무효와 취소의 구별기준에 관한 중대명백설에 입각해서 이해해도 무방. 무효와 취소의 구별기준에 관한 학설대립을 장황하게 서술할 필요는 없을 것 같음. 굳이 언급하고 싶으면 간략하게 언급만 하면 족함.

3) 도서관은 영조물이고 행정청이 아니어서 처분을 하는 행정청이 아님. 도서관장이라고 해야 정확한 것임.

4) 국유재산법 제36조2항은 "관리청은 사용허가한 행정재산을 국가나 지방자치단체가 직접 공용이나 공공용으로 사용하기 위하여 필요하게 된 경우에는 그 허가를 철회할 수 있다"고 규정하고 있음. 참조조문으로 제시하지 않았지만 행시용 법전에는 국유재산법이 수록되어 있음. 만약 시험장용 법전에 국유재산법이 없다면 국유재산법상 근거가 기억이 안 나더라도 철회의 법적 근거에 관한 논의를 떠올려서 불요설이 다수설, 판례라고 하면서 이에 입각하여 논리를 전개하면 될 것.

152 공용수용의 절차

Ⅰ. 공용수용의 의의

공익사업을 위하여 법률에 의거하여 토지 등 타인의 재산권을 강제적으로 취득하는 것을 말한다.

Ⅱ. 수용의 절차 - 공익사업을 위한 토지 등의 취득 및 보상에 관한 법률에 의함

1. 사업인정(공토법 제2조7호)

(1) 의 의

특정 사업이 공토법이 예정하고 있는 **공익사업에 해당함을 인정**하고, 기업자에게 일정한 절차를 거쳐 그 사업에 필요한 토지를 **수용 또는 사용하는 권리를 설정**하여 주는 행위이다.

(2) 성 질

1) 형성행위(다수설, 판례) - 공익사업에의 해당 여부를 확인판단하는 작용에 지나지 않는다는 확인행위에 불과하다는 견해가 있으나, 기업자에게 일정한 절차를 거침을 조건으로 특정한 재산권의 **수용권을 부여**하는 **형성적 행정행위**라고 보는 것이 타당하다. 사업인정을 받음으로써 **수용할 목적물의 범위가 확정**되고 목적물에 관한 현재 및 장래의 권리자에게 대항할 수 있는 일종의 공법상의 권리가 발생한다.

판례 1 광업법 제87조 내지 제89조, 토지수용법 제14조에 의한 토지수용을 위한 사업인정은 **단순한 확인행위가 아니라 형성행위**이고 당해 사업이 비록 토지를 수용할 수 있는 사업에 해당된다 하더라도 행정청으로서는 그 사업이 공용수용을 할 만한 공익성이 있는지의 여부를 모든 사정을 참작하여 구체적으로 판단하여야 하는 것이므로 사업인정의 여부는 **행정청의 재량**에 속한다(대판 1992.11.13, 92누596).

판례 2 [1] 사업인정이란 **공익사업을 토지 등을 수용 또는 사용할 사업으로 결정하는 것으로서 공익사업의 시행자에게 그 후 일정한 절차를 거칠 것을 조건으로 일정한 내용의 수용권을 설정하여 주는 형성행위**이므로, 해당 사업이 **외형상 토지 등을 수용 또는 사용할 수 있는 사업에 해당한다고 하더라도** 사업인정기관으로서는 그 사업이 **공용수용을 할 만한 공익성이 있는지의 여부와 공익성이 있는 경우에도 그 사업의 내용과 방법**에 관하여 사업인정에 **관련된 자들의 이익을 공익과 사익 사이**에서는 물론, **공익 상호간 및 사익 상호간에도 정당하게 비교·교량하여야** 하고, 그 비교·교량은 **비례의 원칙에 적합하도록** 하여야 한다. 그뿐만 아니라 해당 공익사업을 수행하여 공익을 실현할 의사나 능력이 없는 자에게 타인의 재산권을 공권력적·강제적으로 박탈할 수 있는 수용권을 설정하여 줄 수는 없으므로, **사업시행자에게 해당 공익사업을 수행할 의사와 능력이 있어야 한다는 것도 사업인정의 한 요건**이라고 보아야 한다.
[2] 공용수용은 헌법상의 재산권 보장의 요청상 불가피한 최소한에 그쳐야 한다는 헌법 제23조의 근본취지에 비추어, 사업시행자가 **사업인정을 받은 후 그 사업이 공용수용을 할 만한 공익성을 상실하거나 사업인정에 관련된 자들의 이익이 현저히 비례의 원칙에 어긋나게 된 경우 또는 사업시행자가 해당 공익사업을 수행할 의사나 능력을 상실하였음에도 여전히 그 사업인정에 기하여 수용권을 행사**하는 것은 수용권의 공익 목적에 반하는 **수용권의 남용**에 해당하여 허용되지 않는다(대판 2011.1.27, 2009두1051).

2) 재량행위 - 사업인정에는 공용수용을 할 수 있는 **공익성을 가지는 사업인지 여부를 구체적으로 판단**하여야 하므로, 사업인정권자에게는 **일정 한도에서 독자적 판단권**이 인정되며, 그 한도에서 재량행위의 성질을 가진다. 판단여지설을 아직 채택하고 있지 않는 **판례**는 사업인정을 **재량행위**로 보고 있다(92누596).

(3) 사업인정권자

원칙적으로 국토교통부 장관이다(공토법 제20조).

(4) 사업인정의 절차

① 사업시행자는 그 사업을 신청하여(공토법 제20조), ② 국토교통부 장관은 시·도지사와의 협의 및 사업인정에 이해관계가 있는 자의 의견을 들어야 한다(공토법 제21조). ③ 국토교통부 장관이 사업인정을 한 경우, 지체 없이 그 뜻을 사업시행자 등에게 통지하고 사업시행자의 명칭 등을 관보에 고시하여야 한다. 고시는 **사업인정의 효력발생요건**인데, 다만 **판례는 통지와 고시의 절차를 누락한 사업인정의 효력**을 무효사유가 아닌 **취소사유**로 보고 있다.

판 례 구 토지수용법(1990.4.7. 법률 제4231호로 개정되기 전의 것) 제16조1항에서는 건설부장관이 사업인정을 하는 때에는 지체 없이 그 뜻을 기업자·토지소유자·관계인 및 관계도지사에게 통보하고 기업자의 성명 또는 명칭, 사업의 종류, 기업지 및 수용 또는 사용할 토지의 세목을 관보에 공시하여야 한다고 규정하고 있는바, 가령 건설부장관이 위와 같은 **절차를 누락한 경우 이는 절차상의 위법**으로서 **수용재결 단계 전의 사업인정 단계에서 다툴 수 있는 취소사유에 해당**하기는 하나, 더 나아가 그 **사업인정 자체를 무효로 할 중대하고 명백한 하자라고 보기는 어렵고**, 따라서 이러한 위법을 들어 수용재결처분의 취소를 구하거나 무효확인을 구할 수는 없다(대판 2000.10.13, 2000두5142).

(5) 사업인정의 효과

고시한 날로부터 사업인정의 효과가 발생하며, **수용할 목적물의 범위가 확정**되고, 해당 토지 등의 형질변경 금지 등 보전의무가 발생한다. 따라서 고시 후 토지 등에 새로운 권리를 취득한 자는 피수용자로서의 권리가 인정되지 않는다.

(6) 사업인정의 실효(제23조, 제24조)

사업인정은 재결신청 해태 또는 사업의 폐지·변경으로 인해 실효될 수 있다.

(7) 사업인정과 수용재결의 관계

1) 사업인정의 구속력

사업의 공공필요성 판단은 토지수용위원회를 구속한다.

판 례 토지수용법은 수용·사용의 일차 단계인 사업인정에 속하는 부분은 사업의 공익성 판단으로 사업인정기관에 일임하고, 그 이후의 구체적인 수용·사용의 결정은 토지수용위원회에 맡기고 있는바, 이와 같은 토지수용절차의 2분화 및 사업인정의 성격과 토지수용위원회의 재결사항을 열거하고 있는 같은 법 제29조2항의 규정 내용에 비추어 볼 때, **토지수용위원회는** 행정쟁송에 의하여 사업인정이 취소되지 않는 한 그 **기능상 사업인정 자체를 무의미하게 하는, 즉 사업의 시행이 불가능하게 되는 것과 같은 재결을 행할 수는 없다**(대판 1994.11.11, 93누19375).

2) 사업인정의 하자가 후행행위인 수용재결에 승계되는지의 문제

판례는 **별개의 법적효과**를 가져오는 행위임을 이유로 하자의 승계를 **부정**한다. 그러나 실무상 **사업인정단계에서는 이해관계인의 적극적 참여절차가 결여**되어 있고, 이해관계인은 현실적으로 관심이 없다는 점을 고려하면 하자의 승계를 **긍정하는 것이 타당**하다.

3) 사업인정에 대해 취소소송이 제기된 후에 수용재결에 대해 취소소송 제기된 경우, 사업인정에 대한 소의 이익 유무

사업인정이 취소되면 수용재결은 효력을 상실한다. 그러나 수용재결이 취소되었다고 사업인정이 취소되는 것은 아니다.

2. 토지, 물건의 조서작성(제26조1항, 제14조)

3. 협의(제26조)[1]

(1) 의 의

사업인정을 받은 사업시행자는 그 토지에 관해 보상계획의 공고·통지 및 열람, 보상액의 산정과 토지소유자 및

1) 협의는 **사업인정 전의 사전협의(공토법 제16조)**와 **사업인정후의 협의(공토법 제26조)**가 있는데 **수용절차로서의 협의는 후자**를 말함. 제16조의 **사전협의는 의무적인 절차가 아니며**, **대법원과 헌법재판소**는 구 공공용지의 취득 및 보상에 관한 특례법(현재는 폐지되었고

관계인과의 협의 절차를 거쳐야 한다(공토법 제26조1항). 협의에는 사업인정 전의 협의(공토법 제16조)와 사업인정 후의 협의가 있는데(공토법 제26조), 여기의 협의는 사업인정 후의 협의로서 의무적이며, 협의를 거치지 않고는 재결을 신청할 수 없다.

(2) 성 질

협의의 법적 성질에 대해서는 사법상 계약설과 공법상 계약설이 있는데, 협의는 수용권의 주체인 사업시행자가 수용권을 실행하는 것이므로 공법상 계약으로 보는 것이 타당하다(통설). 다만 실무상으로는 사법상 계약으로 다루어진다.

판례 1 공익사업을 위한 토지 등의 취득 및 보상에 관한 법률에 의한 보상합의는 공공기관이 사경제주체로서 행하는 사법상 계약의 실질을 가지는 것으로서, 당사자 간의 합의로 같은 법 소정의 손실보상의 기준에 의하지 아니한 손실보상금을 정할 수 있으며, 이와 같이 같은 법이 정하는 기준에 따르지 아니하고 손실보상액에 관한 합의를 하였다고 하더라도 그 합의가 착오 등을 이유로 적법하게 취소되지 않는 한 유효하다. 따라서 공익사업법에 의한 보상을 하면서 손실보상금에 관한 당사자 간의 합의가 성립하면 그 합의 내용대로 구속력이 있고, 손실보상금에 관한 합의 내용이 공익사업법에서 정하는 손실보상 기준에 맞지 않는다고 하더라도 합의가 적법하게 취소되는 등의 특별한 사정이 없는 한 추가로 공익사업법상 기준에 따른 손실보상금 청구를 할 수는 없다(대판 2013.8.22, 2012다3517).

판례 2 공익사업을 위한 토지 등의 취득 및 보상에 관한 법령(이하 '공익사업법령'이라고 한다)에 의한 협의취득은 사법상의 법률행위이므로 당사자 사이의 자유로운 의사에 따라 채무불이행책임이나 매매대금 과부족금에 대한 지급의무를 약정할 수 있다. ……(생략)…… 사업인정 고시 후의 협의취득이라고 하여 매매대금 과부족금에 대한 지급의무를 약정하는 것이 허용되지 않는다고 할 수 없다(대판 2012.2.23, 2010다91206).

(3) 협의의 효과

수용절차가 종결되고 수용의 효과가 발생한다. 즉 사업시행자는 수용개시일까지 보상금을 지급 또는 공탁하고(공토법 제40조), 피수용자는 그 개시일까지 토지·물건을 사업시행자에게 인도 또는 이전함으로써 사업시행자는 목적물에 대한 권리를 취득하고, 피수용자는 그 권리를 상실한다(공토법 제45조).

4. 화해의 권고

토지수용위원회는 그 재결이 있기 전에는 언제든지 사업시행자 등에게 화해를 권고할 수 있다(공토법 제33조1항).

5. 재 결

(1) 의 의

사업시행자로 하여금 토지의 소유권 또는 사용권을 취득하도록 하고, 사업시행자가 지급하여야 할 손실보상액을 정하는 형성적 행정행위이다.

(2) 재결신청 · 재결신청의 청구

① 협의가 성립되지 아니하거나 협의를 할 수 없을 때에는 사업시행자는 사업인정고시가 된 날부터 1년 이내에 대통령령으로 정하는 바에 따라 관할 토지수용위원회에 재결을 신청할 수 있다(공토법 제28조1항). ② 사업인정고시가 된 후 협의가 성립되지 아니하였을 때에는 토지소유자와 관계인은 대통령령으로 정하는 바에 따라 서면으로 사업시

구토지수용법과 합해 공토법 제정)상의 협의취득계약(공토법 제16조의 협의에 해당)을 사법상 계약으로 보았음.

- 제16조의 사전협의의 성격에 대해서 사법상 계약설이 통설이나 사업인정 전후를 불문하고 협의취득의 배후에는 수용재결에 의한 강제취득방법이 사실상이 후속조치로 남아 있으므로 모두 공법상 계약으로 보는 견해(최정일)가 있음.

- 헌법재판소도 사전협의에 대해 기본적으로 사법상 계약으로 보지만 일부 결정은 공법적 기능을 수행하고 있다고 판시하고 있음. (헌재결정) 이 법에 의한 협의취득이 법형식상으로는 당사자의 의사에 바탕을 둔 사법상(私法上) 매매계약의 형태를 취하고 있을지라도, 그 배후에는 토지수용법에 의한 강제취득방법이 사실상의 후속조치로 남아 있어 토지 등의 소유자로서는 협의에 불응하면 바로 수용을 당하게 된다는 심리적 강박감으로 인하여 실제로는 그 의사에 반하여 협의에 응하는 경우가 많기 때문에, 이 법은 형식상은 사법(私法)의 형태를 취하고 있으나 실질적으로는 토지수용법과 비슷한 공법적 기능을 수행하고 있는 것이다(헌재결 1994.2.24, 92헌가15).

행자에게 재결을 신청할 것을 청구할 수 있으며(공토법 제30조1항), 사업시행자가 그 청구를 받았을 때에는 그 청구를 받은 날부터 60일 이내에 대통령령으로 정하는 바에 따라 관할 토지수용위원회에 재결을 신청하여야 한다(공토법 제30조2항).

(3) 재결절차

① 토지수용위원회는 접수한 재결신청서를 공고・열람하고(공토법 제31조1항) ② 열람기간이 지났을 때에는 지체없이 해당 신청에 대한 조사 및 심리를 하되, 필요하다고 인정하면 사업시행자 등을 출석시켜 그 의견을 진술하게 할 수 있다(공토법 제32조1항). 재결은 서면으로 하며(공토법 제34조1항), 사업시행자・토지소유자 등이 신청한 범위에서 재결하되 손실보상의 경우에는 증액재결을 할 수 있다(공토법 제50조2항).

(4) 재결의 효과

재결에 의해 수용절차는 종결되고, 일정한 조건 아래 수용의 효과가 발생한다. **사업시행자**는 **보상금 지급을 조건으로 수용 개시일에 토지에 대한 권리를 원시취득**하고(공토법 제45조), 피수용자가 인도・이전의무(공토법 제43조)를 이행하지 않으면 **대집행을 신청**할 수도 있다(공토법 제89조 제44조.). **피수용자**는 **손실보상청구권 및 환매권**을 취득한다.

판례는 사업인정이 취소되지 않는 한 **사업인정 자체를 무의미하게 하는 재결, 즉 사업의 시행을 불가능하게 하는 효과를 가져오는 재결은 행할 수 없다**고 한다.

(5) 재결에 대한 불복(#96)

이의신청 또는 행정소송으로 불복할 수 있다.

기출 사례 협의취득의 법적성질, 사업인정과 수용재결간에 하자의 승계, 원처분 중심주의, 잔여지보상청구 (15년 행시)

A주식회사는 Y도지사에게 「산업입지 및 개발에 관한 법률」 제11조에 의하여 X시 관내 토지 3,261,281㎡에 대하여 '산업단지지정요청서'를 제출하였고, 해당지역을 관할하는 X시장은 요청서에 대한 사전검토 의견서를 Y도지사에게 제출하였다. 이에 Y도지사는 A주식회사를 사업시행자로 하여 위 토지를 'OO 제2일반지방산업단지'(이하 "산업단지"라고 한다)로 지정・고시한 후, A주식회사의 산업단지 개발실시계획을 승인하였다. 그러나 Y도지사는 위 산업단지를 지정하면서, 주민 및 관계 전문가 등의 의견을 청취하지 않았다. 한편, 甲은 X시 관내에 있는 토지소유자로서 甲의 일단의 토지 중 90%가 위 산업단지의 지정○고시에 의해 수용의 대상이 되었다. A주식회사는 甲소유 토지의 취득 등에 대하여 甲과 협의하였으나 협의가 성립되지 아니하였다. 이에 A주식회사는 Y도(道) 지방토지수용위원회에 재결을 신청하였고, 동 위원회는 금 10억원을 보상금액으로 하여 수용재결을 하였다. 다음 물음에 답하시오. (총 50점)

1) 만약 A주식회사가 수용재결을 신청하기 이전에 甲과 합의하여 甲 소유의 토지를 협의취득한 경우, 그 협의취득의 법적 성질은? (10점)
2) 甲은 Y도 지방토지수용위원회의 수용재결에 대하여 취소소송을 제기하면서 Y도지사의 산업단지 지정에 하자가 있다고 주장한다. 산업단지 지정에 대한 취소소송의 제소기간이 도과한 경우에 甲의 주장은 인용될 수 있는가? (단, 소의 적법요건은 충족하였다고 가정한다) (20점)
3) 한편, 甲은 중앙토지수용위원회의 이의신청을 거친 후, 재결에 대한 취소소송을 제기하고자 한다. 이 경우 취소소송의 대상과 피고를 검토하시오. (10점)
4) 甲은 자신의 위 토지에 숙박시설을 신축하려고 하였으나 수용되고 남은 토지만으로 이를 실행하기 어렵게 되었고, 토지의 가격도 하락하였다. 이 경우 甲의 권리구제수단을 검토하시오. (10점)

[참고조문]

*** 산업입지 및 개발에 관한 법률**

제7조(일반산업단지의 지정) ① 일반산업단지는 시・도지사 또는 대통령령으로 정하는 시장이 지정한다. 〈단서생략〉

제7조의4(산업단지 지정의 고시 등) ① 국토교통부장관, 시・도지사 또는 시장・군수・구청장은 제6조・제7조・제7조의2 또는 제7조의3에 따라 산업단지를 지정할 때에는 대통령령으로 정

하는 사항을 관보 또는 공보에 고시하여야 하며, 산업단지를 지정하는 국토교통부장관 또는 시·도지사(특별자치도지사는 제외한다)는 관계 서류의 사본을 관할 시장·군수 또는 구청장에게 보내야 한다.

제10조(주민 등의 의견청취) ① 산업단지지정권자는 제6조, 제7조, 제7조의2부터 제7조의4까지 및 제8조에 따라 산업단지를 지정하거나 대통령령으로 정하는 중요 사항을 변경하려는 경우에는 이를 공고하여 주민 및 관계 전문가 등의 의견을 들어야 하고, 그 의견이 타당하다고 인정할 때에는 이를 반영하여야 한다. 〈단서 생략〉

제11조(민간기업등의 산업단지 지정 요청) ① 국가 또는 지방자치단체 외의 자로서 대통령령으로 정하는 요건에 해당하는 자는 산업단지개발계획을 작성하여 산업단지 지정권자에게 국가산업단지 또는 일반산업단지 및 도시첨단산업단지의 지정을 요청할 수 있다.

② 〈생략〉

③ 제1항에 따른 요청에 의하여 산업단지가 지정된 경우 그 지정을 요청한 자는 제16조에 따라 사업시행자로 지정받을 수 있다.

제22조(토지수용) ① 사업시행자(제16조제1항제6호에 따른 사업시행자는 제외한다. 이하 이 조에서 같다)는 산업단지개발사업에 필요한 토지·건물 또는 토지에 정착한 물건과 이에 관한 소유권 외의 권리, 광업권, 어업권, 물의 사용에 관한 권리(이하 "토지등"이라 한다)를 수용하거나 사용할 수 있다.

② 제1항을 적용할 때 제7조의4제1항에 따른 산업단지의 지정·고시가 있는 때(제6조제5항 각 호 외의 부분 단서 또는 제7조제6항 및 제7조의2제5항에 따라 사업시행자와 수용·사용할 토지등의 세부목록을 산업단지가 지정된 후에 산업단지개발계획에 포함시키는 경우에는 이의 고시가 있는 때를 말한다) 또는 제19조의2에 따른 농공단지실시계획의 승인·고시가 있는 때에는 이를 「공익사업을 위한 토지 등의 취득 및 보상에 관한 법률」 제20조제1항 및 같은 법 제22조에 따른 사업인정 및 사업인정의 고시가 있는 것으로 본다.

③ 국가산업단지의 토지등에 대한 재결(裁決)은 중앙토지수용위원회가 관장하고, 일반산업단지, 도시첨단산업단지 및 농공단지의 토지등에 대한 재결은 지방토지수용위원회가 관장하되, 재결의 신청은 「공익사업을 위한 토지 등의 취득 및 보상에 관한 법률」 제23조제1항 및 같은 법 제28조제1항에도 불구하고 산업단지개발계획(농공단지의 경우에는 그 실시계획)에서 정하는 사업기간 내에 할 수 있다.

④ 〈생략〉

⑤ 제1항에 따른 수용 또는 사용에 관하여는 이 법에 특별한 규정이 있는 경우를 제외하고는 「공익사업을 위한 토지 등의 취득 및 보상에 관한 법률」을 준용한다.

◆

Ⅰ. 사업인정 후의 협의취득의 법적 성격 - 설문(1)

1. 문제의 소재

- 산업단지 지정·고시가 있으면 사업인정이 있는 것으로 의제되고(산업입지 및 개발에 관한 법률 제22조②), 공익사업법을 준용하므로 사안의 협의 역시 공익사업법이 적용되며, 공익사업법상 사업인정 후의 협의(제26조)에 해당.

- 사업인정 후의 협의의 법적 성질이 사법상계약인지 공법상계약인지 견해대립이 있음.

2. 사업인정 후의 협의(#152. Ⅱ. 3)

(1) 의의

- 사업인정 전의 협의(제16조)와 대비해서 서술

(2) 법적 성질

- 학설은 사법상계약설과 공법상계약설의 대립 있음.

- 판례는 사법상계약설(2010다91206)

- 공법상계약설로 검토.

3. 사안의 해결

Ⅱ. 사업인정과 수용재결 간의 하자의 승계 여부 - 설문(2)

1. 문제의 소재

- 수용재결 취소소송에서 산업단지 지정의 하자를 주장하는 것은, 산업단지 지정·고시가 있으면 사업인정이 있는 것으로 의제되므로 결국 사업인정과 수용재결 사이에 하자의 승계가 가능한지가 문제되는 것임.

2. 하자의 승계의 의의(#49)

- 두 개 이상의 행정행위가 연속하여 행하여지는 경우, 제소기간이 경과하여 불가쟁력이 발생한 선행행위의 하자를 후행행위의 위법사유로서 주장할 수 있는지의 문제

3. 하자의 승계의 논의의 전제

- 산업단지 지정처분을 하면서 주민 및 관계 전문가 등의 의견을 청취하지 않은 절차하자가 있으며 취소사유가 존재함. 절차하자만으로도 독자적 위법사유를 인정하는 것이 통설, 판례이며 위법성의 정도는 취소사유에 해당.

- 그러나 산업단지 지정처분에 대해 제소기간 내에 소송을 제기하지 않아 불가쟁력이 발생한 상황에서 후행처분인 수용재결을 대상으로 다투면서 선행처분의 하자를 주장하는 것이므로 논의의 전제 충족함.

4. 하자의 승계 여부

⑴ 학설

- 선행행위와 후행행위가 결합하여 동일한 법적 효과의 발생을 목적으로 하는 경우에만 하자의 승계를 긍정하고 서로 독립하여 별개의 법률효과를 목적으로 하는 경우에는 승계를 부정하는 견해와 불가쟁력이 발생한 행정행위의 후행행위에 대한 구속력의 문제로 파악하여 사물적 한계, 대인적 한계, 시간적 한계, 추가적 한계 내에서는 구속력이 미쳐 선행행위의 하자를 주장할 수 없다는 견해가 대립.

⑵ 판례

- 전통적인 하자의 승계론을 원칙으로 하면서도, 선행행정행위와 후행행정행위가 서로 독립하여 "별개"의 효과를 목적으로 하는 경우에도 선행행정행위의 불가쟁력이나 구속력이 그로 인하여 불이익을 입게 되는 자에게 수인한도를 넘은 가혹함을 가져오고, 그 결과가 당사자에게 예측가능한 것이 아닌 경우에는 국민의 재판을 받을 권리를 보장하고 있는 헌법 이념에 비추어 선행행위의 위법을 후행행위에 대한 취소소송에서 주장할 수 있는 경우가 있다고 함.

⑶ 검토

- 수인가능성,예측가능성을 고려하는 하자의 승계론

4. 사안의 해결

- 판례는 별개의 법적효과를 가져오는 행위임을 이유로 하자의 승계를 부정하나, 수용재결은 사업인정이 있음을 전제로 하고 이와 결합하여 구체적인 법적 효과를 발생시키므로 사업인정의 위법을 수용재결에 대한 쟁송에서 주장할 수 있다는 비판이 있음.

- 실무상 사업인정단계에서는 이해관계인의 적극적 참여절차가 결여되어 있고, 이해관계인은 현실적으로 관심이 없다는 점을 고려하면 하자의 승계를 긍정하는 것이 타당.

Ⅲ. 재결에 대한 취소소송을 제기할 경우 대상과 피고 - 설문(3)

1.문제의 소재

- 수용재결에 대해 이의신청을 거쳐서 이의재결이 나온 후에도 공익사업법 제85조1항에 의한 취소소송을 제기할 경우, 수용재결이 소송의 대상이 되는지 이의재결이 소송의 대상이 되는지 문제됨.

2. 원처분중심주의와 재결주의(#109)

- 의의

- 구토지수용법은 재결주의를 취했으나 공익사업법은 이의신청을 임의적 절차로 규정하면서 원처분중심주의를 채택.

3. 이의신청을 거친 후 취소소송의 대상과 피고

⑴ 대상

- 원처분중심주의에 따라서 수용재결이 원칙적으로 소송의 대상이 되고 이의재결은 재결에 고유한 위법이 있는 경우에 소송의 대상이 됨.

- 이의재결이 고유한 위법이 있어 소송의 대상이 되는 경우 수용재결에 대한 취소소송과 관련청구소송으로 병합가능(행정소송법 제10조②).

⑵ 피고

- 처분등을 행한 행정청이 피고(행정소송법 제10조②).

- 수용재결이 소송의 대상이 될 경우는 Y도 지방토지수용위원회가 피고가 되며, 이의재결이 소송의 대상이 될 경우에는 중앙토지수용위원회가 피고.

Ⅳ. 잔여지에 대한 권리구제수단 - 설문(4)

1. 문제의 소재

- 甲이 자신의 토지 중 수용되고 남은 토지만으로는 숙박시설 신축이 불가능하고 토지의 가격이 하락한 경우, 잔여지에 대해 손실보상청구 및 수용청구가 가능한지 문제 되며, 잔여지 수용청구가 가능한 경우 소송형식이 문제됨.

2. 잔여지의 손실보상 청구(#96. Ⅳ)

- 공익사업법 제73조1항은 잔여지의 가격이 감소하거나 그 밖의 손실이 있을 때 손실보상청구권을 규정하고 있음.

- 손실보상은 공익사업법상의 수용재결절차와 이에 대한 불복절차에 따라 권리구제를 받을 수 있음.

판 례 토지소유자가 사업시행자로부터 공익사업법 제73조, 제75조의2에 따른 잔여지 또는 잔여 건축물 가격감소 등으로 인한 손실보상을 받기 위해서는 공익사업법 제34조, 제50조 등에 규정된 재결절차를 거친 다음 그 재결에 대하여 불복할 때 비로소 공익사업법 제83조 내지 제85조에 따라 권리구제를 받을 수 있을 뿐이며, 특별한 사정이 없는 한 이러한 재결절차를 거치지 않은 채 곧바로 사업시행자를 상대로 손실보상을 청구하는 것은 허용되지 않는다 할 것이고, 이는 잔여지 또는 잔여 건축물 수용청구에 대한 재결절차를 거친 경우라고 하여 달리 볼 것은 아니다 (대판 2004.9.25, 2012두24092).

3. 잔여지에 대한 보상의 수용청구

- 공익사업법 제74조는 잔여지를 종래의 목적에 사용하는 것이 현저히 곤란할 때에는 토지소유자는 사업시행자에게 잔여지를 매수청구할 수 있도록 하고 사업인정 후에는 관할 토지수용위원회에 수용을 청구할 수 있도록 규정. 사안은 사업인정 후이므로 수용청구가 문제됨.

- 토지수용위원회가 잔여지수용을 거부할 경우 잔여지수용거부재결에 대하여 취소소송을 제기하여야 하는지 보상금청구소송을 제기해야 하는지, 보상금청구소송을 제기한다면 공익사업법상 보상금증감청구소송을 제기하여야 하는지 일반당사자소송인 보상금청구소송을 제기해야 하는지 견해가 대립하나, 판례는 보상금증감에 관한 소송을 제기해야 한다는 입장임.

판 례 공익사업을 위한 토지 등의 취득 및 보상에 관한 법률 **제74조 제1항**에 규정되어 있는 **잔여지 수용청구권은 손실보상의 일환으로 토지소유자에게 부여되는 권리**로서 그 **요건을 구비한 때에는 잔여지를 수용하는 토지수용위원회의 재결이 없더라도 그 청구에 의하여 수용의 효과가 발생하는 형성권적 성질**을 가지므로, **잔여지 수용청구를 받아들이지 않은 토지수용위원회의 재결에 대하여 토지소유자가 불복하여 제기하는 소송**은 위 법 **제85조 제2항에 규정되어 있는 '보상금의 증감에 관한 소송'**에 해당하여 **사업시행자를 피고**로 하여야 한다(대판 2010.8.19, 2008두822).

4. 사안의 해결

- 甲의 숙박시설의 건축을 계획했으나 토지 중 수용되고 남은 토지만으로 숙박시설의 신축이 불가능해지고 단지 토지의 가격이 하락한 것이라면 잔여지의 손실보상청구를 하면 될 것이고,

- 甲이 숙박시설의 건축 중이었는데 수용된 경우라면 잔여지를 종래 목적에 사용하는 것이 현저히 곤란한 경우에 해당되어 잔여지에 대한 수용청구를 할 수 있을 것이다.

- 어느 경우이든 토지수용위원회에 잔여지수용을 청구하고 수용재결에 불복하는 경우에는 보상금증액청구소송을 제기하여야 하고, 이러한 절차를 거치지 않고 사업시행자를 상대로 바로 보상금지급청구소송을 제기할 수는 없다.

153 환매권

Ⅰ. 의 의

환매권은 공익사업을 위해 취득한 토지가 공익사업의 폐지 · 변경 기타의 사유로 불필요하게 되거나 오랫동안 그 공익사업에 현실적으로 이용되지 않은 경우에, 취득 당시의 토지소유자 또는 그 포괄승계인이 보상금에 상당하는 금액을 지급하고 원소유권을 다시 취득할 수 있는 권리를 말한다.

Ⅱ. 인정근거

이론적 근거로 헌법재판소는 재산권보장을, 대법원은 원소유자의 보호와 공평의 원칙을 제시하고 있다. 실정법상으로는 공토법 제91조가 직접 규정하고 있다. 개별규정 없이도 헌법상 재산권보장규정에 근거하여 환매권을 인정할 수 있는지가 문제되나 판례는 개별법령상의 명문의 규정 없이는 환매권을 부정한다.

판 례 토지수용법이나 공공용지의 취득 및 손실보상에 관한 특례법 등에서 규정하고 있는 바와 같은 환매권은 공공의 목적을 위하여 수용 또는 협의취득된 토지의 원소유자 또는 그 포괄승계인에게 재산권보장과 관련하여 공평의 원칙상 인정하고 있는 권리로서 민법상의 환매권과는 달리 법률의 규정에 의하여서만 인정되고 있으며, 그 행사요건, 기간 및 방법 등이 세밀하게 규정되어 있는 점에 비추어 다른 경우에까지 이를 유추적용할 수 없고, 환지처분에 의하여 공공용지로서 지방자치단체에 귀속되게 된 토지에 관하여는 토지구획정리사업법상 환매권을 인정하고 있는 규정이 없고, 이를 공공용지의취득및손실보상에관한특례법상의 협의취득이라고도 볼 수 없으므로 같은 특례법상의 환매권에 관한 규정을 적용할 수 없다(대판 1993.6.29, 91다43480).

Ⅲ. 성질(환매권에 대한 쟁송수단과 관련)

1. 학 설

① 공권설은 환매권은 공법에 의하여 야기된 법적상태를 원상으로 회복하는 수단이며, 사업시행자라고 하는 공권력의 주체에 대한 권리인 점을 근거로 한다(다수설). ② 사권설은 환매권은 피수용자가 자기의 이익을 위하여 일방적으로 행사함으로써 환매의 효과가 발생하는 형성권으로서, 행정청에 의한 공용수용의 해제처분을 요하지 않고 직접 매매의 효과를 발생한다는 점을 근거로 한다.

2. 판례 – 사권설

대법원판례 징발재산 정리에 관한 특별조치법 제20조 소정의 환매권은 일종의 형성권으로서 그 존속기간은 제척기간으로 보아야 할 것이며, 위 환매권은 재판상이든 재판 외이든 그 기간 내에 행사하면 이로써 매매의 효력이 생기고, 위 매매는 같은 조 제1항에 적힌 환매권자와 국가 간의 사법상의 매매라 할 것이다(대판 1992.4.24, 92다4673).

헌재결정 청구인들이 주장하는 환매권의 행사는 그것이 공공용지의 취득 및 손실보상에 관한 특례법에 의한 것이든, 토지수용법에 의한 것이든 형성권의 행사로서 일방적 의사표시에 의하여 성립하는 것이지, 상대방인 사업시행자 또는 기업자의 동의를 얻어야 하거나 그 의사 여하에 따라 그 효과가 좌우되는 것은 아니다. 따라서 피청구인이 설사 청구인들의 환매권 행사를 부인하는 어떤 의사표시를 하였더라도 이는 환매권의 발생 여부 또는 그 행사의 가부에 관한 사법관계의 다툼을 둘러싸고 사전에 피청구인의 의견을 밝히고, 그 다툼의 연장인 민사소송절차에서 상대방의 주장을 부인한 것에 불과하므로, 그것을 가리켜 헌법소원의 대상이 되는 공권력의 행사라고 볼 수는 없다(헌재결 1995.3.23, 91헌마143).

3. 검 토

환매권은 헌법상의 재산권보장조항에서 직접 도출되는 권리이기 때문에 공권이라고 보는 것이 타당하다. 따라서 환매권에 대한 분쟁은 당사자소송의 대상이 된다.

Ⅳ. 환매권자

협의취득 또는 수용당시의 토지소유자 또는 포괄승계인이다(공토법 제91조1항).

Ⅴ. 환매의 목적물

토지소유권이 목적물이며, 소유권 외의 권리 및 토지 이외의 물건은 대상이 아니다.

Ⅵ. 환매의 요건

1. 환매요건의 성질

환매권은 수용시기에 법률상 당연히 성립되고 취득되므로, **공토법 91조의 요건**이 환매권의 **성립요건인지 행사요건인지** 견해대립이 있다. **환매권은 수용의 효과로서 수용시기에 당연히 성립**하는 것이므로, **환매권을 현실적으로 행사하기 위한 행사요건**이라고 보아야 한다(다수설).

2. 공토법 제91조의 환매권

(1) 제91조1항

협의취득일 또는 수용개시일부터 **10년 내**에 당해 **사업의 폐지·변경 그 밖의 사유**로 인하여 취득한 토지의 **전부 또는 '일부'가 필요 없게 된 경우**에 인정된다.

판 례 당해 사업의 **'폐지·변경'이란 당해 사업을 아예 그만두거나 다른 사업으로 바꾸는 것**을 말하고, 취득한 토지의 전부 또는 일부가 **'필요 없게 된 때'란 사업시행자가 취득한 토지의 전부 또는 일부가 그 취득 목적 사업을 위하여 사용할 필요 자체가 없어진 경우**를 말하며, 협의취득 또는 수용된 토지가 **필요 없게 되었는지 여부는 사업시행자의 주관적인 의사를 표준으로 할 것이 아니라 당해 사업의 목적과 내용, 협의취득의 경위와 범위, 당해 토지와 사업의 관계, 용도 등 제반 사정에 비추어 객관적·합리적으로 판단**하여야 한다(대판 2010.9.30, 2010다30782).

(2) 제91조2항

협의취득일 또는 수용개시일부터 **5년 이내**에 취득한 토지의 **전부를 공공사업에 이용하지 아니한 때**에 인정된다.

판 례 위 특례법[1] 제9조1항이 취득한 토지가 공공사업에 이용할 필요가 없게된 때에는 토지 중의 일부가 필요 없게 된 경우에도 환매권을 행사할 수 있도록 규정하고 있는 것과는 달리, **2항은 취득한 토지 '전부'가 공공사업에 이용되지 아니한 경우에 한하여** 환매권을 행사할 수 있고 그중 **일부라도** 공공사업에 **이용되고 있으면 나머지 부분에 대하여도 장차 공공사업이 시행될 가능성**이 있다고 보아 환매권의 행사를 허용하지 않는다고 규정함으로써 **1항의 경우보다 환매권 행사의 요건을 가중**하고 있다(대판 1992.12.8, 92다18306).

3. 제척기간(행사기간)

(1) 사업시행자가 환매할 토지가 생겼음을 통지·공고한 경우

통지일 또는 공고일로부터 6월(제92조2항)이다.

판 례 징발재산 정리에 관한 특별조치법 부칙(1993.12.27.) 제2조3항 및 같은 법 제20조2항이 **환매권 행사의 실효성을 보장**하기 위하여 국방부장관의 **통지 또는 공고의무를 규정한 이상** 국방부장관이 위 규정에 따라 환매권자에게 통지나 공고를 하여야 할 의무는 **법적인 의무**이므로, 국방부장관이 이러한 의무를 위반한 채 **통지 또는 공고를 하지 아니하거나 통지 또는 공고를 하더라도 그 통지 또는 공고가 부적법**하여 환매권자로 하여금 환매권 행사기간을 넘기게 하여 **환매권을 상실하는 손해**를 입게 하였다면 **환매권자에 대하여 불법행위**가 성립할 수 있다(대판 2006.11.23, 2006다35124).

(2) 통지·공고하지 않은 경우

제91조1항의 환매권은 토지가 **필요없게 된 때로부터 1년 또는 취득일로부터 10년**이며, **제91조2항**의 환매권은 **취득**

---

1) 구토지수용법상의 환매권이 아니라 '구 공공용지의취득및손실보상에관한특례법'상의 환매권이 문제된 사안.

일로부터 6년의 제척기간이 있다.

판 례 제91조1항에서 환매권의 행사요건으로 정한 "당해 토지의 전부 또는 일부가 필요 없게 된 때로부터 1년 또는 그 취득일로부터 10년 이내에 그 토지를 환매할 수 있다"라는 규정의 의미는 **취득일로부터 10년 이내에 그 토지가 필요 없게 된 경우에는 그때로부터 1년 이내에 환매권을 행사할 수 있으며, 또 필요 없게 된 때로부터 1년이 지났더라도 취득일로부터 10년이 지나지 않았다면 환매권자는 적법하게 환매권을 행사할 수 있다는 의미**로 해석함이 옳다(대판 2010.9.30, 2010다30782).

4. 환매가격

(1) 환매가격은 원칙적으로 당해 토지에 대하여 받은 보상금에 상당하는 금액이다(제91조 1항). **토지가격이 취득일 당시에 비하여 현저히 변동된 경우**, 사업시행자와 환매권자는 환매금액에 대하여 **협의하되, 협의가 되지 않으면 환매금액의 증감을 법원에 청구**할 수 있다(공토법 제91조4항). 공토법은 **환매대금증감청구소송의 소송형태**에 대해서는 언급이 없는데, **환매권의 성질**에 따라 달라진다고 봄이 타당하다. 환매권을 공법상 원인에 의하여 상실되었던 권리를 회복하는 **공권**으로 본다면, 환매권과 관련한 소송은 **당사자소송**으로 처리하여야 할 것이다.
과거 판례(판례1)는 **환매권의 행사를 사법상 매매로 보면서도 환매대금감액청구소송**에 대해서는 **당사자소송**으로 본 바 있었는데 **최근 판례**(판례2)는 **민사소송의 대상**이라고 판시하고 있다.

판례 1 공공용지의 취득 및 손실보상에 관한 특례법 제9조3항, 같은법 시행령 제7조1항, 3항 및 토지수용법 제73조 내지 제75조의2의 각 규정에 의하면 토지수용법 제75조의2 2항에 의하여 **사업시행자가 환매권자를 상대로 하는 소송은 공법상의 당사자소송**으로 사업시행자로서는 환매가격이 환매대상토지의 취득 당시 지급한 보상금 상당액보다 증액 변경될 것을 전제로 하여 환매권자에게 그 환매가격과 위 보상금 상당액의 차액의 지급을 구할 수 있다(대판 2000.11.28, 99두3416).

판례 2 구 공익사업을 위한 토지 등의 취득 및 보상에 관한 법률 제91조에 규정된 **환매권은 상대방에 대한 의사표시를 요하는 형성권의 일종**으로서 **재판상이든 재판 외이든 위 규정에 따른 기간 내에 행사하면 매매의 효력이 생기는 바**(대법원 2008. 6. 26. 선고 2007다24893 판결 참조), 이러한 **환매권의 존부에 관한 확인을 구하는 소송 및 구 공익사업법 제91조 제4항에 따라 환매금액의 증감을 구하는 소송 역시 민사소송**에 해당한다(대판 2013.2.28, 2010두22368).

Ⅶ. 환매권의 효과

환매권은 **형성권**으로서 그 행사의 결과 **사법상 매매계약의 효력이 발생**한다(판례). 다만 행사에 의해 소유권의 변동이 일어나는 것은 아니고, **소유권이전등기청구권이 발생**할 뿐이다. 환매권은 등기된 경우 제3자에 대한 대항력을 가진다(공토법 제91조5항).

Ⅷ. 환매권의 제한(#154)

154 공익사업의 변환(환매권의 제한)

Ⅰ. 의 의

공익사업을 위하여 토지를 협의취득 또는 수용한 후 당초의 공익사업이 **다른 공익사업으로 변경**된 경우, **별도의 협의취득 또는 수용 없이 변경된 다른 공익사업에 이용**하도록 하는 제도이다(공토법 제91조6항). 환매권자에게 토지를 되돌려주었다가 다른 공익사업을 위하여 다시 협의매수하거나 토지수용하는 번거로운 절차가 되풀이되는 것을 방지할 필요가 있어 인정되는데, 토지재산권을 제한하는 문제가 있어 헌법상 재산권보장과 관련하여 위헌론이 제기된다.

Ⅱ. 내용(요건)

1) **사업주체가 국가, 지방자치단체 또는 공공기관의 운영에 관한 법률 제4조에 따른 공공기관중 대통령령으로 정하는 공공기관**이어야 한다.

2) 협의취득 또는 수용한 후 사업인정을 받은 공익사업이 **공토법 제4조1호 내지 5호에 규정된 공익사업으로 변경**되어야 한다. 아울러 새로운 공익사업에 관해서도 사업인정을 받거나 사업인정을 받은 것으로 의제되어야 한다. 이에 해당되면 **공익사업의 변경을 관보에 고시한 날로부터 환매권의 행사기간을 기산**하게 되므로(공토법 제91조6항), 결국 사인이 토지재산권인 **환매권을 행사할 수 있는 권리를 제한**하는 것이다.

3) **변경된 사업의 사업시행자가 당해 토지를 소유하고 있어야** 하며, 사업토지가 사업시행자가 아닌 **제3자에게 처분된 경우**에는 공익사업의 변환은 **인정되지 않는다.**

> **판 례** **공익사업의 원활한 시행을 위한 무익한 절차의 반복 방지라는 '공익사업의 변환'을 인정한 입법 취지**에 비추어 볼 때, 만약 사업시행자가 협의취득하거나 수용한 당해 토지를 **제3자에게 처분해 버린 경우에는 어차피 변경된 사업시행자는 그 사업의 시행을 위하여 제3자로부터 토지를 재취득해야 하는 절차를 새로 거쳐야 하는 관계로 위와 같은 공익사업의 변환을 인정할 필요성도 없게 되므로,** 공익사업의 변환을 인정하기 위해서는 **적어도 변경된 사업의 사업시행자가 당해 토지를 소유하고 있어야** 한다. **나아가** 공익사업을 위해 협의취득하거나 수용한 토지가 **제3자에게 처분된 경우**에는 **특별한 사정이 없는 한 그 토지는 당해 공익사업에는 필요 없게 된 것**이라고 보아야 하고, **변경된 공익사업에 관해서도 마찬가지**이므로, 그 토지가 변경된 사업의 사업시행자 아닌 제3자에게 처분된 경우에는 **공익사업의 변환을 인정할 여지도 없다**(대판 2010.9.30, 2010다30782).

4) **변경된 공익사업의 시행자가 민간기업인 경우에도** 공익사업의 변환은 **인정**된다.

> **판 례** 토지보상법 **제91조 제6항 전문 중 '해당 공익사업이 제4조 제1호부터 제5호까지에 규정된 다른 공익사업으로 변경된 경우' 부분에는 별도의 사업주체에 관한 규정이 없음에도 그 앞부분의 사업시행 주체에 관한 규정이 뒷부분에도 그대로 적용된다고 해석하는 것은 문리해석에 부합하지 않는다**~~~ (중략)~~~ 민간기업이 관계 법률에 따라 허가·인가·승인·지정 등을 받아 시행하는 도로, 철도, 항만, 공항 등의 건설사업의 경우 **공익성이 매우 높은 사업임에도 사업시행자가 민간기업이라는 이유만으로 공익사업의 변환을 인정하지 않는다면 공익사업 변환 제도를 마련한 취지가 무색**해지는 점, **공익사업의 변환이 일단 국가·지방자치단체 또는 일정한 공공기관이 협의취득 또는 수용한 토지를 대상으로 하고, 변경된 공익사업이 공익성이 높은 토지보상법 제4조 제1~5호에 규정된 사업인 경우에 한하여 허용되므로 공익사업 변환 제도의 남용을 막을 수 있는 점**을 종합해 보면, **변경된 공익사업이 토지보상법 제4조 제1~5호에 정한 공익사업에 해당하면 공익사업의 변환이 인정되는 것이지, 변경된 공익사업의 시행자가 국가·지방자치단체 또는 일정한 공공기관일 필요까지는 없다**고 할 것이다. 따라서 이 사건 고속도로 건설사업이 공익사업법 제4조 제3호에 정한 공익사업에 해당함이 명확한 이상 이 사건의 경수고속도로 주식회사도 공익사업의 변환이 인정되는 사업시행자에 해당한다(대판 2015.8.19, 2014다201391).

Ⅲ. 공익사업 변환의 효과

공토법 제91조1항, 2항의 환매권 행사를 위한 기간은 당해 공익사업의 변경을 관보에 고시한 날로부터 다시 기산된다.

판 례 공익사업의 변환을 인정한 입법 취지 등에 비추어 볼 때, '공익사업을 위한 토지 등의 취득 및 보상에 관한 법률' 제91조6항은 사업인정을 받은 당해 공익사업의 폐지·변경으로 인하여 협의취득하거나 수용한 토지가 필요 없게 된 때라도 위 규정에 의하여 공익사업의 변환이 허용되는 다른 공익사업으로 변경되는 경우에는 당해 토지의 원소유자 또는 그 포괄승계인에게 환매권이 발생하지 않는다는 취지를 규정한 것이라고 보아야 하고, 위 조항에서 정한 "1항 및 2항의 규정에 의한 환매권 행사기간은 관보에 당해 공익사업의 변경을 고시한 날로부터 기산한다."는 의미는 새로 변경된 공익사업을 기준으로 다시 환매권 행사의 요건을 갖추지 못하는 한 환매권을 행사할 수 없고 환매권 행사 요건을 갖추어 1항 및 2항에 정한 환매권을 행사할 수 있는 경우에 그 환매권 행사기간은 당해 공익사업의 변경을 관보에 고시한 날로부터 기산한다는 의미로 해석해야 한다(대판 2010.9.30, 2010다30782).

Ⅳ. 사업주체가 다른 경우의 적용여부

1. 문제의 소재

공익사업변경 전과 변경 후의 사업주체가 다른 경우에도 공익사업의 변환이 인정되는지의 논의이다. 공토법 제91조6항은 이에 대해 규정하고 있지 않아서 문제된다.

2. 학 설

① 이 경우에도 공익사업 변환을 인정하는 것은 환매권의 본래의 취지 및 공평의 원리에 반한다는 부정설과 ② 법 규정상 사업시행자가 동일할 것을 공익사업 변환의 요건으로 규정하지 않았으므로 이 경우에도 인정된다는 긍정설이 대립한다.

3. 판례 – 긍정설

판 례 '공익사업의 변환'이 국가 지방자치단체 또는 정부투자기관이 사업인정을 받아 토지를 협의취득 또는 수용한 경우에 한하여, 그것도 사업인정을 받은 공익사업이 공익성의 정도가 높은 토지수용법(현행 공토법 제4조) 제3조1호 내지 4호(현재는 5호)에 규정된 다른 공익사업으로 변경된 경우에만 허용되도록 규정하고 있는 토지수용법 제71조7항 등 관계법령의 규정내용이나 그 입법이유 등으로 미루어 볼 때, 같은 법 제71조7항 소정의 '공익사업의 변환'이 국가 지방자치단체 또는 정부투자기관 등 기업자(또는 사업시행자)가 동일한 경우에만 허용되는 것으로 해석되지는 않는다(대판 1994.1.25, 93다11760·11777·11784).

4. 검 토

원소유자는 이미 정당한 보상을 받았고, 공익사업변환은 제한적으로 인정된다는 점에 비추어 긍정설이 타당하다.

Ⅴ. 위헌여부

공익사업 변환은 환매제도를 실효시키는 효과를 발생시키므로 재산권 행사의 침해문제를 야기하고, 공익사업의 변환이 인정되는 경우와 인정되지 않는 경우 사이의 형평의 문제로 인한 평등권 침해문제를 야기하여 위헌의 소지가 있다는 비판이 있다. 그러나 헌법재판소는 이를 합헌으로 보았다.

헌재결정 토지수용법 제71조7항은 공익사업의 원활한 시행을 확보하기 위한 목적에서 신설된 것으로 우선 그 입법목적에 있어서 정당하고 나아가 변경사용이 허용되는 사업시행자의 범위를 국가·지방자치단체 또는 정부투자기관으로 한정하고 사업목적 또한 상대적으로 공익성이 높은 토지수용법 제3조 1호 내지 4호(현재는 5호)의 공익사업으로 한정하여 규정하고 있어서 그 입법목적 달성을 위한 수단으로서의 적정성이 인정될 뿐 아니라 피해최소성의 원칙 및 법익균형의 원칙에도 부합된다 할 것이므로 위 법률조항은 헌법 제37조2항이 규정하는 기본권 제한에 관한 과잉금지의 원칙에 위배되지 아니한다(헌재결 1997.6.26, 96헌바94).

155 공용환권

Ⅰ. 의 의

토지의 효용을 증진하기 위하여 일정한 지구내의 토지의 구획, 형질을 변경하여 권리자의 의사를 불문하고 종전의 토지, 건축물에 관한 권리를 토지정리 후에 새로 건축된 건축물 및 토지에 관한 권리로 강제로 변환시키는 토지의 입체적 변환방식이다. 토지와 건축물 전체에 대하여 권리의 변환을 가져온다는 점에서 토지에 관한 권리간에 변환을 가져오는 평면적 교환방식인 공용환지와 구별된다. 도시 및 주거환경정비법(이하 "도정법")은 주택재개발사업, 주택재건축사업 및 도시환경정비사업에 공용환권의 방식을 도입하고 있다.

Ⅱ. 도시 및 주거환경정비법상 공용환권절차

1. 도시 · 주거환경기본계획의 수립

특별시장 · 광역시장 · 시장이 수립하는 정비사업의 바탕이 되는 행정계획인데 비구속적 계획에 해당된다.

2. 정비구역의 지정

지정에 따라 정비계획의 내용에 적합하지 않은 건축물 또는 공작물의 설치가 제한되며, 이러한 지정은 도시관리계획의 일종으로서 처분에 해당한다(판례).

3. 조합설립

1) 시장, 군수의 조합설립인가가 필요하다.

2) 조합설립인가의 법적성격에 대해 강학상 인가설과 설권행위로 보는 강학상 특허설이 대립되어 왔는데, 조합설립에 필요한 토지소유자 등의 동의에 하자가 있는 경우에 조합설립의 효력을 다투는 소송형태와 관련하여 중요한 의미가 있다. 인가로 볼 경우 설립인가 자체의 하자가 없다면 민사소송을 통하여 조합설립결의의 무효를 다투어야 하는 반면, 특허로 볼 경우 토지소유자 등의 동의는 조합설립인가처분의 필요한 요건 중 하나가 되어 그 하자를 이유로 조합설립인가에 대하여 항고소송을 제기하여야 한다.
판례는 종래 인가설을 취하여 왔으나, 최근에는 단순히 사인들의 조합설립행위에 대한 보충행위로서의 성질을 갖는 것에 그치는 것이 아니라 법령상 요건을 갖출 경우 도시 및 주거환경정비법상 주택재건축사업을 시행할 수 있는 권한을 갖는 행정주체(공법인)로서의 지위를 부여하는 일종의 설권적 처분의 성격을 갖는다고 하여 강학상 특허설을 취하고 있다(관련판례3).

3) 조합의 법적 지위는 행정주체로서 공법인(공공조합)에 해당하며, 정비구역 안에 있는 토지 등을 수용하거나 관리처분계획 등과 같은 행정처분을 할 수 있는 권한을 부여받는데 이와 같은 조합의 행위는 원칙상 공법행위이다.

4) 조합과 조합원간의 관계는 도시정비법에서 공법관계로 규정한 경우 또는 성질상 공법관계로 인정되는 경우에는 공법관계에 속한다. 따라서 조합의 조치가 처분에 해당하는 경우 항고소송으로 다툴 수 있고, 조합과 조합원 사이의 공법상 법률관계에 관한 분쟁은 공법상 당사자소송의 대상이 된다. 반면 일반사단법인에서의 법인과 구성원 사이의 관계와 동일한 성질을 가지는 경우에는 민사소송의 대상이 된다.

판 례 구 도시재개발법(1995.12.29. 법률 제5116호로 전문 개정되기 전의 것)에 의한 재개발조합은 조합원에 대한 법률관계에서 적어도 특수한 존립목적을 부여받은 특수한 행정주체로서 국가의 감독하에 그 존립 목적인 특정한 공공사무를 행하고 있다고 볼 수 있는 범위 내에서는 공법상의 권리의무 관계에 서 있다. 따라서 조합을 상대로 한 쟁송에 있어서 강제가입제를 특색으로 한 조합원의 자격 인정 여부에 관하여 다툼이 있는 경우에는 그 단계에서는 아직 조합의 어떠한 처분 등이 개입될 여지는 없으므로 공법상의 당사자소송에 의하여 그 조합원 자격의 확인을 구할 수 있고, 한편 분양신청 후에 정하여진 관리처분계획의 내용에 관하여 다툼이 있는 경우에는 그 관리처분계획은 토지 등의 소유자에게 구체적이고 결정적인 영향을 미치는 것으로서 조합이 행한 처분에 해당하므로 항고소송에 의하여 관리처분계획 또는 그 내용인 분양거부처분 등의 취소를 구할 수 있으나, 설령 조합원의 자격이 인정된다 하더라도 분양신청을 하지 아니하거나 분양을 희망하지 아니할 때에는 금전으로 청산하게 되므로(같은 법 제44조), 대지 또는 건축시설에 대한 수분양권의 취득을 희망하는 토지 등의 소유자가 한 분양신청에 대하여 조합이 분양대상자가 아니라고 하여 관리처분계획에 의하여 이를 제외시키거나 원하는 내용의 분양대상자로 결정하지 아니한 경우, 토지 등의 소유자에게 원하는 내용의 구체적인 수분양권이 직접 발생한 것이라고는 볼 수 없어서 곧바로 조합을 상대로 하여 민사소송이나 공법상 당사자소송으로 수분양권의 확인을 구하는 것은 허용될 수 없다(대판(전) 1996.2.15, 94다31235).

4. 사업시행인가

사업시행자는 **관할청의 사업시행인가를 받아야** 하는데, 인가가 나면 **다른 법률의 관계 인허가가 의제**되고, **시행자는 수용권**을 갖게 되는 등 직접적이고 구체적인 법적 효과가 발생한다. 법적 성질에 대해서는 **인가설**과 **특허설**이 대립하나 **사업시행계획의 효력을 완성**시켜 사업시행계획의 **조합원에 대하여 구속력**을 가지도록 하는 점에서 강학상 **인가**이고, **사업시행자의 지위를 창설**하는 점에서는 강학상 **특허**라고 보는 것이 타당하다(박균성).

판례는 **조합이 수립한 사업시행계획에 대한 인가는 강학상 인가**로 보지만(판례1), **토지소유자들이 조합을 설립하지 않고 직접 도시환경정비사업을 시행하는 경우에는 설권적 처분**의 성격을 갖는다고 한다(판례2).

판례 1 구 「도시 및 주거환경정비법」에 기초하여 도시환경정비사업**조합이 수립한 사업시행계획은 그것이 인가·고시를 통해 확정되면 이해관계인에 대한 구속적 행정계획으로서 독립된 행정처분**에 해당하므로 **사업시행계획을 인가하는 행정청의 행위는** 도시환경정비사업**조합의 사업시행계획에 대한 법률상의 효력을 완성시키는 보충행위**에 해당한다(대판 2010.12.9, 2010두1248).

판례 2 토지 등 소유자들이 그 사업을 위한 **조합을 따로 설립하지 아니하고 직접 도시환경정비사업을 시행하고자 하는 경우**에는 사업시행계획서에 정관 등과 그 밖에 국토교통부령이 정하는 서류를 첨부하여 시장·군수에게 제출하고 사업시행인가를 받아야 하고, **이러한 절차를 거쳐 사업시행인가를 받은 토지 등 소유자들은 관할 행정청의 감독 아래 정비구역 안에서 구 도시정비법상의 도시환경정비사업을 시행하는 목적 범위 내에서 법령이 정하는 바에 따라 일정한 행정작용을 행하는 행정주체로서의 지위**를 가진다. 그렇다면 토지 등 소유자들이 직접 시행하는 도시환경정비사업에서 **토지 등 소유자에 대한 사업시행인가처분은 단순히 사업시행계획에 대한 보충행위로서의 성질을 가지는 것이 아니라 구 도시정비법상 정비사업을 시행할 수 있는 권한을 가지는 행정주체로서의 지위를 부여하는 일종의 설권적 처분**의 성격을 가진다(대판 2013.6.13, 2011두19994).

사업시행계획에 대한 총회결의의 하자는 **사업시행계획 인가 전**에는 **당사자소송으로 총회결의 무효확인소송**을 제기할 수 있고, **사업시행계획 인가 후에는 항고소송**의 방법으로 **사업시행계획의 취소 또는 무효확인**을 구할 수 있다.

판례 구 도시 및 주거환경정비법(2007. 12. 21. 법률 제8785호로 개정되기 전의 것)에 따른 주택재건축정비사업조합은 관할 행정청의 감독 아래 위 법상 주택재건축사업을 시행하는 공법인으로서, 그 목적 범위 내에서 법령이 정하는 바에 따라 일정한 행정작용을 행하는 행정주체의 지위를 가진다 할 것인데, **재건축정비사업조합이** 이러한 **행정주체의 지위에서 위 법에 기초하여 수립한 사업시행계획은 인가·고시를 통해 확정되면 이해관계인에 대한 구속적 행정계획으로서 독립된 행정처분에 해당**하고, 이와 같은 **사업시행계획안에 대한 조합 총회결의는 그 행정처분에 이르는 절차적 요건 중 하나에 불과한 것으로서, 그 계획이 확정된 후에는 항고소송의 방법으로 계획의 취소 또는 무효확인을 구할 수 있을 뿐, 절차적 요건에 불과한 총회결의 부분만을 대상으로 그 효력 유무를 다투는 확인의 소를 제기하는 것은 허용되지 아니하고,** 한편 이러한 항고소송의 대상이 되는 행정처분의 효력이나 집행 혹은 절차속행 등의 정지를 구하는 신청은 행정소송법상 집행정지신청의 방법으로서만 가능할 뿐 민사소송법상 가처분의 방법으로는 허용될 수 없다(대결 2009.11.2, 2009마596).

5. 관리처분계획(공용환권계획)

(1) 관리처분계획의 수립

재개발사업등의 공사가 완료된 후 행하는 분양처분 및 청산에 관한 계획으로서 시행자가 수립한다. 시행자가 조합인 경우 조합총회의 의결을 거쳐야 하는데, 이 의결은 처분이 아니므로 항고소송의 대상이 되지는 않는다. 조합원이 조합총회의 의결에 대하여 불복하는 경우, 민사소송이 아니라 공법상 당사자소송으로 다투어야 한다(관련판례 2).

(2) 관리처분계획의 인가, 고시

시장, 군수의 인가를 받아 인가가 고시됨으로서 효력이 발생한다. 고시가 있으면 소유권자 등의 종전의 토지에 대한 재산권 행사가 제한되고, 환권처분을 구속하는 효력을 가지므로 관리처분계획은 항고소송의 대상이 되는 처분에 해당한다. 판례도 처분으로 보고 있으며 관리처분계획을 다투고자 하는 자는 조합을 피고로 하여야 한다. 관리처분계획에 대한 인가는 사업시행자의 관리처분계획의 효력을 완성시키는 보충행위로서 강학상 인가에 해당하므로, 조합의 의결의 내용상의 하자를 들어 인가의 취소 또는 무효의 확인을 청구하는 소송을 제기할 소의 이익은 없다(판례). 관리처분계획에 대한 인가까지 있는 경우에는 관리처분계획에 대한 총회결의 무효확인을 구하는 소송은 소의 이익이 없으며, 항고소송의 방법으로 관리처분계획의 취소 또는 무효확인을 구하여야 한다는 것이 판례의 입장이다. 조합은 시장·군수의 거부에 대해 항고소송을 제기할 수 있다.

6. 환권처분(분양처분)

사업시행자가 관리처분계획(환권계획)에 따라 분양처분 및 청산을 하는 형성적 행정행위로서, 분양처분에 따라 분양받은 자는 분양처분에 따른 이전고시가 있게 되면 대지 또는 건축물에 대한 소유권을 취득한다.

판 례 도시재개발법에 의한 재개발사업에 있어서의 분양처분은 재개발구역 안의 종전의 토지 또는 건축물에 대하여 재개발사업에 의하여 조성되거나 축조되는 대지 또는 건축 시설의 위치 및 범위 등을 정하고 그 가격의 차액에 상당하는 금액을 청산하거나, 대지 또는 건축 시설을 정하지 않고 금전으로 청산하는 공법상 처분으로서, 그 처분으로 종전의 토지 또는 건축물에 관한 소유권 등의 권리를 강제적으로 변환시키는 이른바 공용환권에 해당하나, 분양처분 그 자체로는 권리의 귀속에 관하여 아무런 득상·변동을 생기게 하는 것이 아니고, 한편 종전의 토지 또는 건축물에 대신하여 대지 또는 건축 시설이 정하여진 경우에는 분양처분의 고시가 있은 다음날에 종전의 토지 또는 건축물에 관하여 존재하던 권리관계는 분양받는 대지 또는 건축 시설에 그 동일성을 유지하면서 이행되는바, 이와 같은 경우의 분양처분은 대인적 처분이 아닌 대물적 처분이라 할 것이므로, 재개발사업 시행자가 소유자를 오인하여 종전의 토지 또는 건축물의 소유자가 아닌 다른 사람에게 분양처분을 한 경우 그러한 분양처분이 있었다고 하여 그 다른 사람이 권리를 취득하게 되는 것은 아니며, 종전의 토지 또는 건축물의 진정한 소유자가 분양된 대지 또는 건축시설의 소유권을 취득하고 이를 행사할 수 있다(대판 1995.6.30, 95다10570).

분양처분에 대해 불복이 있는 경우 분양처분이 일단 공고되어 효력이 발생하게 된 이후에는 분양처분의 일부에 대하여 취소 또는 무효확인을 구할 법률상의 이익이 없다는 것이 판례이다.

판 례 도시재개발법에 의한 도시재개발사업에 있어서의 분양처분은 일단 공고되어 효력을 발생하게 된 이후에는 그 전체의 절차를 처음부터 다시 밟지 않는 한 그 일부만을 따로 떼어 분양처분을 변경할 길이 없으며 다만 그 위법을 이유로 하여 민사상의 절차에 따라 권리관계의 존부를 확정하거나 손해의 배상을 구하는 길이 있을 뿐이므로 그 분양처분의 일부에 대하여 취소 또는 무효확인을 구할 법률상의 이익이 없다(대판 1991.10.8, 90누10032).

관련 판례 1 **분양처분 관련**(대판 1995.6.30, 95다10570)

[1] 도시재개발구역 안의 부동산에 관한 권리자의 변동이 있는 경우, 종전의 권리자가 한 분양신청의 효력

- 도시재개발법 제7조2항에 의하면 "시행자나 재개발구역 안의 토지 또는 건축물 등에 관하여 권리를 가진 자의 변동이 있을 때에는 종전의 시행자와 권리자가 행하거나 시행자와 권리자에 대하여 행한 처분·절차 기타의 행위는 새로이 시행자와 권리자로 된 자가 행하거나 새로이 시행자와 권리자로 된 자에 대하여 행한 것으로 본다"라고 규정하고 있고, 토지 또는 건축물의 소유자가 하는 분양신청은 도시재개발법에 의한 '절차 기타의 행위'에 해당한다할 것이므로, 도시재개발구역 안의 토지 및 건물의 전 소유자가 이미 분양신청을 하였고 그 후 새로운 권리자가 전 소

유자의 권리를 취득하였다면, 구 권리자의 재개발조합원으로서의 지위는 새로운 권리자에게 승계·이전되고 구 권리자가 한 분양신청의 효력도 새로운 권리자에게 미쳐, 새로운 권리자가 다시 분양신청을 하여야만 재개발사업에 의하여 조성되거나 축조되는 대지 또는 건축 시설을 분양받을 수 있게 되는 것은 아니다.

[2] 도시재개발법에 의한 재개발사업에 있어 분양처분의 법적 성질 및 효력

- 도시재개발법에 의한 재개발사업에 있어서의 분양처분은 재개발구역 안의 종전의 토지 또는 건축물에 대하여 재개발사업에 의하여 조성되거나 축조되는 대지 또는 건축 시설의 위치 및 범위 등을 정하고 그 가격의 차액에 상당하는 금액을 청산하거나, 대지 또는 건축 시설을 정하지 않고 금전으로 청산하는 공법상 처분으로서, 그 처분으로 종전의 토지 또는 건축물에 관한 소유권 등의 권리를 강제적으로 변환시키는 이른바 공용환권에 해당하나, 분양처분 그 자체로는 권리의 귀속에 관하여 아무런 득상·변동을 생기게 하는 것이 아니고, 한편 종전의 토지 또는 건축물에 대신하여 대지 또는 건축 시설이 정하여진 경우에는 분양처분의 고시가 있은 다음날에 종전의 토지 또는 건축물에 관하여 존재하던 권리관계는 분양받는 대지 또는 건축 시설에 그 동일성을 유지하면서 이행되는바, 이와 같은 경우의 분양처분은 대인적 처분이 아닌 대물적 처분이라 할 것이므로, 재개발사업 시행자가 소유자를 오인하여 종전의 토지 또는 건축물의 소유자가 아닌 다른 사람에게 분양처분을 한 경우 그러한 분양처분이 있었다고 하여 그 다른 사람이 권리를 취득하게 되는 것은 아니며, 종전의 토지 또는 건축물의 진정한 소유자가 분양된 대지 또는 건축시설의 소유권을 취득하고 이를 행사할 수 있다.

[3] 도시재개발사업에 제공된 동일인 소유의 토지와 건물 중 토지만이 타인에게 경락된 경우, 그 사업 시행으로 인한 아파트 수분양권의 귀속

- 당초 甲 소유로서 재개발조합에 제공된 토지와 건물 중 건물은 甲이 동의함으로써 사전 철거된 후 토지만이 乙에게 경락되었는데도, 재개발조합이 건물에 관한 권리도 乙에게 이전된 것으로 오인하고 乙에게만 아파트 1세대분을 분양하는 것으로 관리처분계획을 정하여 분양처분을 한 경우, 토지는 乙이 재개발조합에 제공한 셈이어서 그 아파트 중 토지가 변환된 부분에 관하여는 乙이 그 소유권을 가진다 할 것이지만, 건물은 당초부터 甲이 재개발조합에 제공한 것으로서 그 권리가 이전된 바가 없어 그 아파트 중 건물이 변환된 부분에 관하여는 甲이 그 소유권을 가진다고 보아야 하며, 다만 그 아파트 중 토지가 변환된 부분과 건물이 변환된 부분의 비율 즉 甲과 乙의 소유지분 비율은 달리 특별한 사정이 없는 한 토지와 건물의 각 가액의 비율에 따라야 한다.

관련 판례 2 재건축조합 총회결의의 관련
(대판(전) 2009.9.17, 2007다2428)

[1] 도시 및 주거환경정비법상의 주택재건축정비사업조합을 상대로 관리처분계획안에 대한 조합 총회결의의 효력을 다투는 소송의 법적 성질(=행정소송법상 당사자소송)

[2] 도시 및 주거환경정비법상의 주택재건축정비사업조합이 같은 법 제48조에 따라 수립한 관리처분계획에 대하여 관할 행정청의 인가·고시가 있은 후에, 그 관리처분계획안에 대한 총회결의의 무효확인을 구할 수 있는지 여부(소극)

[3] 도시 및 주거환경정비법상의 주택재건축정비사업조합을 상대로 관리처분계획안에 대한 총회결의의 무효확인을 구하는 소를 민사소송으로 제기한 사안에서, 그 소는 행정소송법상 당사자소송에 해당하므로 행정법원의 전속관할에 속한다고 한 사례

[4] 주택재건축정비사업조합의 관리처분계획에 대하여 그 관리처분계획안에 대한 총회결의의 무효확인을 구하는 소가 관할을 위반하여 민사소송으로 제기된 후에 관할 행정청의 인가·고시가 있었던 경우 따로 총회결의의 무효확인만을 구할 수는 없게 되었으나, 이송 후 행정법원의 허가를 얻어 관리처분계획에 대한 취소소송 등으로 변경될 수 있음을 고려하면, 그와 같은 사정만으로 이송 후 그 소가 부적법하게 되어 각하될 것이 명백한 경우에 해당한다고 보기 어려우므로, 위 소는 관할법원인 행정법원으로 이송함이 상당하다고 한 사례.

-【이 유】 중

1. 도시 및 주거환경정비법(이하 '도시정비법'이라고 한다)에 따른 주택재건축정비사업조합(이하 '재건축조합'이라고 한다)은 관할 행정청의 감독 아래 도시정비법상의 주택재건축사업을 시행하는 공법인(도시정비법 제18조)으로서, 그 목적 범위 내에서 법령이 정하는 바에 따라 일정한 행정작용을 행하는 행정주체의 지위를 갖는다. 그리고 재건축조합이 행정주체의 지위에서 도시정비법 제48조에 따라 수립하는 관리처분계획은 정비사업의 시행 결과 조성되는 대지 또는 건축물의 권리귀속에 관한 사항과 조합원의 비용 분담에 관한 사항 등을 정함으로써 조합원의 재산상 권리·의무 등에 구체적이고 직접적인 영향을 미치게 되므로, 이는 구속적 행정계획으로서 재건축조합이 행하는 독립된 행정처분에 해당한다.

그런데 관리처분계획은 재건축조합이 조합원의 분양신청 현

황을 기초로 관리처분계획안을 마련하여 그에 대한 조합 총회결의와 토지 등 소유자의 공람절차를 거친 후 관할 행정청의 인가·고시를 통해 비로소 그 효력이 발생하게 되므로(도시정비법 제24조3항 10호, 제48조1항, 제49조), 관리처분계획안에 대한 조합 총회결의는 관리처분계획이라는 행정처분에 이르는 절차적 요건 중 하나로, 그것이 위법하여 효력이 없다면 관리처분계획은 하자가 있는 것으로 된다.

따라서 행정주체인 재건축조합을 상대로 관리처분계획안에 대한 조합 총회결의의 효력 등을 다투는 소송은 행정처분에 이르는 절차적 요건의 존부나 효력 유무에 관한 소송으로서 그 소송결과에 따라 행정처분의 위법 여부에 직접 영향을 미치는 공법상 법률관계에 관한 것이므로, 이는 행정소송법상의 당사자소송에 해당한다.

그리고 이러한 소송은, 관리처분계획이 인가·고시되기 전이라면 위법한 총회결의에 대해 무효확인 판결을 받아 이를 관할 행정청에 자료로 제출하거나 재건축조합으로 하여금 새로이 적법한 관리처분계획안을 마련하여 다시 총회결의를 거치도록 함으로써 하자 있는 관리처분계획이 인가·고시되어 행정처분으로서 효력이 발생하는 단계에까지 나아가지 못하도록 저지할 수 있고, 또 총회결의에 대한 무효확인판결에도 불구하고 관리처분계획이 인가·고시되는 경우에도 관리처분계획의 효력을 다투는 항고소송에서 총회결의 무효확인소송의 판결과 증거들을 소송자료로 활용함으로써 신속하게 분쟁을 해결할 수 있으므로, 관리처분계획에 대한 인가·고시가 있기 전에는 허용할 필요가 있다.

그러나 나아가 관리처분계획에 대한 관할 행정청의 인가·고시까지 있게 되면 관리처분계획은 행정처분으로서 효력이 발생하게 되므로, 총회결의의 하자를 이유로 하여 행정처분의 효력을 다투는 항고소송의 방법으로 관리처분계획의 취소 또는 무효확인을 구하여야 하고, 그와 별도로 행정처분에 이르는 절차적 요건 중 하나에 불과한 총회결의 부분만을 따로 떼어내어 효력 유무를 다투는 확인의 소를 제기하는 것은 특별한 사정이 없는 한 허용되지 않는다[1])고 보아야 한다.

이와 달리 도시재개발법(2002.12.30. 법률 제6852호 도시 및 주거환경정비법 부칙 제2조로 폐지)상 재개발조합의 관리처분계획안에 대한 총회결의 무효확인소송을 민사소송으로 보고 또 관리처분계획에 대한 인가·고시가 있은 후에도 여전히 소로써 총회결의의 무효확인을 구할 수 있다는 취지로 판시한 대판 2004.7.22, 2004다13694과 이와 같은 취지의 대법원 판결들은 이 판결의 견해에 배치되는 범위 내에서 이를 모두 변경하기로 한다.

2. 원심판결 이유와 기록에 의하면, 이 사건 소는 도시정비법상의 재건축조합인 피고를 상대로 관리처분계획안에 대한 총회결의의 무효확인을 구하는 소로서 관리처분계획에 대한 인가·고시 전인 2005.3.11. 제기되었음을 알 수 있으므로, 위에서 본 바와 같이 이는 행정소송법상의 당사자소송에 해당하고, 따라서 이 사건의 제1심 전속관할법원은 서울행정법원이라 할 것이다. 그럼에도 제1심과 원심은 이 사건 소가 서울중앙지방법원에 제기됨으로써 전속관할을 위반하였음을 간과한 채 본안판단으로 나아갔으니, 이러한 제1심과 원심의 판단에는 행정소송법상 당사자소송에 관한 법리를 오해하여 전속관할에 관한 규정을 위반한 위법이 있다.

한편, 이 사건 관리처분계획에 대하여 이 사건 소 제기 후인 2005.3.18. 관할 행정청의 인가·고시가 있었던 이상 따로 총회결의의 무효확인만을 구할 수는 없게 되었다고 하겠으나, 이송 후 행정법원의 허가를 얻어 관리처분계획에 대한 취소소송 등으로 변경될 수 있음을 고려하면, 그와 같은 사정만으로 이송 후 이 사건 소가 부적법하게 되어 각하될 것이 명백한 경우에 해당한다고 보기는 어려우므로, 이 사건은 관할법원으로 이송함이 상당하다.

관련 판례 3 조합설립인가처분의 법적 성격
(대판 2010.4.8, 2009다27636)

[1] 도시환경정비사업조합설립인가신청에 대한 행정청의 조합설립인가처분의 법적 성격 및 조합설립인가처분이 있은 후에 조합설립결의의 하자를 이유로 그 결의만을 대상으로 무효 등 확인의 소를 제기하는 것이 허용되는지 여부(소극)

- 구 도시 및 주거환경정비법(2005. 1. 14. 법률 제7335호로 개정되기 전의 것, 이하 '도시정비법'이라고 한다)상 도시환경정비사업조합은 도시환경정비사업의 추진위원회가 정비구역안에 소재한 토지 또는 건축물의 소유자 등으로부터 조합설립의 동의(이하 '조합설립결의'라고 한다)를 받은 다음, 관계 법령이 정하는 요건과 절차에 따라 행정청에 조합설립인가신청을 하여 행정청으로부터 조합설립의 인가를 받아

1) 항고소송에서 확인의 이익의 보충성을 요하지 않는 변경된 전합판례와 비교 要. 총회결의 무효확인을 구하는 소송은 당사자소송이므로 확인의 이익이 필요한 것임.

등기함으로써 법인으로 성립한다(도시정비법 제16조1항, 제5항, 제18조). 이와 같이 하여 설립된 도시환경정비사업조합은 도시환경정비사업의 사업시행자로서 조합원에 대한 법률관계에서 특수한 존립목적을 부여받은 행정주체로서의 지위를 가지게 되고, 이러한 행정주체의 지위에서 정비구역 안에 있는 토지 등을 수용하거나(같은 법 제38조), 관리처분계획(같은 법 제48조), 경비부과처분(같은 법 제61조) 등과 같은 행정처분을 할 수 있는 권한을 부여받는다. 따라서 도시환경정비사업조합설립인가신청에 대한 행정청의 조합설립인가처분은 단순히 사인(사인)들의 조합설립행위에 대한 보충행위로서의 성질을 가지는 것이 아니라 법령상 일정한 요건을 갖추는 경우 행정주체(공법인)의 지위를 부여하는 일종의 설권적 처분의 성질을 가진다고 봄이 상당하다(대판 2010.1.28, 2009두4845 등 참조).

그리고 그와 같이 보는 이상, 일단 조합설립 인가처분이 있은 경우 조합설립결의는 위 인가처분이라는 행정처분을 하는 데 필요한 요건 중 하나에 불과한 것이어서, 조합설립 인가처분이 있은 이후에는 조합설립결의의 하자를 이유로 조합설립의 무효를 주장하는 것은 조합설립 인가처분의 취소 또는 무효확인을 구하는 항고소송의 방법에 의하여야 할 것이고, 이와는 별도로 조합설립결의만을 대상으로 그 효력 유무를 다투는 확인의 소를 제기하는 것은 확인의 이익이 없어 허용되지 아니한다 할 것이다(대판 2009.11.26, 2008다50172 등 참조).

[2] 《도시환경정비사업조합에 대한 행정청의 조합설립 인가처분이 있은 후에 그 설립 인가처분의 요건에 불과한 조합설립행위에 대한 무효 확인을 구하는 소를 민사소송으로 제기한 사안》에서, 그 소는 행정소송의 일종인 당사자소송에 해당하고, 이송 후 관할법원의 허가를 얻어 조합설립 인가처분에 대한 항고소송으로 변경될 수 있어 관할법원인 행정법원으로 이송함이 마땅하다고 한 사례[2]

- 원고들이 이 사건 소로써 다투고자 하는 대상의 실체는 조합설립의 효력으로서, 이를 위해서는 앞서 본 것처럼 마땅히 조합설립 인가처분에 대한 취소 또는 무효확인을 구하는 방법에 의하여야 할 것이나, 이러한 법리를 제대로 파악하지 못한 채 재건축정비사업조합 등에 대한 설립 인가처분을 보충행위로 보았던 종래 실무관행을 그대로 답습한 나머지 부득이 그 요건에 해당하는 조합설립결의의 무효확인을 구하는 방법을 택한 것으로 보이는바, 이러한 사정에 비추어 보면 이 사건 소는 그 실질이 조합설립 인가처분의 효력을 다투는 취지라고 못 볼 바 아니고, 여기에 이 사건 소의 상대방이 행정주체로서 지위를 갖는 피고 조합이라는 점까지 아울러 고려하여 보면, 이 사건 소는 공법상 법률관계에 관한 것으로서 행정소송의 일종인 당사자소송에 해당하는 것으로 봄이 상당하다.

따라서 이 사건 소는 제1심 전속관할법원인 서울행정법원에 제기되었어야 할 것인데 서울중앙지방법원에 제기되어 심리되었으므로 소의 이익 유무에 앞서 전속관할을 위반한 위법이 있다 할 것인바, 관할법원으로 이송 후 법원의 허가를 얻어 조합설립 인가처분에 대한 무효확인소송 등으로 변경될 수 있음을 고려해 보면 이송하더라도 부적법하게 되어 각하될 것이 명백한 경우에 해당한다고 보기는 어려우므로, 이 사건 소는 관할법원으로 이송함이 마땅하다고 할 것이다(대판 2009.10.15, 2009다10638, 2009다10645(병합) 등 참조).

기출 사례 조합설립결의 무효확인소송, 조합설립인가처분 취소소송(14년 사시)

A시의 X구(자치구 아닌 구) 주민들은 노후 주택재개발을 위하여 추진위원회를 구성하여 조합설립 준비를 하였다. 추진위원회는 토지소유자 4분의 3 이상의 동의를 받아 조합설립결의를 거쳐 설립인가를 신청하였다. 한편, A시 시장 乙은 법령상 위임규정이 없으나, X구 구청장 丙에게 조합설립인가에 관한 권한을 내부위임하고 이에 따라 丙이 자신의 이름으로 조합설립인가를 하였다. (20점)

1. X구의 주민 甲 등은 추진위원회가 주민들의 동의를 받는 과정에 하자가 있음을 이유로 조합설립결의에 대해 다투고자 한다. 이 경우 조합설립인가 전에 제기할 소의 종류는 무엇이고, 조합설립인가 후에 제기할 소의 종류는 무엇인가?(10점)
2. 甲 등이 丙이 한 조합설립인가처분의 효력을 다투고자 행정소송을 제기하는 경우에, 피고적격과 승소가능성을 검토하시오. (10점)

2) 판시사항 [2] 부분은 [관련판례 2]의 2번과 동일한 맥락의 논의.

Ⅰ. 조합설립결의에 대해 다투는 경우 불복소송유형 - 설문1

1. 문제의 소재

- 조합설립결의에 하자가 있는 경우 조합설립결의무효확인소송을 제기할 수 있는데 민사소송인지 당사자소송인지 문제됨. 또한 조합설립인가가 나온 후에도 조합설립결의무효확인소송으로 다투어야 하는지, 조합설립인가처분에 대한 항고소송으로 다투어야 하는지 문제됨. 조합설립인가의 법적성격과 관련이 있는 논의임.

2. 조합설립인가의 법적성격

- 인가설, 특허설이 대립. 판례는 종래 인가설이었으나 특허설로 변경

3. 조합설립인가 전에 제기할 소송

- 조합설립인가 전에는 조합이라는 공법인이 존재하지 않으므로 민사소송으로 조합설립결의 무효확인소송을 제기할 수 밖에 없음(판례의 입장이기도 함).

판 례 조합설립인가처분을 받아 설립등기를 마치기 전에 개최된 창립총회에서 이루어진 결의는 주택재개발사업조합의 결의가 아니라 주민총회 또는 토지 등 소유자 총회의 결의에 불과하다(대판 2012.4.12, 2010다10986).

4. 조합설립인가 후에 제기할 소송

- 종래 판례는 조합설립인가를 강학상 인가로 보고 조합설립인가 후에도 인가에 고유한 위법이 없는 한 조합설립결의의 하자를 이유로 조합설립인가를 다투는 것은 허용하지 않았으므로 조합설립 인가 후에도 민사소송인 조합설립결의무효확인소송의 소의 이익을 긍정.

- 그러나 변경판례는 조합설립인가를 인가가 아니라 설권적 처분(특허)으로 보면서, 일단 조합설립 인가처분이 있은 경우 조합설립결의는 인가처분이라는 행정처분을 하는데 필요한 요건 중 하나에 불과한 것이어서, 조합설립 인가처분이 있은 이후에는 조합설립결의의 하자를 이유로 조합설립의 무효를 주장하는 것은 조합설립 인가처분의 취소 또는 무효확인을 구하는 항고소송의 방법에 의하여야 할 것이고, 이와는 별도로 조합설립결의만을 대상으로 그 효력 유무를 다투는 확인의 소를 제기하는 것은 확인의 이익이 없어 허용되지 아니한다고 함.

Ⅱ. 조합설립인가처분에 대한 항고소송의 피고적격 및 승소가능성 - 설문4

1. 문제의 소재

- 병은 내부위임을 받았으나 병의 명의로 조합설립인가처분을 한 경우인데 이 경우 피고적격과 하자가 문제됨.

2. 조합설립인가처분의 효력을 다투는 행정소송의 피고적격(#134)

- 항고소송의 피고적격은 처분 등을 행한 행정청(행정소송법 제13조, 제38조)

- 내부위임에서 피고는 위임과 달리 위임기관이 피고이나, 설문과 같이 수임기관이 자신의 명의로 처분을 한 경우에는 수임기관이 피고. 따라서 丙이 피고.

3. 승소가능성(#134)

(1) 법령상 위임규정이 없이 행한 내부위임

- 위임과 달리 내부위임은 법적 근거가 필요 없음.

(2) 내부위임에서 수임기관의 명의로 행한 처분의 하자.

- 취소설, 무효설, 예외적 취소설(수임기관이 보조기관인 경우 무효이며 행정청의 지위를 갖는 기관인 경우에는 취소사유)의 대립이 있으나 판례는 무효설.

- 예외적 취소설로 검토. 사안에서 구청장은 행정청의 지위를 갖는 기관에 해당하므로 취소사유에 해당.

(3) 소송형태에 따른 결론

- 甲이 취소소송을 제기하였다면 취소판결을 받을 것. 무효확인소송을 제기한 경우라면 취소소송의 제소요건을 구비하였다면 취소소송으로 소변경하여 취소판결 가능.

- 만약 판례에 따라 무효사유라고 본다면 무효확인소송을 제기하였다면 승소가능하고, 취소소송을 제기하였더라도 취소소송의 제소요건을 구비했다면 무효를 선언하는 의미의 취소판결이 가능하므로 역시 승소가능.

156 경찰권 발동의 근거

Ⅰ. 의 의

경찰[1] 작용은 **권력적 · 침익적** 작용을 그 주된 수단으로 사용하는바, 헌법 제37조2항에 비추어 반드시 **법률의 근거가 필요**하다. 이는 법치주의 및 법률에 의한 행정의 원리의 당연한 귀결이다.

법치주의가 발달된 상황에서는 **직무규범과 권한규범을 엄격히 분리**하여야 할 것이어서 경찰작용의 근거법규범의 성격이 문제되는데,[2] 권한은 직무를 전제한 것이므로 권한에 대한 규정은 직무의 내용을 반영한다. 그러나 역으로 **직무규범으로부터 권한이 도출되지 않는 것이 원칙**이다. 결국 경찰법상 권한발동은 **권한규범에 의한 수권을 요하며, 직무규범만을 근거로는 경찰권 발동이 불가능**하다. 이로 인해 경찰작용은 **개별적인 수권규범에 근거하여야 한다는 기본원칙**이 인정되지만, 경찰행정의 특수성에 비추어 **일반조항에 의한 수권도 가능한지의 논의**가 있다.

Ⅱ. 법률유보의 원칙과 권한규범

1. 개별적 수권의 원칙

직무규범과 권한규범의 원칙적 분리를 의미한다.

2. 수권의 방식

⑴ 특별경찰행정법상의 개별조항에 의한 수권

식품위생법, 공중위생법 등의 개별규정을 들 수 있다.

⑵ 일반경찰행정법상의 개별조항에 의한 수권(표준조치)

표준조치 또는 표준처분은 **전형적인 경찰조치들을 유형화**한 것으로서, **경찰관직무집행법 제3조에서 제10조의4**에 규정한 조치들이 전형적인 예에 해당한다. 표준조치의 법적 성질은 일률적으로 결정할 수 없으며 행정행위(예: 출석요구), 권력적 사실행위(무기사용), 비권력적 사실행위(예: 응급구호를 요하는 자의 보호조치) 등 다양하다. 다만 성격상 **행정**

---

1) * **경찰의 개념**

1. 형식적 의미의 경찰 - 실정제도상 **보통경찰기관의 권한**에 속하는 모든 작용

2. 실질적 의미의 경찰 - **사회공공의 안녕질서를 유지**하기 위하여 **일반통치권에 근거**하여 개인에게 명령·강제하는 작용.
- 통상의 경찰기관에 의한 것은 물론 다른 행정기관의 소관에 의한 경우도 포함.

* **실질적 경찰개념의 요소**(정하중 1085면)

1. 경찰의 목적
(1) **공공의 안녕** - 개인의 생명 · 신체 · 재산 등의 안전과 국가와 국가기관의 온전성.
(2) **공공의 질서** - 지배적인 사회의 가치관에 비추어 공동생활을 위하여 불가결한 것으로 인식되는 불문규율의 총체
(3) **위험과 장애**
1) **위해(위험) - 공공의 안녕이나 공공의 질서를 침해할 충분한 개연성이 있는 상황**
2) **장애 - 공공의 안녕이나 공공의 질서에 대한 위해(위험)가 실현되어 법익침해가 발생된 경우**

2. 경찰의 수단
- **권력적 수단**(경찰하명 · 경찰허가 · 경찰강제)이 **중심**을 이루어 왔으나 행정지도, 비권력적 행정조사, 교육 및 홍보 등 **비권력적 수단의 비중이 점차 확대**

3. 경찰의 권력적 기초 - 국가의 일반통치권에 기초.

2) • **직무규범(임무규범)** : 조직법상의 권한분장관계를 규율하기 위한 규범으로서 **다른 행정청과의 직무의 한계를 설정**하는 것을 목적.

• **권한규범(권능규범)** : 행정청에 부여된 직무를 전제로 이의 범위 내에서 **개인의 권리를 침해할 수 있는 조치를 취할 수 있는 권한을 부여**하는 규범(박균성 저로 공부하는 분은 박교수님은 권한규범이라는 용어를 다수의 교수님들과 달리 수권규정으로 파악하지 않고 직무규범으로 파악하고 있는 점을 주의).

상 즉시강제에 해당하는 경우가 대부분이다.

(3) 일반경찰행정법상의 일반조항에 의한 수권

일반조항에 의해서 경찰권을 발동할 수 있는가의 논의이다.

Ⅲ. 일반조항(개괄적수권조항)의 허용성

1. 의 의

일반조항은 경찰권 발동의 근거가 되는 **개별적인 법률규정이 없는 경우에 경찰권발동의 일반적 · 보충적 근거**가 될 수 있도록 **일반적 위험방지 및 장해제거를 위한 포괄적 내용을 규정**한 조항을 의미하는데, 사회 · 경제 · 문화 · 과학기술의 발전에 따라 사회사정이나 가치관의 변화 그 밖에 **입법자가 예측할 수 없는 위험의 발생** 등을 고려할 때 그 **필요성**이 인정된다. 일반조항은 위험방지에 있어 개별조항에 의한 수권규정이 없는 경우에 공백을 보충하는 기능을 수행한다.

2. 인정여부

(1) 문제점

개괄적 수권조항이 **필요한지,** 필요하다면 **경찰관직무집행법 제2조7호**를 개괄적 조항으로 볼 수 있는지의 논의가 있다.

(2) 학 설

① **침해의 권력적 성질상** 수권은 **반드시 개별적**인 작용법이어야 하며, 일반조항과 같은 방식에 의한 수권은 **법치국가원리, 특히 명확성 원칙에 반**하기 때문에 허용될 수 없다는 부정설, ② 입법자가 **예측할 수 없는 위험의 발생에 대처할 필요성**이 있으며 경찰관직무집행법 제2조7호 '공공의 안녕과 질서유지'에 관한 조항을 **권한규정**으로 파악하는 긍정설, ③ 개괄조항 자체의 **필요성은 인정하지만 현행법상 개괄조항이 존재하지 않으므로** 입법으로 조항 신설이 필요하다는 입법필요설이 대립한다.

(3) 판 례

명시적인 판례는 없고, 공무집행방해죄의 성립이 문제된 경우에 **청원경찰이 경찰관직무집행법 제2조에 근거하여 그린벨트 지역 내에서의 허가 없는 주택개축을 단속한 것은 적법한 공무집행**에 속한다고 보았다(대판 1986.1.28, 85도2448 · 85도356). 긍정설의 입장에서는 동판례를 개괄조항으로 인정한 것으로 평가하는 것이 일반적이다.

(4) 검토 - 긍정설

예측할 수 없는 경찰위험에 대비할 필요가 있으므로 **입법정비시까지는 개괄조항을 인정하는 긍정설이 타당**하며, 긍정설에 의하더라도 **경찰권 남용은 불문법원칙에 의한 한계로 통제 가능**하다고 본다.

157 경찰권 발동의 한계

Ⅰ. 의 의

경찰권 발동은 법률의 근거가 있어야 할 뿐만 아니라 법률이 정하는 범위 내에서 이루어져야 하며(**법규상 한계**), 경찰법규는 폭넓은 재량이 부여되어 있지만 경찰권 발동 역시 일반원칙과 기본권 등을 통한 일정한 통제와 한계 내에 있다(**경찰법상 일반원칙의 한계**). 이하 경찰법상 일반원칙의 한계에 대해 서술한다. - 소. 공. 책. 비. 평

Ⅱ. 경찰소극의 원칙

경찰작용은 **공공의 안녕과 질서유지에 대한 위험의 방지와 장해의 제거라는 소극적 목적을 위해서만 행사**할 수 있으며, 공공복리의 증진이라는 적극적인 목적을 위하여 발동될 수 없다는 원칙이다.

Ⅲ. 경찰공공의 원칙

1. 의 의

경찰의 목적이 소극적인 공공의 안녕과 질서유지에 한정됨에 따라 경찰은 **사적인 생활관계에는 관여할 수 없고,** 오로지 공공의 안녕과 질서유지의 범위 내에서만 경찰권을 발동할 수 있다는 원칙이다.

2. 내 용

(1) 사생활불가침의 원칙

경찰권은 공공의 안녕·질서와 직접 관계가 없는 **개인의 생활이나 행동에는 간섭하여서는 안 된다**는 원칙이다. 다만 개인의 생활활동이라도 공공의 안녕과 질서에 위해를 주는 경우에는 경찰권 발동 대상이 된다(예: 청소년의 음주, 전염병환자의 격리조치).

(2) 사주소불가침의 원칙

경찰권은 공공의 안녕·질서와 직접 관계가 없이 **개인의 사주소를 침해해서는 안 된다**는 원칙으로서, 사주소는 **일반사회와 직접적인 접촉이 없는 장소**를 의미한다. 다만 사주소 내의 행위라도 직접 공공의 안녕과 질서에 위해를 야기시키는 경우에는 경찰권 발동의 대상이 된다(예: 외부에서 공공연히 관망할 수 있는 장소에서 신체를 과도하게 노출시키는 행위나 인근에 불편을 주는 과도한 소음의 발생행위).

(3) 민사관계불간섭의 원칙

경찰권은 **개인간의 민사관계에는 원칙적으로 관여할 수 없다**는 원칙이다. 민사관계이더라도 직접 공공의 안녕과 질서에 위해를 야기시키는 경우에는 경찰권 발동의 대상이 된다(예: 암표매매행위 단속).

Ⅳ. 경찰책임의 원칙

1. 의 의

경찰위반상태가 있는 경우에 그러한 상태의 발생에 **책임이 있는 자**, 즉 경찰책임자에 대하여만 경찰권이 **발동되어야** 한다는 원칙이다.

2. 종 류

(1) 행위책임

1) 의 의

자기 또는 자기의 보호·감독하에 있는 사람의 행위로 인해 질서위반 상태가 발생한 경우에 지는 경찰상의 책임을

말한다. 행위는 작위뿐 아니라 부작위를 포함한다. 민·형사책임과는 달리 행위자의 책임능력 및 고의·과실의 유무를 불문하고 인정된다.

2) 종 류

① 자기 스스로의 행위로 경찰위반상태를 발생시킨 자가 지는 **행위자책임**과 ② 타인을 보호·감독할 지위에 있는 자가 그 범위 안에서 지배자로서 피지배자의 행위로 인하여 발생한 경찰위반상태에 대하여 지는 **지배자책임**이 있다. 지배자책임의 성질은 피지배자의 책임에 대한 대위책임이 아니라, 자기의 지배범위 안에서 경찰위반상태가 발생한 데 대한 자기책임이다.

3) 인과관계

행위와 공공질서에의 위해 사이에 인과관계의 결정기준의 문제가 있다. 이에 대해 조건설, 상당인과관계설 등이 있으나, 공공질서에 대한 위험 또는 장해의 직접적 원인이 되는 행위를 한 자만이 책임을 진다고 보는 직접원인설이 통설이다. 여기서 직접원인자인지의 판단기준인 위해에 대한 직접성은 위해에 대한 시간적 접근성과 어떠한 행위가 결정적으로 위험을 구체화시킨 것인가를 기준으로 인과관계를 판단한다. 다만 직접적인 위해의 원인을 야기하지는 않았더라도 직접원인자의 행위를 의도적으로 야기시킨 자를 목적적 원인제공자라고 하여, 이 역시 행위책임자로 보아 경찰권 발동의 대상으로 할 수 있다(예: 상점주인이 쇼윈도에 이색적인 광고를 하여 주변에 많은 사람들이 모여 도로교통에 장해가 발생한 경우, 상점주인은 직접적인 행위자는 아니지만 객관적으로 볼 때 직접적으로 위험을 가져온 것이므로 경찰책임을 부담).

(2) 상태책임

1) 의 의

물건, 동물의 소유자, 점유자 기타 관리자가 그 지배범위에 속하는 물건, 동물로 인하여 경찰위반상태가 발생한 경우에 지는 책임이다.

2) 주 체

① 1차적으로는 물건에 대해 사실상 지배력을 미치고 있는 자가 책임을 지며, 이 때 사실상의 지배상태가 적법하게 성립되었는지는 책임 성립에 영향이 없다. ② 물건의 소유권자는 통상 2차적인 책임을 진다. 즉 사실상의 지배자에 대한 조치를 취하는 것이 허용될 수 없거나 불가능한 경우에 책임을 지는 것이다.

3) 책임의 요건 및 한계

물건의 상태가 경찰상 위해를 야기한 경우, 원칙적으로는 위해의 발생원인에 관계 없이 상태책임이 인정된다. 따라서 책임이 무제한적으로 확대될 가능성이 있는데(예: 전쟁이나 자연재해 등), 이에 소유권자 등이 감당하여야 할 위험영역을 넘는 비정형적인 사건에 의한 위해 야기시에는 상태책임의 범위를 제한하자는 견해가 제시되고 있다.

(3) 복합책임(책임의 경합)

1) 경찰권 발동 대상자의 결정

다수인의 행위 또는 다수인이 지배하는 물건의 상태에 기인하거나, 행위책임과 상태책임의 중복에 기인한 경우, 각각의 행위자 또는 지배자가 부담할 책임의 범위가 문제된다. 이 경우의 책임자 결정은 경찰기관의 성실한 재량행사에 의하나, 그 기준으로서는 1차적으로는 경찰위반상태의 신속하고 효율적인 제거, 비례의 원칙 등이 고려될 수 있다.

2) 다수책임자 사이의 비용부담

경찰기관이 특정인에게만 경찰권을 발동한 경우 경찰책임의 이행에 필요한 비용의 부담을 어떻게 할 것인지의 문제로서, 민법상의 사무관리규정이나 연대채무규정에 기한 비용상환청구권이 인정될 것인가의 문제이다. 학설로는 ① 경찰권발동의 문제와 다수책임자 사이의 비용부담의 문제는 별개라고 보아 민법상 사무관리나 연대채무규정 유추적용을 인정하는 **긍정설**, ② 경찰권발동의 대상이 된 경찰책임자는 자신의 책임을 지는 것이므로 사무관리규정의 유추적용은 불가하고, 연대채무자로서 책임을 지는 것이 아니라 상이한 법적근거를 이유로 책임을 부담하는 것이므로 연대채무의 규정의 유추적용도 불가하다는 부정하는 부정설, ③ 각 책임자들이 부담하는 의무내용이 동일한 경우에 한하여 민법상 연대채무에 관한 규정을 유추적용할 수 있다는 절충설이 대립한다.

3. 경찰책임의 주체

(1) 자연인, 법인

자연인과 사법상 법인은 당연히 경찰책임자가 될 수 있다.

(2) 공법인 및 행정기관

1)문제점

공공의 안녕과 질서에 대한 위해는 공법인이나 다른 행정기관의 행위나 그들이 사용하고 있는 물건에 의하여도 야기될 수 있는데, 이 때 경찰기관이 위해방지를 위하여 일반개인에 대해서와 마찬가지로 공법인 등에 대하여 경찰권을 발동할 수 있는지의 문제이다.

2)실질적 경찰책임

공법인 등이 경찰관계 법령에 구속되는가의 문제이다. 법률우위의 원칙상 공법인 등도 경찰법규를 준수해야 한다는 것이 일반적 견해이다. 다만, 공적 임무의 수행을 위하여 실질적 경찰책임이 면제될 수 있다. 법률의 규정이 있는 경우(예: 도로교통법 제2조16호 및 시행령 제2조1항에 의해 범인의 체포 등 긴급한 업무를 수행하기 위하여 불가피한 경우에는 도로상에서 경찰상 위해를 야기함에도 불구하고 실질적 경찰책임에 관한 규정인 제25조, 제26조가 면제)도 있지만, 명문의 규정이 없어도 공적 임무의 수행을 통한 공익과 공공의 안녕과 질서의 유지라는 공익을 비교형량하여 면제 가능하다.

3)형식적 경찰책임

공법작용과 관련하여 공적 안전이나 질서에 위험을 야기한 공법인 등에게 대해 경찰상 명령이나 금지로 개입할 수 있는가의 문제를 말한다. 다른 행정기관의 고권적 작용에 의하여 경찰상의 위해가 발생한 경우 경찰행정청이 이들에 대하여 경찰권을 발동할 수 있는지에 대해 논란이 있다.

만약 긍정하면 국가나 지방자치단체 또는 다른 공법인에 대한 경찰행정관청의 우위를 인정하는 결과가 되어 조직법상의 기본원칙에 반한다는 부정설이 있으나 모든 국가기관의 활동이 다 동일한 것은 아니라는 전제에서 개별적인 경우에 있어서 무엇을 우선해야 할 것인가에 대해서는 비교형량의 필요성이 존재하며, 경찰기관에 의한 목적수행이 우선시되어야 할 필요가 인정될 수 있으므로 경찰권의 발동으로 달성되는 공익이 다른 국가기관의 업무수행으로 인한 공익보다 훨씬 큰 경우에는 국가기관 등에 대한 경찰책임을 인정하는 제한적 긍정설이 타당하다.

4. 경찰책임의 예외(긴급경찰권)

(1) 의 의

경찰책임이 없는 자에 대하여 예외적으로 경찰권 발동을 인정하는 것을 말한다.

(2) 발동요건

① 장해 및 위험의 임박에 의해 경찰권 발동이 불가피하며, ② 경찰책임자에 대한 경찰권 발동으로는 위해의 제거가 불가능하고, ③ 경찰기관 또는 권한을 위임받은 기관 스스로는 그 위해를 제거할 수 없어 제3자의 조력이 불가피한 상황에서 ④ 제3자의 생명·신체와 같은 중대한 법익을 해치지 않는 범위 내에서만 인정된다.

(3) 발동근거

개별법에 근거가 없는 경우에 개괄적 수권조항(일반조항)에 의해서도 발동할 수 있다는 견해가 있으나 긴급경찰권의 발동은 책임이 없는 제3자의 기본권을 침해할 소지가 있으므로 개별법에 근거가 있는 경우에만 허용된다고 보아야 한다. 입법론적으로는 일반적인 근거규정이 마련될 필요가 있다.

(4) 제3자의 권리구제

제3자에게 발생한 특별한 손실에 대해서는 그에게 귀책사유가 없는 한 보상하여야 한다.

5. 경찰책임의 승계

(1) 의 의

경찰책임자가 사망하거나 물건을 양도한 경우 경찰책임이 상속인이나 양수인에게 승계되는지의 문제이다. 예컨대 甲이 지은 불법건축물에 대해 철거명령을 하였으나 甲이 이를 무시한 채 乙에게 불법건축물을 양도한 경우, 乙에게 철거의무가 승계되었다고 보아 乙에게 대집행을 할 수 있는가의 문제이다.

(2) 행위책임의 경우

① **원칙적으로 부정**하나, 상속은 포괄적인 승계이므로 긍정하는 견해, ② 행위책임이 대체가능한 의무를 내용으로 하느냐에 따라 그 의무가 대체가능하고 또한 승계를 인정하는 법규가 있는 경우에는 긍정하는 견해가 있으나, ③ 행위책임은 **특정인의 행위에 대한 법적평가와 관련**된 것이기 때문에 승계를 부정하는 견해가 타당하다. 다만 명문의 규정이 있는 경우는 가능하다고 보는 것이 일반적이다.

(3) 상태책임

공법상의 권리, 의무는 일신전속적인 것으로 행위책임이든 상태책임이든 경찰책임은 **승계되지 않는다는 것이 종래의 일반적인 견해였으나** 종래의 견해에 의하면 피승계인에게 발해진 행정행위의 효과가 승계인에게 미치지 않아 승계인에게 내용적으로 동일한 새로운 명령을 발하여 집행하여야 하므로 **강제집행을 연기시키는 결과를 초래한다는 문제**점이 지적되었다.

오늘날 ① **추상적 책임(법률에서 구체화되어 있는 책임)과 구체적 책임(행정행위를 통하여 구체화되어 있는 책임)을 구별**하여 추상적 책임의 경우에는 승계되지 않는다는 견해(개별검토설)와 ② **일반적인 승계가능성** 외에 **승계규범이 추가적으로 구비**될 경우에 승계된다는 견해(승계규범 필요설) 등이 제시되나, ③ **상태책임을 구체화시키는 행위가 물적 행위**라는 점과 **절차경제**라는 관점에서 승계 **긍정설**이 타당하다(다수설). 긍정설에 따르면 피승계인에 대한 명령은 이를 취득한 승계인에 대하여도 그대로 효력이 있다.

V. 경찰비례의 원칙

경찰목적과 이를 실현하기 위한 수단 사이에 적정한 비례관계가 있어야 한다. 경찰관직무집행법 제1조 2항은 경찰관의 직권은 그 직무수행에 필요한 최소한도 내에서 행사되어야 하며 이를 남용하여서는 아니된다고 하여 비례의 원칙을 명시적으로 규정하고 있다.

판 례 [1] **경찰관은 범인의 체포, 도주의 방지, 자기 또는 타인의 생명·신체에 대한 방호, 공무집행에 대한 항거의 억제를 위하여 무기를 사용할 수 있으나, 이 경우에도 무기는 목적달성에 필요하다고 인정되는 상당한 이유가 있을 때 그 사태를 합리적으로 판단하여 필요한 한도 내에서 사용하여야** 하는바, 경찰관의 무기사용이 이러한 **요건을 충족하는지 여부는 범죄의 종류, 죄질, 피해법익의 경중, 위해의 급박성, 저항의 강약, 범인과 경찰관의 수, 무기의 종류, 무기 사용의 태양, 주변의 상황 등을 고려하여 사회통념상 상당하다고 평가되는지 여부에 따라 판단**하여야 하고, **특히 사람에게 위해를 가할 위험성이 큰 총기의 사용에 있어서는 그 요건을 더욱 엄격하게 판단**하여야 한다.

[2] 경찰관이 길이 40cm 가량의 칼로 반복적으로 위협하며 도주하는 차량 절도 혐의자를 추적하던 중, **도주하기 위하여 등을 돌린 혐의자의 몸 쪽을 향하여 약 2m 거리에서 실탄을 발사하여 혐의자를 복부관통상으로 사망**케 한 경우, **경찰관의 총기사용은 사회통념상 허용범위를 벗어난 위법행위**라고 본 사례(대판 1999.3.23, 98다63445).

Ⅵ. 경찰평등의 원칙

경찰권 발동에 있어서 상대방의 성별·종교·사회적 신분·인종 등을 이유로 불합리한 차별을 하여서는 안된다. 이는 헌법 제11조에서 도출되는 원칙으로서, 경찰행정청의 재량권행사에 있어 중요한 한계이다.

기출 사례 경찰권 불행사에 대한 구제(06년 행시 - 재경)

甲은 이웃집 주민 乙이 심야에 악기 연습을 하거나 친구들을 불러 악기를 연주하는 등 과도한 소음을 발생케 하는 일이 잦아 밤잠을 설치기 일쑤였고, 결국 신경쇠약으로 정신과 치료를 받기에 이르렀다. 甲은 여러차례 인근 경찰관서에 신고하고 단속을 요청하였으나 경찰관서에서는 사생활 및 사주소에 대하여는 개입할 수 없다는 이유로 출동조차 하지 않고 있다. 이에 대하여 甲은 어떠한 권리구제수단을 갖는가? 단 환경분쟁조정법에 의한 권리구제는 논외로 한다. (40점)

1. 경찰권 발동의 가능여부

⑴ 경찰권 발동의 근거

1) 개괄적 수권조항의 인정여부

2) 개괄조항에 의한 경찰권발동의 요건

⑵ 경찰권 발동의 한계 - 경찰공공의 원칙

⑶ 사안의 경우

- 개별규정이 존재하지 않더라도 심야에 과도한 소음이라는 구체적인 위험이 존재하고, 정신과 치료를 받고 있는 정도라면 경직법 제2조7호에 의한 경찰권을 발동할 수 있는 요건은 구비됨.
- 乙의 행동은 개인의 생활행동이라 하더라도 동시에 사회공공의 질서에 영향을 미치는 경우이거나, 사주소 내라 하더라도 매연, 음향 등 사회공공의 생활에 직접 영향을 미치는 경우에 해당하여 경찰권 발동의 대상이 됨. 따라서 사생활 및 사주소라도 경찰권 발동이 가능.

2. 경찰개입청구권의 인정여부

⑴ 행정개입청구권의 의의

⑵ 행정개입청구권의 성립요건

⑶ 사안의 경우

- 甲이 신경쇠약으로 정신과치료를 받은 정도라면 사람의 신체에 대한 중대한 위험이 인정됨. 또한 경찰권의 발동으로 소음의 방지가 가능할 것이고 개인의 노력으로는 권익침해의 방지가 어려우므로 재량권이 영으로 수축되는 경우에 해당.
- 甲에게는 경찰권발동을 청구할 권리가 있음.

3. 甲의 권리구제수단

⑴ 거부처분에 대한 취소심판, 취소소송

⑵ 부작위위법확인소송

⑶ 의무이행심판

⑷ 국가배상청구

기출 사례 경찰공공의 원칙(08년 행시 - 일반행정)

자신의 차량을 이용하여 외판업을 하는 甲은 호프집 주인이 국도에 진입하기 위하여 사비를 들여서 개설한 사설도로 위에 자신의 차를 주차시켜 놓고 친구들과 함께 술을 마시고 있었다. 그러던 중 다른 손님의 차를 빼기 위하여 甲은 음주상태에서 위 사설도로상에서 약 10m 정도 운전을 하다가 때마침 순찰중인 교통경찰관이 음주측정을 요구하자 이를 거부하였다. 이에 관할 지방경찰청장은 음주측정 거부를 이유로 甲의 운전면허를 취소하였다. 甲은 위 사설도로상에서 경찰관이 음주측정을 할 수 없고, 다른 손님의 차를 빼기 위하여 운전한 경우까지 음주측정을 요구한 것은 과도한 것이며, 더구나 경찰의 운전면허취소는 가족의 생계를 책임지고 있는 자신의 입장에서 너무 가혹하다고 주장한다. (총 30점)

1) 위 사안의 경우 경찰권의 한계에 대해서 설명하시오. (15점)

2) 甲 주장의 타당성을 검토하시오. (15점)

1. 경찰권의 한계

- 경찰권의 한계 중 설문과 관련되는 것은 경찰공공의 원칙과 경찰비례의 원칙.

2. 甲의 주장의 타당성

⑴ 사주소불가침의 원칙 위반 여부

- 도로교통법의 적용대상이 되는 도로에 해당하므로 사주소불가침의 원칙 위반은 아님.

판 례 [1] 구 도로교통법(1997.8.30. 법률 제5405호로 개정되기 전의 것) 제2조1호에서 도로의 개념으로 정한 "일반교통에 사용되는 모든 곳"이라 함은 현실적으로 불특정 다수의 사람 또는 차량의 통행을 위하여 공개된 장소로서 교통질서유지 등을 목적으로 하는 일반 교통경찰권이 미치는 공공성이 있는 곳을 의미하는 것이므로 특정인들 또는 그들과 관련된 특정한 용건이 있는 자들만이 사용할 수 있고 자주적으로 관리되는 장소는 이에 포함된다고 볼 수 없다. [2] 민박집을 경영하는 개인이 사비를 들여 개설한 민박집 앞의 교통로가 현실적으로 불특정 다수의 사람 또는 차량의 통행을 위하여 공개된 장소로서 교통질서유지 등을 목적으로 하는 일반 교통경찰권이 미치는 공공성이 있는 구도로교통법 제2조1호 소정의 도로에 해당한다고 본 사례(대판 1998.3.27, 97누20755)[1), 2)]

(2) 비례의 원칙 위반 여부

- 필요성의 원칙 내지 상당성의 원칙 위배.[3)]

판 례 운전직 지방공무원이 자신의 차량 뒤에 주차한 다른 차량의 진로를 열어주기 위하여 부득이 당해 음주운전을 하게 되었고 그 운전 거리도 약 25m에 불과한 경우, 위 공무원의 음주측정거부를 이유로 한 운전면허취소처분이 재량권을 남용하였다고 본 원심판단을 수긍한 사례(대판 1998.3.27, 97누20755).

기출 사례 **경찰책임의 원칙**(10년 행시 - 일반행정)

A 공연기획사는 연휴를 맞이하여 유명 가수 B를 초청하여 음악회를 열고자 계획하였다. 그런데 가수 B는 갑작스런 질병을 이유로 공연장에 나타나지 않았다. 공연장에 갔던 관람객들은 환불조치를 요구하였고, A사가 환불을 약속했음에도 분을 이기지 못해 거리를 점거하고 소동을 피웠으며 인근 상가의 간판을 떼어내어 도로에 바리케이트를 쳤다. 이 경우 경찰상 책임에 대하여 설명하시오. (25점)

Ⅰ. 쟁점의 정리

- 거리를 점거하고 소동을 피웠으며 인근 상가의 간판으로 도로에 바리케이트를 친 상황은 공공의 안녕과 질서에 대한 위해가 야기되는 상황으로 경찰권 발동이 필요
- 그러나 경찰권의 발동에도 경찰법상 일반원칙의 한계가 있으며 사안은 경찰책임의 원칙이 문제

Ⅱ. 경찰책임의 원칙

1. 경찰책임의 의의 및 주체

2. 경찰책임의 유형

(1) 행위책임

- 가수 B와 관람객은 행위자책임이, A 연예기획사는 지배자(감독자)책임이 문제되나 직접원인설에 의할 때 직접적으로 소동을 피운 관람객만이 행위책임을 짐. 가수 B가 공연장에 나타나지 않은 것은 간접적 원인에 불과함.

- A가 목적적 원인제공자로서 책임을 져야 하는지 문제되나, A에 의해서 의도적으로 야기된 것이 아니라 B가 공연장에 나타나지 않은 것에 원인이 있으므로 해당되지 않음.

(2) 상태책임

- 도로상에 설치된 바리케이트에 대한 상태책임은 사실상 점거하고 있는 관람객들에게 있음. 인근 상점주인들은 사실상 지배권을 상실하고 있으므로 상태책임을 인정하기 곤란.

3. 복합책임(책임의 경합)

- 비례원칙을 고려하여 의무에 합당한 재량행사를 통해 경찰권 발동의 상대방을 정해야 함.

---

1) [비교판례] 아파트 단지가 상당히 넓은 구역이고, 여러 곳에 경비실이 설치되어 있어 경비원들이 아파트 주민 이외의 차량에 스티커를 발부해 왔으나 외부차량 출입통제용이 아닌 주민들의 주차공간확보 차원에서 이루어진 것일 뿐이며, 현실적으로 불특정 다수의 사람이나 차량의 통행이 허용된다는 이유로 아파트 단지 내의 통행로가 공개된 장소로서 교통질서유지 등을 목적으로 하는 일반교통경찰권이 미치는 공공성이 있는 곳으로 구 도로교통법(1999.1.29. 법률 제5712호로 개정되기 전의 것) 제2조1호 소정의 '도로'에 해당한다(대판 2001.7.13, 2000두6909).

2) 음주측정 거부를 이유로 한 운전면허취소가 현행 법률에 의하면 필요적 취소사유로 되어 있어 기속행위이지만, 기출 당시에는 필요적 취소사유가 아니어서 재량이 존재했음.

3) 박정훈 교수님 사례집(699면)에 거의 동일한 사례가 있는데, 박교수님은 비례의 원칙 내용 중 필요성의 원칙 위배여부를 검토할 때에 "면허취소처분이 목적달성을 위한 가장 침해가 적은 수단이라고 하기 곤란하지만 취소나 정지 등 제재적 처분의 수단들은 법위반행위의 정도에 따라 차등적으로 부과하는 것이므로 면허취소처분이 반드시 최소침해성의 원칙에 위반하는 위법한 수단이라고 할 수는 없을 것"이라고 하여 필요성의 원칙위반은 아니지만 상당성의 원칙 위반이라고 포섭합니다. 반면 이러한 사안에서 필요성의 원칙 위반이라고 포섭하는 교수님들도 많습니다.

- 사안의 경우 관람객이 바리케이트를 치고 소동을 피우고 있는 점을 고려할 때 효과적인 위해방지의 관점에서는 소유자인 상가 주인에게 제거를 명하는 것보다 경찰위험에 시간적으로나 장소적으로 근접해 있는 관람객들에 대하여 경찰권을 발동하는 것이 타당.

- 다수의 책임자가 있는 경우 경찰기관이 특정의 책임자에게만 경찰권을 발동한 경우 비용의 분담에 관해서 부정설도 있으나 책임분담의 원칙에 따라 분담할 수 있다는 긍정설이 타당. 그러나 사안의 경우 상태책임을 지는 상가의 주인은 위해발생에 기여한 바가 없으므로 분담하지 않음.

기출 사례 경찰책임의 원칙(13년 행시 - 일반행정)

A시는 문화예술 진흥을 목적으로 지역주민들을 위한 대규모 무료 콘서트행사를 시립 운동장에서 개최하였다. 행사 시작 전 이미 참석인원이 시설수용인원을 과도하게 초과하였음에도 A시에서는 안전요원의 배치 등 적정한 안전조치를 취하지 않은 채 무리하게 행사를 강행하였다. 이에 행사 참석자들의 안전에 대한 위험이 존재한다고 판단한 관할 경찰서장은 A시 시장에 대하여 행사중지명령을 발하고자 한다. A시 시장에 대한 경찰서장의 경찰처분은 적법한가? (20점).

Ⅰ. 쟁점의 정리

- 경찰처분의 적법성은 경찰권 발동의 근거가 있는지? 경찰책임의 주체와 관련 행정기관에게 경찰권을 발동할 수 있는지? 경찰권 발동의 한계를 벗어난 것은 아닌지 문제됨.

Ⅱ. 공공의 안녕과 질서에 대한 위해가 야기

- 무료 콘서트 행사의 참석인원이 수용인원을 과도하게 초과하여 참석자들의 안전에 대한 위험이 존재하며, 이는 공공의 안녕에 의하여 보호되는 개인의 신체, 생명 등의 법익 침해의 위험이 존재.

Ⅲ. 경찰권 발동의 근거

- 설문에서 특별경찰행정법상 근거는 보이지 않음. 경찰관직무집행법 제5조(위험발생의 방지)에 근거하여 발동가능하며, 설령 동조를 근거로 하지 못하더라도 개괄적 수권조항을 인정하는 견해에 의하면 법적근거의 문제는 해결됨.

Ⅳ. 경찰책임의 주체 - 행정기관에 대한 경찰권 발동

- 경찰기관이 공법인 및 경찰기관이 아닌 행정기관에게 경찰권을 발동할 수 있는지 문제됨.
- 실질적 경찰책임은 A시 시장도 짐.
- 형식적 경찰책임에 대해서는 견해 대립이 있으나 경찰권 발동으로 달성되는 공익이 다른 국가기관의 업무수행으로 인한 공익보다 훨씬 큰 경우는 인정하는 것이 타당.
- 따라서 A시장에 대한 경찰권 발동도 가능.

Ⅴ. 경찰권 발동의 한계

1. 경찰책임의 원칙

- A시 시장은 행위책임과 상태책임을 지므로 경찰책임자에 해당하며, 위해제거에 가장 적절한 상대방이므로 경찰책임의 원칙에 반하지 않음.

2. 경찰비례의 원칙

- 행사참석자들의 안전에 대한 위험을 제거하는데에는 행사중지 말고는 다른 수단을 상정하기 어려우므로 경찰비례의 원칙에 반하지 않음.

3. 기 타

- 경찰소극, 경찰공공, 경찰평등의 원칙에 반한다는 사정은 보이지 않음.

Ⅵ. 결 론

관할 경찰서장의 A시장에 대한 행사중지명령은 적법.

158 보조금

Ⅰ. 의 의

행정주체가 사인에게 반대급부 없이 부여하는 금전급부로서, 공공적 성질을 가지며 성질상 양도나 강제집행의 대상이 될 수 없다.

Ⅱ. 법적 근거

1. 문제점

'보조금의 예산 및 관리에 관한 법률'은 예산편성 및 적정한 관리에 관한 규율을 주된 내용으로 하는 일반법적 성격이 있으나, 이 법이 보조금의 지급에 관한 일반적 근거법인 것은 아니다. 보조금지급에 대해서는 개별법이 명문규정을 두지 않은 경우가 많은데, 이 경우 **보조금지급에 법적 근거가 필요한지**가 **법률유보의 문제**로 논의된다.

2. 학 설

① 민주주의 원리나 법치주의 원리는 의회가 정부에 수권함에 있어 언제나 법률형식만으로 하여야 한다는 것을 요구하는 것은 아니라고 보아, **예산상 항목이 규정되어 있는 한도에서는 명시적 근거가 불필요**하다고는 예산근거설, ② 원칙적으로 예산의 근거만 있으면 가능하지만, **침익적 효과나 사회형성적 조치**에 해당하는 내용의 자금조성에는 법률의 수권이 필요하다는 제한적 법률근거필요설, ③ **사회적 법치국가에서 급부의 거부는 자유와 재산의 침해보다 관련자에게 보다 심각한 영향**을 줄 수 있으므로 원칙적으로 법률의 근거가 필요하다는 법률근거필요설이 대립한다.

3. 검 토

기본권보호의 측면에서 **자금지원이 일정한 침해효과**를 가지는 경우에는 법률의 근거를 요한다고 보아야 한다. 따라서 **제한적 법률근거필요설**이 타당하다.

Ⅲ. 보조금지원의 법적 성질

1. 사법적 권리인지 공법적 권리인지의 문제

보조금지원의 법적 성질의 논의는, 그에 관련된 권리구제수단으로서 **쟁송형태와 관련**된다. 특히 보조금의 예산 및 관리에 관한 법률에 의한 보조금교부관계가 문제된다.

2. 학 설

① 국고행정에 속하는 것으로 보는 사법상 계약설, ② 교부결정이라는 행정행위와 보조금의 지급단계에서 체결되는 사법상 계약의 단계로 이루어진다는 2단계설, ③ 공법상 증여계약설, ④ 쌍방적 행정행위설의 대립이 있다.

3. 판 례

지방자치단체가 보조금 지급결정을 하면서 일정 기한 내에 보조금을 반환하도록 하는 교부조건을 부가한 사안에서 **보조금 지급결정이 행정청의 재량이 인정되는 수익적 행정행위의 성격**을 가지고 있다고 판시하였고(대판 2011.6.9. 2011다2951), 노동부장관이 보조금 교부대상이 되는 복지센터 건립사업과 관련하여 한국노동조합총연맹에게 보조금지급결정을 한 후 부정한 방법으로 보조금의 교부를 받았다고 하여 **보조금교부결정을 취소**하여 한국노총이 교부결정취소처분에 대해 취소소송을 제기한 사안에서 기각판결을 한 바 있다(대판 2007.3.30. 2006두16984).

4. 검 토

보조금의 예산 및 관리에 관한 법률에 의하면 보조금의 교부는 보조금의 **신청을 받아 행정청이 결정하는 방식**으로 규정하고 있고, 또한 보조금 교부 후 사정변경이 있는 경우 교부결정의 변경, 취소를 행정청이 일방적으로 할 수 있도록 규정하고 있는 것으로 보아 쌍방적 행정행위설(협력을 요하는 행정행위)이 타당하다.

Ⅳ. 보조금청구권

개인의 공권으로서 보조금청구권이 존재하는지는 근거법률에 따라 개별적으로 판단한다. 즉 근거법이 보조금 지원을 기속행위로 규정하고 있는 경우에는 보조금청구권이 인정되지만, 재량행위로 규정하고 있는 경우에는 무하자재량행사청구권만 인정된다. 보조금 지원이 예산과 행정규칙을 근거로 이루어지는 경우에는 공권은 인정되지 않으나, 이 때도 헌법상의 평등의 원칙, 자기구속의 원칙을 통하여 보조금청구권을 인정할 수 있다.

Ⅴ. 권리구제

1. 수혜자의 권리구제

수혜자가 보조금지급결정에 부가된 부관에 불복하고자 하는 경우 항고소송으로 다툴 수 있을 것이다.

2. 제3자의 권리구제

(1) 적극적 경쟁자소송

자신의 신청이 거부 또는 방치된 경우 신청인이 수급을 위하여 제기하는 것으로서 거부처분취소소송, 부작위위법확인소송(현행법상 의무이행소송 인정되지 않으므로)의 제기가 가능하다.

(2) 소극적 경쟁자소송

자금지원을 받지 못한 자가 수혜자에 대한 자금지원의 위법을 주장하는 경우 수혜자에 대한 지원결정취소소송의 제기가 가능하다. 이 때 원고적격의 유무는 근거법률의 해석에 따라 판단되나, 근거법률이 없는 경우에는 평등권 및 직업의 자유 등 헌법상의 기본권의 침해 등을 이유로 원고적격이 인정될 수 있을 것이다. 공법상 계약의 형식인 경우에는 계약의 무효확인을 구하는 공법상 당사자소송도 가능하다.

3. 행정주체의 반환청구

보조금의 예산 및 관리에 관한 법률에 의한 교부결정의 취소에도 불구하고 보조사업자가 보조금을 반환하지 않는 경우 보조금법에 의해 강제징수가 가능하다(판례 1). 보조금지급결정시 일정 기한 내에 보조금을 반환할 것을 교부조건으로 한 경우 기한 내에 반환하지 않는 경우 지방자치단체는 당사자소송으로 반환청구를 할 수 있다(판례 2).

판례 1 보조금의 예산 및 관리에 관한 법률(이하'보조금법'이라 한다)은 제30조1항에서 중앙관서의 장은 보조사업자가 허위의 신청이나 기타 부정한 방법으로 보조금의 교부를 받은 때 등의 경우 보조금 교부결정의 전부 또는 일부를 취소할 수 있도록 규정하고, 제31조1항에서 중앙관서의 장은 보조금의 교부결정을 취소한 경우에 그 취소된 부분의 보조사업에 대하여 이미 교부된 보조금의 반환을 명하여야 한다고 규정하고 있으며, 제33조1항에서 위와 같이 반환하여야 할 보조금에 대하여는 국세징수의 예에 따라 이를 징수할 수 있도록 규정하고 있으므로, 중앙관서의 장으로서는 반환하여야 할 보조금을 국세체납처분의 예에 의하여 강제징수할 수 있고, 위와 같은 중앙관서의 장이 가지는 반환하여야 할 보조금에 대한 징수권은 공법상의 권리로서 사법상의 채권과는 그 성질을 달리하므로, 중앙관서의 장으로서는 보조금을 반환하여야 할 자에 대하여 민사소송의 방법으로 그 반환청구를 할 수 없다고 보아야 한다(대판 2012.3.15, 2011다17328). ⇒ 지방재정법 제17조의2에도 동일한 규정 있음

판례 2 지방자치단체가 보조금 지급결정을 하면서 일정 기한 내에 보조금을 반환하도록 하는 교부조건을 부가한 사안에서, 보조사업자의 지방자치단체에 대한 보조금 반환의무는 행정처분인 위 보조금 지급결정에 부가된 부관상 의무이고, 이러한 부관상 의무는 보조사업자가 지방자치단체에 부담하는 공법상 의무이므로, 보조사업자에 대한 지방자치단체의 보조금반환청구는 공법상 권리관계의 일방 당사자를 상대로 하여 공법상 의무이행을 구하는 청구로서 행정소송법 제3조2호에 규정한 당사자소송의 대상이다(대판 2011.6.9, 2011다2951).

기출 사례 보조금지급결정의 취소, 보조금지급결정 취소소송의 적법성(14년 행시)

A市 시장은 지역문화발전을 도모하는 비영리적 전통문화 육성·개발사업을 지원하기 위하여 제정한 「A市 전통문화육성·개발사업지원에 관한 조례」에 따라 보조금을 받고자 하는 사업자를 공모하였다. 비영리법인 甲은 A市의 전통문화상품인 모시를 재료로 한 의복을 개발하기로 하고 A市의 공모에 응하였다. 한편 주식회사 乙은 전통시장의 현대화사업을 추진하려는 목적으로 위 공모에 응하였다. A市 시장은 甲을 사업자로 선정하고 보조금을 지급하기로 결정하였다. 乙은 응모사업이 영리성이 강하고 보조금예산이 한정되어 있으며 평가점수가 甲보다 낮음을 이유로 사업자로 선정되지 못하였다. 다음 물음에 답하시오. (총 30점)

1) 당초 甲이 제출한 서류의 내용과 달리 甲의 사업은 A市의 모시를 이용하지도 않고, 영리적 목적만 가질 뿐 A市의 지역문화발전과는 무관하다는 이유로 A市 시장이 보조금지급결정을 취소하고자 하는 경우, 그 법적 가능성은? (15점)
2) 乙이 甲에 대한 보조금지급결정의 취소소송을 제기할 경우, 그 소송은 적법한가? (15점)

Ⅰ. 보조금지급결정 취소의 적법성 - 설문(1)

1. 문제의 소재

- 보조금지급결정취소의 법적성격이 강학상 직권취소인지,철회인지 문제되고, 지급결정취소에 법적근거가 필요한지, 신뢰보호원칙에 반하는 것은 아닌지 문제됨.

2. 보조금지급결정취소의 법적성격

- 보조금지급결정의 법적성격에 대해 견해대립이 있으나 통설, 판례는 협력을 요하는 행정행위(쌍방적 행정행위)로 봄. 수익적 행정행위에 해당.

- 보조금지급결정취소는 허위로 제출한 서류에 의한 지급결정이 하자가 있음을 이유로 하는 것이므로 수익적 행정행위의 직권취소에 해당.1)

3. 보조금지급결정취소시 법적근거 요부(#52)

- 직권취소는 법적 근거가 필요 없다는 것이 통설,판례

- 법적 근거 없이도 보조금지급결정취소 가능.

4. 보조금지급결정취소가 신뢰보호원칙에 반하는지 여부

- 수익적 행정행위의 직권취소시 신뢰보호원칙 등에 의해 취소권 행사가 제한됨.

- 그러나 사안의 경우는 甲의 허위서류 제출에 기인한 것으로 甲의 보호가치 있는 신뢰가 결여되었으므로 신뢰보호원칙에 반하지 않음.

4. 소 결

- A市의 시장은 보조금지급결정을 취소할 수 있음.

Ⅱ. 보조금지급결정에 대한 취소소송의 적법성- 설문(2)

1. 문제의 소재

- 보조금지급결정이 행정행위이므로 대상적격은 충족.

- 乙이 보조금지급결정의 제3자로서 원고적격이 인정되는지, 그리고 협의의 소의 이익이 있는지 문제됨.

2. 원고적격(#110)

(1) 원고적격 일반론
(2) 경원자소송에서 제3자의 원고적격
(3) 사안의 해결

- 甲과 乙은 경원자관계에 해당. 乙의 원고적격 인정.

3. 협의의 소의 이익(#111)

- 협의의 소의 이익 일반론

- 乙은 甲에 대한 보조금지급결정이 취소되면 보조금을 지급받을 수 있는 가능성이 있으므로 협의의 소의 이익 인정.

4. 소결

- 乙이 제기한 소는 적법.

---

1) 설문상 원시적 하자인지 후발적 사정인지 명확하지는 않음. 甲의 사업이 A市의 모시를 이용하지도 않고, 영리적 목적만 가질 뿐이라는 것이 당초부터 영리사업을 의도하면서 허위서류를 제출한 것이라면 보조금지급결정은 원시적 하자가 있는 것으로서 직권취소에 해당하겠지만 **당초는 전통문화상품인 모시를 사용한 사업을 의도하였으나 보조금지급 후에 지급목적에 반하는 용도로 사용하게 된 것이라면 후발적 사정을 이유로 하는 것이므로 강학상 철회에 해당**될 것임. 사안포섭을 어떻게 하느냐에 따라서는 **철회로 포섭해도 무방**하다고 봄. 직권취소로 보든 철회로 보든 법적근거가 필요한지, 신뢰보호원칙에 의한 제한의 법리 등이 문제되는 것은 동일.

159 토지거래허가

Ⅰ. 의 의

국토교통부장관 또는 시·도지사가 지정한 구역 안에서의 토지 등의 거래계약에 대하여 시장, 군수, 구청장의 허가를 받도록 하는 제도이다(국토의 계획 및 이용에 관한 법률 제117조 이하). 토지투기를 억제하여 불합리한 지가상승을 막고 토지이용, 거래질서를 확립함으로써 토지이용을 합리화·효율화하기 위한 개발행정의 한 수단이다. 국토교통부장관의 토지거래허가구역 지정행위는 개인의 권리 내지 법률상의 이익을 구체적으로 규제하는 행정청의 처분에 해당한다는 것이 판례이다(대판 2006.12.22, 2006두12883).

Ⅱ. 합헌성

① 토지 처분권을 제한하는 것은 토지소유권을 형해화하고 사유재산권을 유명무실하게 한다고 보는 위헌설과 ② 이 제도는 사유재산제도를 부인하는 것이 아니라 토지의 처분권을 제한하는 것에 그치며, 헌법상 사회복지국가의 이념을 실현하기 위해 토지소유권의 제한이 불가피하다고 보는 합헌설이 대립한다. 헌법재판소는 이를 합헌으로 보았다.

판 례 토지거래허가제는 사유재산제도의 부정이 아니라 그 제한의 한 형태이고 토지의 투기적 거래의 억제를 위하여 그 처분을 제한함은 부득이한 것이므로 재산권의 본질적인 침해가 아니며, 헌법상의 경제조항에도 위배되지 아니하고 현재의 상황에서 이러한 제한수단의 선택이 헌법상의 비례의 원칙이나 과잉금지의 원칙에 위배된다고 할 수는 없다(헌재결 1989.12.22, 88헌가13).

Ⅲ. 성 질

1. 인가인지 허가인지 여부

(1) 학 설

① 제한 없는 토지거래는 토지거래질서를 위태롭게 할 우려가 있으므로, 토지거래를 원칙적으로 금지하였다가 사후에 이를 해제하는 것이라는 허가설 ② 토지거래허가는 실질적으로 사법상의 법률행위의 효력을 완성시키는 성질을 가지며, 형사처벌규정은 국토법이 실효성을 담보하기 위해 규정한 것에 불과하다는 인가설 ③ 허가를 받아야 효력이 발생한다는 점에서는 인가의 성질을, 허가없이 거래계약 체결시 형사처벌을 한다는 점에서는 허가의 성질도 가지므로 인가와 허가의 성격을 모두 가진다는 허가·인가복합체설이 대립한다.

(2) 판 례 - 인가설

판 례 규제지역 내의 모든 국민에게 전반적으로 토지거래의 자유를 금지하고 일정한 요건을 갖춘 경우에만 금지를 해제하여 계약체결의 자유를 회복시켜 주는 성질의 것이라고 보는 것은 위 법의 입법취지를 넘어선 지나친 해석이라고 할 것이고, 규제지역 내에서도 토지거래의 자유가 인정되나 다만 위 허가를 허가 전의 유동적 무효 상태에 있는 법률행위의 효력을 완성시켜 주는 인가적 성질을 띤 것이라고 보는 것이 타당하다(대판(전) 1991.12.24, 90다12243).

(3) 검 토

토지거래허가지역 내에서의 토지거래의 자유가 부정되는 것을 전제로 해석할 수는 없다. 토지거래허가는 사인간에 자유롭게 체결할 수 있는 토지매매계약의 효력을 완성시켜 주는 행위라고 보아야 하므로 인가설이 타당하다. 다만 형사벌에 관한 규정은 제도의 실효성을 확보하기 위하여 둔 것일 뿐이다.

2. 기속행위

판 례 토지거래계약 허가권자는 그 허가신청이 국토이용관리법 제21조의4 1항 각 호 소정의 **불허가 사유에 해당하지 아니하는 한 허가를 하여야 하는 것**인데 인근 주민들이 당해 폐기물 처리장 설치를 반대한다는 사유는 국토이용관리법 제21조의4 규정에 의한 불허가 사유로 규정되어 있지 아니하므로 그와 같은 사유만으로는 토지거래허가를 거부할 사유가 될 수 없다(대판 1997.6.27, 96누9362).

Ⅳ. 허가의 효과

허가는 **토지거래계약의 효력발생요건**이다. 다만 허가없이 체결한 토지거래계약은 확정적 무효가 아니라 **유동적 무효** 상태에 있는 것이다(판례). 허가를 받지 아니하고 계약을 체결한 경우 **형사처벌이 가능**하다.

Ⅴ. 불허가처분에 대한 구제

1. 이의신청

허가신청에 대하여 이의가 있는 자는 그 처분을 받은 날로부터 1개월 이내에 시장·군수 또는 구청장에게 이의를 신청할 수 있으며(국토계획법 제120조1항), 그 이의신청을 받은 시장·군수 또는 구청장은 시·군·구도시계획위원회의 심의를 거쳐 그 결과를 이의신청인에게 알려야 한다(국토계획법 제120조2항).

2. 행정소송

행정소송법에 의한 항고소송 등을 제기할 수 있다.

3. 매수청구권

불허가처분을 받은 자는 그 통지를 받은 날부터 1개월 이내에 시장·군수 또는 구청장에게 해당 토지에 관한 권리의 매수를 청구할 수 있다(국토계획법 제123조1항).

160 공시지가

Ⅰ. 표준지공시지가

1. 의 의

부동산가격공시및감정평가에관한법률의 규정에 따라 **국토교통부장관이 표준지의 적정가격을 조사·평가하여 공시한 표준지의 단위면적당 가격**을 말한다.

2. 결정·공시·이의신청

국토교통부장관은 토지이용상황이나 주변환경 기타 자연적·사회적 조건이 유사하다고 인정되는 일단의 토지 중에서 선정한 표준지에 대하여 매년 공시기준일 현재의 **적정가격**(당해 토지에 대하여 통상적인 시장에서 거래가 이루어지는 경우 성립될 가능성이 가장 높다고 인정되는 가격)을 결정하여 공시한다. 공시일로부터 30일 이내에 **이의신청**이 가능하며, 이의신청이 타당할 경우 공시지가를 조정하여 다시 공시하여야 한다.

3. 법적 효력

표준지공시지가는 **일반적 토지거래의 지표**이자, **개별토지의 감정평가 기준**이 된다. 또한 **국가 등의 업무와 관련한 지가산정의 기준**(토지의 토지수용에 대한 보상액의 산정, 국·공유토지의 취득 및 처분시의 가격산정 등)이 되며, **개별공시지가의 산정기준**이 된다. 그리고 **당해 표준지**에 대하여는 개별공시지가를 별도로 지정하지 않을 수 있는데, 이 경우는 **개별공시지가로서의 효력**이 있다.

4. 법적 성질

⑴ 학 설

① **일반적인 토지거래의 지표**가 되고, 지가산정 및 감정평가의 기준이 된다는 **행정계획설** ② 토지초과이득세, 개발부담금 등 부과의 산정기준으로서 **일반적·추상적 규율**이라는 행정규칙설 ③ **지가정보의 제공**일 뿐이고 그 자체로서는 어떠한 법적 효과도 없다는 사실행위설 ④ **토지초과이득세 또는 개발부담금 등의 산정기준**이 되고, 그 공시에 대하여 **이의신청을 할 수 있다**는 점에 근거하는 행정행위설이 대립한다.

⑵ 판 례

개별공시지가결정의 취소를 구하는 소송 및 조세부과처분의 취소를 구하는 소송에서 표준지공시지가의 위법을 주장하는 것은 허용되지 않으며, **표준지공시지가결정의 취소를 구하는 소송에서 다투어야** 한다고 판시하여 표준지공시지가의 처분성을 **긍정**하고 있다.

⑶ 검 토

일반적인 토지거래의 지표로서의 의미를 가지는 한에서는 **처분성 인정 여지가 없을 것이며,** 표준지의 **토지소유자에 대하여는 개별공시지가로서의 성질**도 아울러 가지고 있는데 이러한 경우에는 개별공시지가의 법적 성질 논의에 귀결되어 개별공시지가의 처분성을 긍정하는 견해에 따라 **처분성이 인정된다.**

문제는 개별공시지가의 기준, 보상금 산정 기준 등이 되는 경우인데 표준지공시지가결정은 그 자체로는 개별·구체적으로 국민의 권리, 의무를 변동시키지 않으므로 **최협의의 행정행위 관념에 해당되지는 않고,** 과세처분, 수용재결을 위한 가격산정의 기준이 된다는 점에서 **어느 정도 일반·추상적인 성격**을 가지며, 또한 **가감조정**을 할 수 있다는 점에서 **법적구속력이 없다고 볼 여지**도 있다. **그러나** 행정행위가 아니라는 이유로 바로 처분성이 부정되는 것이 아니며 처분개념은 최협의의 행정행위 관념보다 넓게 정의되고 있고 판례 역시 권리, 의무를 직접 변동시키지 않더라도 권리관계에 영향을 미치는 경우에도 처분성을 긍정하고 있다. 표준지공시지가 결정 역시 **납세의무의 범**

위 · 수용 보상금의 액수 등의 기준이 되어 권리 · 의무에 영향을 미친다는 점에서 처분성을 긍정할 수 있다.

Ⅱ. 개별공시지가

1. 의 의

개발이익환수에관한법률에 의한 개발부담금의 부과 기타 다른 법령이 정하는 목적을 위한 지가산정에 사용하도록 하기 위하여, 시장 · 군수 · 구청장이 매년 표준지공시지가의 공시기준일 현재를 기준으로 결정 · 고시한 개별토지의 단위면적당 가격이다.

2. 결정 · 공시 · 이의신청

개별공시지가는 표준지의 공시지가를 기준으로 국토교통부장관이 작성한 토지가격비준표를 사용하여 산정하며, 그 결정에 대하여 이의신청도 가능하고, 그것이 타당할 경우 다시 조정하여 결정 · 공시하여야 한다.

판 례 부동산 가격공시 및 감정평가에 관한 법률 제12조, 행정소송법 제20조1항, 행정심판법 제3조1항의 규정 내용 및 취지와 아울러 부동산 가격공시 및 감정평가에 관한 법률에 행정심판의 제기를 배제하는 명시적인 규정이 없고 부동산 가격공시 및 감정평가에 관한 법률에 따른 이의신청과 행정심판은 그 절차 및 담당 기관에 차이가 있는 점을 종합하면, 부동산 가격공시 및 감정평가에 관한 법률이 이의신청에 관하여 규정하고 있다고 하여 이를 행정심판법 제3조1항에서 행정심판의 제기를 배제하는 '다른 법률에 특별한 규정이 있는 경우'에 해당한다고 볼 수 없으므로, 개별공시지가에 대하여 이의가 있는 자는 곧바로 행정소송을 제기하거나 부동산 가격공시 및 감정평가에 관한 법률에 따른 이의신청과 행정심판법에 따른 행정심판청구 중 어느 하나만을 거쳐 행정소송을 제기할 수 있을 뿐 아니라, 이의신청을 하여 그 결과 통지를 받은 후 다시 행정심판을 거쳐 행정소송을 제기할 수도 있다고 보아야 하고, 이 경우 행정소송의 제소기간은 그 행정심판 재결서 정본을 송달받은 날부터 기산한다(대판 2010.1.28, 2008두19987).

3. 법적 효력

개발이익환수에 관한 법률에 의한 개발부담금, 공직자윤리법에 의한 등록재산의 가액산정, 토지양도에 대한 양도소득세의 과세표준계산을 위한 기준시가의 산정 등에 사용된다.

4. 법적 성질

(1) 학 설

행정계획설, 행정규칙설, 사실행위설, 행정행위설이 대립한다.

(2) 판 례 - 처분성 긍정

판 례 시장, 군수 또는 구청장의 개별토지가격결정은 관계법령에 의한 토지초과이득세, 택지초과소유부담금 또는 개발부담금 산정의 기준이 되어 국민의 권리나 의무 또는 법률상 이익에 직접적으로 관계되는 것으로서 행정소송법 제2조1항1호 소정의 행정청이 행하는 구체적 사실에 관한 법집행으로서 공권력행사이므로 항고소송의 대상이 되는 행정처분에 해당(대판 1993.6.11, 92누16706).

(3) 검 토

각종 세금, 부담금의 부과에 있어 산정기초가 되는 점 및 그 산정에 따라 당해 토지의 소유자 등의 구체적인 권리 · 의무가 확정되는 것이므로 행정행위설이 타당하다. 다만 개별공시지가의 규율내용은 개별토지의 성질 또는 등급인 것으로서 토지소유자 등 관련 당사자의 권리 · 의무는 이러한 토지에 대한 규율을 통하여 간접적으로 규율효과가 미친다는 점에서 물적 행정행위에 해당한다.

Ⅲ. 하자의 승계(#49 참조)

161 환경영향평가 관련 논점

1. 환경영향평가의 의의 및 대상사업

개발사업계획을 수립함에 있어 당해 사업이 환경에 미칠 영향을 미리 예측·평가하여 부정적인 효과를 제거 또는 감소시킬 수 있는 방법을 모색하는 제도이다. 환경영향평가법이 이를 규율하고 있다. 환경영향평가는 ① 도시의 개발, ② 산업입지 및 산업단지의 조성, ③ 에너지 개발 등을 그 대상사업으로 한다(환경영향평가법 제9조1항 각호).

2. 환경영향평가 절차개관

(1) 환경영향평가서의 작성

환경영향평가서는 사업자가 작성하되, 환경영향평가대행자로 하여금 대행하게 할 수 있다. 이 경우 주민의 의견을 수렴하여 이를 평가서의 내용에 포함시켜야 한다.

(2) 대상사업 또는 사업계획에 대한 승인 등을 얻어야 하는 경우 승인기관의 장에게 제출

(3) 승인기관의 장은 평가서를 환경부장관에게 제출하고 협의를 요청

(4) 환경부장관의 협의 내용의 통보

협의내용을 통보받은 승인기관의 장은 사업자에게 통보하여야 하며, 사업자는 협의내용에 따른 필요한 조치를 하여야 한다. 승인기관의 장은 협의내용이 사업계획 등에 반영되었는지 여부를 확인하여야 하며, 반영되지 아니한 경우에는 이를 반영하도록 하여야 한다.

(5) 사업자 또는 승인기관의 장은 환경부장관에게 협의 내용 조정 요청 가능

3. 환경영향평가제와 주민의 원고적격(#110)

판례는 환경영향평가 대상사업에 대한 사업계획승인에 대해 인근주민들이 소송을 제기할 경우 환경영향평가 대상지역 내의 주민들의 원고적격은 사실상 추정되는 것으로 보는 반면, 환경영향평가 대상지역 밖의 주민은 수인한도를 넘는 환경피해를 받거나 받을 우려가 있다는 사정을 입증함으로서 원고적격을 인정받을 수 있다고 판시하였다. 그러나 헌법상 환경권에 근거하여서는 원고적격을 인정받을 수 없다고 한다.

판 례 [2] 환경영향평가 대상지역 안의 주민들이 전과 비교하여 수인한도를 넘는 환경침해를 받지 아니하고 쾌적한 환경에서 생활할 수 있는 개별적 이익까지도 이를 보호하려는 데에 있다고 할 것이므로, 위 주민들이 공유수면매립면허처분 등과 관련하여 갖고 있는 위와 같은 환경상의 이익은 주민 개개인에 대하여 개별적으로 보호되는 직접적·구체적 이익으로서 그들에 대하여는 특단의 사정이 없는 한 환경상의 이익에 대한 침해 또는 침해우려가 있는 것으로 사실상 추정되어 공유수면매립면허처분 등의 무효확인을 구할 원고적격이 인정된다. 한편, 환경영향평가 대상지역 밖의 주민이라 할지라도 공유수면매립면허처분 등으로 인하여 그 처분 전과 비교하여 수인한도를 넘는 환경피해를 받거나 받을 우려가 있는 경우에는, 공유수면매립면허처분 등으로 인하여 환경상 이익에 대한 침해 또는 침해우려가 있다는 것을 입증함으로써 그 처분 등의 무효확인을 구할 원고적격을 인정받을 수 있다.

[3] 헌법 제35조1항에서 정하고 있는 환경권에 관한 규정만으로는 그 권리의 주체·대상·내용·행사방법 등이 구체적으로 정립되어 있다고 볼 수 없고, 환경정책기본법 제6조도 그 규정 내용 등에 비추어 국민에게 구체적인 권리를 부여한 것으로 볼 수 없다는 이유로, 환경영향평가 대상지역 밖에 거주하는 주민에게 헌법상의 환경권 또는 환경정책기본법에 근거하여 공유수면매립면허처분과 농지개량사업 시행인가처분의 무효확인을 구할 원고적격이 없다(대판(전) 2006.3.16, 2006두330).

4. 환경영향평가의 하자

(1) 환경영향평가의 하자와 사업계획승인처분의 관계

환경영향평가는 사업계획승인처분의 절차로서의 성격을 가지며, 따라서 **환경영향평가의 하자는 실체상 하자이든 절차상 하자이든 사업계획승인처분의 절차상 하자**에 해당한다.

(2) 절차상 하자

1) **환경영향평가를 전혀 행하지 아니하고 사업승인**한 경우에는 절차상의 하자 있는 위법한 처분이며 **무효**사유다.

판례 1 **환경영향평가를 거쳐야 할 대상사업에 대하여 환경영향평가를 거치지 아니하였음에도 불구하고 승인 등 처분이 이루어진다면**, 사전에 환경영향평가를 함에 있어 **평가대상지역 주민들의 의견을 수렴하고 그 결과를 토대로 하여 환경부장관과의 협의내용을 사업계획에 미리 반영시키는 것 자체가 원천적으로 봉쇄**되는바, 이렇게 되면 환경파괴를 미연에 방지하고 쾌적한 환경을 유지·조성하기 위하여 **환경영향평가제도를 둔 입법취지를 달성할 수 없게 되는 결과를 초래**할 뿐만 아니라 **환경영향평가대상지역 안의 주민들의 직접적이고 개별적인 이익을 근본적으로 침해**하게 되므로, 이러한 행정처분의 **하자는 법규의 중요한 부분을 위반한 중대한 것이고 객관적으로도 명백**한 것이라고 하지 않을 수 없어, 이와 같은 처분은 **당연무효**이다(대판 2006.6.30, 2005두14363).

판례 2 구 환경정책기본법의 규정 취지는 대상사업이 환경을 해치지 아니하는 방법으로 시행되도록 함으로써 당해 사업과 관련된 환경공익을 보호하려는 데 그치는 것이 아니라, 당해 사업으로 인하여 직접적이고 중대한 환경피해를 입으리라고 예상되는 사전환경성검토협의 대상지역 내의 주민들이 전과 비교하여 수인한도를 넘는 환경침해를 받지 아니하고 쾌적한 환경에서 생활할 수 있는 개별적 이익까지도 보호하려는 데에 있다 할 것인데, **사전환경성검토협의를 거쳐야 할 대상사업에 대하여 사전환경성검토협의를 거치지 아니하였음에도 승인 등 처분이 이루어진다면** 환경파괴를 미연에 방지하고 쾌적한 환경을 유지·조성하기 위하여 **사전환경성검토협의 제도를 둔 입법 목적을 달성할 수 없게 되는 결과를 초래**할 뿐만 아니라 **사전환경성검토협의 대상지역 안의 주민들의 직접적이고 개별적인 이익을 근본적으로 침해**하게 되므로, 이러한 **행정처분의 하자는 법규의 중요한 부분을 위반한 중대한 것**이라고 하지 않을 수 없다.

그러나 앞서 본 바와 같이 구 국토의 계획 및 이용에 관한 법률 제6조, 제36조 제1항에서 규정한 **세부용도지역에 따라 사전환경성검토협의 대상이 되는 사업계획면적이 달리 규정**되어 있는바, 소외 회사가 피고에게 제출한 **개발사업시행승인신청서에는 이 사건 개발사업 부지가 6,418㎡로 기재**되어 있어 이 사건 **개발사업 부지의 세부용도지역 지정에 따라 사전환경성검토협의 대상 여부가 달라질 수 있었음에도,** 이 사건 처분 당시 이 사건 개발사업 부지에 대하여 **세부용도지역이 지정되지 않은 상태**였고, 이러한 경우 **피고로서는** 이 사건 **개발사업 부지의 이용실태 및 특성, 장래의 토지이용방향 등에 대한 구체적 조사 및 이에 기초한 평가 작업을 거쳐 이 사건 개발사업 부지가 어떠한 세부용도지역의 개념 정의에 부합하는지 여부를 가린 다음 이를 토대로 사전환경성검토협의 여부를 결정하여야 한다는 법리**는 이 사건 **처분이 있은 후에 비로소 이 사건 대법원판결에 의하여 선언되는** 것이므로, **설령 피고가 법의 해석을 잘못한 나머지 이 사건 개발사업이 사전환경성검토협의 대상이 아니라고 보고 그 절차를 생략한 채 이 사건 처분을 하였다고 하더라도,** 그 **하자가 외형상 객관적으로 명백하다고 할 수는 없다.** 따라서 이 사건 처분에 존재하는 위와 같은 하자만으로는 이 사건 처분이 **당연무효라고 할 수 없다**(대판 2009.9.24, 2009두2825). ➡ 환경영향평가대상사업이 아니라 사전환경성 검토대상사업이나 법리는 동일함. 다만, 사전환경성 검토 협의 대상인지 여부가 명백하지 않아서 무효사유가 아니라고 한 것.

2) **환경영향평가가 행해졌지만 그 절차에 하자가 있거나 의견수렴이 부실**하였던 경우는 그 하자가 경미하면 사업계획승인처분의 취소사유가 되지 않지만, **절차상 하자가 중요**하다면 사업계획승인처분의 **독립된 취소사유**가 된다.

3) **협의절차를 거쳤지만 환경부장관의 반대에도 불구하고 사업승인**한 경우에는 환경부장관의 협의의견의 구속력 여부의 문제가 된다. **판례**는 여기의 협의는 동의가 아니라고 보아, **협의를 거친 이상 의견에 반하는 처분을 해도 위법하지는 않다**고 한다.

판례 국립공원 관리청이 국립공원 집단시설지구개발사업과 관련하여 그 시설물기본설계 변경승인처분을 함에 있어서 **환경부장관과의 협의를 거친 이상, 환경영향평가서의 내용이 환경영향평가제도를 둔 입법 취지를 달성할 수 없을 정도로 심히 부실하**

다는 등의 특별한 사정이 없는 한, 공원관리청이 환경부장관의 환경영향평가에 대한 의견에 반하는 처분을 하였다고 하여 그 처분이 위법하다고 할 수는 없다(대판 2001.7.27, 99두2970).

(3) 실체적 하자

내용상 흠결이 있는 경우, 즉 환경영향평가서가 부실하게 작성되어 제출되고 그 부실이 환경부장관의 협의과정에서 보완되지 않은 경우에 대해 **판례는 내용상의 흠결 또는 부실의 정도에 따라 법적 효과를 달리 인정**하고 있다.

판 례 구 환경영향평가법(1997.3.7. 법률 제5302호로 개정되기 전의 것) 제4조에서 환경영향평가를 실시하여야 할 사업을 정하고, 그 제16조 내지 제19조에서 대상사업에 대하여 반드시 환경영향평가를 거치도록 한 취지 등에 비추어 보면, 같은 법에서 정한 환경영향평가를 거쳐야 할 대상사업에 대하여 그러한 환경영향평가를 거치지 아니하였음에도 승인 등 처분을 하였다면 그 처분은 위법하다 할 것이나, **그러한 절차를 거쳤다면, 비록 그 환경영향평가의 내용이 다소 부실하다 하더라도, 그 부실의 정도가 환경영향평가제도를 둔 입법 취지를 달성할 수 없을 정도이어서 환경영향평가를 하지 아니한 것과 다를 바 없는 정도의 것이 아닌 이상 그 부실은 당해 승인 등 처분에 재량권 일탈·남용의 위법이 있는지 여부를 판단하는 하나의 요소로 됨에 그칠 뿐, 그 부실로 인하여 당연히 당해 승인 등 처분이 위법하게 되는 것이 아니다**(대판 2001.6.29, 99두9902).

기출 사례 환경영향평가의 하자, 원고적격(15년 사시)

甲은 환경영향평가 대상사업인 X건설사업에 관한 환경영향평가서 초안에 대하여 주민들의 의견을 수렴하고 그 결과를 반영하여 환경영향평가서를 작성한 후 국토교통부장관에게 제출하였다. 국토교통부장관은 환경부장관과의 협의 등 「환경영향평가법」상의 절차를 거쳐 X건설사업에 대한 승인처분을 하였다. 그러나 이후 환경영향평가서의 내용에 오류가 있고 환경부장관의 협의 내용에 따르지 않았다는 사실이 드러났다.

1. 주민 乙은 위와 같은 환경영향평가의 부실을 이유로 국토교통부장관의 사업승인처분은 위법하다고 주장한다. 그 주장의 당부를 검토하시오.(10점)
2. 환경영향평가 대상지역 밖에 거주하는 주민 丙은 사업승인처분의 취소를 구하는 소송을 제기할 수 있는가?(10점)

Ⅰ. 주민 乙의 주장의 당부 - 설문(1)

1. 문제의 소재

2. 환경영향평가의 하자와 사업계획승인처분의 관계

3. 환경영향평가에 실체적 하자가 있는 경우

- 환경영향평가에 절차하자가 있는 경우와 대비해서 서술.
- 판례는 부실의 정도가 환경영향평가제도를 둔 입법 취지를 달성할 수 없을 정도이어서 환경영향평가를 하지 아니한 것과 다를 바 없는 정도의 부실이 아닌 경우'에 그 부실은 당해 승인 등 처분에 재량권 일탈·남용의 위법이 있는지 여부를 판단하는 하나의 요소로 됨에 그칠 뿐, 그 부실로 인하여 당연히 당해 승인 등 처분이 위법하게 되는 것이 아니라고 함.

4. 사안의 해결

- 환경영향평가서의 내용에 오류가 있다고 하더라도 환경부장관과 협의절차를 거쳤고 부실의 정도가 환경영향평가제도를 둔 입법 취지를 달성할 수 없을 정도이어서 환경영향평가를 하지 아니한 것과 다를 바 없다고 평가하기는 무리이므로 사업승인처분이 위법하지는 않음.
- 주민 乙의 주장은 타당하지 않음.

Ⅱ. 주민 丙의 원고적격 인정여부 - 설문(1)

1. 문제의 소재

- 처분의 직접 상대방이 아닌 제3자인 丙의 원고적격 인정여부

2. 원고적격 일반론(#110)

3. 사안의 해결

- 인인소송의 국면
- 환경영향평가법도 처분의 근거법률
- 영향권이 설정된 경우임을 부각.
- 환경영향평가 대상지역 밖에 거주하는 주민 丙은 자신이 X건설사업으로 환경피해를 받거나 받을 우려가 있다는 것을 입증함으로써 원고적격을 인정받을 수 있음.

162 위법 · 부당한 조세부과에 대한 구제

Ⅰ. 서 설

1. 조세부과처분의 법적성질

재정하명이며, 침익적 행정행위에 해당한다.

2. 조세법률관계에 관한 분쟁의 특수성

전문적 · 기술적 지식을 요하고 대량 · 반복적으로 행해지므로, 현행법은 여러 가지 특칙규정을 두고 있다.

Ⅱ. 과세전 적부심사제(사전적 구제)

세무조사의 결과에 따른 **과세처분에 앞서 과세할 내용을 미리 납세자에게 통지**하고, **이의가 있는 납세자로 하여금 과세의 적법심사를 청구**할 수 있도록 함으로써 권리구제의 실효성을 제고하기 위한 것이다(국세기본법 제81조의15).

Ⅲ. 행정쟁송

1. 행정심판 – 행정심판법은 배제됨(국세기본법 제56조)

1) 이의신청

국세부과와 징수처분에 대하여 이의가 있는 자는, 국세청장이 조사 · 결정 또는 처리하거나 하였어야 할 것인 경우를 제외하고는 심사청구 또는 심판청구에 앞서 이의신청을 할 수 있다(국세기본법 제55조3항). **임의적** 절차이다.

2) 심사청구

대통령령으로 정하는 바에 따라 불복의 사유를 갖추어 해당 처분을 하였거나 하였어야 할 세무서장을 거쳐 **국세청장에게** 하여야 한다(국세기본법 제62조1항).

3) 심판청구

심판청구는 대통령령으로 정하는 바에 따라 불복의 사유를 갖추어 그 처분을 하였거나 하였어야 할 세무서장을 거쳐 **조세심판원장에게** 하여야 한다(국세기본법 제69조1항). **심사청구 또는 심판청구와 그에 대한 결정을 거치지 아니하면 행정소송을 제기할 수 없다**(필요적 전치주의). **심사청구와 심판청구 중 하나의 절차만 거치면** 된다(국세기본법 제56조2항).

2. 감사원에 대한 심사청구(감사원법 제43조1항)

이는 단순한 **진정의 성격**을 가진다. **그러나 심사청구를 거친 처분은 심사청구나 심판청구를 할 필요가 없이 행정소송을 제기**할 수 있으므로, 행정심판전치주의와 관련해서는 행정심판에 갈음하는 기능을 수행한다(국세기본법 제56조4항).

국세기본법은 감사원에 대한 심사청구와 행정소송과의 관계에 대해서만 규정하고 있고, 행정심판과의 관계는 규정하고 있지 않다. 심사청구와 행정심판과는 성질을 달리하므로 **심사청구와는 별도로 행정심판을 제기할 수 있음**은 물론이다.

3. 행정소송 – 취소소송(필요적 전치주의 적용), 무효확인소송.

(1) 과세취소소송에서 소송물

① 과세처분에 의하여 확정된 세액이 조세실체법에 의하여 객관적으로 존재하는 세액을 초과하는지 여부가 심판의 대상이라는 **총액주의**와 ② 심판대상 · 범위는 과세관청의 처분이유와 관계되는 세액의 적법 여부에 한정된다는 **쟁점주의**가 대립한다. **판례는 총액주의**의 입장이다.

판 례 납세의무자가 세법의 규정에 의해 부담하는 납세의무를 확정짓는 절차로서 과세관청이 그 과세표준과 세액을 구체적으로 산출, 결정하게 되는 과정에 있어 과세청의 계산방식 등에 잘못이 있다 하더라도 그와 같이 하여 부과고지된 세액이 원래 당해 납세의무자가 부담하여야 할 정당세액의 범위를 넘지 아니하는 결과로 되고 그 잘못된 방식이 과세단위와 처분사유의 범위를 달리하는 정도의 것이 아니라면 그 정당세액 범위 내의 부과고지처분이 위법하다 하여 취소할 것은 아니다(대판 1992.7.28, 91누10695).

(2) 경정처분시 소송의 대상

1) 문제점

경정처분은 일단 **확정된 조세채무의 내용**(과세표준이나 세액)**에 오류·탈루가 있는 경우에 이를 시정하기 위한 과세관청의 새로운 과세처분**을 말한다. 경정처분이 있음에도 소를 제기하는 경우 **당초처분과 경정처분 중 무엇이 소송의 대상인지** 견해대립이 있다. 소송대상의 특정, 하자의 심리범위, 당초처분의 소송 중 경정처분이 발령된 경우 소의 이익과 관련하여 실익이 있다.

2) 학 설

① **당초처분과 경정처분이 독립하여 별개의 과세처분**으로 병존하고, 경정처분의 효력은 그 처분에 의하여 추가로 확정된 과세표준 및 세액 부분에만 미친다는 **병존설** ② **당초처분은 경정처분에 흡수되어 소멸**하고 경정처분의 효력은 처음부터 다시 조사·결정한 과세표준 및 세액전체에 미친다고 보는 **흡수설** ③ **경정처분이 당초처분에 흡수·소멸되어 일체**가 되고 경정처분에 의하여 수정된 과세표준과 세액은 그 경정된 내용에 따라 증감되는 효력을 발생한다는 **역흡수설**이 대립한다.

3) 판 례

2002년 국세기본법 개정 전에 판례는 감액경정에 대하여는 **역흡수설**, **증액경정**에 대하여는 **흡수설**의 입장이었다.

판례 1 과세표준과 세액을 감액하는 경정처분은 당초 부과처분과 별개 독립의 과세처분이 아니라 그 실질은 당초 부과처분의 변경이고, 그에 의하여 세액의 일부 취소라는 납세자에게 유리한 효과를 가져오는 처분이므로 그 감액경정결정으로도 아직 취소되지 아니하고 남아 있는 부분이 위법하다 하여 다투는 경우, 항고소송 대상은 당초의 부과처분 중 경정결정에 의하여 취소되지 않고 남은 부분이고, 경정결정이 항고소송의 대상이 되는 것은 아니며, 이 경우 적법한 전심절차를 거쳤는지 여부도 당초 처분을 기준으로 판단하여야 한다(대판 1998.5.26, 98두3211).

판례 2 과세관청이 과세표준과 세액을 결정한 후 그 과세표준과 세액에 탈루 또는 오류가 있는 것이 발견되어 이를 증액하는 경정처분이 있는 경우, 그 증액결정처분은 당초 처분을 그대로 둔 채 당초 처분에서의 과세표준과 세액을 초과하는 부분만을 추가로 확정하는 처분이 아니고, 재조사에 의하여 판명된 결과에 따라서 당초 처분에서의 과세표준과 세액을 포함시켜 전체로서의 과세표준과 세액을 결정하는 것이어서 증액경정처분이 되면 당초 처분은 증액경정처분에 흡수되어 소멸하므로, 그 증액경정처분만이 존재한다(대판 1999.5.11, 97누13139).

판례 3 국세의 증액경정처분이 있은 후 이를 증액하는 재경정처분이 이루어지면 경정처분은 재경정처분에 흡수되어 독립된 존재가치를 상실하고 당초의 경정처분의 취소를 구하는 소는 소의 이익을 잃게 되어 그 전체를 각하할 것이나 이를 감액하는 재경정처분이 이루어진 경우에는 재경정처분은 감액된 세액에 관한 부분에 대해서만 법적 효과가 미치므로 당초의 경정 처분의 취소를 구하는 소는 감액된 세액에 관한 부분만이 소의 이익을 잃게 되어 각하의 대상이 되는데 그친다(대판 1989.7.11, 88누7477).

다만 **2002년 국세기본법이 개정**[1] 되었는데, 이에 대해 **감액경정**처분의 경우에는 종래의 판례에 따라 **역흡수설을 입법화**한 것으로 보는 것이 일반적이다. **증액경정**처분의 경우에는 **병존설**을 입법화했다는 견해와 **흡수설**을 지속될 수 밖에 없다는 **견해가 대립**하고 있으나, **판례**는 개정법이 적용된 사안에서도 **흡수설을 유지**하고 있다.

---

1) 국세기본법 제22조의2 ① 세법의 규정에 의하여 당초 확정된 세액을 증가시키는 경정은 당초 확정된 세액에 관한 이 법 또는 세법에서 규정하는 권리·의무관계에 영향을 미치지 아니한다.
② 세법의 규정에 의하여 당초 확정된 세액을 감소시키는 경정은 그 경정에 의하여 감소되는 세액외의 세액에 관한 이 법 또는 세법에서 규정하는 권리·의무관계에 영향을 미치지 아니한다.

판 례 개정된 국세기본법에서 신설된 제22조의2 규정의 문언 내용 및 그 주된 입법 취지가 증액경정처분이 있더라도 불복기간의 경과 등으로 확정된 당초 신고나 결정에서의 세액에 대한 불복은 제한하려는 데 있는 점을 종합하면, 증액경정처분이 있는 경우 당초 신고나 결정은 증액경정처분에 흡수됨으로써 독립한 존재가치를 잃게 되어 원칙적으로는 당초 신고나 결정에 대한 불복기간의 경과 여부 등에 관계없이 증액경정처분만이 항고소송의 심판대상이 되고, 납세자는 그 항고소송에서 당초 신고나 결정에 대한 위법사유도 함께 주장할 수 있으나, 확정된 당초 신고나 결정에서의 세액에 관하여는 취소를 구할 수 없고 증액경정처분에 의하여 증액된 세액을 한도로 취소를 구할 수 있다 할 것이다.
한편 구 지방세법 제82조는 "지방세의 부과와 징수에 관하여 이 법 및 다른 법령에서 규정한 것을 제외하고는 국세기본법과 국세징수법을 준용한다"고 규정하고 있는바, · · · 구 국세기본법 제22조의2 1항은 구 지방세법 제82조에 의하여 지방세의 경우에도 준용된다고 봄이 상당하다.
원심판결 이유에 의하면, 원심은 원고가 당초처분일인 2004.7.31.부터 90일 이내에 소송을 제기하거나 또는 지방세법상 이의신청, 심사청구 등의 절차를 거치지 않음으로써 당초처분에 불가쟁력이 발생하였고, 그 이후인 2005. 6. 10. 피고의 증액경정처분이 있었음은 기록상 명백하므로, 증액경정처분의 취소를 구하는 이 사건 소 중 당초처분세액의 취소를 구하는 부분은 부적법하다고 판단하였다.앞서 본 규정과 법리 및 기록에 비추어 살펴보면 이와 같은 원심의 판단은 정당하다(대판 2011.4.14, 2008두22280).

(3) 부과처분이 당연무효이나 과오납후 무효확인소송 제기

무효확인소송에서 확인의 이익의 보충성을 요하는 종래의 판례(#127)에 의하면 소의 이익이 없고 과오납금환급청구소송(부당이득반환청구소송)으로 해결해야 한다. 그러나 보충성을 요하지 않는 변경 판례에 의하면 이 경우에도 무효확인소송을 제기할 수 있다.

Ⅳ. 과오납금환급청구권

1. 의 의

법률상 조세로서 납부해야 할 원인이 없는데도 불구하고 납부되어 있는 세액의 반환을 청구할 수 있는 권리로서, 공법상 부당이득반환청구의 성질을 갖는다.

2. 법적 성격

공법상의 원인에 기한 것이라는 공권설과 경제적 이해조정을 위한 부당이득의 실질을 가지고 있다는 사권설이 대립한다. 판례는 사권설의 입장이며 과오납금반환청구소송을 민사소송으로 다룬다.

판 례 국세환급금에 관한 국세기본법 제51조 제1항, 부가가치세 환급에 관한 부가가치세법 제24조, 같은법 시행령 제72조의 각 규정은 정부가 이미 부당이득으로서 그 존재와 범위가 확정되어 있는 과오납부액이나 환급세액이 있는 때에는 납세자의 환급 신청을 기다릴 것 없이 이를 즉시 반환하는 것이 정의와 공평에 합당하다는 법리를 선언하고 있는 것이므로, 이미 그 존재와 범위가 확정되어 있는 과오납부액이나 환급세액은 납세자가 부당이득의 반환을 구하는 민사소송으로 그 환급을 청구할 수 있다(대판 1997.10.10, 97다26432). 부가가치세 환급세액 지급청구 부분은 대판(전) 2013. 3. 21, 2011다95564 판례에 의하여 민사소송이 아니라 당사자소송의 절차에 따라야 한다고 판례가 변경됨(#14 참조).

3. 발생사유 및 환급채권의 확정시기

① 위법한 과세처분에 의해 납부한 후 과세처분의 취소·변경이 있거나 ② 무효인 과세처분에 의해 납세하거나 ③ 납세자의 착오로 정하여진 조세액보다 초과하여 납부한 경우에 발생한다.

판 례 부당이득의 반환을 구하는 납세의무자의 국세환급금채권은 오납액의 경우에는 처음부터 법률상 원인이 없으므로 납부 또는 징수시에 이미 확정되어 있고, 초과납부액의 경우에는 신고 또는 부과처분의 취소 또는 경정에 의하여 조세채무의 전부 또는 일부가 소멸한 때에 확정되며, 환급세액의 경우에는 각 개별 세법에서 규정한 환급 요건에 따라 확정되는 것이다(대판 2009.3.26, 2008다31768).

4. 환급거부결정에 대한 취소소송

납세자가 세무서장에게 환급청구를 하였으나 **세무서장이 환급을 거부**하는 경우 환급거부결정에 대해 **판례는 처분성을 부인**하고 있다.

판 례 [**다수의견**] **국세기본법 제51조 및 제52조 국세환급금 및 국세가산금결정에 관한 규정은 이미 납세의무자의 환급청구권이 확정된 국세환급금 및 가산금에 대하여 내부적 사무처리절차**로서 과세관청의 환급절차를 규정한 것에 지나지 않고 그 규정에 의한 **국세환급금(가산금 포함)결정에 의하여 비로소 환급청구권이 확정되는 것은 아니므로**, 국세**환급금결정이나** 이 결정을 구하는 신청에 대한 **환급거부 결정 등은 납세의무자가 갖는 환급청구권의 존부나 범위에 구체적이고 직접적인 영향을 미치는 처분이 아니어서** 항고소송의 대상이 되는 처분이라고 볼 수 없다

[**소수의견**] 납세자의 신청에 대한 세무서장의 환급거부결정이 직접 환급청구권을 발생하게 하는 **형성적 효과가 있는 것이 아니고 확인적 의미밖에 없다고 하더라도 국세기본법 제51조의 규정을 위반하여 납세자에게 환급할 돈을 환급하지 아니하므로 손해**를 끼치고 있는 것이라면 **납세자가 행정소송으로 그 결정이 부당하다는 것을 다툴 수 있다**(대판(전) 1989.6.15, 88누6436).

---

5. 소멸시효

일반국세는 5년(국세기본법 제54조), 관세는 2년(관세법 제25조3항)의 시효에 걸린다.

6. 취소사유에 불과한 경우

취소판결확정 후에는 후소로 과오납환급청구를 할 수 있다. **취소판결확정 전에 과오납금환급청구소소송을 제기한 경우 선결문제로서 과세처분의 효력을 부인할 수 있는지**에 대해서는 **일반적인 견해와 판례는 이를 부정**한다(대판1973.7.10, 70다1439). 납세자는 과세처분에 대한 취소소송과 과오납금환급청구소송을 병합하여 제기하면 된다(행정소송법 제10조2항).

Ⅴ. 국가배상청구

1. 문제점

위법한 조세부과처분(취소사유)에 근거하여 조세를 납부한 후 국가배상청구소송을 제기한 경우에 인용판결을 하는 것이 가능한지의 논의가 있는데, 이는 공정력 내지는 구성요건적 효력과 관련된 문제이다.

2. 학 설

① 국가배상청구소송에서 인용판결을 하는 것은 공정력에 반한다는 부정설 ② **단순과실**의 경우에는 **인용판결할 수 없고, 고의 또는 중과실**이 있는 때만 **인용판결**을 할 수 있다는 제한적 긍정설 ③ 과세처분의 효력을 직접 부인하는 것이 아니므로 공정력에 반하지 않는다는 긍정설이 대립한다.

3. 판 례

물품세부과처분, 상속세부과처분의 제소기간이 도과한 사안에서 **과세처분이 취소되지 아니하였다 하더라도 국가는 이로 인한 손해를 배상할 책임**이 있다고 하여 민사상 구제수단인 국가배상청구를 인정한 바 있다.

4. 검 토

취소소송과 국가배상은 존재목적이 다르며, 서로 다른 요건을 요구하는 것을 고려하면 **긍정설이 타당**하다.

판례색인

[헌법재판소]

[대 법 원]

[하 급 심]

[저자약력]

서울대학교 정치학과 졸업
서울대학교 행정대학원 수료
서강대학교 법대 대학원 수료
제34회 행정고등고시 합격
전 내부무, 경기도 사무관
현 베리타스법학교육원 행정법 전임

[저서]

행정법 Workbook(학연)
행정법 Capsule(학연)
로스쿨 행정법 Workbook(법문사)
Rainbow 변시기출 행정법 선택형(학연)
Rainbow 변시기출 공법 사례형(공저) (학연)
Rainbow 핵심 OX 행정법(학연)
행정법 쟁점과 암기(베리타스)
Black Box 행정법(학연)

로스쿨 행정법 Workbook[제4판]

2013년 4월 20일 초판 발행
2014년 5월 15일 제2판 발행
2015년 3월 20일 제3판 발행
2017년 3월 20일 제4판 1쇄발행

편저자 류 준 세
발행인 배 효 선
발행처 도서출판 法 文 社

주 소 10881 경기도 파주시 회동길 37-29
등 록 1957년 12월 12일 제2-76호(윤)
전 화 031-955-6500~6, 팩 스 031-955-6525
e-mail(영업) : bms@bobmunsa.co.kr
(편집) : edit66@bobmunsa.co.kr
홈페이지 http://www.bobmunsa.co.kr
조 판 광 암 문 화 사

정가 33,000원 ISBN 978-89-18-09095-5